W9-ATV-728

經領袖
推薦

的殖民地發展成富裕興盛、
他才識過人，聰明敏銳，
又德高望重的政治家。
，都非讀此書不可。

裏一位成功的新加坡領導人，
蜀特判斷引人深思。
人聚精會神，仔細聆聽。
了這一點。

中華民國前行政院長
郝柏村
Pei-Tsun Hau

美國前總統 福特
Ford Gerald

澳洲前總理 霍克
Robert James Lee Hawke

英國前首相 卡拉漢
James Callaghan

泰國前外長 西迪將軍
Siddhi Savertsila

英國駐中國前大使
保守黨「中國通」柯利達
Percy Cradock

紐西蘭前總理 隆依
David Lange

印尼前外長 莫達
Mochtar

澳洲前總理 基廷
Paul Keating

紐西蘭前總理 博爾杰
Jim Bolger

李光耀 著

李光耀

Memoirs of Lee Kuan Yew

回憶錄

1965~2000

世界書局 印行

序言

年輕一代的新加坡人把國家的穩定、增長和繁榮視為理所當然，是我寫書的動機。我要讓他們了解，這個沒有天然資源、面積只有 640 平方公里的小國，要在比它大，而且都推行民族主義政策的新獨立國家包圍的環境下生存，是很不容易的事。

那些經歷過 1942 年第二次世界大戰和日本占領時期，並參與重建新加坡經濟的國人，就沒那麼輕鬆自在。我們絕對不能忘記，不論是公共秩序、個人安全或是經濟和社會的進步與繁榮，都不是從天而降的，這一切都是一個誠實和有效率的政府專心致志，孜孜不倦地努力所換來的成果。

在上冊裏，我講述了我在戰前新加坡和日治時期的經歷，以及我在面對共產黨人引起的動盪和跟馬來西亞合併那兩年的種族糾紛的心路歷程。

在日治時期（1942—1945 年），日本人殘暴地對待其他亞洲人，使我和我的朋友內心燃起仇恨的火焰，也激起我們的民族主義和自尊自重的感情。我們痛下決心不讓他人欺凌或虐待。戰後我到英國留學四年，這種出自內心的反應更加強烈了，它激發我產生了擺脫英國殖民統治的欲望。

1950 年，我返回新加坡，當時我對自己的反殖事業充滿信心，可是，對於前方的陷阱和危險卻懵然不知。反殖浪潮席捲了全球許多跟我同時代的年輕人，我參加工會和政治活動，組織政黨。1959 年，年方 35 歲的我成為新加坡自治民選政府的總理。我和朋友們跟共產黨人組成了統一戰線。一開始我們就知道，彼此遲早會分道揚鑣，早晚

要算帳。鬥爭到來時激烈萬分，幸好我們沒有被打敗。

那時，我們認為新加坡未來的長久之計是重新加入馬來亞，因此在 1963 年 9 月，我們跟馬來亞合併組成馬來西亞。但是不到一年，也就是在1964 年 7 月，新加坡發生了馬來人和華人衝突的種族暴亂。我們陷入了同執政黨巫統的馬來極端分子不斷糾纏的鬥爭中，他們一心一意要建立一個由馬來人支配的社會。他們通過種族暴亂來嚇唬我們。我們則通過馬來西亞人民團結總機構，團結馬來西亞各地的非馬來族和馬來族，爭取建立馬來西亞人的馬來西亞。到了 1965 年 8 月，我們別無選擇，只好脫離馬來西亞。

種族欺侮和恐嚇事件，使新加坡人情願容忍獨立自主所面對的艱辛。種族暴亂的慘痛經歷，也促使我和同僚們更加堅決地下決心建設一個平等對待所有公民，不分種族、語言和宗教的多元種族社會。多年來，我們制定政策時都堅守著這個信念。

這一冊闡述了我們在沒有馬來西亞作為腹地的情況下，嘗試以各種方式維持獨立地位和生存下去的漫長艱苦的路程。我們越過一道道看起來不能逾越的障礙，在30 年內把新加坡從一個貧困的小島發展成富強的國家。

1965 年後的日子非常忙亂也充滿了焦慮。我們還在尋找立足點。英國在1971 年從新加坡撤軍時，市場上已有足夠的就業機會，使我們避過了嚴重的失業問題，讓我們鬆了口氣。直到我們在1973 年安然渡過全球石油危機，從容應付了石油上漲四倍的問題時，我們才對自己管理一個獨立國家充滿信心。之後，我們努力工作、策畫和隨機應

變，把新加坡建設成一個能通過貿易和投資，跟主要工業國聯繫起來而生存的國家，同時作為一個在本區域成功轉口貨物、提供服務和傳播信息的樞紐。

正當世界經歷非常大的政治和經濟變化的時候，我們的人均國內生產總值已從 1959 年（我就任總理時）的 400 美元，增加到 1990 年（我卸任時）超過 1 萬 2200 美元。1999 年則是 2 萬 2000 美元。從物質方面來看，我們已遠離第三世界所面對的貧困問題。然而我們還需要多一代人的時間，藝術、文化與社會行為水平，才能同我們所發展的世界級基礎設施相稱。

六〇和七〇年代的冷戰時期，在哪一方會獲勝還是個未知數時，我們選擇同西方為伍。冷戰使國際環境更為簡單。當時我們的亞洲鄰居們都反共，所以我們既能享有區域團結，也能享有美國、西歐和日本的國際支持。到了八〇年代末，我們很明顯地是站在勝利的一邊。

這不是一本教你怎麼發展經濟、建立國家或軍隊的手冊。它收錄的是我和同僚們所面對的難題，以及我們如何想方設法解決這些問題的經驗。上冊是編年敘事。要是這次也這麼做，恐怕篇幅會過於冗長。所以我決定按照主題，把 30 年的故事壓縮成 800 頁。

李光耀

新加坡

目錄

1 走自己的路

李光耀回憶錄

我們最珍貴的資產就是獲得人民的信任。通過為人民跟共產黨人進行鬥爭,抗拒馬來過激派,並在中央政府掌握著警察和軍隊的時期威武不屈,我們贏得了他們的信任。共產黨人嘲笑我和我的同僚是殖民帝國主義者的走狗,咒罵我們是馬來封建主義者的僕從和幫兇。然而在關鍵時刻到來的時候,人民(包括抱著懷疑態度的說華語或方言的左傾人士在內)目睹了一群受英文教育的資產階級領袖挺身而出,維護他們的利益……

我們在 1965 年 8 月 9 日迫不得已宣布獨立。我們奉命脫離馬來西亞，
走自己的路。同年 12 月 8 日我來到國會大廈，出席第一屆國會的開幕
典禮。

怎麼蓋房子、怎麼修理引擎、怎麼寫書，都有專著教導。但是從沒見過有這樣的一本書，教人如何把一群來自中國、英屬印度和荷屬東印度群島的不同移民塑造成一個民族國家，或者如何在島國轉口貿易港的傳統角色已經過時的情況下，養活島上的人民。

我從沒想到自己在 42 歲的時候，得負起管理獨立的新加坡的重任，照顧 200 萬新加坡人民的生計。1959 年我 35 歲的時候便成為新加坡自治邦的總理。1963 年 9 月，新加坡加入馬來西亞聯邦，但是，新加坡和聯邦政府在政策上存在著基本的分歧。突然間，我們在 1965 年 8 月 9 日迫不得已宣布獨立。我們奉命脫離馬來西亞，走自己的路，前途茫茫，不知道何去何從。

我們眼前困難重重，生存機會非常渺茫。新加坡不是個自然形成的國家，而是人為的。它原是個貿易站，英國把這個貿易站發展成為它全球性的海上帝國的一個樞紐。我們把它繼承過來，卻沒有腹地，就像心臟少了軀體一樣。

使我更覺得沮喪的是，外國評論都預測獨立後的新加坡將走投無路，一名評論員甚至把英國從殖民地撤出的情況跟古羅馬帝國的沒落相比。他指出，當古羅馬軍團撤走，外邦人接管後，古羅馬帝國的法紀全垮了。丹尼斯·沃納在《雪梨先驅晨報》（1965 年 8 月 10 日）寫道：「三年前，新加坡獨立是行不通的概念。從目前的情況看來，它依然是行不通的。」《星期日泰晤士報》（1965 年 8 月 22 日）的理查·休斯說：「花費超過 1 億英鎊建成的英國基地一旦關閉，新加坡的經濟將會垮掉。」其實，我也有相同的憂慮，卻沒表露心中的感受。我的職責是維持士氣，為人民點燃希望，而不是打擊他們的信念。

我最關注的問題是，對新加坡的基地英國會保留或能保留多久。他們會不會因為新馬分家的方式而縮短留下來的時間。威爾

遜首相已經面臨後座議員的反對,對他們來說,在蘇伊士運河以東駐軍的政策代價太大,不得人心。這個政策對工黨政府爭取選票毫無幫助,他們需要撥款作為福利和其他能贏得選票的用途。只有一個國家能保障東亞的安全和穩定,那就是美國,但是美國卻在越南游擊戰爭中泥足深陷,它的歐洲盟友和亞非政府都非常不喜歡這場戰爭。蘇聯和中華人民共和國的反美宣傳在第三世界收效很大。我認為,新加坡要讓美國繼承英國所扮演的角色,要不是不可能,就是政治代價很大。單靠澳洲和紐西蘭則又威望不夠。

我擔心的是,英國對本區域的影響會無法避免地、慢慢地削弱,反之美國的影響將擴大。我們這一代在帝國時代成長,這樣的改變不容易適應。少了英國扮演緩衝角色,我只能向美國勢力妥協。英國人在行使他們的意志時,總還客客氣氣。美國人就不同。我可以從他們怎樣對待南越領袖,甚至是那些處境沒西貢那麼糟的泰國和菲律賓領袖看出來。美國是個如日中天的強國,肌肉發達,慣於耀武揚威。

此外,我還有加強個人保安措施的累贅。這真是令人厭煩。分家後,負責保護我的警官曾經提醒我,馬來西亞的馬來文報章、電台和電視台已把我視為最可恨的人。當時,這些報章仍在新加坡發行,電台和電視台的廣播,新加坡也收聽收看得到。後來,他又進一步勸我搬離歐思禮路的住家,直到他們改裝好我的住家之後,才搬回去。保護我的保安人員人數也增加了,原本只有一個。他考慮得周到,也暗中保護芝和孩子們。種族狂熱主義者所造成的威脅是防不勝防的,他們不像共產黨人那樣理智而深謀遠慮。共產黨人知道對付芝或我們的孩子其實並沒有什麼好處。我和芝有三四個月是暫住在樟宜別墅,那是一座靠海的政府度假屋,位於「受保護地區」範圍內,附近是樟宜皇家空軍基

地。那時我不定期地召開内閣會議，每次開車到政府大廈開會，
會有一輛保安警衛車跟著，前面則有車隊開路，交通因此受到干
擾。在必須做緊急決策時，我會跟有關部長進行電話會議。這使
我得以從沒完沒了的會議中抽身。由於我在度假屋辦公，所以我
的私人助理和我那忠心耿耿的内閣秘書黃水生，得天天到那裏
去。離度假屋不遠是皇家空軍的九洞高爾夫球場，它讓我在處理
源源不斷的文件和紀錄的日子裏，得以放鬆身心。我會打九個洞
的高爾夫球，有時跟一位朋友一起打，有時自個兒打。芝總是在
一旁陪著我走來走去。

　　三個孩子還得上學，所以只好留在家中，忍受工人建築一道
狀似蜂窩的圍牆所造成的不便。建築圍牆是要把我們前門的門廊
和公路隔開。在防彈玻璃還沒運到以前，他們暫時用鋼片封住窗
口，那種感覺就像是在牢房裏生活一樣。幾個月後，工人終於裝
上玻璃窗，我們全家才如釋重負。當我回到歐思禮路住家時，已
有辜加警察（英國人從尼泊爾招募來的）在站崗。我想，不論是
華族警察向馬來人開槍，或是馬來警察向華人開槍，都會引起廣
泛的反響。而辜加警察是中立者，他們以絕對的紀律和忠誠著
稱。這一切安排令我倍覺不安，也突顯了建立一支軍隊來保護這
個脆弱的獨立國的迫切性。

　　我面對許多急務，首先是爭取世界各國承認新加坡的獨立，
包括加入聯合國。我委任拉惹勒南（我們稱他拉惹）為外交部
長。他是個非常適合的人選。戰前和戰爭時期他在倫敦求學就已
經以反殖民主義見稱，但卻不是激進派。他友善、誠懇、溫文爾
雅，懂得在堅持立場和外交妥協之間，取得準確的平衡。不論在
國內或在海外，後來跟他共事過的人都很愛戴和尊敬他。隨著越
來越多國家承認新加坡的獨立，副總理杜進才和身為外交部長的
拉惹，在 1965 年 9 月一起啟程到聯合國，坐上了新加坡的

席位。

　　我關心的第二件事是保衛國土。我們沒有軍隊，兩營新加坡
軍隊是由一個馬來西亞的准將指揮的。要怎麼樣才能很快地建立
防衛力量，哪怕有多單薄？我們必須嚇阻和預防吉隆坡的馬來過
激分子煽動在新加坡的馬來西亞部隊鬧政變，剝奪我們的獨立。
吉隆坡的許多馬來領袖都認為絕對不能讓新加坡脫離馬來西亞，
而是應該狠狠地打擊新加坡，一直到它屈服為止。如果東姑遭遇
不測，拉薩將出任首相，那些強硬的過激派領袖可能迫使拉薩推
翻東姑的決定。那真是一個岌岌可危的時刻。

　　在全力應付這些主要事務的同時，我也得顧及迫在眉睫的治
安問題。我們擔心在獲知已被馬來西亞政府遺棄而再度成為少數
族群時，親巫統的馬來人會失去理智，胡作非為。我們的警察多
數是來自馬來亞甘榜的馬來人，如果要他們採取行動對付想重歸
馬來西亞的馬來暴徒，他們的忠心就會承受巨大的壓力。我們兩
個營的軍隊，多數也是馬來亞的馬來人。

　　所以當我知道吳慶瑞願意也渴望負起建設國防的重任時，我
很寬慰，立刻委任他主管內政和國防事務，兩者歸入一個部門，
稱為內政兼國防部，英文簡稱 MID。這一來，吳慶瑞便能夠動用
警察部隊，協助進行新兵的基本訓練。（時至今日，新加坡武裝
部隊的車牌號碼，仍然冠以 MID 三個英文字母。）不過這一來
使得財政部無人領導。我和慶瑞討論後決定讓林金山出掌財政
部。林金山總是採取務實的態度來解決問題，更何況他能跟慶瑞
融洽合作，這樣，慶瑞就能在財政政策上隨時貢獻個人的意見。

最頭痛的問題是經濟

　　我的第三個也是最頭痛的問題是經濟：如何讓人民得以維持
生計？印尼正同我們對抗，貿易活動停止了。馬來西亞人想利用

他們自己的港口，不經過新加坡直接跟所有貿易夥伴和出入口商
做生意。如今新加坡已不再是英國統治的廣大地區的中心。作為
一個獨立國家，新加坡要怎麼生存？我們必須理出一些頭緒，因
為當時的失業率高達 14%，而且有上升的趨勢。我們還得讓人
民以跟英國統治時期大不相同的方式來謀生。過去，工人辛勤地
在倉庫裏為堆得滿滿的橡膠片、胡椒、椰乾、白藤進行處理和分
級，為出口做好準備。但是，這些來自馬來西亞和印尼的原料都
不再進口來加工處理和分級了。由於其他國家都不像新加坡，我
們必須創造一種新的經濟模式，嘗試採用世界其他地區從未嘗試
過的新方式。跟我們最相似的香港當時仍然受英國統治，而且有
中國作為腹地，在經濟上它幾乎是中國的一部分，是中國跟資本
主義世界非共國家進行貿易的中介。

　　思量了這些問題和眼前的有限選擇之後，我得出結論，這個
位於東南亞的城市島國要生存下去，就必須非比尋常。為了取得
成功，我們必須做出非比尋常的努力，使我們的人民更加團結，
更加剛強勇猛，更加有適應力，工作效率必須比鄰國高，成本卻
比他們低。他們一心要繞過我們，取代我們一直扮演的區域轉口
和中介中心的角色。我們必須與眾不同。

　　我們最珍貴的資產就是獲得人民的信任。通過為人民跟共產
黨人進行鬥爭，抗拒馬來過激派，並在中央政府掌握著警察和軍
隊的時期威武不屈，我們贏得了他們的信任。共產黨人嘲笑我和
我的同僚是殖民帝國主義者的走狗，咒罵我們是馬來封建主義者
的僕從和幫兇。然而在關鍵時刻到來的時候，人民（包括抱著懷
疑態度的說華語或方言的左傾人士在內）目睹了一群受英文教育
的資產階級領袖挺身而出，維護他們的利益。我們小心翼翼對待
這份剛獲得的人民的信任，以免因管理不當和貪污而糟蹋了它。
位於世界最繁忙航道的具有戰略意義的世界級天然港口，是我們

有限的資產之一。為了能充分利用這個優勢,我需要這股政治力
量。

另一份珍貴資產是我們的人民勤勞、節儉、願意學習。他們
雖然分成了幾個族群,但是,我相信只要政策公平、不偏不倚,
尤其是失業和其他苦難由大家平等分擔,而不是主要落在少數族
群頭上,他們就會和平共處。確保多種語言、多種文化、多種宗
教組成的社會團結一致尤為重要。同樣重要的是使這個社會變得
剛強勇猛、衝勁十足,以便在國際市場上競爭。但是要如何進入
這個市場,我當時並沒有答案。沒人要我們把英國人趕走,我們
之所以會這樣做,是本能使然。如今我們必須為 200 萬人民的
安全和生計負起責任。無論如何,我們非取得成功不可,否則唯
一的生存抉擇就是重新合併,但是必須依照馬來西亞的條件,像
馬六甲和檳城一樣,成為馬來西亞的一個州。

這個時期,我不斷接到政府部長和官員們寫來,標明「立即
處理」或是「緊急處理」的便條,其中最迫切需要處理的,是關
於有必要迅速建立軍隊的問題。可是,要怎樣建軍呢?

我睡不安枕。芝請醫生給我配些鎮靜劑,但是我發覺在晚餐
時喝點啤酒或葡萄酒,效果勝過鎮靜劑。當時我 40 出頭,年紀
輕,精力充沛。不論一天的工作多麼辛苦繁忙,我總是在黃昏時
分,花兩個小時在高爾夫球練習場打上 50 到 100 個球,並跟一
兩位朋友打一場九個洞的高爾夫球。那時的我經常睡眠不足。有
一天近中午時分,剛履任的英國最高專員約翰・羅布急需向我傳
達英政府的口信,我在家中躺在床上接見他,因為我實在太累
了。他一定是向英國首相威爾遜匯報了這個情況,因為威爾遜向
我表示了他的關心。我在 1965 年 8 月 23 日回信說:「請別為
新加坡擔心。即使在極度痛苦的時刻,我和同僚們都會保持冷靜
和理智。在政治棋盤上舉起任何一枚棋子之前,我們會衡量所有

可能發生的後果……我們的人民具有戰鬥的決心和確保生存的條件。」

　　正當我們對這些棘手問題感到憂心忡忡的時候，1965 年 9 月 30 日晚上，印尼那裏傳來了發生政變的消息。警鐘敲響了。親共的軍官殺害了六名印尼將領。蘇哈托將軍採取主動，把政變鎮壓下去，引發了一場大屠殺。這些變數加深了我的擔憂。

　　1965 年 8 月 9 日，我帶著惶惑不安的心情啟程，走上一條沒有路標和茫無目的的道路。

李光耀回憶錄

2 好男要當兵

應付馬來西亞要重新控制新加坡的任何計畫，最佳的威懾力量就是讓它知道，哪怕它能制伏新加坡的武裝部隊，它也得考慮是否有能力鎮壓善於使用武器和炸藥的全體人民。除了採取不管家庭和種族背景，平等對待所有新兵的策略，使人民凝聚成一個團結的群體之外，我們也必須吸引和留住新加坡武裝部隊最高層一些最優秀的人員。

同馬來西亞分家四個月後，1965 年 12 月國會開會前，負責指揮馬來西亞駐新加坡一支步兵旅的阿爾薩戈夫准將來見我，堅持要由他的電單車警衛隊護送我到國會。阿爾薩戈夫准將是個阿拉伯裔回教徒，身材魁梧肥胖，留八字鬚，出生於新加坡，加入了馬來亞武裝部隊。我很驚訝，因為他表現得彷彿自己是新加坡軍隊的總司令，隨時準備接管這個島國。當時，新加坡步兵團第一營和第二營各有大約 1000 人，由馬來西亞人指揮。他們把 700 名馬來西亞人安插在新加坡步兵團第一營和第二營，300 名新加坡士兵則被調走，分配到馬來西亞各個部隊。

我估量了一下形勢，得到的結論是，東姑必定是要提醒我們和那些將會出席國會開幕式的外國使節們，新加坡仍然在馬來西亞的掌握之中。如果我責罵阿爾薩戈夫准將放肆，他會向吉隆坡的上司報告。他們必會採取其他步驟向我表明，真正掌握新加坡大權的是誰。因此，我覺得最好是默默同意。於是，新加坡共和國國會第一次開會時，我從政府大廈的總理公署到國會大廈，是由馬來西亞軍隊的電單車警衛隊「護送」的。

這件事情過後不久，1966 年 2 月 1 日星期二，下午四點左右，吳慶瑞忽然到我在政府大廈的辦公室，向我報告一個壞消息：毗鄰珊頓道新加坡工藝學院的軍訓站發生暴亂。他發現最近入伍的各個部隊的新兵當中，有 80%是馬來人，這使他驚訝，所以就下令停止所有的招募和訓練工作，並凍結所有的職位。軍隊司令誤解了他的意思，擅自指示華族少校解雇所有的馬來新兵。這名少校讓所有的人到操場集合，叫非馬來族士兵離隊，隨後通知馬來新兵他們被解雇了。那些馬來新兵對自己遭受的種族歧視，一時之間瞠目結舌。當他們從錯愕中回過神來時，場面開始混亂。他們用棍棒和汽水瓶攻擊非馬來人，燒毀兩輛電單車，破壞了一輛速克達，掀翻了一輛小貨車。一輛警察巡邏車聞訊趕

到，馬來新兵向它扔出無數的玻璃瓶，巡邏車無法越過翻覆了的小貨車。一輛消防車隨後來到，也同樣受攻擊。

珊頓道沿路聚集了大批看熱鬧的群眾。附近工藝學院的學生離開課室，擁上陽台和屋頂，居高臨下，觀看這場混戰。下午 2 點 45 分左右，鎮暴隊隊員乘坐鎮暴車來到現場，發射催淚彈。接著，受過特別訓練的鎮暴警察出動，逮捕暴亂者，把他們押上囚車，載到對面的刑事偵查局大廈。暴亂者被扣留在刑事偵查局的四方院子裏等候發落，看看是要把他們控上法庭，不准他們保釋，還是准他們保外。

吳慶瑞擔心讓他們保釋的話，他們回到芽籠士乃和其他馬來人居住地區，散播他們如何遭解雇的消息，那可能在馬來人和華人之間觸發暴亂。我立即請英國最高專員約翰·羅布到我的辦公室來，把這件棘手的事情告訴他。由於當時新加坡警察和軍隊幾乎全是馬來人，會同情暴亂者，我要求羅布通知英軍司令待命，以防種族暴亂失控。我告訴他，我準備到刑事偵查局親自處理這件事。要是認為情勢可以緩和下來，我會讓這些人回家，否則也許要在提控他們後加以拘留。這一來，當天晚上 365 個家庭將會等不到他們的兒子回家，有關馬來人受到壓迫的謠言將會傳遍新加坡。

羅布表示他會據實通報，但是也謹慎地指出，英國軍隊不能干預內部安全問題。我告訴他，總司令或新加坡駐軍總管應確保英軍至少能防止暴亂者失控，以免他們像 1950 年在一次涉及一名荷蘭少女的宗教暴亂中那樣轉而對付白人的事件重演。

接著，我召見社會事務部長奧斯曼渥，討論應該如何處理那些人，看看我的做法是否行得通，並請他陪同吳慶瑞和我到刑事偵查局去會見暴亂者。在刑事偵查局的四方院子裏，我通過一個手提揚聲器用馬來語向新兵講話。我告訴他們，命令規定只招募

新加坡公民，少校誤會了，以為不要馬來人，實際上新加坡的馬來公民都有資格應徵。被認明是暴亂領袖的十個人會被扣留，由警方提控，其餘的人可以回家，回家後不得散播謠言。回家的人如果事後被查出參加了暴亂，也會被控告。我也說，所有新加坡公民第二天必須回營報到，接受正規訓練，只有新加坡公民才有資格應徵；不是新加坡公民的，只好到馬來西亞去尋找工作機會。有工作的前景使他們向我鼓掌歡呼。我必須當場做出決定，認定風險最小的選擇是扣留少數頭頭兒，加以懲罰，讓多數人回家，希望答應給他們工作，他們會守規矩。

過後我會見記者們，要求他們在發布報導時婉轉些，尤其是馬來文報。記者們做到了，第二天早上我讀報時鬆了口氣。後來14 人被控以暴亂罪名，不過總檢察長最終認定最好是撤銷控狀。這次事件確實提醒了政府，必須以最敏感的方式處理種族事務。

1967 年 11 月，馬來半島的一個市鎮北海和對岸的檳城發生華巫衝突，我們再次陷入緊張狀態。分家後種族關係迅速惡化。在馬來西亞，華人對他們政府的馬來語政策感到不滿、憤怒，情緒越來越高漲。我們擔心馬來半島會發生種族暴亂並蔓延到新加坡來，所以成立了一個以吳慶瑞為主席的部長級委員會，由警察部隊和軍隊的高級官員擔任委員，制訂應急措施。

英鎊貶值之後，馬來西亞財政部長陳修信做了一個愚蠢的決定，堅持即使找換零錢，價值貶了 14%的英國舊硬幣，在兌換成馬來西亞新硬幣時，也得加以調整。這導致各地發生零散的罷市行動，工人罷工抗議，繼而引發了種族衝突。鄉村地區的華人紛紛遷移到市鎮。我們擔心萬一發生嚴重的種族衝突，許多市鎮將發生暴亂，涉及的範圍太廣，馬來西亞武裝部隊將窮於應付。

迅速建立裝甲部隊

由於擔心這些暴亂會蔓延到新加坡來，我們不得不迅速建立裝甲部隊。1968 年 1 月，以色列要更換軍備而減價出售法國製造的 AMX-13 輕型坦克，新加坡決定購買。到 1969 年 6 月，30 輛經過整修的坦克運到，同年 9 月又來了 42 輛。我們也買了 170 輛 V200 型四輪裝甲車。

英國人沒提出要像五〇年代協助馬來亞那樣協助我們建立一支軍隊。他們曾經在幕後努力，在新加坡加入馬來西亞期間為新加坡爭取平等的待遇，卻引起馬來西亞的不悅。如今他們必須應付的馬來西亞，不僅是對他們有點不悅而已。他們也必定猜到，提名新加坡加入聯合國和共和聯邦的馬來西亞已打好算盤，有意成為新加坡的軍事教官，以確保我們對防務的認識不會勝過他們。

我們必須收回兩營軍隊，恢復它們的新加坡身分，確保它們忠於新加坡。當時的財政部長吳慶瑞在新加坡獨立後，立即表示願意出任國防部長。任務很艱巨，我們得從頭做起，他卻願意挑起這副擔子。當時他的全部軍事知識是在第二次世界大戰期間得來的。英軍在 1942 年 2 月投降之前，他擔任過新加坡義勇軍的中士。我叫他著手進行。吳慶瑞跟以色列駐曼谷大使莫迪凱‧基德倫接觸，要求幫助。他是在幾次到曼谷出席會議時結識基德倫的。8 月 9 日分家幾天後，基德倫從曼谷飛來新加坡，提出了一些有關協助進行軍事訓練的建議。吳慶瑞帶他來見我。1962 到 63 年間，基德倫曾經幾次見過我，要求我允許以色列政府在新加坡開設領事館。他向我保證東姑已經同意了，我們不必等到馬來西亞成立後才做決定。我告訴他，既然東姑同意了，領事館在馬來西亞成立之後設立不會有問題，但是在馬來西亞成立之前設

立，肯定會使基層馬來回教徒情緒激動，以致發生爭端，打亂我
的合併計畫。他非常失望。不出所料，馬來西亞成立後，東姑沒
允許以色列開設領事館，事實上也無法允許。

我聽了基德倫有關軍事訓練的建議，但是要吳慶瑞暫時按兵
不動，因為我寄出了兩封信，一封給印度總理夏斯特里，另一封
給阿拉伯聯合共和國（埃及）總統納塞，要求他們提供緊急援
助，協助我們建立武裝部隊。我要等他們的回信。

在給夏斯特里的信中，我要求他派一名軍事顧問前來新加
坡，協助我們建立五營軍隊。兩天後他回信說：「真誠地祝願新
加坡人民幸福和繁榮。」對我的要求，他隻字不提。納塞總統回
信承認新加坡是個獨立的主權國家，卻跟夏斯特里總理一樣，對
我要求他派遣一個海軍顧問前來協助新加坡建立海岸防衛力量的
事，也避而不談。我原來也曾預料印度政府會小心翼翼，不想被
人看成反對馬來西亞。不管怎麼說，印度是比較靠近我們的亞洲
鄰國。但是納塞卻是我很要好的朋友，他選擇不理會我的要求，
我很失望。也許他要同馬來西亞的回教徒領袖保持回教的團結。

印度和埃及不肯給與協助，我於是叫吳慶瑞繼續跟以色列人
接洽，但是秘而不宣，保密越久越好，以免引起新馬兩地基層馬
來回教徒的反感。1965 年 11 月，亞克‧埃拉扎里上校率領了一
小隊以色列人前來。12 月又來了六個人。他們膚色夠黝黑，我
們管他們叫「墨西哥人」，以便掩人耳目。

須有一支可靠的軍隊

我們必須有一支可靠的軍隊捍衛國家的獨立。東姑對分家改
變主意我倒不怕，但是還有賽加化阿峇等其他影響力很大的馬來
領袖。賽加化阿峇極力反對分家，連巫統秘書長的職位也辭去
了。他可能遊說阿爾薩戈夫准將，告訴他作為愛國者，扭轉分家

英軍撤退後，新加坡於六〇年代末實施國民服役制度，自行負起防務責任。這是我早年同丹戎戎巴葛區入伍青年的合影。

的局面是他的職責。阿爾薩戈夫和他那駐紮在新加坡的步兵旅，大可不費吹灰之力便使我和所有其他部長淪為階下囚。於是我們保持閉口不言的低姿態。吳慶瑞作為國防部長則狂熱地工作，以便儘快建立一些防衛力量。

　　新加坡的軍隊和警察的種族成分，使我們還須冒另一種安全風險。獨立了的新加坡不能延續英國人的老一套做法，把一個有四分之三人口是華人的城市的治安，交由馬來族警察和軍人去負責。英國人招募的主要是馬來人，他們多數在馬來亞出生，傳統上到新加坡來入伍。馬來人喜歡當軍警，華人卻避之惟恐不及，那是因為在中國的動亂和軍閥時代，士兵到處搶劫，留下了歷史包袱。問題是，新加坡政府已經不再是英國人或馬來人的政府，而是馬來人眼中的華人政府，軍隊和警察還會不會同樣效忠呢？我們必須設法吸引多些華人和印度人加入警隊和軍隊，以反映實際的人口比例。

　　分家後不久，應馬來西亞政府的要求，我們派出了新加坡第二步兵營到沙巴執行「對抗」任務。當時儘管兩國還未締結正式

的防務協定，我們要表示對馬來西亞有善意，要跟它團結一致。
這一來，整個淡馬錫軍營便成了空營。馬來西亞建議派一團馬來
西亞步兵到淡馬錫軍營，我們同意了。我們的第二步兵營定在
1966 年 2 月完成在婆羅洲的任務，雙方參謀部談妥，到時馬來
西亞軍隊會撤走。但是馬來西亞國防部長卻要求別讓新加坡的步
兵營重返淡馬錫軍營，而應把新加坡一營步兵調到馬來亞本土，
以便讓馬來西亞步兵團繼續留在淡馬錫軍營。作為國防部長的吳
慶瑞不同意。我們要兩個新加坡營都留在新加坡。我們相信馬來
西亞之所以改變初衷，是因為他們想在新加坡駐留一營軍隊，以
便控制我們。

　　馬來西亞人拒絕離開。於是回國的新加坡步兵營的先頭部隊
必須搭起營帳，暫時駐紮在花拉公園。吳慶瑞急忙來找我，提醒
我不能讓我們的軍隊在營帳裏待太久，食堂和廁所設備太差，很
容易引發暴亂或譁變。他說，他的處境就像一位英國將領統率一
支以義大利兵占多數的軍隊。馬來西亞有可能利用這個局面，通
過阿爾薩戈夫准將發動政變。他勸我從歐思禮路的住家搬進總統
府園地內的別墅，並安排辜加警衛在四周站崗，以防萬一。在一
連辜加警衛的護衛下，我和家人就在總統府園地內的別墅住了幾
個星期。

　　不久之後，英國人騰出了在新加坡北部靠近三巴旺的卡迪軍
營。我們把它讓給馬來西亞，他們在 1966 年 3 月中旬答應把軍
隊從淡馬錫軍營轉到卡迪軍營。馬來西亞軍隊前後在卡迪軍營駐
留了 18 個月，到 1967 年 11 月才自動撤走。

　　馬來西亞這種不講道理的做法加強了我們建立新加坡武裝部
隊的決心，只有這樣，才能制止他們類似的恐嚇。他們的行徑，
使我們益發痛下決心，咬緊牙關站穩腳跟，堅持到底。

　　無畏的戰士吳慶瑞在致國防理事會的文件中寫道：「新加坡

和鄰國的人口相比，猶如小巫見大巫，讓自己因此而六神無主將是愚不可及的。重要的不是人口的數目，而是武裝部隊的戰鬥力……徵兵五年之後，通過動員戰備軍人，我們可以派出一支 15 萬人的部隊。利用上了年紀的人和婦女負起非戰鬥任務的話，最終我們應能派出一支 25 萬人的軍隊，由具備戰鬥力的 18 到 35 歲的人組成。人數雖然不多，他們卻朝氣蓬勃，受過良好的教育，準備保家衛國，他們的作戰能力是不容低估的。」

參照以色列人的做法

　　這個雄心勃勃的計畫是參照了以色列人的做法的，那就是在最短的時間內動員最多的人。我們認為必須讓新加坡國內外都知道，儘管我們人口不多，卻能在短時間內動員一支人數眾多的戰鬥部隊。

　　我們的任務十分艱巨。必須改變人民的心態，使他們接受人民的軍隊，並克服不喜歡當兵的傳統觀念。「好男不當兵，好鐵不打釘」這句話，每個華族家長都懂。我們決定在所有中學成立全國學生軍團和全國學生警察團，使家長讓子女跟軍隊和警察認同。我們要他們把軍警當作自己的保護者。過去軍隊和警察被看成英國殖民者壓制人民的工具，引起人們的恐懼和反感。我們要把這種情形扭轉過來。

　　軍人的勇敢必須受到人民的敬重。正如吳慶瑞慨嘆說：「在靠買賣為生的社會裏，斯巴達式的生活方式不會自然而然形成。」我必須改變人們的態度，爭取年輕人參加體育和各種體力活動，從而增強他們的體魄，同時使他們培養起敢於冒險的精神，並樂於參加各種艱苦刺激而且不無危險的活動。要達到這個目的，光靠宣傳是不夠的。在勸說和發表扣人心弦的演講之後，還需要有組織良好、人員幹練以及方向明確的機構，負起進一步

的工作。主要責任落在教育部。只有改變人們的想法和態度，新加坡才能像瑞士和以色列那樣建立一支龐大的平民部隊。我們準備以十年的時間完成這個任務。

在慶祝新加坡獨立一周年的典禮上，我們以僅有的一點兵力激勵人民的士氣。公務員、國會議員和部長參加了速成軍官訓練課程，他們帶頭組織了人民衛國軍，兵士都是通過民眾聯絡所徵召的，多數是受華文教育的平民。人民衛國軍好幾個排在 1966 年 8 月 9 日首屆國慶慶典上接受檢閱，勇敢地列隊走過檢閱台，雖威武不足，卻熱情有餘。在認出穿著制服，給太陽曬黑了的部長和國會議員時，觀禮台上的貴賓和街道兩旁的群眾都熱情地喝采。

代表各族的社區領袖高舉旗幟和標語牌，在遊行隊伍中行進。參加遊行的還有華人、印度人、馬來人和英國商界領袖。在政府大廈前，他們在總統面前操過，人們向他們熱烈歡呼。還有來自工會、人民行動黨和法定機構的遊行隊伍，警察和消防隊也參加了制服隊伍的行列。對新加坡的軍事能力，馬來西亞人也許覺得沒什麼好害怕的，但是我們建立自衛部隊來保衛新生國家的決心和精神，卻使他們不得不留下了深刻的印象。

吳慶瑞的計畫是在 1966 到 1969 年之間，建立一支由 12 個營組成的正規軍。我不同意這個計畫，建議建立一支規模較小的正規軍，加上動員平民的能力。平民應該接受訓練，成為後備力量。吳慶瑞提出不同的意見說，在大規模訓練平民之前，必須先訓練他所建議的 12 營軍隊裏的好些正規軍官和士官。

我不想把錢花費在規模龐大的正規軍的經常開支上，認為最好把錢用來建立組織和訓練國民服役兵團所需的基礎設施。實行國民服役在政治上有好處，對社會也有好處。吳慶瑞採取專業軍人的立場，認為必須在今後三年內建立一支正規戰鬥部隊，應付

眼下來自馬來西亞的威脅。我認為只要有英軍和共和聯邦軍隊駐
紮在新加坡，馬來西亞人不大可能攻擊我們。縱使沒簽訂防衛條
約，英國和共和聯邦駐軍也能起威懾作用。我要我們的整個國防
計畫對準一個目標，儘可能動員最多的人民，並趁人民因為最近
的經歷而具有強烈的愛國熱忱時，激勵他們執干戈以衛社稷。

　　吳慶瑞在 1966 年 11 月提出的修正計畫，主張動員大部分
的人民，正規軍則保持為 12 營。我有意思讓新加坡的婦女也像
以色列婦女那樣參與國民服役，因為那將能加強人民保衛自己國
土的意識。但是吳慶瑞不希望他的新部門負起這個額外責任。由
於國防理事會中的其他部長也不熱心徵召婦女，我於是沒堅持己
見。

　　應付馬來西亞要重新控制新加坡的任何計畫，最佳的威懾力
量就是讓它知道，哪怕它能制伏新加坡武裝部隊，它也得考慮是
否有能力鎮壓善於使用武器和炸藥的全體人民。除了採取不管家
庭和種族背景，平等對待所有新兵的策略，使人民凝聚成一個團
結的群體之外，我們也必須吸引和留住新加坡武裝部隊最高層一
些最優秀的人員。最重要的是，我們必須確保新加坡武裝部隊永
遠服從政治領導層，武裝部隊的一切重要職能，如人力和財務，
都歸國防部的平民官員掌管。國防理事會贊同這些原則。

　　1967 年 2 月，我提出修正法案，修正英國人於 1952 年通
過的國民服役法令，被徵召入伍者服完兵役後，成為後備軍人，
保證能在政府部門、法定機構或私人企業界找到工作。一個月後
法案獲得通過，公眾全力支持。這使我回想起同一項法令於
1954 年實施，第一次徵召國民服役人員的時候，華校中學生曾
發動暴亂。這次我們徵召了 9000 名年輕人作為第一批服役軍
人，一點問題也沒有。我估計正確，公眾的態度確實是改變了。

　　就在同個時候，吳慶瑞埋頭苦幹，召集了一組人，在以色列

人的協助下著手建軍。他動用警察人員、警察通訊器材和其他資源，為國防部隊啟動。助理警察總監陳德欽受委為參謀部主任。

從 1967 年 8 月起，我們開始從登記服役的青年當中選出 10％最優秀的，讓他們接受特別的訓練。為了扭轉人們對當兵的傳統偏見，每個選區的民眾聯絡所都舉行歡送新兵入伍儀式。在新兵登上軍車前往基本訓練營之前，國會議員、部長和社區領袖都到場發表簡短的演說。久而久之，我們終於消除了人們對當兵的抗拒。

那是個速成計畫，人人都在上速成課。情形經常亂成一團：準備工作從沒做足，應付危急狀況是家常便飯。但這是急迫和至關重要的任務，非在最短的時間內完成不可。我們不得不依靠經驗不多，能力也不是特別強的人員來完成。但是大家的團隊精神很強，不屈不撓地堅持下去，取得進步。

當我們忙著建軍的時候，1968 年 10 月，我們又碰上另一個不安的時期。兩名於 1964 年在烏節路匯豐銀行分行引爆炸彈，導致三人喪命的印尼突擊隊隊員被判處死刑。倫敦樞密院駁回他們的上訴後，蘇哈托總統派出一名得力助手，也就是一位准將前來，請求新加坡總統赦免兩人的死刑，改為坐牢。

早些時候，內閣已經開會討論當這位准將來到時，我們應向總統提供什麼樣的意見來應付他。在這之前，我們已經釋放了 43 個在對抗時期犯罪而遭扣留的印尼人。早些時候也應印尼的請求，釋放了兩名在新加坡攜帶定時炸彈而原判死刑的印尼人。不過，他們還沒有機會奪走人命就被逮捕了，不像兩名突擊隊隊員那樣，殺害了三個平民。我們是一個弱小國家，如果就這樣屈服，不單是新加坡本國的法治，甚至是我們同鄰國相處所遵守的法則，都將被丟到一旁，新加坡往後將不斷面對外來的壓力，永無寧日。當時英軍仍然駐守在新加坡（雖然他們宣布將在 1971

年撤走），我們如果尚且害怕執法，那麼，我們的鄰國，不論是印尼或馬來西亞，在 1971 年之後，就會肆無忌憚地騎到我們頭上來。於是，我們決定拒絕請求，依法處置。兩名突擊隊隊員最終在 1968 年 10 月 17 日被處決。當時我在日本進行官式訪問，二三十個印尼人聚集在靠近迎賓館的地方，當我乘坐的轎車經過時，他們高舉標語牌和橫幅，向我表示抗議。

與此同時，大批印尼群眾闖入新加坡駐雅加達大使館，瘋狂破壞一番，還砸壞新加坡總統的肖像，幸好沒像當年對待英國人那樣燒掉大使館。我們的大使 P S 拉曼曾經在新加坡廣播電視台任台長，是個勇敢的人。他雖然是淡米爾婆羅門人，但是信仰基督教。他和他的同事就如同 1963 年英國大使吉爾克里斯特面對印尼人硬闖英國大使館時一樣，鎮靜沉著地對抗暴徒。不過，新加坡大使館的職員可沒有一位風笛手在場，以示鎮定沉著。

第二天，印尼武裝部隊宣布在廖內群島附近靠近新加坡的印尼領海舉行演習。印尼海軍陸戰隊司令官甚至表示要親自率領特種部隊攻入新加坡。約千名示威學生向東爪哇部隊司令請願要求對付新加坡。據印尼報章報導，印尼軍方相信新加坡是受共產中國施壓，才處死兩人的。印尼政府在一星期後宣布減少同新加坡通商，向出口物品施加限制。我們的情報人員評斷，儘管印尼未必會公開挑釁，但卻可能會進行顛覆活動。結果風平浪靜。

然而更嚴重的危機接踵而來。1969 年 5 月 13 日，馬來西亞舉行大選數天後，吉隆坡發生了血腥的種族暴亂。新加坡的華人和馬來人都緊張起來，人人都擔心這場種族衝突會蔓延到新加坡。結果大家的擔憂變成了事實。逃到新加坡的馬來西亞華人，追述他們的親戚在那裏遭受的種種暴行。有關馬來人的野蠻行為和馬來西亞武裝部隊處理當時情況明顯偏袒的話一傳開，不但使新加坡人提高警惕，也使他們感到憤怒。

李 光 耀 回 憶 錄

在新加坡，占多數的華人趁機為他們在吉隆坡的華族同胞報仇。5月19日，二三十名華族青少年，在蘇丹門靠近蘇丹回教堂的馬來人活動地區，攻擊幾個馬來人。第二天，我從美國返回新加坡，獲知在離萊佛士書院不遠的地方，一名馬來人被一群暴徒槍殺。這場衝突斷斷續續地延續了幾個星期。

6月1日，我到馬來人聚居地區芽籠士乃訪問。那裏發生了嚴重的種族衝突。國防部長林金山陪同我前往，我們乘坐的那輛越野軍車由一名馬來警員駕駛，坐在司機身旁的是那個地區的警監。車子經過被部署在那裏的新加坡陸軍的馬來士兵面前時，我和金山立時覺察他們個個一臉怒容，非常不友善。即使是那位我認識了好幾年的馬來警監，也露出慍怒的神色。我強烈地感覺不對勁。我感受到馬來人的恐慌，情況跟1964年的種族衝突截然不同。當年，警察部隊和軍隊中馬來人占多數，由吉隆坡的馬來領袖控制，這些領袖特別照顧馬來同胞，對華族則格外苛刻。這次輪到新加坡的馬來人擔心害怕。因為儘管警察部隊中還是馬來人居多，可是組成政府的新加坡華族領袖，可能會指示警察和軍人對付馬來人。我決心要向全體人民，尤其是現在占了多數的華族清楚表明政府的立場：不分種族或宗教，政府將公正地執行法紀。

隨著警察採取強硬的行動，684名華人和349名馬來人被逮捕，但是因為沒有足夠的證據而無法起訴所有的人，結果只有36人被控上法庭，華人和馬來人各占一半。其中最嚴重的是指控一名華人企圖謀殺，最終他被判罪名成立，必須坐牢十年。在整個衝突過程中，一名華人和三名馬來人遇害身亡，11名華人和49名馬來人受傷。

新加坡的種族關係兩極化到這個程度，真教我們吃驚。即使是在警隊和軍隊中服務多年的馬來人，也變得對種族課題非常敏

感，在馬來西亞發生種族暴亂時，他們輕易受到種族情緒的牽動。

　　我要確保警隊和軍隊的實力不會被種族情緒牽引力削弱。我也要搞清楚為什麼要在芽籠士乃部署那麼多馬來軍人，其實部署一支種族成分比較多元化的部隊，會讓那一帶占少數的華族更安心。為此，我決定必須重新檢討加入新加坡武裝部隊的新兵的種族比例。

　　負責這項工作的林金山發現，儘管經歷了 1966 年的珊頓道軍訓站事件，新加坡武裝部隊招募的馬來人仍然過多。當時的國防部常任秘書波卡斯是我們最信任的官員之一，他曾經擔任政治部主任，認為不能信任受華文教育者，因為幾乎所有的共產黨人都接受華文教育。在招募軍士和准尉加入武裝部隊，以訓練我們的國民服役人員時，由於堅信受華文教育者容易變成華族沙文主義分子，同時比較傾向於支持共產主義，他寧可選用馬來人。我們有必要糾正這樣的偏見。這是個非常敏感的任務，由波卡斯領導的小組負責進行。一名年輕中校楊孟榮在之後的幾年裏推行了一項計畫，通過招募更多非馬來人，減少馬來人在軍隊中的比例。

　　我邀請了五國聯防的共和聯邦國防部長（馬來西亞、英國、澳洲和紐西蘭）出席新加坡開埠 150 周年的紀念活動。1969 年 8 月 9 日，拉薩代表馬來西亞出席新加坡的國慶檢閱典禮，林金山安排一連 AMX-13 型坦克和 V200 型裝甲車參加檢閱。柔佛州的馬來西亞人當晚在電視上看到這些坦克和裝甲車，其他地方的人則於第二天在馬來西亞報章上看到照片。他們受到了很大的衝擊。馬來西亞當時還沒有坦克。同一天晚上，在我招待各國國防部長的宴會上，拉薩告訴吳慶瑞，馬來西亞有許多人對新加坡的裝甲部隊感到擔憂，他自己卻不會。他說，柔佛州有人擔心新

加坡準備入侵，他建議林金山以國防部長的身分前往吉隆坡，使
人們相信新加坡對馬來西亞並無敵意。吳慶瑞在寫給國防理事會
的文件結尾説：「在整個可悲的事件（吉隆坡的種族暴亂）中，
唯一令人高興的是，新加坡的裝甲部隊對馬來人的政治基地起了
有所裨益的作用。」

　　幸好我們做了購買坦克和裝甲車的決定。五一三種族暴亂使
馬來西亞的種族關係向兩極分化。我擔心的是，拉薩已經掌權，
馬來過激分子勢力抬頭，東姑可能不得不靠邊站，過激派領袖可
能決定出兵南下，用武力把新加坡重新納入聯邦。楊邦孝（他是
我在劍橋認識的朋友，當時住在吉隆坡，後來成為新加坡的大法
官）訪問新加坡的時候，我問他馬來西亞的公眾對新加坡武裝部
隊有什麼看法。他説，在 1966 年，人們把它當笑料，如今看法
改變了。在吉隆坡，人們在雞尾酒會上傳説，新加坡武裝部隊軍
事訓練學院培訓出出色的士兵，這點獲得了英國最高專員公署官
員的證實。

　　到了 1971 年，我們已經建立 17 個國民服役營（1 萬 6000
人）和 14 個後備營（1 萬 1000 人），部隊單位有步兵隊、突
擊隊、裝備迫擊炮的炮兵隊、坦克營、裝甲運兵車營、野戰工兵
營、通信營、野戰保養營、野戰醫院和野戰供應營各一個，以及
一個輜重運輸連。我們設立訓練學校給新兵提供基本軍訓，並且
培訓見習軍官、炮兵、工兵、未爆炸彈處理人員和海軍。空軍有
獵人型戰鬥機、打擊能手型航空教練機、百靈鳥型直升機和運輸
機各一個中隊。

　　在七〇年代建立起可靠的防衛力量之前，新加坡的防務不得
不依靠駐紮在這裏的英軍。我們原本希望他們會繼續駐留五到十
年，在我們建軍期間作為我們的後盾，但是英國人卻於 1968 年
1 月宣布將會撤出新加坡。這個決定迫使我們必須在 1971 年他

們離開之前,建立一支戰鬥機中隊和一支規模雖小,卻足以抵擋滲透者的海岸衛隊。這雖然不是個龐大的計畫,卻已耗去了我們相當部分的資源。當時新加坡經濟尚未發展,受過訓練的人員也有限。1968 年 8 月,也就是英國宣布撤軍的七個月後,我們派遣首批六名機師到英國受訓。到 1970 年 9 月,新加坡已經建立了一支共有 16 架霍克獵人型戰鬥機的中隊。

以色列人幫助我們策畫建立海軍,紐西蘭人訓練我們的水兵操作第一艘高速巡邏艇,兩年內我們就建立了兩支各有三艘船艇的中隊。之後,我們進而購買導彈艇。

以色列人不但在傳授軍事技能方面本領到家,在灌輸訓練所依據的教條方面也同樣稱職,他們所採用的方法跟英國人完全相反。英國人早年訓練新加坡第一和第二步兵營,採用的辦法是循序漸進,一步一步來。訓練軍官是從排長開始,然後是連長,15到 20 年後才訓練營長和中校。以色列人卻一開始便堅持新加坡軍官必須向他們學習,並儘快取代他們擔任教官。在甘迺迪總統時期,美國一口氣便派出了 3000 到 6000 名「顧問」,協助吳庭艷總統建立南越的陸軍。以色列人只派 18 名軍官到新加坡來。他們執行每一項工作都指定新加坡人跟著學習,從排長、營長到參謀長。我們挑選了一批有軍事和準軍事經驗的警官、英國時期的前新加坡義勇軍軍官入伍,他們有的是公務員,有的來自私人企業界。我們讓他們成為全職軍官。英國陸軍高度重視軍事配備的擦洗和步操,以便培養守紀律和服從上級命令的意識,以色列人卻著重訓練軍事技能和激發昂揚的鬥志。新加坡武裝部隊接受檢閱和表演步操時所表現的齊整,並非從這些「墨西哥人」那兒學來的,而是從早年主管第一和第二步兵營的英國軍官那裏學來的。

由埃拉扎里領導的以色列軍官開始工作,待我們上鉤之後,

基德倫便要求我們付出代價：新加坡必須正式承認以色列，兩國
互派大使。基德倫堅持這兩個要求，使我們不勝其煩。我告訴吳
慶瑞，這是行不通的。新加坡和馬來西亞的馬來回教徒同情他們
的回教兄弟──巴勒斯坦人和阿拉伯人，我們會激怒他們。哪怕
以色列人決定撤退，我們也答應不了。當他們知道這行不通時，
特拉維夫來電說他們了解新加坡的處境，還是願意幫助我們，但
是希望我們最終會允許以色列在新加坡設立大使館。

　　1967 年 6 月阿以六日戰爭爆發，以色列沒戰敗，這使我們
感到寬慰，否則新加坡武裝部隊會對以色列教官失去信心。聯合
國大會就譴責以色列的議案進行辯論期間，吳慶瑞來見我，要求
我下令身為外長的拉惹勒南，指示新加坡代表團千萬別投票贊
成，否則以色列人會離開。拉惹一向支持亞非國家，他全力贊成
譴責以色列。

　　由於未能出席內閣會議，我把自己的立場寫了下來：我們非
支持一切小國的生存權利不可。所有國際航道，無論是蒂朗海峽
還是馬六甲海峽，都應該自由通航。在敵對狀態結束時，聯合國
就應該在維持和平或解決問題方面扮演一定的角色。即使新加坡
投票支持亞非議案，相信以色列顧問也不至於離開。我主張投票
時棄權，內閣贊同我的看法。結果我們在投票時棄權，以色列人
也沒離開。既然以色列人在新加坡已家喻戶曉，我們於是決定讓
他們在新加坡派駐外交使節團。他們要求設立大使館，我們決定
讓他們在 1968 年 10 月先設立商務處。1969 年 5 月，新加坡和
本地區的馬來回教徒都習慣了以色列在新加坡有官方代表之後，
我們允許他們升級為大使館。

後備軍人改名稱

　　為了強調後備軍人隨時可以作戰，我們在 1994 年把名稱改

為戰備軍人。他們每年都回營，到原來的單位受訓幾個星期，並建立情誼。每隔幾年，他們就奉派到台灣、泰國、汶萊或澳洲，參加旅級的野戰演習或營級的實彈演習。

大家都認真對待回營訓練，雇主也不例外。執行人員和其他雇員每年服務中斷幾個星期，雇主們得蒙受損失。要真有實效，新加坡武裝部隊必須動員整個社會參與防衛活動。我們通過「全面防衛」概念，讓校長、教師、家長、雇主和社區領袖加入整個支援網絡。這麼做也提高了大夥兒的士氣。

30年來，國民服役對新加坡社會產生了重大的影響，它已成了我們男性青年的必經之路，也是人們生活的一個部分，從而把人們團結起來。我們的年輕人學會了在一起共同生活和工作，不分種族、語言和宗教。所有宗教，從佛教、印度教、回教、錫克教到基督教和祆教的習俗都受到尊重，回教徒和印度教徒的食物禁忌也受到尊重。無論你的父親是部長、銀行家、專業人士、勞工、德士司機還是小販，你在軍隊中的地位都得看個人表現而定。

為使軍隊中有文武雙全的人才，1971年我和吳慶瑞把一些最優秀的學生，引進新加坡武裝部隊。我們每年挑選幾名最優秀的見習軍官，頒發新加坡武裝部隊海外優異獎學金，讓他們到英國牛津大學、劍橋大學和其他大學深造，修讀完整的人文學科、理科、工科或專業課程。他們在深造期間領取中尉的薪餉，外加獎學金，能應付在國外留學期間所有學費、住宿費和其他開支。他們簽約，畢業後必須在武裝部隊服務八年，期間會被派到美國或英國再修讀兩個課程，往往是三個：先是接受炮兵、裝甲或信號的特別訓練；其次是工作一段時間之後，中期到美國或英國接受參謀和指揮的特別訓練；最後是到美國哈佛或史丹佛之類的一流大學，攻讀公共行政或商業行政課程。

早期獲得武裝部隊獎學金的四名得主有三人當上部長，他們是楊榮文准將
（左）、林勳強（中）和張志賢准將（後）。

　　八年結束後，他們可以選擇留在新加坡武裝部隊，或調到公
共服務部門擔任公務員最高級別的行政官，加入法定機構或轉到
私人機構。他們每年必須回營，參加兩三個星期的國民服役訓
練。這個計畫是我建議，吳慶瑞修改的。通過這個計畫，我們把
一些最聰明的學生引進了新加坡武裝部隊。

　　要不是我們每年從最傑出的學生當中約吸收十人，新加坡武裝
部隊就會缺乏精英，有再多再好的軍事硬件配備也沒能充分利用。

　　早期幾批的素質都讓人放心。到 1995 年，四名武裝部隊前
獎學金得主都升到高層，之後踏入政壇，當上部長，他們是我的
兒子李顯龍准將，以及楊榮文准將、林勳強中校和張志賢准將。

　　新加坡幅員小，大大限制了武裝部隊的發展。隨著我們的陣
容越來越大，要部署一個旅以及後來的一個師的兵員，我們就必

須有海外的訓練場地。1975 年，我衝破了障礙，蔣經國總統允
許我們的步兵、裝甲人員和炮兵到台灣受訓。我們也在台灣進行
聯合軍事演習，德國的一名退休將軍西格弗里德‧舒爾茨，在這
些演習中陪同我們的高級軍官展開臨場訓練，親自給他們戰鬥策
略上的指導。

　　空軍方面，在七〇年代末期，馬可士總統和美國國防部允准
新加坡空軍部隊，利用克拉克空軍基地的美軍訓練設施。美軍在
九〇年代離開克拉克基地後，我們就把訓練地點改到澳洲和美
國。我們要解決問題，得別出心裁，不能沿用老方法。

　　由於武器系統不斷採用新科技，尤其是資訊科技，因此，一
個國家的防衛能力必須不斷地提升。這需要穩健的經濟做後盾，
以便有能力購買新式武器，並聘用受過高深教育和受過訓練的人
才，由他們把各種武器納入一個系統，同時有效地進行操控。

　　擁有可靠的防衛能力，可以減低他國採取莽撞的政治行動的
危險。每當馬來西亞領袖對我們不滿時，他們總會通過報章恫言
要切斷水供。

　　1990 年，我卸下總理一職。國際防衛刊物《軍事科技》寫
道：「1965 年新加坡獨立時，根本沒有任何武裝部隊來保衛
它。到了 1990 年，新加坡武裝部隊已經發展成為一支受尊重和
專業的部隊，它有現代化的防衛系統，有能力保衛國家的主權和
領土完整。」從那個時候起，新加坡武裝部隊的作戰能力和備戰
狀態，不斷得到《簡氏年鑑》和《亞太防務報導者》等防務期刊
的高度評價。

　　1966 年 5 月，我飛往倫敦希望能爭取到首相威爾遜的保
證：英軍會在新加坡多留幾年——當時我根本沒想到能有今天。

……英國一手承擔本區域安全
的時代結束了，今後維護安全
的責任須由我們自己挑起。然
而安全並不是我們唯一關注的
問題。我們必須能養活自己，
說服投資者把資金投在新加
坡，設立製造廠和從事其他生
意。我們必須學會如何在少了
英軍庇護和沒有腹地的情況下
生存下去。

李光耀回憶錄

3

英軍撤退

1966 年 10 月，我和吳慶瑞在倫敦要求希利賣給新加坡一中隊的霍克獵人型戰鬥機，他搖著手指問我們到底有什麼意圖。他說英軍會照顧我們。離開倫敦的時候，我們消除了疑慮，皇家空軍將會留駐新加坡。

我們很需要英國駐軍帶來的信心。如果他們在我們還沒有能力保衛自己的國土時突然撤離，我們恐怕難以生存。他們的留駐給人們帶來安全感。沒有這種安全感，我們便無法爭取到外國的投資，更談不上輸出我們的貨品和服務了。爭取外國投資是我們能夠製造足夠的就業機會，以吸收我們的離校生和防止大批人失業的唯一方法。早在同年 1 月，我跟英國首相威爾遜就在拉各斯舉行的緊急共和聯邦總理會議上，討論了在新加坡英軍的前途，那次會議是為了商談羅得西亞單方面宣布獨立的問題而召開的。威爾遜告訴我，他可能要調走駐守馬來西亞的五萬名英軍之中的 2 萬 5000 人。雖然他說他還沒做出任何決定，但是這番話顯示他正在減少駐軍。

為了更了解英國的意向，1966 年 4 月，我到倫敦去跟他們討論防務計畫。我發現，在工黨、保守黨以及在英國最著名的主筆和評論員當中，有越來越多的人主張從蘇伊士運河以東撤退，這使我感到不安。希利（在英國報界支持下）說，內閣裏有人極力主張迅速分階段撤退，帶頭的是地位僅次於威爾遜的第二號人物喬治‧布朗。《新政治家》週刊主編保羅‧約翰遜甚至透露了撤軍日期，那就是 1968 年。這個主張極易爭取到工黨和工黨議員的支持。保守黨前部長，現任影子內閣財政與經濟事務部長的伊恩‧麥克勞德告訴我，黨內有許多「歐洲人」（主張英國同歐洲結成一體者）渴望撤軍。

我相信威爾遜已經做了承諾，至少在任期內會讓英軍繼續留在新加坡和馬來西亞。美國必定提出了交換的條件，要求英軍留

下來。一些友好國家的大使告訴我，美國正在協助英國支持英鎊的幣值，條件是英軍繼續留在蘇伊士運河以東。美國大有理由希望英軍繼續留下來。到 1966 年 1 月，派到南越的美軍人數達到了 15 萬名，美國空軍正在轟炸選定的北越目標。後來，布朗向我證實，有關的條件是美國扶持當時估值過高並且面對壓力的英鎊。

希利才智過人

　　國防部長希利是繼威爾遜之後我必須會見的一位最重要的領袖。我很欣賞這個人。他有過人的才智，有如電腦那樣，當你給他更多資料時，他就會源源不斷地提出新的解決方案，隨時可以放棄自己原先的基本立場。他能言善道，頭腦靈活，很詼諧，有很多有趣和我想多了解一點的人物的有用傳聞，同他共進晚餐的人都會感到很愜意。但是，他對人的評斷往往也很入骨。有一回談起一位共和聯邦國家的總理，他邊指著自己額頭兩端邊說道：「他從這裏到這裏都是木頭。」

　　他向我介紹了工黨每個部長的立場。他說，英國政府要把遠東駐軍維持到七〇年代是可能的，不過會相當困難。在內閣中，多數部長主張今後五年內分階段撤退，只有威爾遜、斯圖爾特和他本人——「一個很難應付的組合」，盼望在今後十年內，繼續在蘇伊士運河以東駐軍。我見過外長斯圖爾特，發覺他為人穩健可靠。

　　希利說，工黨內部有一派強烈主張英軍完全撤退，不再承擔海外的義務。駐紮在遠東的英軍與其說是維持和平與安全的工具，不如說是成了區域政府互相爭吵時可以利用的工具。在這樣的背景下，希利警告說，英國的遠東軍事政策可能改變，甚至會在現任工黨政府任期內就改變。英軍駐紮期限不定，一直使我擔

憂。我和吳慶瑞都認為不論英國人最後做出怎樣的決定,我們必須儘快建立一支有形的防衛力量,讓新加坡人民和鄰國一看就知道我們並非毫無防衛能力。

離開的前一天,也就是 4 月 25 日星期一,我跟威爾遜進行了最後一輪會談。威爾遜問起英軍基地對新加坡經濟的貢獻,我的估計是它占新加坡國內生產總值的 20% 左右。關閉基地必須把數目可觀的馬來西亞人和印度人遣送回國,經濟會出現一定程度的失調和受到損害。我最擔心的是人民的士氣會受到打擊。我們好不容易使人民「改變騎牆態度」,使他們相信共產主義並不是未來無可阻擋的浪潮。英軍撤退和關閉基地將使人民士氣嚴重低落。他們別無選擇,難免受中國強大力量的影響。

我得出的結論是,在協助新加坡解決跟馬來西亞簽署防務與經濟條約方面,威爾遜和他的政府不能有多大作為。他們的影響力已經減弱,尤其是在印尼對抗降級之後。這次訪問結果差強人意,我所期望的不過如此。所有英國領袖,尤其是威爾遜和希利都強調,在英國保衛新加坡應付印尼對抗的時候,我們竟然事先不跟他們磋商,就採取如此激烈的步驟脫離馬來西亞,使他們受到強烈的震撼。當時他們紛紛在反思,應不應該繼續留在東南亞。他們特別突出這一點,強調局面的嚴重性。在最近的將來,我們在工黨政府和作為反對黨的保守黨的領導層裏都有朋友,這使我感到放心。我們有幾年的時間,可以把國防部隊建立起來,使經濟復甦,恢復跟印尼通商,更重要的是吸引工業投資。

4 月分我在倫敦逗留的那一個星期裏,威爾遜處處流露出友好的態度。他在唐寧街 10 號設午宴招待我,英國內閣的主要成員、上議院反對黨領袖卡林頓勳爵和他們的夫人都出席了。威爾遜即席講話,熱情萬分。之後我致詞,感謝他表示友好和支持。

　　我離開倫敦不久，工黨便向威爾遜施加壓力，要求削減海外的防務負擔。在 1966 年 6 月舉行的工黨國會議員會議上，威爾遜不得不力圖打動會眾的社會主義情感：

　　「坦白說，只需要考慮自己的話，我們將樂於儘快離開新加坡。然而我們不能像在亞丁那樣說，當地政府和當地人民不需要我們。作為跟這個房間裏的任何人同樣優秀的左派民主社會黨人，李光耀肯定要我們留在那裏。讓我們記住，在共產黨人渴望控制的東南亞，他在這個地區的政治鬥爭和他本人的選舉鬥爭中，顯示出跟共產主義進行鬥爭的巨大勇氣。

　　「按照我們對民主社會主義政府的了解，我們所認識的新加坡政府是東南亞唯一的民主社會主義政府。

　　「他的社會紀錄，例如建屋計畫，是最先進的民主社會主義社會過去的一切努力都無法比擬的。」

布朗主張撤離東南亞

　　離開倫敦後，我到斯德哥爾摩出席社會主義國際大會，同英國和歐洲的社會主義黨領袖交流。我跟布朗共進午餐。他直率地說，他主張撤離東南亞，越快越好。他承認自己屬於少數，卻準備堅持到底。他說，威爾遜和希利頗能體恤我和新加坡政府的處境，他卻對以此為藉口留在蘇伊士運河以東，感到十分厭惡。在 1965 年 10 月發表的防務報告中，他主張明確地宣布撤軍，表決的時候卻被挫敗。我爭辯說，如果他們真的撤軍，美國當時就不會支持英鎊，這將造成英鎊的貶值，工黨會在第二次選舉中失敗。他不滿地嘟嚷說，長遠來看，詹森—威爾遜協議對英國沒有好處。

　　1966 年 7 月，希利訪問新加坡，告訴我駐新馬的英軍人數將削減到對抗之前的水平。他到過吉隆坡。他正經八百地說，他告

訴了報界，吉隆坡沒有反英情緒，英國之所以沒有援助馬來西亞，除了因為英國遭遇經濟困難之外，並沒有其他原因。他眨眨眼睛說，馬來西亞人發現，他們所謂馬來西亞的「憎恨英國月」造成了壞印象，收到了反效果。馬來西亞領袖氣惱英國媒體批評他們的種族主義和語文政策，因此對英國人板起面孔。到他抵達的時候，已是「熱愛英國月」。

　　他心情愉快，態度溫和，教人安心。有些時候，我覺得英國將能繼續逗留十年，直到進入七〇年代。有些時候，我又感到威爾遜和希利時日無多。英國工黨國會議員當時都是極力主張削減海外防務開支，把資源集中到英國本土的。

　　1967 年 4 月 22 日，希利第二次訪問新加坡。他表明到七〇年代末期英國將撤離亞洲大陸。我促請英國設法讓人們對本地區的安全保持信心，不應有突如其來的變化。

　　希利表明，撤軍決定是基於經濟的考慮，不是基於軍事，因此不大可能改變。除此之外，沒有其他辦法可以解決英國的財政問題。人們擔心英國會被捲入「越南式」的戰爭，越南的流血把英國人民嚇壞了。

　　在兩天後的第二次會談中，他談到將向新加坡提供大量的援助，設法減輕新加坡蒙受的打擊。無論如何，他談的是削減駐軍而不是完全撤退。他認識到信心因素的重要性，會設法在這個問題上勸說他的同僚，但是他必須為英國防務訂下長期的計畫，而要零敲碎打地進行是不可能的。他問起新加坡對軍港船塢有什麼計畫。我告訴他，新加坡準備讓斯旺與亨特公司（英國一家造船公司）接管船塢，作為民事用途，我已經計畫讓它接管新加坡的叏巴民用船塢，以便熟悉情況。

　　澳洲總理霍爾特和紐西蘭總理霍利約克都拍來電報警告說，英國正在考慮大量削減駐軍，這將導致現有的共和聯邦防務安排

架構脫節和解體。

　　駐紮在新加坡的英軍司令並未預料會提前撤軍。在希利訪問之後一個月，5 月間我和吳慶瑞跟英國遠東總司令卡弗爵士共進工作晚餐。卡弗令我們寬心。他說，新加坡國防部隊扮演的主要角色，應該是防止由國內外策動的政變。萬一出現持久的敵對行動，新加坡必須依靠盟友。卡弗的態度使我心安，他預計英軍會在新加坡逗留一段時期。

　　但是為了預防他的政治主人想法不一樣，或是受到壓力採取不可思議的行動，5 月 26 日我寫信告訴威爾遜說，任何談論「大量援助」的話都是不祥之兆。當人們知道英國決定在七〇年代中期撤退後，信心就會大受打擊。跟這個嚴重的風險相比，經濟失調的風險是次要的。威爾遜回信安慰我，並邀我到倫敦進行初步的會談。

　　1967 年 6 月，我和吳慶瑞在倫敦會見希利。他提出了一份詳細的清單，列明到 1968 年 3 月 31 日為止削減英軍的安排，以及從 1968 到 1971 年撤退的情形。1971 年以後，英國將在東南亞保留一支兩棲作戰部隊作為「巡邏警察」。

　　有關經濟影響的討論由吳慶瑞負責。像我一樣，他對安全問題比對英軍撤離所將造成的經濟影響更操心。我們兩人都認為，如果安全有保障，人民的信心不動搖，我們總能想個辦法解決經濟滑坡的問題。我向來自海外發展部，處理過英軍撤離馬爾他有關問題的一名官員提了一個問題：放棄的軍用機場能不能轉為民事用途。他說，按照英國的經驗，放棄的軍用機場不是改為農業用途，就是在少數情況下用來發展輕工業。我認為，在新加坡這樣做根本沒有前途。於是我說，在英軍放棄登加機場、實里達機場和樟宜機場之前，應該儘早讓新加坡的經濟發展局派人前往視察，以確定它們未來的用途。

至於剩餘的軍事配備，希利同意雖然軍事條例規定必須銷
毀，他將修改條例，以便把它們交給新加坡作為培訓和其他用
途。他和其他談判成員千方百計地給與協助。這兩次會議使我們
鬆了一口氣，我們深信自己有能力在七〇年代中期解決新加坡所
面對的問題。我還能要求什麼呢？斯旺與亨特公司已經證實三巴
旺海軍船塢發展前景美好，英國海軍部、斯旺與亨特和新加坡政
府三方可組成委員會，策畫如何把它改做商業用途。

1967 年 6 月 26 日，威爾遜跟我私下討論時答應，這回將
是該屆國會最後一次檢討防務。希利也在另一個場合答應，不會
再檢討防務了。我的印象是，對於英軍要不要撤離蘇伊士運河以
東，威爾遜比希利更希望英國暫時不做選擇。他希望我在倫敦所
做的，不是宣揚留在蘇伊士運河以東的好處，而是設法說服反對
英軍留下來的工黨後座議員和內閣部長。

同一天下午，我在下議院向工黨後座議員發表演講。我說，
亞非局面已經迅速改變了，尼赫魯已不在人世，蘇卡諾名譽掃
地，毛澤東正捲入文化革命的瘋狂活動，南越有 50 萬美軍。白
人控制亞洲的日子已經過去了。一些亞洲國家堅持必須以亞洲的
方式解決亞洲的問題，也就是說，亞洲的大國能解決它們同小國
之間的問題，小國有權要求它們的西方朋友協助糾正這種不平衡
的狀態。

我花了好幾個小時設法說服威爾遜的部長們。當時擔任財長
的是卡拉漢，過去 15 年來我跟他有過幾次晤談。跟他的會面從
原定的半小時延長到一個半小時。每次表決的鈴聲響起，他都到
議事廳裏去投票，卻叫我留下來等他。最後他說：「我原本主張
定下英軍應該離開的日期，但是我會再仔細想一想你的話，現在
暫時不做決定。」接著他促請我去見當時的內政部長詹金斯。詹
金斯靜靜地聽我把話說完，然後表示他會支持不定下英軍撤離的

斯旺與亨特公司證實三巴旺海軍船塢的商業發展前景美好。

日期，但是英國一定要在 1975 年撤離。

　　在所有部長當中，最反對我的就是當時的國會領袖克羅斯曼。在同他會面的整整一個小時裏，他帶著戲弄的語氣斥責我誤導和欺騙他的同僚們支持留在蘇伊士運河以東。他刻意粗暴無禮，為的是要嚇唬我。他一直都主張英國在 1970 年之前撤退。他和同一陣線的議員們致力爭取更多的養老金、更低的房屋貸款利率以及更多的支持選票。在激動之下，他脫口而出說：「你大可以不理會我，因為就目前來說我在內閣中屬於少數，但我已開始贏得黨員的支持，他們越來越認同我的看法。」我們的最高專員 AP 拉惹當時也在場，他認為我提出的論點加強了那些要英軍駐留的人士的立場，所以克羅斯曼才發那麼大的脾氣。

　　我認為這回新加坡不成問題，卻不能保證英鎊不會再受到衝

擊，導致英國内閣情緒低落，以致進行另一輪的防務檢討，要再
削減駐軍。這種危險連英國政府也控制不了。可悲的是英國人民
出了問題，領導層並未鼓舞他們。工黨的部長和後座議員為不得
不做出自己説過不願做的事，包括執行他們曾經批評過的保守黨
政府一鬆一緊的經濟發展政策而洩氣。

　　詹森總統的文件顯示，1967 年 6 月他曾經在華盛頓促請威
爾遜「別採取任何違反英國和美國利益，違反亞洲自由國家利益
的步驟」。但是詹森沒像他的助手在開會前向他主張的那樣極力
要求威爾遜避免這樣做。早在 1965 年 12 月，詹森的國防部長
麥克納馬拉便曾經書面向詹森提出，美國對英國在遠東駐軍和承
擔義務的重視程度，超過了對英國在歐洲駐軍和承擔義務的重
視。

　　一個月後於 1967 年 7 月刊行的英國防務白皮書，宣布英國
有意在 1970 至 1971 年把東南亞的駐軍削減一半，到七〇年代
中期完全撤走。澳洲總理霍爾特感到沮喪。他寫信告訴威爾遜並
讓我知道：「我們認為英國做出了歷史性的決定，要在很大程度
上減少它在世界上所發揮的作用，以及大大減輕英國已經承擔了
多年的國際責任。」澳洲人現在必須「重新考慮整個形勢」。

　　過後不久，威爾遜邀我於 1967 年 10 月在工黨常年大會上
講話。我同意了。我知道他要我勸説工黨別反對他讓英軍繼續留
在新加坡。10 月 1 日星期日，在斯卡伯勒，我以友好代表的身
分出席大會，成為大會開幕前夕的集會的主要演説來賓。我表
示，新加坡 150 年來跟英國長期交往，希望這能使他們在分手
的時刻，「讓我們有最好的機會繼續保持安全與穩定」，也希望
到七〇年代中期，在沒有英國的基地開支的情況下，新加坡仍會
過得同樣好，只要我們能有一點時間盡力而為。我知道代表們將
全神貫注於越南問題。由於不能完全不理會這個課題，我説：

「我不想給人留下鷹派或鴿派的印象。如果非得從飛禽裏選擇比喻，我會想到貓頭鷹。觀察越南局勢的人必定認為形勢凶險不祥，這樣的局面原來並不是非發展到這個地步不可的。要表明立場的話，越南也許不是最明智的地方，它也不是在亞洲表明立場的最穩妥的地點。但是越南人和美國人已經做出重大的流血犧牲。」對這些反對越戰的聽眾來說，我只能點到這裏為止，暗示要是美軍撤退，會對東南亞其他地方產生嚴重的影響。

　　只不過在六個星期後，1967 年 11 月 18 日星期日這一天，吳慶瑞突然接到財長卡拉漢拍來的電報，通知說英國把英鎊貶值，從 1 英鎊兌 2.80 美元貶到兌 2.40 美元。想必他也拍發了類似的電報給所有的共和聯邦財政部長。這意味著我們存放在倫敦的英鎊儲備，損失了 14.3%。自從 1964 年工黨政府上台後不久，英鎊便一直受到拋售的壓力，但是我們沒有把我們的儲備移走。英國的軍隊在保衛我們應付印尼的對抗，我們不想被人怪罪說，我們促使英鎊的幣值下跌。同一天傍晚，威爾遜發表電視廣播說：「現在我們對自己負責，這意味著最先考慮英國的利益。」這不是什麼好兆頭。可是，11 月 27 日希利在國會的講話卻教人放心。他說：「相信整個政府都抱著跟我相同的看法，那就是，在削減防務開支時，我們尤其必須對我國的部隊和盟友保持信用，決不能改變 7 月的決定……所以財長才在上星期一說，削減防務開支的行動必須在今夏宣布的防務政策架構內進行。讓我告訴財長閣下，削減防務開支並不意味著會加速撤軍或加速重新部署我國的軍隊。」

　　我寫信給希利，感謝他做出保證。可是我錯了，希利代表不了政府。威爾遜首相一心要挽救他的政府，他說要「最先考慮英國的利益」是當真的。威爾遜也說：「不能把任何開支領域看成是神聖不可侵犯的」。於是我在 12 月 18 日寫信給威爾遜，追

述新加坡政府忠誠地支持英鎊，結果在這次貶值行動中損失了 1
億 5700 萬元，其中貨幣局損失 6900 萬元，新加坡政府 6500 萬
元，法定機構 2300 萬元。信末我寫道：「我不願相信暫時的困
難會使我們懷疑彼此的誠心善意和不再互相信任，我將信守在斯
卡伯勒的承諾。就我們這方面來説，最後一批英軍在七〇年代中
期離開基地的時候，我們會給他們舉行隆重的歡送儀式。」

　　但這是很渺茫的希望。威爾遜正陷入他領導的政府所遇到的
第一次嚴重的危機之中，沒時間拯救朋友和盟邦，哪怕他們忠心
耿耿。他沒有回信，卻派共和聯邦關係部大臣喬治‧湯姆森於
1968 年 1 月 9 日來見我。湯姆森滿懷歉意，進行辯解。英鎊貶值
使英國政府有機會一勞永逸地扭轉經濟。削減防務開支意味著，
英國所扮演的歷史性角色和它的長期防務結構發生根本的變化。
英軍將留在歐洲，不過它的能力也可用以協助歐洲以外的盟友。
我問起希利所説的在新加坡的兩棲作戰能力。有關計畫會取消，
1971 年以後海軍不會駐紮在東南亞。我問，在 1971 年之前撤退
的決定有多堅決？湯姆森説很堅決，雖然他們會考慮共和聯邦夥
伴的看法。湯姆森的態度文雅友善，他很同情我們。威爾遜付託
給他的是一個吃力不討好的任務。為了減輕打擊，威爾遜邀我到
英國首相別邸契克斯別墅會談。

　　對於曾經鄭重做出的保證，英國全然不放在心上，我感到失
望和憤怒。我説，我們也可以最優先考慮新加坡的利益，通過從
倫敦提出英鎊儲備的方式保護新加坡的儲備。儘管如此，我決定
到倫敦走一趟，在契克斯別墅會見威爾遜。

　　後來，威爾遜把會談地點改到唐寧街 10 號，日期是一個星
期天。下午 5 點 30 分當我抵達的時候，他的三位高級部長希利
（國防）、布朗（外交）和湯姆森（共和聯邦關係）已經在場。
威爾遜説，內閣已經同意，在我會見他之前不做最後的決定。這

使事情還有點希望。

　　我說，宣布提前到 1971 年把所有英軍從亞洲大陸撤出，將會動搖投資者，特別是香港投資者的信心，使他們轉到更遠的地方去。為了恢復信心，新加坡必須花費大筆軍備開支，建立確實有效的國防力量。我指出，英國武裝部隊在新加坡有價值不菲的房地產，那就是住房和營房，總值超過 5500 萬英鎊。撤軍分三年進行的話，在公開市場可能賣不到一半的價錢。

　　威爾遜強調說，一年前希利在新加坡已經告訴我，撤軍的決定是基於經濟理由，改變不了。對 1971 年 3 月這個期限的決定，內閣的看法幾乎是一致的，在場的部長代表了內閣的意見。他渴望討論援助的問題，因為援助能真正紓解新加坡的經濟問題。我表示，我關心的主要是安全問題，因為沒有安全就沒有投資，新加坡對投資的需要比對援助的需要大得多。

　　後來威爾遜讓希利來提出提前撤軍的論點，自己則坐下來抽煙斗，擺出同情的姿態。從威爾遜的身勢語言看來，我知道要他遵照原來的保證，把撤軍延遲到七〇年代中期，已是不可能的事。

　　所有的英國部長都同情我的處境，對我最表支持的是外長布朗。記得 1966 年跟他在斯德哥爾摩社會主義國際大會上會面時，他極力主張英軍撤出新加坡，如今他主動問我需要多少時間，教我喜出望外。我提出了 1973 年 3 月 31 日這個日期。多年之後布朗告訴我，美國詹森總統相信在越南戰爭繼續打下去的時候，美軍取代不了在阿拉伯海灣和新加坡的英軍，而英國在政治上的貢獻是非常寶貴的。

　　晚上 7 點左右，取代卡拉漢的新財長詹金斯到了。他提出了一個性質相似的課題，那就是：新加坡的經濟情況跟本地區其他國家不同，還算不錯，英國的情形卻相當嚴重。他引用英國和

新加坡的儲備數字，說明英國的人均儲備比新加坡少。他批評新加坡政府把財政盈餘投資在別的地方，而且沒有通知英國政府。他採取的是進攻的姿態。新加坡從沒提取任何英鎊儲備，卻從未保證財政盈餘要以英鎊儲存。我們並未盡力幫助英國，因此現在不能指望受到特別的考慮。這點他占了上風。

我們一邊用晚餐一邊談，無節制地喝著詹金斯喜愛的法國紅酒，不斷重複著各自的論點。經過五個半小時，討論在晚上 10 點 50 分結束。威爾遜總結了談判結果。英國政府同意必須協助維持人們對新加坡的信心，卻強調除非跟其他共和聯邦國家建立範圍更廣的區域防務協議架構，否則新加坡不可能有永久的安全保障。在進一步詳細探討這種安排的可能性之前，新加坡最好不要就購買軍事配備的事情迅速做出決定。英國政府將在不背離英國的最重要目標（到 1971 年全面撤軍）的前提下，在合理的範圍內儘量協助新加坡維持安全。他希望新加坡政府充分考慮英國的忠告。

倫敦之行沒白跑

第二天，也就是 1968 年 1 月 15 日星期一，希利在下議院宣布，駐紮在蘇伊士運河以東的英軍將在 1971 年撤走，卻把最後撤退的日期從 1971 年 3 月挪後到 1971 年 12 月。九個月的差別意義重大，因為英國大選必須在 1971 年 12 月之前舉行。換句話說，他們決定了，撤退的最後日期要麼由新的工黨政府確認，要麼由保守黨政府推遲。我應該對工黨的這種讓步感到滿意。報導希利講話的防務通訊員指出，希利留下了這個迴旋的餘地。我的倫敦之行沒白跑。

但是威爾遜知道這是一個時代的結束。在辯論過程中，他引用了吉卜林《退場》的詩句：

「我們的海軍威名已隕，

　　沙丘和海角炮火消沉。

　看那，往日的盛況，

　　全跟尼尼微和蒂爾一樣湮沒無聞。」

在 1968 年 1 月的那五天裏，我在倫敦盡力爭取延長英軍的駐留期限。除了跟威爾遜討論之外，我也遊說保守黨領袖，主要是跟禧斯、莫德林和麥克勞德談。他們非常同情新加坡的處境，也支持新加坡的立場，如果掌權的話，他們願意駐留更長的時間，不提出撤退的日期。這就使最後的結果有所改變。英國的電視台和報章大量報導了我的消息。我訴諸情理，而不是宣洩憤懣，這牽動了英國人民的心，使他們覺得雙方長久和有利的關係，不應該草草結束，從而損害到新加坡的前途。我儘量保持鎮靜自若。在我之前飛回國的吳慶瑞，卻在新加坡機場對媒體大發牢騷：「工黨出爾反爾……我認為這是背信棄義的不光彩的行徑。」

我認為發脾氣不管用。我的其他同僚，像拉惹勒南、杜進才、韓瑞生等人都大失所望，而且擔心新加坡的安全和經濟會因而蒙受不良的影響。但是他們沒有責罵英國人。氣話會惹惱英國的部長，也會激怒駐新加坡的英軍司令，他們畢竟是忠於國家的英國人。我需要英國方面的善意和合作，以便儘量減少撤軍過程的摩擦，加強善意，以免發生像法國人在六〇年代對付幾內亞（西非）一樣的事情。法軍在離開時，把軍事工場的設備都拆個精光。

事態的突然發展給我們帶來更大的壓力。經濟問題會增加，失業人數也會增加。由於需要建立一支空軍部隊，我們的防務問題已經變得更艱巨。如何從零開始建立空軍部隊，到 1971 年底有一中隊的戰鬥機能夠作戰？為了購買霍克獵人型戰鬥機，我們第二次跟希利見面，這次他爽快地答應了，並且表示會協助我們

加強操作戰鬥機的能力。這和不到兩年前的 1966 年 10 月，我
們第一次向他提出時的反應截然不同。當時，他對我們搖指頭，指
我們心懷不軌。

　　對於新加坡的前途，英國媒體都很同情，但卻表示悲觀。沒
了英國軍隊的開銷，新加坡的國內生產總值將減少 20%左右，而
少了英軍的防衛，新加坡的未來岌岌可危。《每日鏡報》報系主
席塞西爾‧金出席了我在 1 月返回新加坡之後的記者會，他告
訴我的新聞秘書阿歷佐西説他全心全意支持我，但是情況看來無
望。失業率高加上英軍撤退後沒有安全感，新加坡的經濟必定會
走下坡。對新加坡前景抱著悲觀態度的，不只塞西爾‧金一人。

　　為填補英馬聯防協議終止所形成的真空，英國提議建立以諮
詢為主而沒有約束力和防務義務的五國聯防系統。我知道澳洲人
的顧慮，印尼可能會誤以為五國——英國、澳洲、紐西蘭、馬來
西亞和新加坡要聯手對付他們。1968 年 2 月，澳洲的外交部長哈
斯勒克在新加坡告訴我，澳洲會一直維持原來的軍力直到 1971
年底，之後他的政府就難以做出任何保證。換句話説，他們有可
能會跟英國一起撤退。我強調，有必要讓每個人都清楚認識到，
西方盟國無意在 1971 年以後在這個地帶留下軍力真空，而任由
蘇聯或中國或任何人來填上。哈斯勒克強調，澳洲在策畫防務安
排時的一個基本考慮因素就是新馬合作關係。對此，我促請他放
心，因為馬來西亞遭受任何侵略對我們而言都是一種威脅。但與
此同時，我鼓勵他向馬來西亞表明，它跟澳洲簽署任何雙邊協議
時都不應把新加坡排除在外。我向他追述，1967 年 12 月拉薩和
我雖然乘搭同一班機前往墨爾本出席霍爾特總理的追悼會，但在
整個旅途中他卻完全把我當作不存在。後來拉薩向在約翰‧戈頓
接任之前擔任澳洲代總理的副總理麥尤恩提出想要簽訂澳洲和馬
來西亞的雙邊協議，被後者直截了當地拒絕了。於是，拉薩立即

變得和氣通達，在飛機上花了三個小時跟我討論了馬來西亞的國防與安全問題。從此以後，新加坡和馬來西亞在防務上的雙邊關係便大大地改善了。

實際上，拉薩在 1968 年 3 月告訴林金山和吳慶瑞，我們兩國的安全問題是分不開的，而馬來西亞也負擔不起巨大的軍事開支。他認為，新加坡是個彈丸小國，最容易被偷襲，所以應該著重加強空防能力，擁有長海岸線的馬來西亞則應該集中發展海軍力量。這麼一來，我們就可以相輔相成，互補不足。他說：「我們代表兩個不同的領土，雙方是平等對話。可以達成協議的，我們就攜手合作。談不攏的，就暫擱一旁。」

1969 年 5 月吉隆坡發生種族暴亂事件，接著馬來西亞國會中止後不久，拉薩代表馬來西亞到坎貝拉出席五國聯防總理會議，以討論英軍在 1971 年撤走之後的防務安排。會議前，澳洲國防部常任秘書通知我們戈頓總理不會出席會議。負責外交事務的常任秘書在私下會談中對我說，戈頓懷疑馬來西亞政府有能力控制當時的局面，並認為更多的種族麻煩會接踵而來，而新加坡將會被「捲入」這場爭端之中。戈頓對馬來西亞已完全失去信心，他不願意跟馬來西亞有任何的防務合作。英國人要撤出本區域已使澳洲人非常不快，他們不要再負起防衛馬來西亞和新加坡的責任。戈頓預見要是澳洲再對馬來西亞和新加坡做出新的防務承諾，大禍就會臨頭，他擔心選民會有不良的反應。

然而戈頓卻在最後一刻出現為會議主持開幕式，但是在致詞後就離席。他強調有必要維持本地區的種族和諧，馬來西亞和新加坡也有必要表明兩國的防務是不可分割的。拉薩和在場的馬來西亞官員的臉部表情顯示他們極度沮喪。

當晚，我到拉薩的酒店客房跟他會談。我決定把歧見拋在一旁，全力支持他所爭取的，即 1971 年以後，五國聯防防務安排

的司令官應對五國聯防的代表負責,而不是如澳洲所提議的,只
對新加坡和馬來西亞負責。拉薩頓時振作起來。會議接近尾聲
時,澳洲外交部長弗里斯澄清說,如果馬來西亞遭受攻擊,他們
可以派遣澳洲軍隊到東馬或西馬去。

　　英國放棄蘇伊士運河以東,保守黨大表震驚。1970 年 1
月,禧斯以英國反對黨領袖的身分訪問新加坡。在我的安排下,
他跟所有主要部長會談,以便對新加坡的經濟發展、政治現狀、
社會情況以及建立防衛兵力的進展,有個全面的概念。我同時也
請皇家空軍派出一架直升機,載他到空中觀賞新加坡的景色。這
使他留下深刻的印象。他告訴報界,他將「制止」工黨推行從蘇
伊士運河以東撤軍的計畫。他說:「英軍撤退後再回來的問題根
本不存在。問題是英軍仍然留在這裏,保守黨政府一上台,將制
止撤軍行動。」他還補充說,他「對這個小島所取得的非凡成就
留下非常深刻的印象……這些成就都建立在對未來具備信心以及
整個地區和平與穩定的基礎上」。我希望英軍司令注意到這句
話,不要急於把軍隊撤走。

　　五個月後,1970 年 6 月,禧斯領導的保守黨在大選中獲
勝,他本人出任首相。禧斯的國防部長卡林頓勳爵在同一個月訪
問新加坡的時候,宣布英軍將依照原定計畫撤走。不過英國將在
與澳洲和紐西蘭平等的基礎上,在新加坡保留一些軍隊。他私下
告訴我,英國不會留下任何中隊的戰鬥機或運輸機,只留下四架
寧錄型偵察機,一小隊大旋風型直升機和一營軍隊駐紮在義順軍
營。此外,在整個蘇伊士運河以東的地區,將部署五艘快速艦／
驅逐艦。至於英馬聯防協定將由「協商性質的政治承諾」取代。
很顯然地,英國希望以夥伴的身分,在「平等的基礎」上參加五
國聯防,而不是以領袖自居。

　　1971 年 4 月中,五國總理在倫敦會聚,敲定取代英馬聯防

協定的政治安排。其中關鍵性的字句是：「今後馬來西亞或新加坡若遭受外國策動或支持的武裝攻擊或威脅，有關政府將立即聚首會商，以決定採取什麼共同或個別的措施應付這種攻擊或威脅。」「立即會商」總比完全不會商好。

　　1971 年 9 月 1 日，五國聯合空防系統建立起來。同年 10 月 31 日英馬聯防協定由五國聯防協議取代。英國一手承擔本區域安全的時代結束了，今後維護安全的責任須由我們自己挑起。

　　然而安全並不是我們唯一關注的問題。我們必須能養活自己，說服投資者把資金投在新加坡，設立製造廠和從事其他生意。我們必須學會如何在少了英軍庇護和沒有腹地的情況下生存下去。

4 絕處求生

我們的生存原則很簡單，只有一個：新加坡必須比本區域其他國家更加剛強勇猛，更加有組織和富有效率。新加坡的條件再好，如果沒有辦法超越鄰國，外國商家還是沒有理由以這裏為基地的。換句話説，儘管我們缺乏國内市場和天然資源，我們一定要提供條件讓投資者能在新加坡成功營業，有利可圖。

19⁶⁵ 年獨立後幾個月，一位奉派前來協助新加坡的印度政府
經濟策畫官員，交給我一份厚厚的報告書。我看了看摘
要，在確定他的計畫是以新馬建立共同市場為基礎之後，便向他
道謝，然後把報告書束之高閣。他不了解，當初新馬尚未分家
時，馬來西亞尚且不願意跟我們建立共同市場，現在我們獨立
了，機會更加渺茫。我們原本扮演英帝國在東南亞的行政、商業
和軍事中心的角色，如今這個角色被剝奪了。除非我們能夠找到
一個新腹地，並且跟這個腹地保持聯繫，否則前途將是很黯淡
的。

　　在這之前幾個星期，我見過我們的荷蘭籍經濟顧問阿爾貝特‧
溫斯敏博士。他描繪的局面嚴峻黯淡，卻並非絕望。由於印尼的
對抗，失業人數上升了。沒有新馬共同市場，跟印尼又沒有貿易
往來，這種情況如果持續下去，到 1966 年底，失業率預計將超
過 14%，這意味著新加坡社會可能出現動亂。他說：「新加坡
正走在刀刃上。」他建議同馬來西亞簽署共同市場協議（那是行
不通的），並以物物交換方式恢復同印尼的貿易。他也建議我們
設法爭取美國、英國、澳洲和紐西蘭的同意，讓新加坡的製成品
以比較優惠的條件輸入它們的市場。

　　1960 年，溫斯敏首次率領聯合國開發計畫署的一個調查
團，到新加坡來指導新加坡實現工業化。記得他在 1961 年向我
提呈第一份報告的時候，給新加坡的成功定下兩個先決條件：第
一、消滅共產黨人，有他們在就無法有經濟發展；第二、不要拆
除萊佛士的塑像。1961 年共產黨統一戰線的勢力正膨脹到了極
點，天天都在設法摧毀人民行動黨政府，在這一種時刻告訴我應
該把共產黨人消滅，對這個荒謬之至的簡單解決辦法，我不禁啞
然失笑。保留萊佛士的塑像倒不難。我和我的同僚無意改寫歷
史，無意重新為街道和建築物命名，或是讓自己的面貌出現在郵

票和鈔票上，名垂千古。溫斯敏說，我們需要大規模地獲取歐美的科技、管理、企業和市場知識。投資者想看看新加坡的社會主義新政府將會如何處置萊佛士的塑像。把它留下將被視為是一種象徵，顯示公眾接受了英國的遺產，這樣做可能產生正面的影響。我過去不曾這樣看待這個問題，卻樂於讓這座有紀念意義的塑像留下來，因為萊佛士是現代新加坡的創建者。要是萊佛士1819年沒有到這裏來建立貿易站的話，我的曾祖父就不會從中國東南部的廣東省大埔縣移民到新加坡來。英國人建立了一個商業中心，讓他和成千上萬個像他那樣的人，有機會過比國內好的生活。隨著清朝的沒落解體，他們的家鄉正在經歷一場大動亂。

1965年，我們同樣面對黯淡無比的前景，以致我得指示當時的財政部長林金山派遣貿易代表團，懷著「也許還能招到一點生意」的渺茫希望到非洲訪問。代表團由新加坡四個商會和廠商公會的成員組成，他們訪問了東非和西非多個國家，做成的生意卻不多。

我們從1959年第一次執政以來，便盡力解決失業問題。經過幾年的努力，我的內閣同僚們都知道，要生存的唯一的辦法是推行工業化。新加坡的轉口貿易已經到達頂限，往後會進一步式微。印尼仍然跟我們對抗，馬來西亞決意避開新加坡。我們想方設法，願意嘗試任何切實可行的點子，只要能製造就業機會，我們不必負債過日子就行。一位飲料製造商向我建議推動旅遊業。這種行業屬於勞工密集型，需要廚師、女傭、侍應生、洗衣工人、乾洗工人、導遊、司機和製造紀念品的手工藝人，最理想的是發展這個行業所需的資金很少。我們設立了新加坡旅遊促進局，並委任電影業鉅子邵氏兄弟公司老板邵仁枚為主席。邵仁枚是最適合擔任這個職位的人選。他出身於電影界和娛樂界，對視聽娛樂項目的包裝和宣傳瞭如指掌，對如何讓遊客在陌生的地方

享受樂趣也知之甚詳。他請人設計了一個獅身美人魚魚尾的標
誌，稱為「魚尾獅」。標誌用混凝土製成，矗立在新加坡河口，
由我主持了啟用禮。除了偶爾在來訪的專業人士或商家的集會上
講話以外，我對旅遊業的發展做得很少。令我感到欣慰的是，這
個行業倒製造了不少的就業機會，給許多空空如也的口袋帶來一
些收入。它固然使失業人數減少，卻無法徹底解決問題。

為此，我們集中精力，設法招商到這裏設立工廠。儘管新加
坡只有 200 萬人口，國內市場很小，我們卻保護本地裝配的汽
車、冰箱、冷氣機、收音機、電視機和錄音機，希望日後這些產
品當中有部分會在本地製造。我們鼓勵本國商家開設小型工廠，
製造植物油、化妝品、蚊香、髮膏、金銀紙，甚至是樟腦丸！我
們也吸引了香港和台灣的投資者，到這裏來開設玩具廠、紡織廠
和製衣廠。

多次失敗的教訓

剛開始的時候情況並不妙。儘管我們花費了大筆資金興建基
礎設施，位於新加坡西部的裕廊工業區依然空盪一片。我們也有
多次失敗的教訓。新加坡缺乏自來水，面積太小，經受不起沿岸
海水受到嚴重的污染。儘管如此，經濟發展局還是跟一個毫無製
造業經驗的商人搞合資企業，投入再生紙的生產活動。此外，在
缺乏技術的情況下，我們也投資生產陶瓷用品。最後，這兩宗生
意都失敗了。我們跟石川島播磨重工業合資，創立裕廊造船廠，
用來造船和修船。同石川島播磨重工業合作之後，我們開始建造
1 萬 4000 噸的自由型輪船，後來造九萬噸的油槽船。但是新加
坡既不生產鋼板，又不製造引擎，這些東西必須從日本進口。在
完成建造 16 艘自由型輪船和三艘油槽船之後，我們便停止了，
最終只建造一萬噸以下的小船。造船無利可圖，不像修船，需要

很多工人。

　　在最初幾年，任何廠商都受到歡迎。例如，1968年1月，我在倫敦討論英軍撤退問題期間，馬克斯—斯潘塞有限公司的董事主席馬庫斯·西夫到倫敦的酒店來找我。他在英國廣播公司的電視節目上看到我。他向我提出建議時說，華人的手挺靈巧，新加坡可以製造釣鮭鱒的魚鉤和誘餌，這些產品的價值高，因為魚鉤所使用的羽毛必須巧妙地固定在鉤子上。此外他說還有其他類似產品，不需要多少資本設備，卻能製造許多就業機會，而他的零售網可以協助銷售這些貨品。看來我在電視上的樣子一定是可憐兮兮的，以致他抽出時間來見我。我向他道謝，但是這一次見面並沒有帶來任何成果。不久之後，挪威魚鉤製造公司馬斯塔德前來新加坡投資設廠，雇用了幾百個工人，生產各種各樣數以百萬計的魚鉤，但沒有裝上羽毛用來釣鮭鱒的那一種。

　　1968至1971年，新加坡的經濟因喪失了英軍開支而蒙受重挫。這項開支占新加坡國內生產總值的20%左右，直接提供了三萬多份工作，間接地在支援服務領域提供另外四萬份工作。我下定決心，在面對英國的援助——應該說是任何外來援助的時候，我們絕對不抱和馬爾他人一樣的心態，而要反其道而行之。1967年，我前往馬爾他考察當地人如何應付英軍撤退後的生活問題，結果卻大吃一驚。由於阿以六日戰爭在三個月前，即6月分爆發，蘇伊士運河關閉了，船隻不再通過運河，馬爾他的船塢因此關閉。但是碼頭工人照舊領全薪，還把乾船塢注滿水，在裏頭打水球！我大感震驚，他們竟然指望英國不斷施捨，他們是多麼依賴外來援助啊！英國相當大方地給與裁員補償，其中包括：被裁者過去每服務一年便能獲補償五個星期的薪金，他們也被安排到馬爾他政府機構接受三個月的重新培訓，費用也由英國支付。這麼一來，自力更生的精神沒養成，卻養成了依賴性。

　　1967 年，希利答應給我們提供「可觀的援助」，以抵消英軍撤退所將造成的經濟損失。我深信，新加坡要成功，人民決不能有依賴援助的心態，我們必須自力更生。所以有關英國援助的談判尚未開始，我就在 1967 年 9 月 9 日在國會裏指出：「在基地建立起來，英軍進駐之前，新加坡已經繁榮昌盛。如果我們做事明智，幹勁十足，基地拆除之後，新加坡會變得更強大，經濟上更依靠自己。」我的態度是：希望英國人儘早通知我們，他們認為哪些設施會變得多餘，在仍然作為軍事用途時移交給平民管理，例如海軍船塢；其次，外來援助應該是通過工業給新加坡提供就業機會，而不是使我們對不斷注入的援助產生依賴。我向新加坡的工人發出警告：「國際社會沒有責任為我們提供生計，我們不能夠靠討飯缽過活。」

　　我們最能幹的常任秘書韓瑞生，提出了一份英國資產可以改為民事用途的清單。英國人概述了將如何處理他們所占用的房地產，它們的面積共達 1 萬 5000 英畝，占新加坡總面積的 11%。至於那些作為經濟和防務用途的土地，將免費交回給新加坡，其餘的土地則請新加坡政府協助，在公開市場上出售。但是談判還沒有結束，英國就在 1968 年 1 月宣布將在 1971 年完成全面撤軍。

　　我在同一個月分回到新加坡，通過電台廣播發表講話：「新加坡如果是個軟弱的社會，早就毀滅了。軟弱的人民會推選答應以輕鬆的方式解決問題的人，而事實上這種方式是不存在的。新加坡的一切都不是免費的，連用水也得付錢……英國人離開之後，這裏會出現一個蓬勃興旺的工商業和通信中心，歷久不衰。」我強烈地感覺到，在未來爭取新加坡生存的鬥爭中，人民的士氣和信心將會發揮決定性的作用。

成立基地經濟改用局

同年 2 月，我們成立了基地經濟改用局，由韓瑞生主持。
我把這個機構交給總理公署管轄，使韓瑞生跟其他部門打交道時
更有影響力。他的主要任務是重新培訓和安置冗員，接管英軍正
在撤離的土地和其他資產，並把這些土地和資產用在最需要的方
面，同時就緩和撤軍衝擊的援助問題進行談判。

在移交房地產和提供援助方面，最重要的是避免引起仇恨與
摩擦，否則會打擊人民的信心。同英國的關係一旦破裂，任何援
助都彌補不了失去的信心。此外，我仍然希望 1971 年過後，依
然會有部分英國、澳洲和紐西蘭軍隊留下來。1968 年 2 月，我告
訴新來的英國最高專員阿瑟·德拉馬爾爵士，英國政府給什麼新
加坡都接受，卻不強求。我促請英國人把他們認為沒有用的東西
留下來給我們，而不是按照慣例把它們毀掉。這樣不但賣了個人
情，還可以使親英情緒得以在新加坡保持下來。

到 1968 年 3 月，談判結束了，英國答應提供 5000 萬英鎊的
援助配套，只能用來購買英國的貨物和服務，其中 25%是贈款，
75%是貸款。我們把半數用在發展計畫方面，半數用來購買英國
的防務配備。英國同意把三巴旺的海軍船塢移交給新加坡，包括
皇家海軍原可輕易拖走的兩座珍貴的浮塢，條件是新加坡政府簽
訂為期五年的合約，委任斯旺與亨特公司為主管代理。1967 年
6 月在倫敦的時候，我見過約翰·亨特爵士。同年 10 月到斯卡
伯勒出席工黨大會之後，我參觀了他在泰恩賽德的船塢時再次見
到他。美國人渴望讓海軍船塢維持下去，1 月和 2 月派了陸軍和
海軍代表團到來視察設施。1968 年 4 月韓瑞生告訴我，從 1968
年 4 月到 6 月，美國會試用三巴旺的修船設施，提供四五百萬
新元的生意。那是最令人鼓舞的消息。

　　把海軍船塢改為民用的計畫成功了。斯旺與亨特在三巴旺船塢和新加坡的民用船塢岌巴都生意興隆。1978 年兩份五年合約期滿後，公司的一名高級經理內維爾‧沃森決定繼續留下來，在新加坡專為管理三巴旺船塢而成立的勝寶旺船廠有限公司任職，最終當上集團總裁。勝寶旺船廠的業務蒸蒸日上，日後多元化地發展成為勝科工業集團，在新加坡股票交易所掛牌。

　　位於新加坡港口岸外，原來住著一營英國辜加兵的絕後島，變成了旅遊勝地「聖淘沙」（寧靜之意）。溫斯敏博士先後勸阻我把它發展成為軍事訓練區、賭場和煉油廠。這些建議是不同政府部門向韓瑞生主持的基地經濟改用局提出的，即使沒有人勸阻，我也不會答應。福康寧同樣保留下來，山上有地道和地堡，在日本占領新加坡之前，英國陸軍總部就設在那裏。山上的建築改建成俱樂部，供人們消閒玩樂。實里達機場改為民用，供貨運小飛機和小型商用飛機起落。樟宜皇家空軍基地通過填土工程進行擴大，發展成為有兩條跑道的樟宜國際機場。巴西班讓軍事中心現在成了肯特崗新加坡國立大學 2 萬 6000 名大學生的校園。

　　韓瑞生以有條不紊和不大肆張揚的方式，把英軍的房地產改為經濟用途。在經濟發展局，他的手下吸引了世界各地的投資者前來，在前英軍土地上開設工廠。房地產的移交過程從 1968 年開始，於 1971 年，也就是在石油危機爆發前兩年完成，我們可說是相當幸運。當時世界經濟繁榮，世界貿易每年增長 8%到 10%，新加坡因此更能得心應手地把前英軍土地改為民用。

　　撤軍工作是在雙方都懷著善意的情形下進行的。我們從海外吸引到新加坡設廠的投資商，雇用了三萬個被裁退的工人。待撤軍行動於 1971 年結束時，老百姓心裏是踏實的。失業問題解決了，沒有一塊土地或一棟建築是荒廢棄置的。英國的一營兵力和一個中隊的直升機，加上澳洲部隊和紐西蘭部隊，組成了五國聯

防，使本區域得以維持穩定和安全。

　　1968 年秋天，我擬訂了喪失英軍開支的對策之後，到哈佛度一個短期進修假。我出任總理已有九年，該充一充電了，找些新點子，好好思考未來要走的路。甘迺迪政府學院頒發榮譽院士的名銜給我，還安排了早、午、晚餐的飯局和一系列講座，讓我和一大群大有來頭的學者見面。在交流中，這些學者提出許多獨到而有趣的見解。從書本裏，從跟雷・弗農教授等哈佛大學商學院教授的談話中，我汲取了許多關於美國社會和經濟的知識。弗農讓我了解到科技、工業和市場的性質如何不斷改變，成本，尤其是勞工密集工業的工資又如何決定利潤，給我上了寶貴的一課。香港企業家之所以能夠建立那麼成功的紡織和成衣工業，原因就在於此。香港人靈活善變，隨著時裝潮流的改變而改變生產線、圖樣和設計，這是同台灣和韓國同樣靈活與成本較低的製造商進行的一場永不結束的競賽。香港的推銷人員經常飛到紐約和其他大城市，徵求買客的意見。弗農使我摒棄了過去的看法。我原先以為工業是逐漸演變的，而且甚少從發達國家轉移到較不發達的國家。事實上，在海空運輸可靠又廉宜的有利條件下，要把工業轉移到新的國家是可能的事——只要有關國家的人民遵守紀律，接受訓練學會操作機器，政府又能保持穩定和高度的辦事效率，方便外國企業家前來。

　　1967 年 10 月，我第一次到美國進行官式訪問，在芝加哥一個午餐會上，向 50 名商人詳述了新加坡如何從 1819 年一個僅有 120 人的漁村，發展成為擁有 200 萬人口的大都市。有這樣的成就是因為新加坡奉行以下哲學：我們所提供的貨物和服務要「比任何人都便宜，質量也更好，否則便死路一條」。他們反應良好，因為我不是伸手向他們求援。他們對新興獨立國的領袖伸手求助，早已習以為常。我注意到，我這種「不靠討飯鉢」的作

風博得他們的好感。

　　1968 年 11 月，我到紐約經濟俱樂部向大約 800 名企業高級決策人員發表演説。我採取冷靜務實的態度，分析新加坡的問題和本地區的危險，尤其是越南戰爭，這種基調博得了聽眾的良好反應。我盡力用務實而樂觀的口吻結束演説，描繪出嚴峻局面中的一線希望。他們提出難以答覆的問題，我一一坦誠直接地回答了。幾個執行人員過後寫信向我祝賀。那一晚之後，經濟發展局的駐紐約代表曾振木發現，要會見美國企業界數一數二的執行人員，比以往容易多了。日後每逢我訪問美國，他都安排我同 20 到 50 位執行人員會面，通常是在午餐或晚餐前喝上一兩杯，進餐時在主桌跟重量級的公司總裁交談，然後演説 20 分鐘，隨後是答問。曾振木向我解釋，大部分美國企業的主要執行人員沒有時間到新加坡走一趟，但是在決定前來設廠之前，總希望見見這裏的負責人，加以評估。這類會面往往能交出一些成績，因為溫斯敏向我解釋過他們的想法。他的兒子在美國一家頗具規模的商業諮詢公司做事，十分了解美國人如何衡量商業風險：他們追求政治穩定、經濟穩定、金融穩定和良好的勞資關係，以確保為世界各地的顧客和子公司供應產品的生產活動不受干擾。

　　那年 12 月，我會見了遠東美國理事會的另一批美國執行人員。原定只有 100 人準備出席，經過經濟俱樂部那一夜，話傳開去，説聆聽我演講是很值得的，出席人數結果增加到 200。我在寫給內閣的一張便條裏抱怨説：「一面進餐一面談話，又要保留氣力，不敢大吃大喝，以免不夠機警敏鋭，那是相當吃力的事。這是為吸引美國投資而付出的部分代價。」

　　經過幾年令人洩氣的反覆摸索，我們斷定新加坡應該把最大的希望寄託在美國跨國企業身上。六〇年代台灣人和香港人到新加坡設廠，帶來了低科技工業，如紡織廠和玩具廠等等，它們屬

於勞工密集的工廠，但是規模不大。美國跨國公司到這裏來設立
的是高科技的工廠，規模大，能製造許多就業機會。它們夠分
量，有信心，相信美國政府會繼續留在東南亞，它們的資產有所
保障，不怕被人沒收或蒙受戰爭的損失。

　　我的想法逐漸趨於具體之後，便訂下雙管齊下的策略，以打
開不利的局面。首先是像以色列一樣，逾越整個地區。我是在
1962 年同聯合國開發計畫署派來新加坡的一位專家討論之後，
產生了這種想法。1964 年我訪問非洲的時候，在馬拉維又遇到
這位專家。他告訴我，儘管以色列面對的敵視環境比新加坡有過
之而無不及，卻能夠想出解決困難的辦法，那就是逾越抵制他們
的阿拉伯鄰國，同歐美進行貿易。既然鄰近國家一心要削弱跟新
加坡的聯繫，我們就必須跟發達地區——美國、歐洲和日本掛
勾，吸引它們的製造商到新加坡來進行生產，然後把產品輸往發
達國家。

　　發展經濟學學者當時普遍地把跨國公司看成廉價土地、勞工
和原料的剝削者。這類「依賴學派」經濟學家的論點是，跨國公
司延續殖民主義的剝削方式：發展中國家把原料賣給先進國家，
反過來向它們購買消費品；跨國公司支配科技和消費者的選擇，
勾結所在國政府一起剝削和壓制人民。第三世界國家的領袖相信
新殖民主義剝削人民的理論，我和吳慶瑞卻沒有產生共鳴。我們
有實實在在的問題要解決，不能受任何理論或教條的約束。反正
新加坡也沒有天然資源可供跨國公司剝削，有的只是勤勞的人
民、良好的基礎設施和決心做到誠實稱職的政府。我們的責任是
為新加坡 200 萬人提供生計。如果跨國公司能讓我們的工人獲
得有報酬的工作，並教授他們技能、工程技術和管理的技巧，我
們就應該把它們爭取過來。

　　我的第二步策略是，在處於第三世界地區的新加坡創造第一

世界的綠洲。以色列無法做到這一點，因為它和周邊國家處於交戰狀態。如果能在公共安全、個人安全、保健、教育、電信、交通和服務方面達到第一世界的水準，新加坡就會成為那些在本區域有商業關係的企業家、工程師、經理人員和其他專業人士的基地。因此，我們必須培訓人民，使他們有能力提供具有第一世界水準的服務。我相信我們辦得到。利用學校、工會、民眾聯絡所和社區組織，我們可以重新教育新加坡人民，使他們改變想法和習慣。中國共產黨人如果能夠利用這個辦法，消滅所有的蒼蠅和麻雀，我們沒有理由不能協助人民改掉第三世界國家的習性。

我們的生存原則很簡單，只有一個：新加坡必須比本區域其他國家更加剛強勇猛，更加有組織和富有效率。新加坡的條件再好，如果沒有辦法超越鄰國，外國商家還是沒有理由以這裏為基地的。換句話說，儘管我們缺乏國內市場和天然資源，我們一定要提供條件讓投資者能在新加坡成功營業，有利可圖。

1961 年 8 月，新加坡立法成立了經濟發展局。溫斯敏建議成立一個一站式服務機構，使投資者不必跟許許多多的政府部門打交道，一切需要一概由這個機構處理——無論是土地、電力、水供還是環境和工作的安全措施。最初幾個月，經濟發展局獲得聯合國開發計畫署和國際勞工局的專家協助。它的主要工作是吸引外來投資，集中力量開發溫斯敏在報告中提出的四個工業領域——拆廢船和修船、五金工程、化學產品和電氣設備與用具。

一切都是為了促進投資

吳慶瑞選中了韓瑞生擔任經濟發展局第一任主席。韓瑞生有權在那些從英國、加拿大、澳洲和紐西蘭四國大學學成歸來，素質最優秀的獎學金得主當中，挑選自己的部下。在韓瑞生的領導下，這些年輕人個個受到激勵。韓瑞生是個沉默寡言的傑出行政

4　絕處求生

作為新加坡的經濟顧問，溫斯敏扮演的角色舉足輕重。1980 年 11 月，我們乘船觀賞長江的景色時，交換了對中國的看法。

人員，在啟發誘導屬下充分發揮潛能方面能力特強。經濟發展局的文化在他手中形成——官員個個興致勃勃、不屈不撓，克服障礙總能巧運匠心，為的是促進投資，製造就業機會。他把經濟發展局管理得如此成功，規模如此龐大，以致幾個不同的部門不得不出來自立門戶。工業區的部分成為裕廊鎮管理局，金融發展的部分則出了一家新加坡發展銀行，兩者日後都成為各自領域中的翹楚。發展銀行協助提供創業資本給新加坡的企業家，因為這裏稍有歷史的銀行都只有提供貿易融資的經驗，而且作風太保守，不願意貸款給準備從事製造業的商家。

　　經濟發展局的年輕官員四處奔走，設法使外國投資者對新加坡的商機感興趣，遊說他們派團前來親自實地考察。這是吃力的

「跑腿活」。曾振木開始訪問美國公司的時候，它們的主要執行人員連新加坡在哪兒都搞不清楚，必須由他在地球儀上指出位於東南亞馬來半島末端的一個小點。經濟發展局官員有時得拜訪四五十家公司，才找到一家有興趣訪問新加坡。這些官員工作起來幹勁十足，永不言倦，因為他們覺得新加坡的生存要靠他們。當時年紀尚輕的經濟發展局署長嚴崇濤記得吳慶瑞告訴過他，每當駕車經過一所學校，看到數以百計的學生蜂擁而出，吳慶瑞總會感到灰心喪氣，因為他不曉得在這些孩子離開學校後，如何給他們找工作。嚴崇濤後來出任貿工部常任秘書。

經濟發展局的官員也服膺了部長們的價值觀和態度，不恥下問，虛心學習，準備接受來自任何一方的協助。接受英文教育對他們的工作有所幫助。我們從英國人那裏繼承了英語，以它作為新加坡的共同工作語言。後來我從經濟發展局的能幹班子中物色到三名內閣部長，他們是丹那巴南、李玉全和姚照東。另外好幾名經濟發展局官員成了出色的常任秘書，包括比萊和嚴崇濤。比萊也曾任新加坡航空公司的主席，憑他管理財務和做生意的手法，新航成為亞洲最賺錢的航空公司。嚴崇濤則擔任新加坡發展銀行主席。

溫斯敏扮演重要角色

作為新加坡的經濟顧問，溫斯敏扮演的角色舉足輕重。他為新加坡服務了 23 年，直到 1984 年為止。他每年來新加坡兩趟，每次逗留三個星期左右，我們負責他的機票和在這裏的酒店費用，除此之外不必支付分文。為了協助他掌握最新的事態發展，負責同他聯繫的經濟發展局官員嚴崇濤，定期把報告和每天的《海峽時報》寄給他。他習慣在抵達後的第一個星期跟我們的官員洽談，接下來再跟跨國公司和一些新加坡公司的執行人員進

行討論，並和職工總會領袖見面。他總是把報告和建議呈交給我和財政部長，然後，我們倆單獨共進午餐談公事。

對於他所扮演的角色，跨國公司的高層執行人員很快就領略其價值所在。他們無所顧忌地跟他談論他們遇到的難題：政府管得太緊，新元幣值節節上升，工人跳槽太頻繁，外勞雇用條例太多約束等等。溫斯敏講究實際，遇事親力親為，對數字應付自如，很快就能拋開煩瑣的細節，抓住基本問題。最重要的是，他聰慧過人、精明能幹。我從他那裏學到很多東西，尤其關於歐美執行人員思考問題和做事的方式。

不來新加坡的時候，溫斯敏總會在我到倫敦、巴黎、布魯塞爾或阿姆斯特丹公幹時，約我見面。不過他得忍受一件事。平日他煙不離手，我卻對香煙敏感，所以跟我吃飯談公事，簡直是犧牲重大，只要情況允許，我們都在戶外用餐，這樣他就可以過足煙癮。他說得一口流利的英語——雖然語法有毛病，荷蘭腔也很重——說話聲音深沉粗重。他臉部皮膚粗糙，前額和面頰上皺紋很深，戴一副角質眼鏡，頭髮向後腦直梳。有一次他告訴我，他解釋不了自己為什麼對韓瑞生和我特別有好感，只能得出結論：「加爾文主義和儒家生活哲學有相似之處」。無論是什麼原因，他喜歡同我們合作是新加坡的福氣。

在吸引外來投資方面，新加坡政府扮演了關鍵的角色。我們修建基礎設施，提供精心策畫的工業園，參與工業投資，採納財務獎勵措施並推動出口。最重要的是，我們建立良好的勞資關係，制定了健全的宏觀經濟政策。這些基本措施使私人企業能夠順利經營。規模最大的基礎建設是發展裕廊工業區，它的面積最終達到 9000 英畝，無論是公路、污水處理和排水設施、電力或水供，區內設備一應俱全。它的發展在開始時相當緩慢，到 1961 年的時候我們只發出了 12 張新興工業證書。（在 1963 至

1965 年新加坡加入馬來西亞期間，吉隆坡中央政府一張證書也沒批准。）吳慶瑞在那個時候以財政部長的身分，經常先後為工廠主持奠基禮和開幕禮，使同一家工廠有兩次宣傳的機會，即使是最小型的工廠，如只雇用很少幾個工人的樟腦丸廠也不例外。吳慶瑞本人在外來投資開始流入後追述，裕廊鎮基本上空著的那幾年，人們把它稱為「吳（慶瑞）的愚蠢之作」。不過，當這裏還是荒蕪一片時，他可沒有心情自嘲。

　　然而到 1970 年底，我們發出的新興工業證書已經有 390 張，持有這張證書的投資者可以免稅五年。1975 年之後發出的證書把免稅期延長到十年。裕廊鎮這時生氣勃勃。1968 年 10 月，局面有了突破，德州儀器公司到新加坡來，考慮在這裏設廠裝配當時屬於高科技產品的半導體。他們在做出決定後 50 天內便投入生產。緊跟著而來的是國民半導體工廠。

　　在這之後不久，德州儀器的對手惠普派人來新加坡探聽情況。我們的經濟發展局官員曾經在這個人身上下過功夫，對方要什麼資料便立刻提供，直到他同意親自前來看看才肯罷休。這個人和德州儀器的人員一樣眼界大開。一個負責具體計畫的官員奉派接待惠普代表團，使一切都方便快捷。惠普要一塊地建廠，談判進行期間，它決定先租用一棟六層樓建築的最高兩層。大廈內用來承載重型機器的電梯必須安裝大型的變壓器，但是休利特（惠普公司老板）本人來訪的時候還沒準備好。為免讓他走六層樓梯，經濟發展局從鄰座建築接駁了巨型電纜，在休利特到訪當天，使電梯操作順利。惠普公司決定在這裏投資。這些故事在美國各家電子公司的會議室流傳開來，其他美國電子公司不久便接踵而來設廠。這個時期，中國正在鬧毛澤東發起的文化大革命，處於瘋狂的動盪時代。許多投資者認為台灣和香港太靠近中國，紛紛轉到新加坡來。誰來我們都歡迎，但是一找到有增長潛能的

大投資家就決不放過，必定竭盡所能協助他開業。

　　七〇年代，《美國新聞與世界報導》週刊、《哈潑斯》月刊、《時代》週刊等美國雜誌，都刊登了有關新加坡的報導，熱烈讚揚新加坡的輝煌成就。1970 年，美國通用電氣公司在這裏開設六家不同的工廠，生產電氣與電子產品、斷路器和電動機。到七〇年代快結束時，通用電氣成了在新加坡雇用勞工最多的企業。美國跨國公司為新加坡奠定了龐大的高科技電子工業的基礎。儘管當時我們並未料到，但事態發展的結果是，電子工業解決了失業問題，把新加坡轉變成八〇年代一個電子產品主要出口國。這些公司後來從新加坡把業務擴充到馬來西亞和泰國。

　　來訪的執行人員做出投資決定之前總要先來找我。我認為，好好保養從機場到酒店和到總理公署的道路，在兩旁種滿灌木和喬木，使道路整潔美觀，這是說服他們進行投資的最佳辦法。他們駕車進入總統府的範圍，便會看到市區中心這一片占地 90 英畝，由起伏的草地組成的綠洲，其間是九洞高爾夫球場。我們一句話也不用說，他們便知道新加坡人民能力強、有紀律又可靠，很快就能把必要的技能學上手。美國在製造業的投資不久便超越英國、荷蘭和日本。

　　我們從 1959 年第一次執政開始，便一直扛著失業問題的包袱——那麼多的年輕人在尋找工作，卻沒有工作可以應付他們的需求。可是到了 1971 年英軍撤離的時候，我感覺我們已經渡過難關。雖然英國人解雇了三萬人，另外四萬個替英軍服務的工人也連帶丟了飯碗，但是失業人數並未增加。幾家美國電子公司製造了大量的就業機會，失業已經不是問題了。接著 1973 年 10 月爆發阿以戰爭，阿拉伯國家隨之突然實施石油禁運，油價猛升三倍，使世界經濟蒙受嚴重的打擊。我們促請國人節省能源，減少燃料和電力的消費。我們束緊腰帶，但還不算吃苦。經濟增長

顯著放緩，從 13%（1972 年）下降到 4%（1975 年）。與此同時，通貨膨脹率從 2.1%（1972 年）提升到 22%（1974 年）。幸好就業機會並未大量減少，失業率依然保持在 4.5%上下。

1975 年經濟復甦後，我們就有條件精挑細選。經濟發展局官員曾經詢問，為保護本地一家公司所開設的汽車裝配廠而徵收的保護性關稅，還得維持多久。馬賽地公司的財務主管粗暴地回答說是「永遠」，因為新加坡工人的效率不如德國人。我們毫不猶豫地做出了取消保護性關稅的決定，讓裝配廠關閉。隨後不久，我們也逐步停止保護冰箱、冷氣機、電視機、收音機和其他電氣與電子消費品的裝配廠。

七〇年代末，我們已經把缺乏投資和就業機會的老問題拋在後頭。接著而來的新問題是，如何改善新投資項目的質量，以及如何提高工人的教育和技術水平。我們在歐美和日本找到我們的新腹地。現代通訊和運輸使我們能夠跟這些曾經遙不可及的國家掛勾。

1997 年，新加坡有將近 200 家美國製造公司，投資帳面價值逾 190 億新元，在所有外來投資國當中高居榜首。不但如此，他們還經常提升本身的科技和產品，單位勞工成本因此降低，這使他們有能力支付較高的工資而不至於喪失競爭力。

在六〇和七〇年代，日本投資少之又少，遠遠落在英國和荷蘭後頭。我想盡辦法引起日本人的興趣，不過，他們一直沒有大批到東南亞來設廠生產出口貨。那段時期，日本人在海外投資僅限於滿足當地市場的需求，新加坡的市場小，所以他們投資不多。不過後來美國跨國公司的成功鼓舞了日本。他們的商家到新加坡來從事製造活動，以便把產品輸往美國，然後是歐洲，很久以後才開始出口到日本。中國在八〇年代開放門戶，日本投資隨之開始逐步流入。1985 年普拉扎條約推高日圓對其他強國貨幣

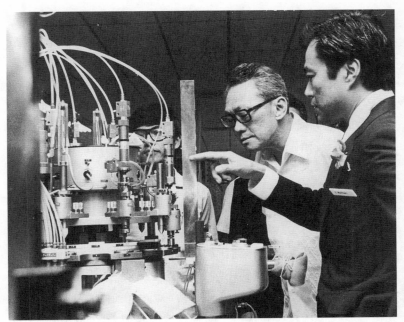

美國跨國公司的成功鼓舞了日本的商家，他們也到新加坡來從事製造活動。1976 年，我在新加坡錶廠董事主席服部一郎（右）陪同下，參觀工廠的製錶過程。

的匯率，日本於是把中等科技工廠遷移到台灣、韓國、香港和新加坡，把基礎科技工廠轉移到印尼、泰國和馬來西亞。當他們發現在這些亞洲國家投資的回報比在歐美來得高時，東亞便成了他們的主要投資地點。進入九〇年代中期，他們已經成為東亞製造業的最大投資者。

　　新加坡最早的投資者是英國人。英軍撤出新加坡之後，許多英國公司也隨著英國國旗撤出。我極力爭取英國公司在本地投資，但是他們害了退縮症，紛紛從帝國退回安穩的本國。其實當時他們在本國面對工會問題，這樣做是不符合他們的經濟效益

的。只有到七〇年代末期，新加坡證明自己有能力交出成績，英
國投資者才急切地回來，這回不是搞原料加工或貿易，而是製造
藥品等高增值產品。美占製藥廠在新加坡設廠，以先進技術製造
半合成盤尼西林供應亞洲市場，特別是日本。

　　其實最早來到這裏，並通過帝國統治把本區域國家引進國際
社會的正是英國、荷蘭和法國。但是這些前帝國花了很長的時
間，才適應後殖民時代的貿易和投資新局面，把自己犁過的土地
白白送給美國人和日本人來播種。

　　幾家設在新加坡的跨國公司儘管基礎穩固，仍不免受到全球
結構調整、科技發明和市場變化的衝擊。在我記憶中有一個例子
最明顯，那就是爭取了好幾年之後，經濟發展局終於說服德國相
機製造廠羅萊把業務轉移到新加坡。當時，德國工資高使他們喪
失競爭力。1970 年，我到不倫瑞克訪問羅萊工廠，隨後不久，
羅萊便開始把整個生產活動遷移到新加坡，在這裏製造相機、閃
光槍、放映機、鏡頭和快門，同時替德國其他著名的相機製造商
生產相機。羅萊跟經濟發展局攜手設立了一個中心，在精密機
械、精密光學、工具製造和電動機械方面培訓工人。羅萊（新加
坡）公司製造的相機堪稱一流，然而卻因為市場和科技多變而無
法暢銷。羅萊的研究與開發工作在德國進行，新加坡則成為生產
基地，這使策畫和協調工作無法順利展開。公司的研究與開發工
作集中在市場較呆滯的專業攝影器材方面，日本卻發展操作越變
越簡單的相機，安上取景器和自動聚焦、測距儀等精巧裝置——
這全拜集成電路片的開發所賜。德國人在這方面手腳不比日本人
快。11 年後，德國和新加坡兩地的羅萊公司都處於破產狀態。

一次重大的打擊

　　羅萊的失敗，對新加坡的工業化努力是一次重大的打擊，因

4　絕處求生

為歐洲投資者認為，這是歐洲無法把技術轉移給新加坡的例子。經濟發展局費盡唇舌向他們解釋，羅萊的失敗是科技和市場情況發生變化所致。值得安慰的是，它的 4000 名受過精密工程培訓的工人，成了八○年代出現的磁盤驅動器工業的寶貴建設資源。

經濟發展局一直是負責吸引投資的主要機構，所招攬的投資項目源源不斷，增值性越來越高。這麼一來，雖然工資和其他成本逐漸提高，新加坡卻仍然能夠保持競爭力。經濟發展局的官員依然是新加坡最優秀的大學生，大部分留學歐美和英國，現任主席楊烈國更是跨國公司的總裁們所熟悉的人物，他以幹勁十足和靠得住見稱，言出必行。

回顧過去，我不敢說新加坡的經濟發展和工業化成就，是按照預定計畫發展出來的成果。分家前擬定的早期計畫是以新馬建立共同市場的假設為基礎的。健力士已經付了按櫃金，要在裕廊的一個地段興建釀酒廠，馬來西亞財政部長陳修信卻告訴公司的董事主席阿倫‧倫諾斯克‧博伊德，他連一瓶黑啤酒也不會批准進口。博伊德於是在吉隆坡興建釀酒廠，並表示願意讓我們沒收按櫃金。我們把按櫃金退還給他。幾年後我們照樣回敬陳修信，拒絕削減馬來西亞健力士釀酒廠釀製的黑啤酒的入口稅。健力士只好發出許可證，讓新加坡的一家釀酒廠替他們在本地生產黑啤酒。

我們把大部分篩選工作留給跨國公司，是它們把各種工業帶進新加坡，就由它們自行選擇它們認為能成氣候的工業。一些工業，比如修船、煉油和石油化學、銀行和金融等是由經濟發展局、財長韓瑞生或我本人挑選的。貿工部相信生物科技、電腦產品、特製化學品、電信儀器和服務等行業，日後可能大有作為。當我們不能肯定新的研究與開發領域會有怎樣的發展時，便採取分散風險的做法。

　　我們的任務是廣泛擬定經濟目標和實現目標的期限。我們定
期檢討這些計畫，並按照時局的新變化進行調整。建造基礎設施
以及培訓與教育工人來滿足雇主的需求，必須提前幾年預先策畫
好。我們不像香港那樣有一批現成的企業家，在中共接管大陸的
時候，從上海、廣州和其他城市逃到香港。他們都是中國的工業
家和銀行家。如果我們等待我們的商人學習當工業家的話，我們
早已餓死了。有論者在九〇年代提出，要是我們當初培養自己的
企業家，就不必過度仰賴飄忽不定的跨國公司。這種說法是荒謬
的。香港即使從中國難民當中得到富有經驗的商業人才，當地製
造業的技術水平，還是比不上新加坡的跨國公司。

　　政府率先投資發展新工業，例如鋼鐵業和服務業，促使大眾
鋼鐵廠以及屬於服務行業的海皇輪船公司、新加坡航空公司應運
而生。有兩位部長因擁有多方面的才幹脫穎而出。韓瑞生為新加
坡發展銀行、新加坡保險公司和新加坡石油公司鋪下成功的發展
道路。設立船務公司是吳慶瑞的概念，他通過巴基斯坦政府聘請
了一位名叫 MJ 賽義德的船長來成立海皇輪船公司。他也借助於
澳洲軍械生產專家勞倫斯・哈特尼特爵士，創立了新加坡特許工
業公司。這是一家鑄幣廠兼生產小型軍火的兵工廠，因為兩者都
需要森嚴的保安措施和優良的生產機床，所以湊合在一起。新加
坡特許工業的執行董事王家國做事腳踏實地，為人足智多謀，在
他的管理下，這家企業也取得成功。後來，當時年紀尚輕的常任
秘書楊烈國，接替王家國掌管新加坡特許工業，成為企業主席，
給它增添了新業務，而在日後衍生出新加坡科技公司。這家高科
技公司業務甚廣，其中包括同頂尖的跨國公司合資設立晶圓裝配
廠。

　　新加坡必須仰賴為人正直，有頭腦，有幹勁，有魄力，但是
商業嗅覺還有待考驗的年輕官員。名列前茅的新加坡獎學金得主

是從每年最優秀的學生當中挑選出來的，保送他們到英國、加拿大、澳洲、紐西蘭、德國、法國、義大利和日本的頂尖大學受教育，後來我們有了能力，把美國大學也包括在內。我們把他們訓練成企業家，由他們率領創立海皇輪船和新航等成功企業。我原本擔心這些公司到頭來淪為需要政府津貼、不賺反虧的國營企業，跟許多新興獨立國家的情況一樣。韓瑞生對手下的年輕官員了解得很透徹，他向我擔保公司一定會成功，那些官員比得上同類公司的競爭對手。他們都得到清楚的指示，這些公司必須賺錢，否則就得關門大吉。我跟吳慶瑞和林金山討論了這些大膽的計畫，鑑於新加坡商界缺乏企業家人才，他們兩人都認為值得冒險一試。我靠的是韓瑞生的判斷。擔任要職的官員是他挑選的。這些項目旗開得勝，許多新公司隨即紛紛在其他部長和政府部門的支持下崛起，結果也連連報捷。於是我們讓國營壟斷機構如公用事業局、新加坡港務局和電信局獨立運作，擺脫政府部門的控制，像公司一樣以講求效率、盈利和競爭力的方式經營。

成功的關鍵在於管理人員的素質。我們的高級行政人員並非個個都具有商業才幹。有這種無形天賦的人寥寥無幾。侯永昌就是其中之一，他擔任大眾鋼鐵廠董事主席。另一個是沈基文，擔任吉寶企業首腦。還有一個是比萊，擔任新加坡航空公司總裁。在他們的領導下，三家公司成為無人不曉的企業，在新加坡股票交易所的第一級股市占主導地位。新航改為私營的時候，我們幾經困難才找到可以取代比萊的頂尖的行政人員，由此可見本地企業家人才有多缺乏。

要我用一個詞語來形容我們為什麼會成功的話，我會選擇「信心」。就是因為外來投資者對我們有信心，他們才會以新加坡作為開設工廠和煉油廠的地點。1973 年 10 月石油危機發生後幾天，我決定向幾家石油公司發出明確的信息，我們對這些公司

儲存在新加坡煉油廠的石油，不要求有任何特權。如果我們阻止
這些存油出口，新加坡將有足夠的石油可供兩年的消費。但是這
樣做將顯示我們毫無信譽可言。1973 年 11 月 10 日，我會見所
有煉油公司——蜆殼、無比、埃索、新加坡石油和英國石油的首
席執行員或董事經理，公開向他們保證：基於有難同當的原則，
如果它們對客戶削減石油供應量的話，新加坡也會跟其他客戶一
樣，不會有例外。它們的客戶，除了本區域的以外，還有遠遠分
布在阿拉斯加、澳洲、日本和紐西蘭等地的。

　　這項決定提高了國際對新加坡政府的信心，它顯示新加坡明
白，它的長遠利益取決於提供一個可靠地點來進行石油交易和其
他業務。結果石油工業滿懷信心地擴展業務，在七〇年代末擴展
到石油化學的領域。九〇年代新加坡的煉油總量每天達到 120 萬
桶，成為僅次於休斯頓和鹿特丹的世界第三大煉油中心，也成為
繼紐約和倫敦之後，世界第三大石油交易中心。此外，新加坡還
是世界船用燃料油的最大市場，也是石油化學品的主要生產地。

　　為了克服先進國投資者一向對新加坡工人素質所抱的懷疑態
度，我要求日本、德國、法國和荷蘭分別在新加坡設立培訓中
心，由他們本國的指導員前來提供訓練。有些中心由政府資助，
其他中心由飛利浦、羅萊、達達等公司共同設立。經過四到六個
月的訓練後，工人由於在猶如工廠的環境裏受訓，對不同國家的
工作制度和文化變得很熟悉，結果成為投資者心目中理想的員
工。上述國家的投資者，若要知道新加坡工人跟他們本國工人比
較水準相差多少，這些中心便成為他們查詢的地方。他們證實新
加坡工人的水平一點也不差。

……只有在金融管理局證明了它所建立的體制經得起 1987 年和 1997 至 98 年兩次金融風暴的吹襲後，我才有足夠的信心讓新加坡朝「沒有明文禁止就可以做」的方向推進。我們的審慎態度支撐新加坡渡過 1997 至 98 年的東亞金融危機……從 1968 年第一次推出亞元市場至今，我們花了整整 30 年才建立起新加坡國際金融中心管理妥善的信譽。

李光耀回憶錄

5 金融中心的故事

19⁶⁵ 年新馬剛分家的時候，任何人預測新加坡日後會發展成為一個金融中心，一定被當成瘋子。市中心一座座閃閃發亮的現代化辦公大樓，通過一組組電腦把新加坡同倫敦、紐約、東京、法蘭克福、香港和其他主要金融中心聯繫起來，這是怎樣發生的呢？

故事要從 1968 年說起，那是一個最奇異的開始。溫斯敏博士在口述歷史檔案中憶述同友人的通話內容，對方是美國銀行新加坡分行的副總裁，他當時人在倫敦。溫斯敏說：「聽我說，范伊厄寧先生，我們（新加坡）要在十年內成為東南亞的金融中心。」范伊厄寧回答：「好，你來倫敦，五年內就能把它發展起來。」溫斯敏立刻啟程到倫敦。在那裏，范伊厄寧把他帶到一間會議室，來到一個巨型地球儀的面前對他說：「你看這裏，整個金融世界的活動，由蘇黎世開始。蘇黎世銀行上午九點正開市，接著是法蘭克福，然後是倫敦。到了下午，蘇黎世先閉市，隨後是法蘭克福和倫敦接著閉市。這個時候輪到紐約開市了，金融交易活動於是由倫敦轉到紐約。紐約下午閉市時，金融交易又轉到舊金山。直到舊金山下午閉市，整個金融世界就彷彿落了幕，無聲無息，待第二天瑞士時間九點正瑞士銀行開市後，它才又活躍起來。如果把新加坡置於二者之間，新加坡就會在舊金山閉市之前接手，到自己閉市時就把金融交易活動轉交蘇黎世。這將是開天闢地以來，銀行和金融活動第一次全天候不間斷地在運作。」

范伊厄寧在溫斯敏的要求下，針對上述課題做了一份報告，提交給當時的經濟發展局主席韓瑞生。韓瑞生也是溫斯敏和我之間的特別聯絡人。韓瑞生來見我，向我建議解除新加坡同非英鎊區國家和地區之間所有貨幣交易的一切外匯限制的措施。當時，新加坡依然屬於對資金流動必須實行外匯管制的英鎊區。韓瑞生向英格蘭銀行一名職員打探消息，以了解在新加坡建立像香港那樣的

外匯市場，以便為新加坡開拓「亞元」市場鋪路的可能性。對方告訴他，香港之所以能夠有此系統，同它特殊的歷史因素有關。對方也提醒韓瑞生，新加坡可能得脫離英鎊區後才能落實這個計畫。我決定不惜冒險一試，吩咐韓瑞生大膽地去進行。由於英格蘭銀行沒有追究，新加坡也就無須脫離英鎊區。無論如何，英國四年後取消了這個制度。

新加坡金融管理局在金融監管方面一直保持專業水準，完全依據法律和條規運作。

　　新加坡不像香港，既不能憑藉倫敦市的名氣，又沒有英格蘭銀行這個後盾——前者是歷史悠久，在國際銀行交易方面經驗豐富的金融中心，後者在金融界是行家和信譽的象徵。新加坡在 1968 年屬於第三世界國家，我們必須向國外銀行家保證，能夠為他們提供穩定的社會條件，良好的工作和生活環境，能發揮高效率的基礎設施，以及一群技能高、適應力強的專業人才。另外還得說服他們，讓他們相信，我們的貨幣局和新加坡金融管理局有能力監管銀行業。早在 1965 年獨立後不久，我和吳慶瑞就認定，新加坡不應該設立兼具印製和發行貨幣

權的中央銀行。我們決意不讓新加坡貨幣在強國貨幣的挑戰下貶值，對美元尤其如此。因此貨幣局保留下來，只在擁有等額外匯儲備做後盾的情況下，才發行新元。新加坡金融管理局則擁有中央銀行的一切權力，但沒有貨幣發行權。

金融管理局在金融監管方面一直保持專業水準，完全依據法律和條規運作。這些法律條規定期進行檢討和修訂，以便跟得上金融服務的發展新趨勢。我們必須竭盡所能，使外界對我們的剛直不阿、辦事能力和判斷能力有信心。我們的金融中心發展史所寫下的是這樣的故事：如何努力建立正直之邦的信譽，如何把知識和技能傳授給官員，訓練他們具有監管銀行、股票行和其他金融機構的能力，以便把金融體制發生崩潰的風險，減至最低程度。

一開始，新加坡小規模地發展岸外亞元市場，相當於歐元市場；我們稱之為「亞元市場」。當初它是銀行之間在新加坡進行交易的市場，向海外銀行籌集外幣基金，以供本區域銀行借貸，反之亦然。後來進一步進行外匯和外幣標價證券的金融衍生產品交易，也從事財團貸款、債券發行和基金管理等活動。1997年，亞元市場總額超過 5000 億美元，規模幾乎等於新加坡國內銀行市場的三倍。取得那麼驚人的增長，是因為它滿足了市場的需求。隨著貿易和投資活動推向全球，涵蓋亞洲，新加坡作為主要樞紐之一，它在國際間的金融交易量正節節上升。

早期，在 1968 到 1985 年間，本區域整個賽場完全屬於我們。我們取消了非居民存款人在利息收入上的預扣稅，以吸引國際金融機構前來投資。所有亞元存款也無須遵守法定流動資產和儲備的規定。進入九〇年代，新加坡已成為全球規模較大的金融中心之一，外匯市場名列世界第四，僅次於倫敦和紐約，稍微落後於東京。新加坡在八〇年代中期以後取得的成果，促使本區域

其他國家，競相朝向發展國際金融中心的目標努力，有些甚至實施比新加坡還優厚的稅務獎勵措施。新加坡金融中心的根基，建立在法治和司法獨立，以及政府穩定、稱職而清廉的基礎上。我們執行穩妥的宏觀經濟政策，幾乎年年都有預算結餘。正因為如此，新元堅挺而穩定，匯率保持在足以舒緩輸入性通貨膨脹的水平。

七○年代，我們跟倫敦的國際知名人物交鋒。1972 年 3 月，英國一名專門倒賣資産的投資家占美·史拉達到新加坡來見我。據報章報導，禧斯出任首相期間，把自己名下的資産和股票，交史拉達全權管理，因此他享有卓越的信譽。在這之前一年，我曾經在唐寧街 10 號禧斯做東的晚宴上見過他。我對史拉達華克證券公司進軍新加坡股票市場，表示歡迎。

後來在 1975 年，當時的財政部長韓瑞生告訴我，史拉達華克證券公司涉嫌操縱新加坡掛牌公司虎豹兄弟國際有限公司的股份。他們以不法手段抽取虎豹總公司和子公司的資産，同虎豹集團的某些董事中飽私囊，這種行為構成失信的刑事罪名。他們是在欺詐虎豹集團和其他公司的股東。但是，要對倫敦證券交易所的這麼一位名人進行調查，萬一證實不了，壞的是自己的名聲。該讓韓瑞生對史拉達採取行動嗎？我最終決定，為了維護新加坡股票交易所以管理妥善見稱的信譽，我們不得不採取行動。

調查顯示，這果然是個有計畫的陰謀，目的是要一步步抽光虎豹集團的資産。事情才剛剛露頭，規模更大、涵蓋面更廣的詐騙活動還在後頭。史拉達華克證券公司的犯罪活動，從新加坡延伸到馬來西亞、香港，直到倫敦——那是所有贓物的集中地。他們利用虎豹集團在香港的子公司，收購香港的上市股份，再把股份轉售給史拉達華克執行級人員獨攬股權的史派達證券公司，大家一起瓜分這些不義之財。幾個主謀是：史拉

高銘勝

達、虎豹集團主席理查德‧塔林和虎豹集團董事經理奧格爾維‧華生。華生早在事發前返回英國，後來逃到與新加坡沒有引渡條約的比利時。史拉達和塔林還留在倫敦，我們要求把這兩個人引渡回新加坡受審，但是英國當局不肯引渡史拉達。反而是經過倫敦法院長達三年的審訊後，英國內政部長才在 1979 年下令，僅以 17 項控狀當中五項刑罰最輕的控狀引渡塔林。法庭以其中三項控狀，即刻意隱瞞有關虎豹集團 1972 年綜合損益表的重要資料而將塔林定罪，每項罪名判入獄六個月。好幾年後，已經卸任的英格蘭銀行行長戈登‧理查森，在我的辦公室裏低聲地向我表示遺憾，後悔自己當初無法協助新加坡把史拉達繩之以法。

　　新加坡金融管理局向來以處事縝密堅定見稱，信譽不佳的金融機構一概不受理。該局在七〇和八〇年代受到考驗，它拒絕給國際信用商業銀行發出在新加坡開業的執照，結果證明它能夠站穩立場。國際信用商業銀行欺詐事件從事發到結束，幾乎影響所有大規模的金融中心。銀行是由一個巴基斯坦人在盧森堡註冊的，股東包括沙地阿拉伯、巴林、阿布扎比和杜拜四國的皇親國戚，屬下約有 400 家分行和辦事處遍布歐洲、中東、非洲和美洲等 73 個國家。1973 年，銀行向新加坡申請岸外銀行營業執照，未獲批准，原因是它太新（1972 年才成立），資本總額也太低。1980 年它重新提出申請，結果因為國際信譽不高而再次遭金融管理局回絕。

　　但是它並沒有就此放棄。1982 年，曾經協助新加坡建立亞
元市場的范伊厄寧，問起有關國際信用商業銀行申請執照的事
情。好幾家中央銀行的主管人員告訴當時剛接任金融管理局銀行
及金融機構部門經理的高銘勝說，他們對國際信用商業銀行都抱
著保留的態度。所以當范伊厄寧和我見面時，我決定還是支持高
銘勝的做法為妙。

　　幾次碰壁，國際信用商業銀行還是不死心，這回請來哈羅
德・威爾遜。威爾遜的來信有一些讓人想不通的地方。過去他總
會在信末親筆署上「哈羅德謹啟」，這一次，「謹啟」二字是打
上去的，署名則成了「里沃的（哈羅德）威爾遜」。我的結論
是，這是他應酬朋友而寫的信。

　　國際信用商業銀行的不誠實行為，導致其他銀行蒙受鉅額虧
損。它在 1991 年 7 月被迫終止一切業務時，存款人和債權人索
償 110 億美元。新加坡因為拒絕在標準上做出妥協，免遭池魚
之殃。

　　另一家未獲金融管理局發出執照的是汶萊國家銀行。這家銀
行由新加坡頗有名望的華裔商人邱德拔管理。他收購汶萊國家銀
行，並安排汶萊蘇丹的弟弟莫哈末親王以汶萊國家銀行主席的身
分，在 1975 年寫信給金融管理局，申請在新加坡設立分行。幾
個月後另一封來信通知我們，他的弟弟蘇菲利親王剛剛受委出任
該行的執行副主席。邱德拔顯然有汶萊皇室在政治上給他撐腰，
金融管理局因此向我請示。我支持金融管理局的決定，它在
1975 年回絕汶萊國家銀行的申請，1983 年該行重新提出申請
時，再度請它吃閉門羹。

　　1986 年，汶萊蘇丹發布緊急法令，關閉汶萊國家銀行。消
息一傳出，銀行立刻出現擠提。銀行涉嫌在違反條例的情況下，
撥出 13 億新元貸款給邱氏集團公司。原來邱德拔一直在利用銀

行的基金，進行私人活動，包括設法奪取倫敦渣打銀行的控制權益。身為銀行總裁的邱家長子，在汶萊被逮捕。新加坡的銀行總共貸款 4 億 1900 萬新元給汶萊國家銀行，其中以外資銀行為主。邱德拔花了兩年，才還清這些債務。

憑著嚴格的條規和縝密的監管，金融管理局在高銘勝的帶領下，協助把新加坡發展成為一個金融中心。為了能夠跟國際銀行競爭，金融管理局鼓勵本地規模最大的四家銀行（統稱四大銀行）收購本地其他小型銀行，進行合併，以進一步擴大規模和實力。四大銀行都獲得美國評級機構穆迪推選，躋身亞洲基礎最穩固、資本最雄厚的銀行之列。

1985 年，新加坡股票交易所陷入危機，金融管理局不得不介入為它解圍。馬來西亞炒家，尤其是陳群川，把他們手頭的新泛電和另外幾家馬來西亞公司的股票，存入新加坡的股票經紀行，作為貸款抵押，而抵押價高過市場價格。他們保證在指定期限內以更高的價格贖回股票。後來股市滑落，他們的資金周轉不靈，以致無法以原定價格贖回股票。因此，新加坡股票交易所屬下好幾家規模龐大的股票經紀行，無法清償債務，交易所被迫關閉三天。金融管理局人員在高銘勝的率領下，同新加坡四大銀行徹夜商討對策，撥出一筆總額 1 億 8000 萬新元的「救生艇」緊急基金，拯救瀕臨破產的股票經紀行。高銘勝這一番搶救行動，使新加坡股票交易所逃過股市全盤崩潰的厄運，挽回了投資者的信心。整個事件可謂雜亂如麻。

為了防止這類危機再次發生，我們修訂證券業法令，要求股票經紀公司行事時須更慎重，以便為客戶提供更大的保障，避免因一些新加坡股票交易所成員股票行違約而影響大局。與此同時，這些成員股票行聯合組成股份公司，使資本大大增加。我們開始允許海外公司在新加坡股票交易所的成員公司加股，也批准

能為新加坡引進所需專才的外國獨資股票行，在新加坡設立。正因為我們謹慎地修訂了法令，新加坡股票交易所在 1987 年 10 月 19 日才能安然渡過被形容為「黑色星期一」的全球性股災。香港證券交易所則因此被迫暫停交易四天。

　　成立新加坡國際金融交易所，是新加坡金融中心的另一大進展。1984 年，原本只進行黃金期貨交易的新加坡黃金交易所擴大交易範圍，進軍金融期貨交易，重新定名為新加坡國際金融交易所。為了爭取國際金融機構的信心，我們以芝加哥商業交易所為模式，設立公開叫價交易制度，同時說服芝加哥商業交易所，跟新加坡國際金融交易所共同採納相互抵消的制度，提供每天 24 小時全天候的金融交易服務。這個革命性的概念讓投資者能夠在芝加哥商業交易所開個盤口，在新加坡國際金融交易所結算，反之亦然，無須繳付額外按金。美國商品期貨貿易委員會批准了這個安排。互相抵消的安排自新加坡國際金融交易所成立以來，一直順利運行，至今不曾有誤。1995 年，倫敦歷史悠久的霸菱銀行在新加坡的期貨交易分行，爆出新加坡國際金融交易所一名期貨交易員尼克‧利森進行日經指數投機買賣事件。利森一下子虧損了 10 多億美元，使霸菱慘遭橫禍，但是這場災難卻不曾影響新加坡金融交易所，也沒使交易所的其他成員或它們的顧客蒙受損失。

　　1984 年，新加坡國際金融交易所開始進行歐洲美元利率期貨合約交易，不久後再擴大到歐洲日圓合約。1998 年，在該交易所上市的區域合約已有好幾種，包括日本、台灣、新加坡、泰國和香港的股票指數期貨。1998 年，倫敦《國際融資評論》把全年最佳國際交易所獎頒給新加坡國際金融交易所。該交易所第四次獲得這個榮銜，也是亞洲唯一的得獎者。

　　隨著中央公積金局的積蓄（新加坡的養老金計畫）和公共部

門的餘款增加，我們的金融儲備相應提高。新加坡金融管理局沒
有拿這些資金進行長期投資以取得最高的回報。我請吳慶瑞檢討
這個問題。他在 1981 年 5 月成立新加坡政府投資公司，由我擔
任主席，他本人為副主席，韓瑞生和幾位部長擔任董事局成員。
通過吳慶瑞同戴維‧樂司財的聯繫，我們委任樂司財父子公司為
顧問。他們調派一名經驗豐富的職員來這裏幾個月，協助我們設
立新加坡政府投資公司。我們也聘請英美投資經理，協助我們開
發適合不同投資種類的系統。楊邦孝受委率領管理層，成為新加
坡政府投資公司的第一個董事經理。他邀請詹姆斯‧沃爾芬森擔
任公司的投資策略顧問。沃爾芬森日後當上了世界銀行行長。慢
慢地，他們建立起一支由新加坡專業人士組成的核心隊伍，以金
融管理局調來的黃國松和鄭國枰為首。到了八〇年代後期，他們
兩人和手下職員正式出任管理和投資要職。

　　新加坡政府投資公司一開始只管理政府的金融儲備。到了
1987 年，它已經有能力管理新加坡貨幣局的儲備金，同時兼顧
金融管理局的長期資產。1997 年，它所管理的資產價值逾 1200
億新元，最重大的責任是把新加坡的投資在證券（公債和股
票）、債券（主要是發達國家派發的債券）和現金之間，做出妥
善的分配。解釋市場運作原則的書籍有的是，但是沒有一本能夠
打包票地指導讀者如何預測未來的價格走向，更別說保證回報。
1997 至 98 年間，事事瞬息萬變，日圓兌美元狂跌，或德國馬克
對美元激升，就足以使新加坡政府投資公司一下子虧或者賺好幾
十億元。投資是高風險的活動。我的基本目標是為國人的積蓄保
值，使資產得到應有的回報，不是要獲取最高的回報。從 1985
年至今，新加坡政府投資公司 15 年來的表現，一直在環球投資
相關基準之上，所做到的已經遠超過保持我們的資產價值了。

幾次金融危機都過關

　　不過跟香港比較，外界認為新加坡金融中心的管制過嚴。一些批評者這麼寫道：「在香港，沒有明文禁止就可以做。在新加坡，沒有明文批准就不可以做。」他們忘記了香港過去有英國國旗和英格蘭銀行做後盾。新加坡沒有這樣的保護網，我們不可能在跌得這麼重之後，還能像他們那麼樣輕易地爬起來。我們必須先靠自己樹立本身的聲望。來訪的外國銀行家以前常常告訴我，如果新加坡肯讓他們把新的金融產品引進來，不必等其他地方率先試驗使用，我們的金融市場將能增長得更快。我總是靜靜聆聽，但是始終沒有插手，因為我相信我們需要更多時間建立新加坡的地位和聲譽。

　　1990 年卸下總理職務後，我有更多的時間深入探討研究新加坡的銀行業。我和一些本地銀行家吃午餐談公事，其中一人是林和紀。他是一個精明的外匯交易員，事業有成，在新加坡管理一家大規模的外資銀行。他說服我重新檢討我們的政策。他認為這些政策過分謹慎，妨礙新加坡金融中心擴大發展，以致無法追上比我們發達的中心的活動。1994 年年中，我也召集在外國金融機構擔任管理要職的新加坡人士，舉行數次獻策會議。在他們的勸說下，我確信我們有太多國民積蓄存放在公積金戶頭裏，而法定機構以及同政府有聯繫的公司，總是把餘款存進銀行的做法太保守了。他們大可通過新加坡有經驗、資深的國際基金管理公司進行投資，取得更高的回報。這將擴大本地的基金管理業，招攬更多基金管理公司，從而吸引更多外資流入本區域進行投資。

　　1992 年之後，我對本地管制措施和銀行作風的看法開始起了變化。前美國國務卿喬治‧舒茲在這一年邀請我加入他所主持的 JP 摩根國際諮詢委員會。JP 摩根是美國一流的銀行，每年總

要召開兩次最高層會議。在從這些會議上聽到的匯報以及同銀行
高層的交流中，我見識了他們的作業方式，看到他們如何為銀行
服務的環球化運籌帷幄。委員會成員的素質使我驚嘆，除了 JP
摩根各個部門的主管外，他們還包括成功幹練的企業總裁，以及
來自全球各大經濟區的前政治領袖，大家為委員會提供了不同的
見解。他們覺得我有價值，因為我了解本區域的情況。其他成員
則就各自的區域或專長領域，帶來鮮為外人所知的內幕資料。從
這裏我了解到他們在比較了拉丁美洲、俄羅斯、前蘇聯其他成
員、其他東歐國家等新興市場後，給東南亞怎樣的定位。對於銀
行服務的創新和改革，他們表示非常歡迎並做好充分準備，特別
是在開拓資訊科技方面，這一點教我心服口服。我斷定新加坡跟
他們相比，差別何止十萬八千里。

　　作為政府投資公司的主席，我有機會跟歐美和日本大銀行的
總裁商討一系列銀行課題，因此知道他們怎麼看待環球銀行服務
的未來走向。相比之下，新加坡銀行傾向於閉關自守，董事部成
員以新加坡人為主，主要執行員亦然。我向四大銀行中的三家──
──華僑銀行、大華銀行和華聯銀行的主席，表達了我的顧慮。從
他們的反應來看，我得出結論：他們尚未意識到，在環球化趨勢
快馬加鞭的時代，排他、不放眼天下和缺乏前瞻性的心態有多麼
危險。他們的表現良好，沒有競爭的壓力。他們希望政府繼續約
束外資銀行，使他們不能增設分行，甚至不能多設自動提款機。

　　我向他們發出警告，新加坡遲早因為同美國簽署雙邊協議，
也有可能因為世界貿易組織協議的規定而不得不開放銀行業，停
止保護本地銀行。

　　我決定在 1997 年打破這個舊框框。新加坡銀行需要注入外
來人才，同時改變心態。如果三大銀行不肯向前，政府持有股份
的新加坡發展銀行只好以身作則，身體力行。經過一番物色，發

展銀行在 1998 年聘請了當時即將離開 JP 摩根的資深高級執行人員約翰・奧爾茲擔任副主席兼總裁，他把銀行發展成為亞洲的主要銀行之一。不久後，華僑銀行委任香港銀行家歐肇基擔任總裁。

　　30 多年來，我一直支持高銘勝限制外資銀行進入本地市場。我相信現在該是讓國際勁敵加入競賽，以迫使本地四大銀行選擇提升服務或喪失市場占有率的時候了。它們或許真有可能爭不過人家，到頭來我們落得失去由新加坡人持有和管理的銀行的下場，一旦爆發金融危機，我們將無所依靠。這樣的風險確實存在。

　　慢慢地，我得到結論，金融管理局的銀行及金融機構部門副董事經理高銘勝，沒有趕上全球銀行業大步跨進的發展。他過於保護我們的投資者。我向紐約聯邦儲備銀行前總裁杰拉爾德・科里根和英格蘭銀行前職員布賴恩・奎因請教，他們分別給與的意見是，新加坡能夠在不降低要求、不增加系統全面崩潰的風險的情況下，改換監管銀行的風格和方式。主要金融中心如紐約和倫敦，它們把重點放在保護制度本身，而不是忙著保護各自的市場業者或個別投資者。科里根和奎因說服我們應該讓基礎較穩、管理較好的機構享有更大的空間，承擔較多的風險。

　　我不想親自整頓金融管理局，於是在 1997 年初得到總理的同意後，讓顯龍參與其事。他開始同銀行家和基金管理人員會面，熟悉新加坡金融業的運作方式。一年後，在 1998 年 1 月 1 日當總理委任他為金融管理局主席時，他已經準備出擊了。在幾名主要官員的支持下，他對金融管理局進行改組，調整重點，以全新的風格管理和發展金融業。

　　顯龍和由他領導的小組改變了金融管理局對金融界的監管風格；手法比較寬鬆，也比較能夠接納業者的建議和意見。在管理

顧問和各個行業委員會的指導下，他們修訂有關政策，金融界上上下下無不受影響。他們也採取措施推動資產管理業和修訂關於新元國際化的條例，藉以刺激資本市場的發展。金融管理局鼓勵新加坡股票交易所和新加坡國際金融交易所進行合併，並停止制約佣金收費率和交易所的服務管道。

金融管理局批准外資特准全面銀行增設更多分行和自動提款機，通過這個方法開放國內銀行業。該局撤銷對外國投資者在本地銀行的股權限制，同時效法許多美國銀行的制度，規定本地銀行的董事部成立提名委員會。這些委員會負責審查董事部和管理要職的提名名單，確保只有能幹的人才會受委，而且受委者會顧全全體股東的利益，不單單照顧手握控制大權的大股東的利益。

各家銀行相信，金融管理局放寬監管將能讓它們發揮更大的創意來推出新的金融產品。或許我們早就應該推行這些改革。但是，只有在金融管理局證明了它所建立的體制經得起 1987 年和 1997 至 98 年兩次金融風暴的吹襲後，我才有足夠的信心讓新加坡朝「沒有明文禁止就可以做」的方向推進。我們的審慎態度支撐新加坡渡過 1997 至 98 年的東亞金融危機。這裏的銀行穩步過關，沒有發生放帳過多的情形，股市也沒有出現過熱的泡沫現象。從 1968 年第一次推出亞元市場至今，我們花了整整 30 年才建立起新加坡國際金融中心管理妥善的信譽。

從 1997 年 7 月開始，金融風暴隨著泰銖貶值橫掃東亞，一連串災難把這個區域的貨幣、股市和經濟都搞垮了，但是新加坡卻沒有一家銀行受到動搖。投資者都急著撤離新興市場，新加坡市場正好屬於這個類別。當基金經理都存有掉入隱匿陷阱的顧慮時，隱瞞資料是不智的。我們決定儘量公開資料。為了方便投資者評估我們的資產價值，我們說服新加坡銀行摒棄維持秘密儲備和不公開不良貸款的一貫作風。新加坡銀行披露它們向本區域提

供的貸款數額，為這些區域貸款大幅度制定另外的總體應付措施，預先處理可能出問題的帳目，而不是坐待貸款變成呆帳。由於金融管理局採取了有效率的措施應付危機，新加坡的金融中心地位進一步得以鞏固。

李光耀回憶錄

6 工會脫胎換骨

1968 年初，我在職總代表大會上說服與會代表們相信，對新加坡的生存來說，勞資關係比加薪更重要。我們必須聯手改善勞工運動，廢除束縛手腳的慣例，制止濫用附加福利……我追述了英國碼頭在工潮中陷入癱瘓，平白浪費了幾年的時間，並導致 1967 年英鎊貶值的事件，藉此發出警告：「要是我們的港口發生這種事情，我會宣布那是犯了最嚴重的叛國罪……」

我的政治生涯一開始是為工會鬥爭，出任工會的法律顧問和談判代表。到了五〇年代中期，共產分子控制了大部分工會，而且不論是不是由共產黨人領導，工會一般都變得好鬥起來。為了爭取投資，首先必須使所有的工會擺脫共產黨的控制，並且教育工會領袖和工會會員，使他們了解，為了提供新的職位，我們非爭取投資不可。不過，要這麼做談何容易。

四〇年代末期到六〇年代，工會受共產分子控制而免不了引起數不盡的罷工、怠工和暴亂。從 1961 年 7 月到 1962 年 9 月，新加坡發生了 153 次罷工行動，創下本地紀錄。1969 年，這也是戰前以來的第一次，全年沒有發生過一起罷工或停工事件。我們是怎麼做到的呢？

不能殺死下金蛋的鵝

英國式的工會作風毒害了新加坡的勞工運動。殖民地政府請來英國職工大會的杰克‧布雷熱等顧問對付共產黨的影響。為了使非共派工會領袖脫離共產分子的影響，這些顧問把壓榨雇主的種種不良做法傳授給他們，不顧公司狀況一味要求提高工資和改善福利。1966 年 7 月，我在軍部平民雇員聯合會的會議上，呼籲英軍雇員摒棄這些摧毀了英國經濟的英國工會陋習。我承認，當我代表工會進行談判時採取過好些類似的做法，因為當時工人受到太多的剝削。但是，那麼做的後果很糟，失業問題更因此雪上加霜，我悔不當初。例如，公共假日三薪導致清潔工人故意在公共假日前夕積壓垃圾，這樣他們在假日就一定有工作。規定公共假日的用意是讓工人有時間休息，可我們的工人要的是更多的薪水，不是更多的閒暇。我促請工會領袖改變工會的一貫作風，破舊立新。

為了強調這方面的看法，我於 1966 年 11 月在國際勞工組織

亞洲顧問委員會會議上，當著該組織的職員和來自其他亞洲國家的工會領袖的面，重提這個問題。我告訴新加坡的工會領袖，他們不能殺死下金蛋的鵝，我們需要這些金蛋。我說，工會曾經是新加坡反英政治運動的一分子。政治領袖，包括我在內，答應過為工人爭取獨立。我們說過：「跟我們一起爭取自由吧，英國雇主給英國工人什麼樣的待遇，我們就給你們什麼樣的待遇。」許下的諾言如今無論如何必須兌現，但是要做到這點，我們必須重新建立「監管制度，紀律和工作準則」，以提高工作效率。

每年有三萬人離校找工作。我解釋說，新加坡工會的行事作風迫使雇主走資本密集路線，投資添置昂貴的機器來進行生產，儘量少請工人，情況和英國大同小異。這就造成一小批享有特權的工會會員領取高薪，而待遇太低和未充分就業的工人則越來越多。如果我們維持凝聚力和穩定，不重犯過去的愚蠢錯誤而動搖人們對新加坡的信心，我們應該能夠解決這些問題。我們需要有新的觀念，其中最重要的是，報酬必須以工作表現而不是工作時間為根據。

新馬分家給工會和工人帶來的震撼太大了，加上英軍撤退後前途未卜，人心惶惶，因此他們接受了我這種講究實際的做法。他們知道，我們的處境危急，國家獨立面臨威脅。

人民行動黨國會議員，職工總會秘書長何思明是我在工會服務時期的老同事，他對我的政策，例如取消公共假日三薪的決定，提出抗議。他和工會同仁必須應付基層的壓力，爭取工人群眾站在他們那一邊，以免被共產黨的工會領袖蓋過。我不得不對他的抗議置之不理，但是私下裏特地同工會領袖會面，向他們解釋我的顧慮。這些非正式會談使他們明白我為什麼必須建立新的架構，精簡我們的勞動隊伍。

一個無知的工會領袖

我跟一個毫無理性可言，不明白今非昔比這個道理的無知工
會領袖，倒有過一段歷史性的衝突。蘇巴耶是公共日薪雇員聯合
總會的主席。1966 年 10 月 18 日，他向政府發出最後通知，要
求了結所有引起不滿卻懸而未決的問題，聲稱這些問題是 1961
年簽署的一份集體協議沒有落實的後果。他要求政府給 1 萬
5000 名日薪工人每天加薪 1 新元。

從五○年代的舊市議會年代開始，蘇巴耶和我共事多年。他
出生於印度，沒受過教育，善於以淡米爾語（馬德拉斯的語言）
煽動人心，是個頑強又固執的領袖。跟他談判感覺很不自在，因
為他患斜視，談話好像從來不看對方的樣子。他所領導的工會會
員大部分是從印度移民到這裏的非熟練工人，英國人從馬德拉斯
把他們徵聘過來當清潔工人。蘇巴耶不了解新加坡已不再處於工
會權力如日中天，動輒發生暴亂的五○年代，不了解剛獨立的新
加坡往後將自生自滅，脆弱非常，政府不能容許任何工會危害到
國家的生存。我跟他和他的工會理事會面，進行了 40 分鐘的對
話。我告訴他，可以在制定 1968 年度財政預算案的時候考慮加
薪，1967 年度就不行。我警告說，他的工會有 7000 人是印度公
民，現在需要領取工作准證才能繼續工作，罷工的話，他們很可
能失去工作，不回印度也不行。蘇巴耶毫不動心。他說，只有兩
三千名會員是領工作准證的，他準備按計畫罷工，要瓦解工會的
話，讓李先生自己下手吧。他斥責我忘了自己之所以能坐上總理
的位子，主要是依靠職工運動。

蘇巴耶號召公共日薪雇員聯合總會成員在 12 月 29 日新年
之前進行罷工。我要求他們重新考慮這個決定，然後把糾紛提交
工業仲裁庭處理。這麼一來，工人罷工等於犯法。我發表文告提

醒他們注意這點。

　　1967 年 1 月，衛生部開始推行新的清潔工人工作制度。同年 2 月 1 日，公共日薪雇員聯合總會屬下的公共日薪清潔工友聯合會大約 2400 名工人發動「野貓」式（指未經工會批准或自行發動的）罷工。採取蔑視態度的蘇巴耶警告政府，清潔工人的不滿一星期內得不到解決，聯合總會屬下其他日薪工友聯合會的 1 萬 4000 名工人將全體舉行同情罷工。

　　警方逮捕蘇巴耶和另外 14 名清潔工友聯合會的領袖，控告他們號召非法罷工。職工會註冊官發出通知，要求聯合總會和清潔工友聯合會拿出理由，説明為什麼它們的註冊不該被撤銷。與此同時，衛生部宣布，罷工者的做法等於自我解雇，希望重新受雇的人可以在第二天提出申請。各方互相配合採取的堅決行動使罷工工人慌亂起來，有 90% 申請重新受雇。兩個月後，公共日薪清潔工友聯合會和以蘇巴耶為首的聯合總會註冊都被弔銷。

勞資關係史上的轉捩點

　　這次罷工是新加坡勞資關係史上的一個轉捩點。政府針鋒相對地應付罷工行動，贏得公眾的支持，也導致工會文化產生了變化，從目無法紀轉為講理並互諒互讓。我把公眾輿論進一步扭轉過來，通過向工會發表一系列演説，使工人對我們計畫修訂勞工法令有心理上的準備。我們完全禁止某些重要的服務部門進行罷工，並規定每個法定機構成立本身的工會。

　　1968 年初，我在職總代表大會上説服與會代表們相信，對新加坡的生存來説，勞資關係比加薪更重要。我們必須聯手改善勞工運動，廢除束縛手腳的慣例，制止濫用附加福利。我指望他們以領袖的身分開創以講究實際的策略見稱的新勞工運動。我追述了英國碼頭在工潮中陷入癱瘓，平白浪費了幾年的時間，並導

致 1967 年英鎊貶值的事件，藉此發出警告：「要是我們的港口發生這種事情，我會宣布那是犯了最嚴重的叛國罪，並採取行動對付罷工領袖，過後把他們控上法庭。我會立刻讓港口恢復運作。新元決不會貶值，我想人民是希望政府做出這一保證的。」我特別指出「地位穩固的勞工自私自利的行為」。新加坡港務局 1967 年處理的貨物增加了超過 10%，雇用的工人卻沒有增加，因為額外工作都成了超時工作。在僧多粥少的非常時期，這是不道德的行為。我對工會代表說，一定要使新加坡擺脫英國工會的一切有害陋習。

為了求取平衡，我在一個雇主會議上指出，他們要工人付出最大的努力，就必須公平對待工人；工會和雇主的基本目標相左，結果只會毀滅國家的經濟。我敦促本地雇主盡自己的本分，這樣工人才會付出最大的努力，爭取最高的報酬：直接報酬來自工資和工作福利，間接報酬通過政府的收入獲取，包括屬於自己的住房，還有保健、教育和社會福利。

1968 年 1 月，英軍宣布撤退，加深了人們的不安。我抓緊時機大刀闊斧地進行改革，革除那些導致雇主的特權被剝奪、資方統籌業務的能力受侵蝕的工會陋習。1968 年 4 月大選高奏凱歌之後，國會在同一年立法通過雇傭法令和勞資關係（修正）法令，後來又修訂了職工會法令。這些法令制定了最基本的雇傭條件，以及裁員賠償、超時補貼和附加福利的頂限，劃一週假、公共假日、工作日、年假、產假和病假的條規，讓資方重新掌握聘用、開除、擢升和調動雇員等在工潮迭起的年代被工會侵占的功能和權力。它們奠定了勞資關係和諧的基礎。

我們規定工會必須先通過秘密投票才能採取罷工或勞工行動，否則將當違法論，工會和工會職員可被提控。這項規定廢止了公開舉手表決的投票方式，使持有不同意見的人不再受到脅迫

而默默屈從。

我在工會服務時期的另一個老友，也是人民行動黨議員的職工總會領導人佘美國，反對雇主在雇用和開除員工方面享有那麼大的自由。不過，他接受工會在態度上應避免動輒對峙的做法，以便創造較有利於外來投資的環境。我也採納防範措施，避免發生濫用權力的事件。雇傭和勞資關係條例與慣例經過修訂和改變，產生了具體的效益。不出一年，新加坡有 52 家新工廠落成，在 1969 年製造了 1 萬 7000 份職業。第二年，新投資提供了兩萬個新的就業機會。工人的收入也增加了。

1972 年，我們成立了由勞資政三方代表組成的全國工資理事會。理事會每年利用政府收集到的精確資料，取得了廣泛的共識，就新一年的加薪和其他服務條件，提出大家能負擔又能進一步促進經濟增長的聯合建議。這些建議被採納為一切勞資談判的指導原則，不同的領域再根據個別情況進行調整。從成立之初起，各方便同意遵守一個原則：加薪幅度不能大於生產力的提高。

由於全國彌漫著深重的危機感，我才有辦法在幾年內扭轉工會的態度。英軍即將撤退可能造成經濟崩潰的危險，改變了國人的情緒和態度。他們意識到除非新加坡來個 180 度的轉變，擺脫罷工和暴力，轉而向穩定和經濟增長的方向努力，否則無異於束手待斃。

我讓資方扮演新的角色，由他們自己爭取工人的合作，否則生產力不可能提高。定嚴規，說硬話，單單這些起不了作用。是政府的總體政策使工人和工會領袖支持我們的大目標，使國際社會對新加坡有信心，從而吸引外國前來投資，提供就業機會。不過最終還是我和工會的多年交往贏得他們的信賴，好鬥、對抗的勞資關係才轉變為合作的夥伴似的關係。

工會不再那麼好鬥

1969 年，蒂凡那在我敦促下回到新加坡，再次挑起領導職總的大梁。蒂凡那在 1964 年獲選出任馬來西亞國會議員，之後便一直留在吉隆坡。我需要他在新加坡擔當維持工業和平並說服工友提高生產力和工作效率的重任。有蒂凡那出任職總秘書長使我受益不淺，他為我協調和調整政策，向大小工會灌輸積極的工作態度。從 1970 年開始，他領導職總，直到 1981 年國會推選他為新加坡總統為止。在這期間，他以職總領袖的身分勸服工會領袖面對世界市場的競爭挑戰。溫斯敏每次來新加坡，總會跟負責聯絡工作的官員嚴崇濤一起會見蒂凡那，向他匯報當前的經濟和就業情況。是蒂凡那教會工會領袖基本的經濟原理，使三方組成的全國工資理事會有所建樹。

他面對的一個問題是，工會鬥爭減少導致會員人數也減少了。為了應付這個趨勢，蒂凡那在 1969 年 11 月舉辦現代化研討會，在會上說服與會代表有必要使工會的功能現代化，以適應今非昔比的環境。他們成立了幾個工會合作社企業。職總在 1970 年成立一個德士合作社，稱為「職總康福德士工友合作社」，協助打破六〇年代「霸王德士」橫行一時的局面。康福剛開始時只擁有 200 輛摩里斯・奧克斯福德德士和 200 輛英國奧斯汀小巴。這些是用英國提供的援助貸款配套支付的。到了 1994 年，康福擁有一萬輛德士和 200 輛學校巴士，它在這個時候進行企業化管理，然後在新加坡股票交易所掛牌上市，成為「康福集團有限公司」。職總也以減低會員的生活費用為出發點，在 1973 年成立「職總消費合作社」，開辦商店、百貨公司和超級市場。後來它改名「職總平價合作社」，成了家喻戶曉的連鎖超級市場，盡可能把基本消費物價維持在接近批發價的水平。1970

6　工會脫胎換骨

年,「職總英康保險合作社」開始受理壽險業務,然後擴展到車
險和其他領域,雇用的是專業精算師和富有經驗的管理人員。工
會領袖受委加入這些合作社的董事會,負責監督管理這些企業的
專業人員,他們本身很快就明白健全的管理制度是通往成功的必
經之路。

不斷更換領導人才使職總能夠和年輕一代的工友並肩前進。
1981 年蒂凡那卸下職總的職務出任總統,由 37 歲的政治秘書林
子安接任秘書長。林子安在 1977 年當上國會議員後,曾在蒂凡
那手下工作過。他是格拉斯哥大學造船系的一級榮譽學士。他把
良好的管理方式引入工會,但是處理人際關係的技巧卻不及蒂凡
那。老一輩的工會領袖對他產生了誤解,在他們眼裏,林子安少
了那一點親和力。

每當領導權轉移涉及領袖換代時,我都會面對這樣的問題。
子安比蒂凡那年輕 20 多歲,屬於蒂凡那那一代的工會領袖習慣
了蒂凡那的作風,對子安截然不同的工作方式無法欣賞。基本問
題在於上一代領袖不歡迎組織裏突然出現年輕的生力軍。子安在
我的建議下引進數名年輕的大學畢業生幫他忙,這使上一代工會
領袖更加不自在。我得出的結論是,他很難跟他們繼續相處。他
認為這是他個人的失敗,因此毅然在 1982 年退出政壇,加入私
人企業界,在同新加坡政府有聯繫的最大公司之一吉寶企業任
職。作為一個企業領導者,他交出漂亮的成績,成為沈基文身邊
的支柱人物。沈基文這時已卸下公共服務領導人的職位,改任吉
寶企業主席。

我和蒂凡那一致認為,當時的交通兼勞工部長王鼎昌能夠跟
老一輩的工會領袖合得來。他 40 多歲,比子安年長 9 歲,我相信
他和老一輩領袖們比較沒有代溝。我遊說鼎昌執掌工會事務,他
答應了。1983 年,他被推選為職總秘書長,同時繼續留在內

閣。這樣的安排效果不錯，因為有人在內閣替工會說話，反過來說，政府在討論政策的時候也能考慮到工會的觀點。鼎昌是阿得雷德大學培養出來的建築師，能講流利的英語。華校出身也使他兼通華語和自己的母語福建話。他同工會領袖和一般會員相處融洽，並把職總帶入新的領域，為會員提供更好的消閒設施。在這方面，我鼓勵他，但是他實在並不需要什麼外來的推動力，他所需要的反而是資金和政治後盾——這些我都為他提供了。

職總把業務擴展到醫療、托兒、廣播電台等服務，也經營為工人服務的海濱度假酒店「白沙度假村」，還有在實里達下段蓄水池畔開闢設有高爾夫球場的「胡姬鄉村俱樂部」。職總也建造高質量的共管式公寓讓會員購買。這些新的合作社企業讓更多工會領袖有機會親身體驗管理企業的情況，並教育了一代又一代的工會新領袖，使他們掌握良好的管理技巧。這些俱樂部、度假村和其他設施為工人提供以往只有較富裕者才享受得到的生活方式。工人自嘆出身比人寒微，他們感受到自己不能享受只有成功人士才能享有的生活方式，我相信，這種感受會因為有了這些設施而不至於那麼強烈。為了使工人能夠負擔使用設施的費用，政府以象徵式的收費提供國有土地興建這些設施。

多年來我一直敦促職總成立勞工學院。鼎昌在 1990 年終於請來拉斯金學院的院長，協助新加坡創辦勞工研究學院，開設勞資關係和發展領導能力方面的課程。

工運邁入新領域

鼎昌在 1993 年的全民投票中獲選為新加坡總統，比他年輕12 歲，當時擔任貿工部第二部長的林文興接過職總秘書長的棒子。文興畢業於坐落泰恩河畔的紐卡斯爾大學，修讀造船學，1981 年就開始和工會打交道。他處理人際關係的技巧純熟，在

工會很吃得開。他把一批受過高深教育、才華出眾、年紀二三十
歲的年輕後輩引進職總。這些年輕人在海外大學的成績驕人，有
滿腦袋的點子。這批新血的注入革新了工會領袖的想法和心態，
使工會能夠交出好成績來。文興和鼎昌一樣，繼續留在內閣，工
會同政府合作的方式就此定型，這種合作方式一直都對新加坡有
利。

　　我在八〇年代初期推展生產力運動，因為在日本推行這套制
度的企業成績驕人，教我為之讚嘆。我鼓勵職總同資方一起推出
品管圈制度。在這套制度下，工人組成小組，共同針對如何改善
工作、節省時間和成本，如何使每一件產品完美無缺等提出建
議。這方面的進展緩慢。我們效法日本公司，哪個品管圈提出的
建議能夠為公司節省金錢或改善運作，它的成員的照片就張貼出
來，同時頒發一些小獎品、小紅利給他們。日本生產力中心提供
專家、培訓獎學基金、訓練材料、儀器和軟件支援我們。我時不
時都會在頒獎禮上發表演講和頒發常年生產力獎。

　　1987 年，有一次，我在頒獎給一家日本公司的董事經理之
後問他，為什麼他們在本地的工人和日本工人使用了同樣的機
器，生產力卻不及日本。他老實地回答，日本工人論技能、技術
的多元化、靈活性和應變能力，都勝過本地工人，而且缺勤和跳
槽的情況較少見。新加坡的技師、領班和督工不願意動手做髒
活。相比之下，他們的日本同事不把自己當成白領或藍領工人，
而是灰領工人，隨時願意出手幫助操作或修理機器，因此更能了
解工人的難處。

　　蒂凡那為日本工會的成就所折服。他把兩個勢力擴張，有如
八爪魚似的工會聯合總會重組為九個工業生產工會（產業工
會）。1982 年，當時擔任職總秘書長的子安倡導把產業工會改
為企業工會，這使工會領袖和工人之間的溝通得到改善，工會領

日本企業推行生產力制度的成績教我為之讚嘆,我在八○年代初期,也在
新加坡推行生產力運動。

袖也更能專心處理各自公司具體的勞資課題和問題。1984 年，
職總被說服了，他們相信企業工會確實有它的好處，於是決定予
以支持。

　　大部分企業工會成立後，工會的會員人數增加了，它們鼓勵
有關各方開誠布公，互相信賴，有利於維持勞資關係。不過到了
九〇年代，林文興發現，本地企業工會所發揮的效果不比日本
好。新加坡公司的規模太小，大部分的員工人數不到 1000，日
本公司的員工卻是以萬人計。更何況在日本，執行級人員、大學
畢業生和專業人士都能參加工會，不像新加坡，這裏的企業工會
缺乏受過高深教育的人士擔任領導職位。它們同資方談判必須依
靠職總幫助。我們必須想辦法解決這個問題，同時確保不分行業
的工會所產生的弊端不會再起作用。

　　新加坡工會這些制度上的改變是在鮮少發生罷工或工業糾紛
的情況下完成的。1962 年，繼共產黨人控制的工會在 1961 年脫
離新加坡職工總會，自立門戶，造成非共派工會缺乏高明的談判
代表之後，我從政府行政服務體系調派幾個忠於職守的能幹官員
到職總的勞工研究組。這些官員在協助職工運動和工會領袖趨向
成熟方面要記上一功，其中之一是曾經當過社工的納丹。他的判
斷力強，跟工會領袖合作融洽。他後來出任外交部常任秘書和新
加坡駐華盛頓大使，並在 1999 年當選總統。另一個被調派到職
總的官員是徐籍光，他是一個精力充沛的行動派人物，後來當上
新加坡所得稅局局長。他們協助非共工會領袖進行集體談判，也
在工業仲裁庭上助以陳詞。他們教育工會領袖了解有關新加坡經
濟求存的現實情況，並在這個過程中把職總領導層塑造成踏實而
不好高騖遠的一群。九〇年代，我鼓勵一些拿獎學金到國外深造
歸來的優秀青年在職總全職發展他們的事業，以加強職總的研究
和談判實力。到那個時候，在教育普及又有無數獎學金可供申請

的情況下，出身貧寒但是生來聰明的孩子都有辦法上大學了。工會裏從普通會員起家，一路坐上領導位子的能幹領袖變得少之又少。

　　為了維繫行動黨政府和職總之間的共生關係，我鼓勵職總安排一些國會議員全職負責工會事務，並委任另一些議員到各個工會擔任顧問。這些議員在國會提出工會的課題。有了他們的額外支援，工會的人力陣容在素質上就大不相同了。這些議員提意見有分寸而不乏深度，又容易跟部長接觸，沒有他們，工會不易在表明立場的時候，既能引起廣泛的注意，又能時不時促成政府修改政策。

　　我們制定了公平的架構監管勞資關係，一方面對工會過火的行為加以節制，另一方面通過協商和仲裁程序，讓工會能夠保護工人的利益，以便平衡整個局面。社會要和諧太平，關鍵就在於制度必須公正無私，人人都能分享進步的成果。

　　職總以積極的態度處理問題，使失業率從 1965 年的 14%下降到 1997 年的 1.8%。從 1973 到 1997 年，25 年間的實得工資每年平均增長近 5%。在 1997 年的亞洲金融危機中，我們受到挫折：失業率在 1998 年上升到 3.2%。為了恢復競爭力，工會同政府達成協議，從 1999 年 1 月 1 日起，推行一整套措施，把工資和其他成本削減 15%。

李光耀回憶錄

7 我們不搞施捨

反對黨和西方媒體總是不斷地批評和攻擊我……他們抨擊政府推行冷酷無情的政策，不願意津貼消費。在選舉期間，要應付反對黨提出的福利誘惑是非常困難的。六〇和七〇年代，歐洲福利國家的失敗還不是不言自明的，它的害處需要兩代人的時間才會顯現……幸而我在歷屆選舉中頂得住這些批評。直到八〇年代，西方媒體才承認福利社會的失敗。

我們信奉社會主義，相信人人平等。後來我們意識到要使一個經濟體有效率，個人的積極性和回報不可少。然而人的能力本來就有大小，如果完全讓市場來評估一個人的表現並決定報酬，大贏家將會非常少，中等贏家占多數，失敗者也會相當多。人們覺得社會不公，局勢難免緊張。

　　六〇年代，香港在殖民統治下競爭力強，強調勝者為王。這樣的社會制度在新加坡不適用。殖民地政府不像新加坡政府那樣每隔五年須面對一次選舉。我們必須確保國民收入適當地重新分配，以抵消自由市場競爭下出現的極端後果。在諸如教育、住房和公共衛生等方面提供津貼，從而提高人民謀生能力的政策顯然是必要的。可是，要為個人保健護理、養老金或退休優惠尋找正確無誤的解決方案談何容易。決定每一件事情，我們都採取務實的態度，考慮到可能會出現的濫用和浪費。要是我們通過提高稅率，重新分配做過了頭，表現卓越者將停止發憤圖強。我們的困難在於如何求取準確的平衡。

　　我早就在想，如何建立每個公民跟國家以及國家前途之間的利害關係。我要建設一個居者有其屋的社會。人們購買住房和租賃組屋的態度形成強烈的對比。屋主為能購買住房而感到自豪，而政府津貼的廉價租賃組屋則被嚴重濫用，維修也差。這使我深信，如果每個家庭都有自己的住房，國家將會更加穩定。1963年9月我們在大選中獲勝後，在還沒脫離馬來西亞之前，我通過建屋發展局公布了「居者有其屋」計畫。建屋局是在1960年成立的法定機構，目的是為工人們建造廉價住房。1964年，建屋局向買主提供低息貸款，攤還期長達15年。當時計畫推行得不成功，因為有意買房子的人籌不到相當於售價20%的首期付款。

　　1965年獨立後，我對新加坡的選民幾乎都住在市區心感不

安。我注意到各國首都的選民總是傾向於投票反對政府，因此決心讓新加坡的家庭擁有自己的住房，否則政治就不會穩定。另一個重要的目的，是讓那些兒子必須履行國民服役的父母覺得新加坡有他們的份，值得他們的孩子去捍衛。如果國民服役人員的家庭沒有自己的住房的話，那麼，他們遲早會得出結論：他們所捍衛的是有錢人的財產。我深信擁有的感覺至為重要，因為我們的新社會並沒有奠定深厚和共同的歷史基礎。國防部長吳慶瑞給與我最大的支持，其他部長卻認為居者有其屋雖有需要卻不是關鍵。

　　中央公積金原來是由英國殖民地政府創立的，當年只是個簡單的儲蓄計畫：由雇員繳交 5%工資，雇主同樣替雇員繳交 5%，55 歲退休時雇員可以領回這筆錢。作為養老之用，這個計畫是不夠的。我跟吳慶瑞決定擴大這一強制性儲蓄計畫，把它發展成為一個基金，使每個工人都能擁有自己的住房。1968 年，我們修改了中央公積金法令，把繳交率提高。建屋局推出了經過修訂的購屋計畫。工人可以利用累積的公積金儲蓄繳付 20%的首期購屋款額，也可以利用正在繳納的公積金，在 20 年內按月分期，繳付購屋貸款。

　　我跟職總領袖討論過這個計畫，他們對我有信心。我必須克服落實計畫所遇到的一切困難，以兌現讓每個工人都有機會擁有住房的諾言。因此，我一直都很關注這個計畫實施的情況，不時根據工資、建築成本和土地價格的市場變化進行調整。全國工資理事會每年都根據上一年的經濟增長情況建議加薪。我知道工人一旦習慣了有較多的工資到手，他們就會反對提高雇員的公積金繳交率，因為公積金繳交率提高了，他們到手的工資就會減少。於是幾乎每年我都提高公積金繳交率，卻使工人拿到手的工資仍然有所增加而不是減少。這樣做，工人並不覺得痛苦，這也有助

於降低通貨膨脹的壓力。我們這條道路之所以走得如此順利，是因為經濟年復一年地高增長。由於政府兌現了諾言，通過讓工人擁有自己的住房公平分享成果，因此勞資關係繼續保持和諧。

從 1955 到 1968 年，公積金繳交率都保持不變。我逐步提高繳交率，從最初的 5%直到 1984 年高達 25%，這意味著總儲蓄率相當於工資的 50%，後來減到 40%。對增加工人拿到手的工資，勞工部長通常最為熱心，他因而促請我別把那麼多錢歸入公積金，我總是否決他的建議。我決心不讓下一代人負擔上一代人的福利開支。

1961 年，河水山一場大火，使占地 47 英畝的非法木屋區化為廢墟，大約 1 萬 6000 戶人家頓時無家可歸。過後我立即提出土地徵用修正法案，規定任何非法木屋區發生火患後，即使木屋還在，政府也有權以無須包空的價格徵購有關土地。在當時，這意味著政府所須付的僅相當於包空價格的三分之一。法案提出的時候，我說：「讓任何人從這場大火中得益，真是罪大惡極。讓人們從中獲利，實際上是引誘擁有非法木屋的土地的人放火。」

過後，我進一步修訂法令，授權政府為公共用途徵用土地。徵用土地的賠償標準以 1973 年 11 月 30 日的地價為依據。在政府利用公共資金興建基礎設施，促使經濟發展和土地價值上升時，我想不出有什麼理由讓私人地主從土地的增值中獲益。隨著新加坡發展得更加繁榮，我們不斷更改賠償標準根據的年分，從 1986 年 1 月、1992 年 1 月到 1995 年 1 月，使它更接近市價。

購買新組屋的人數迅速增加，從 1967 年的大約 3000 人增加到 1996 年的 7 萬人。在九〇年代，等待購屋的人當中超過半數已經擁有建屋局組屋，他們想換更大的組屋。到 1996 年，在總共 72 萬 5000 間組屋當中，只有 9%是租賃單位，其餘的都賣出去了，市價從最小三房式的 15 萬元到公寓式的 45 萬元不等。

7　我們不搞施捨

　　我不時為改變建屋局政策的方向而直接進行干預。比如在1974 年 5 月，我要求局長改善組屋的質量和設計，使新的組屋區不至於千篇一律。不久，建屋局推介了建築上的變化，並充分利用地勢、池塘等等與眾不同的地形特點，以增加特色來加強新鎮的獨特性。

　　從 1965 年開始的頭十年，新的組屋區坐落在市中心的邊緣地帶，包括中峇魯、女皇鎮、大巴窯和麥波申。1975 年以後，我們開始在遠離市區的鄉村或農業地區建造新組屋。同經濟發展局官員討論後，我指示建屋局在這些組屋區內保留土地興建工廠，以發展無污染的工業，這樣一來，這些工廠便可以雇用大批住在附近的年輕婦女或孩子已經上學的家庭主婦。1971 年，飛利浦在大巴窯開設第一家工廠，證明了這個概念是行得通的。現在大多數新鎮都有工作環境清潔並裝上冷氣機的跨國公司工廠，像惠普、康柏、德州儀器、蘋果電腦、摩托羅拉、希捷、日立、三菱、愛華和西門子，製造電腦外圍產品和電子產品。這些工廠提供了 15 萬多個職位，女雇員比男雇員多，她們多數住在組屋區，家庭收入因而增加一兩倍。

　　把 30 年的演變壓縮成幾頁的敘述，一切看起來是如此簡單直接。實際上，碰到的困難無數，特別是早期要把農民和其他人從無須租金，沒有水電供應或現代衛生設施的木屋區，遷徙到設備齊全卻需要每月付費的高樓單位。對這些人來說，不論是在個人、社交或經濟方面都是痛苦的。

　　費勁的調整是不可避免的，有時候產生的結果不但滑稽甚至很荒謬。一些豬農因難以捨棄他們的豬隻而把它們養在高樓組屋裏。有的人還得哄豬上樓梯。一對育有 12 個孩子的夫婦，從甘榜小屋搬進舊機場路的一間全新組屋，就在廚房裏養了 12 隻雞鴨。做母親的還在廚房門口安裝了木柵，防止雞鴨走進客廳。12

我要建設一個居者有其屋的社會。這是我在 1976 年為丹戎巴葛選區組屋
出售主持抽籤儀式的照片。

個小孩會在傍晚時分到組屋樓下的青草地尋找蚯蚓和昆蟲來餵雞
鴨。他們就這樣過了十年,直到再次搬家才不再這麼做。

馬來人喜歡住得越靠近地面越好。他們在高樓周圍種滿蔬

菜，如同從前在甘榜那樣。有好長一段時間，許多華人、馬來人
和印度人情願爬樓梯也不搭電梯，他們並非為了做運動，而是對
電梯懷有恐懼感。不用電燈而繼續點煤油燈的大有人在。另一些
則繼續在他們地面單位的前房經營過去的生意，例如售賣香煙、
糖果和日用品。大家都受到文化上的震盪。

　　成功也帶來新的問題。眼看隨著勞工成本、入口材料和土地
價格的上升，組屋價格也逐年提高，等候新組屋的人開始焦急起
來，希望能儘早拿到房子的鑰匙。但是，再好也是有限度的。我
們在 1982 到 84 年間犯了一個較嚴重的錯誤，那就是把興建的
組屋增加一倍。我剛在 1979 年委任建屋發展局局長鄭章遠為國
家發展部長。他向我保證可以滿足更多住房的需求。結果他辦到
了，但是承包商對增加的工作量卻窮於應付。由於施工質量較
差，幾年後組屋開始出現各種問題，導致居民極度不滿。結果建
屋局必須付出相當一筆錢來彌補，這也給住戶造成不便。

　　我早該知道，超出能力所及的範圍卻仍一味迎合群眾的要
求，終究要付出代價。可是在九〇年代初期，我和同僚們卻又犯
下類似的錯誤。房地產泡沫不斷膨脹，人人都想賣掉舊組屋從中
套利，然後換一間買得起的、更大的新組屋。我沒有通過利用抽
稅減少他們的盈利來抑制需求，反而同意迎合選民增加建屋量。
房地產市場的泡沫因此越來越大，使得貨幣危機在 1997 年來襲
時帶來更大的痛苦。要是我們早些時候比如在 1995 年就抑制需
求，情況會好得多。

　　為了避免在跟新鎮比較之下，老舊組屋區看起來像個貧民
區，1989 年我向國家發展部長建議，是動用公款翻新舊組屋，
使它們更接近新組屋的時候了。他同意並派遣代表團出國，考察
如何在住戶無須搬遷的情況下改善住房的質量。代表團在德國、
法國和日本找到了可以借鑑的例子。建屋局於是推行了一個為舊

組屋進行翻新的計畫。在示範階段，政府為每個單位付出 5 萬 8000 元，屋主只付 4500 元。組屋面積擴大了，例如多了一間雜用室、浴室或擴大廚房。組屋的外觀和周圍環境也獲得改善，可以跟新一代的組屋比美，每個鄰里增加的設施和私人共管公寓相近，組屋之間都有通道相連，有公共的場所讓人們晚上舉行集會，環境也美化了。翻新後的組屋價值大幅度提高。

　　另一個棘手的問題是醫療保健。當工黨政府在 1947 年推行國民保健服務時，我剛好在英國留學。他們相信人人平等，每個人都應該享有最好的醫療服務。這樣的計畫雖然合乎理想卻不切實際，而且導致成本直線上升。英國的國民保健服務以失敗告終。美國式的保健保險計畫保費高，而且很昂貴，因為所有既浪費又奢侈的為診斷而進行的化驗的費用，都由保險支付。我們必須找出適合自己的解決方案。

　　提供免費醫療服務的理想和人類的實際行為是互相牴觸的，在新加坡肯定如此。在處理政府診療所和醫院提供免費抗生素的問題時，我第一次有這種感受。當時醫生每次免費配給病人抗生素後，病人服用了兩天，覺得病情沒好轉，就扔掉剩餘的抗生素。然後，他們向私人醫生求診，自己花錢買抗生素，吃完整個療程的藥，病就痊癒了。因此，我決定醫生每開一次藥病人須付 5 角錢。這項收費，後來隨著工資和通貨膨脹率上升而逐漸提高。

　　多年來我一直努力設法防止我們的醫藥衛生預算失控上漲。1975 年，我跟幾位內閣同僚商討我所提出的建議：把一部分公積金存款撥進一個特別戶頭，讓病人共同承擔醫藥費。副總理吳慶瑞支持扣除 2% 的公積金以供支付醫藥費。他同意這比一般的醫藥保險制度好，個人得負責自己的醫藥開支，可以防止人們濫用醫療服務。

　　杜進才是當時的衛生部長，他認為這個計畫應該暫時擱置。

他剛到過中國北京的數家醫院考察，對它們提供卓越、免費的醫療服務，而且舉國上下都獲得同樣的醫療服務留下深刻的印象。我說我不相信他們能為所有北京人民提供那種水平的醫療服務，更別說是為全中國的人民了。

我決定避免引起爭端。我只吩咐衛生部的常任秘書周元管醫生去計算一個人必須撥出多少百分比的公積金，才足以應付本身的醫藥開支。他匯報一個人必須撥出 6% 到 8% 的公積金。從 1977 年起，我規定公積金會員把月入的 1% 撥入一個特別戶頭，戶頭裏的存款可以用來支付他跟他家人的部分醫藥費。這個繳交率後來逐步提高到 6%。

1980 年大選過後，我委任吳作棟掌管衛生部。他在 1976 年的大選中當選為議員，能勝任這個職務。我向他解釋了我對保健服務的想法，也讓他參考一些研究報告和其他有關保健成本的文章。他了解我的構想：提供良好的保健服務，但是同時要求人們負擔一些費用，以確保它不致被濫用而又能控制成本。雖然保健津貼是必要的，但是這麼做卻可能對預算造成極大的浪費和破壞。

推行保健儲蓄計畫

1984 年我們推行保健儲蓄計畫，當時每個公積金「特別戶頭」都已累積了一筆可觀的數目。1986 年，我們把每個月撥給保健儲蓄戶頭的款額提高到工資的 6%，頂額是 1 萬 5000 元。這個限額定期提高。任何超出這個頂限的款額將轉入會員的公積金普通戶頭，他們可以利用這筆錢來攤還房屋貸款或用做其他投資。為了加強家庭凝聚力和責任感，保健儲蓄戶頭裏的存款可以用來支付會員直系家屬包括祖父母、父母、配偶和孩子的醫藥費。

　　讓病人分擔醫藥費確實能防止浪費。一個在政府醫院接受治療的病人所付的醫藥費，可以獲得高達 80%的津貼，看他所選擇的病房類別而定。隨著收入的增加，越來越少病人選擇享有最高津貼的廉價病房，他們轉而住進更舒適卻享有較少津貼的病房。我們曾考慮實行病人支付能力測驗，以斷定病人所能選擇的病房類別，後來因顧及不易推行而打消這個念頭。反之，我們通過明顯區分不同類別病房的舒適程度，鼓勵人們住進他們負擔得起的病房。實際上，這就是由病人來斷定自己的支付能力。收入提高使保健儲蓄存款也增加，使人們覺得他們有經濟能力選擇設備更好的病房。

　　我們允許人們利用保健儲蓄繳付在私人醫院就醫的費用，並為不同的醫療程序設下不同的限額，這使政府醫院感受到競爭的壓力，因而致力於達到私人醫院的服務水平。不過，病人不能利用保健儲蓄來支付門診或到私人診療所看病的費用。我們相信，要是人們可以利用保健儲蓄而無須以常月預算款額付帳，更多人就會動不動因輕微的病痛而去看醫生。

　　1990 年，我們推出一種非強制性的保險計畫──健保雙全計畫，以應付嚴重疾病的醫療費用，保險費可以從保健儲蓄戶頭中扣除。接著我們在 1993 年設立保健基金，幫助那些保健儲蓄和健保雙全保險已經用完，又沒有其他直系親屬可以依靠的病人。他們可以申請全免，由保健基金代付醫藥費。在確保人人都享有必要的醫療照顧的同時，我們並沒大量地耗費資源，也沒讓病人須排長龍等候動手術。

　　我們還得解決一個普遍性的問題，那就是當一個工人年紀老到不能工作時，可以得到什麼樣的退休優惠或養老金。歐洲和美國的做法是，由政府用納稅人的錢來發養老金。我們則決定每個工人都應通過公積金積累儲蓄，應付老年所需。1978 年起，公

積金會員可以利用個人儲蓄進行投資。同年較早時候，政府改組了新加坡的巴士服務，成立新加坡巴士服務有限公司並讓它上市，同時允許公積金會員利用不超過 5000 元的公積金來購買掛牌時推出的新巴股票。我要讓大多數人擁有股權，讓利潤回流到公共交通的主要使用者，也就是工人手中。人們因此不會執意要求把巴士車費訂得低廉和要求政府津貼公共交通。

那次售股計畫取得成功後，我們放寬限制，允許會員利用公積金投資住宅、商業與工業房地產、信託股、單位信託和黃金。所賺的錢高於公積金利息的會員，可以從户頭取出餘額。但是與此同時，我們也制定最低的保障，以防會員投資失敗而喪失所有的儲蓄。到 1997 年，已有 150 萬名公積金會員投資購買證券和股票，多數是新加坡股票交易所第一級股市的「藍籌股」。

讓人民分享盈餘

政府在 1993 年讓新加坡電信公司上市時，是以比市價低一半的折扣價，把大部分股票售賣給新加坡所有成年公民。過去那些年頭，政府因經濟穩定增長而累積了不少盈餘，因此，讓人民以低價購買股票，是為了讓他們分享部分盈餘。我們也要人民擁有一家主要的新加坡公司的股份，使新加坡人又多了一道跟國家成就息息相關的有形聯繫。

為了防止英國電信私營化時出現的情形在新加坡重演，也就是人們在公司上市後不久見高賣掉股票套利，我們規定只要持有人不賣出手頭的股票，他們都可以在第一、第二、第四和第六年獲得紅股。結果，擁有新電信股票的新加坡人占勞動力的將近 90%，這個比例相信是全球最高的。

當我發現人們在照顧自己擁有的住房和租賃單位採取截然不同的態度時，就深信一個人的產權感是與生俱來的。五〇和六〇

年代發生暴亂時，路人也會參加，向汽車的擋風玻璃扔石頭，把
汽車掀翻，放火燒毀。到六〇年代中期，當人們擁有住房和其他
資產後，發生暴亂時他們的反應大不相同。年輕人把停放在路旁
的速克達抬上組屋的樓梯。這種情況加強了我的決心，我要讓新
加坡每個家庭都有真正的資產讓他們去保護，尤其是他們自己的
住房。回想起來，我當時的想法並沒錯。

我們選擇通過讓資產增值來重新分配財富，而不是津貼消
費。那些參加自由市場的馬拉松賽跑而並未勝出的人，也會因為
已經在人生的長跑中盡了力，並參加競爭而獲得有價值的獎品。
他們要增加消費和花錢的話，可以賣掉一些資產。最值得注意的
現象是，很少人把自己的資產消耗掉。他們都保住甚至擴充他們
的資產，只花費來自資產的收入。他們未雨綢繆，要保住資產，
將來留給子孫。

1965 年，公積金會員不過 42 萬名。到 1998 年，會員已超
過 280 萬人，公積金存款高達 850 億元，這還不包括被提出用
來償還組屋貸款、投資股票和購買私人房地產的 800 億元。幾
乎每個工人都有自己的養老基金，他們終老後，公積金局會按照
他們生前書面表明的意願分配結餘的存款，而無須經過向法庭申
請的繁瑣程序。

眼看英國和瑞典的福利制度使成本不斷上升，我們下定決心
避免推行這種消耗國家元氣的制度。我們注意到七〇年代在很多
由政府履行家長基本職責的先進社會裏，人民追求成就和成功的
幹勁都被削弱了。福利制度也破壞了人民的自立本能，人們不需
要為了家計而工作。施捨成了一種生活方式，因此人們的進取心
和生產力都在不斷下滑。人們繳稅繳得太多，因而失去了爭取成
就的幹勁，進而依賴國家照顧他們的基本需要。

我們覺得最好還是加強儒家傳統，一個男人應該對家庭、父

7 我們不搞施捨

母、妻子和孩子負責。反對黨和西方媒體總是不斷地批評和攻擊我，尤其是駐新加坡的外國通訊員。他們抨擊政府推行冷酷無情的政策，不願意津貼消費。在選舉期間，要應付反對黨提出的福利誘惑是非常困難的。六〇和七〇年代，歐洲福利國家的失敗還不是不言自明的，它的害處需要兩代人的時間才會顯現，包括個人表現差、增長率停滯不前和預算赤字提高。我們需要時間讓人們積累公積金儲蓄，讓許多人買下住房，只有做到這點，他們才不會想要把個人的儲蓄納入共同的基金，以便人人享有同樣福利的「權利」，人人可以買到同樣的住房，或是住進同等的病房。我確信他們寧可付出額外的努力，以便能在住房的大小和質量以及住院的舒適程度方面，滿足自己的要求。幸而我在歷屆選舉中頂得住這些批評。直到八〇年代，西方媒體才承認福利社會的失敗。

中央公積金使新加坡變成一個不同的社會。人們有了可觀的儲蓄和資產，對生活的態度也改變了，他們更清楚地意識到自己的能力以及對自己和家庭應負的責任。他們沒有受到「自助餐症候」的誘惑，那就是在付了健康保險費後，便千方百計地進行各種醫療消費。

為了確保儲蓄足夠一個人養老之用，公積金存款或以公積金存款購買的任何資產，是不能在任何抵債或索償行動中被扣押的。公積金會員用公積金購買的建屋局組屋，債權人不能打它的主意。只有建屋局才有權以沒繳清抵押貸款的期款為理由，對屋主採取法律行動。

中央公積金使工人能以自籌資金的方式獲得社會保險基金。公積金使他們獲得了等於任何養老金或政府津貼計畫的社會保障，而同時又沒把付款的責任推給下一代的工人，這是比較公平和理想的。每一代人對自己的需求負責，每個人儲蓄自己的養

老金。

公積金和居者有其屋計畫確保了政治穩定，使新加坡持續不斷地發展了 30 多年。沒有這些計畫，新加坡人將像香港、台北、漢城或東京的人民一樣。在這些城市，工人工資高，卻須花大錢租小房子，而且這些房子永遠不會歸他們所有。新加坡的選民如果也是這樣，就不可能在每次選舉中以大多數票一再投選人民行動黨。

像公積金這樣的社會保障制度要行得通，必須使通貨膨脹率保持在低水平，利率則高於通貨膨脹率。人們必須有信心，相信自己的儲蓄不會因通貨膨脹或新元對其他貨幣貶值而化為烏有。換句話說，財政政策和財政預算政策健全，是中央公積金成功的先決條件。

當初如果我們不重新分配人們在自由市場經濟體系中競爭所創造的財富，必然會削弱新加坡社會的團結，也就是人們同舟共濟的意識。東方人的陰陽象徵，我想最能說明個人競爭和集體團結之間的平衡。陰代表女性，陽代表男性。社會陽性越強，競爭越激烈。以勝者為王為基礎，競爭越激烈，集體團結的精神就越弱。陰性越強，通過津貼和福利照顧使報酬平等化，社會就越溫馨，集體團結的精神就越強，可是整體表現會下跌，因為競爭能力會較差。

在我們這個亞洲社會，父母總希望子女的人生起點比自己好，比自己強。由於幾乎所有新加坡人都是移民，他們渴望自己和子女的生活能有保障。擁有資產而不是給與福利照顧，是讓人民有權自行決定自己的錢應該怎麼花，並負起這個責任。

當然，社會上總會有一些不負責任或能力不足的人。在新加坡，這些人占人口 5%左右。對這 5%的人來說，任何資產，無論是房子還是股票，都會化為烏有。我們儘量設法不讓他們最終

住進收容所，而是盡可能讓他們能夠獨立生活。更重要的是，設法拯救這些人的子女，使他們不再重複上一代那種什麼都不在乎的生活方式。我們做出適當的安排，以確保只有那些十分需要援助的人才獲得福利照顧。西方人的態度卻跟我們完全相反。自由主義者積極鼓勵人們向政府索取津貼，絲毫不覺得羞愧，這導致國家福利費用過度增加。

　　新加坡採取的政策促使人民力爭上游。幣值穩定、預算平衡和稅率低，促使投資增加，生產力提高。除了強制把工資的40%存入公積金戶頭以外，許多人也把錢存進郵政儲蓄銀行（後改稱儲蓄銀行）。政府利用這些國內儲蓄來建立基礎設施，如公路、橋樑、機場、集裝箱碼頭、發電廠、蓄水池和一個地鐵系統。由於沒有不必要的開支，我們得以把通貨膨脹維持在低水平，也不需要對外借貸。自六〇年代以來，除了 1985 至 1987 年經濟衰退時，財政預算每年都有盈餘。政府開支平均為國內生產總值的 20%，七大工業國平均是 33%。另一方面，我們的發展開支則始終比七大工業國高。

　　我們的目標是每年盡可能籌集足夠的歲入作為運作和發展開支，同時使稅收制度在國際上具備競爭力。1984 年，直接稅占了新加坡稅收總額的三分之二。我們一直降低個人和公司的所得稅率，到 1996 年，個人所得稅和公司稅只占稅收總額的一半，七大工業國是四分之三。我們從徵收所得稅轉向徵收消費稅。個人的最高所得稅率在 1965 年高達 55%，1996 年降到 28%。40%的公司稅在同時期降到 26%。新加坡不徵收資本收益稅。消費稅是 3%。進口關稅是 0.4%。

　　起初我們沿用英國人的社會主義哲學，向富有者徵收重稅而制定的懲罰性遺產稅率，不過，富有者有很好的稅務律師和會計師協助減輕自己的納稅負擔。1984 年，新加坡的遺產稅從最高

的 60%銳減到 5%至 10%，視遺產價值多少而定。當富有者發現
他們再也不值得逃繳遺產稅之後，我們也因此徵收到更多的稅
金。我們的非稅收收入來自多方面的服務收費，目的是要抵消部
分或所有由國家提供的貨物和服務成本，這能防止過度使用獲得
津貼的公共服務，也能避免出現資源分配不當的情況。

　　持續的增長使局面益發穩定，穩定吸引了更多的投資，製造
更多的財富。幸好我們在建國初期實行了艱難的決策，才能形成
現有的良性循環：開支少，儲蓄多；福利少，投資多。過去 30
年因為經濟增長強勁，我們累積了許多資產，人口相對年輕。在
20 年之內，人口會老化，經濟增長會慢下來。隨著納稅人的百
分比下降，個人儲蓄會減少。由於老人越來越多，國家的醫療照
顧開支將會大幅度上升。只要提早確保老年人有更多的保健儲
蓄，就能減輕這個問題的嚴重性。不過，吸引受高深教育和技術
熟練的移民，擴大我們的人才來源，提高國內生產總值和歲入，
會是更完善的應對策略。此外，政府必須為更多社區福利團體提
供財政和行政支援，我們也需要有更多的義工來推動和監督這些
社區的福利事業。

　　如果共產黨人仍然保持他們有害的影響力，要進行這樣的調
理，提高經濟的增長是不可能的。當我們在 1965 年獨立後，他
們的公開戰線領袖亂了陣腳，不知所措，選擇撤離憲制舞台，讓
人民行動黨扮演主導角色。我們把握住這個機會，重整了新加坡
的政治。

李光耀回憶錄

8 共產黨的衰亡

我們學會不讓對手掌握任何把柄，不然就會被他們毀滅。即使統一戰線的共產勢力已經削弱，我們仍然不會掉以輕心，對他們潛藏在地下的勢力，我們都會在政治算計中列入考慮，以防他們突然發動暴力事件，或決定重建公開戰線，或兩種情況同時發生。

1965 年 11 月 17 日早上，樟宜監獄總監發現通常會跟他打招呼的林清祥（五〇和六〇年代共產黨統一戰線領袖，曾是人民行動黨立法議員）一聲不響，跟平常不一樣。在 1963 年的一次安全行動中被拘留的林清祥渾身哆嗦，衣衫不整，褲子破了，似乎打過架。他要求調往監獄的另一個地方。其他被拘留者要求在總監面前跟林清祥講話，總監答應他們的要求。林清祥心煩意亂，喃喃自語地說：「他們會打我，會下毒，我要自盡，否則他們會……思想意識分歧。」他再次提出要求，後來他便被送往監獄的另一個地方。

第二天，林清祥病倒了，他被送往監獄醫院，然後再轉到中央醫院。第二天凌晨三點左右，一名探員發現他走近一輛醫院手推車尋找東西，詢問之下，他回答說是在找刀子。6 點 15 分他起身上廁所，一個看守和一名探員在外面等候。大約三分鐘後林清祥沒出來，他們敲門裏頭也沒有反應。看守從隔壁廁間向內張望，發現林清祥弔在抽水馬桶的水箱上。看守把門踢開，衝進去把他抱下來。林清祥用他的睡衣上弔自殺，醫生把他救活了。

被拘留的共產分子都感到困惑，他們也因遭受種種挫折而鬧分裂。首先，1962 年 9 月他們在決定是否同馬來西亞合併的公民投票中敗北；接著，又在 1963 年 9 月的選舉中落敗，他們的統一戰線政黨——社會主義陣線在 51 個議席當中，只贏得 13 席，33%的得票率使他們成為第二大政黨。新馬分家後，社會主義陣線主席李紹祖醫生聲稱新加坡的獨立是「假的」。他在 1963 年的大選中喪失了議席，1965 年 12 月，獨立後的新加坡國會開會時，他已經不是國會議員了。他宣布社陣議員將抵制國會。不久，他表示將放棄憲制政治，「把鬥爭帶到街頭去」。他從北京電台廣播的新聞中得到靈感，決定仿效瘋狂的中國文化大革命。當中國的紅衛兵走上街頭時，李醫生也下令新加坡的社陣

8 共產黨的衰亡

李紹祖醫生在 1965 年 12 月宣布社陣議員將抵制國會後不久，仿效中國瘋狂的文化大革命，下令社陣支持者舉著橫幅和標語牌上街示威。

支持者舉著橫幅和標語牌上街，在小販中心和流動夜市等群眾活動的地方示威，跟警察發生衝突。警方驅散他們，並把示威者控上法庭，控告他們惡作劇和參加暴亂。

他們得不到公眾的同情。這些行動促使社陣進一步四分五裂，最終瓦解。1966 年 1 月 1 日，身為反對黨領袖的社陣國會議員林煥文宣布辭去國會議席。他說，新加坡獨立了，社陣的政策變得毫無意義，它只符合國際共產主義的利益，並不符合人民的利益。第二天社陣就把他開除出黨。他回應說社陣不但背離民主制度，也失信於選舉他們的人民。

一個星期後，另外兩名社陣議員也宣布辭職。他們說，在李紹祖醫生的領導下，社陣走進了死胡同，他們認為指稱新加坡的獨立是「假的」的這種想法是荒謬的。兩天後，當時被拘留的社陣議員巴尼提出辭職，聲明放棄共產主義，永遠脫離政治。共產

黨統一戰線亂成一團。

　　李紹祖不但使共產黨統一戰線變得無能，他實際上也把憲制舞台讓給了人民行動黨。那是個代價很高的錯誤，它使人民行動黨在之後的 30 年在國會未受到挑戰，盡占支配地位。

　　我感覺得到，人民的想法發生了根本的變化。我們已經獨立自主了，人民意識到必須把握自己的前途：英國人不久會離開，馬來西亞人不歡迎我們，印尼人要摧毀我們。政治已不再是舉行群眾大會和示威遊行的遊戲，而是生死攸關的大事。每個華人都曉得這句諺語：大魚吃小魚，小魚吃蝦米。新加坡是蝦米。人民為自己的生存擔憂，他們發覺，除了行動黨，並沒有其他的組織經歷過考驗，而且具備領導他們脫離險境的經驗和能力。

　　1966 年 1 月，在紅山的補選中，我們贏得了壓倒性的大多數選票，獲得了 1 萬 1000 張選票中的 7000 張。社陣號召選民投空白票，而實際投下的空白票卻不到 400 張。過後，人民行動黨再贏得六次補選，全部沒有競爭對手。舉行這些補選是為了填補社陣議員辭職後所留下的空缺。我們引進素質和教育水平更高的議員，其中不少還是接受華文教育的南洋大學畢業生，他們協助我們把說華語或方言的人引向政治的中心。

　　1968 年 1 月英國政府決定撤軍後，我解散了國會，尋求新的委託。社陣決定抵制選舉，那是另一個嚴重錯誤，這使得他們永遠跟國會絕緣。提名當天，51 個議席無人競爭，我們以獲得超過 80%的有效選票贏得了其餘七個競選席位。新加坡的前途一片黯淡，反對黨悄然退場，讓我們收拾殘局。贏得全部議席後，我不斷地強化我們所占據的中間主導地位和群眾的支持，使反對黨只能徘徊在極左或極右的邊緣。我們必須小心謹慎，切不可濫用人民授與我們的絕對權力。我滿懷信心，只要保持廉潔，不失信於民，無論我們的政策怎麼強硬，怎麼令人感到不快，我

們都能夠說服人民支持我們。

在九〇年代新加坡的政治氣候裏，人們不可能想像共產黨在五〇和六〇年代，是如何牢牢地牽制著新加坡和馬來亞華人的心理。那時，共產黨人使許多國人相信馬來亞可以像中國那樣，歷史潮流在他們那一邊，那些反對他們的人，最終將會被歷史淘汰。在那之後，儘管我們在接下來的十年給他們帶來了經濟利益，卻仍然還有 20%至 30%的選民是我們多年來始終無法贏得的支持者，他們堅定不移地支持著共產黨。

從 1954 至 1959 年作為反對黨展開鬥爭，以及從 1959 至 1965 年執政的那些日子，我們策畫和塑造了我們的政治策略和手法。頑強的共產分子所採用的熟練又強硬的手法，以及巫統極端分子同樣無情的對立方式，讓我清楚地認識到政界的明爭暗鬥，這是個難以磨滅的經驗。跟他們在街頭鬥爭，就有如在沒有法紀的環境中赤手搏鬥，最終勝者為王。我們學會不讓對手掌握任何把柄，不然就會被他們所毀滅。即使統一戰線的共產勢力已經削弱，我們仍然不會掉以輕心，對他們潛藏在地下的勢力，我們都會在政治算計中列入考慮，以防他們突然發動暴力事件，或決定重建公開戰線，或兩種情況同時發生。內部安全局每週情報使我們提高戒心，知道他們在新加坡的一舉一動，以及他們和馬來半島武裝組織的秘密聯繫。

社陣起不了作用後，共產分子於是重新走上採取暴力和恐怖行動的老路。他們「化身」為附屬於馬共的團體馬來亞民族解放陣線，七〇年代先後在新加坡島兩端——裕廊和樟宜引爆了好幾顆炸彈。被炸死的人當中，有一個是一名英國軍人的 6 歲女兒。

七〇年代他們走到了末路，僅剩一支大約 2000 人的部隊在泰國靠近馬來西亞的邊界地帶打游擊，另外數百人分散在馬來半島的森林裏，一小批恐怖分子則在市鎮駐留。試想想，如果我們

林清祥（左三）1961 年曾在立法議院的共和聯邦議會廳同我短暫交談。
圖中左一是人民行動黨議員陳翠嫦，左二是何佩珠。

　　准許被拘留者申請人身保護令，完全放棄未經審訊加以拘留的做
法，我們能否擊敗他們？我真的懷疑。人們根本不敢公開反對他
們，更別說是對簿公堂了。過去有數以千計的人被關進馬來亞的
拘留營，另有數百人則被關在新加坡的拘留營。在四〇、五〇年
代，英國更把數千名共產黨員驅逐到中國。

　　林清祥是其中一個沒被驅逐的共產黨人。當共產主義令他失
望時，他所付出的代價是試圖自殺。1965 年 12 月，社陣的華文
機關報指責「人民行動黨政權陰謀殺害林清祥同志」。該報的兩
名編輯被控煽動。在審訊的過程中，監獄總監在供證時，詳細追
述了林清祥企圖自盡的過程。辯方傳召了許多證人，他們提供假
證據來支持他們所做的荒謬指責，那就是，有人陰謀在中央醫院
謀殺林清祥。結果兩名編輯被判罪名成立。

　　1969 年 7 月，在自殺事件發生三年半之後，林清祥要求見
我。1961 年 6 月我們分道揚鑣後我就沒有見過他。7 月 23 日晚

上，我在總統府內的斯里淡馬錫官邸接見他。他看來就像一個幻想破滅者。他決定永遠放棄政治，要出國到倫敦去讀書，並希望他的女友能夠陪他去。他的女友在五○年代是新加坡工廠與商店工友聯合會的工會分子，曾經跟他一起搞工運，也被拘留過，但比較早獲得釋放。我即刻答應他的要求，並祝願他在倫敦有美好的新生活。他浪費了自己生命中最美好的時光，對過去的同志深惡痛絕，因為他們不加考慮，盲目地拒絕正視現實。

社陣走入完結篇

在寫給社陣主席李紹祖醫生的公開信中，林清祥説：「我對國際共產主義運動完全失去信心。」他辭去了所有社陣的職務。李紹祖立刻發表聲明，譴責林清祥是「沒有骨氣、不要臉的變節叛徒」，並把他開除出黨。林清祥帶著不愉快的心情跟由他發起建立的政黨劃清界線，標誌著作為一股政治力量的社陣，已走入瓦解的完結篇。

林清祥在英國生活了十幾年，八○年代返回新加坡，儘管我們互寄賀年片，卻沒有再見面。他在 1996 年逝世時，對於他曾寫下「我對國際共產主義運動完全失去信心」，他從前的同志寬恕了他。雖然當時（1969 年）他們批判他為「沒有骨氣、不要臉的變節叛徒」，數以百計的前共產黨人和他們的支持者前往瞻仰了他的遺容。在葬禮上，他被譽為「國家和人民的英雄」。另外 500 人出席了在吉隆坡舉行的追悼會。他們聚集在一起，除了向林清祥表示敬意，其實也是在向世界顯示他們的鬥爭意志依然堅定。林清祥比他們勝一籌，他很早就認識到共產主義大勢已去。在一封給他妻子的公開慰問信中，我對他個人的廉潔和他全心全意為理想奉獻的精神表示敬意。

早在共產主義在蘇聯崩潰以及中國於八○年代遺棄他們之

前，新加坡和馬來西亞的共產黨人已敗下陣來。儘管共產主義在
全球各地已經崩潰，卻有一個人在被拘留了 20 多年後仍舊拒絕
放棄它，這個人就是謝太寶。他生性固執，對被誤導的信念仍堅
定不移。他雖然是馬共分子，卻極力否認同情或同共產主義有關
係。實際上，有好幾名馬共分子（當中有兩人還是他直接匯報的
上司）已經向我們的內部安全局確定他是馬共的一員。1989
年，他獲釋後到消閒島嶼聖淘沙落戶，做兼職翻譯工作。1998
年，當局終於解除對他的所有限制。然而他還是不能接受自己對
未來的憧憬已經破滅的事實，繼續否認他與共產黨有聯繫，充分
利用西方媒體對人權課題的熱衷來引起注意。儘管面對西方媒體
的壓力，謝太寶被拘禁，卻成功阻止其他共產分子以執行他們的
民主權利為藉口重整旗鼓，宣揚共產主義。他們都是不容易應付
的對手。在這一場意志競賽中，我們必須展示同樣堅毅和頑強的
定力。

　　我們不時記起共產黨人具有永不放棄的精神。政府把學校教
課的主要媒介語文改成英文後，他們無從增添受華文教育的生力
軍，只能盡全力招募受英文教育者。由於清楚他們在滲透和操控
方面的手法非常靈巧，足智多謀又頑強，我們決心不讓他們有任
何機會重新建立戰線組織，特別是職工會。他們只需幾名同志就
能滲入一個組織並控制大局的能力，委實令人生畏。

　　一小批受英文教育的親馬克思主義激進分子，曾在 1985 年
利用工人黨，不但在它的黨報《鐵槌》上大作文章，還在幕後參
與出版。儘管工人黨提出要求，他們卻拒絕公開負責出版工作。
內部安全局因此加緊注意。這組人包括一些跟陳華彪有聯繫的新
加坡大學的畢業生。陳華彪是一名親共的學生激進分子，他於
1976 年逃到倫敦去。他的其他同黨則到中國為馬共地下電台服
務。內部安全局認為，這些親馬克思主義的受英文教育激進分子

已形成安全問題，於是在 1987 年建議拘留他們。我同意了，因為我不想讓幾個我們有實證確定跟馬共有關聯的親共核心分子，包括陳華彪，利用無辜卻心懷不滿的激進分子，重新建立他們的影響力。他們新成立的統一戰線成員，包括一名為了搞解放神學而放棄成為牧師的羅馬天主教徒。

新加坡曾經歷過共產黨人滲透和顛覆活動，所以內部安全局一直都對任何公開組織，尤其是職工會和校友會的秘密滲透行動提高警惕。為使他們不能輕易地操縱非政治組織，我們規定任何人要進入政壇就必須成立他們的合法媒介——政黨。如此一來，他們就被迫走到幕前，使我們的監督工作容易得多。此外，這也能防止我們的職工會被滲透，以及其他社會、文化和職工組織受到共產黨的影響。這也是我們規定仍然留在泰國的殘餘共產黨幹部，在還沒有跟內部安全局算清舊帳以前不得回來的一個主要原因，為的是防止他們把滲透和顛覆技巧，傳授給接受英文教育的年輕一代幹部。

余柱業返回新加坡

在我們允准從中國返回新加坡的共產黨領袖當中，最重要和資深的就是余柱業。他是吳慶瑞在萊佛士學院認識的老朋友。吳慶瑞在八〇年代末訪問中國時，曾在多個場合跟他碰面，確信他已經放棄共產主義，所以問我是否能夠讓余柱業回到新加坡來。我接受了吳慶瑞的建議，1989 年余柱業攜同妻子和兩個女兒返回新加坡。不久，被驅逐出境到中國居住的沙瑪也要求回國。他曾是新加坡教師公會會長，在 1951 年跟蒂凡那和沙末·伊斯邁同時被捕，隨後被流放到他的出生地印度，後來又從印度前往中國。沙瑪最終也帶著妻兒回國。

在馬來亞共產黨中，余柱業是新加坡共產黨首領方壯璧的直

屬上級，我曾經在五〇年代
見過被稱為馬共全權代表的
方壯璧。1990 年年中，余
柱業通過吳慶瑞問我是否能
夠讓馬共全權代表的兒子到
新加坡來工作。我表示同
意，條件是馬共全權代表的
兒子不會威脅到社會安全。
一名內部安全局人員盤問過
他，確定他不是共產黨人。
他 1965 年尾出生於廖內群
島，那是他爸爸在 1962 年
離開新加坡之後的藏身之
處。五歲時他被送到中國湖
南的長沙，馬共的電台「馬
來亞革命之聲」就設在那
裏。在長沙高中畢業後，他
便到清華大學，中國最好的

方壯璧

大學之一，修讀工程。他和他的爸爸必定是認為在新加坡發展會
比在中國來得好。1990 年 11 月他來到新加坡，並接受了吳慶瑞
替他安排的工作，在一家政聯公司任工程師。

　　在他的兒子抵達新加坡之後不久，馬共全權代表通過一名新
加坡華文報章記者交給我一封信，表示「尋求和解」。他還附送
一卷名為《光榮的和平協議》的紀錄片錄像帶。這是典型的馬共
宣傳手法。當時，投降和棄械就稱為「光榮的和平協議」。我看
了開頭部分，只見全權代表身穿制服，頭戴紅星帽，向一群制服
人員大談和平談判的成功。接著是攝錄馬共領袖陳平探訪軍營，

觀看一場糟透了的演出。之後，全權代表發表演講，中途帶頭鼓掌。我看了一會兒，就把電視關掉。

　　不久，全權代表又寄來一封信，提起返回新加坡的事。我在1992年3月回信說，我已不再擔任總理，但可以肯定的是，政府在處理馬共的問題上，並不把它當作一個整體來交涉。任何馬共成員想要返回新加坡，就必須跟馬共斷絕關係，同時把他過去在馬共的所有活動向內部安全局和盤托出，直到內部安全局滿意為止。我還補充說，他的上司余柱業就是遵守了這些條件而獲准從中國返回新加坡的。全權代表即刻回覆表示他很失望，無法接受我們提出的條件，這件事就因此擱置下來。後來，馬共在泰南合艾同馬來西亞政府代表簽署協議，正式結束武裝鬥爭。泰國政府也允准全權代表和他的屬下在鄰近的和平村落戶，他的鬥爭生涯走到了終點。

　　然而15至20名全權代表的追隨者卻悄然回來，把他們過去的活動向內部安全局和盤托出，在環境截然不同的新加坡過著新生活。如同余柱業、沙瑪和全權代表的兒子，他們都認為在這裏會過得比在中國或泰國好。

　　1995年8月，我來到北京，新加坡駐北京大使交給我一封全權代表的信。他想要見我。我和全權代表初次見面是在1958年，當時我還只是個立法議員。他通過一個密使要求跟我會面。於是，我在立法議院旁邊的街道上跟他秘密見面，之後把他帶到一間會議室。他向我保證他的政黨會支持我，並表示有意跟人民行動黨合作。我要求他提供某種證據，確定他是新加坡的馬共負責人。他則回答說我應該相信他的話。接著，我建議他命令一個我認為是親共幹部的工人黨市議員辭職，以證明他是新加坡馬共指揮部的真正代表。他同意並要求給他一點時間。幾個星期後，那名市議員真的辭職了。即使他當時正被警方通緝，這次事件卻

令人對他控制黨員的能力留下深刻印象。我成立政府之前，在另外三個場合跟他見過面。我們最後一次會面是在 1961 年 5 月 11 日，那時我已經擔任總理。他表示，如果我給共產分子多一些空間來進行組織，他將跟我合作並給與支持。我沒有給他任何保證。於是，他指示統一戰線組織把人民行動黨政府推下台，接著便潛入地下。

我們最後一次見面，我還記得，是在黃埔一座還沒完工的建屋局組屋裏。屋內只點了一根蠟燭。

8 月 23 日晚上九點，我在中國釣魚台國賓館接見了他。不知道他是否感覺到這個場面是令人啼笑皆非的。中國共產黨和政府曾經是他大半輩子所追求的理想的靈魂支柱，如今他到北京來見我，我卻是他們的座上客。

全權代表垂垂老矣

這名馬共全權代表已垂垂老矣。他體形略胖，跟當年雄心勃勃和瘦削的他，已截然不同。在他身上，我再也找不到一絲當年從事地下工作而被追緝的那個憤怒革命志士的憔悴模樣。我們上次會面時他以啤酒招待我，而在釣魚台，我讓他選擇喝啤酒、葡萄酒或茅台。他表示感激，但是卻因健康理由而選擇喝中國茶。我們用華語交談，他對我能用流利的華語表情達意表示讚許，我也稱讚他已掌握好英語。他感謝我允准他的兒子在 1990 年到新加坡工作。芝和我的首席私人秘書陳慶鄰在場旁聽、做紀錄，全權代表同意我用錄音機錄下我們的對話。

談話的時候，他表現得彷彿他的地位就跟五〇年代一樣。他要求跟我討論他和他的另外 30 多名同志返回新加坡的條件。起初他還採取友善的態度，表示我有責任解決老問題。他問我，既然馬共和人民行動黨曾經是朋友，為什麼不能重新建立友誼？我

說論個人關係，這是辦得到的。他說他必須為他的同志討回一些公道，有國歸不得是很不公平的。其實他不是不能回國，但是首先他得向內部安全局做個交代，證明他已經跟馬共斷絕關係。

在採用溫和的方式未能達到目的後，他語氣變得強硬起來，口口聲聲說他曾經為保護我的生命安全出了很大的力。我告訴他，當時我必須冒險，他的同志隨時都會殺害我，當然如果他們真的那麼做，馬共將付出很大的代價。我對他已算是公平了，在一個公開演講中我通知他，1963 年 9 月馬來西亞日到來之前，他必須離開新加坡，因為在那天之後，內部安全局將由馬來西亞人掌管。

他說，馬來西亞政治部曾經邀請他返回馬來西亞，為什麼我不能像馬來西亞政府那麼大方？我告訴他，答案很明顯：馬共爭取不到他們的馬來群眾，新加坡卻不一樣，這裏華人占多數。我建議他接受馬來西亞政府的邀請，他相當生氣。

當我問他怎麼知道我會到北京時，他聲稱剛巧來探望叔父，從電視報導中獲知我到訪。然而事實並非如此。他給我的那封信是由中國外交部的一個退休官員交給我們的大使的，他想必早已從一名中國同志的口中獲悉我將到北京訪問，並已經在北京等待。他也否認 1961 年我們最後一次會面後，他曾經親自指示林清祥分裂行動黨，要把政府拉下台。實際上，林清祥已向政府據情實說了。

在告別前，方壯璧拿出相機，要求跟我和我的妻子合照。我樂於跟這個神秘的地下領袖合照留念，這張照片可以提醒我，這位神秘的地下領袖，當年在新加坡躲藏時竟能牢牢地指揮公開戰線中的屬下。他曾教我感到畏懼。摘下了地下活動的威力和神秘的面紗，眼前的他看來像個毫無威脅的老者。

儘管共產黨人可以為了達到最終目的而不擇手段，不惜採取

殘酷的行動，他們還是失敗了。但在這之前，他們卻已摧毀了許
多挺身反抗他們，或者加入他們的隊伍過後卻發現奮鬥目標被誤
導的人。

李光耀回憶錄

9 砥柱中流四十年

我和同僚們建立的政治體制能否多維持一代人，在變化不大的情況下繼續運作？我有所懷疑……行動黨能否繼續主導新加坡的政壇，打著民主旗號的反對黨將來會形成多大的挑戰，這將取決於行動黨領袖今後如何對教育程度更高的人民不斷改變的需求和意願做出反應，以及如何在影響民生的決策過程中滿足他們享有更大參與權的欲望。

19⁵⁹ 年至今，40 年來人民行動黨連續十次贏得大選，始終沒有變得臃腫懈怠。我們是怎麼做到的呢？1959 至 1965 年，我們先後同共產分子和馬來種族主義分子，發生了驚心動魄的衝突。獨立時面對的威脅也足以將我們逼上絕路，一方面要應付印尼的對抗，另一方面又要解決馬來西亞決心把我們撇在一邊的問題。這一連串事件促使那一代的選民同行動黨元老級領袖，建立起互相信賴的關係。

批評新加坡的人相信行動黨能夠屹立不倒，是因為我們對付敵對者向來毫不留情。然而這樣的解釋未免簡單化了。如果我們違背了同人民締結的信約，早就被踢出局了。我們在六〇年代領導人民走出絕望的深淵，進入前所未有的增長與發展的時代。我們利用世界貿易與投資增長作為墊腳石，只用一代人的時間便從第三世界晉升到第一世界的水平。

在共產黨人這批最難應付的政敵身上，我們學到了很多東西。現在的反對黨領袖走訪選區是為了試探他們在哪一區會有所作為──憑的是人們在小販中心、咖啡店、食閣、超級市場等場所對他們做出怎樣的反應，以及接不接受他們分發的傳單等等。我從來不信這一套。我跟共產政敵之間有過許多次不愉快的交手，從中認識到了選民的總體情緒固然重要，關鍵其實在於爭取民眾支持的機制和組織網絡。當年我們到共產黨人的地盤訪問，結果遭當地的居民冷落。選區裏的主要人物，包括工會領袖，以及零售商或小販公會、宗鄉會館、校友會等等的理事，全被共產黨幹部拉攏到同一個網絡中，使他們感到自己屬於一支穩操勝券的隊伍。碰上他們，不管我們在競選期間付出多少心血，仍始終無法取得顯著的進展。他們牢牢地控制著基層，唯一對付他們的辦法是年復一年地在大選與大選之間，堅持不懈地在同一基層下苦功。

1959年人民行動黨贏得大選後，支持者把我抬起來慶祝勝利。

1960 年 8 月 20 日我為人民協會主持成立儀式。

　　為了同親共工會和協會開辦的夜間進修班競爭，我們成立了人民協會，把多個宗鄉會館、商會、消閒俱樂部，以及從事藝術、業餘與社交活動的團體收編為團體會員，讓它們在我們設立的 100 多個民眾聯絡所提供諮詢與服務。這些聯絡所主辦中英文識字班、縫紉班、烹飪班，還開班教人修理汽車、電器、收音機、電視機等等。我們同共產黨一爭長短，進而超越他們，藉此逐漸奪回部分共產黨人培養的基層。

　　在 1962 至 63 年間，走訪各個選區時，我召集了全島各個小村鎮的活躍分子。他們是各種社團和俱樂部的地方領袖，各自組成本地區的歡迎委員會來跟我和我的一組官員討論改善道路、安裝街燈和水龍頭、疏浚溝渠以消除水患等事務。訪問結束後，我們撥出款項讓工作小組負起後續的工作，落實這些項目。

　　1964 年，當我們還是馬來西亞的成員時，發生了種族暴亂，過後，我們成立了「親善委員會」，以防再度出現種族關係失控的局面。委員會委員是由同一地方上的不同社群基層領袖組

成的。

　　我以這些「歡迎」和「親善」委員會為基礎，吸收比較活躍和有潛能的委員，為聯絡所管委會和公民諮詢委員會服務。聯絡所管委會主辦消閒、教育和其他活動。公民諮詢委員會則利用我們提供的款項，展開改善地方設施的小規模公共工程。他們也自行籌款，為窮人提供福利金和助學金。

　　當時的社區領袖不願意，甚至害怕公開跟某個政黨認同，寧可跟政府站在一起。這是殖民地時期，尤其是宣布「緊急狀態」期間留下來的後遺症。當時共產黨人非常活躍，誰跟那些同馬共敵對競爭的政黨認同，都會受到懲罰。通過成立聯絡所管委會、公民諮詢委員會之類的半官方組織，我們動員了多個領域的長者，他們在各自的社區都是德高望重的人物。每次大選過後，他們總會跟我們的議員合作。儘管其中一些長者在大選期間保持中立，不積極助選，他們的支持和影響力卻對選民產生作用。

　　後來，隨著越來越多人搬進組屋，我成立了居民委員會，讓每個委員會為六到十座組屋服務，基層領袖和居民之間因此有更密切的交流。這樣，每個建屋局新鎮都有一個網絡，把居委會同聯絡所管委會、公民諮詢委員會聯繫起來，進而同網絡的神經中樞——總理公署相聯結。因此，反對黨領袖走訪居民，往往是在獲得細心管理和照顧的行動黨地盤活動。社區裏自然會有游離選民存在，但同時也有一股由地方領袖組成的中堅力量——他們知道行動黨議員得到政府的支持，不論大選期間或大選過後，都會照顧居民的需要。

　　英國宣布從新加坡撤軍後不久舉行的 1968 年大選，是一個轉捩點。我們以壓倒性票數贏得了所有議席。到了 1972 年，也就是四年以後，我們幾乎創造了奇蹟，令人民放下心頭大石，轉憂為喜。儘管英軍撤退，國內生產總值隨之下跌 20%，工作崗

位也減少了五萬個，我們卻能取得高增長，並降低失業率。美國
跨國公司製造了數以千計的電器與電子廠的工作職位。我在同年
9 月舉行大選時，65 個議席當中，反對黨候選人同我們競選 57
個，結果我們以 70%的得票率贏得了這 57 個席位。

　　1976 年我們再度囊括所有席位，37 個無對手，38 個競爭席
位全勝。行動黨領袖的崇高地位，加上我們取得的成就，令反對
黨難以招架。人民對行動黨的領導能力充滿信心，不想要反對
黨。他們一心要經濟繼續增長，離開陋屋，找份待遇優厚的工
作，用逐漸提高的薪金購買新組屋，把孩子送入我們當時正在興
建的設備較好的學校。大家猶如跟著潮水般不斷升漲。我們在
1980 年第四度席捲大選的所有席位，37 個沒有競爭對手，38 個
以 77.5%的得票率贏得。

　　共產黨人退出後，伺機起來填補空缺的非共在野政客，大部
分是機會主義者。他們在大選期間提出能引起親共人士共鳴的主
張。不過，只要領導人不是受英文教育的專業人士，不像當年馬
紹爾領導的舊工人黨一樣，能給共產陣線增添幾分聲望，這些反
對派陣營倒不足為患。律師出身的惹耶勒南就在這種背景下出現
在回魂後的工人黨。他在工人黨旗幟下參加 1972 年大選，主張
廢除內部安全法令。早在六〇年代末他就曾向選民承諾，一旦中
選便使新加坡重新同馬來亞合併。他想成為馬紹爾的繼承人，但
是論機智、論辯才都比不上馬紹爾。

　　不過，惹耶勒南確實在大選後一年舉行的 1981 年補選中，
打破了行動黨一直史無前例地獲得全勝的局面。蒂凡那被推舉為
總統後，辭去安順區的議席。我把競選運動交給新上任的助理秘
書長吳作棟處理。行動黨派出的候選人是一個滿懷熱忱的活躍分
子，但是公開演講的技巧不到家。我沒有參與那次補選的競選活
動，把任務交給吳作棟和年輕一代的領袖全權處理。他們有十足

的把握會獲勝。結果，投票日當天成績揭曉，我們吃了敗仗，這一驚非同小可。我感到不安，倒不是因為行動黨落選，而是從吳那兒我從未得到過我們可能吃敗仗的訊號。我為他的政治敏感性擔憂。我的新聞秘書傅超賢告訴我，行動黨領袖在競選期間表現得過於自信，引起一般民眾反感。落選的其中一個原因顯而易見：一大群住在組屋的海港工人必須搬走，以騰出幾座組屋的空間來興建集裝箱堆放處，但是沒有人給他們安排其他住所——港務局和建屋局都互相推卸責任。

惹耶勒南總是不停地叫囂。他信口斥責警方專橫跋扈，誰有不滿向他投訴，他都一一重複這些怨言怨語，根本不查明真相。這種沒有原則的立場倒合我們的意思。因為這樣，他就不可能成為行動黨以外另一個能讓人民信賴託付的選擇。我決定利用他來磨鍊新議員，讓未曾經歷同共產黨和巫統極端分子鬥爭的新一代領袖跟他較量。何況，他填補了在野陣營的空缺，更優秀的反對派人才，很可能因此無法進場。他的弱點是散漫，演講起來滔滔不絕，內容卻顯然沒有好好準備，結果一被問及細節就站不住腳。

然而人民希望國會裏有一個反對的聲音。六〇、七〇年代的危機感已不復存在，新加坡人現在更具備信心，他們要行動黨明白，他們給與的支持不是理所當然的。1984 年大選，我們失去了兩個議席，一個是安順區議席，輸給了惹耶勒南，另一個是波東巴西區，輸給也是當律師的新加坡民主黨秘書長詹時中。詹時中選擇了比惹耶勒南精明又較能迎合民眾情緒的立場，指行動黨的表現中規中矩，但必須百尺竿頭，更進一步，而且應該多多聽取批評。他在公眾心目中的地位逐漸提高了。他和民主黨黨員不是那種任由共產黨人擺布，替後者提供掩護的人。我們對他採取不同的態度，以禮相待，也給他發揮的自由空間，希望一旦他擴

展勢力，反對行動黨的人就會轉而建立不搞顛覆活動的在野陣營。

這些反對黨人物不像我們以前碰到的強敵林清祥和他的同志們那樣認真並忠於事業。惹耶勒南就會裝腔作勢，不管是好是壞，老愛引人注意。

反對黨不成氣候

國會中的反對黨不成氣候，我想找個場合突出某些課題都難，於是每年發表一次主要演講來彌補。在國慶前夕播出國慶獻詞後一星期左右，我總會在星期天晚上，向大約 1200 名社區領袖發表講話，通過電視現場直播這個室內國慶群眾大會。我根據講話要點發表一兩小時的演講，談眼下的重要課題。但是，在演講之前的一段日子裏，我會詳細地了解課題，並且推敲如何用簡明的語言闡述。根據電視台的調查，這個演講的收視率很高。我已學會如何緊扣住國家劇場和電視螢幕前的觀眾的注意力，使他們跟著我的思路走。我先用馬來語，然後用福建話（後來改為華語），最後才以我的主要用語英語發表演講。我即席表達腦海裏的觀點，比較能引起觀眾的共鳴，有講稿的話，反而無法用同樣的說服力和激情傳達信息。這個常年群眾大會是我說服民眾同政府合作，共同克服困難的重要場合之一。

七〇、八〇年代舉行大選的時候，夜間我到各個選區演講，白天一兩點在炎陽高照下到浮爾頓廣場向白領工人講話，爭取他們的認同。有時碰上傾盆大雨，淋得渾身濕透，群眾則躲在傘下或周圍辦公樓的「五腳基」（騎樓底）避雨。人群沒有散開，我就繼續演講。雖然渾身濕漉漉，我卻從不曾覺得冷，反而靈感泉湧。這比起在報上刊登書面講稿和親身在電視上發表演說的效果強得多。在我的政治生涯裏，能在公共講壇上占主導地位，一直

1980 年 12 月舉行大選的時候，我到浮爾頓廣場，在雨中向白領工人講話，爭取他們的認同。

是我的強處。

　　跟反對黨周旋，我最關心兩件事：他們是否被共產黨利用？是不是由外國情報機構資助和操縱的「黑色活動」？我們是基於第二種顧慮，才對前副總檢察長蕭添壽展開調查的。早些時候提及的馬克思主義集團在律師公會鞏固勢力後，替蕭添壽拉票，讓他成功當選公會會長。有了這個會長，律師公會就蒙上政治色彩，開始從政治而非專業的角度批評和抨擊政府的法令。作為一個在法律上被授與合法地位去維持律師行業的紀律和水準的專業團體，這種情況從未發生過。

　　差不多在同一個時候，也就是 1987 年間，美國駐新加坡大使館的一名參贊亨德里克森同蕭添壽會面，鼓勵他在下一屆大選中領導反對黨。內部安全局建議我們扣留蕭添壽，對他嚴加審問，以便把事情查個水落石出。我同意這樣做。我們必須制止外國繼續干預新加坡的內政，並讓外界知道，誰都不能這麼做，包括美國。經過一番審問，蕭添壽在宣誓書中承認，亨德里克森要他領導一批律師在大選中同行動黨角逐，也承認到過華盛頓，在國務院會見亨德里克森的上司。對方向他保證，倘若遇上新加坡

政府的麻煩，美國將給與庇護。我們將蕭添壽在宣誓書中所做的供證公開，然後在大選來臨前兩個月放了他。他參加了競選，結果落敗。儘管他當時面對逃稅的罪名，我們卻依然允許他到美國紐約向心臟病專家求醫和出席人權會議。他沒有回來受審，反而由他的律師交上兩名醫生署名的數份醫藥報告。第一名醫生是喬納森・法恩，他在抬頭印著「人權醫生」、署名「執行主任」的信箋上指蕭添壽不宜做國際遠行。第二名醫生則寫說蕭添壽在接受心臟治療之前，不能乘搭飛機旅行。當控方拿出證據，證明蕭添壽從 12 月到 1 月間至少搭乘過七趟班機後，法庭指示他提呈更詳盡的醫藥報告，他沒有照辦，代表他的英國籍女皇律師和一名本地律師於是要求法庭讓他們放棄作為他的代表律師。

　　一名醫生過後承認他其實並沒有為蕭添壽做健康檢查，也沒有更新自己的醫生執業執照。蕭添壽在法律界沒有一點地位，他曾因為處理財務手腳不乾淨而受到律師公會的紀律處分。他在新加坡僅存的一點信譽也掃地無遺。當美國人權組織把他吹捧成為重要的異議分子時，新加坡人民不為所動。幾年後，我們得知美國政府確實為他提供了政治庇護。

　　我們有充分的理由調查蕭添壽。我們知道他向一家本地銀行貸款大約 35 萬元，拖欠多年都沒有償還。1986 年大選即將來臨時，銀行催債。在這個時候竟然有本事清償債務。這筆錢從哪裏來？我們沒收了他的帳本調查所得稅事宜，發現他顯然沒有那麼多錢還債。他在宣誓書中發誓說，是他的女朋友，或他所謂的未婚妻謝梅月幫他還債的。在蕭添壽逃離新加坡之後，謝梅月於1989 年在曼谷告訴吳慶瑞，是一名新加坡商人要她借錢給蕭添壽的。一家大公司的總裁曾經收謝梅月做情婦多年，他對我們說謝梅月的手頭很緊，決不會為任何人拿出 35 萬元，何況她當時欠他的錢還不只此數。這說明錢是來自一些有利益的組織。

　　有一件事是非做不可的，那就是跟指責我貪污或濫用職權的人直接對質。對於這類指責，我向來都會正面迎戰，從不閃避。在許多發展中國家，一到大選期間，貪污賄賂的指控滿天飛，是司空見慣的事，而且從不受到駁斥，以免提出訴訟的部長在法庭上經不起盤問，站不住腳，或造成更大的傷害。我從來都是先聽取新加坡和倫敦兩地律師的意見，然後才採取行動，因為一旦敗訴，我個人必須承擔巨大的費用：我的律師和辯方律師的費用。另一方面，我從來沒有吃過誹謗官司，因為我從不做虛假的誹謗性指責。當我說出對對手有詆毀成分的評語時，必有充分的證據支持我的論點。這點我的對手都很清楚。

　　我第一次為維護總理的尊嚴而提出訴訟，是在 1965 年，被我起訴的是賽加化阿峇，當年的巫統秘書長。當時新加坡還是馬來西亞的一分子。他在巫統擁有的馬來文報章《馬來前鋒報》上這麼說：「新加坡總理李光耀是替共產黨和雅加達政權做事的人，雅加達有惡毒的意圖，一心要毀滅馬來西亞。李光耀有惡毒的用心，他要毀滅馬來西亞，使馬來西亞的馬來人和華人自相殘殺。」結果，賽加化阿峇和《馬來前鋒報》都沒有答辯，他們在法庭上道歉，支付了我的訴訟費。

　　我也起訴那些在競選演講中妄指我貪污的反對黨候選人。例如，1972 年，一名反對黨候選人用華語宣稱人們要購買建屋局組屋或把組屋轉讓給另一個人時，總得找上我內人當時擔任主要合夥人的李及李律師樓。這些候選人多數沒有資產，一旦被起訴連答辯都免了，直接接受破產。

　　唯一例外的是當律師的惹耶勒南。他在 1976 年的競選集會上宣稱我為李及李律師樓和我的家人謀求特殊待遇，說我搞裙帶關係，貪污受賄，不配當總理。法庭判他須賠償我並支付我的訴訟費。惹耶勒南上訴，一直告到倫敦樞密院，結果都敗訴。

　　十多年以後，這次是 1988 年，他又在競選群眾大會上含沙
射影地說我當初授意鄭章遠（曾任國家發展部長）自殺，以免有
關方面徹查鄭章遠涉嫌貪污一案，因為那會敗壞我的名聲。他大
可以在兩年前把鄭章遠自殺一事提出來，卻故意等到大選期間才
提。結果我獲得賠償，他也須負擔我的訴訟費。

　　我也對出版總部設在香港的美國週刊《遠東經濟評論》和週
刊主編德里克・戴維斯採取過法律行動。週刊在一篇文章中引述
一名叛離教會的神父埃德加・迪蘇沙的話，指責政府扣留 16 名
串謀搞馬克思主義活動的人，等於攻擊天主教會。戴維斯拒絕撤
銷指責，也不肯道歉。於是我告上法庭，在證人欄裏被辯方女皇
律師咄咄逼人地盤問了兩天。輪到週刊主編答辯的時候，他沒有
出庭供證，因為一出庭必會遭詰問。他也沒有叫迪蘇沙出庭為他
刊登的文章做證。法官最終判《遠東經濟評論》和它的主編敗
訴。

　　另一起對簿公堂的案件是針對《紐約時報》和《華盛頓郵
報》出版的《國際先驅論壇報》。該報在 1994 年 8 月 2 日發表
《遠東經濟評論》前專欄作家菲利普・鮑林的一篇誹謗性文章。
鮑林寫道：「就華人來說，歷史看來幾乎就是一場利益之戰，一
邊是國家的共同需要，另一邊是操縱國家的家族的利益。王朝政
治顯然已經存在於『共產』中國，新加坡也一樣──儘管官方承
諾會推行唯才是用的官僚制度。」我的兒子顯龍在 1984 年獲選
進入國會，鮑林在影射什麼一看就知道。《國際先驅論壇報》承
認鮑林的用詞具有誹謗性，意思是指我犧牲國家的共同需要來謀
取李家的利益。對方向我道歉，同時支付訴訟費。

　　1996 年 6 月 2 日，華文《亞洲週刊》引述一名律師鄧亮洪
的話，誣告我在購買兩間公寓的過程中涉嫌貪污受賄。該週刊隨
後立刻承認必須對此事負責，並付出鉅款庭外和解。鄧亮洪卻不

肯道歉或收回他說過的話。六個月後，他在競選活動最後一天的
群眾大會上表示，一旦獲選進入國會，將重提同一課題，「這是
致他們於死地的一擊」，從而進一步加重了這起事件的誹謗成
分。審理這一案件的法官注意到，這段誹謗言論一見報，鄧亮洪
第二天就把一大筆錢從妻子的銀行戶頭，轉移到他自己在新山的
戶頭（不在新加坡管轄的範圍內），連能夠透支的款額都提盡。
法官說：「這是他心中有鬼的明證。」鄧亮洪沒有出庭聽審，因
為他已經潛逃出國，法庭判我勝訴。代表鄧亮洪上訴的女皇律師
沒有反駁當事人話裏含有誹謗意味的指控，上訴被駁回。

政敵每到大選才造謠

　　我的政敵總是等到大選期間才造謠誣蔑，希望能令我蒙受最
大的打擊。如果不訴諸法律行動，人們就會相信這些無稽的指
控。西方的自由派評論員說，我的名譽無懈可擊，沒有人會相信
衝我而來的一派胡言，因此我應該寬宏大量，不加理睬，不該懷
恨在心，提出訴訟。但是人們之所以不相信這些胡言亂語，唯一
的原因就在於我總是嚴加駁斥。如果不提出訴訟，有人就會拿這
些做證據，說我心虛。

　　在鄧亮洪案件中，我購買兩間公寓一事有好一陣子在政壇上
鬧得沸沸揚揚。如果在鄧亮洪於《亞洲週刊》發表那番談話之後
不控告他，他會在接下來的大選中，肆無忌憚地進行更多荒謬的
指責，到那個時候要反駁他為時已晚，連行動黨的支持者也會猜
疑我有沒有犯錯。不過，因為新加坡人民知道我對任何不符事實
的誹謗言論必會提出挑戰，因此鄧亮洪在詆毀我的時候，立刻把
資金調離新加坡，為接踵而來的後果做好準備。

　　有另外一個重要的原因使我必定起訴誹謗我的人：自五○年
代以來，我們建立的政治環境要求政界人士一旦面對有關行為不

檢或做錯事的指控，務必站出來自我辯護。

反對黨議員如果遭人中傷，同樣會採取訴訟行動。詹時中曾經起訴兩名行動黨部長，侯永昌和丹那巴南，結果對方做出賠償，庭外和解。惹耶勒南在 1981 年起訴當時擔任貿工部長的吳作棟，但是敗訴。他上訴到樞密院，結果還是一樣。在選民心目中，任何有關行為不當或不誠實的指控，都必須對簿公堂，這已成為不爭的原則。行動黨的部長向來深得人民敬重，就是因為他們隨時準備出庭為任何行為不當的指控接受檢查和盤問。有人批評我採取訴訟行動是要堵住反對黨的嘴巴，使他們吭聲不得，但是這些人不明白，在一個貪污、朋黨與裙帶風仍然猖獗為患的區域，人們會多麼輕易相信任何關於不誠實或貪污的指控。

一些評論員聲稱新加坡的法官對我唯命是從。主審我的案子的都是資深法官，他們有自己的地位和名譽要維護。他們的判決發表在法律報告中，日後將成為其他案件的判例，任由律師界 2000 多名律師以及國立大學法律系師生如何鑽研，都經得起考驗。

這類關於我們利用誹謗訴訟使政敵破產的指控，在 1994 年 10 月 7 日達到了沸點。《國際先驅論壇報》當天發表由新加坡國立大學美籍講師克里斯托弗‧林格爾執筆的一篇文章，對我進行這樣的抨擊：「本區域一些容不下異己的政權在壓抑歧見方面，展示了相當精妙的手段……其他比較含蓄：依靠唯命是從的法官替他們把反對黨政治人物整到破產。」該報的主編、出版人、作者全被我起訴。儘管有外國媒體全體出動為他們的案件大肆宣傳，但是該報的主編和出版人卻寧可通過律師承認文章所言不實並道歉。法庭判《國際先驅論壇報》支付損失賠償和訴訟費。至於林格爾，為了避免在庭上遭盤問，傳票一發出，他便逃離新加坡。

　　反對黨或報刊對我的名聲做出不公道的抨擊，我不但沒有壓制他們，反而是每一回上法庭當原告都把自己的私人和公家生活一概赤裸裸地攤開，任由審查。要不是紀錄清白，這可是不必要的冒險。正因為我選擇了這麼做，而且把賠償金捐給需要幫助的慈善團體，所以一直有辦法維持在人民心目中的地位。

　　要砥柱中流和贏得選舉，政治議程必須掌握在我們手裏。要做到這點，同評論員辯論就決不能被駁倒。他們埋怨我過於壓制他們的言論。可是觀點有錯就必須受到挑戰，否則會影響民意，製造麻煩。那些為了一逞聰明而為難政府的人，一旦被我以同樣尖銳的言論還擊，可怨不得人。

　　與此同時，行動黨也嘗試同黨外人士建立聯繫，同教育程度較高，見聞較廣，希望參與國家辯論的新一代新加坡人溝通。行動黨在國會中占絕大多數議席，加上反對黨議員素質低，導致公眾產生一種感覺，好像另一類觀點在國會中總是得不到充分的抒發。我們在 1990 年修改憲法，讓一小批非民選議員進入國會，以反映獨立或超黨派的觀點。這些議員稱為官委議員。這個計畫很成功，它讓非行動黨出身的傑出人士進入國會。官委議員一直扮演著建設性的角色，對政府的政策經過慎重考慮後，提出認真的批評。政府也同樣認真對待他們的意見。其中一位官委議員溫長明還以無公職議員的身分提出一項議案，並獲國會通過，成為後來的贍養父母法令。

　　1984 年的大選過後，我們成立了民意處理組，提供管道讓公眾通過論壇和反饋會議，對一些政策發表意見。議員以同情聆聽的態度主持這類會議，目的是收取民意，不是籠絡人心。這使得人民大膽地說出他們的心裏話。不是所有相左的意見都會令我們改變或撤銷條例，但是這些反饋有助於政府改進政策。

　　繼 1965 年新馬分家、1968 年英軍開始撤退之後，大選便成

為行動黨探測支持度的全民表決，不再是輸贏的問題。行動黨的
得票率在八〇年代中期開始下降，主要原因是人數逐漸增加的年
輕選民未曾經歷過早期的掙扎，對行動黨的忠誠不比上一代人。
他們要有一個反對黨的聲音同行動黨抗衡，向政府施壓，以獲得
更多優惠，同時使強硬政策軟化。這麼做遲早會造成無能之輩當
選。這種情形確實發生了。

　　吳總理在 1991 年宣布舉行大選時，反對黨改變策略，不再
派出更多能力差的候選人上場，而是在提名當天，故意讓行動黨
在沒有對手的情況下贏得大多數議席。他們知道，人民希望國會
裏有一些反對黨代表，但是也希望行動黨穩操執政大權。反對黨
說這是他們的補選策略。這一招果然奏效。南洋大學畢業，本身
是潮州人的劉程強，為工人黨在潮州人居多的後港選區取得勝
利。結果顯示他是一個稱職的基層領袖。詹時中領導的民主黨贏
得三個議席，成為國會裏最大的反對黨，詹時中也正式成為反對
黨的領袖。新的民主黨議員表現平平，有負眾望。詹時中有建設
性，然而缺乏慧眼，否則他應該有能力建立一個規模可觀的政
黨。1992 年，他滿懷信心地引薦一個貌似可信的年輕講師作為
他的紅牌候選人，推薦他去參加補選。不到兩年，這個得意門生
卻把他驅逐出黨，迫使他不得不另起爐灶。

　　1997 年大選，行動黨在 83 個議席當中只輸給了劉程強和代
表一個新政黨的詹時中。行動黨獲得有效投票率的 65%，上升
了四個百分點，也扭轉了得票率下降的趨勢。我們擊敗了在
1991 年中選，但之後表現令選民大失所望的兩個民主黨議員。
為了對付反對黨的「補選」策略，行動黨亮出競選之餌：在推行
公共住房翻新計畫時，將根據選民對行動黨的支持率來決定某個
選區是否享有優先權。美國自由派人士批評這種做法有欠公平，
聽起來好像政治撥款的把戲在其他地方並不存在似的。

　　現任行動黨領袖正處於同年輕一代新加坡人建立心連心的聯繫的過程。1997 到 1999 年的區域金融災難對從沒吃過苦的這一代人來說，是個考驗。人民、領袖雙方面共同克服了困難而變得更加堅強。這場危機以及同馬來西亞時而發生的摩擦，使新加坡人高度警覺地認識到，生活在東南亞的現實環境中是怎麼一回事。

　　我和同僚們建立的政治體制能否多維持一代人，在變化不大的情況下繼續運作？我有所懷疑。科技與環球化趨勢正在改變人們的工作和生活方式。新加坡人將有新的工作方法、新的生活方式。在資訊科技時代裏，作為知識經濟的一個國際樞紐，我們受到外來影響的程度將是史無前例的。

　　行動黨能否繼續主導新加坡的政壇，打著民主旗號的反對黨將來會形成多大的挑戰，這將取決於行動黨領袖今後如何對教育程度更高的人民不斷改變的需求和意願做出反應，以及如何在影響民生的決策過程中滿足他們享有更大參與權的欲望。新加坡可走的路不多，所以即使政見不同，在為我們的問題尋求解決方案時，也不至於無法達成共識。

10 婚嫁大辯論

許多輿論的矛頭指向政府，責怪政府在六○年代草率推行「兩個就夠了」的生育計畫。這一步真的走錯了嗎？其實有利也有弊。沒有這個政策，家庭計畫抑制人口增長，可能永無成功之日，失業和失學的問題就永遠解決不了。只可惜我們忽略了本應預見到的……

19 83 年 8 月 14 日晚上，我在常年國慶群眾大會上發表了出人意表的講話，通過兩個電視波道全部現場直播。那是觀眾最多的時刻。我指出，新加坡的男性大學畢業生若要他們的下一代像他們一樣有所作為，就不應該愚昧地堅持選擇教育程度和天資較低的女性為妻。後來，人們稱那次的講話為我的「婚嫁大辯論」。不出我所料，這番講話引起很大的回響。內人芝事前就警告過我，教育水平只有「O」水準（劍橋普通教育證書普通水準）的女性人數遠超過大學畢業的女性。這件事導致人民行動黨在次年的選舉中得票率下降 12%，比我所預料的還多。

我花了很長的時間才悟透再明顯不過的道理：人才是新加坡最珍貴的資源。像新加坡這樣一個資源稀少，建國初期只有區區 200 萬人口的彈丸小國，人才起著決定性的作用。這裏的華族移民大部分是中國南方各省農民的後代，大多由勞工承包商通過契約招募而來，幹的都是扛貨物、拉人力車之類的粗活。早期的印度移民同樣是契約勞工，從事割膠、修路、挖掘溝渠等工作，他們多屬印度最低種姓。當時也有三五成群的印度商人和文員，最能幹的是信德邦商人和印度教婆羅門人士，尤其是他們的僧侶。他們的後代同樣不遑多讓。馬來人一般上則文比理強。

值得慶幸的是，在英國統治下的新加坡是區域教育中心，有優秀的學校和師資訓練，以及愛德華七世醫學院和萊佛士學院（有文科和理科）兩所高水準學府——它們後來在新加坡合併為馬來亞大學。馬來亞和婆羅洲等地最聰明的英校生前來這裏深造，住在基督教會管理的寄宿學校。最優秀的學生前來受訓成為醫生、教師和行政人員。他們是馬來亞、婆羅洲和荷屬東印度群島——也就是後來的印尼——等地 600 多萬個華族與印族移民當中的精英。同樣，我們也有本區域最優秀的華校。這一帶的華族成功人士把子女送到這裏接受教育，之後再升上當時仍以華文教

學的南洋大學。直到日治時期以及第二次世界大戰結束後獨立國
政府興起為止,華人在南洋各國之間自由遷移。有不少人因為新
加坡的就業條件比較好而留下來,為新加坡注入了另一批人才。

執政好幾年後,我領悟到才華出眾的人當部長、行政和專業
人員越多,我的政策越能見效,成績也越理想。我不禁想起當年
的西哈諾親王,他才華橫溢,拍電影的時候得身兼作者、編劇、
導演、演員和監製數職。然而柬埔寨缺乏受過教育和才華出眾的
人才,寥寥幾個後來都被波布殺害了,這是柬埔寨悲劇發生的原
因之一。

最聰明的女性沒結婚

促使我決定發表那次「婚嫁大辯論」演講的,是我桌上那一
份 1980 年人口普查數據的分析報告。報告顯示,新加坡最聰明
的女性沒有結婚,下一代缺少她們的傳人,這意味著將會產生相
當嚴重的後果。最優秀的新加坡女性沒有傳宗接代,因為學歷相
等的男性不肯娶她們。新加坡的大學畢業生一半左右是女性,其
中將近三分之二小姑獨處。無論是華族、印度族或馬來族,亞洲
男人都寧可娶個教育程度較低的妻子。1983 年,只有 38%的女
性大學畢業生嫁給學歷相同的男性。

對這種失去平衡的婚姻與生育趨勢,我們再也不能不聞不
問,不加以干預了。我決定給新加坡的男性一記當頭棒喝,使他
們從愚昧、陳腐、具破壞性的偏見中醒悟過來。我引述了美國明
尼蘇達州對好多對雙胞胎所做的一項研究的結果:這些孿生兄弟
姐妹在許多方面都非常相似,即使分別由不同家庭在不同的國度
帶大,他們在詞彙、智商、習慣、對飲食和朋友的好惡以及性格
和個人特徵等方面,仍有 80%左右完全相似。換句話說,一個
人性格習性的塑造,近 80%是先天遺傳的,大約 20%則取決於

後天的栽培。

　　孩子的能力介於雙親之間，少數會超越或不及他們的父母。因此，大學畢業的男性娶教育水平較低的女性，等於沒有充分製造讓孩子能夠升上大學的條件。我呼籲他們娶教育程度相等的女性為妻，也鼓勵受過高等教育的女性生育兩個或更多子女。

　　大學畢業的女性心裏不舒服，她們的情況經我一提成了舉國注目的焦點。非大學畢業的女性，還有她們的父母親，怪我勸阻男性大學畢業生跟她們成婚。報章輿論排山倒海般向我襲來，抨擊我是精英主義者，因為我相信人的資質是遺傳的，不受教育、飲食和培訓等後天條件的影響。一對從事專業工作的夫婦對所謂低收入家庭培養出來的孩子不那麼聰明的假設（其實我沒有做過這種假設）提出挑戰。「就說小提琴家李斌漢吧，他出身牛車水的平民區，當初如果不給他機會，他根本不可能發展本身的才華。」（從小在牛車水長大的李斌漢當年被耶胡迪·梅紐因發現，赴英國進入梅紐因的學校就讀，後來成為曼徹斯特管弦樂隊的第一小提琴手。）「整件事情抹上精英主義的色彩。」另一個女讀者寫道：「我是一個未婚的成功專業女性，現年 40 歲。我保持單身，因為這是我的選擇。有人竟然認為區區一點錢財獎勵就能讓我跟第一個吸引我的男人上床，然後為了新加坡的未來生育出一個天才兒童，這實在是莫大的污辱。」連當時身為人民行動黨後座議員的杜進才也對我的想法進行嘲諷。他說，他的母親從沒上過學，父親是個書記，只受過中學教育，如果必須依賴雙親的教育背景，他根本沒有出人頭地的機會。

　　為了支持我的論點，我把過去幾年以 12、16 和 19 歲三個年齡層在考試中成績最好的 10% 的學生作為調查對象，對學生家長的教育背景進行分析的統計報告公開。這些數字說服了大部分人：父母親是否受過高等教育是決定學業成績優越與否的關

鍵。我也公開了六〇、七〇年代的數據分析報告：大部分獲頒獎學金負笈海外的優秀生，家長都沒有受過多少教育。這些家長當中有管倉庫的、做小販的、駕德士的，也有當工人的。我把這些數據和八〇、九〇年代的數據對比，後期數據顯示，首 100 名最傑出的獎學金得主當中，超過 50% 有個從事專業工作或自雇的父親或母親。由此得出明顯的結論：六〇、七〇年代那些有本事的獎學金得主的雙親，如果遲一個年代出世，身處教育普及、隨時有多種獎助學金和貸學金可供優秀學生申請的時代，他們也一定能考上大學。

西方媒體對這場風波大肆報導。自由主義派的西方寫作人和評論員藉此諷刺我無知，認為我滿腦子成見。但是有一位學者為我辯護——哈佛大學的心理學教授赫恩斯坦。他在 1989 年 5 月分《大西洋月刊》發表的《智商與生育率下降》一文中寫道：「在我們這個時代，新加坡的李光耀總理說過：『智能水平將不斷下降，經濟將搖搖欲墜，我們的行政管理工作會困難重重，社會將出現滑坡』，原因在於那麼多受過高等教育的男性不跟教育水平同等的女性成婚，卻娶沒受過教育的女性，或者索性不娶。但是，李光耀是個例外，因為敢於公開談論低生育率在素質方面產生影響的現代政治領袖沒幾個人。」數年後，赫恩斯坦與人合撰了《鐘形曲線》一書，把資質來自遺傳的證據擺在讀者面前。

成立社交發展署

為了緩和女性大學畢業生未婚的問題，我們成立了社交發展署，推動男女大學畢業生之間的社交活動。我還親自挑選了新加坡國立大學醫學院的一名醫生范官嬌來主持大局。當時她年近50，丈夫也是一名醫生，兩個子女在念大學。她待人處事溫文可親，總有辦法教年輕人放鬆繃緊的心情，是挑此大梁的最佳人

選。社交發展署成立初期，大學畢業生不論男女，全對它不屑一
顧。國際傳媒再一次抓住機會大肆嘲諷我們牽紅線的努力和它所
組織的有關活動——有專題研討會、講座和電腦課程，也有遊輪
假期和地中海俱樂部的旅行。

實際上，女性大學畢業生未婚人數日益增加的現象已開始引
起家長們的恐慌，個個急得四處求助。1985 年的一個夜晚，在
總統府出席招待會之後，芝告訴我，跟她同一輩的女士們同病相
憐地互相談論著受過專業訓練的女兒未婚的問題。她們感嘆女子
奉父母之命媒妁之言成婚的時代已一去不復返了。在大部分女性
沒受過正統教育的年代，聰明的和資質較差的女性都有同等機會
「出嫁」，因為沒有所謂「O」水準或大學畢業的分級。如今相
親的做法已經無法被受過高等教育的女性所接受。

除了怪罪於男性大學畢業生之外，他們的母親何嘗沒有責
任。非大學畢業的母親希望自己的兒子娶個非大學畢業的媳婦過
門，以免媳婦騎到自己頭上來。傳統的文化偏見總認為男人維護
不了一家之主的形象，是可憐又可笑的事，要改變這樣的偏見談
何容易。華人如此，印度人更是如此，馬來人尤其嚴重。

同樣的問題其實在任何教育層次都有。一大批「A」水準
（劍橋普通教育證書高級水準，或者高級中學）畢業的女性，找
不到學院或同等水平的男性願意娶她們為妻。「O」水準畢業的
女性也一樣。女性只願上嫁，男性只想下娶，結果是教育程度最
低的一群男士找不到老婆，因為未婚的女性教育水平都比他們
高，誰也不願意嫁給他們。為了輔助社交發展署的功能，我促請
人民協會理事長成立社交促進組，以中學教育程度的男女為服務
的對象。社交促進組的會員人數迅速增加，到 1995 年時已增加
到 9 萬 7000 人，通過它所組織的活動而互相認識的會員中，有
31%結為夫妻。教育普及化摧毀了舊有的擇偶方式，教政府不得

不想方設法取代傳統紅娘扮演的角色。

　　1980 年人口普查得來的數字也顯示，教育程度較高的女性比教育程度低的女性生育少，而且少很多，這使我們的問題雪上加霜。完成大專教育的婦女平均生育 1.6 個子女，初中和高中程度 1.6，小學程度 2.3，沒上過學的 4.4。為人父母者要生育 2.1 個孩子才足以維持人口替代率。新加坡教育水平較低的人口正在加倍增長，教育水平較高的一群卻連替代水平也達不到。

　　為了扭轉這個生育趨勢，我和當時擔任教育部長的吳慶瑞，在 1984 年決定讓生育第三個孩子的大學畢業的母親，在為所有的子女選擇最好的學校時享有優先權。這可是每一個家長夢寐以求的一種特權，卻也是個敏感而看法不一的課題。內閣中由拉惹勒南率領的平等主義派勃然大怒，拉惹對「聰明父母必出聰明子女」的說法予以駁斥。即使確實如此，他辯駁說，也沒有必要去傷害人家的自尊。巴克也表示不滿，不因為他同意拉惹的看法，而是因為這種政策將冒犯資質較弱的家長和他們的孩子。年輕一輩的部長面對資深同僚三種全然不同的見解，也意見不一。凡事求實的吳慶瑞贊成我的看法，我們兩人堅持己見，認為非得把那些男性大學畢業生喚醒不可，以使他們擺脫不合時宜的下娶觀念。最後，我們以大多數票通過這個決定。

　　新政策引起非大學畢業母親的不滿原是意料中事，畢竟她們會比較吃虧。但是，令我和吳慶瑞始料不及的是，連大學畢業的母親也提出抗議，甚至不願意接受這種優先權。不過，年輕的男士們總算把話給聽了進去，有更多人娶教育程度相等的妻子，只是進度始終快不起來。大選過後，我同意放手讓繼吳慶瑞接任教育部長的陳慶炎改變原來的決定，撤銷大學畢業母親所享有的特權。我已經喚醒人民，尤其是受大專教育的青年男女，把國家的處境毫不掩飾地擺在他們面前。但是，既然這份特權使女性大學

畢業生感到尷尬，我想還是取消比較好。

已婚婦女獲稅務優惠

　　取而代之，我給與已婚婦女特別所得稅優惠——這次以大學、理工學院、「Ａ」水準和「Ｏ」水準畢業生為對象，擴大範圍，避免過於強調一小群精英。凡是生育第三或第四個孩子，這些婦女本人或者她們的丈夫，就能獲得可觀的特別稅金回扣。這個稅金優惠果然使更多婦女生育第三或第四個孩子。

　　許多輿論的矛頭指向政府，責怪政府在六○年代草率推行「兩個就夠了」的生育計畫。這一步真的走錯了嗎？其實有利也有弊。沒有這個政策，家庭計畫抑制人口增長，可能永無成功之日，失業和失學的問題就永遠解決不了。只可惜我們忽略了本應預見到的，那就是，教育水平較高的人只生一兩個孩子，教育水平較低者則繼續生育四個或更多孩子。談論家庭計畫問題的西方寫作人沒有向人們指出這一點，因為這麼做在政治上是不正確的。要是我們自己早一點發現這個問題，整個運動就可以以不同的手法和對象來展開——在六○年代開展家庭計畫的時候，一開始就用獎勵措施鼓勵教育水平較高的婦女生育三個或更多的孩子。只可惜我們被蒙在鼓裏，一直到 1983 年，1980 年的人口普查分析結果出來了，我們才看到不同社會和經濟組別的人的不同生育趨勢。

　　自從於 1983 年發表了那一次的演講之後，我定期公開以全國會考成績最優秀的 10%學生為對象的調查結果，對學生家長的教育背景進行統計分析。新加坡人已經接受一個事實：家長的教育水平和智能越高，子女越有可能達到同等的水平。我發表那一番演講，旨在喚醒我們的年輕男女和他們的父母，要他們採取行動扭轉當時已很嚴重的情況，隨即引發的公開議論也使情況有

了改變。吳慶瑞是受過訓練的統計師，在我棒喝男性大學畢業生之後的數年內，不斷研究有關數字。他告訴我，我們無法及時解決這個問題，以挽救大多數新加坡女性大學畢業生的命運。數字上雖然有好轉的跡象，但是卻也顯示，要扭轉這個趨勢得花上好多年的工夫，情況對這些優秀女性不利，連帶影響新加坡。到1997 年，63%的男大學畢業生娶了教育程度相同的妻子，比1982 年的 37%來得高。也有越來越多女性大學畢業生願意下嫁非大學畢業的男士，不再保持單身。要扭轉一種根深蒂固的文化偏差，實在並非易事。理性的一面教我不得不同意吳慶瑞所說的，要改變這個文化差異的過程非常漫長，感性的一面卻教我無法接受我們不能更快一些讓男士們覺悟，消除偏見。

當富裕的西方大國改變對亞洲移民的政策時，新加坡人才匱乏的問題更是雪上加斤。六〇年代美國在越南打戰，它不希望拒亞洲人於門外的移民政策使它蒙受反亞洲人之嫌，於是決定改變，允許亞洲人移民美國，扭轉了一個多世紀來只接受白人移民的政策。加拿大、澳洲和紐西蘭三個地大人稀的國家不久也相繼效法。這些國家長久以來禁止亞洲移民入籍。他們改變政策，開始容納素質和學歷較高的亞洲人才，新加坡因此失去一大批來自馬來西亞的華族和印度族人才。馬來西亞許多中產階級的華族和印度族專業人才紛紛移居澳洲、紐西蘭和加拿大。到新加坡來受教育的外國學生也減少了。各國設立了自己的大學，許多學生也有經濟條件到澳洲、紐西蘭、英國、美國和加拿大等國深造。

並非每一個領袖都同意我對這種政策改變所帶來的負面影響的看法。我在七〇年代初期告訴馬來西亞首相拉薩，馬來西亞許多受過高深教育的華人和印度人紛紛移民到澳洲和紐西蘭，使馬來西亞蒙受人才外流的損失，他卻回答說：「這不是『人才外流』，是『麻煩外流』，把麻煩都排出馬來西亞。」

沒有外來人才，我們不可能取得今天的成就。我所組織的第一個內閣，十
人當中，我是唯一在新加坡出生和接受教育的。左起楊玉麟、王永元、拉
惹勒南、阿末·依布拉欣、王邦文、吳慶瑞、杜進才和貝恩。

計畫引進和留住人才

　　七〇年代末期以後，人才短缺的問題進一步惡化，約有 5%
受高等教育的人才開始移民海外。太多優秀的學生選擇從醫，他
們當中不少人發覺所得成就跟他們的專業資格不相稱時，最終選
擇移居國外。也有一些在澳洲、紐西蘭、加拿大深造的學生一發
現國內的事業擢升和發展前景不如預期中的快，便移居這些國
家。我們的學生和日本人與韓國人不同的地方，在於他們受的是
英文教育，到海外定居沒有太大的語言障礙或文化震盪。

　　為了確保有足夠的人才，以應付日益增長的經濟所製造出來
的工作，我開始計畫引進和留住人才——企業家、專業人士、藝
人、技術高度熟練的工人等。1980 年，我們成立了兩個委員

會，其中一個委員會專門負責物色人才，另一個負責協助這些外來人才在新加坡安頓下來。我們的官員到英國、美國、澳洲、紐西蘭和加拿大招攬人才，在駐各國新加坡使節團的學生諮詢員的協助下，他們在大學校園裏同有潛質的亞洲學生會面，設法引起他們對前往新加坡工作的興趣。委員會以亞洲學生為主要招攬的對象，因為新加坡也是一個亞洲社會，但是生活水平和素質較高，亞洲學生可以輕而易舉地融入這裏的環境。有系統地在世界各地招攬人才，每年為新加坡引進數百個大學畢業生，填補了新加坡受高等教育者每年有 5% 至 10% 移居到工業國所留下的空缺。

至於特別聰慧的學生，委員會仿效美國跨國公司的「提早收割」法，根據學生在畢業考試之前的學業表現，招募尚未畢業的學生，為他們提供工作。進入九〇年代，積極招攬引進的人才是流失者的兩倍。我們也開始為來自中國、印度等區域國家的亞洲優秀生提供數百份獎學金，希望這些學生會因為這裏的就業機會比較好而留下來。選擇回國的學生，日後還是可能對到當地去發展的新加坡公司有幫助。

我們也成立兩個工作小組，負責吸引來自印度和本區域的人才。招攬印度族人才比招攬馬來族人才的行動收效較大。馬來西亞和印尼的土著因為家鄉給與的優待太多，都不願意移居新加坡。

一個新現象是，有越來越多男性白人娶新加坡女性，尤其是受過大專教育的女性，因為新加坡男性大學畢業生對她們敬而遠之，大學畢業的白人卻不介意。新加坡法律規定，男性公民所娶的外國妻子可以入籍新加坡，反之則不然——除非她們的外籍丈夫在新加坡已有一份固定職業。許多女性因此不得不移民海外。1999 年 1 月，我們改變了這項政策。這將為新加坡的國際性特

色增添更多新色彩。此外,好些負笈海外的新加坡男性也娶了在
大學認識的白人女性或日本與其他亞洲女性為妻,他們的子女充
實了新加坡的人才寶庫。隨著人們經常出國公幹或被派駐國外,
同當地人頻繁交往,不同種族通婚的舊有障礙不再那麼明顯了。
我們必須改變態度,對以往被視為外來者而加以排斥的人才善加
利用。陳舊的偏見非得摒棄不可,否則它將成為新加坡朝國際貿
易、工業和服務中心發展的道路上的絆腳石。

除了保守的心理障礙,我們還得面對人民擔心工作競爭的問
題。無論在專業或較低的層次,一般人都抗拒外來人才的擁入。
新加坡人明白外來人才越多,就業機會就越多的道理,但是大家
都不希望這種情況發生在自己所從事的行業內。

沒有外來人才,我們不可能取得今天的成就。我所組織的第
一個內閣,十人當中,我是唯一在新加坡出生和受教育的。吳慶
瑞、杜進才在馬來亞出世,拉惹勒南出生於錫蘭。現任大法官楊
邦孝和總檢察長陳錫強來自馬來西亞,其他海外人才不勝枚舉。
還有成千上萬個外來工程師、經理和其他專業人士在推動新加坡
的發展。把新加坡比喻成一台電腦,他們就是這台電腦裏的額外
兆字節。如果不以外來人才填補不足,我們永遠無法躋身一等一
的行列。

李光耀回憶錄

11 一種共同語

反對以英語作為全民共同語言的聲浪持久不息。具有諷刺意味的是，我自己跟他們一樣熱切渴望保留華文教育的精髓……然而問題的癥結是，在這個多元種族、多元語言的社會裏，英語是唯一能讓大家接受的中立語，並能讓新加坡立足於國際社會。不過，看來它的確造成我們的學生文化失調，使他們變得冷漠。

我和芝都出身英校。在英國深造期間，我們遇上了一些中國
留學生，開始意識到自己文化失落的程度，幾乎就跟來自
加勒比海國家的華族學生一樣。以次母語受教育，又沒有全盤接
受不屬於自己文化的價值觀，使我們若有所失。我個人感覺到，
自己跟講方言和華語的華族群眾有隔閡。課本和教師所講述的世
界，同我生活的現實世界完全扯不上關係。同其他數以百計的萊
佛士學院畢業生一樣，我們沒有學到本身的亞洲文化，又不屬於
英國文化，結果迷失在兩種文化之間。

我和芝決定不讓三個孩子吃這個文化虧，於是把他們送進華
校，讓他們融入生意盎然、充滿朝氣和自信的華社群眾當中，即
使英文程度受影響也在所不惜。為了彌補這一點，芝跟他們講英
語，我跟他們講華語，藉此提高自己的華語水平。

這種栽培方法使三個孩子都受益。他們受的是華文教育，潛
移默化的價值觀使他們成為孝順的孩子和國家的好公民，他們説
起英語來也照樣通暢流利。他們在學校成績突出，頻頻獲獎，校
方和華文報章拿他們做宣傳，以鼓勵其他家長把兒女送入華校。
這促使講華語或方言的社群深信，我並不是一個對華文教育趕盡
殺絕的人。那些在單一民族的社會成長的人也許不能夠理解，我
選擇以什麼語文源流讓孩子受教育，是會引起政治反響的。

新加坡從未有過一種共同語言。在殖民統治時期，它是個多
語種社會。英國政府任由人民選擇如何教育他們的下一代，創辦
了屈指可數的幾所英校，專門訓練學生日後擔任書記、倉庫管理
員、製圖員之類次等的職位。馬來人有馬來小學，印度人有自己
辦的淡米爾和其他印度語種學校或課程，華人有本族成功人士出
錢興辦華校。各族學生在校學的是本族的語文，因此對母語有深
厚的感情，情況如同魁北克 500 萬居民，身處有三億人説英語
的大陸，卻緊緊抓住法語不放那樣。

在 1959 年成立政府時，我們決定用馬來語作為國語，為新馬合併做好準備。後來我們認識到在工作場所和人民相互溝通時應該用英語。作為一個依靠國際貿易的社會，如果使用馬來語、華語或淡米爾語的話，根本無法謀生。使用英語就沒有任何一族會占優勢。不過，這個課題太敏感，我們不能立即實行變革。各個族群當時都熱切維護各自的母語，要在這種情勢下宣布人人都得學習英語，後果將不堪設想。我們的做法是維持原狀，讓四種官方語言——馬來語、華語、淡米爾語和英語共存。

各族之間要有共同語

各族之間務必要有一種共同的語言，這一點在新加坡武裝部隊中尤其明顯。軍隊裏的方言和語種多得可怕，即使得一起上戰場，彼此也不能以任何一種官方語言溝通。許多國民服役人員只會講方言，軍隊裏不得不特別為他們成立福建話兵團。在家裏，華人說的是新加坡不下七種華族方言當中的一種，在學校裏學習的華語和英語都不是在家中使用的語言。

在語言問題上，我不希望再引發另一輪爭議。我先為英文源流學校引進華文、馬來文和淡米爾文三大母語教學。這一步受到所有家長的歡迎。我也為華文、馬來文和淡米爾文學校引進英文教學，以平衡整個局面。馬來和印度家長歡迎這個措施，但是選擇把孩子送入英校的家長依然日益增加。一些死硬派華校生對引進英文教學不表贊同，認為這麼做是要把英文定為新加坡的共同工作語文。他們在華文報章上表達了他們的不滿。

新馬分家後不到八個星期，中華總商會就公開要求政府確保華語作為新加坡官方語言之一的地位。合併前已經積極擁護華文的總商會財政康振福強調，新加坡 80%以上的人口使用華語。我不得不防患於未然，防止星星之火發展為燎原之勢，因為中華

總商會一帶頭，所有華校董事會和兩個華文教師會便會鼓起民眾
的情緒。10 月 1 日，我重申新加坡四大語言都是官方語言，地
位平等。我提醒中華總商會的激進分子如康振福等人説，當初新
加坡受馬來西亞警方和馬來軍團管制時，他們對語言和其他重要
課題始終三緘其口，這是大家有目共睹的。五天後，我召集四個
商會的全體委員，在電視攝像機前毫不含糊地告訴華族代表們，
我決不允許任何人把華語的地位問題政治化。他們爭取提升華文
地位的種種努力，至此終告結束。

　　儘管如此，華文學府南洋大學和義安學院的學生依舊跟我們
作對。1966 年 10 月，200 名學生趁我為南洋大學（簡稱南大）
的一個圖書館主持開幕儀式時示威。過了幾天，義安學院的學生
在我的辦公室外面示威，跟警方發生衝突，隨後在校園裏靜坐抗
議。在我把參與兩次示威活動的馬來西亞籍學生領袖遞解出境
後，學生的騷亂便逐漸平息。

　　我們耐心等待，年復一年地看著越來越多的家長選擇把孩子
送入英校。華文教師總會，華校董事會，華文報社的老板、編輯
和新聞從業員以及宗鄉會館和中華總商會的領袖們，則繼續堅持
對抗到底。每年一到家長為孩子報讀小學的時候，這些團體就以
保存文化和本族認同的號召發起運動，呼籲家長讓孩子報讀華
校，並痛斥那些選擇英校的家長見錢眼開，目光短淺。

　　許多講華語或方言的家長對他們的語言和文化有濃得化不開
的情意結，他們無法理解為什麼在英國人統治下他們的兒女能完
全接受華文教育，在自己的民選政府管理下卻必須學英文。但是
為了兒女日後出路較廣，他們多數選擇把兒女送進英校。這些錯
綜複雜的因素使群眾很容易被煽動。

　　接近 1970 年底，華文大報《南洋商報》轉向瘋狂親共和親
華族語言與文化的立場。它譴責政府試圖壓制華族語言、教育和

文化，把我描繪成「數典忘祖的二毛子」的政府裏的壓迫者。我們不得不逮捕該報總經理李茂成、總編輯三蘇丁全道章和高級社論委員李星可，因為他們宣揚共產主義，利用華族語言和文化課題挑起民眾的沙文主義情緒。同一份報章的馬來西亞版沒有刊載支持這股運動的文章，證明這些人的所作所為僅僅針對新加坡。

南大畢業生是另一股反對勢力。他們在 1972 和 1976 年兩屆大選中都提出了華族語言和文化的課題。當我嘗試把南大的教學語言從華語改為英語時，南大學生會會長何元泰唆使同學不要使用英文而改以華文在考卷上作答，結果被校方革除了會長的職位。畢業後，他以工人黨候選人的身分參加 1976 年大選，指責政府扼殺華文教育，號召講華語或方言的群眾反對政府，否則就會喪失自己的文化。他知道我們不會在競選期間對他採取行動。結果他只獲得 31%選票，一落敗就逃往倫敦。

反對以英語作為全民共同語言的聲浪持久不息。具有諷刺意味的是，我自己跟他們一樣熱切渴望保留華文教育的精髓。我在五〇年代為華文中學的學生領袖提供法律諮詢服務時，為他們富有朝氣活力、守紀律以及具有獻身社會和政治的精神所折服。與此相反，受英文教育的學生一副冷漠、自私自利和缺乏自信的模樣，我看在眼裏感到失望。然而問題的癥結是，在這個多元種族、多元語言的社會裏，英語是唯一能讓大家接受的中立語，並能讓新加坡立足於國際社會。不過，看來它的確造成我們的學生文化失調，使他們變得冷漠。

然而在英校體制下受教育給了我一種政治優勢——無論跟受英文教育還是受馬來文教育的群眾接觸，我都感到很自在，沒有被局限在講華語或方言的社群當中。國人比較容易接受我作為華族和其他所有種族的領袖，因為馬來人和印度人把我視為馬來亞的民族主義者，後來又視為新加坡的民族主義者，不是華族沙文

南大創辦工程涉及整個華社，在民間激起一股極大的熱忱，德士司機、小
販、三輪車夫等等全把一天中所賺的錢捐獻出來。1956 年 3 月 15 日南大
開幕，陳六使（左三）升起校旗。

主義者。加上我後來學了華語，能跟受華文教育的人溝通，使他
們接受我作為他們的領袖。我煞費苦心學習華語和福建話是他們
有目共睹的，結果令人滿意。

五〇年代中國和華文復興使華校生的自豪感膨脹起來。中華總商會的商人因為韓戰刺激了橡膠的銷量而發了大財。1953年，總商會提議在新加坡興建一所華文大學，招收東南亞一帶的華族子弟。他們深信，由於華文中學畢業生不能到共產中國去深造，在新加坡設立這麼一所大專學府必能吸引許多學生。這個建議獲得新加坡、馬來亞和婆羅洲地區華商的支持，主要倡議人是橡膠富商陳六使，他個人捐出 500 萬元。南大創辦工程涉及整個華社，在民間激起一股極大的熱忱，德士司機、小販、三輪車夫等等全把一天中所賺的錢捐獻出來。1956 年 3 月英國總督為南大主持開幕禮，當天車輛從市區一路緊挨著排成長龍，直到西北部 20 英里外的裕廊校園。南大成了華族語言、文化和教育的象徵——共產主義分子後來通過中華總商會，各宗鄉會館和學校董事會內的支持者，控制了這所作為華社象徵的大學。

可是南大碰到了問題，它的畢業生很難找到工作。隨著學生逐漸轉進英校，越來越多人報讀以英文教學的新加坡大學（簡稱新大），成績較好的華校生以私人考生的身分參加英文劍橋會考，以便考上新大或考取政府獎學金留學海外。為了挽救頹勢，南大降低入學和及格標準，也進一步降低了它的學術聲譽和學生的市場價值。人民協會的匯報使我決定採取行動。匯報顯示，南大生在求職時，寧可出示中學畢業證書而不出示南大的學位文憑。

教學語言改換成英語

我決定把南大的教學語言改換成英語。1975 年，在南大理事會一致同意下，我委派當時的教育部長李昭銘博士出任南大校長。李博士受過華文教育，在倫敦大學考取工程系博士學位。他的任務是把南大辦成一所英文大學。事實證明要實現這個目標太

難了，講師無法適應，難以用英語教學。他們雖然是華校出身，
到美國大學考取博士學位，卻因為多年來恢復以華語教學，以致
英語變得生硬不流利。

　　局勢發展到 1978 年已經惡劣不堪，南大畢業的議員籲請我
在他們母校水平跌至谷底乃至於最終垮掉之前插手干預。經過多
年的接觸，有一個人的判斷是我所信賴的，他就是當時擔任政務
部長的莊日昆。莊日昆在處理人際關係方面很有一手，跟我又密
切合作多年，包括協助我照顧選區。他使我深信，要讓南大保持
原狀繼續下去問題會更多，許多學生的事業前途將因此葬送，到
時候，講華語或方言的人定會責備政府袖手旁觀，聽任南大消
亡。莊日昆的看法獲得何家良、錢翰琮和李玉勝三位都是南大畢
業的政務次長的大力支持。

　　內閣同僚多數認為政治代價太高，反對我插手，態度最堅決
的是杜進才和巴克。連向來立場堅定又有主見的吳慶瑞和務實的
林金山也意興索然。我要堅持干預，他們會支持我，但是何苦去
捅馬蜂窩自找麻煩？六〇年代華校和南大發生的風波，他們記憶
猶新。連畢業自吉隆坡尊孔中學的華校生王邦文，也表示有所顧
慮，這使我大感意外。他和南大畢業的議員同樣認為事態嚴重，
卻也擔心新馬兩地的南大捐款人和支持者會做出強烈的政治反
應。可我不能眼睜睜看著每年有好幾百個學生的前途白白被糟
蹋。既然南大無法把教學語言改為英語，我於是說服南大理事和
評議會成員，把整所大學連同師生一起遷入新大校園。當年在武
吉知馬的新大校園，說英語的教師和學生人數眾多，南大師生全
面融入這樣的環境，自然會被迫使用英語。

　　不管他們有多憂慮不安，1978 年的新學年一開始，南大師
生還是全面融入了一個講英語的環境。大部分說華語的家長和學
生接受了南大從華文轉為英文大學是勢所難免的事實。最情緒化

1979 年我為第一屆全國推廣華語運動主持開幕儀式，通過這個運動鼓勵華族人民講華語。

的反應來自南大校友。在新加坡的校友縱使沒有公開支持，也能夠了解這種改變是大勢所趨。在馬來西亞的校友卻依然憤憤不平，把它看做一種背叛行為，痛心疾首地猛加譴責。個人方面，我卻為不能更早一點採取行動而難過，否則數千名南大畢業生就不至於為英文不精所累而在經濟上屈居下風。

　　這是個慘痛的調整，學生比教師更難適應。在南大教師流利地使用英語的能力恢復之前，新大教師接過大部分的教學工作。我在兩個不同的場合跟學生談話，對他們的困境表示同情，鼓勵他們堅持到底。最終約有 70%南大生在兩校的聯合畢業考試中過關。我展開調查，以便了解畢業生想要獲頒新大學位、南大學位還是兩所大學聯合頒發的學位。絕大部分的人選擇了新大學位。我決定把兩所大學合併為新加坡國立大學（簡稱國大），這批畢業生都獲頒國大學位。南大校園成了附屬國大的南洋理工學

院的院址。1991 年它升格為南洋理工大學，一些南大校友要求
復名南洋大學。這已不再是什麼大不了的課題了。要是南洋大學
和南洋理工大學的畢業生都有相同的意願，恢復舊名絕對不成問
題。雇主們都知道，目前的南洋理工大學畢業生，不管所讀學府
起用什麼名字，他們的素質依然維持在高水平。

　　我之所以擁有去改變南大局面所需的政治力量，是因為我跟
許多宣稱捍衛華文卻把孩子送進英校的人不同。我的三個孩子從
小在華校受教育。六〇年代末，我在南大校園向全體師生發表講
話時，能夠理直氣壯地說自己從來沒有為了政治目的而犧牲子女
的教育。我深信華校能讓他們受益，因為他們能夠在家裏學好英
文。但是，談到大學教育，我表示不會把他們送入一所華文大
學。他們的將來取決於他們能否掌握最新課本的用語，也就是英
語。做家長的不管是受華文或英文教育，人人都會得出同樣的結
論。因為我在南大發表了這一番講話，報章加以報導，因而能影
響家長和華校生進入大學的抉擇。

問題全在於「面子」

　　要是我的子女沒有在華校考取優異的成績，我說起話來就不
會那麼有分量。多年以後，我問他們三個可曾後悔就讀華校而非
英校，他們一致認為上華校使他們獲益更大。

　　南大總共培養了 1 萬 2000 名畢業生。他們當初要是都接受
英文教育，事業發展就會更稱心，對新馬兩地的貢獻也會更大。
問題全在於「面子」。當初創辦南大，人人對它充滿憧憬，寄予
厚望。只可惜歷史潮流不從人願。沒有一個東南亞國家願意看到
一所華文大學冒起。相反地，各國紛紛逐步關閉境內的華校。華
校出身的中學和大學畢業生就業機會迅速減少，就連華族銀行為
了生存也捨棄華語，改用英語。

　　兩所大學合併後，我把全國華文中小學改成以英語為主要教
學媒介語，華文作為第二語文。受華文教育的人，包括行動黨議
員因此開始反思。他們都同意學生必須掌握一定水平的英語，才
用不著多花一年的時間惡補英文，以便升上理工學院和大學繼續
學業。但是要為此減少學校裏的華文教學時間，任誰也不願意接
受。我同情他們面對的窘境。這是他們接受以英文作為我們的工
作語文之後必須承受的後果。

　　隨著這些改變的逐漸落實，我卻開始擔心我們在逐漸失去華
校的一些可貴的東西。我希望能保留華校的優點：秉承中華傳
統、價值觀和文化，向學生灌輸紀律觀念、自信心、道德和社會
價值觀。我們必須把這些美德傳給新的雙語學校的學生，否則最
終會導致學生喪失自己的文化。在以英文為主要教學媒介語的學
校裏，學生在家中秉承的儒家價值觀並未得到鞏固，因為教師和
學生來自不同的種族，所用課本的語文不是華文。

　　除此之外，國人和西方媒體的接觸越來越頻繁，跟那些到本
地旅行的外國遊客也有交流，加上自己有機會出國，這一切都使
新加坡學生的傳統道德觀不斷受到侵蝕。由於我們推行英文教
育，所以美國消費社會的價值觀在新加坡社會彌漫的速度，比在
本區域其他國家都來得快。

　　年輕教師的態度和價值觀有所改變使問題更加複雜。上一代
教師吃過苦，了解新加坡這樣一個多元種族社會的穩定與和諧得
來不易。誠如我在 1979 年給接任教育部長的吳慶瑞寫信時指
出：「它們教的是人生觀，給學生灌輸自強不息的信念和責任
感，它們的教師比多數英文媒介教師有更大的熱忱和幹勁。」年
輕一代的教師都是以華文為第二語文的英校生，本身受傳統價值
觀潛移默化影響的程度已不如前人。

　　我們要保留新加坡不同文化的傳統價值觀。日本人雖受美國

的影響，卻能保持基本的民族特色。他們的年輕一代生活富裕，對自己所服務的公司似乎少了父輩那種鞠躬盡瘁的精神，但是在本質和精神上仍然是日本人，比歐美人民勤勞，更願意為社會的整體利益做出貢獻。我相信，日本人做得到的，我們也做得到。

我決定推出「特選中學計畫」，保留九所最優秀的華文中學，也就是後來廣為人知的「特選中學」。這些學校錄取全國小學離校考試中成績最佳的 10% 學生。它們教導第一語文水平的華文，但是同全國其他學校一樣，仍以英語為教學媒介。我們為特選中學提供額外的師資，通過語言特別浸濡課程協助學生掌握華、英兩種語言。特選中學成功地保留了傳統華校尊師重道、守紀律、講禮貌的優點。無論是過去或現在，這些學校的校風，是紀律和禮儀等比較散漫的英校遠遠比不上的。今天，大部分特選中學，包括一度受共產分子控制的華僑中學，是頂尖名校，既擁有現代化的設備，也有驕人的歷史和傳統。

南大在 1978 年遷入新大校園進行聯合教學之後，我認為鼓勵華族人民放棄方言，改說華語的時機成熟了。我相信學生若能免除在家中用方言溝通的負擔，他們在學校裏將會更易於掌握英語和華語。在家中講華語對學生在學校學習華語將有所幫助。於是，我發起「推廣華語運動」，每年為期一個月。

為強調推廣華語的重要性，我不再以福建話發表演講。我們也取消了電視台和電台所有的方言節目，不過，為老一輩著想，仍然有使用方言播報的新聞。可惜到了選舉的時候，為了不讓反對黨候選人占優勢，我們還是必須講方言。直到 1997 年 1 月的大選之前舉行的群眾大會，引起選民最熱烈反應的一些演講仍然是用福建話發表的。對老一輩的人來說，方言才是他們真正的母語。

要改變華族家庭的用語習慣談何容易。到七〇年代為止，八

成左右的華人在家中依然説方言。華族方言和華語不同,它對人們學習和使用華語造成干擾。我在電視上發現年輕工人在受訪時,説起華語來並不流利,因為他們一回到家中和工作場所就使用方言。我以自己對人民的影響力規勸他們改變溝通的語言。人們知道我的三個孩子兼通華、英、巫三種語言,對我的教子之方總有幾分敬意。我和芝到公園散步時,通常注意到家長總是用方言跟孩子交談,直到他們發現我們在場,才一臉難為情地改用華語。他們心裏明白,讓子女使用方言並非正確的做法,他們為不理會我的勸告而覺得不好意思。這種改變尤其難為了祖父母一輩,但是大多數人應付得不錯,他們用方言跟孫子談話,卻也聽得懂孫子用華語的回答。我們倘若不積極推廣使用華語,雙語政策就不能在華族學生身上奏效。講華語的家庭從 1980 年的 26%增加到 1990 年的 60%,數字還在不斷上升。然而與此同時,講英語的家庭也從 1988 年的 20%上升到 1998 年的 40%。

使華族人士改變學習華語的態度,關鍵因素是中國的逐漸對外開放。不管是專業人士或督工,兼通中英雙語的人都占有優勢。再也沒有人抱怨使用華語而非方言了。1965 年獨立之初,我們決定推行華文為第二語文的政策是正確的。新加坡華族講七種中國南方的主要方言,在這種情況下,比較容易説服大家一起改用華語。要像香港,有 95%的人説廣東話,別説是棘手,簡直辦不到。對許多新加坡華人來説,方言是真正的母語,華語不過是次母語。不過,再過兩代人,華語就會成為新加坡華人的母語了。

對我們的子女來説,要兼通英語和母語(馬來語、華語或淡米爾語)是吃力的事。這三種母語跟英語根本是風馬牛不相及。然而如果只通曉自己的母語,新加坡就無法生存。只懂英語的後果則是倒退,我們會喪失自己的文化認同感,失去那份内心的自

信——是這種自信，讓我們明確了自己在這個世界上的定位。無
論如何，我們也絕對沒辦法說服國人捨棄母語。

因此，推行雙語政策是前進的最佳策略——儘管有人批評這
種政策導致新加坡人民兩種語言都不到岸。以英語為工作語言使
新加坡的不同種族避免了因語言問題引起的衝突。掌握英語也使
我們具備一定的競爭優勢，因為英語已經成為國際商業、外交和
科技的語言。沒有它，新加坡今天不會有全球多家大型跨國公司
和 200 多家數一數二的國際銀行在這裏營業，國人也不會那麼
輕而易舉地接受電腦和互聯網。

開始的時候秉著高尚的情操，
抱著強烈的信念和取締貪污的
決心不難。但是，除非身為領
袖者夠堅強，能鐵面無私，堅
決對付一切違法亂紀的人，否
則要做到事如所願，可沒那麼
容易。我們必須全力支持貪污
調查局的官員執行任務，無私
無畏。

李光耀回憶錄

12 鐵腕護廉潔

19⁵⁹ 年人民行動黨執政，我們誓言要建立廉潔的政治。許多
　　亞洲領袖的貪婪、腐化和墮落，教我們深惡痛絕。原是為
受壓迫的同胞爭取自由的鬥士，變成了人民財產的掠奪者。他們
的社會因而滑坡倒退。我們受到亞洲革命浪潮的衝擊，決心擺脫
殖民主義的統治，卻對那些不能實踐自己理想的亞洲民族主義領
袖的所作所為感到憤怒和不齒。他們使我們大失所望。

　　戰後我在英國見過來自中國的學生，他們滿腔熱血，要鏟除
國民黨政府領袖的貪污腐敗。惡性通貨膨脹和巧取豪奪，使國民
黨聲譽掃地，兵敗如山倒，退守台灣。他們以權謀私、貪得無厭
和道德敗壞，使許多新加坡華校生對他們產生厭惡感而成了親共
分子。這些年輕學生把共產黨人看成具有獻身精神，隨時準備殺
身成仁的大公無私的楷模，而中國共產黨領袖的艱苦樸素的作
風，正是這樣的革命情操的體現。這是當年人們的普遍看法。

　　在 1959 年 5 月大選之前，我們做出一個重要的決定，突出
了我們反對貪污的立場。林有福的政府（1956—1959 年）已經
開始貪污腐化。他的教育部長周瑞麒接受了美國方面一筆 100
萬新元的鉅款，準備在來屆選舉中跟共產黨人周旋。市場上盛傳
還有幾筆數目較小的付款，不過，給錢的動機跟思想意識不是有
很大的關係。對於要不要爭取選舉勝利，當時我們有很大的保
留，認為要跟共產黨人正面交鋒，我們還沒做好充分的準備，組
織工作也做得不夠。我們估計一旦組成政府，共產黨人就會回頭
來對付我們。可是，讓這群惡棍再執政五年，公務員就會腐化，
而總的來說，當時公務員還是誠實的。公務員一旦腐化，這個制
度將無法運作。於是我們得出結論，非爭取勝利不可。

　　誘惑無所不在，並不是新加坡才有。外國人在機場最先接觸
到的官員，是移民廳和海關人員。在東南亞的許多機場，旅客往
往在海關出口處受到刁難，必須「進貢」（多半是現金）才能過

關。交通警察同樣有令人厭惡的情形。遊客駕車被指超速被截查，非得在交上駕駛執照時附上鈔票，才能免受處分。交警們的上司也沒有以身作則樹立好榜樣。在本區域的許多大都市，連遇到交通意外要進醫院，也得給經辦人一些好處，才會立即獲得關照。讓單靠薪水活不下去的制服人員掌權，哪怕是小小的權力，等於讓他濫用。

我們有著強烈的使命感，要建立廉潔有效的政府。1959 年 6 月，在市政廳大廈會議室宣誓就職的時候，我們一律穿白色的襯衫和白色的長褲，象徵個人行為純潔廉明，擔任公職也一樣。人民期待著我們有這樣的表現，我們決心不辜負他們的期望。親共分子穿皺巴巴的襯衫和褲子，搭巴士和德士，睡在工會會所後面的房間裏，受的是華校教育，以此顯示自己的工人階級身分。他們嘲笑我在辦公室和家裏裝冷氣機，開大型的美國史都巴克汽車，打高爾夫球，喝啤酒，出身資產階級家庭，在劍橋受教育。但是，我和我的同僚幫助過工人和工會，他們卻不能指責我們因此撈了錢。

除了一人之外，我的部長全是大學畢業生。不擔任公職的話，我們深信自己能生活下去，像我這樣的專業人士完全有把握，沒有必要增加額外的儲蓄以防萬一。更重要的是，我們的妻子多數在工作。要是我們坐牢或不在，她們自己也有能力謀生，照顧家庭。這使得我的部長和他們的妻子，具有與別人不同的心理狀態。部長獲得人民的尊敬與信任，公務員也就能抬起頭來，滿懷信心地做出決定。這在我們跟共產黨的鬥爭中發揮了關鍵性的作用。

從 1959 年 6 月執政第一天起，我們就確保稅收的每一塊錢怎麼花都要有適當的交代，到達基層受益人手上的時候，一塊錢照舊是一塊錢，中途沒被抽掉一部分。所以一開始，我們便特別

第一屆新加坡民選政府於 1959 年 6 月宣誓就職後，內閣成員在市政廳大廈前合影。我們一律穿白色襯衫和長褲，象徵個人行為純潔廉明，擔任公職也一樣。

注意過去被人利用便宜行事權中飽私囊的領域，強化了能防止、發現或制止這種枉法行徑的工具。

　　由英國人在 1952 年成立的貪污調查局，是執行這項任務的主要機構。英國人當年設立這個調查局，是要對付公務員當中出現的越來越猖獗的貪污行徑，尤其是中下級的警察、小販稽查員和土地管理員。這些下級官員必須採取行動，對付在街上進行非法買賣，或是侵占公地非法建造住房的違法者。許多稽查員要麼發出傳票，要麼在接受了滿意的賄賂後假裝沒看見。

集中力量對付大魚

我們決定集中力量對付職位比較高的大魚，於是向貪污調查局發出指示。對於小魚，我們著手簡化程序，印就清楚的準則，取消便宜行事權，甚至在比較不重要的領域取消發出准證或給與批准的手續。當檢控一個人使之罪名成立遇到困難時，我們分階段把法律修訂得更嚴密。

1960 年，我們修改了 1937 年殖民地時期通過的已經過時的防止貪污的法律。「賞錢」的定義擴大了，它包括任何有價值的物品。修正案賦與調查人員更大的權力，包括逮捕、搜查，以及翻查嫌疑犯和他們的妻子、兒女和代理人的銀行戶頭和銀行存摺。當局不必證明受賄者能夠給與行賄者所要求的便利。任何人一旦受到調查，所得稅局局長就必須提供有關於他的資料。原有的法律本來規定，除非同謀的證據有佐證，否則不能置信。法律修改後，法官有權接受同謀提供的證據。

在 1960 年修訂的最有效的法律條文，是控方一旦證明被告生活闊氣，超過他的收入所能承受的程度，或是擁有同收入不相稱的財產，法庭就可以以此作為被告已經受賄的佐證。在總理公署工作的貪污調查局局長由於嗅覺靈敏，又有權調查所有官員和部長，逐漸建立了令人聞之喪膽的名聲，能把貪污瀆職的政府工作人員揪出來。

1963 年，我們制訂法律，規定任何證人若受貪污調查局傳召，都必須前往據情實報。1989 年，貪污罪的最高罰款從 1 萬元提高到 10 萬元。因提供假情報或誤導性情報而被提控者，罪名一旦成立，最高罰款 1 萬元，同時面對監禁的懲罰。法庭有權充公貪污者所獲得的利益。

在某些領域，貪污瀆職一向是大規模的、有組織的活動。

1971 年，貪污調查局偵破了一個由 250 名交警巡邏隊隊員組成的犯罪集團。羅厘車主每月「孝敬」5 到 10 元給集團的每個成員，這些羅厘兩旁都黏上地址。不給錢的車主會受到騷擾，不斷地接到傳票。

關稅人員如果放鬆檢查走私違禁品的車輛，讓它們容易過關，有「油水」可拿。中央供應處（政府的採購部門）人員向投標者提供消息，然後收費。出入口部門的官員加速發出准證，就有錢放進口袋。承包商向工場的督工行賄，打樁工程便可以不必達到規定的深度。店主和居民付錢給公共衛生部門的工人，以便清除垃圾。一些華校校長和教師從文具供應商那裏收取佣金。人們千方百計利用權力和便宜行事權營私舞弊。

要取締這些有組織的犯罪集團不太難。但是，要對付「投機性」的貪污活動就很困難，一發現就得取締。

成為報章頭條新聞的是一些大案子。從六〇年代到八〇年代，有幾名部長先後涉及貪污，每十年一人。陳家彥擔任過國家發展部長，直到 1963 年在大選中落選。五〇年代初期，他是馬來亞航空公司工程師聯合會的領袖，我是這個工會的法律顧問。我們委任他為馬來西亞航空公司董事會的董事。1966 年 8 月，在馬航的一次董事會議上，陳家彥堅決反對購買波音公司的飛機。幾天後一位林先生跟波音的銀行第一花旗銀行接觸，表示願意提供有代價的服務。他是陳家彥在商界的朋友。銀行知道政府對貪污受賄立場嚴正，報告了這件事情。林先生不肯牽連陳家彥，因而政府控告不了他，可我深信背後的人就是陳家彥。儘管做出決定是一件不愉快的事情，甚至會感到痛苦，我發表文告說，作為在馬航董事會裏的政府代表，陳家彥執行任務未能做到無可指摘的地步。我解除了他的董事和其他職務。後來林金山告訴我，由於遭人們唾棄，他潦倒落魄，謀生無門。我覺得難過，

12 鐵腕護廉潔

但我是不得不採取有關行動的。

1975 年，環境發展部政務部長黃循文和家人到印尼旅行，費用由一名房屋發展商支付。黃循文曾經代表這名發展商向公務員提意見。後來，他又接受了對方一座價值 50 萬元的獨立式洋房，並且以父親的名義透支兩筆總共 30 萬元的款項，由對方擔保，進行股票買賣的投機活動。自五〇年代開始，他就是我們忠心耿耿的非共工會領袖之一。跟他對質，聽他那教我無法信服的辯白，是痛苦的事。他被控貪污，罪名成立，判監四年半。他提出上訴，罪名不變，不過減刑 18 個月。

1979 年 12 月，我們突然面臨另一次挫折。當時的職總主席，同時也是人民行動黨國會議員的彭由國，被控四項總共涉及 8 萬 3000 元的失信罪名。他也在職工會法令下被控兩項罪名，指他未經部長許可，動用工會的公款，在一家私人超級市場投資 1 萬 8000 元。他獲准依法保釋。

當時的職總秘書長蒂凡那跟彭由國關係非常密切，相信彭由國是無辜的。蒂凡那主張貪污調查局檢討這起案子，認為該局平白無故地控告彭由國，把一個人給毀了。我不同意。我看過調查文件，批准讓調查繼續進行。蒂凡那深信彭由國是無辜的，並擔心他將損失一名有用的職工運動幹部。一個星期六，他和我共進午餐，談話時非常激動。我在他面前打電話給貪污調查局局長，下令局長在我們的午餐結束之後，立即讓蒂凡那在保密的條件下看他手頭上有關彭由國的證據。蒂凡那看過那些證據之後，沒打電話給我。彭由國決定棄保潛逃，兩名保人損失了 5 萬元的保金。彭由國始終沒有回來。最後聽到的消息是，他逃亡到泰國，受到當地移民廳和警察局的敲詐，窮困潦倒。

下場最引人注目的是鄭章遠。他當時是國家發展部長。1986 年 11 月，他的一個老朋友在貪污調查局盤問下，承認曾經前後

給過他兩筆各 40 萬元的現款。第一次是讓一家發展公司保留一塊地段，這塊地段原已被列為政府將徵用土地的一部分；第二次是協助一名發展商購買政府的土地，供私人發展之用。有關的賄賂行為先後發生在 1981 和 82 年。鄭章遠否認拿了錢，卻企圖跟貪污調查局高級助理局長討價還價，要求他不再查下去。內閣秘書向我報告事態的發展，並告訴我鄭章遠要見我。我說我必須等調查結束後才能見他。一個星期後，也就是 1986 年 12 月 15 日早上，保安官員告訴我鄭章遠去世了，把一封他寫的遺書交給我。他寫道：

總理：

過去兩個星期，我感到非常悲哀沮喪。對於發生這次的不幸事件，我應該負全部責任。作為一個堂堂正正的東方紳士，我應該為自己所犯的錯誤接受最嚴厲的懲罰。

您的忠實的

鄭章遠

我探望了鄭章遠的遺孀，也看了他躺在床上的遺體。他的遺孀說，他終身為政府服務，希望能保持自己的名譽，問我驗屍庭能不能不進行研審。我告訴她，只有在他的醫生能夠發出死亡證書，證明他是自然死亡的情況下，才有可能。驗屍庭免不了必須研審，最後判定他服食了過量的安密妥鈉自盡。反對黨在國會中提出這件事情，要求成立調查委員會進行調查。我立即同意了。有關調查的報導使他的妻子和女兒面臨更大的痛苦。不久後她們便離開新加坡，從此不再回來。她們太沒面子了。

我們已經建立起輿論的氛圍：人們把擔任公職貪污受賄的人看成社會公敵。鄭章遠寧可了結生命，也不願面對恥辱，遭到社會的唾棄。他怎麼會拿那 80 萬元，我始終弄不明白。他是個有才華的建築師，自己執業也可以堂堂正正地賺到數以百萬元計的

金錢。

　　開始的時候秉著高尚的情操，抱著強烈的信念和取締貪污的決心不難。但是，除非身為領袖者夠堅強，能鐵面無私，堅決對付一切違法亂紀的人，否則要做到事如所願，可沒那麼容易。我們必須全力支持貪污調查局的官員執行任務，無私無畏。

　　瑞士洛桑國際管理與發展研究院的《1997年世界競爭力報告》，為世界各國的廉潔水平排名，滿分是10分。新加坡被列為最廉潔的亞洲國家，得分9.18，香港、日本和台灣都落在新加坡後頭。總部設在柏林的國際透明度機構發表的1998年世界最廉潔地區排名，把新加坡列為第七。

　　在亞洲，人們對於給佣金、回扣、小費、「潤滑劑」或其他冠上委婉名稱的貪污行為，已經習以為常。它是那麼地司空見慣，以致人們接受貪污是自己文化的一部分。部長和高官要過跟職位相稱的生活，靠薪水是不行的。然而他們地位越高，妻妾情婦便越多，房子也越大，女人們佩戴的首飾都跟男人的權力和地位相配。新加坡人到這些國家做生意，必須當心，不要把這種陋習帶回自己的國家。

　　中國共產黨人執政後，大肆宣揚自己完全誠實和富有獻身精神。在五〇和六〇年代，客人留下的東西，哪怕是準備丟棄的，酒店侍應生和整理房間的女服務員都會交還，這是刻意要顯示他們對物質財富完全不感興趣。但是在1966至1976年的文化革命高潮時期，這個制度垮了。厚此薄彼、裙帶關係和公然貪污進入了高層。隨著機會主義者假扮成革命家，通過出賣和迫害同級或上級而扶搖直上，整個社會墮落了。1978年中國開始推行「開放」政策，貪污腐敗更加嚴重。許多共產黨幹部認為自己過去吃了虧，浪費了一生中最美好的時光，開始彌補失去的時間，想方設法發財致富。越南的共產黨人也一樣。八〇年代後期，越

南對外來投資開放，市場自由化之後，貪污風氣影響了共產黨。
這兩個共產國家的領袖和官員過去一度為大公無私和獻身共產主
義事業而自豪，如今卻為貪污所困擾，它的嚴重程度至少不下於
他們過去所痛斥和瞧不起的頹廢的亞洲資本主義國家。

誠實政府的先決條件

　　作為一個誠實的民選政府的先決條件之一是，要贏得選舉，
不需要大筆金錢。如果候選人需要花大筆錢才能當選，貪污的循
環必然會開始。亞洲許多國家的禍根是，選舉的費用很高。勝利
者在花了一大筆錢競選而當選之後，必須收回本錢，同時積累資
金以供來屆選舉之用。這種惡性循環就這樣周而復始。九〇年代
的台灣，要當選成為立法院議員，每個國民黨代表須花一兩千萬
美元。當選之後，他們要收回本錢，準備參加下一輪的選舉，便
利用對政府部長和官員的影響力爭取合同，或是把規定作為農業
用途的土地暗中改為工業或城市發展用途。泰國的情形也一樣。
一位前政府部長形容這是「商業民主制度，以錢買權」。1996
年，大約 2000 名候選人花了大約 300 億泰銖（12 億美元）。
一位首相以派錢給候選人和選民出名，人們管他叫「自動提款
機」先生。他駁斥說他不是唯一的「自動提款機」。

　　在馬來西亞，巫統領袖稱之為「金錢政治」。1996 年 10
月，在一次黨大會上，首相馬哈迪醫生指出，他發現好些競選高
職的候選人「賄賂和送禮給黨代表們」以換取選票。馬哈迪痛斥
「金錢政治」，激動得熱淚盈眶，他促請黨代表「別讓賄賂摧毀
馬來種族、宗教和國家」。據馬來西亞報章報導，在 1993 年巫
統代表大會舉行前的競選活動高潮期間，馬來西亞國家銀行面值
1000 零吉和 5000 零吉的鈔票竟然一張不剩。

　　印尼的大規模貪污行動眾所周知，當地媒體更給它冠以縮略

詞「KKN」（即貪污舞弊、官官相護及用人唯親）。蘇哈托總統的子女、朋友和密友「以身作則」，致使「KKN」成了印尼文化不可分割的一部分。美國媒體報導，在金融風暴削減其價值之前，蘇哈托一家擁有 420 億美元的資產。哈比比總統在任期間，貪污情況更為嚴重。新總統上任，部長和官員擔心自己的地位不保，充分利用所剩的時間中飽私囊。哈比比的助手累積大量金錢，購買選票以便進入人民協商會議。據報導，每張選票的價值超過 25 萬美元。

在所有選舉制度當中，代價最高的是日本的制度。日本部長和國會議員的薪水和津貼數額不算多。一名日本國會議員要照顧東京和選區的支援職員，加上選區選民生日、生孩子、婚嫁和喪葬，他都得有所表示，一年需要 100 多萬美元，選舉年則需要 500 多萬美元。國會議員靠派系領袖提供資金。派系領袖權力大小要看本派系有多少名議員，所以必須在選舉期間和選舉前後籌集大筆金錢，以便資助追隨者。

在新加坡，我們避免用金錢來贏得選票。早在 1959 年，作為反對黨領袖，我便說服了首席部長林有福規定投票是強制的，並且禁止用汽車載送選民前往投票站。掌握政權之後，我們清除了私會黨在政治活動中的影響。我們最難應付的對手共產黨人，並沒有用錢收買選民。我們的選舉開支數目很小，比法律規定的限額少得多。人民行動黨沒有必要在選舉過後補充財庫，平時也沒有送禮給選民。我們通過提供工作，興建學校、醫院和民眾聯絡所，最重要的是建造讓他們擁有的住房，使他們一再投票支持我們。這些是真正的實際利益，改善了人民的物質生活，使他們深信，為了自己和子女的前途，必須支持人民行動黨。反對黨也不需要金錢。他們若擊敗我們的候選人，那是因為選民決定要選一個反對黨議員來向政府施加壓力，使政府做出更多讓步。

　　西方的自由主義者提出過這樣的論點：報章完全不受約束就能暴露貪污，有助於使政府廉潔誠實。然而印度、菲律賓、泰國、台灣、韓國和日本的電視和報章是亞洲最無拘無束，可以為所欲為的，它們卻杜絕不了猖獗和根深蒂固的貪污。關於媒體自由和媒體業主貪污的關係，最能說明問題的例子是在義大利。貝盧斯科尼總理擁有一個媒體大網絡，然而他本人後來卻受到調查，被控在擔任總理之前犯下貪污罪行。

　　另一方面，新加坡證明了一個廉潔、不涉及金錢的選舉制度有助於維持政府的誠實。然而只有在誠實能幹的人願意參加選舉並負起領導責任的情況下，新加坡才能保持廉潔誠實。他們的工資，必須跟能力和正直程度同他們相似的人管理大公司、成功的律師樓或從事其他專業所獲得的收入相當。在他們管理之下，新加坡經濟過去 20 年來每年增長了 8%到 9%。據世界銀行評估，1995 年新加坡公民的人均國內生產總值在世界上排第九位。

　　對建國的一代領袖而言，誠實已經成了習慣，任何收買我的同僚的企圖，都會被拒絕。他們冒著生命的危險爭取權力，是為了改進社會而不是發財致富。但他們是無法複製的，因為要再造一個使他們與眾不同的客觀環境是不可能的。接我們班的領袖之所以會進入政壇成為部長，是職業的選擇，而且不是最有吸引力的選擇。對於具備部長素質的人，所給的工資不高，只等於他們在外面可以賺到的一小部分，而又期待他們長期留在政府中，那是不切實際的。隨著經濟的高度增長，新加坡私人企業界的收入提高，部長的薪水必須跟得上私人企業界高級人員的收入。部長和公務員的工資達不到應有的水平，搞垮了亞洲許多國家的政府。為了使政治領袖和高級官員維持廉正自守的高水平，給他們足夠的薪酬，是極其重要的。

　　1985 年 3 月財政預算案辯論期間，我責備反對黨反對讓部

長加薪。工人黨的惹耶勒南拿我的 2 萬 9000 元月薪跟馬來西亞首相相比。馬來西亞首相月薪 1 萬元，卻只拿 9000 元。我進一步比較菲律賓總統馬可士和印尼總統的薪水。馬可士年薪 10 萬比索，等於每月 1000 多新元；印尼總統治理 1 億 5000 萬人口，月薪只有 120 萬印尼盾，等於 2500 新元。然而兩人的境況都比我強。別的不說，一名印尼領袖退休後，保留了他的官邸，一位馬來西亞首相獲得一棟房子或一塊土地來建造私宅。我的官邸屬於政府。我也沒有特殊的待遇，沒有由專職司機駕駛的汽車，沒有園丁、廚師和其他傭人一應俱全的部長官邸。我認為最好是用一個數目把所有利益總括起來，讓總理和部長自行決定要怎麼花費他們的薪酬。

我提到中華人民共和國的工資級別。最低工資是人民幣 18元，最高 560 元，比例是 1 比 31。在這個國家裏，最高層人物住進紫禁城附近的中南海，這個比例並不反映最低層和最高層的生活素質的差別，也沒有把那些使生活素質不一樣的食物和物資供應，以及廚師、家庭傭人和醫療服務考慮在內。

平等主義吸引力很大，政治上受人歡迎。在毛澤東時期的中國，人民幾十年都穿同樣的毛裝和褲子，表面上料子一樣，款式也同樣不講究。事實上毛裝有不同的等級。一個主管旅遊業的省級幹部告訴我的一名部長說，它們看來相似，布料卻不同。為了強調說明這一點，他解開鈕扣，露出毛皮的鑲邊。

為了贏取公眾的支持，那些必須經由選舉產生的政府都毫無例外地把部長的薪水訂得較低，但是卻以不盡透明的額外利益，比如住房、開支、汽車、旅行、子女教育和其他津貼來彌補。這些林林總總的津貼加起來，往往比薪水更多。

我在八○和九○年代接連幾次在國會辯論中指出，在英國、美國和多數西方國家，部長和擔任政治職位的人員薪酬跟不上它

們的經濟增長的步伐。人們假定踏入政壇的人都是有私人財產的
紳士。在戰前的英國，要在國會中找到沒有個人收入的人，確實
很難。英美兩國如今情形已不一樣了。多數成功的人太忙，境況
也太好了，他們並不想加入政府。

在美國，總統任命來自私人企業界的高薪人員出任公職，任
期不長，只有一兩任，然後他們便回到私人機構去，繼續當律
師、公司主席或說客。他們這時候可以隨意會見政府的重要人
物，身價提高了。我認為這個「旋轉門」制度不可取。

獨立之後，我凍結了部長的薪水，同時使公職人員的加薪保
持低水平，這樣做的目的，是要確保能夠應付預料中的失業情況
和經濟放緩的局面，同時也是要以身作則。1970 年新加坡失業
情況不怎麼嚴重，大家生活比較寬裕的時候，我把部長的月薪從
2500 元提高到 4500 元，自己卻照舊拿 3500 元，以便提醒公職
人員仍然必須節制。每隔幾年我就得提高部長的月薪，以縮小部
長薪金同私人企業酬勞之間越來越大的差距。

1978 年陳慶炎博士是本地一家大銀行——華僑銀行的總經
理，根據薪級，他年入可達 95 萬元。我勸他辭職擔任政務部
長，薪水不到過去的三分之一，他還失去了各種額外利益，價值
最高的是一輛汽車還有司機。交通部長王鼎昌在建築業蓬勃的時
期，不再當建築師，也做出了犧牲。

出任內閣資政後，我於 1994 年在國會建議政府制訂一個公
式，使部長、法官和高級公務員的薪金跟私人企業界的報稅額掛
勾，自動進行調整。由於新加坡經濟 20 多年來每年增長 7 ％到
10％，公共部門的薪水始終落後於私人企業界兩三年。1995
年，吳總理決定訂下我提出的一個公式，把部長和高級公務員的
薪水，跟私人企業界高級人員的薪酬掛勾，以便私人企業界高級
人員收入提高時，他們自動獲得加薪。部長和高級官員的薪水，

12 鐵腕護廉潔

將改為等於私人企業高級人員在所得稅報表上呈報的收入的三分之二。這個改變引起了很大的轟動，尤其是在專業人士當中。他們認為，跟先進國家部長的薪水相比，這種做法太過分了。長期以來，人們慣於讓公務員支取低薪。讓部長不但行使權力，也根據工作的重要性獲得薪酬的主張，他們認為不適當。我協助總理為這個改變辯護。對那些指部長由於地位高，享有榮譽又掌握大權，因而獲得的補償已經足夠有餘的論點，我提出了反駁，也反駁了公職人員應該犧牲收入的看法。我認為這種超凡脫俗的看法不切實際，肯定會使部長不願意長期做下去，而一位部長持續不斷地在任以及由此所獲的經驗，一直是新加坡政府的重要長處和優勢。政府做出決定所顯示的經驗和判斷，都是來自部長的貢獻。那是他們看得遠，能從長計議和策畫的結果。

在 18 個月後舉行的選舉中，反對黨把部長薪水當作選舉課題提出來，結果由吳總理領導的政府還是勝利了。人民要的是能拿出成績的誠實廉潔的好政府，而人民行動黨推出的就是這樣的政府。從私人企業界招募人才，現在已經不那麼困難。薪酬不調整，我們永遠無法委任新加坡一些能力最強的執業律師擔任法官。薪酬調整之前，最優秀的辦案律師一年收入一兩百萬元，法官薪水則少於 30 萬元。我們也讓那些在政府部門服務的醫生和其他專業人士的薪水，跟私人企業界人員的收入掛勾。

這個薪水公式不等於年年加薪，因為私人企業界的收入時高時低。1995 年私人企業界收入下降，1997 年，所有部長和高級官員的薪水也隨之削減。

為防在選舉中出現反常情況，以致一群不夠誠實和不正直的人當政，我在 1984 年 8 月的國慶群眾大會上提議，新加坡應該有個民選總統來看管國家的儲備金。如果總理刻意拖延有關對他本人、他的部長或高級官員涉嫌貪污的調查，這時候民選總統的

權力就能夠凌駕總理。此外，要是民選總統認為一些高職，如大
法官、三軍總司令或警察總監的人選不恰當，也可以否決委任。
如此身負重任的總統，當然需要通過獨立的選舉，尋求選民的委
託。很多人以為我是在為自己卸下總理職務之後的安排鋪路。但
是事實上，我對這個高位根本沒興趣，它過於被動，並不適合我
的個性。1988年，政府提呈一份白皮書，讓國會辯論這項建議
和有關的問題。1992年，吳作棟總理修改了憲法，為民選總統
選舉做好準備。在總統的權力和總理及其內閣所擁有的合法決定
權之間，我們必須取得平衡。

　　1997年，韓國、印尼等東亞國家都慘遭金融風暴蹂躪，貪
污和朋黨主義使它們的困難變本加厲。新加坡沒有貪污和朋黨主
義，所以我們能夠比較從容地應付金融危機。其他國家卻為此蒙
受數以萬億元計的損失。

　　正因為我們嚴於律己，促使吳作棟總理在1995年下令調查
兩處房產的購買過程，一處是由我的妻子代表我買下的，另一處
則是我兒子李顯龍副總理購買的。兩處房產在購買時價格都打了
折扣。發展商同樣主動地給與它在試探市場的「預售活動」中大
約5%到10%的買客5%到7%的折扣。成交後由於房地產景
氣，有關房產價格立即飛漲。沒有機會在預售活動中買下房子的
人，向新加坡股票交易所委員會提出申訴（發展商是公共掛牌公
司）。交易所進行調查之後，發現發展商的行動並未越權。由於
我的弟弟是公司的非執行董事，人們謠傳我和我的兒子購買這兩
處房產不公平地占了便宜。新加坡金融管理局進行了調查，向總
理報告我們獲得折扣沒什麼不妥。

　　對於有人指我們不當地獲得折扣，芝感到憤憤不平。作為一
名具有40年承辦產權轉讓業務經驗的律師，她不明白為什麼我
們會受到指責，因為發展商在售賣房地產時給與折扣早已是慣

例。我也同樣氣惱。為了消除市場上的流言蜚語，我決定公開宣布我們買下房產的價格和對方主動給與的折扣。我們把價值 100 萬元的折扣交給財政部長（也就是政府）。總理認定我們獲得折扣沒什麼不妥，政府無權接受這筆錢，因此下令把 100 萬元還給我們。顯龍和我不想讓人以為我們是因為我的弟弟擔任公司董事而受惠，於是把這 100 萬元捐為慈善用途。

我也要求總理把這件事情提交國會辯論，徹底公開整個事情的來龍去脈。在辯論過程中，反對黨議員表示根據他們的經驗，給這樣的折扣是市場的一般做法，購買房產過程沒什麼不妥。這些反對黨議員包括兩名執業律師，其一還是反對黨領袖。我們把有人認為這是不公平地占了便宜的經過，完全公開披露，結果第二年大選，它並未成為競選課題。誠如我對國會所說，有關當局能調查我並針對我的行為提出報告，證明了我所定下的制度是無私和有效的。這次事件也再次證明沒有人可以枉法。

李光耀回憶錄

13 城在花園中

派駐新加坡的外國通訊員找不到涉及貪污和其他營私舞弊行徑的大醜聞來報導,於是便報導新加坡經常落力推行這類「勸人向善」的運動,冷嘲熱諷,說我們是個「保姆之邦」。他們可以笑我們,可我深信最後開懷大笑的人會是我們……

1976 年，我第一次到北京人民大會堂，主人同我們見面的會議室裏擺著痰盂，有些中國領袖還用它。於是，1978 年鄧小平到新加坡訪問的時候，我們在會議室内他的座位旁邊放了一個明代的藍白色痰盂，他卻沒用。也許是他發覺新加坡華人跟中國人不一樣，不隨地吐痰。1980 年我再次訪問北京，發覺北京人民大會堂裏的痰盂已經拿走了。幾年後，我在新加坡設宴招待主管經濟的國務委員谷牧，提到人們改變了習慣，不再在人民大會堂裏使用痰盂。他笑著説，會議室裏的是拿走了，辦公室裏卻還用，老習慣改不了。

從六〇年代開始，我們便展開反隨地吐痰運動。儘管如此，到八〇年代，還有許多德士司機向窗外吐痰，一些人也仍然在巴刹和熟食中心裏照吐不誤。我們通過學校和媒體傳播信息，肺癆等疾病會因隨地吐痰而傳染。現在很少看到人們在公共場所隨地吐痰。我們都是移民，離鄉背井而來，但卻準備摒棄陋習，在一個新的國家脱穎而出。這個運動成功了，促使我再接再厲把人民的其他陋習也改掉。

獨立後，我千方百計要找出引人注目的辦法，以向世人顯示新加坡跟其他第三世界國家不一樣。最後，我選定了一個使新加坡成為清潔又蔥翠的城市的計畫。我的策略之一是使新加坡成為東南亞的綠洲，達到第一世界的水平，使來自發達國家的商人和旅客，把這裏當成是到本地區進行商業和旅遊和活動的基地。改善有形的基礎設施要比改變人民的習性容易。他們原本住棚屋，要方便不是在地上挖個洞，就是到放在屋外廁所的木桶去解決。如今搬進裝置了現代衛生設備的高樓，他們的習慣卻沒有改變。我們設法使人民改變亂丟垃圾、喧嘩吵鬧、粗野無禮等壞習慣，並使他們懂得設身處地為他人著想，講究禮貌。

我們從很弱的基礎做起。六〇年代，部長和國會議員接見選

民，幫助他們解決問題的時段總是大排長龍。妻兒陪伴在旁的失業人士前來找工作，或要求德士或小販營業執照，或要求在學校食堂售賣食物。這正是失業數據背後的現實情況。數以千計的人在人行道和大街上售賣熟食，完全不理會交通、衛生和其他問題。結果街道垃圾成堆，造成堵塞，腐爛的食物散發出惡臭異味，四處凌亂污穢不堪，市區的許多角落都變成貧民窟。

許多人當上霸王車司機，不但沒有執照，也沒保險，把破舊汽車租給他們的商人，趁機剝削他們。霸王車的收費較巴士車資高一些，卻比有執照的德士收費便宜多了。要在哪裏停車讓乘客上下車，都由乘客決定，這樣卻對其他公路使用者構成危險。從最初的數百輛到數千輛，霸王車堵塞街道，也妨礙了巴士服務。

取締非法小販和霸王車司機

我們無法取締這些非法小販和霸王車司機以整頓市容。必須等到 1971 年以後，當我們能夠提供許多工作機會時，法律才得以執行，街道才得以整頓。我們發出熟食小販執照，把小販從人行道和馬路上移到附近嚴格建造，備有輸水管、陰溝和垃圾處置系統的熟食中心。到八〇年代初，所有小販都獲得徙置安排。他們當中有好些廚藝一流，遊客聞風而至，幾個還成了百萬富翁，開馬賽地，雇用侍應生。正因為有這些具有企業精神、衝勁和才幹的人民，新加坡才會成功。至於霸王車司機，在我們重組巴士服務，並且提供其他就業機會之後，他們才從公路上銷聲匿跡。

我們還未脫離馬來西亞時，在 1964 年 7 月和 9 月發生了種族暴亂之後，整個市區十分混亂，民眾士氣低落，紀律鬆弛。有兩件事使我採取了行動。1964 年 11 月的某天早上，我從政府大廈的辦公室向窗外眺望，視線掃過大草場，看到幾頭牛在海濱公園的草地上吃草！幾天之後，一名律師驅車經過市區邊緣的一條

主要公路時，撞到一頭牛，不幸身亡。養牛的印度人把牛趕到市區，在路旁放牧，甚至把牛帶到海濱公園。我召集公共衛生處的官員開會，訂下立即解決這個問題的行動計畫。我們給牛羊的主人規定了一個到 1965 年 1 月 31 日為止的寬限期。此後，這類走失的牲畜將被送往屠宰場，屠宰後的鮮肉將送給各個收容所。到 12 月，共有 53 頭牛被逮著送往屠宰場。不久，所有牛羊都很快地回到棚裏去。

　　為了在這個第三世界地區突顯我們的第一世界水平，我們著手把新加坡發展成為熱帶的花園城市，終年清潔翠綠。每逢民眾聯絡所開幕，到各個機構訪問參觀或在交通圈主持公路竣工儀式時，我都會種樹做紀念。所種的樹有些長得茂盛，但是多數都枯萎了。要是我再到某個聯絡所，負責人會在我訪問之前補種上一棵。我的結論是，樹木種下後必須有個部門來管理，於是便在國家發展部設立了一個署負責這項工作。

　　取得一些進展之後，我會見了各個部門和法定機構的所有高級官員，要他們大力推動綠化運動。我告訴他們，我到過將近 50 個國家和地區，也在接近同樣數目的政府賓館裏住過，留下好印象的不是建築物的大小，而是保養的水平。從建築物無人照顧的情形──臉盆破裂、水喉漏水、抽水馬桶發生故障、建築全面失修以及花園荒蕪──我就能知道一個國家和它的行政人員士氣低落。到新加坡的貴賓同樣會做出這種判斷。

　　我們種植了上百萬棵樹，有棕櫚樹和灌木，教導人民如何愛護它們，而不是加以摧殘和破壞。這個綠化行動提高了人民的士氣，使他們對自己的生活環境產生自豪感。我們沒把中產階級區和工人階級區劃分開來。英國人過去把東陵和總督府一帶列為白人區，這個地區的環境比本地人地區整潔、乾淨和青翠。民選政府這樣做可得付出慘重的政治代價。我們也致力於消滅蒼蠅和蚊

13 城在花園中

1959 年 11 月展開大掃除運動，市民和我一起打掃街道以保持市容整潔。

子，疏浚臭氣熏天的溝渠和水道。不到一年，人們便覺察到公共
場所明顯地變得更加整潔了。

　　人們的壞習慣是長期養成的，如隨意踐踏植物和草地，破壞
花圃，有時又偷竊樹苗，或把腳踏車和電單車靠在樹身上，把樹

木壓倒。要革除這些陋習，需要堅持不懈地進行。有這種毛病的
不光是窮人。一名醫生看上了一棵頗有價值，剛剛種下的南美
杉，把它從中央分道堤上移走，想把它移植到自己的花園裏，被
逮個正著。為克服一開始人們對綠化所採取的漠不關心的態度，
我們讓孩子們在學校裏親自栽種並照顧樹木，闢設小花園，希望
他們把綠化的信息帶回家讓父母也了解。

大自然並不鍾愛新加坡。在新加坡生長的青草，不能像在紐
西蘭或愛爾蘭的那麼青翠茂盛。應我的要求，1978 年，一位澳
洲植物專家和一位紐西蘭土壤專家，前來研究新加坡的土壤後提
呈報告。我讀後興致勃勃，決定召見他們。他們告訴我，新加坡
是赤道雨林地帶的一部分，一年到頭陽光強烈，雨水很多。樹木
被砍伐之後，大雨把土壤表層沖走，也把養分沖掉。草要長得青
翠茂盛，非得經常施肥不可，最好是用不容易被沖走的混合肥
料，外加石灰，因為新加坡的土壤酸性太強。管理人員根據這個
意見在總統府的草地上進行試驗，草果然碧綠起來。我們用同樣
的方法處理所有學校的操場和其他體育場，結果是蔫黃的草坪和
足球門柱旁一塊塊寸草不生的泥地都變成翠綠一片。整個城市逐
漸綠化。在七〇年代，一位前來參加國慶酒會的法國部長興高采
烈地以法語向我道賀。我不會說法語，卻了解「verdure」這個詞
的意思是青翠。美麗的綠化城市把他給迷住了。

當時多數亞洲國家甚少或根本不注意綠化，新加坡卻與眾不
同，而且採取嚴厲的措施對付走散的牛羊，這成了 1969 年 11
月美國《展望》雜誌報導的新聞。香港新聞處處長大感興趣，前
來訪問之後宣布，他將根據新加坡的經驗，建議香港舉行為期兩
年的反丟垃圾運動。

共和聯邦總理會議定於 1971 年 1 月中舉行之後，我號召官
員們再加把勁，以便使客人對新加坡留下更好的印象。我們為所

有的服務行業從業人員，包括店員、德士司機、旅館和餐館工人
舉行了說明會，要求他們儘量在我們的客人面前表現得有禮和友
善。他們對此都有很好的反應，而來訪的各國總統、總理和他們
的隨員的反應也非常好。於是，新加坡旅遊促進局展開一個有禮
服務的運動，鼓勵售貨員和其他服務行業的從業員為顧客提供有
禮的服務。我決定干涉。如果我們的服務業從業人員只對旅客表
現得彬彬有禮，對國人則不然，那是很荒謬的。我召集了國防
部、教育部和全國職工總會，通過它們分別向國民服役人員、50
萬名學生和數十萬名工友傳達一個信息：我們必須把講禮貌當作
我們的生活方式，只有這樣，新加坡才會成為一個人人都生活得
更加愉快的社會，而不單是為了旅遊業。

最大的好處是東盟領袖決定不讓新加坡專美而競相為自己的
城市展開綠化計畫。七〇年代，還沒出任馬來西亞首相的馬哈迪
醫生曾經在新加坡總統府別墅住過，他問我為什麼總統府的草坪
會那麼綠油油的。成為首相之後，他把吉隆坡綠化了。七〇年代
末，蘇哈托總統在雅加達推行同樣的計畫，馬可士總統在馬尼拉
這樣做，他寧首相也使曼谷綠化了。我鼓勵他們說，他們的國家
氣候也不錯，而且有更多的樹木可供選擇。

綠化競爭有積極意義

對本區域來說，再沒有其他作業比綠化的收益來得大。我們
同鄰居互相競爭，設法使綠化工作做得更好，讓花卉長得更茂
盛。綠化城市的競爭有積極意義，使大家受惠，對提高人民士氣
有好處，對旅遊業、投資者也有好處。有好多領域的競爭不但有
害，甚至是致命的。所以與其在其他領域競爭，不如爭相成為亞
洲綠化最好最清潔的城市。

1971 年 11 月的第一個星期日，我們開始舉行一年一度的植

樹日，所有國會議員、民眾聯絡所和它們的領袖都參與。自那以
後，每年的植樹日我們都進行植樹活動。11 月種下樹苗，雨季
在這個時候開始，澆水的工作少之又少。

　　由於喬木、灌木和匍匐植物的品種不夠多，我派研究人員到
熱帶和亞熱帶地區的植物園和公園考察，挑選亞洲、非洲、加勒
比海諸島和中美洲氣候相似的國家的植物新品種，把許多自然開
花的植物和樹木的新品種帶回來，在新加坡的氣候和土壤條件下
試種。有時我們會大失所望。來自加勒比海諸島的樹木原本會自
然地開出美麗的花朵，到新加坡卻不開了，因為這裏沒有它們所
需要的涼快的冬天。來自印度和緬甸的樹木在新加坡不常開花，
因為這裏跟它們生長的本土不一樣，每年在不同的季候風季節之
間沒有長期的旱季。新加坡的植物學家到世界各地收集樹種，引
進了 8000 個不同的品種，但是只有 2000 多種能在新加坡繁衍
生長。他們在全島各處種植這些生命力較為堅韌的品種，使我們
的綠陰更加多姿多采。

　　執行我的綠化政策的一個主要人物是能幹的官員黃堯墪。這
個造林學出身的馬來西亞人，原本打算在馬來西亞的橡膠園和油
棕園工作。他利用專長，為我們解決了種種問題，包括在路邊種
植喬木、灌木和其他花草，以及在市區裏闢設公園和鋪設公園連
道。面對我接連不斷的便函和永無止境的要求，他勤奮地一一回
應，而且還成功地推行了其中的許多計畫。他的接班人蔡善英的
專業是農學，卻成為一名樹木專家，表現也一樣好。

　　每逢我出國幾個星期後回到機場，驅車沿著東海岸公園大道
進入市區，看到蒼翠的樹木、棕櫚，綠油油的青草和繁華似錦的
灌木，我就意氣風發、精神抖擻。在我推行過的所有計畫之中，
綠化計畫的成本效益最高。

　　我們之所以非使新加坡清潔不可，一個不得已的原因是，新

13 城在花園中

加坡必須儘可能收集每年 95 英寸的雨水。我要求土木工程出身的防止污染組主任李一添制定計畫，修築堤壩把所有小河與溪流的水攔截起來使用。這項計畫花了約十年的時間才落實。他必須使來自住家和工廠的所有污水全部流入陰溝。只允許屋頂、花園和空地的乾淨水流進明溝，再流進被攔住的河流。到了 1980 年，每天能收集到 6300 萬加侖的水，約相等於當時新加坡每天用水量的一半。

雄心最大的計畫是清理新加坡河和加冷盆地，把魚兒引回這兩條河。1977 年 2 月我最初公開提出這個建議時，許多人，尤其是工業家問道：「幹嘛要清理？梧槽水道（它注入加冷河）和新加坡河向來都是髒兮兮的，這是新加坡傳統的一部分！」這樣的看法我決不能接受。兩條水道發出刺鼻的惡臭。芝的律師樓有個失明的電話接線生，每次乘巴士快要來到新加坡河時，嗅到河水的特有惡臭，便知道到了什麼地方。新加坡的水道污染問題一半是由工業廢水造成的。我們必須確保每條溪流、陰溝和小河都不受污染。當時的建屋發展局局長鄭章遠打趣地說：「每星期買魚放進河裏，開支會要比這樣做少得多。」

李一添並沒有因為被潑冷水而退縮，他跟我密切合作過，知道這是做得到的，因為我會支持他排除一切障礙。清理新加坡河和加冷盆地是大規模的工程。這意味著必須為整個新加坡島鋪設地下水道。在市區，由於建築物成群，這樣做尤其困難。我們不得不徙置大約 3000 戶家庭小工業，讓它們搬進有控制油污和其他廢物設備的正式工業區。新加坡自 1819 年開埠以來，駁船和舢舡就在新加坡河上川流不息，船上人員生活在河上，在河上烹飪和洗澡。我們必須把他們遷移到西海岸的巴西班讓，加冷河兩岸的小船廠則搬到大士和裕廊河邊。另外讓 5000 名街邊熟食小販搬進經過精心設計，清潔的熟食中心。小販慣於在路旁做買

經過十年的清河努力後，污濁的新加坡河和加冷河水清見魚。1987年9月
2日，我在環境部官員陪同下巡視這兩條河流。

賣，不必繳租金，方便顧客。他們抗拒到有蓋小販中心去，因為
生意未必那麼好，還要交租金和水電費。我們不慍不火地卻也絲
毫不放鬆地協助他們搬遷，津貼租金。儘管如此，一些小販還是
經營不下去。

我們逐步淘汰8000個養了90多萬頭豬的養豬場，因為豬
的糞便污染了溪流。除了14個開在農業科技園裏的魚塘以及三
幾家釣魚場外，其他魚塘都關閉了。鮮魚現在是在柔佛海峽的淺
水網箱和南部島嶼的深海浮動網箱養魚場裏生產的。

我們成立了一個徙置署，應付徙置過程中涉及的爭論不休和
討價還價的問題。無論小販、農民或家庭小工業者，他們永遠不
喜歡搬遷和轉行。這是個有政治風險的任務，非得小心並採取同

情的態度處理不可，否則在來屆選舉中會失掉很多選票。我們成
立了一個由官員和受影響選區的議員組成的委員會來控制局面，
以便減少政治上的不利影響。

　　徙置農民最為棘手。我們定下了賠償率，根據的是農場建築
的面積、農場範圍內鋪上混凝土的空地面積、果園裏的果樹數目
和魚塘數目。隨著國家經濟繁榮，我們提高了賠償額。但是連最
慷慨的賠償也不夠好。上了年紀的農民不曉得該怎麼辦，也不會
使用賠款。他們不得不住進組屋，對過去給他們提供了免費糧食
的豬、鴨、雞、果樹和菜地懷念不已。甚至在被安排搬遷到建屋
局新組屋區 15 到 20 年後，許多人依然投票反對行動黨。他們
認為行動黨政府摧毀了他們的生活方式。

　　1987 年 11 月，我欣然主持加冷盆地和新加坡河的清河紀念
儀式。這兩條水道一直是新加坡市區的天然下水道。我頒發金牌
給執行計畫的官員，表揚他們的成就。之後，我們建了八個新港
灣蓄水池，其中一些用做划船和消閒釣魚的場所。每天能收集到
的食水猛增到 1 億 2000 萬加侖。每一項成功的工程都由一個能
幹和富有獻身精神的官員指揮，他們出身於相關的專業，應付新
加坡的獨特難題時懂得學以致用。沒有李一添，新加坡不可能會
變得這麼乾淨和翠綠。我概括說明了概念上的目標，他必須研究
出可行的解決方案。後來他升任為公務員首長。

　　1993 年溫斯敏到新加坡河釣魚，真的釣到了一條。河流清
潔了，人們的生活素質也有所改變。全島各地的地價都大幅度上
升，尤其是在市區與河流和水道附近的地段。我們向印尼買沙，
覆蓋了加冷盆地沿岸的泥土。如今人們可以在加冷盆地曬太陽和
滑水。在河畔，共管式公寓取代了難看的小船廠。新加坡河兩岸
都鋪設了人行道，河邊的舊店屋和貨倉翻新了，成為餐館、咖啡
座、商店和酒店。人們在河畔飲酒用餐，華族的傳統駁船晚上停

靠在河邊，也成為露天用餐的地點。對那些仍然清楚記得新加坡河作為下水道的人們來說，這一切改變有如一場夢。

　　從一個城市的植物可以看出它的污染程度。失修的汽車、巴士和柴油羅厘噴出過量廢氣，灌木蒙上黑色的煙灰粒，就會枯萎凋謝。1970 年的秋天，我在波士頓看見車輛沿著前往加油站的方向大排長龍，感到詫異。司機告訴我，當天是讓車輛更換下一年執照的最後一天。要更新執照，車輛必須給經授權的加油站進行檢查，看看是否適宜在路上行駛。之後，我決定在總理公署設立防止污染組。我們在繁忙公路兩旁安裝監察儀器，測量車輛排出的塵埃、油煙的濃度和二氧化硫的含量。在其他城市，經濟情況較好的人可以搬遷到乾淨和翠綠的郊區，遠離城市受污染的地帶，新加坡的土地面積卻迫使我們在同一個小地方工作、消閒和居住。所以不論是富人或貧民，我們都必須為他們保護環境，保持清潔和優雅。

　　1971 年我們在裕廊鎮的中心開闢了飛禽公園，四周是數以百計的工廠。當初如果不堅持和保持嚴格的防止污染標準的話，來自世界各地的飛禽就不可能在裕廊繁衍成長。我們也在裕廊工業區內進行綠化，在發出證書允許工廠開工以前，要求它們美化廠區並植樹。

　　儘管新加坡已經解決了國內主要的空氣污染問題，可是，在1994 年和 1997 年，蘇門答臘和婆羅洲發生森林大火，煙霧籠罩了整個新加坡和它的周圍地區。大火是因為種植園公司在砍伐寶貴的木材之後，放火燒掉其他樹木，以便清理土地來種植油棕和其他農作物而造成的。在乾燥的季節裏，大火能連續燒上幾個月。1997 年年中，濃厚和有毒的煙霧籠罩了馬來西亞、新加坡、泰國和菲律賓，導致機場關閉，數以千計的人病倒。

　　舊時的新加坡也遭受車輛和諸如建築工地打樁，以及露天娛

樂活動的揚聲器、電視機和收音機傳出的噪音污染。我們按部就班地慢慢實施新條例，促使人們把音量放低。最危險最吵鬧的是華人的習俗，在農曆新年期間放鞭炮。人們受到嚴重的灼傷和其他傷害，尤其是兒童。木屋經常失火，甚至整個非法木屋村化為灰燼。1970 年華人農曆新年的最後一天，發生了一場規模極大的火災，五個人喪生，許多人受傷。我決定明文規定放鞭炮是犯法行為，禁止了這個長期延續下來的華人喜慶傳統習俗。兩年後，兩個沒有武裝的警察試圖攔阻一群人放鞭炮，卻遭到殘酷毆打。於是我完全禁止鞭炮進口。當我們住在 10 層 20 層高樓房時，各種不適合高樓生活方式的傳統習俗都必須停止。

六〇年代，城市重建的步伐加快。我們致力於重建陳舊的市中心，歷史不斷地被抹掉。到了 1970 年底，我們對這樣的做法深感不安，於是在第二年設立古蹟保存局，負責確認和保存在歷史、傳統、考古、建築設計和藝術性等方面，對新加坡歷史來說具有意義的建築物，其中也包括行政、文化和商業建築物。這些建築物包括老舊的華人廟、印度廟、回教堂、聖公會和天主教堂、猶太教堂、19 世紀傳統華族建築物以及在舊行政中心的前殖民地政府辦公樓。過去殖民地時期英國總督辦公的總督府，是目前總統和總理辦公的地方，已改稱為總統府。

我們設法保留新加坡獨有的特色，使得新加坡人能夠飲水思源。值得慶幸的是，我們沒有拆除牛車水、小印度和甘榜格南的歷史區，後者是前蘇丹皇宮的所在地。新加坡河畔的舊建築物也保留下來。

早自七〇年代，新加坡就開始禁止一切香煙廣告，主要目的是防止年輕人染上危險和令人討厭的煙癮。我們逐步禁止在所有公共場所吸煙——電梯、巴士、地鐵車廂和地鐵站，最後是所有冷氣辦公室和餐館。加拿大人有什麼行動我就跟，因為他們是這

方面的開路先鋒。美國人遠遠落在後面，因為他們的香煙製造業
力量太大了。

　　我們也每年舉行「無煙週」。「無煙週」開展的時候，我在
電視上追述了個人的經歷。我原來每天抽大約 20 支煙，1957 年
參加三個星期的市議會競選活動，聲音啞了，選舉結果宣布時，
我連感謝選民的話也説不出來。既然控制不住煙癮，我決定非戒
掉不可。起初的兩個星期很不好受。進入六〇年代，我對煙高度
敏感，禁止人們在我的冷氣辦公室和內閣會議室吸煙。幾年下
來，多數部長都不再吸煙。拉惹和巴克始終煙不離手，內閣開
會，他們總會溜開 10 分鐘左右，到戶外走廊過煙癮。

　　我們鍥而不捨地跟香煙鬥爭。美國煙草公司的財力和打廣告
的資金雄厚，成了禁煙運動的強大阻力。儘管老一輩煙客已經減
少，但是年輕人，包括少女，仍然沉溺於吸煙的惡習。這場鬥爭
我們輸不起。

　　受到美國大肆嘲笑的一項禁令，是禁止香口膠。早在 1983
年，國家發展部長便建議禁止香口膠，因為人們把吃過的香口膠
塞進大門和信箱的鑰匙孔，或黏在電梯按鈕上，也有人把它隨意
吐在地上和走廊上，打掃的開支因此增加，也損壞清潔設備。起
初我認為禁止未免太嚴。然而接著便發生了破壞分子把香口膠塞
進地鐵車門的傳感器，地鐵服務受到了干擾的事件。那時我已經
不再擔任總理，吳總理和其他同僚在 1992 年 1 月決定禁止。多
位上過美國大學的內閣部長説，有人吃過香口膠之後，隨手把它
黏在大學講堂座位底下，黏上就清除不了，使座位髒得不得了。
香口膠被禁止後，情況大大改善。在商店裏的存貨都搬清後，地
鐵站和地鐵車廂的香口膠問題已微不足道。

　　派駐新加坡的外國通訊員找不到涉及貪污和其他營私舞弊行
徑的大醜聞來報導，於是便報導新加坡經常落力推行這類「勸人

向善」的運動，冷嘲熱諷，説我們是個「保姆之邦」。他們可以
笑我們，可我深信最後開懷大笑的人會是我們。要是沒有做出這
些努力，勸人民改變陋習，新加坡的社會就會更不文明、更粗
野、更沒有教養。新加坡過去算不上是個有教養的文明社會。我
們準備在最短的時間内爭取實現這個目標，對此並不感到慚愧。
我們先教育和規勸人民，待多數人都接受了，我們就通過立法懲
罰叛逆的少數人。新加坡有了一個更加怡人的居住環境。如果這
就是所謂「保姆之邦」，我倒要為促使它的形成而感到自豪。

李光耀回憶錄

14 政府和媒體

如果我們不站起來回應外國媒體的抨擊，新加坡人民，尤其是記者和學者們，便會相信自己的領袖不敢辯駁或辯不過人家而不再尊敬我們……我們必須想辦法確保新加坡政府的聲音不會在眾說紛紜中被淹沒。新加坡人一定要知道政府在大事上的正式立場，這是很重要的。

1959 年至今的 40 年裏，新加坡報界已經逐漸脫離殖民地政府所制訂的標準。我們通過設定界限做到這一點，這些界限主要是為我們的英文新聞從業員所設的。過去，《海峽時報》集團的新聞從業員深受擔任他們上司的英國主編和記者的影響。多年以後，在八〇年代入行的年輕一代新聞從業員，才意識到新加坡的政治文化和西方的標準不同，現在是這樣，將來也不會改變。不過，新加坡的新聞從業員跟美國的報刊有所接觸，並受到它們的報導風格和政治態度的影響，美國媒體對當權者總是抱著猜忌和懷疑的態度。華文報和馬來文報就沒有遵循西方媒體的模式。它們的作風向來是對所認同的政策給與建設性的支持，不認同則有分寸地表示反對。

跨入九〇年代，不到 40 歲的新加坡新聞從業員都是從相同的新加坡學校畢業的。但是英文、華文和馬來文報界之間的差異仍然存在，三者之間的文化差距並未彌合，從各報的社論標題、對新聞和讀者來函的選擇，可見一斑。受華文教育的讀者和受英文教育的一群，對政治和社會抱著不同的觀點，前者把群體利益放在個人利益之上。

英文大報《海峽時報》在英國人當老板的時候，公開為英國人的利益服務。英國商行經常光顧它，給它大量的廣告生意，殖民地政府也常常提供新聞和刊登官方通告，讓它賺錢。沒有一份本地英文報的發行量和影響力及得上它的萬分之一。

華文報卻必須自力更生。辦報的華族富商利用報章謀求自己的利益。為了吸引讀者，他們大肆報導關於中國、華文教育和文化以及在中國爆發的戰爭之類的新聞。兩大華文報，《南洋商報》和《星洲日報》，為兩個華族豪門所出版，報章編輯是右派投機分子，在他們手下辦事的年輕華族記者卻以左派人士為主，好些還是共產黨的幹部。

14 政府和媒體

　　華文、淡米爾文和其他語文的本地報章，都是從讀者的族群利益出發的，並無新加坡意識。以阿拉伯文（爪威文）出版的馬來文報《馬來前鋒報》，則充當泛馬來人和印尼人民族主義的宣傳工具。

　　《海峽》幾乎從一開始就非常仇視人民行動黨，認定黨內非共產領導層是口操華語的共產分子的特洛伊木馬。《南洋》、《星洲》和好幾份華文小報鼎力支持行動黨，是因為它推行左派政策，同共產黨站在同一戰線上。有許多華文報的新聞從業員是親共分子。《前鋒報》不曾因為我們同講華語的共產分子關係密切而加以排斥，依然友善相待，原因是該報東主，也是總編輯兼董事經理的尤索夫·依薩和我有私交，並委任我為《前鋒報》的律師。尤索夫後來當上新加坡首任總統。報界聲稱他們是維護真理和言論自由的守衛者，我個人早年在新馬兩地的經驗影響了我對這個問題的看法。新聞自由其實是報社業主為謀求個人和階級利益而鼓吹的自由。

　　定在 1959 年 5 月舉行的第一屆新加坡自治邦政府大選迫近時，《海峽》對行動黨的抨擊變得益發猛烈，目的是阻止我們當選成立政府。我們決定迎頭反擊。拉惹勒南曾經擔任《海峽》的主筆，他證實了我們的看法，《海峽》的確是為英國人的利益服務的。該報由一個身材魁梧，長得像個惡棍，但是辦事能力強的英籍報人比爾·西蒙斯主管。我公開表示要同該報對抗，並恫言行動黨倘若在該報處處作對的情況下仍舊獲勝，事後必會跟他們算這筆帳。西蒙斯對此不敢掉以輕心。報社開始進行籌備，萬一被我言中，行動黨獲勝，編輯部人員在大選一結束就會遷往吉隆坡。我在 4 月中旬離投票日還有兩個星期的時候開出了第一炮：「《海峽時報》編輯部人員將會抱頭鼠竄，跑到吉隆坡去，這已經是公開的秘密。」我逐一列出他們的洋記者的報導，其偏

見可謂已經到達明目張膽的地步，同時我也發出警告，他們如此猛轟行動黨，我們日後會同樣猛烈地予以回敬。

　　第二天，拉惹緊接著在英文報《新加坡虎報》發動另一輪攻勢。該報創辦人是以虎標萬金油（一種止痛止癢的萬應藥膏）馳名的華族百萬富翁胡氏兄弟。《虎報》決定改變立場，跟行動黨為敵。原本擔任該報副總編輯已有五年時間的拉惹，被令改變辦報方針或另謀高就。他選擇了後者。

　　我說，我們必須容忍本地人創辦的報章批評我們，我們接受他們善意的批評，因為這些人終究得留下來自食改變辦報方針的苦果。「管理《海峽時報》的候鳥之輩」卻不然。他們會逃到馬來亞，然後從那裏大聲嚷嚷，要為新加坡的新聞自由赴湯蹈火，死而後已。他們利用《海峽》最資深的本地職員歐亞裔人士萊斯利‧霍夫曼反駁我的言論：「我不是什麼候鳥。我對這份報紙的辦報方針和編輯內容負責，並且準備留在新加坡，即使李先生和人民行動黨當政，即使他們利用公安法令對付我……我的家還是在新加坡。」

　　話倒說得挺勇敢，但是在投票日前夕，霍夫曼已經動身到吉隆坡。在這之前幾天，他在國際新聞學會於西柏林召開的常年大會上致詞時說，我發出的威脅是「一群被權力沖昏腦袋的政客的大發作」。他揚言《海峽》是由「生於斯、長於斯，真正有民族主義情操和忠於他們國家的馬來亞人所撰稿、出版和控制的」。他知道這裏頭沒有一句真話。他呼籲國際新聞學會「一勞永逸地制止某個公然表示要管制新聞自由的政黨想要爭取民眾支持的用心」。可這正是我們有權爭取的地方——尋求全民表決授權我們去嚴厲對付報界的外來利益團體，而這裏涉及的是殖民主義者的利益。我們公開主張報章不能由外國人擁有。

西蒙斯前來求和

我們在大選中告捷。《海峽》的東主和高級編輯一併遷移到吉隆坡,證實了我們的論點:他們是膽怯之輩,目的是要維護英國的利益,根本不是要捍衛新聞自由或獲取資訊的權利。新加坡在 1965 年獨立後,《海峽》遷回這裏,它的立場出現 180 度的轉變,不但不反對,反而支持行動黨,我卻未曾因此而對它稍微敬重。當馬來西亞的親馬來人政策迫使《海峽時報》集團把吉隆坡的業務出售給當地執政黨巫統時,是行動黨政府允許英國股東繼續在新加坡出版報紙和保有報章的控制權。西蒙斯前來求和,《海峽》的經營方針從此改為純粹從商業角度出發,不再具有任何政治動機。萊斯利·霍夫曼沒有返回新加坡,而是定居澳洲。

我希望新加坡報業有所競爭,因此鼓勵其他報社成立。有好幾家嘗試過,但是都以失敗收場。英國百多年的統治為《海峽》製造了壟斷市場的條件。《虎報》在六〇年代結束營業。一份稱為《東方日報》的報紙在 1966 年創立,創辦人是虎標萬金油胡氏兄弟之一的兒子胡蛟。他以花花公子而非報業鉅子著稱。他和某個設在香港的中國機關的高級人員暗地裏洽商貸款 300 萬新元,以低得不像話的 0.1%年利分五年償還,不為外人所知的條件是,《東方日報》對中國必須「大事不反,小事中立」。因為管理不當,該報損失慘重。1968 年,該報又再獲得一筆 60 萬新元的資助金。我們在 1971 年揭發這個外國集團資助辦報的「黑色活動」。胡蛟招認了,該報編輯部職員憤憤不平,顏面全失,結果全體辭職,報社終告關閉。

《新加坡先驅報》是另一份從事「黑色活動」的報章,但是給錢的是非共者。報章在 1970 年由外國股東獨資創辦,聘請本地人為主編,記者國內外人士都有。一開始我就滿腹狐疑,兩個

有名無實的外籍東主為什麼要創辦一份英文報,通過社論和新聞
報導渲染某些課題來跟政府作對。這些課題包括國民服役、新聞
管制和言論自由等。該報當時在賠錢。內部安全局調查的結果
是,報章的最大股東是一家叫做希達公司的香港合夥企業,註冊
在兩個掛名合夥人名下。報章不久便耗盡 230 萬新元的運作資
本,美國大通銀行新加坡分行隨即提供 180 萬新元無擔保貸
款。我們要求大通做出解釋,結果銀行主席戴維・洛克菲勒從紐
約打電話給我,竟説銀行第二副總裁兼新加坡分行經理不曉得銀
行本身規定不能貸款給任何報章!我對這樣的解釋感到懷疑。

　　我向該報新上任的總編輯提出質問。他是新加坡人,以香港
希達公司的名義為《先驅報》注入新資金。他回答説,他以為我
知道投資人是馬來西亞駐坎貝拉最高專員兼前沙巴首席部長唐納
・史蒂芬,也就是皈依回教後的福阿德・史蒂芬。我反問他是否
相信史蒂芬甘冒失去 150 萬元的風險,投資在一份跟新加坡政
府作對的報章上。他也同意事情教人難以置信。

　　1971 年 5 月中旬,我在一次公開演講中披露了這一段談話
內容。在馬來西亞時期就和我相熟的史蒂芬從坎貝拉寫信給我:
「我覺得有必要告訴你,我在《先驅報》投資的唯一動機是因為
自己曾經是報業的一分子,同時也相信新加坡是一個投資能夠得
到保障的國家……我老大不小了,心想如果不久後退休就可以依
靠在《先驅報》的投資過日子。」他沒有解釋為何不事先通知我
有關這項投資以獲得我的支持。一份報紙能影響一個國家的政
治。六〇年代中期有一個外國人英國報業鉅子羅依・湯普森想在
新加坡辦報。他事先找我商量,我勸他打消念頭,因為我不希望
一個根基不在這裏的外國人左右我們的施政方針。

　　就在《先驅報》資金消耗殆盡之際,香港女報人胡仙卻出手
50 萬新元相救,教人猜不透箇中原委。她是胡蛟的姐姐,卻跟

弟弟不一樣，是個真正的女商人，辦事精明求實，本身在香港擁有一份華文報。她向我出示了匯款收據，卻拿不出任何股票證券。我問她是否打算把更多的錢投資在《先驅報》，她回答說不打算，然後立刻動身回香港。

附屬國際新聞學會的亞洲報業基金會發表聲明，籲請我們不要弔銷《先驅報》的執照，同時邀請我在 1971 年 6 月到赫爾辛基向國際新聞學會的常年大會發表演講。我在啟程前弔銷了《先驅報》的印刷執照。

要是不出席大會，他們勢必會在我缺席的情況下通過決議譴責新加坡。對於媒體在一個年輕新興國家如新加坡所扮演的角色，我在會上聲明自己所採取的立場。我需要媒體「鞏固，不是削弱我們的學校和大學所灌輸的文化價值觀和社會態度。大眾傳媒可以營造一種氣氛，鼓勵人民發憤學習發達國家的知識、技能和紀律。少了這些，我們根本沒有希望提高人民的生活水平」。

我追述報刊上的報導和照片如何在新加坡這個不同種族、語言、文化和宗教共存的社會引發暴亂，造成人命傷亡，並舉出兩個例子。在 1950 年的瑪麗亞暴亂事件（也稱森林女郎暴亂事件）中，《虎報》當時頭條報導一個由馬來保姆撫養，並隨保姆信奉回教的荷蘭籍女孩，跪在聖母瑪利亞的塑像前面。1964 年 7 月發生在回教先知穆罕默德誕辰的反華人暴亂，導火線則是一份馬來文報紙胡亂指責馬來少數民族遭受華人多數民族壓迫，不停地煽動，日復一日，終於釀成暴動。

我說，我不接受報章東主具有可以為所欲為，想登什麼就登什麼的權利。報章東主和屬下的記者不像新加坡的部長，他們不是人民投選出來的。我在會上總結說：「報章自由和新聞媒體的自由必須服從新加坡的首要需求，也須服從民選政府的首要職責。」由始至終我都堅定有禮地一一回答那些蓄意挑釁的發問。

　　數年之後，在 1977 年，我們通過立法禁止任何人或受其任命者持有報章超過 3%的普通股權，並且設立了一種稱為管理股的特別股票。部長有權決定哪些股東能夠獲得管理股，並把報章的管理股分給本地四大銀行。因為銀行業的商業利益使然，這些銀行會在政治上保持中立，保護國家的穩定和增長。西方制度容許富裕的報業鉅子決定選民每天該閱讀些什麼，我卻不吃那一套。

　　八〇年代，西方國家擁有的英文報刊在新加坡形成一股不可忽視的勢力。隨著學校裏開始教導英語之後，新加坡的英文讀者群也跟著擴大。新加坡向來禁止宣揚共產主義的刊物，卻不見哪個西方媒體或傳媒機構提出抗議。我們沒有禁止過任何西方報刊，他們卻經常拒絕讓我們對錯誤的報導進行答覆。我們在1986 年決定對那些涉及新加坡內政的外國報刊，執行限制銷量或發行量的法令。我們檢查這些刊物是否「涉及新加坡政治」的方法之一，是看他們在關係新加坡的課題上做了歪曲事實或一面倒的報導之後，願不願意刊登我們的答覆信。我們沒有封禁這些報刊，只是限制他們的銷量。買不到刊物的人，他們大可影印或傳真裏面的文章。這會導致刊物的廣告收入減少，卻不會防止人們傳閱它們的報導。它們不能指責我們擔心人們閱讀它們的報導。

　　第一份違反法令的是美國《時代》週刊。它在 1986 年 10 月發表一篇文章，報導一名反對黨議員被控私自變賣資產，詐騙債權人，以及提供偽證，結果被新加坡法庭判決有罪。我的新聞秘書去信更正報導中三處不符事實的地方。對方拒絕刊登我們的答覆信，反而提出另外兩個版本的答覆內容，而且兩者都改變了原有的意思。我的新聞秘書要求週刊把答覆信原文照登，遭到拒絕。於是我們把它的銷量從 1 萬 8000 本減少到 9000 本，最後限

制在 2000 本。在這之後，《時代》把答覆信全文原原本本地刊
登出來，我們便取消限制令。那已經是八個月以後的事情。

　　《亞洲華爾街日報》在 1986 年 12 月針對新加坡建議設立
第二級股市（稱為新加坡股票交易所自動報價股市）一事，做出
不確實的報導。報導指責新加坡政府設立第二級股市是為了把不
中用的政府企業轉嫁給人民。新加坡金融管理局去信駁斥這些虛
假的指責。該報不但拒絕刊登更正信，還聲稱報導公正無誤，說
這麼一家不中用的政府公司的確存在，反指我們的更正信破壞了
該報通訊員的名譽。金融管理局再次去信，指出該報覆信中的更
多錯誤，同時要求對方指明所謂的不中用的公司到底是哪一家，
我方信件又是哪一段文字誣蔑了他們的通訊員。我們要求刊登雙
方的往來信件，讓讀者自己判斷誰是誰非，結果兩個要求都被拒
絕。政府於是在 1987 年 2 月開始限制該報發行量，從 5000 份
減少到 400 份，同時公開它和金融管理局之間的書信。本地報
章發表了這些書信的內容。我們也表示，如果有關通訊員真的認
為名聲被詆毀，儘管提出起訴。但是他沒這麼做。

　　使我們驚訝的是，據《亞洲華爾街日報》報導，美國國務院
的一名發言人竟對該報和《時代》週刊發行量受限制表示遺憾。
新加坡外交部要求國務院證實報導所言──如果確有其事，則等
於「對新加坡內政進行前所未有的干預」。國務院發言人證實了
有關報導，但是堅持美國政府在兩起事件中不偏袒任何一方。我
們詢問國務院是否會同樣基於公正無私的原則，對《亞洲華爾街
日報》拒絕發表跟新加坡的往來書信表示遺憾。國務院重申它誰
也不袒護，只是基於它「一貫秉持新聞自由的基本原則」才表示
關注，也就是說，在這個原則下，「新聞界可以隨心所欲地決定
登或不登某則新聞，即使這樣做看來有多麼不負責任或一面
倒」。

　　新加坡外交部指出，新加坡沒有義務遵循美國的新聞法令。
新加坡有自己的法律，並堅持有權對錯誤的報導做出答覆。外國
報刊原本無權在新加坡銷售或發行，是我們給與他們這種特權，
但是他們必須遵守我們的條件，其中之一就是答覆的權利。國務
院沒有對此做出答覆。

　　兩個星期後，《亞洲華爾街日報》寫信給新加坡交通及新聞
部，獻議免費派發報紙給所有因發行量受限制而無法閱讀到該報
的原有訂戶，表示願意「本著協助那些抱怨想閱讀本報卻不得其
門的新加坡商人的精神，犧牲賣報收入」。交通及新聞部表示同
意，條件是報上不能有廣告，以證明它要這麼做的動機不是為了
增加發行量以提高廣告費。對方不接受，辯駁說廣告是報紙不可
分割的一部分，這麼做會造成額外的開支和時間安排的問題。我
們表示願意承擔因取消廣告而產生的一半的額外開支，該報卻拒
絕。我們就此回應：「你們根本不是有心要讓商界人士得到資
訊。你們只是想要兜售廣告賺錢的自由。」《亞洲華爾街日報》
沒有回應。

　　在 1987 年 9 月，美國人出版的週刊《亞洲新聞》藉事譏諷
我們。內政部長的新聞秘書去信指出週刊文章的錯誤。週刊把信
件的部分內容刊登出來，寫成一篇文章（《你說是歪曲事
實？》），作者署名為內政部長新聞秘書。文內不但刪除信件的
重要部分，還擅自添加了 470 多字，把內容拉長一半有餘。這
一切都未經當事人許可，也沒有向讀者交代。新聞秘書寫信抗議
對方竄改他的信件，並要求把原來的信件和第二封抗議信一併全
文照登，週刊不肯，於是我們把它的發行量從 1 萬 1000 本減少
到 500 本。過了一個月，它把信件內容原原本本地登出來，我
們在一年後解除限制令。

　　同年 12 月，美國人出版的《遠東經濟評論》的一篇文章報

導我和新加坡天主教會大主教見面，商討 22 個涉及馬克思主義陰謀的人士被逮捕一事。報導是根據一個不在場的神父所言撰寫的，這個神父本身是一個叛教者。《評論》說我在大主教不知情的情況下召開記者會，誘騙他出席，並阻止報章刊登他的一段評語，還說逮捕事件等於是對天主教會進行攻擊。

我的新聞秘書去信質問對方怎麼會以一個不在場者的話為憑據，又沒有先向大主教或我本人查證就登出這樣的文章。《評論》主編德里克・戴維斯發表了這封信，但是沒有答覆問題。我們去信追問同樣的問題，主編也同樣發表了我們的信件，同時補上一句：有關神父說的是實話。他宣稱在法律上，報章有權發表任何消息——不管是真是假，只要它能引述確實提供了有關消息的來源。報章沒有義務查明事實以確定消息來源的虛實，或向其他目擊者查證消息；同樣地，它也沒有必要對所刊登的任何謊言或誹謗性言論負責。戴維斯擺出倨傲不恭的態度。我們下令把《評論》的發行量從 9000 本減至 500 本。我也入稟法庭，控告戴維斯和該週刊誹謗。

戴維斯接著發表上述神父的另一封信，就我和大主教的見面過程提出另一個故事。我們去函詢問到底哪個版本才算正確。對方刊登了我的新聞秘書的信，但是內容經過修改，有相當大的篇幅被壓了下來，說是信內提到的事件還在審理中。然而新加坡政府出錢在週刊上購買廣告版位刊登信件，他們卻照單全收，什麼案件尚在審理中的藉口都不管了。

我提出的誹謗訴訟在 1989 年審結，戴維斯沒有出庭供證或接受詰問，我獲得勝訴。不久後他就離職了。

同《亞洲華爾街日報》還在爭執期間，我受邀在 1988 年 4 月赴華盛頓，在美國報紙主編協會的會議上發表講話。我接受邀請，並在會上引述美國國務院備忘錄的一段文字：「在媒體享有

自由之處，這種各派思想爭鳴的場所將識別不負責任和負責任的
論調，並獎勵後者。」我也指出美國的模式並非舉世通用。菲律
賓新聞界是以美國的模式為準的，到頭來，自由是享盡了，卻沒
有盡到對人民的責任：「黨派分明的新聞界助長菲律賓政客發表
莫衷一是的雜沓言論，混淆和愚弄了人民，以致大家無法看清，
在一個發展中國家裏到底什麼才是關鍵性的利益。」我表明我的
立場：

「新加坡的內部爭論是新加坡人自家的事。我們容許美國記
者留在新加坡，以便他們向本國同胞報導新加坡的消息。我們允
許他們的報刊在新加坡發售，以便了解外國人到底讀了關於新加
坡的一些什麼信息。但是我們不能容許他們在新加坡扮演像美國
媒體在美國所扮演的同樣角色，對政府諸多監視、反對和質疑。
從來沒有外國電視台宣稱有權在新加坡播映節目。實際上，美國
聯邦通信委員會明文禁止外國人擁有任何一家電視台或電台超過
25%的股權，只有美國人自己才有權控制影響民意的行業。因
此，魯珀特‧默多克先入籍美國，然後才在 1985 年收購大都會
媒體集團下的獨立電視台。」

通過這些事件，新加坡人才明白外國報刊不過是要向逐漸擴
大的新加坡英文讀者群兜售他們的刊物。他們不顧事實進行有爭
議性的報導以便達到目的，當然不希望這些立論偏頗的文章被糾
正。當他們發現向我們施加壓力，我們也有能力反擊時，立論偏
頗的報導就減少了。

1993 年 7 月，英國頗有影響力的《經濟學家》週刊發表文
章，批評我們以官方機密法令起訴一名官員和一份報章的總編輯
與記者。我們去信週刊主編更正報導中的錯誤。週刊把信發表
了，宣稱內容「幾乎沒有更動過，簡直是全文照登」。但是它卻
故意漏掉一個關鍵性的句子：「政府不會默許任何觸犯官方機密

法令的行為，也不允許任何人蔑視、挑戰，進而逐步改變法律，一如在英國發生的克萊夫‧龐廷案件和彼得‧賴特撰寫《捕諜者》那樣。」

這正是全信的要點。我們不準備任由本地新聞界引用先例來挑戰，進而逐步修改管制官方機密的條例。英國新聞界就是利用了以下兩起事件而得逞：公務員克萊夫‧龐廷透露有關阿根廷戰艦「貝爾格拉諾號」在福克蘭群島戰爭中被擊沉的機密資料；軍情6處（MI6）官員賴特出書，觸犯了保密條例。我們致函《經濟學家》主編，要他補登被刪除的句子。他含糊其辭避開正題，拒絕補登。我們宣布把它的發行量限制在7500份，並清楚表明會進一步逐漸削減這個數字，同時公開雙方的來往書信。《經濟學家》這才發表我們的原信，包括上述句子。隔了一段合理的時間，我們便撤銷限制令。

隨時準備當面對質

除了在媒體對抨擊我的文章做出答覆，我也隨時準備跟批評我的人當面對質。1990年，倫敦《泰晤士報》的伯納德‧萊文撰文對我進行猛烈的抨擊，同時批評新加坡的司法制度。他指責我「治國不當」，「瘋狂地決意阻止任何人在他的王國裏違抗他」。要在英國，一個認識我的人不多又沒有我的選民的國家起訴萊文，將是毫無意義的事。我改而寫信邀請他針對這些指責，跟我在倫敦來一場現場直播的電視辯論。萊文的主編回信說沒有電視台會感興趣。為防這一招，我事先已經致函友人英國廣播公司主席馬默杜克‧赫西，他答應騰出半小時的節目時間和提供一位中立的辯論主席。當我告訴《泰晤士報》英國廣播公司有此獻議後，該報主編代萊文打了退堂鼓，辯稱我應該通過萊文抨擊我的同一個媒介，即《泰晤士報》，做出回應。我去信對萊文不肯

同我當面對質表示遺憾。《泰晤士報》拒絕刊登這封信，我於是
在英國日報《獨立報》買下半版的廣告版位把它登出來。英國廣
播公司世界新聞節目訪問我時，我說：「在我的國家，提出指責
的人如果不肯面對他所抨擊的對象，就什麼都不必說了。」萊文
從那個時候起，再也沒有寫過任何關於我或新加坡的文章。

　　另一回我一口答應接受評論員威廉·薩菲爾的錄音訪問。薩
菲爾向來敢怒敢言，多年來不斷譴責我和薩達姆·胡笙一樣是個
獨裁者。1999 年 1 月，趁我們倆都在達沃斯，他接連向我發問
了一個小時，之後根據這次訪問，在《紐約時報》撰寫了兩篇文
章，還把訪問內容一字不差地上載到該報網站。本地報章轉載了
他的文章。上網閱讀訪談全文的有美國人，也有其他國家的人
士，從他們留下的評語紀錄判斷，我在訪談中並未處於下風。

　　如果我們不站起來回應外國媒體的抨擊，新加坡人民，尤其
是記者和學者們，便會相信自己的領袖不敢辯駁或辯不過人家而
不再尊敬我們。

　　資訊科技、衛星轉播和互聯網的日新月異使西方媒體網絡有
機可乘，能夠把他們的報導和觀點向本地觀眾大量灌輸。那些嘗
試阻止人民使用資訊科技的國家必定會吃虧。我們必須學習處理
這些排山倒海般無休無止地湧來的資訊，確保新加坡政府的觀點
不被西方媒體所掩蓋。繼貨幣危機之後，1998 年爆發的印尼騷
亂和馬來西亞不靖，就是很好的例子，說明了外國電子和印刷媒
體網絡在這些國家的內部爭論中起了很大的作用。我們必須想辦
法確保新加坡政府的聲音不會在眾說紛紜中被淹沒。新加坡人一
定要知道政府在大事上的正式立場，這是很重要的。

李光耀回憶錄

15 拿起指揮棒

執掌政府和指揮交響樂團不無
相似之處。少了賢能的班子，
任何總理都成不了大事。指揮
本人未必得是個出色的演奏
家，卻至少必須對主要樂器，
如小提琴、大提琴以至法國號
和長笛，有足夠的認識，否則
無從知道不同的樂器能奏出什
麼樣的旋律來。我的作風是，
委任最出色的人選掌管當時最
重要的部門。

我和我所領導的內閣部長們維持著朋友兼政治同僚的關係，長達三四十年。當中有好幾個人是我在英國留學時就認識的，我們常常聚在一起討論馬來亞和新加坡的未來，之後大家回國，在工會和行動黨裏並肩爭取群眾的支持。對彼此、對共同奮鬥的事業，我們信誓旦旦。我們有堅定不移的政治信念，否則不可能冒險在同一個時候挑戰英國人和共產分子，後來又向馬來極端主義者宣戰。我們早期在一起奮鬥，常常好像就快被銳不可當的勢力所消滅，那時候我們就建立了最強有力的聯繫，這種聯繫把我們緊緊扣在一起。政策上有歧見我們從不外揚，只在內閣中討論，直到分歧化解並達成共識，我們才提出容易為人民所理解和接受的明確立場。一旦內閣做了決定，我們就努力貫徹到底。

我們知道彼此的優缺點，是一個搭配無間的組合。元老級部長如果對某件事情表示贊同，其餘的內閣成員通常不會有異議。我和同僚們關係融洽，能夠針對他們職責內的事務提意見而不至於引起不滿。他們知道，到頭來是我得站在選民面前，說服他們授權內閣連任，而我需要有能夠教選民信服的理由。

執掌政府和指揮交響樂團不無相似之處。少了賢能的班子，任何總理都成不了大事。指揮本人未必得是個出色的演奏家，卻至少必須對主要樂器，如小提琴、大提琴以至法國號和長笛，有足夠的認識，否則無從知道不同的樂器能奏出什麼樣的旋律來。我的作風是，委任最出色的人選掌管當時最重要的部門。除了獨立初期防務吃緊以外，財政部一直在各個政府部門列居首位，而部長首選非吳慶瑞莫屬。居次的人選受委掌管重要性次之的部門。我把我的期望告訴有關部長，然後放手讓他們以自己的方式執行任務，遵循的是目標管理法。只要受委者足智多謀，碰到未能預見的新問題時懂得革新，這種管理法就能收取最大的成效。我只需要在政策問題上插手。

1968 年 1 月 9 日，共和聯邦關係部大臣喬治·湯姆森帶來英軍提早撤退的壞消息。圖中中排從左到右是拉惹勒南、杜進才、我本人，吳慶瑞和林金山。

　　無論如何，我對各個部門的職務必須有足夠的了解，碰到認為重要的課題——剛起步的航空公司、擴建機場、交通堵塞、分散種族聚居地、提高馬來同胞的學業表現和法律綱紀等，便不時加以干預。有些干預行動舉足輕重，若不是我進行干預，也許免不了要出亂子。畢竟政府行差踏錯，責任最終須由總理承擔。

　　任何企業只要能有增長和提供就業的潛能，我們就得加以扶持。在航空業方面，我懷疑馬來西亞有意使新馬聯營的馬新航空公司（MSA，簡稱馬新航空）分家。

東姑很不高興

　　1968 年 9 月，東姑告訴報界，新加坡獨占了馬新航空的所有外匯收入，在吉隆坡又沒有設立工程和其他方面的設施，航空公司任用的新加坡籍職員人數，更是遠遠超過馬來西亞籍職員。這一切令他很不高興。

　　我通過報界做出答覆：雙方政府達成的協議指明，航空公司
必須「根據有效益的商業原則」來經營。公司賺取的外匯根據所
持股份派發了盈利給股東，設施和職員則反映公司的發源地，也
就是新加坡。其實真正引起爭執的是，新加坡不願意經營一些不
符合經濟效益的馬來西亞內陸航線──除非馬方願意承擔損失。

　　這場公開爭議發生時，正值英國對馬來西亞的防務承諾協議
即將約滿的緊要關頭，澳洲和紐西蘭又尚未確定立場。加查利·
沙菲為了這場爭執寫信給我。他是馬來西亞外交部常任秘書，辦
事能力強，但失之浮誇，跟東姑和拉薩關係親密。當年我跟馬方
談判合併問題時，他幫忙解決了不少難題。我回信說，航空公司
的問題本身其實沒那麼重要。不過，雙方如果為此爭執下去，那
將威脅到兩國的安全，因為英國、澳洲和紐西蘭將在 12 到 24
個月內決定在 1971 年之後採取什麼樣的防務立場。我建議他出
手相助，使雙方政府能以一種全新的姿態和冷靜務實的包容態度
來處理這個問題，以便鼓勵英澳紐三國在 1971 年之後繼續在這
裏維持一定程度的軍力。加查利確實伸出了援助之手，使這場公
開爭論得以降溫。航空公司找來雙方都能接受的新主席，照常營
業。但是東姑顯然要馬新航空公司分家，讓馬方以自己的航空公
司經營馬來西亞各州首府的航線。於是，我同意協助他們在吉隆
坡機場設立修理廠，訓練他們的工人維修內陸航線使用的福克友
誼型客機。

　　我特別留意馬新航空公司的問題。我知道這家聯營航空公司
拆夥後，馬來西亞必會想盡方法避開新加坡。我們這個彈丸島國
只有巴耶利峇國際機場和樟宜、登加、實里達三個皇家空軍基
地，在別無選擇的情況下，唯有走國際路線。早些時候我已吩咐
公司管理層著手建立國際航空目的地。我和公司內的新方人物林
振明經常會面。他當時擔任的職位是馬新航空行政與顧客服務署

署長，為人穩重可靠，對航空業有透徹的了解，1971 年獲升為董事經理。他也知道馬來西亞想拆夥，使我們在馬來西亞境內除了吉隆坡以外，哪裏都飛不成。他為新加坡努力爭取更多地區的降陸權，以便日後經營有利可圖的國際航線。與此同時，他還得維持機師和員工的士氣，使他們對新加坡獨資經營，以新加坡為基地的航空公司有信心。公司的主席和董事經理無時無刻不面對來自新馬雙方的壓力。直到 1972 年 10 月，馬新航空分裂成新加坡航空公司和馬來西亞航空公司後，這種壓力才得以消除。我們雙方達成協議，馬航將包辦所有內陸航線，新航則接過所有對外航線。

1966 年，我們取得香港的降陸權，1967 年獲准在東京和雪梨降陸，1968 年在雅加達和曼谷。最重要的目的地要數倫敦，但是英國不願意給新加坡降陸權。我在 1970 年 8 月啟程赴盧薩卡出席不結盟峰會前，向交通部常任秘書嚴崇濤問起跟英國談判允許新加坡客機在倫敦降陸的進展如何，他回答說很困難。我於是吩咐他把情況告訴全國職工總會秘書長蒂凡那。蒂凡那曾經建議，如果英方談判代表為難我方，他將發動機場工友職工會對英國海外航空公司的客機服務實行怠工，向英國施壓。我同意他的辦法。全國職工總會在巴耶利峇機場一展開對英國海外航空公司客機的怠工行動，英國最高專員阿瑟‧德拉馬爾就到我的辦公室來見我。我要求他說服英國政府做事公道一點，英國航空公司的客機既然可以順利在新加坡降陸，新加坡的航空公司沒有理由不能在倫敦享有同樣的權利。不出幾個星期，我們便爭取到了在倫敦降陸的權利，正式開通倫敦—新加坡—雪梨這條世界主要航空幹線，為新航向國際發展跨出了第一步。也許因為當年愛德華‧禧斯是英國首相，所以事情比較容易解決。

虧了錢就得關門

1972 年 7 月，在新航即將開幕前，我在一個晚宴上向所有
工會領袖和資方高層領導人明明白白地指出，新加坡的航空公司
必須具備競爭和自給自足的能力，否則虧了錢就得關門大吉。我
們不能像其他國家，經營航空公司就為了亮出國家的旗幟，我們
沒有那種本錢。從一開始勞資雙方就很清楚，公司存亡取決於它
能不能賺錢。雙方攜手合作協助新航步上成功之路。

擺脫了吵鬧不休的日子，新航總算能全心全意投入經營國際
航線的業務，而且一年比一年飛得更遠。到 1996 年，它已經成
為亞洲國家當中擁有規模最大、最現代化的波音與空中巴士機隊
的航空公司之一，飛行目的地幾乎遍布各洲。它也是亞洲國家當
中盈利最高的航空公司，就規模而論，算是全球最賺錢的航空公
司之一。

我決定興建樟宜機場是新航業務蒸蒸日上的關鍵。1972 年
2 月，內閣接受一家英國航空顧問公司的建議，要在巴耶利峇機
場興建第二條跑道，預定 1977 或 1978 年啟用。要建造這條跑
道，實龍崗河就得改道騰出地方來。河床下泥土的承受力令人置
疑，跑道工程將產生技術性問題。但是採取這個方法的土地成本
最低，涉及的重新徙置問題也最少。建議書也提到，如果我們把
機場由巴耶利峇搬遷到位於樟宜的前英國皇家空軍基地，就不可
能在 1977 年之前讓兩條跑道同時啟用。接著發生了 1973 年 10
月的石油危機，燃料價格上漲，機票價格相應攀高，全球經濟發
展的步伐慢了下來。我要求重新評估機場計畫，這一次請來美國
的顧問進行這項工作。對方建議我們保留在巴耶利峇建造第二條
跑道的原定計畫。我不滿意這個結論，要求重新考慮把機場搬遷
到樟宜的可行性。

15　拿起指揮棒

　　我到過波士頓的洛根機場,對於讓飛機升降噪音融入水中的設計概念留下深刻的印象。反觀在巴耶利峇建造第二條跑道,無異於讓起起落落的飛機直接穿越新加坡市中心的上空。一個由高級官員組成的委員會研究了第二個做法,就是於 1977 年以前在樟宜建造兩條機場跑道,結論仍然是,在巴耶利峇建造第二條跑道較為妥當。但是跑道一建成,我們就得長期面對噪音的問題。我要有關人員再次徹底評估整個計畫,然後才考慮放棄樟宜。於是我委任有「推土機」之稱,當時擔任新加坡港務局主席的侯永昌,率領一個高層委員會負責這項任務。

　　1975 年 4 月,我在華盛頓接獲代總理吳慶瑞的來信,他說委員會相信樟宜第一條跑道可以在 1980 年完工,第二條跑道在 1982 年建成。巴耶利峇第二條跑道則最快要到 1984 年才能竣工,因為實龍崗河需要改道,河床也必須加固。那時候西貢和南越剛淪陷不久,隨著共產分子的叛亂行動蔓延到整個區域,東南亞的經濟增長步伐很可能放緩。但是如果凡事都往壞處想,反而真的可能應驗。我反覆斟酌了好幾天。在樟宜興建新機場得耗資 10 億元,另外還得撥款 4 億元,在 1975 至 1982 年間擴大巴耶利峇的搭客和空運處理設施。我給吳慶瑞回話,要他展開樟宜機場興建計畫。

　　以新機場那樣的規模,一般要花上十年才能完成,我們卻在六年內就把樟宜機場建好。我們拆除了好幾百棟樓房,挖掘了數以千計的墳墓,清除沼澤地,往大海填土。1981 年 7 月新機場開幕,成為當時亞洲規模最大的機場。我們註銷了投資在舊機場的 8 億餘元,另外投下 15 億元建造有兩條跑道的樟宜機場。第二條跑道在 1984 年啟用。

　　樟宜是島國東端景色迷人的一隅。由東海岸驅車進入市區,走的是一條通行無阻長達 20 公里填土建成的全新高速公路,一

邊是美麗的海景，另一邊是由鱗次櫛比的組屋和私人公寓構成的
島國風光。嶄新的機場和那一段朝市區行駛 20 分鐘，一路上令
人心曠神怡的路程，讓遊客留下最美好的第一印象——這是新加
坡投資得最有價值的 15 億元。樟宜機場使新加坡晉升為區域機
場的樞紐。不過，競爭是激烈而沒有止境的。更新、更豪華和擁
有先進設備的機場相繼在吉隆坡和香港落成。樟宜機場必須不斷
提升和翻新才能保持競爭力。

　　樟宜機場取得成功，有兩個人功勞最大。侯永昌執行政策果
敢堅決。他向我保證他的工作人員能及時完成任務，鼓勵我把機
場從巴耶利峇遷往樟宜。利用新加坡港務局的資源，在港務局首
席工程師維吉亞勒南和當時備受看好的公務員林福山協助下，侯
永昌說到做到。工程在林福山監督之下展開，他在 1980 年出任
民航局局長。1981 年，我受邀為新機場主持開幕典禮，我請當
時擔任國防部長的侯永昌代我赴會，他的名字理應被鐫刻在牌匾
上。

　　另一個有功的人是沈基文，他是新加坡常任秘書當中最精明
的一個。他負責組織起機場的管理制度。許多富有國家通過聘用
外國承包商建造了漂亮的機場，可真正的挑戰是如何妥善地管理
機場，讓搭客能夠快速順利地通過海關和移民檢查，領回行李，
然後搭車進城去。要轉機的話，搭客有休息的地方或消閒、辦公
的設備。這一切樟宜機場都有——供休息的、沐浴的，還有一個
游泳池，幾個商業中心、健身室，以及一個讓兒童學習科學知識
和遊樂的場地。身為新加坡民航局局長，沈基文把樟宜機場推上
世界級機場的行列，使它幾乎年年登上旅遊雜誌的評選榜首。

　　到 1975 年，市中心在繁忙時間的交通擁擠現象，已經到了
令人忍無可忍的地步。我看過一份建議書，要求規定在繁忙時間
內駛入中央商業區的車子必須付費，藉此緩和市區內的交通流

量。我請有關人員研究這個建議，發現的確可行。他們建議在通
往中央商業區的不同入口處豎立高架閘門，提醒所有駕車人士，
如果在規定的時間內駛入限制區，就必須在車子的擋風鏡上展示
有效的執照。我通過媒體鼓勵民眾廣泛討論這個計畫，前後長達
幾個月。我們不斷調整和改善有關建議，例如允許載有四個人的
車子無須執照也能駛入限制區，敲定每日執照費為 3 元，買月
票則便宜一些。新措施疏緩了繁忙時段的交通堵塞問題，公眾的
反應也令人鼓舞。

我知道這只是短暫的緩解。人們的收入正在逐漸提高，每年
註冊的車輛數目直線上升。我相信真正的對策是限制車輛總數的
增長，使這個數字不至於超越公路的負荷量而造成大規模的交通
堵塞。再怎麼大量興建地下通道、高架公路、高速公路，它們終
究會被不斷增加的車輛擠得水泄不通。

我提議規定人民必須先投標申請證件，才有資格購買新車，
車子才有權使用公路。每一年發出多少份證件供投標，取決於公
路的容量。我們估計當時的公路每年可以承受的車輛增長率為
3%。交通部長把有關法案交給國會特選委員會，聽取各方的意
見。最後，我們決定採用的制度是，人們必須投標購買擁車證才
能購買新車，有效期為 10 年。

措施實行後證實有效，全國車輛的年增長率被限定在 3%之
內。擁車證的投標價格起初偏低，不久後直線攀上天文數字。
1994 年，一輛 2000cc 以上的車子，擁車證價格超過 10 萬元，
還不包括其他各項高額入口稅。擁車證制度變得越來越不受歡
迎，有意買車的人不斷寫信在報章上爭辯，指責汽車代理商和投
機者操縱投標價格，使它不斷攀高。在公眾要求下，政府後來禁
止汽車代理商以自己的名義投標，再把標到的擁車證轉讓給客
戶，同時規定所有擁車證不得轉讓。但是這些調整收效不大。經

濟騰飛之際股市大起，投標價格相對攀高，反之則下跌，正如
1997 至 1998 年間新加坡在經濟危機打擊下出現的局面。

　　經過不斷的摸索，我逐漸意識到要使各個層次接受一個重要
的計畫，就必須先把構想提出來跟所有的部長探討，讓部長們有
機會跟常任秘書和各級官員進行討論。集思廣益後，我們再把建
議交給負責落實的人員去討論。類似交通系統這些對廣大群眾影
響深遠的計畫，我就會通過媒體讓人民公開發表意見。因此在決
定興建地鐵之前，我們用一年的時間，讓民眾針對地鐵系統勝過
以專用道路實施全巴士系統的論點公開進行辯論。我們也聘請兩
家美國顧問公司給我們提意見。他們使我們深信，以全巴士系統
解決問題將不如地鐵來得理想，因為碰上下雨天，巴士行駛速度
會放慢，導致整個系統出現堵塞現象，地鐵就不會有這種問題。

　　地鐵並未降低人民的擁車欲求。擁車證和限制區執照制度雖
然控制了需求量的增幅，卻無法阻止這個數字年年攀高。我們在
1998 年推出電子公路收費制。現在，每輛車子都在擋風鏡後面
安裝閱卡器，車子每次從設於市區要道的閘門下駛過，一定金額
的通行費就會自動正確扣除，收費多寡取決於使用的路段和時
間。科技讓限制區執照制度得以改進並延伸到所有產生堵車現象
的公路，該付政府多少費用現在視個人的公路使用量而定。既然
如此，我們就能以最大的限度讓想買車的人在不堵塞公路的條件
下擁有自己的車子。

謹慎處理馬來人課題

　　但總還是有些敏感的課題無法提出來公開辯論，其中之一是
如何處置殖民地時代遺留下來，聚居在英國當年指定為「馬來人
聚落」和其他地區生活條件惡劣的馬來居民。新馬在 1965 年 8
月分家時，東姑表示願意在柔佛州免費提供土地給那些感覺受遺

棄的新加坡的馬來人。沒幾個人接受他的獻議。不過，隔離而居致使馬來族群眾被孤立，並產生不滿情緒，因為這類聚落大部分是蕭條地帶，長年下來變成了貧民窟：簡陋的木屋用鋅板或亞答葉蓋屋頂，屋子之間的小巷沒有鋪砌磚石，彎曲又泥濘。最令人操心的是聚居在芽籠士乃的馬來同胞，加上甘榜烏美和甘榜景萬岸的居民，形成規模最大的馬來人聚落，總共有六萬多人。那裏沒有自來水供應或衛生設備，生活條件惡劣，居民必須到小巷旁邊的公共水龍頭取水，自己用桶把水提回家或雇用挑水工人。聚居地內沒有電流供應，但是有一些私營者非法賣電。1965 年 9 月，新馬分家一個月後，我告訴那裏的居民說，他們的陋屋十年內將全部拆除，芽籠士乃將發展成為另一個女皇鎮，環境有過之而無不及。女皇鎮是新加坡當時最現代化的高樓住宅區。

我們沒有食言。作為長遠的計畫，要重建新加坡，給每個人提供新住房，我們決定把華、巫、印和其他種族打散，使各族混雜而居，以免他們像過去受到英國人鼓勵那樣，重新聚居一處。徙置時，人們必須通過抽籤的方式申請組屋。

與此同時，為了防止另一場種族暴亂的出現，我決定在芽籠士乃馬來人聚居地修築四條道路，布局就像威化餅格子那樣，同時把小巷擴大，給那一帶的街道裝上街燈。在六七年的時間內，一大片貧民窟變成了九個小塊。徙置計畫的初步階段在 1970 年 2 月展開，那是最棘手的部分。當我們宣布遷徙計畫時，馬來居民心理上難免有些惶恐不安。我們的馬來議員扮演了關鍵性的角色，在政府官員和居民之間進行斡旋。報章和電台宣傳政府為居民準備的賠償配套和新住所。《馬來前鋒報》這時候已經停止在新加坡發行，因而無法在民間製造毫無根據的恐慌，就像它在1964 年拿哥羅福徙置區大做文章那樣。

在拆除工作中，有一座年久失修的小回教堂是最具政治敏感

度的。每一座回教堂,無論有多小,都有一群宗教長老和活躍分
子組成委員會,負責收取稅捐和捐款,作為維修的費用。就在我
們準備拆除小回教堂時,全體委員竟然占據回教堂,不肯離開。
在他們眼裏,政府的行動是跟回教為敵。1970 年 9 月,我們的
馬來國會議員安排小回教堂的委員和一般成員,在政府大廈我的
舊辦公室同我們見面,讓他們向公共工程局和建屋發展局的高級
官員表示他們的立場。我們在馬來議員的協助下,説服他們允許
當局把舊的木建築拆掉,並保證在原址附近興建一座新的回教
堂。馬來議員第二天連同新加坡回教理事會(管理新加坡回教社
群的團體)的主席,在小回教堂的群眾進行星期五禱告之後,向
其中 200 人發表演講。馬來議員拉末肯納再度向群眾保證,政
府一定會興建新的回教堂來取代現有的。肯納是一個立場堅定的
前工會領袖,1964 年在種族暴亂中被巫統領袖痛斥為「卡菲
爾」或異教徒,但是他始終沒有動搖。回教堂的群眾終於答應搬
走。這起事件為馬來人聚居地內另外約 20 座小回教堂的拆除和
重建工程,鋪平了道路。我們撥出地段給他們興建新的回教堂,
也想出辦法來籌集建造費。我把興建新回教堂的責任交給新加坡
回教理事會,並設立籌建基金,信奉回教的工友每個月通過公積
金捐獻 1 元。這使得我們的馬來群眾感到自豪,因為他們用自
己的錢來興建自己的回教堂。

　　要居民搬遷比較好辦。按當初蓋房子是否經過政府批准為根
據,每戶人家可以獲得一定數額的賠償,加上一筆 350 元的
「干擾津貼」。在那個年代,350 元等於一個工人一個多月的工
資。被迫搬遷的居民有搬到新組屋區的優先權,而且可以自由選
擇新居的地點。儘管有這些特別待遇,40 戶人家依然拒絕搬離
住家,直到鬧上法庭為止。

　　在芽籠士乃的道路終於完工,附近一帶燈火通明後,有一晚

我駕車經過那裏，看到周圍的治安和環境有明顯的改善，心頭總算放下了一塊大石。繼芽籠士乃之後，要結合其他馬來聚落就容易多了。

儘管我們藉抽籤的方式把各族居民打散，卻發現他們又重新聚居在一起。一旦屋主把現有組屋賣掉，能夠購買任由自己選擇的轉售組屋時，同一種族的居民要不了多久便開始重新聚居。迫不得已之下，我們在 1989 年為同座組屋各種族居民的比例設限（馬來族 25%、印度族和其他少數種族 13%），一達頂限，少數種族家庭就不能再申請購買同個鄰里的組屋單位。

這個種族比例頂限限制了某些轉售組屋的買主，導致這些組屋的售價被壓低。當同座組屋達到比例頂限的是華族家庭時，有意轉售房子的馬來族或印度族屋主就不能把房子賣給華族買主，這一來，組屋的售價必定低於市價，因為人數較少的馬來族和印度族買主出價無法像占人口多數的華族買主一樣高。雖然如此，為了達到各族相互交融的大目標，這點小代價微不足道。

當年負責掌管建屋局的印度族部長丹那巴南和同樣是印度族的律政部長賈古瑪，還有身為阿拉伯裔馬來人的環境部長麥馬德，完全同意我的看法：如果任由各族回復同族群居，無異於開倒車，不進反退。其他的馬來族和印度族議員也都認同這種看法，因此政策執行起來就順利多了。

八〇年代大功告成後，我認定有必要修改選舉法律，讓幾個候選人共同競選兩個或更多選區。內閣商議了很久，最後才把這件事帶到國會辯論。三四個單選區合併為一個集選區，由三四個候選人合成一組，其中必須包括一個少數族群的候選人——印度人或馬來人，大家一起競選這些集選區的席位。沒有這樣的安排，作為多數種族，所有選區的華族選民十之八九會一再推選華族候選人為議員。在五〇、六〇年代，選民投選的是黨的標誌，

候選人是什麼種族並不在他們的考慮之內。到了八〇年代，當人民行動黨已經奠定主流大黨的地位，人們普遍認為它會蟬聯執政時，選民開始針對候選人多過針對政黨來進行投選。他們寧可選擇能夠對他們的處境感同身受，跟他們講同一種方言或語言，並屬於同一個種族的議員。這一點，參加過競選的候選人再清楚不過了。一個馬來族或印度族候選人要打敗華族候選人，雖說並非不可能，但也不容易。到頭來，國會裏如果連一個馬來族、印度族或其他少數種族的議員也沒有，那將是有害無益的。我們必須改變規則。集選區制度的一個好處是，華族候選人不能訴諸華族沙文主義，要是這麼做，他們勢必喪失占 25%到 30%的非華族選民的票數。他們的集選區競選組合必須有一個馬來族或印度族成員來爭取少數民族的選票。

另一個困擾著我的種族敏感課題是，論比例，較多馬來學生的數理成績一直比其他種族的學生差。我認為我們無法長久把不同種族在考試成績中顯現優劣高下的差別保密。讓大家以為每個小孩都有相同的學習能力，跟種族沒有關聯，只要機會均等人人都有條件考上大學。這種自欺欺人的做法最終只會造成那些落後的人不滿，懷疑政府並未公平對待他們。我在 1980 年向馬來社區領袖剖白實情，以便採取公開而敏感的方式來解決馬來人學業表現遜色的問題。我把過去 10 至 15 年間的考試成績交給這些領袖，包括新聞界的編輯過目，特別指出學業表現的差距早在戰前英國統治新加坡的時期就已經存在，這並不是如今才出現的新問題。

馬來社區和傳媒領袖起初感到震驚，等他們回過神來，我們邀請他們在政府的全力支持下共商對策。我告訴他們，調查顯示，只要家長和學生受到激勵而付出加倍的努力，學業表現總會提升 15%到 20%。他們反應積極。馬來領袖在政府保證給與支

持的情況下，於 1982 年成立了回教社會發展理事會（簡稱回理
會），由馬來社區、文學、文化團體的代表和行動黨的馬來議員
聯合組成。我們提供會所，每個月從每個馬來員工的公積金户頭
中扣除 5 角來資助回理會，情況跟當初成立回教堂籌建基金相
似。隨著入息水平提高，捐款逐漸增加到 2 元 5 角，政府則提
供 1 元對 1 元的資助。

　　在制定影響馬來人的政策之前，我總是先請教我的馬來同
僚，包括奧斯曼渥和拉欣依薩。他們看事情都講求實際。涉及回
教課題的時候，我也向耶谷莫哈末討教。他在吉蘭丹當過傳道
士，是一個有宗教修養的人，備受尊崇。麥馬德是一個現實主義
者，他也認為這是取得成績的最佳方法。

　　這種成立以社群為依歸的自助團體的做法，不是所有老一輩
的部長都能夠坦然接受的。其中以拉惹勒南反對得最激烈。他是
個十足的多元種族主義者，不把我的計畫看成是實事求是地面對
現實，而認為是在開倒車。家長是最能激勵子女的人，但他不希
望通過同族之間的自然感情聯繫來推動家長這麼做，擔心這樣會
助長同族凝聚的力量。

　　我雖然和拉惹有同樣的理想，希望能推行完全沒有種族之分
的政策，但是我必須面對現實並交出成績。經驗告訴我們，馬來
社區領袖對馬來家長和學生的影響，無論華族或印度族政府官員
都望塵莫及。這些領袖深得民心，加上本身真心誠意關心落後者
的福利，能勸服家長和學生做出努力。受薪官員不可能有同樣的
獻身精神和衝勁來培養起如此融洽親密的關係，以便成為家長和
學生背後的推動力量。華族社區領袖不可能深入到馬來家長和學
生當中。凡事一牽涉到家庭和種族自尊等個人感情層次的問題，
就只有種族大家庭的領袖才能深入民心，説服家長和他們的子
女。

　　回理會步上軌道之後數年，經過馬來社區領袖孜孜不倦的耕耘，加上開辦夜間課外補習班，總算有了成果，馬來學生考試及格的人數逐漸增加，數學成績的進步尤其顯著。1991 年，一群年輕的回教大學畢業生成立了回教專業人士協會，宗旨同回理會相似，但是運作獨立，不依賴政府。吳作棟總理以財務資助給與他們鼓勵。有了更多本族群領袖幫助成績較差的回教青年，馬來族群的成績有了進步。

　　在 1995 年進行的第三次國際數學與科學調查中，新加坡的馬來學生取得比國際平均水平更好的成績。在 1987 年，只有7%的馬來學生考上理工學院或大學，到了 1999 年增加了三倍，達到 28%，而全國的百分比只不過提高了一倍。1996 年，一名獲得獎學金的馬來女生以最優異的成績畢業於加州柏克萊大學英文系。1999 年，新加坡國立大學建築系的一名馬來學生，考取畢業班第一名，贏得一面金牌。另一名在同一年獲得政府獎學金到劍橋大學深造的馬來學生，考獲物理系一等榮譽學位，進而攻讀博士學位。1998 ／ 99 年度，南洋理工大學學生理事會選出一名馬來學生擔任主席。現在，我們的中產階級中有越來越多馬來族成為跨國公司董事經理、資訊科技顧問、科技起步公司企業家、外匯交易員、銀行經理、工程師、律師、醫生或商人，他們從事旅遊業、飲食業、承包業、家具業或服裝貿易等行業。

　　回理會取得成功，使印度社群在 1991 年成立印度人發展協會。第二年，華族社群成立了華社自助理事會，幫助成績較差的華族學生。這些學生論百分比少於成績差的馬來學生，但是總人數比他們多。歐亞裔人士協會不久之後也效法。

以法治國

　　法律綱紀提供社會穩定和發展的架構。我是律師出身，服膺

了法律面前人人平等，社會才能正常運作的原則。但是，我在新
加坡經歷了日治時期，之後又有英軍政府嘗試恢復法治初期局勢
動亂的經驗，因此對犯罪和懲罰問題採取務實而不是空談理想的
態度。

　　1951 年，在新加坡取得律師資格後，我承辦的第一起案子
是為四個暴民辯護。他們涉嫌在 1950 年 12 月回教徒針對白人
發動的「森林女郎」暴亂事件中，謀殺皇家空軍部隊的一個中
士。我給四人洗脫了罪名，心裏卻對陪審制度給新加坡的實際價
值留下很大的疑問。一組七人的陪審團，以多數票做出判決，罪
犯很容易獲得無罪釋放。印度也嘗試過推行陪審制度，結果不成
功而廢除。1959 年，我出任總理之後不久，即廢除謀殺案以外
一切刑事案的陪審制度。保留謀殺案的陪審制度是為了配合馬來
亞當年的司法制度。到 1969 年新馬分家以後，我請律政部長埃
迪‧巴克在國會提出動議，把謀殺案審訊的陪審制度也廢除了。
當年在新加坡名聲最響亮的刑事訴訟律師馬紹爾，在國會特選委
員會聽證會上宣稱，由他進行辯護的每 100 起謀殺案當中，最
終宣判無罪的多達 99 起。我問他是否相信那 99 個無罪釋放的
當事人被錯誤提控，他回答説自己的職責是替他們抗辯，不是去
裁判他們。

　　《海峽時報》一名法庭記者觀察過多次陪審制度的審訊，他
也向同一個特選委員會供證説，迷信的觀點，加上一般人都不願
意對重罰判決，尤其是死刑負責，結果造成亞洲陪審員很不願意
給罪犯定罪，反而選擇讓罪犯無罪釋放或只判以比較輕微的罪
名。這名記者説，只要陪審團裏有懷孕的婦女，他猜得出謀殺罪
名絕對定不了——否則孩子出世會受到詛咒。法案通過，陪審制
度廢除了，陪審員的情緒捉摸不定導致案子誤判的事件從此減少
了。

　　親眼看過了日治時期人們在艱苦嚴酷的環境裏的所作所為，
我無法接受說罪犯是社會體制下的受害者的這種論調。那時候的
刑罰嚴厲之至，即使是在 1944 至 1945 年那種吃不飽的年代
裏，白天不上鎖，夜間不閉戶，也沒有竊案發生。那種阻嚇作用
非常有效。英國人過去在新加坡也以九尾鞭或藤條為刑具。戰
後，他們廢除鞭刑，（以藤條執行的）笞刑則保留下來。我們發
現處以笞刑比處以長期徒刑，更能發揮威懾的作用，於是規定凡
與毒品有關，或走私軍火、強姦、非法入境或破壞公物等罪行，
一律處以鞭笞。

　　1993 年，一個 15 歲的美國學生邁克菲和他的一班朋友，肆
無忌憚地破壞公路交通指示牌，在 20 多輛轎車上噴漆塗鴉。被
提控後，他在庭上認罪，辯護律師代他請求法官從輕發落。法官
宣判鞭打六下、監禁四個月。這起案子在美國掀起軒然大波，美
國媒體對自家男孩將在新加坡被殘酷的亞洲人剝下褲子鞭打勃然
大怒，鬧得滿城風雨，還勞動了美國總統柯林頓親自出面，懇請
王鼎昌總統赦免這個少年。新加坡陷入進退兩難的境地。如果只
因為犯錯的是美國少年，這一鞭就打不下去，那麼對違法的國
人，我們又怎能施以鞭刑呢？

　　在內閣討論之後，吳總理最終勸請總統把鞭刑減至四下。

　　美國媒體還不甘心。但是並非所有美國人都不贊同新加坡嚴
懲破壞公物的人。邁克菲事件成為新聞焦點期間，小女瑋玲在新
罕布希爾州超速駕駛，碰上警察，對方向她大閃藍色警燈，她沒
停車，結果被捕。就在警員把她送往警局扣留的途中，她在問話
時回答說自己來自新加坡，還認定對方必會為了邁克菲事件而對
新加坡不滿。對方卻說，這個男孩活該挨鞭，然後就把她載回去
領車子，還祝她一路順風。

　　邁克菲挨了四鞭後返回美國。據美國報章幾個月後報導，這

個少年一晚醉酒夜歸，把父親推倒在地，兩人扭打成一團。一個月後，朋友在他嗅吸丁烷時點燃火柴，結果他被嚴重燒傷。他承認自己早在新加坡的時候，就已經是個丁烷嗅吸者。

這種種措施使新加坡治安良好。新加坡被世界經濟論壇的《1997年全球競爭力報告書》列為全球最具競爭力的經濟體，並被形容為「團夥犯罪不會嚴重損害公司營業」的國家。同樣在國際管理與發展研究院的《1997年世界競爭力年報》中，新加坡也被推選為最安全的國家。在這裏，「人民都信心十足，認為個人的生命和財產有所保障」。

向資訊科技逐步邁進

數碼革命正在改變我們的生活和工作方式。互聯網的出現以及由它衍生出來許許多多的產品，使所有要成為主流中的一分子的人，非得通曉電腦和互聯網不可。

我是早期對電腦用途充滿熱忱的人之一，當時電腦已逐漸成為提高生産力的重要因素。1973年，長子顯龍在劍橋大學完成數學榮譽學位二級課程，我建議他在第三年改修電腦科學的研究生課程。我的看法是，這門課程在計算和儲存數據方面非常管用。我也要求公共服務委員會為成績出眾的學生，提供修讀電腦研究生課程的機會。張志賢是受益者之一，他在1997年以教育部長的身分推展了一個大規模的計畫，讓教師用電腦作為教學工具，每兩個學生合用一台電腦。

我在1984年決定讓政府部門通過「財路」轉帳系統支付所有雇員的工資。許多文員和工人寧可領取現款，說是不希望讓他們的妻子知道他們賺多少錢。面對這些反對的理由，我給這些雇員在郵政儲蓄銀行開設了儲蓄户頭，讓他們利用自動提款機提取現款。因此，每月兩次的發薪日到來時，不必再勞動警員護送要

發給雇員的現款。私人企業界隨後效法，
我們於是進一步鼓勵人們通過「財路」支
付稅款和執照費。

黃宗仁

　　雖然我率先推動早期的電腦化運作和
電子轉帳付款制度，我自己卻沒有使用電
腦的習慣，儘管電腦已經普遍使用開來。
九〇年代中期，年紀較輕的部長以電子郵
件互相通信，我卻把電郵打印出來，然後
用傳真方式回應。

　　感覺被「冷落」後，我在 72 歲時決定學用電腦。這對年老
一代可不是件容易的事。我花了好多個月的時間才能獨立使用
「微軟文書」軟件和電郵，不必經常麻煩秘書。即使過了好些時
候，我還是會因為按錯了圖標而弄丟了整個文件，又或者被電腦
指責「進行非法操作」，面對電腦關機的威脅。在辦公室裏有秘
書幫我，在家裏出了問題，我就撥電話向顯龍訴苦，然後由他一
步步在電話上指引我找回花了好長時間準備，卻被弄丟了的心血
之作。再不成功，就得等到星期日才能找顯龍來幫我搜尋電腦硬
盤裏的資料，找尋失蹤的文稿，或幫忙解開其他謎底。一年多
後，我才算步上軌道，獲益的地方包括在撰寫這部著作的過程
中，能在個人電腦上輕易修改或重組句子和段落。現在出遠門，
沒有膝上型電腦來閱讀電郵，對我來說已是萬萬不能的了。

大法官和總統

　　為憲制要職如大法官和總統挑出合適的人選，是至關重要的
事，選擇錯誤有可能會使國家蒙羞多年，帶來沒完沒了的問題。
要斷定誰的本事最大，比預測誰的人格能不負所託來得容易。我
跟大法官和總統都是多年深交，早在兩人接受任命之前，我們就

楊邦孝

已經相識。結果，一個成了無懈可擊的成功例子，另一個則是不幸的意外——一個原可避免的差錯。

　　大法官是司法規範的確立者。1963年 8 月新加坡加入馬來西亞前夕，最後一位英籍大法官艾倫·羅斯爵士榮休，好讓我推選第一位新加坡籍的大法官。為此我四處物色，要找一個社會觀不至於跟我牴觸的人。最重要的是大法官處理事情所依據的沒有說明的大前提，以及他對一個好政府的目標的了解。

　　我和艾倫爵士有過一次難忘的交談。六〇年代初，幾個參與暴亂的共產黨人即將在新加坡法庭受審之際，我擔心審案的英籍法官可能對當時的政治情緒欠缺敏感，於是要求同大法官會面，並向他解釋，要是真的出現這種情形，政府恐怕會被指控為英國政府的走狗。大法官揶揄地看著我說：「總理，我在錫蘭當大法官的時候，必須代錫蘭總督管理政府，當時局勢動盪不安，他又不在。你大可不必擔心會陷入尷尬的境地。」他完全了解具備政治敏感的必要性。

　　經過相當謹慎的考慮，我推舉黃宗仁出任大法官。他當時是英國總督所委任的高等法院法官，出身中產階級，跟我一樣畢業自劍橋。他信仰天主教，反共，重法治。艾倫爵士推薦他，說他夠堅定，有辦法維持法庭的紀律，能使全體司法人員服從他所制定的規範。

　　一直到 1990 年，黃宗仁才以 72 歲的高齡卸下大法官的職務。我延長他的任期，讓他在 65 歲的退休年齡之後繼續擔任大法官，因為合適的接班人還沒有著落。黃宗仁對法律瞭如指掌，在法庭裏威嚴十足地審理新案和上訴案件。他屬於英國殖民地時

代的典型大法官，把大部分精力放在審判工作和最高法院的運作
上，對初級法庭或整個司法制度的運作不太在意。由於訴訟案激
增，高庭、初庭都堆滿案子。高庭的司法輪子緩慢轉動，工作越
積越多，案件往往要花上四到六年的時間才受理。大部分案件由
初庭處理，運轉幾乎一樣緩慢。

　　早在 1988 年，我就決定在 1990 年底卸下總理的職務。我
知道接班的吳作棟跟法律界沒有什麼關係，要他決定合適的大法
官人選恐怕會有困難。於是我在卸任前著手物色一個合適的人選
來挑大梁。我分別跟每一位法官會面，要求他們按功績依次列出
他們心目中的三個人選，但不包括自己。然後我又跟每位法官一
起逐個評點法律界的人物。我們也考慮來自馬來西亞的傑出律
師。四位法官——AP 拉惹、古瑪拉三美、鄧立平和陳錫強推薦
楊邦孝為首選，給與他最高的評價。

　　楊邦孝當時在新加坡規模最大的銀行華僑銀行擔任主席。
1969 年的吉隆坡種族暴亂過後，他放棄律師樓資深合夥人的地
位，離開業務蒸蒸日上的律師樓，跟家人一起遷居新加坡，在這
裏一家新開業的商業銀行擔任主席。

　　我們在劍橋法學院同窗三年，他的功課怎麼樣，我很清楚。
1946 年第一個學期的課程我沒上，於是向他借了聽講的筆記。
那些筆記完整而井井有條，為我提供了清楚的課程概要。六個月
後，1947 年 6 月，我在第一年的法律考試中名列前茅，邦孝也
一樣。我們倆回國後仍保持聯絡。六〇年代末，他受新馬兩地政
府委任為新馬合資聯營的馬新航空公司的主席。華僑銀行在
1981 年讓他借調到負責管理和投資新加坡儲備金的政府投資公
司，在那裏當董事經理。我在那個時候跟他恢復過去的密切來
往。講解某項投資的不同選擇方案時，雖然他會表明個人的偏
好，但是對每個方案的介紹卻都同樣透徹周詳，一絲不苟，謹嚴

公正。這是擔任司法人員的重要品質。

　　我在 1976 年向他獻議，請他出任最高法院法官。他當時是華僑銀行的副主席，婉拒了這個獻議。1989 年，趁著同他共進午餐時，我請他考慮出任大法官。我向他遊說，指出他已經登上新加坡最大銀行的最高職位，在那裏付出心血只能讓數千名雇員和更多股東受益。出任大法官的話，他卻能使執法工作追上時代，造福整個社會和新加坡的經濟。如果他答應的話，就必須先在最高法院擔任法官一年，重新融入法律界，然後才能出任大法官。他要我給他時間考慮。要是答應了，他的生活方式就會發生變化，還要蒙受金錢上的損失。他在銀行支取 200 多萬元的年薪，當法官的年薪卻少於 30 萬元，等於銀行薪水的七分之一。考慮了一個月之後，他接受我的獻議——是責任心驅使他這麼做。新加坡給了他第二個家。

　　1989 年 7 月 1 日，我委任他為最高法院法官。1990 年 9 月，黃宗仁大法官退休後，我正式任命楊邦孝為大法官。他在日治時期和馬來西亞種族暴亂期間吃過苦頭，對通過司法維持社會秩序有強烈的看法。他對多元種族社會的看法，對於應該怎樣去培養和治理這種社會，對處於這個區域的這樣一個社會應該以什麼態度對待法治的問題，跟我的見解沒什麼不同。

　　他明白要挑起新的工作重擔，從最初級的法庭到最高法院，那些過時的辦事方法必須廢除，重新制定新程序，才能迅速處理一切案件。我建議他親自到初庭走一趟，並同推事、地方法官一起坐下來，聽他們匯報工作情況，以便掌握這方面的第一手資料，同時評估他們的能力，抓緊制度的運作，並招攬更多人才。司法界必須重建工作紀律。有些律師向我投訴說，一些推事和地方法官把車子停放在限制區外圍地帶，以避免支付在繁忙時間收取的小額收費。等限制時段一過，他們就休庭把車子開入市中

心。司法制度的紀律不嚴，由此可見一斑。

　　事實證明楊邦孝是個出色的大法官。他為全體法官提供領導，為法律界開創了高尚的新風氣。不消幾年，他改革了法庭和司法程序，使制度趕上時代，擱置待理的工作和案件因此減少，候審案件也更快得到處理。他修改條規和慣例，防止律師利用這類條例拖延案件的審理工作或使得審訊展期。為了應付日益增加的訴訟案，他建議委任更多的最高法院法官，同時根據工作量聘用更多的司法委員（執行法官職務的資深律師）。他遴選人手的方式公正而有系統：先同被視為法律界佼佼者的人會面，從中初選 20 個，然後請教當時在司法界服務的每一位法官和司法委員，參考他們對這 20 個人的看法——整體上的正直感、處理法律事務的能力和「司法方面的脾性」等等，接著才向總理推薦。

　　至於上訴庭法官的人選，他要求每一位法官和司法委員，從同行當中推薦兩個他認為最適合的人，但是不包括自己。楊邦孝最終推薦的兩個人選是他們同輩所一致認同的。所有法官和資深律師都清楚他遴選人手的方式，這種方式促使全體法官和司法委員的地位和聲譽得以提高。

　　他把資訊科技引入法庭，以便工作加速完成。律師現在大可以利用電腦把訴訟文件提交法庭並尋找資料。到 1999 年，新加坡的法庭聞名遐邇，發展中國家和發達國家的法官和律師，都慕名前來考察楊邦孝的改組成果。世界銀行向其他國家推薦這裏的初庭和高庭制度，作為它們學習的典範。

　　世界評級機構也給新加坡的司法制度打了高分。在九〇年代，瑞士國際管理與發展研究院出版的《世界競爭力年報》，年年在「社會人士對司法公正的信心」這一欄，把新加坡列為亞洲國家之首。1997 至 98 年，新加坡名列同一欄目的全球十大排名榜，領先美國、英國、日本和大部分經濟合作與發展組織成員

國。1995 年，香港政治與經濟風險諮詢機構開始評價亞洲國家的司法制度，就這方面它一直把新加坡排在亞洲榜首。

在挑選總統的人選方面我就沒有那麼幸運。我從 1954 年起就和蒂凡那共事，並於 1981 年在國會提議推選蒂凡那出任總統。1985 年 3 月 15 日下午，有人告訴我蒂凡那出訪東馬砂勞越州的古晉時行為怪誕，令我十分驚愕。砂勞越的州政府醫生在 3 月 14 日撥電通知蒂凡那的私人醫生 JA 淡比雅，要他把行止有異的總統接回國。蒂凡那對每個女人都顯得情不自禁，包括在車裏陪同他的一位副部長的夫人、宴會上的女士和照顧他的護士等。他對她們不規矩，向她們提出猥褻下流的要求，撫摸和非禮她們。淡比雅醫生通知了新加坡醫藥總監之後，立刻飛往古晉，結果在那裏發現蒂凡那已經崩潰了，不能自己。他在 3 月 15 日陪同總統一起回國。

當天晚上九點左右，我在總統府的寓所會見蒂凡那夫人。我帶著内人芝一起去，因為她和蒂凡那夫人相熟，由她幫我向蒂凡那夫人披露這個不愉快的消息。第二天我通知内閣，文件說：

「蒂凡那夫人聽說蒂凡那在古晉行為不檢而且精神崩潰後，態度鎮定，勉強壓抑住心中的厭惡和憤怒。她告訴我和内人，蒂凡那已經變了，說他時不時狂飲，而且過去幾個月來，每天晚上都灌下一瓶威士忌。她每晚提早把傭人打發回去，就是為了不讓傭人知道他喝得爛醉如泥，並經常在這種情況下毆打她。她早料到這樣的事情會在砂勞越發生，所以拒絕同行。

「在出訪砂勞越之前的幾個星期，蒂凡那常常一個人駕車離開總統府。他戴上假髮喬裝改扮，在沒有保安人員或司機的陪同下，獨自前往會見一個德國女郎。有一天早晨，蒂凡那夫人在他徹夜未歸之後，到樟宜別墅去查看，結果發現了空酒瓶、沾上唇膏痕跡的酒杯和一些香煙。蒂凡那也曾帶那個德國女郎到總統府

的寓所共進晚餐。當蒂凡那夫人進行規勸時，兩人大吵起來，他還出手打她。他狂飲起來就控制不了自己，無法抑制自己的脾氣。」

新加坡七位最傑出的專科醫生給蒂凡那進行檢查和治療，最資深的一位是心理醫生R納古連德蘭，他在3月23日的一份報告中寫道：「他（蒂凡那）酒精中毒，特點是：喝酒多年，間歇性地不斷狂飲，對酒產生心理上的依賴，時不時喪失記憶力，間歇性地產生幻覺，性無能，性格改變，以及婚姻和諧受到破壞。」

憲法規定總統不能被控以任何罪名。萬一總統在受酒精影響下駕車撞死人，肯定要引起公憤。內閣幾次開會討論事態的發展，最終決定非要他在出院和恢復活動前辭職不可，否則國會將不得不廢黜他。元老級部長，尤其是拉惹勒南、巴克和我，為必須把高居如此顯赫地位的老同僚罷免而苦惱。對蒂凡那家人的處境，我們感同身受，但最後還是覺得別無選擇。讓他繼續留任只會帶來更多害處。

待蒂凡那情況穩定下來，能夠明白自己所作所為的後果時，我和拉惹勒南在3月27日到新加坡中央醫院去看他。他猶豫了一陣子，然後答應自動辭職。

第二天，也就是28日，蒂凡那寫信告訴我：「大約一年前，我已經知道自己是一個積重難返的酗酒者。從那個時候起我才開始隱瞞真情。偶爾想向你吐露真情，但總是臨陣退縮。最後一次幾乎就要向你告白，是大約兩個星期前在我的辦公室同你見面時，當時我尚未啟程到古晉。我錯過最後一次吐露真相的機會，結果毀了自己。」

兩個星期後，蒂凡那在另一封寫於4月11日的信中說：「此外我還記得其他一些事情，包括啟程到古晉之前兩個星期在新加坡發生的一些怪誕行為。不過令我感到可怕的是，我無論如

15　拿起指揮棒

何都記不起大部分關於我在古晉如何行為不檢的報導的內容。然而它們必定是真實的，因為有幾個目擊者出面證明我做過那些事、說過那些話。令我更加感覺混淆的是，至少有兩個場合我記得很清楚，而報導所言跟我的記憶有出入。我不是一個愛說謊的人，可當時又有目擊者。或許其中一些目擊者在撒謊，我是傾向於這種看法的，但是不可能每個人都撒謊。以前人們總愛說某某人中邪，難道我是鬼上身了？又或者是『化身博士』在作怪？

「也許是腦袋受創了。幾乎可以肯定地說，我的腦功能一定是損壞了，損壞到什麼程度尚待分曉。損壞的部分有多少能夠治癒或恢復，同樣要日後才能知道。」

我有兩個角色得扮演：第一、身為總理，我有責任保護總統職位的尊嚴和新加坡的聲譽；第二、作為他的私交，我希望能挽救他。他在醫院住了幾天，過後我們把他送到樟宜別墅，協助他戒酒。他堅持要到印度「靜修」打坐，以印度教的方式治好自己。我不認為那種方法會使他復原，於是敦促他接受治療。經過拉惹、巴克和另外幾個老朋友，包括當年在職總便和他交情甚篤的ＳＲ納丹（後來出任新加坡總統）一番苦口婆心的勸告之後，他總算答應到美國的卡倫基金會接受治療，一個月後似乎痊癒了。

蒂凡那堅持要我們發給他養老金。根據憲法，總統無權享受任何養老金。內閣決定基於人情撥出一筆養老金給他，條件是他必須不時接受政府醫藥小組的復診。巴克同蒂凡那談妥條件，並在國會提出有關決議。待國會通過之後，蒂凡那又回絕，並否認曾答應接受有關條件。政府始終沒有收回條件，蒂凡那因此老羞成怒。

一年半以後，他在《遠東經濟評論》1987年1月29日刊發表的一封信件中，說自己從來都不是個酗酒者。衛生部常任秘

書把一封寫於 1987 年 2 月 14 日的信寄給蒂凡那和《評論》，上面有七名在 1985 年 3、4 月負責處理蒂凡那病情個案的醫生的簽名，他們證實對蒂凡那的診斷結果是酒精中毒。從未有醫生對這個診斷結果提出相左的意見。

　　1988 年 5 月，蒂凡那插手前副總檢察長蕭添壽被調查一案。後者承認獲得美國國務院官員保證在他需要的時候給與庇護。蒂凡那抨擊我說，這跟我在馬來西亞對抗馬來極端分子時，爭取國際支持的做法無異，言下之意是，當年如果遇上麻煩，我也會逃離馬來西亞。蒂凡那拒絕撤銷他的指控，我於是提出訴訟，並向國會提呈報告，包括蒂凡那酒精中毒的有關文件。

　　這些文件發表後，蒂凡那離開新加坡，至今不曾回來。過了 11 年（1999 年），他在加拿大接受訪問時說，醫生對他診斷錯誤，並指責我吩咐醫生給他服用迷幻藥，使他看起來像個酗酒者。誠如納古連德蘭醫生所警告的，他會出現「性格改變」的現象。

　　在委任蒂凡那擔任總統方面，我錯在沒有調查清楚就想當然地以為他一切妥當。待他崩潰了，我向在職總跟他關係最親密的友人之一何思明詢問。也是議員的何思明證實蒂凡那在國會委任他出任總統以前就有狂飲的現象。我問他為什麼從來沒有提醒我，他回答說蒂凡那從來沒有因此昏迷過。要不是因為何思明愚忠而沒有提醒我注意存在這樣的風險，我們大家就不必經受那麼多的痛苦和難堪。

　　不過總的來說，蒂凡那在現代化的新加坡的建國歷程中功不可沒。六〇年代共產黨人抨擊行動黨，他挺身為我們辯護；也是他倡導現代化的勞工運動，使職總成為舉足輕重的新加坡經濟建設的夥伴。

16

新馬關係風雲變幻

把新馬問題形容為「歷史包
袱」，其實是忽略了問題的本
質。如果只是「歷史包袱」，
那兩國獨立了 30 多年，彼此
的關係早該穩定下來了。然而
新馬關係的老問題卻一再反覆
出現，追根究底是雙方對解決
多元種族社會的問題，有著截
然不同的作風。

19 66 年 3 月 20 日，新馬分家八個月後，馬來西亞首相東姑阿
都拉曼來到新加坡訪問。我到靠近植物園的聯邦大廈同他
見面，在那三個小時裏，我們交談，吃了頓中式晚餐，看電視，
然後繼續交談。在場的人還有他的夫人和馬來西亞最高專員扎馬
阿都拉迪夫。這是東姑談公事的一貫作風。除了他最掛心的事，
他也談了好多其他的事情。

　　東姑打算在最高元首登基後休假，因此他建議新加坡的部長
和他的部長在 4 月間一起到金馬侖高原去打高爾夫球。到時雙
方就可加深彼此的了解，所有的難題也自然能隨之解決。他希望
我們能回復到過去那種輕鬆自如的關係，以緩和非馬來族和馬來
族之間的緊張氣氛。我告訴他 4 月不太方便，我得到倫敦和斯
德哥爾摩走一趟。6 月也許較理想。用晚餐時，他婉轉地發出威
脅，輕描淡寫地在話語中提醒我，新加坡的命運操縱在馬來西亞
手裏，新加坡必須跟馬來西亞密切合作。他質問我為什麼阻止失
業的馬來西亞人在新加坡找工作。我解釋説，我們不可能大開門
户，毫無節制地讓外國人擁到新加坡來討生活。然而吉隆坡也面
對同樣的情況，他不明白為什麼這會對新加坡的經濟造成那麼大
的壓力。他已經指示聯邦工業發展局，在吉隆坡、怡保、檳城和
新山發展新興工業。新加坡既是個大城市，這麼做是再自然不過
的事了。我只能耐心地跟他解釋，讓他知道新加坡沒有責任照顧
失業的馬來西亞人，我們也有自己的失業人民等著我們幫忙找工
作。

　　他向我抱怨杜進才和拉惹勒南，指他們發表批評馬來西亞的
演講。我告訴他，我那些來自馬來亞的部長們，對自己出生和成
長的地方仍然懷有感情，他們難免會表現出馬來亞人似的反應。
他們需要時間來接受自己如今已是新加坡人，是屬於另一個分隔
獨立國家的人民。東姑毫不掩飾自己的憤怒和不耐煩，他老實不

客氣地說：「他們最好快點認清這一點，這是我不能夠容忍的。這些人別有居心。拉惹勒南效忠的對象還可能是印度呢。」東姑錯了，雖然拉惹勒南出生於錫蘭（如今的斯里蘭卡）的賈夫納，但他卻是全心全意地效忠馬來西亞。

離開之前，我在大門停下腳步說，我們必須建立一種新的工作關係，為謀求雙方的利益而合作。這是極其婉轉地暗示他，新馬再也不可能回到過去那種快樂的日子了，在那個時候，新加坡為了尋求合併總是低聲下氣。

跟東姑在分家後的第一次接觸，教我百感交集。他依然認為我應該聽命於他。不過，令我放心的是，看來他仍大權在握。我知道他希望能平靜地過日子，不喜歡看到關係長期緊張或危機長期存在。

馬來西亞領袖照舊以六〇年代初期我們尋求同馬來西亞合併時的那種態度對待我們。他們覺得我們礙手礙腳，因而把我們擠出他們的國會和政壇。現在雖然新加坡已經獨立了，並享有了自主權，東姑卻依然深信，他在新加坡的一營兵力，加之能隨時切斷我們的水供，關閉長堤，停止所有貿易和交通，便足以迫使我們就範。如果他能純粹以過去那種貴族魅力要我們服從，那恐怕會更理想。

1966 年，我從 4 月起離開新加坡兩個月。在這期間，東姑、拉薩、加查利群起攻擊當時的副總理杜進才和我，因為我們看似準備在馬來西亞之前同印尼重建邦交。東姑恫言要採取報復行動。當時擔任代總理的杜進才已對印尼決定承認新加坡表示歡迎。馬來西亞政府卻對此十分不高興，還發出聲明：「新加坡決定歡迎印尼承認它，清楚顯示新加坡將會跟印尼有某種聯繫或交往，因此將會有印尼人到新加坡去。顯然地，這麼一來，我們的安全將受到威脅，因為印尼一再重申要加緊同馬來西亞對抗。因

1962 年 8 月從英國回來後，我和拉惹勒南（右）在吉隆坡同東姑（左）
會面。

此，馬來西亞不得不繼續採取一切必要措施，保障它的利益和安
全。」

　　緊接著在 4 月 18 日，馬來西亞內政部長伊斯邁醫生宣布限
制持新加坡身分證的人通過長堤入境，新措施立即生效。

　　從英國和東歐訪問回來，我同東姑見面。他埋怨我到這些共
產國家訪問，認為一旦這些國家在新加坡開設大使館，就會對馬
來西亞構成威脅。他質問我怎麼可以表示要跟中國和印尼成為好
朋友。我的答覆是，儘管我的處事方式跟他不大一樣，卻也從不
打算讓共產黨人給吃掉。我憶述曾經有一艘中國輪船要在新加坡
碼頭靠岸時，我們怎麼因為船長拒絕簽字保證不分發文化大革命
的宣傳資料而堅決不讓船員上岸。北京電台就此抨擊我們的移民
廳。我解釋說，除了羅馬尼亞，東歐國家走的是跟中國作對的蘇
聯路線。當時英國軍隊仍在新加坡駐紮，這是不結盟國家所無法

容忍的，所以東歐國家對新加坡採取中立或支持的態度，可防止
我們被孤立。

　　巫統領袖也繼續利用在兩國發行的爪威文報紙《馬來前鋒
報》煽動馬來人的情緒，反對新加坡的「華人」政府。《馬來前
鋒報》報導，新加坡的一名巫統領袖、聯邦上議院的兩名新加坡
前議員之一阿末‧哈芝‧塔夫，要求我們成立的憲法委員會把馬
來人的特權列入新加坡的憲法。這些在馬來西亞憲法裏的特權從
來不適用於新加坡。

　　我們的新聞處把《馬來前鋒報》具煽動性和種族主義的言論
翻譯成英文、華文和淡米爾文，通過電台、電視和報章廣泛報
導。新加坡和馬來西亞的非馬來人對巫統領袖的印象因而大打折
扣。伊斯邁和加查利提出投訴。伊斯邁說，這是在陰謀破壞馬來
西亞，除非把政治分開，否則兩國之間不可能建立經濟合作關
係。作為一個獨立自主的國家，我們不應該干涉他們的內部事
務。加查利更進一步說，馬來西亞跟新加坡的關係特殊。對於新
加坡跟蘇聯以及其他共產國家簽訂貿易協議卻沒通知他們，他感
到失望。（馬來西亞沒有跟任何共產國家簽署這類協議。）他認
為，這些事項都應在經濟合作和防務協議的範圍內，而根據這一
協議，任何一方都不應締結任何危及對方防務的條約或協定。我
指出，禮尚往來，他不能指望我們這麼做而自己卻不這麼做。

　　加查利也要我們等到他們跟印尼重修舊好後，才跟印尼恢復
物物交換的貿易。他以國家安全為由，堅持要我們只讓超過 200
公噸的大船進入我們的主要港口，所有較小的船隻，尤其是帆船
都一概不許入港。可是，我們的政治部，現在改名為內部安全
局，卻通報說，馬來西亞本身公開在馬來半島西岸進行物物交換
貿易，來自蘇門答臘的小帆船可以駛入柔佛和馬六甲的港口。於
是，吳慶瑞要求召開聯合防務理事會會議討論這件事。這個理事

會是在新加坡獨立後設立的。他們定了一個開會日期，但後來吳
慶瑞驚覺會議已經取消，因為馬來西亞聲稱我們已接受他們的建
議。我們決定按照計畫行事，指定新加坡一個最南端的島嶼——
安樂島，作為我們跟印尼商人進行物物交換貿易的中心。這些印
尼商人從遠至蘇拉威西島（西里伯斯島）乘著帆船到這個島嶼來
做生意。拉薩強烈反對。他們單方面做出決定並提出過分要求的
行為，迫使我們退出聯合防務理事會。

　　不計其數的一隊隊小船，有些船尾裝著馬達，其他的都是帆
船，運來天然橡膠、椰乾、木炭及其他貨品。在離開時，它們都
滿載了半導體收音機、襯衫、長褲、拖鞋、鞋子、短上衣和帽
子。有些還買了一箱箱的麵包回去。對抗正式於 1966 年 6 月結
束後，我們在 8 月取消所有關於物物交換貿易的限制。印尼的
小船再次在新加坡歷史最久的港口之一——直落亞逸盆地出現。

兩國各自發行貨幣

　　新馬分家後，我們面對持續不斷的壓力。我們跟馬來西亞的
關係可以說沒有一刻是平淡的。儘管已做出最大的努力，雙方始
終無法就保留共同貨幣達成協議。1966 年 8 月，新加坡和馬來
西亞政府宣布，從 1967 年 6 月起，兩國將發行自己的貨幣。汶
萊也會這麼做。汶萊原本也因為英國統治遺留下來的做法而同新
馬使用共同貨幣。由於不能確定分開發行貨幣將會產生什麼影
響，代表英國公司的新加坡國際商會、馬來西亞銀行協會理事會
以及新加坡中華總商會，都向兩國政府請願，希望兩個政府能再
次協商討論是否能繼續使用相同的貨幣。

　　馬來西亞財政部長陳修信表示，分開發行貨幣不代表世界末
日的到來。他辯稱，為照顧新加坡而做出的讓步，已嚴重損害馬
來西亞國家銀行的主權，最終也將損害了馬來西亞政府的主權。

16　新馬關係風雲變幻

他說，新加坡擔心馬來西亞可能不會兌現承諾，即把中央銀行的帳本上所顯示的所有新加坡資產和負債轉移給新加坡，但這純粹是兩國分開發行貨幣的一個技術性因素，並不是根本的原因。他的意思是，我們對他們的廉正缺乏信任。事實的確是如此。我們不能單靠一份信任來保護新加坡的儲備金。

我們決定不要推行中央銀行制，而是繼續保留貨幣局，發行的每 1 元都有百分之百的外匯儲備金做後盾。財政部長林金山表示對新加坡貨幣的實力和穩定有十足的信心，而要做到這一點，就少不了最嚴謹的經濟和社會紀律。後來，林金山在國會中解釋：「對一位喜歡在財政預算出現赤字時玩弄（數字）的財長來說，有個中央銀行就等於是開了道方便之門。我想，我們沒理由讓新加坡的財政部長面對這樣的誘惑。」陳修信回應說：「如果中央銀行制度真的那麼差勁，那很顯然地，西方世界的每一個工業國和每一個發展中國家都犯了相同的錯誤……世界上每個獨立的國家都設有或正在設立中央銀行。」過後，陳修信在國會又說，和過去不同，現在一個國家的中央銀行是財長在制定貨幣和財政政策時的有力武器，讓貨幣分開發行才是最理想的做法。

兩位財長都宣布，把貨幣定在 1 元對 2 先令 4 便士，或是0.290299 克黃金。他們也達成協議，兩種貨幣可「交互使用」：視彼此的貨幣為習慣貨幣，同時將貨幣匯回，以便轉換成相同數目的可兌換貨幣。從 1967 年起，兩國貨幣就能交替使用，這種貨幣互換的情況直到 1973 年 5 月應馬來西亞的要求才停止。1975 年 1 月，馬幣零吉稍微跌至 0.9998 新元。到了 1980 年，零吉對新元銳減了 5 分，到 1997 年，1 零吉的價值還不到 0.50新元。馬來西亞歷任財政部長和中央銀行行長所推行的各種財政和貨幣政策，比新加坡鬆散。新加坡的每一個財政部長都堅持一大基本原則：除了經濟衰退時期，支出都不超過收入。

　　自新加坡在 1965 年脫離馬來西亞後，由巫統控制的聯邦政府通過改變教育政策，竭力促使馬來文成為唯一的國家和官方語文。非馬來人對這些政策改變的不滿越來越高漲。巫統領袖充滿種族意味的叫囂更無助於平息群眾的憤怒情緒。1968 年，馬來西亞政府發表的一份白皮書說，共產黨人在華文獨立中學裏搞顛覆活動，更是鬧得人心惶惶，擔心獨中遲早面對關閉的命運。

　　在 1969 年 4、5 月馬來西亞大選競選期間，聯盟領袖對新加坡領袖做出無稽的指責，妄說新加坡領袖干預他們的政治。也是馬來西亞財政部長的馬華公會會長陳修信說，他有「確鑿的證據」可以證明，前身是馬來西亞人民行動黨的民主行動黨（民行黨），若不是拿新加坡政府的錢，就是拿人民行動黨的錢。我們的外交部長拉惹勒南向馬來西亞最高專員表達了新加坡對此事的關注，最高專員也同意這些言論產生了反效果。然而兩天後，他回來報告說，東姑支持陳修信發表的談話，聲稱他們掌握的證據顯示所做出的指責屬實。東姑自己過後還在一個競選群眾大會上說，新加坡的人民行動黨領袖企圖爭奪馬來西亞政府的政權，「由於深知不可能贏得華人的選票，所以行動黨別無選擇，唯有分裂馬來人。因此，他們利用泛馬回教黨作為他們的代理人」。他表示提供資金給回教黨的那個人已被禁止再進入馬來西亞，卻拒絕透露此人的身分。

　　他們做出這些毫無根據的指責時，我人在倫敦，當下寫了一封信給我們的國防部長林金山：「對於東姑和陳修信的荒唐指責，說我們介入了他們的選舉，我有點給搞胡塗了。我也在想，這些言論什麼時候會引發種族衝突和游擊戰爭。我們最好儘快建立軍隊。我敢肯定，麻煩會蔓延到新加坡來。一旦數以千計的人準備就緒在吉隆坡公開示威抗議，加入送葬行列當街遊行，那未來就真的不堪設想了。」幾天前，一名華族青年跟一組人在塗寫

16　新馬關係風雲變幻

反政府選舉標語時，被警察開槍打死。我指的就是這個青年的葬禮。

　　5 月 10 日是馬來西亞選舉投票日，巫統輸掉原有 59 個議席中的 8 個席位。民行黨贏得包括吉隆坡在內的 14 個城市選區議席，在其中 13 個選區擊敗巫統盟黨馬華公會。民行黨和民政黨（另一個非種族主義政黨）在吉隆坡舉行勝利遊行──這兩個政黨贏得了雪蘭莪州議會的半數席位。巫統馬來極端分子馬上做出回應，雪蘭莪州務大臣哈侖組織了一個規模更大的遊行。緊接著，5 月 13 日，種族暴亂發生了。吉隆坡的傷亡情況跟 1964 年新加坡的種族暴亂情況如出一轍（新加坡在 1964 年時還受吉隆坡管制）。吉隆坡和新加坡在當時都是以華人為主的城市，馬來人只占少數。但是，讓只占少數的馬來人殺死的華人，遠比在報復行動中被殺死的馬來人來得多。吉隆坡的官方數字顯示，被殺的有 143 個華人、25 個馬來人、13 個印度人和 15 個他族人，另有 439 人受了傷。如果警察和軍方公正不阿，結果不可能是這樣的。一名親眼目睹暴亂的外國通訊員估計有 800 人被殺。

東姑大權旁落

　　第二天，馬來西亞最高元首宣布緊急狀態，中止國會。政府成立了一個以拉薩為主席的國家行動理事會，根據政令來管理以恢復治安。東姑已大權旁落。理事會成立，標誌著東姑時代的結束。這些暴亂改變了馬來西亞社會的本質。從那個時候起，馬來西亞成了一個公開由馬來族支配的社會。

　　吉隆坡的暴亂在新加坡的華人和馬來人社群中引起廣泛的不安，兩個族群都擔心鄰國的種族紛爭終會無可避免地蔓延到新加坡。逃到新加坡的馬來西亞華人追述他們的親戚是怎麼地在馬來西亞遭受殘暴的對待。有關馬來西亞馬來人的凶殘行為、以及當

地武裝部隊在處理問題時明顯偏袒的消息傳開來後，人們驚憤交
加。我當時身在美國，要向耶魯大學學生演講，在那裏看到有關
暴亂的報導。吉隆坡暴亂發生的那幾天裏，新加坡也發生了華人
攻擊馬來人的事件。警方展開強有力的壓制行動，軍隊也出動
了，檢舉了幾個被捕的鬧事者，及時制止了這種向無辜馬來同胞
採取報復行動的毫無理性的行為。那些被檢舉的人都被控上法庭
並判刑。

　　暴亂發生的四個月後，我到駐新加坡的馬來西亞最高專員官
邸拜訪東姑。他看起來很沮喪，那段慘痛經歷所造成的影響流露
無遺。馬哈迪醫生（當時是巫統最高理事會成員，後來成為首
相）通過一封廣為流傳的公開信，攻擊他把國家出賣給華人。我
感覺到，他希望新加坡態度友善，希望我們能影響馬來西亞的華
人，使他們別對巫統領袖懷有敵意。我寫了張便條給我的同僚：
「我擔心的，不是我們支持東姑會使我們失去國內非馬來族群的
支持，而是這樣做的話，反倒可能會使東姑失去馬來人的支持，
迫使他必須提早退休。」

　　一個星期後，林金山在吉隆坡跟拉薩會面，他回來匯報說這
次「再也看不到以往那種老大哥的姿態。如果巧妙地提出意見，
不讓對方覺得我們是占了上風，他們是會接受的……我們儘可能
再多支持他們一陣子，這是值得的」。我們擔心的是，東姑和他
的所有溫和派成員會被真正的極端分子取代。馬來西亞的國際聲
望猛降，拉薩採取守勢。然而新加坡和馬來西亞的關係卻改善
了，這真是一大諷刺。他需要我們協助馬來西亞華人消除疑慮，
安撫情緒。我們在新馬仍屬一家時所發揮的影響力，至今依然存
在。

1989 年 12 月我到檳城探望東姑。

　　分家後，由同一組編輯人員出版一份報章，在新加坡和馬來西亞兩地發行的做法，依然持續。但在 1969 年 5 月吉隆坡發生種族暴亂之後，《馬來前鋒報》更加親馬來人，對新加坡政府採取公開敵視的態度，把我們幫助國內馬來人的各種努力貶得一文不值。為了制止《馬來前鋒報》繼續在新加坡煽動種族情緒，我們於是修改條例，規定所有報紙必須在新加坡出版、在新加坡設立編輯部，才有資格申請在本地印刷和銷售的准證。《馬來前鋒報》關閉了它在新加坡的辦事處，也停止在本地發行。不久後，所有在本國出版的報章，都不能在對方境內銷售。這個條例沿用至今。兩國政府都認識到，雙方的種族、語言和文化政策，都存在著根本的差異，在新加坡被當作正統的做法，對馬來西亞來說卻具煽動性，反之亦然。

　　到了 1970 年 8 月 31 日──馬來西亞的國慶日，東姑大勢已去，他宣布準備讓出首相的位子。我替他感到難過。他不應該以這樣的方式下台。15 年來，他先擔任首席部長，然後擔任首相，期間付出很大的心血，把馬來西亞各種族人民團結起來，並領導國家在經濟和社會上取得進展。他應更光榮地退休。1969 年的種族暴亂事件，粉碎了他竭力爭取快樂的馬來西亞的夢想。我本身對他有好感。他是位紳士，一位有自己的道義標準的舊時代紳士。他從來不會讓摯友失望。儘管他沒把我當作摯友，每當他來新加坡觀看賽馬，或是我到他養老的檳城去，我總會抽空探望他。最後一次見他，是 1989 年在檳城，他去世的前一年。當時，他看起來已經很虛弱，可是在我離開的時候，他還親自送到前門廊，送別時吃力地撐起身子，讓媒體為我們拍照。

　　1970 年 9 月，拉薩繼任首相，他跟東姑是截然不同的領袖。他沒有東姑的和藹可親與威嚴氣度，也比較優柔寡斷。1940 到 1942 年，我跟拉薩同在萊佛士學院就讀。他是彭亨州一位酋

16　新馬關係風雲變幻

拉薩

長的兒子。在他們的階級社會裏，他深受馬來學生的尊敬。拉薩身材中等，白皙的圓臉，平服的頭髮，看起來寡言、嚴肅。他頭腦靈活，勤奮，也是一名曲棍球好手，在人前總覺得不自在，除非是熟人。未分家之前，由於我們爭取的是同一批選票，他對我始終感到懷疑和不自在，大概覺得我會對馬來人的支配權和最高政治地位構成威脅。他比較喜歡跟吳慶瑞打交道，覺得自在些，因為他不把吳慶瑞當成競爭選票的對手。新加坡脫離馬來西亞之後，拉薩對我的態度有了改善，我不再是他在選票上的競爭對手。

拉薩和其他巫統的馬來領導人摒棄了東姑對待華族商人的方式，認為他的做法已經過時。嘗過了掌握全權的滋味，包括政治權力和軍事權力，他們現在毫不掩飾他們的經濟政策，在每個領域都是偏袒土著（他們視為「土地之子」的馬來原住民）的。他們推行了新經濟政策，以「根除貧困」，使「財富擁有權更平均」。目標是在 1990 年，根據條規和行政，讓馬來人擁有所有私人資產的 30%，華族和印度族人口 40%，外國人（主要是英國人）則減到 30%。拉薩也宣布一套「國家思想」：所有人民不論種族應信奉神明，效忠最高元首和國家，維護憲法和法治，提倡道德修養，容忍和互相敬重，從而共同邁向一個公正進步的社會。1970 年 8 月，種族暴亂發生一年多後，他們取消所有尚未解除的宵禁，允許恢復政治活動。然而他們也擴大煽動叛亂的定義，包括反抗國家思想和馬來人的支配。

　　拉薩全神貫注地要把經歷暴亂創傷的國家納入正軌，並設法使他的新經濟政策充實完善。所以，我們過了幾個風平浪靜的年頭。然而我們仍時不時在大小事務上遇到問題。1971 年，因為不想年輕人學嬉皮士的榜樣，新加坡推行反對留長髮運動。凡是蓄長髮的男性，在政府部門櫃台和所有入境處（機場、港口和新柔長堤），我們都會輪後服務。三名青年在烏節路停車場被當作私會黨嫌疑犯而遭逮捕，接受警方盤問，其中兩個是馬來人，一個是華人。他們被扣留了 16 小時，由警方理髮師把他們的一頭長髮剪短，然後釋放。巧的是，他們都是馬來西亞人。《馬來前鋒報》用顯著版位報導了這次事件，引起了小轟動。政府為這事件公開道歉。與此同時，有關我們的海港以及兩國的聯合貨幣局和航空公司分資產的課題上，兩國的糾紛開始醞釀。

　　分家後不久，有報導說陳修信威脅要讓船隻繞過新加坡，著重發展馬來西亞的瑞天咸港（後來改稱巴生港口）和檳城。當時，馬來西亞有 40%的貿易通過新加坡轉口，他形容這種做法「是過去殖民統治時代的陳跡」。之後，馬來西亞採取了一系列措施，減少通過新加坡進出口的貨物。1972 年 8 月柔佛州馬來商會呼籲他們的政府，在新山附近的巴西古當港口一旦啟用後，便取消前來新加坡的火車服務。同年 10 月馬來西亞宣布，從 1973 年開始，所有從馬來西亞境內運到國內另一個地點的貨物必須在本國港口托運，到貨時才能免抽進口稅。換句話說，貨物通過新加坡轉運的話，就必須繳進口稅。他們也禁止木材出口到新加坡，使新加坡的三合板廠和鋸木廠受到嚴重打擊。中斷了一些時日後，我們總算在印尼找到木材供應。

　　當時的財政部長韓瑞生是我手下最有耐心，也最講理的部長。他寫道：「馬來西亞對經濟合作的態度是既妒忌又瞧不起。他們相信，新加坡沒有馬來西亞就生存不了，新加坡的繁榮完全

要依靠他們。儘管如此，他們卻感到十分懊惱，因為新加坡雖然幅員小又脆弱，進步程度卻出乎他們意料。」

成立「S」委員會

六〇年代末，新加坡發現馬來西亞成立了一個「S」（指新加坡）委員會，就一切同新加坡引起糾紛的問題協調處理馬來西亞的相關政策。主席是馬來西亞公共服務首長，其他成員有國防部、外交部和內政部的秘書長。我們也獲知，他們不時起用前行動黨親共被拘留人士如兀哈爾和詹姆斯・普都遮里，以幫助他們了解新加坡的政策背後的想法。當我們聽到這個消息時，覺得「S」委員會帶有邪惡色彩。他們的動機何在其實不難揣測，在有辦法左右的經濟領域裏，他們總要設法遏制我們的經濟成長。後來，到了胡先翁首相掌權時，新馬關係緩和些，我建議成立一個政府之間的委員會負責解決雙邊課題。1980 年 5 月 13 日，他的外交部長利道丁在斯里淡馬錫官邸跟我會面時說，他們早已有個「S」委員會來研究跟新加坡有關的問題。1986 年 10 月，「S」委員會再擴大範圍，同時研究跟印尼、泰國和汶萊的雙邊關係，並改名為外交關係委員會。之後，馬來西亞公開地跟我們的官員談論外交關係委員會，以及它在處理雙邊關係方面所扮演的角色。他們停止了「S」委員會陰謀詭計式的做法。

唯一對新加坡沒有偏見的馬來西亞部長是副首相伊斯邁。1971 年 4 月，他以考察新加坡的建屋計畫為藉口，訪問了新加坡，我們談得很融洽。他要求彼此進一步合作。他告訴報界，意見分歧不應妨礙兩國進一步合作。在他的促請下，新加坡的國營貿易機構國際貿易公司於 1971 年簽署協議，要跟馬來西亞的國營貿易機構國家企業機構合作，進行第三國貿易。結果卻沒什麼建樹。他處境孤立，在其他巫統領袖當中占不了上風。

　　1972 年 3 月，我在韓瑞生的陪同下，在分家後第一次訪問
馬來西亞，以顯示雙邊關係改善。雙方討論並解決了處理貨幣局
的剩餘基金和剩餘資產的問題。我們以公事公辦的方式進行談
判。唯一的問題是，拉薩會不時改變主意，已經談妥的事得從頭
再來。

　　拉薩在 1973 年回訪新加坡。他表示不想再讓雙方的貨幣可
以交替使用。我同意他的決定。1973 年 5 月，馬新證券交易所
也分家，由新加坡股票交易所和吉隆坡證券交易所取代。雙方各
自保持當時的掛牌公司。拉薩對兩國關係的現狀感到滿意。在公
開場合，兩國關係不是那麼密切，所以不會使他難以面對馬來基
層；又不是有諸多恩怨，所以也不會使他的華人基層不高興。拉
薩說，他預見泰國和中南半島局勢動盪，會給新馬兩國帶來麻
煩，因此雙方不應再製造問題，使局面難上加難。我同意他的看
法。他擔心在下屆大選中可能得不到馬來西亞的華人基層支持，
也擔心馬華公會得不到民眾的支持，問我能不能協助。我無言以
對。原產品全面漲價，使他信心增強，也減少了他對新加坡表現
比他們好而產生的妒忌心。

　　拉薩邀我回訪。雙方關係還不錯，而且一直保持了三年。雙
方靜靜合作，沒什麼嚴重歧見。後來我接到消息說，拉薩患上白
血病，多次飛往倫敦接受治療。從報章上的照片和電視上看到他
一個月比一個月消瘦。他在 1976 年 1 月去世，我到他在吉隆坡
的住家，向他致最後的敬意。

　　繼承拉薩的是副首相胡先翁。1968 年胡先翁當執業律師期
間，拉薩拉他進入政界。兩人是襟兄弟。

　　胡先翁的長相有別於典型的馬來人。他的祖母是土耳其人。
他嗓音雄厚，以馬來人的標準來說，皮膚異常地白皙。他戴眼
鏡，頭髮卷曲，身材比拉薩更高大健碩。他處事認真，在正式會

議上，總會把匯報資料放在面前，重要段落都以顏色筆整齊地畫上了底線。他認為不能單靠記憶，總會細讀匯報資料。跟我交涉時，他表現得坦誠和直率，能迅速地進入重點，這和拉薩不同。我對他有好感。他跟我和拉薩的年齡相同。他的父親拿督翁加化曾擔任柔佛州務大臣，是巫統的首位領袖；巫統是在 1945 年英國重回馬來亞及宣揚馬來亞聯盟概念後不久成立的。

　　胡先翁著手為兩國關係發展掀開新的一頁。拉薩葬禮舉行後幾個星期，他訪問了新加坡，表示要跟我建立起良好的個人關係，以便能討論與解決雙邊問題。我們單獨進行會談。我告訴他，我擔心馬來族共產黨人及其同情者滲透馬來西亞的大眾傳播媒體、激進的馬來學生會和工會領導層。我們坦率而毫不拘束地談論了馬來族共產黨人怎麼滲入馬來西亞媒體，沙末·伊斯邁及其集團的活動就是一例。此人早在五〇年代已是新加坡的馬共黨員。在拉薩掌權時期，沙末加入了巫統，成了《新海峽時報》和《每日新聞》的重要人物，拉攏了一批支持者。胡先翁同意這是個危險，不過認為貿然逮捕馬來族共產黨人和激進學生，必然會引起馬來基層的不滿。後來在 1976 年 6 月，內部安全局逮捕了沙末在新加坡的一個追隨者胡先·查希丁，他是新加坡《每日新聞》的總編輯。查希丁供認沙末和在吉隆坡的其他數名馬來新聞工作者是親共分子。馬來西亞政治部逮捕了沙末和他在吉隆坡培植的集團。儘管會失去一些人的支持，胡先翁卻有勇氣採取行動，對付一夥親共的馬來知識分子。

　　胡先翁對新加坡有不少美好的回憶。1933 到 34 年他在直落古樓英校上學，這期間我也是這所學校的學生。初上台時，他顯得信心不足，看到我尊重他，稍感寬心。他為人誠摯，心地善良。同年，也就是 1976 年 12 月，我接受他的邀請，到馬來西亞訪問。胡先翁向我講解了馬來西亞的內部安全問題和泰馬邊境

問題。我們也討論了經濟合作計畫。

　　兩國的關係起初不錯，遺憾的是，他不久後就受到柔佛州巫統領袖反新加坡情緒的影響。尤其是柔佛州務大臣奧斯曼・薩阿特，這個人是胡先翁所屬的州巫統的最重要領袖，他發自內心地討厭新加坡，並把這種情緒加在胡先翁身上。後者向我轉達了奧斯曼的抱怨：我們以更高的薪酬吸引州內工人到新加坡工作，導致當地工廠員工短缺；在長堤新加坡這邊的兀蘭新鎮跟新山競爭，影響了他們的生意。（到了九〇年代，當馬來西亞的貨幣跌至 2 零吉對 1 新元，新加坡人擁到他們那裏去購物時，他們又投訴我們導致物價飆升，影響當地人民的生活。）

　　胡先翁提到的州務大臣的指責中，最離譜的莫過於怪罪新加坡的養豬場排出廢物，污染了新柔海峽。新加坡在北部海岸的填土計畫則使他們陳厝港地區南部海岸的馬來鄉村氾濫。我小心翼翼地解釋，在新加坡北部海岸進行填土，從水文學角度來看，根本不可能導致柔佛氾濫。污染海峽的豬的排泄物也不可能源自新加坡，因為所有的廢物，都被導入我們的河流，我們又已在河口築起堤壩形成蓄水池，具有嚴格的防污染措施，確保水適合飲用。胡先翁接受了我的解釋。

　　在經濟合作方面，我說，新加坡正在放棄簡單的製造業，發展使用更多機器生產增值更高的產品的工業，也大力發展服務行業，如修理飛機、工作電腦化等等。我們會樂於讓一些在新加坡勞工短缺的工廠搬到柔佛州。我們也無意阻撓巴西古當港口的發展。

　　儘管我和胡先翁的關係融洽，他們依然採取一系列他們認為能拖慢新加坡經濟增長的行動。首先是柔佛州政府禁止輸出沙和草皮到新加坡，後來馬來西亞政府也規定從 1977 年開始，柔佛州運到東馬的所有出口貨必須通過巴西古當，不能通過新加坡的

港口。他們接著宣布從 1980 年開始，馬來西亞港口之間的國內
貨物運輸必須由本國船隻運載。儘管這些政策增加了馬來西亞消
費者的成本，他們仍一意孤行。柔佛州領袖讓胡先翁相信，新加
坡有意傷害柔佛州，阻礙柔佛州的經濟發展。他們甚至說服胡先
翁在 1979 年 1 月告訴報界，為了把巴西古當發展成為港口，他
正在考慮讓火車只開到柔佛州，不到新加坡來。

大選後凤怨加深

　　1976 年 12 月新加坡大選後發生的一件事，加深了兩地的凤
怨。內部安全局官員發現，人民陣線秘書長、反對黨候選人梁文
貴拿了馬來西亞政治部的錢，在同一個月的選舉中誹謗我。我們
要他在電視上公開承認這一點。他的刑事誹謗罪名成立，被判入
獄 18 個月。梁文貴告訴內部安全局官員，擔任過文化、青年及
體育部長的巫統領袖西努，親自要他設法破壞我的名聲。

　　儘管胡先翁受到柔佛州的巫統領袖影響，要他對新加坡抱著
懷疑態度，我覺得他還是公道的。他要公平對待自己的國家和跟
他打交道的人。他的頭腦不如拉薩敏銳，做事卻謹慎細緻，決定
了的事不會三心兩意。他對自己的言論也很謹慎。1981 年，胡
先翁飛到倫敦檢查身體，醫生診斷他的心臟有問題，不久他就辭
去公職恢復當律師，1990 年去世。

　　我尊重他為人正直。身在以金錢政治為基礎的巫統機器的頂
層，他卻剛直不阿，試圖肅清貪污，特別是各個州府。1975 年
11 月，他批准起訴雪蘭莪州務大臣哈侖。哈侖罪名成立，判處
四年監禁。可是由於遭到其他巫統州領袖的抗拒，胡先翁的肅清
行動沒法進一步推展。

馬哈迪痛斥人民行動黨

1965 年 5 月，吉打州哥打士打南區議員馬哈迪醫生在吉隆坡國會發言，警告我挑戰馬來人統治的種種後果。他痛斥人民行動黨「親華人，有共產主義傾向，肯定是反對馬來人……在一些警署裏，華語是官方語言，紀錄是用華文寫的……工業方面，人民行動黨的政策是僅僅鼓勵馬來人當勞工，而不讓他們有投資的便利……自然也必須強調，華人有兩類：一類同意應該讓每個社群都同等富裕，這類華人數代以來都跟馬來人和其他原住民共同生活和工作，馬華公會的支持者就屬於這一類；另一類則心胸偏狹，自私自大，李先生就是個好例子。這後一類是住在純華族的環境裏，在這樣的環境裏，馬來人只存在於車夫階層……他們對馬來人統治一無所知，自然無法忍受長久以來受他們支配的人，現在處於統治他們的地位。」

在巫統要求政府扣留我並焚燒我的肖像的時候，這番話顯得格外不祥。我尖銳地反駁說，我們當初所同意的，是一個為馬來西亞人統治，而不是為馬來人統治所制定的馬來西亞憲法。這已不是一場普通的爭論。他的意思是，我根本不清楚自己在馬來西亞的定位。

馬哈迪的自傳於 1995 年在《日本經濟新聞》連載。他在自傳中說，「父親的血源可追溯到印度的喀拉拉邦」。他的母親是在吉打出生的馬來人。然而他完全與馬來人認同，堅決維護馬來人的利益。

當胡先翁委任他為副首相兼教育部長時，我決定不計較過去深刻的分歧，為將來的合作向他伸出友誼之手。1978 年，我通過蒂凡那邀請他到新加坡訪問。蒂凡那以前在馬來西亞國會的時候跟他相當熟識。我預料馬哈迪會繼承胡先翁成為首相，所以希

望化解我們過去的敵對關係。我知道他是一個凶猛頑強的鬥士，當年就見證過他怎麼在東姑權勢的巔峰期同東姑鬥爭。他被逐出巫統，可是並沒有因此放棄。當我們還屬於馬來西亞的時候，我不介意同他起衝突，但兩個獨立國家之間的爭執卻是截然兩回事。所以我主動請他來對話，好消除過去的芥蒂。

他接受邀請，過後又來了幾次。我們舉行長時間會談，坦誠交換意見，消除彼此間的猜疑。

馬哈迪單刀直入，問起新加坡是基於什麼原因要建立新加坡武裝部隊的。我同樣直截了當地回答說，新加坡擔心將來可能發生像切斷新加坡水供那樣恣意妄為的事情。每逢兩國之間出現歧見時，便有人公開揚言要這麼做。我們當初並不想分家，分家是強加在我們頭上的。同馬來西亞簽署的分家協議是我們同意分家的部分條件，這份協議如今已存放在聯合國組織裏頭。根據協議，馬來西亞政府保證供水給新加坡，對方如果違反協議，我們會向聯合國安全理事會提出申訴。一旦缺水情況緊迫，使我們陷入緊急狀態，新加坡就只好進入馬來西亞境內，在必要時強行進入，修復遭到破壞的水管和機器，以恢復水供。我把手中的牌全攤到桌面上。他不以為會出現這類魯莽輕率的行動。我說我也相信他不會這麼做，然而卻不得不防患未然。

馬哈迪對新加坡有強烈的反感，他直言不諱。他追述當年在新加坡念醫科的時候，請一名華族德士司機載他到一位女性朋友的家，司機卻把他送到這戶人家的傭人宿舍去。他忘不了這次侮辱。他說，新加坡華人看不起馬來人。

他要我切斷跟馬來西亞華人領袖，尤其是民主行動黨領袖的聯繫。他答應不干預新加坡馬來人的事務。我說，我們會井水不犯河水，我並沒跟民主行動黨領袖保持接觸。他清楚表明：他接受獨立的新加坡，不想危害新加坡。我說，在這個基礎上，雙方

可以建立起相互信任的關係。只要新加坡還認為他們想陷害我們，就永遠會抱著不信任的態度，在一切可疑的行動裏看到不良的動機。

他跟幾位馬來西亞前首相不一樣。東姑、拉薩和胡先翁全出身於貴族或跟蘇丹有聯繫的傳統統治家族。馬哈迪跟我一樣是平民出身。他是一位受過專業訓練的醫生，也是靠自己奮鬥成功的政治人物。我相信自己讓他看清楚了，我對跟他鬥智毫無興趣，要的是建立起實事求是的關係。我採取主動進行這次對話，並建立彼此間的工作關係，這對誰都好。如果讓過去的夙怨延續到未來，對兩國來說都沒有好處。

1981 年 12 月，馬哈迪以首相身分訪問新加坡。他已經把半島馬來西亞的時間調快了半小時，使東西馬都屬於同一個時區。我告訴他，為了大家方便，新加坡也會照做。馬哈迪心情大好。他說，他不得不教育馬來西亞官員，促使他們不再反對新航開闢檳城航線。隨後檳城的酒店住滿了人，兩家航空公司都從合作中得益，載客量有利可圖。他也要求部長和官員向新加坡學習。馬來西亞從未有任何其他首相或部長，公開說過新加坡有什麼值得學習的地方。馬哈迪可沒有這重心理障礙。他跟所有前任首相顯著不同的地方在於，他願意以開放的態度向任何人學習，讓其他國家的成就也能在馬來西亞落實。

在兩人單獨會談中，他說柔佛州人民妒忌新加坡，勸我在官員層次上跟他們來往，協助緩和這種妒忌心。我說，他的外交部不會同意這樣的交往。他表示，會讓官員們知道這是他的建議。這是政策上的一次重大改變。馬哈迪就事論事地說，馬來西亞的馬來人對新加坡作為一個繁榮興盛的華人城市感到不滿，正如他們對馬來西亞城市裏的華人感到不滿一樣。吉隆坡高層何嘗不了解問題所在。

16　新馬關係風雲變幻

　　我強調希望建立起健全穩定的關係，使兩國的問題不至於被誇大。他要的是公開坦誠的關係，既公正又平等。他已經下令取消不准出口建築材料到新加坡的禁令。儘管未公開宣布，他已知會了柔佛州當局，這是聯邦事務，他們不能過問。

　　接著，我們同官員和部長一起進行討論。在白礁主權問題上，新加坡百多年來擁有和管理這個小礁島，還在島上建立了霍士堡燈塔，馬來西亞則聲稱白礁主權歸他們所有。馬哈迪說，這是雙方應當坐下來好好處理的問題。他說，我們可以互換文件，尋求解決方案。我同意他的看法。針對柔佛海峽，他要把水道分界線根據谷底線固定下來，而不是隨著海峽水道的改變而改變。我也同意了。新加坡方面，我要求馬來西亞歸還他們所占據的一個軍營，希望收購馬來亞鐵道局在丹戎巴葛火車站的部分土地，以便擴建高速公路。這些要求他都同意了。晚宴結束後，他稱心如意地再三說道：「幾乎所有雙邊問題都解決了。」我說：「就讓我們維持這樣的局面吧。」這第一次會談感覺很好，雙方建立了聯繫。

　　不久後，據新加坡駐吉隆坡最高專員公署報告，馬來西亞部長、國會議員和公務員對新加坡的態度明顯地改善了。他們態度更開放，更願意向新加坡學習，並且讚揚樟宜機場，希望梳邦機場會有樟宜機場一半那麼好。他們到新加坡訪問的次數也增加了，為的是考察新加坡的生產力、城市規畫和其他事務。

　　第二年，也就是 1982 年，我到吉隆坡拜會馬哈迪。跟他單獨舉行的兩小時會議中，雙方從單純解決雙邊問題進一步磋商合作的新領域。針對五國聯防和空防系統一體化，馬哈迪說，這能抗衡在越南的蘇聯基地。我告訴他，新加坡將購買四架美國 E2C 鷹眼空中警報機，以預先獲得空襲新加坡的警報。會議結束後，我們一起向各自的部長和官員簡要說明所達成的協議，包括馬來

西亞重申會遵守 1962 年水供協議，每天供應 2 億 5000 萬加侖
的水給新加坡。

這次會議肯定比上一次融洽。馬哈迪對新加坡的態度比較實
事求是。我在記者會上說，雙方意見一致，想法一樣。關係好轉
的情況擴大到武裝部隊裏，兩國軍官也開始建立友好的個人聯
繫。在這之前，兩國軍隊幾乎完全沒有接觸。

可惜緩和期沒能持久。對新加坡的反感和忌妒情緒不減，往
往誘使馬來領袖通過抨擊新加坡譁眾取寵，爭取馬來基層的好
感。更糟的是，馬來西亞政府重施故技，再次採取行動損害新加
坡的利益。1984 年 1 月，他們規定，所有離開馬來西亞進入新
加坡的載貨車輛，一律必須繳付 100 零吉的關稅。

兩個月後，我在新加坡問馬來西亞副首相慕沙希淡，為何他
們要採取行動，力阻日本和美國跨國公司把工廠從新加坡遷移到
馬來西亞。這些跨國公司已在柔佛州設立電子裝配廠，好把產品
送來新加坡進行比較精細的加工。100 零吉的關稅是個信號，說
明馬來西亞並不鼓勵它們遷廠。慕沙回答說，這其實是一種學習
過程。他相信有人提出這個建議，認為這是個增加稅收的好方
法，不過他們終會發現這個做法還有更廣泛的影響。但是慕沙無
力左右馬哈迪的政策。後來，他們非但不取消這條關稅，還為了
阻止人們使用新加坡港口而把收費提高到 200 零吉。

同年 10 月，馬來西亞降低好些食品的進口稅，這些食品大
部分來自中國，凡是從原產國直接輸入馬來西亞的，就可以享有
這項優惠。我們通知他們的財政部長達因，這個行動違反了關稅
及貿易總協定的條例，新加坡必須向關貿協定反映。他過後修改
了政策，豁免通過海運和空運入口貨品的進口稅，對於通過陸
路，比如從長堤進入的貨品，則照抽不誤。這個措施顯然把矛頭
指向新加坡。

16　新馬關係風雲變幻

　　1986 年，新加坡外交部宣布，以色列總統赫爾佐克應新加坡總統的邀請，將在 11 月到新加坡進行國事訪問。馬來西亞立即傳出強烈的反對呼聲，人群擁到新加坡駐吉隆坡最高專員公署外頭、各州府，甚至擁到新柔長堤舉行集會示威抗議。馬來西亞正式提出抗議。馬哈迪的親信達因財長告訴新加坡駐馬來西亞最高專員，邀請以色列總統訪新對馬來西亞和回教徒而言是種莫大的侮辱。他說，儘管馬哈迪在國會中表明不干涉他國內政，他私下卻非常不高興。

　　我要我們的最高專員向他們解釋，有關訪問的消息已經宣布了，取消的話必會使新加坡受損。馬哈迪在赫爾佐克總統訪問期間再次召回馬來西亞駐新加坡最高專員說，馬來西亞跟新加坡的關係不再像過去那麼好，不過，尚算不上緊張。

　　每當馬來西亞在任何事情上執意一意孤行，即使有關事務完全屬於我們國內的權利範圍，新馬關係就出現緊張。他們要的是老大哥和小弟弟的關係，小弟弟總得向老大哥做出讓步。如果事情並非至關重要，我們願意讓「老大哥」高興高興。然而，若是牽涉到「小弟弟」須捍衛的合法權利，就如下面要談的課題——新加坡武裝部隊中的馬來人，我們就無法妥協。

　　1987 年 2 月，當時擔任貿工部長兼國防部第二部長的顯龍在一個選區集會上，回答了一個有關新加坡武裝部隊中的馬來人的問題。那個時候我們的國會議員面對馬來同胞的質問，為什麼武裝部隊中如空軍或裝甲部隊等敏感要職，總不見馬來族國民服役人員的蹤影。內閣決定將內情公開。顯龍說，萬一發生衝突，新加坡武裝部隊不想讓任何軍人因為對國家的忠誠也許同感情和宗教情結相排斥而陷入進退兩難的境地。我們不希望任何軍人覺得自己不是為正義而戰，更糟的是，覺得自己不站在正義的一方。假以時日，當我們的國家認同感逐漸成熟，這個問題就相對

地不那麼嚴重了。馬來西亞媒體認為這種説法暗示馬來西亞是新加坡的敵人，接著便沒完沒了地發表文章加以抨擊。

馬來西亞外長萊士雅丁就顯龍的演説跟新加坡外長交涉。他説，在這件事情上，馬來西亞原本就是間「玻璃房子」，因為在馬來西亞武裝部隊和民事服務高層，華人只占很少數。他指出馬華公會清楚地了解這一點，也同意這個做法，因為馬來西亞政策的基礎就是由馬來人支配。在這個問題上，馬來西亞批評不了新加坡。然而公開談論這些問題，卻使巫統領袖面對國內很大的壓力，不得不對新加坡做出反應，因為馬來裔的馬來西亞人很難不跟馬來裔的新加坡人站在一起。但是，新加坡卻從未對馬來西亞武裝部隊以馬來人為主導的政策提出批評。

不久後，在 1987 年 10 月，我在溫哥華共和聯邦政府首腦會議上遇見馬哈迪。他説，他打算跟我合作進行的一切事項都出了問題，從赫爾佐克訪新時開始，接著出現了新加坡武裝部隊中的馬來人問題。然後是 1987 年 4 月，兩艘載著四名新加坡武裝部隊人員的突擊艇，誤入柔佛海峽的馬來西亞水域，闖進新加坡對岸一條稱為馬來河的小河，徘徊了 20 分鐘。馬來西亞提出了口頭抗議，懷疑他們在刺探軍情。我為他們所犯的錯誤道歉，但同時也指出這組人身穿制服，不可能在執行諜報任務。馬哈迪説，由於氣氛變得不利，他不能到新加坡來見我。他建議我們培訓幾個馬來飛行員，向馬來西亞的馬來人顯示我們絕對信任新加坡的馬來人，而且並未把馬來西亞視為敵人。他説，哪個政府不曾言不由衷呢？馬來西亞不就經常公開否認馬來西亞武裝部隊歧視華人嗎？他認為新加坡也應該公開否認在武裝部隊裏對馬來人有另一套政策。為了使新馬關係良好，他勸我説，新加坡在處理事情時，應該避免使馬來西亞的馬來人對新加坡馬來人的情況感到不滿。

16　新馬關係風雲變幻

1988年6月我同馬哈迪首相在吉隆坡簽署一份歷史性協議書，使新馬兩國在供水、出售天然氣和渡輪服務的合作，進入新的里程。

　　無論如何，這次會談在某種程度上有助於恢復雙方的融洽關係。馬哈迪希望把吉打海岸外的浮羅交怡島發展成為旅遊勝地，也為此向我求助，要求新航載送搭客飛入浮羅交怡。新航在日本和澳洲推出一個三天旅遊配套，卻並不成功。我告訴他，浮羅交怡沒有基礎設施，根本無法同檳城或者附近的泰國普吉島競爭。他要求我跟達因詳加討論這些問題。

　　達因是馬哈迪的親信，也是他在故鄉吉打州的多年老友，達因頭腦靈活，善於處理數字，辦事果斷，在出任財政部長之前，是個成功的商人。擔任財長期間，他倡導了多項政策，使馬來西

亞經濟從國營企業轉型到以利潤掛帥的私人企業。沒有達因的積極推動，馬來西亞轉向自由市場政策的過程恐怕不會那麼廣泛而成功。達因是個精明的談判者，而且遵守協議。

替接班人清除障礙

　　1990 年卸下總理職務之前，我設法替接班人清除障礙。過去，販毒分子從新山乘火車到新加坡，沿途把毒品扔出窗外拋給在指定地點等候的同謀。因此，我在 1989 年就告訴過馬哈迪，我們準備把關稅和移民辦事處從南部的丹戎巴葛火車站遷移到兀蘭長堤新加坡這一頭，在入境處檢查乘客。我可以預見到這個行動一完成，乘客必會在兀蘭下車，乘坐新加坡的地鐵、巴士或德士進入市區。馬來西亞人心裏一定不會高興，因為根據法律，鐵路經過的土地不再使用的話，就必須交還給新加坡。因此我向馬哈迪建議，聯合重新發展有關的土地。馬哈迪授權達因跟我談條件。幾個月後，雙方終於同意，丹戎巴葛、克蘭芝和兀蘭的三大塊主要地段將聯合發展，馬來西亞占 60%，新加坡 40%。協議要點在 1990 年 11 月 27 日簽署，就在我卸任前的一天。可惜的是，後來的事態發展顯示，我無法做到在解決所有問題之後，才把總理職位移交給吳作棟。

　　簽署協議三年後，達因寫信給我，說馬哈迪認為有關協議不公平，因為它並未把武吉知馬一塊鐵道局地段包括在雙方共同發展的計畫內。我答覆說，協議是公平的，我給了馬來西亞三塊地段的 60%而不是 50%份額。那是我跟他之間談妥的協議，難以要求吳總理重新談判。

　　在馬來西亞成立之前、期間和之後，馬來西亞一再採取步驟，限制新加坡進入馬來西亞市場。他們規定徵稅與通過制定法律，減少或禁止馬來西亞人使用新加坡的港口、機場和其他服

16　新馬關係風雲變幻

務，尤其是金融服務。他們指示本國銀行和其他借款人避免向在新加坡的外國銀行借錢，而是利用在吉隆坡或納閩（他們在沙巴州岸外一個小島上建立的避稅場所）設有分行的外國銀行。他們這麼做，反而促使新加坡加強了競爭能力。

1990 年後，我避免參與跟所有東盟政府包括馬來西亞的官方交往，以免介入吳總理的工作範圍。不幸的是，1997 年 1月，我在一場誹謗訴訟的宣誓書中，提到新山是「眾所周知經常發生槍擊、搶劫和攔截車輛洗劫」的地方。後來答辯人潛逃到柔佛並公開發表這些話，立即引起馬來西亞的抗議浪潮。

馬來西亞政府憤怒地要求我收回那一番話和致歉。我毫無保留地做出道歉。他們卻不滿意，要我從法庭文件中刪除那段文字。我覺得沒必要拒絕這麼做。我確實出言不慎，越了界。在一份簽了名的聲明中，我重複毫無保留的道歉，並表明已指示律師「把冒犯字眼從紀錄中刪除」。馬來西亞內閣開會後宣布接受我的道歉。可是，我們卻發現他們切斷了所有的雙邊聯繫，實際上凍結了雙邊關係。馬哈迪也說新加坡一直要節外生枝。他以鐵道地段紛爭為例，指新加坡總是為難馬來西亞。一連串的抗議和譴責持續了好幾個月，就跟以往一樣，他們在抗議高潮時又威脅切斷我們的水供。

自 1992 年起，我們的海關與移民廳就一再跟馬來亞鐵道公司和馬來西亞移民廳協商，討論怎麼調整鐵道路線，以配合我們在兀蘭設置的海關、移民與檢疫站的事宜。馬哈迪首相在 1992年 4 月寫給吳總理的信上也確認了這一點。他說：「實際上，我們覺得兩國的檢查站都設在兀蘭，對雙方都更加便利。」然而到了 1997 年，馬來西亞卻來信說他們要繼續留在丹戎巴葛。

馬來西亞政府在 1997 年 6 月正式致函表明，他們改變了主意，決定把海關、移民與檢疫站全留在丹戎巴葛。新加坡在

1997 年 7 月回覆説，馬來西亞的海關、移民與檢疫站不能留在丹戎巴葛，因為這將對兩國構成運作上的嚴重問題：這麼一來，乘客會在未離開新加坡國境之前，就先通過他們的檢查站進入馬來西亞。更甚的是，馬來西亞官員等於是在沒有新加坡官員在場授權的情況下在新加坡境内工作，他們其實並沒有執行任務的權力。

在 1998 年 7 月最後一刻的談判中，馬來西亞外交部官員第一次聲稱，馬來西亞擁有在丹戎巴葛執行海關、移民和檢疫工作的法律權利。我們要他們在三個月内出示法律文件作為論據。期限到來時，他們要求展延一個半月到 1998 年 12 月。

馬哈迪首相在納米比亞所公開發表的言論，使事件更為棘手。當馬來西亞媒體向他展示較早的報導，顯示他的官員已寫信和提交文件給我們的官員，同意將馬來西亞的檢查站搬遷到兀蘭，他説：「從我們的觀點來説，只是由兩個官員簽署的國際協議書（指協議要點）是不夠分量的。這樣的協定必須得到政府首長的同意，並獲得内閣和國會的認可。」（根據馬來西亞報章 1998 年 7 月 28 日的報導。）他對法律的觀點很不尋常。馬哈迪還補充説，馬來西亞不會把海關、移民與檢疫站搬到兀蘭，「這是我們的立場，我們會堅持這個立場」。糾紛公開後，新加坡外交部長賈古瑪在 1998 年 7 月國會復會時發表聲明，詳細敘述兩國政府的交鋒過程。

老一輩的巫統領袖不會忘記 1965 年年中，他們對我發動的那一場極盡辱罵恐嚇的炮轟行動。當時，他們因為我提倡馬來西亞人的馬來西亞而對我進行人身攻擊，焚燒我的肖像，恫言要逮捕我。那個時候警察和軍隊都在他們的掌控中。但是我不曾屈服。後來，他們決定把新加坡趕出馬來西亞。如今，這一連串的炮火自然已不再是為了教訓我了。所謂「項莊舞劍，意在沛

公」，我的年輕同僚都知道這些爭論的矛頭針對的是他們。但是，他們知道如果猶豫不決，他們的政治地位將動搖。當議員在國會提出詢問時，吳總理和外長賈古瑪闡明了有關鐵道地段的事實，包括我和達因之間的協議以及之後的往來信件的內容。吳總理透露他已告訴馬哈迪，協議要點是份正式文件，他不能修改其中的條款。然而在更大的合作框架下，包括長期水供，他可以修改協議要點。在接下來的熱烈辯論中，年輕一代的議員紛紛挺身發言闡明立場。社區領袖也清楚表明，對馬來西亞這種交友和左右鄰居的做法，他們都不以為然。

在交鋒期間，我在 1998 年 9 月 16 日，我 75 歲生日那天，為《李光耀回憶錄》上冊主持了首發儀式。儀式舉行前兩個星期的星期日，新加坡報章開始刊載我敘述導致新馬分家事件的摘要，這又觸怒了馬來西亞領袖。這些領袖和當地媒體猛烈地展開一連串的批評和攻擊，說我對他們的經濟困境「不敏感」，選擇在經濟出現問題的時候出版回憶錄。我也傷害了在六〇年代叱咤政壇的幾位主要人物的後代，尤其是其中兩位，拉薩的兒子——教育部長納吉，以及賽加化阿峇的兒子——國防部長賽哈密。他們否認我敘述的事件屬實。我在一個記者會上回答詢問時說，我所列舉的事實都經過查證，所用的字句都經過斟酌，我以我的名義保證所寫的全是事實。兩天後，9 月 18 日，他們的國防部長賽哈密禁止新加坡空軍戰機飛過他們的領空，禁令即時生效。

馬來西亞也決定為難從新加坡空軍基地起飛的新加坡軍機，使它們更難飛抵南中國海的訓練區。

自 1965 年 8 月 9 日分家以來，新馬關係反反覆覆，從沒出現根本上的變化。馬來西亞要我們分家，只因為我們主張建設馬來西亞人的馬來西亞，他們要的卻是由馬來人支配的馬來西亞。一個人人平等的多元種族社會，在 1965 年無法讓巫統領袖接

受，到了 1999 年，他們還是不願接受這樣一個社會。那一年 5
月，馬來西亞反對黨領袖林吉祥重提馬來西亞人的馬來西亞這個
概念。馬哈迪的反應很強烈，認為這種想法威脅到他們（馬來
人）的種族意識，因為馬來西亞過去本來就被稱為「馬來人的土
地」（Tanah Melayu）。兩個月後（1999 年 7 月 30 日《海峽時
報》報導），馬哈迪表示，要是馬來西亞被迫實行西方所提倡的
任人唯賢制度，政府為縮小各種族間貧富差距而推行的進程，就
得無疾而終。政府通過新經濟政策，在經商和教育方面為馬來人
提供援助，如今，很多馬來人都擔任要職，當上教授或大學校
長。他說：「如果廢除新經濟政策，我敢肯定，馬來人和土著會
成為勞工，無法像現在那樣，身居高職……許多土著將失去工
作，他們的子女將無法考上大學，沒機會成為教授和講師。」此
外，對於馬來族學生總愛選修馬來文和宗教學科，避開數理課
程，馬哈迪也表示遺憾。

馬哈迪決意要調整各族之間的經濟均衡狀況。然而受金融危
機襲擊時，許多馬來族企業家卻身負重創，因為他們都在股市和
房地產市場蓬勃時期過度借貸，只有馬哈迪有勇氣告訴他的馬來
公民（1999 年 8 月 6 日《海峽時報》）：「過去，國家浪費了
很多資源為不合格的人提供培訓，卻沒考慮到獲得機會的人的能
力，或讓他們吸取足夠的經驗。正因為如此，我們所付出的許多
努力，都白費了。儘管也有成功的例子，可是跟投下去的本錢不
成正比……我們過去推行的兩個政策——國家經濟理事會的政策
和新發展政策，主要是為了幫助地方土著商人，拉他們一把。現
在，我們要培育的是世界級的企業家。」

1999 年 10 月，馬哈迪呼籲馬來西亞中華工商聯合會，協助
那些在金融風暴過後身負鉅債的土著公司，重建他們在國家財富
中所占的份額。「土著商人因為對這一行不熟悉，需要承擔鉅額

貸款，所以損失慘重，迫使其中一些人在絕望之際把公司賣了給華商……（1999 年 10 月 13 日《星報》）我們不僅要幫助這些商家，也要培養一批新的土著企業家，為了達到這個目標，我們籲請中華工商聯合會給與合作。」（1999 年 10 月 13 日《海峽時報》）會長林源德回應道：「我認為這是公平的，作為一個多元種族國家的公民，強者應該幫助較弱者。」（1999 年 10 月 13 日《海峽時報》）

　　分家的時候，東姑沒料到我們會取得成功，他甚至利用三個施壓手段要我們聽命於他：軍事、經濟和水供。我們建立了新加坡武裝部隊，抗衡了軍事壓力。在經濟方面，我們也超越了馬來西亞和本區域，同工業國建立了聯繫。在水供方面，我們有了其他辦法。我們的蓄水池能供應 40%的家庭用水，再加上好好利用現代科技，如海水淡化、反滲透法、污水再循環，我們應付得了。

　　把新馬問題形容為「歷史包袱」，其實是忽略了問題的本質。如果只是「歷史包袱」，那兩國獨立了 30 多年，彼此的關係早該穩定下來了。然而新馬關係的老問題卻一再反覆出現，追根究底是雙方對解決多元種族社會的問題，有著截然不同的作風。

　　新加坡一開始就要建立一個多元種族和平等的社會，人人機會均等，論功行賞，不分種族、語言、文化或宗教。儘管天然資源有限，我們卻取得成功。我們的政策也讓全體公民受惠，包括馬來同胞。我們的中產階級陣容越來越強大，其中有專業人士、執行人員和商人等，他們當中包括馬來同胞，都培養了頑強的競爭精神，對自己靠本事取得的成就引以為榮。每當我們被評為亞洲最佳航空公司、世界第一機場、全球第一集裝箱海港，這種成就便會一再提醒國人，和諧和唯才是用的多元種族社會，要比由

華族支配卻缺乏凝聚力的社會更成功。馬來西亞領袖在 1965 年要我們脫離的時候，沒有想到會有這樣的發展結果。

當巫統的黨內人士使用「特殊關係」、「歷史聯繫」或「不敏感」等慣用的暗語時，其實是在暗示新加坡，好歹得對他們畢恭畢敬、千依百順，不要堅持自己的合法權利。馬來西亞的華裔和印度裔部長對新加坡的部長們說，我們不懂得如何應付巫統領袖，應該像他們一樣圓滑，信任他們的馬來族領袖。馬來族領袖在心情大好時，會特別慷慨大方。這種看法忽略了雙方對各自的選民所承擔的責任有所不同。新加坡人要求他們的政府代表他們的利益，在平等、獨立的基礎上，同他國建立夥伴關係。

新馬關係仍有起落

因此，新加坡和馬來西亞的關係仍會有起有落。新加坡人必須對這些波動處之泰然，關係好時無須格外歡喜，關係變僵也無須沮喪。我們必須時刻保持鎮定，有毅力、有耐心，沉著堅持自己的立場。

馬來西亞嘗試通過替代進口實行工業化，卻並不成功。他們已經看到我們如何從跨國公司的投資中取得成功，達因鼓勵馬哈迪把沒有效率的國有企業私有化，並吸引外國投資，他改變了政策，取得成果。馬哈迪要使馬來西亞擁有更優越的機場和集裝箱港口，更大的金融中心，一個「多媒體超級走廊」，在巴生港興建最先進的集裝箱碼頭，也在離吉隆坡以南 75 公里的地方興建了一座全新的特大機場。馬來西亞的努力，迫使我們不得不重新評估我們的競爭力，改善基礎設施，以更精明的方式運作來提高生產力。然而就在這個時候，一場災難性的金融危機卻突然襲擊本區域所有的國家，貨幣、股市和房地產的價值一時間灰飛煙滅。但是，危機最終會消退，經濟也將恢復增長。

16　新馬關係風雲變幻

　　儘管跟馬哈迪有過糾紛，從 1981 到 1990 年，在他擔任首相期間直至我卸任的那九年裏，我跟他在解決雙邊問題方面所取得的進展，要比拉薩和胡先翁在位的 12 年還多。馬哈迪堅定果斷，政治上又得到充分支持，這讓他足以超越基層的偏見，以國家利益為先。馬來人在他的推動下，告別蒙昧，走上了科技之路。他公開表明，女醫生用筆檢查男病人（回教宗教領袖說應該這麼做），不是檢驗病人的正確方法，這就顯示了他過人的勇氣。即使安華事件引發的暴亂把他的不受歡迎程度推向最高點，然而人民，尤其是華族和印度族在馬哈迪所領導的巫統和國陣之外，始終沒有其他更好的選擇。他教育了年輕一代的馬來人，以開放的心態面向以科技為基礎的將來，特別是電腦和互聯網，他的多媒體超級走廊正是科技時代的一大象徵。這也是馬來西亞大多數馬來人和全體華族與印度族所嚮往的未來，他們不要有極端的回教做法。

　　我的這種看法卻似乎同馬來西亞在 1999 年 11 月的大選結果背道而馳。馬哈迪領導的國陣在大選中贏得三分之二議席，卻讓回教黨奪得吉蘭丹和丁加奴州，20 多名巫統議員也失去議席。我不能肯定這是否因為馬來西亞已變為一個更奉行回教主義的社會造成的。馬哈迪之所以在這些地方敗下陣來，跟 1998 年 9 月他開除其副首相和跟隨了他 17 年的門徒安華有關係。當局在三個星期後在內部安全法令下逮捕安華，過了兩個星期，一隻眼睛瘀腫的安華被控上法庭，他被判貪污罪名成立，坐牢六年。他還因雞姦罪名成立，另外被判坐牢九年。兩個備受尊敬的人物反目成仇，令人一時之間難以接受。隨著醜陋的內情一一被揭露，許多馬來人疏離了，年輕一代尤其如此。安華的妻子參選，角逐安華原來的國會議席，果然勝出。

　　馬哈迪在公布新內閣名單時透露，這將是他的最後一個任

期。如今他有時間培養合適的接班人，實現他要馬來西亞在
2020 年成為現代化高科技國家的宏願。

分家 30 年後，親友之間的親密交往仍然把兩地人民緊緊地
維繫在一起。雙方哪怕有再大的分歧，彼此都很清楚如果毫無節
制地相互抨擊，兩地的多元種族社會賴以維持的種族和諧，將難
逃崩潰瓦解的危險。馬來西亞跟新加坡一樣，都需要各族相互包
容和體諒。再過不久，新馬兩國都將交由一批更年輕的領導人接
班。沒有了過去的領袖之間的私怨冤仇的糾纏，他們當能建立起
更務實的工作關係。

17 同印尼化敵爲友

瓦希德當選後不久，召集了東盟各國大使。瓦希德告訴他們，他將到所有的東盟國家訪問，第一站是新加坡。他直截了當地向新加坡駐印尼大使李廣富表示：「印尼要和新加坡建立良好的關係，希望新加坡能在印尼復甦之際給與支持。」他進一步解釋對未來的構想：中國、印度和印尼三個全世界人口最多的國家能攜手合作；日本和新加坡則提供經濟和科技支援。到了那個時候，亞洲將能減少對西方的依賴。

19⁵⁷ 年印尼分離主義分子搞叛亂，西方軍火商隨即前來新加坡，向蘇門答臘和蘇拉威西的叛亂分子兜售武器。印尼總領事亞蒂庫索莫中將在 1958 年同我會面，當時我是在野黨領袖。對方是一位聰明有禮又活躍的爪哇貴族，總是衣冠楚楚的。我向他保證，要是我們當政，一定把這些軍火商驅逐出境。人民行動黨贏得 1959 年的大選後，我遵守諾言。亞蒂庫索莫於是建議我正式訪問雅加達，以鞏固新印關係。我同意了。

　　1960 年 8 月，我和我所率領的代表團被帶到印尼總統府獨立宮，會見蘇卡諾總統。這裏一度是荷蘭總督府。蘇卡諾一身筆挺的米色軍服，胸襟上綴滿勳章，手持一根陸軍元帥節杖或者説是輕便的手杖。那是雅加達的一個悶熱得令人透不過氣來的早晨，但是總統府裏既不放風扇，也不裝冷氣機，因為蘇卡諾不喜歡這些東西。我看到汗水滲過蘇卡諾的襯衫濕透了他的上裝。我和一起到訪的同僚們都穿著西裝，同樣汗流浹背。

　　蘇卡諾極具領袖魅力，是一個了不起的演説家，號召民眾的本事教人五體投地。1959 年 2 月的某一天，我從新加坡駕車到福隆港，全程七個小時。我在上午八點半扭開收音機，聽他向爪哇中部數十萬名印尼人發表演講，間中因為車子在行駛，收音效果時好時壞，因而有大段時間聽不到他的講話。三個小時後抵達馬六甲，他竟然還在滔滔不絕地演説著——聲音悦耳，充滿感情，能令群眾和他一起高呼狂叫。由於這個緣故，我一直渴望親身和這位偉大的人物見面。

西方民主不適合印尼

　　約有 20 分鐘的時間，主要是蘇卡諾在講話，他用的是類似馬來語的印尼語。他問：「你們有多少人口？」我回答：「150 萬。」他有一億人口。「你們有多少車子？」我説：「大約一

萬。」單單雅加達就有五萬輛車子。我感到費解，但不假思索地表示贊同：論面積，他所領導的國家在東南亞沒有哪個國家比得上。接著，他把他的那一套「受指導的民主」政治體制搬出來，詳細加以闡述。他說印尼人什麼都要革新，包括經濟和文化。但是西方民主制度對他們「不是很適合」。他早在無數次演講中提過這一點，我對這次談話空洞無物感到失望。

荷蘭人沒有留下多少訓練有素的印尼行政人員和專業人士，能帶動國家向前邁進的機構也寥寥無幾。日本占領印尼三年半，也把印尼僅剩的治國機制都摧毀了。接著是印尼民族主義人士和荷蘭人之間的戰鬥，從 1945 至 1949 年斷斷續續地發生，直到荷蘭最終同意讓印尼獨立為止。這個過程進一步破壞和削弱了印尼的經濟與基礎設施。蘇卡諾執政時期，推行民族主義經濟政策，外國公司都成了國有企業，以致外貿與投資萎縮，這個土地廣袤的共和國因此陷入困境。

我們下榻雅加達的德因德斯酒店，按照當地標準，它相當於新加坡的萊佛士酒店。可是天啊，一碰上下雨，酒店屋頂就漏水，酒店員工則立即搬出洗臉盆、水桶，若無其事地去盛滴答的雨水。我一時疏忽，沒發現房門是閂在牆壁上的，結果一拉，沒把門給關上，倒把插鎖連帶灰泥一起拉了下來。當天下午回到酒店，已經修好了——用一張紙貼在破損的牆上，刷上灰水了事。

我託當時任文化部政務次長的李炯才，幫我買幾本印尼語—英語和英語—印尼語詞典，每本售價不到兩元。和我同行的新加坡訪問團成員把多家書店的詞典幾乎掃購一空，買來送給學習馬來語的朋友。通貨膨脹導致印尼盾岌岌可危。

一支車隊把我們從雅加達載送到昔日的荷蘭總督避暑勝地茂物，一路上由電單車開路，接著續程到萬隆。從萬隆，我們乘總統的雙螺旋槳私人專機到爪哇中部古都日惹。專機是蘇聯政府贈

送的禮物，比我乘搭前往印尼的商用 DC3 型客機還大。機艙通
道上方的時鐘早已停在那裏，動搖了我對蘇聯科技和印尼保養工
作的信心。連總統專機上的時鐘都能發生這種事，引擎零件又會
是如何呢？

在離開前，我和朱安達總理就貿易與文化事項發表了聯合聲
明。從他在雅加達機場迎接我一直到我離開之前，我們倆進行過
幾次會談。他是一個優秀的人才，能幹，受過高深教育，腳踏實
地，對國家面對的難題感到無能為力。每次會談都同他談了很
久，有時是用印尼語。有一次吃晚餐的時候，我指出，印尼很幸
運，有極其肥沃的土地、良好的氣候和豐富的資源。他哀傷地看
著我說：「真主是保佑我們的，但我們卻跟自己作對。」我覺得
像他這麼坦白又有誠意的人，跟他交往應該不成問題。離開印尼
的時候，感覺上我們已經成為朋友。我會講馬來語，對他來説比
較像個印尼「土生華人」，而不是移民當地不久，尚未完全融入
當地社會，滿口華族語言的華僑。

然而隨著經濟每況愈下，蘇卡諾在對外政策上採取了更多的
冒險行動。為了維持他和亞非國家的外交關係，他委任頭腦精明
但有機會主義思想的蘇班德里奧博士為外交部長。1963 年，蘇
班德里奧經常趁過境之便在新加坡和我會晤。馬來西亞即將誕生
之際，他開始口吐狂言。有一天早晨，他和我並排坐在政府大廈
辦公室的沙發上，輕拍我的膝蓋，然後把手伸向窗口揮了揮說：
「看看新加坡所有的高樓大廈，全是用印尼的錢蓋的——通過走
私從印尼人那裏偷來的錢。不過無所謂，總有一天印尼會回來照
顧這個國家，糾正這個問題。」所謂「走私」，蘇班德里奧是指
印尼商人從新加坡出口貨物，從而逃稅和避開外匯條例的管制。

我明白他的感受，因為我親眼見過雅加達居民窮困潦倒的生
活狀況。那裏的人無論沖涼、洗衣、淘米或大小便，一概公開地

蘇卡諾

在河裏解決。對於他立志要接管新加坡，我不敢掉以輕心。

　　1965 年我們獨立時，正處於印尼跟新馬「對抗」的時期。蘇卡諾總統和蘇班德里奧以立即承認新加坡為餌，開出會使新加坡冒犯和觸怒馬來西亞的交換條件，企圖利用新馬之間的矛盾，興風作浪。數週後爆發了 9 月 30 日的「九三〇」事件，指揮特種部隊的蘇哈托將軍，平息了印尼親共分子發動的政變，局勢就此出現轉機。蘇哈托在海陸空三軍和警察部隊裏都有效忠於他的將領，在這些司令率領的部隊支持下，他向占據總統府和一座無線電與通訊中心的叛軍部隊發出警告，要他們乖乖棄械投降。這股武裝力量所顯示的威力，把叛軍都嚇跑了，政變就這樣結束。

蘇卡諾權力被剝奪

　　當時我們並未覺察，一場以失敗告終的政變會有那麼深遠的影響，因為數名印尼高級將領被人以殘酷的手段殺害，隨後又發生成千上萬個（估計有 50 萬人）所謂共產黨支持者遭屠殺的事件。死者包括一些華人，這些已經吸引了我們所有的注意力。蘇哈托慢慢地、含蓄地搬演這齣戲，就像在演出印尼皮影戲一樣。這是一種把木偶的輪廓以影子的形式呈現在銀幕上的表演。這齣幕後戲編排得那麼謹慎周詳，蘇卡諾的權力被剝奪，猶如抽絲剝繭，以致我們好一陣子都看不出蘇卡諾的權力已經逐漸轉移到蘇

哈托身上。這樣過了半年多，蘇哈托沒有立即把總統轟下台，而
是以總統的名義行事來維持門面，暗地裏卻逐步把大權攬到自己
手裏，清除蘇卡諾身邊的親信，削弱他的地位。從新上任的外交
部長亞當・馬力克那裏，看不出政策有什麼轉變。1966 年 3
月，蘇卡諾簽下一紙總統政令，授權蘇哈托將軍採取一切必要步
驟保障國家的安全與穩定。我到這個時候還不敢肯定蘇卡諾已經
出局，他那股足以左右臣民的魅力太大了。直到一年後，即
1967 年 2 月，蘇哈托才由人民協商會議正式推選為代總統。

　　1966 年 6 月，蘇哈托的地位已經相當穩固，足以同時結束
印尼跟新馬之間的對抗狀態，雙邊關係則還要一段時日才恢復正
常。印尼隨即在 1966 年 6 月和 7 月間，派經濟代表團到新加坡
考察，然而這個動作主要在於宣傳，沒有多少實質意義。8 月間
我們派出一個貿易代表團回訪。直至有了所謂的「1 億 5000 萬
元和解」，新印兩國才算在心理上靠近一步。我們答應初步提供
這筆私人商業信貸給印尼貿易商，並允許印尼國營銀行「印尼國
家銀行」重新在新加坡開業。我們同意在平等基礎上恢復雙邊貿
易，對方則重新開放所有港口，供新加坡船隻使用。印尼也答應
在修訂國內法律後，允許新加坡銀行在當地設立分行，但是這個
承諾遲至九〇年代才真正落實。（那些在印尼成功開業的新加坡
銀行卻倒霉了。進入 1997 年，還不到六年時間，它們就被印尼
金融危機拖累，貸款收不收得回來還是個未知數。）

迷宮般的政體

　　基本的障礙使新印關係不容易恢復：政治、安全和經濟課題
上的誤解，還有領海分界、海上航道和雙邊貿易管制上的分歧。
印尼稱為「走私」的活動，在新加坡奉行的自由港政策下卻完全
合法，我們不可能當他們的海關人員。我們無法完全認清他們，

結果花了很長時間，學習如何應付這樣一個迷宮般的政體。

　　有好幾年時間，新印外交關係的進展非常緩慢，絲毫談不上融洽。印尼老愛擺出一副老大哥的姿態。1968 年 3 月，馬力克向新加坡的印尼僑民發表演講時透露，他已向我做出保證，1971 年英國撤軍後，印尼會隨時準備保護新加坡不受共產黨人侵害。他說：「我們將保護他們（東盟區域的兩億人口），即使來襲者是成吉思汗。」馬力克在結束訪問時所發表的聯合公報，遣詞用字就比較委婉含蓄：「在平等、相互尊重、互不干涉內政的基礎上，加強現有聯繫。」

　　數月後，在 1968 年 10 月中旬，我們弔死兩名印尼海軍陸戰隊隊員，新印關係急轉直下。這兩人於 1964 年在烏節路匯豐銀行分行門前引爆炸彈，導致三人喪命，因而被判處死刑（詳見第 2 章）。印尼的反應比我們所預料的激烈。400 名身穿制服的學生，闖入新加坡駐雅加達大使館和大使官邸，掠奪洗劫一番。使館外頭站崗的印尼軍隊偏在這個時候自動消失，不知去向。外長馬力克籲請民眾保持冷靜，並聲言不想向新加坡進行報復！

　　要求全面抵制船運和貿易活動，重新檢討雙邊關係的呼聲此起彼落。對新加坡的電信服務也中斷了五分鐘。新加坡另兩個外交官邸，也遭學生暴徒洗劫。憤怒的情緒一發不可收拾，在中爪哇的泗水和蘇門答臘的占碑，演變成反華暴動，連累了當地華裔。

　　可是到了 10 月底，事態發展似乎漸趨平息。馬力克公開警告，切斷同新加坡的貿易聯繫對印尼有害無益。他針對印尼海港設施條件惡劣的情況說：「我們應該考慮自己的有限能力。」接著又表示不希望這場爭執損及東盟（東南亞國家聯盟）內部的和諧，擔心印尼的國際形象會受到打擊。此後，印尼局部解除了航運禁令。到 11 月初，所有限制全部撤銷。11 月底，印尼國會一

個三人代表團奉命到新加坡訪問，務必使兩國「冰釋前嫌，既往
不咎」。

　　兩國關係解凍得非常緩慢。1970 年 7 月，我們委派李炯才
出任駐雅加達大使。朋友之間稱他為 K C 的李炯才，語言能力很
強，印尼話說得很流利，對印尼文化藝術也有濃厚興趣。他下足
苦功，成功地同多名與蘇哈托最接近的印尼高級將領打交道。他
們都想多了解新加坡，並發現李炯才是個友善而交遊廣闊的中介
人。慢慢地，他和這些將領建立了個人之間的了解和信任。

　　同年 9 月，我跟蘇哈托在盧薩卡不結盟高峰會議上初次碰
面。過後我到他下榻的別墅拜訪，雙方談了半個小時，先說些輕
鬆打趣的話，然後討論就柬埔寨局勢和越南問題所該採取的立
場。他徵求我對美國介入越南事務的看法，耐心聆聽我的分析。
我說，美國一旦撤軍，對本區域穩定的衝擊非同小可。共產勢力
一旦在越南和柬埔寨獲得勝利，很可能使泰國改變態度。對新崛
起的強權調整和適應是泰國一貫奉行的政策。蘇哈托總統同意我
的看法。我們發現彼此對本區域的危機和發展，有一些不謀而合
的見解。作為開端，這半小時的短暫會晤還算不錯。

　　1971 年 4 月，蘇佐諾‧胡馬丹尼少將來新加坡同我會面，
這可是一大進展。他相信超自然現象，是蘇哈托在精神和神靈事
務方面的心腹。據李炯才報告，面臨重大抉擇的時候，蘇哈托總
會在胡馬丹尼陪同下，到一個特別的山洞冥想一番，然後才做出
決定。我和胡馬丹尼用印尼語交談了一個小時，雖未涉及什麼重
要課題，但是替將軍做筆記的助手告訴李炯才，將軍對這次會晤
十分滿意。他原以為我為人「強悍、勢利又傲慢」，結果發現我
其實是個「友善、直率而善良」的人。

　　1972 年 3 月，就在胡馬丹尼訪新一年後，印尼內部安全局
局長蘇米特羅中將，也在李炯才的安排下，靜悄悄地前來進行私

下訪問，印尼駐新大使完全不知情。他不希望印尼外交部獲悉自己爲總統執行這項秘密的任務。蘇米特羅開門見山地用英語和我交談，表明蘇哈托希望確切知道新加坡在某些課題上的立場，而且要聽我親口說出來。

他闡明印尼對馬六甲海峽的立場，認爲其控制權應該歸沿岸國家所有。我說，幾個世紀來它都屬於國際水域，也是新加坡賴以生存的基礎。新加坡願意跟隨印尼和馬來西亞，實施國際組織所建議的安全措施。但是任何企圖掌管海峽或實施通行費的行動，都可能導致同蘇聯、日本或其他海運大國產生摩擦，這樣的情況，新加坡決不願捲入。蘇米特羅回答說，印尼將採取措施維護對馬六甲海峽的主權，蘇聯如果來硬的，印尼將毫不猶豫正面對抗。想必是我流露了無法被說服的表情，因爲他再以認真的語氣補充說，蘇聯人大可嘗試強占印尼，但他們決不可能得逞。

一個月後，蘇哈托派遣印尼内閣最資深的部長，也是負責國防與治安事務的將領彭加賓將軍來見我。他是蘇門答臘的巴塔克族人，說話直截了當，不拐彎抹角，舉止跟蘇哈托總統那種沉默低調的中爪哇人的特色截然不同。

他認爲印尼浪費了許多本該用來致力發展經濟的寶貴時間，武裝部隊的建設如今必須排在國家經濟發展之後。他希望經濟上發展較先進的新加坡，可以輔助印尼的需要。我向他保證，印尼的經濟發展符合新加坡的既得利益。

印尼在 1972 年 10 月邀請吳慶瑞前去訪問，因爲他們知道吳慶瑞是我最親近的同僚。據吳慶瑞觀察，我和印尼軍方三名最高將領會晤後，印尼不再像過去那樣疑心重重，加之新加坡情報首長 SR 納丹同印尼國家情報局局長蘇圖波‧尤武諾中將經常接觸，印尼發現，對重大課題的看法，新加坡跟他們一致。

一切準備就緒，爲我在 1973 年 5 月到印尼訪問鋪平了道

我到嘉里巴達印尼國家英雄墓地出席官方安排的獻花圈儀式時，向 1965
年在政變中遭殺害的將軍致悼後，也到兩名海軍陸戰隊隊員的墓前撒
花瓣。

路。整個過程經過精心籌畫。李炯才引述三名印尼將領的話指
出，「真摯的友誼還得逾越一道嚴重的心理障礙」。要和蘇哈托
總統建立真摯的交情，兩名海軍陸戰隊隊員被處以絞刑正法一
事，非得通過某種外交姿態，解決「爪哇人對靈魂，對清白良心
的信仰」這個癥結，從而圓滿地畫上休止符不可。他們建議我到
嘉里巴達印尼國家英雄墓地出席官方安排的獻花圈儀式時，向
1965 年在政變中遭殺害的將軍致悼後，也到兩名海軍陸戰隊隊
員的墓前撒花瓣。李炯才視這個舉動為改善兩國關係的關鍵，因
為印尼的將領們非常重視這樣一種表示。我接受了這個建議。

新印關係掀新頁

蘇哈托

　　我在 5 月 25 日一早抵步，海陸空三軍和警察部隊全體儀仗隊列隊迎接，接受檢閱，禮炮鳴放 19 響，標誌著新印關係就此掀開全新的一頁。印尼一家報章這麼評論：「新加坡和雅加達之間區區一小時的飛行航程竟如此漫長，李光耀要在遍訪英國、美國、歐洲、日本、台灣，在全球各地繞了一圈之後，才抵達印尼進行官式訪問。」報章社論說得一點也沒錯。我必須先證明新加坡完全可以在不依靠印尼和馬來西亞經濟的情況下生存，我們不是只會依賴鄰國的寄生蟲。我們正同工業國建立聯繫，讓自己有實用的價值，利用工業國的科技製造它們的產品，再把產品出口到全球各地。我們改變了新加坡生存的方式。

　　同蘇哈托單獨的私下會談是這次訪問的關鍵。他稱之為「四眼會議」，現場沒有通譯和紀錄員，就我們兩人坦誠交換意見。雖然我無法講高雅的印尼語，但是我的馬來語水平足以應付這樣的場面，聽得懂他說的話，也能讓他明白我的意思。我們談了一個多小時。

　　蘇哈托表明決心讓印尼在荒廢了 20 年的光陰後，重新起飛。對新加坡願意在重建印尼的艱巨任務上提供援助，他表示感激，也肯定了新加坡領導層的素質。他給我的印象是，在實際分析了兩國相對的優勢和弱點之後，如今他更願意以正確，甚至是熱誠的態度對待新加坡。

　　我技巧而有禮地清楚指出：新加坡期望成為東南亞的一員，
卻堅持這是我們的權利，不是別人寬厚的施捨。像馬六甲海峽航
行自由這類關係到基本利益的問題，新加坡不能夠讓步。新印雙
方的經濟合作必須建立在互惠互利的公平基礎上，同印尼領袖與
當地華裔「主公」（這些「買辦」為了獲取特許經營權或執照以
致富，一味迎合靠山的需求）的關係不能相提並論。我告訴他，
新印關係的癥結在於彼此能不能就長遠意向取得相互的信任。

　　蘇哈托明確地表示，印尼對新加坡和馬來西亞沒有任何主權
要求，希望爭取的只是荷屬東印度群島的領土。他決意專心推動
印尼的發展，而非對外擴張。最重要的是，他信不過共產黨人，
尤其是頻頻在印尼興風作浪的中國共產黨成員。我告訴他，中國
共產黨一心一意要通過他們的代理人馬來亞共產黨摧毀新加坡。
我誓言不讓他們得逞，更無意讓中國勢力伸入東南亞。這是我們
雙方取得的關鍵性共識，他對我的立場深信不疑。

　　根據我的觀察，蘇哈托同蘇卡諾總統恰恰相反，是個謹慎細
心、思想縝密的人。他性格內斂，縱有滔滔辯才，勳章無數，也
從未以此譁眾取寵，四處炫耀。雖然態度謙卑友善，他卻有頑強
不屈的意志，決定要做的事，就不容任何人反對。我欣賞他，相
信彼此可以愉快相處。

　　一年後，蘇哈托在 1974 年 8 月回訪。他一抵達機場，我禮
尚往來，鳴禮炮 21 響，由海陸空三軍和警察部隊 400 人組成儀
仗隊列隊歡迎，以回應他在雅加達給與我的隆重禮遇。他這次訪
新的焦點是，兩國將就劃定領海海域的協約交換協定書。我跟他
之間的「四眼會談」再次發揮了關鍵作用。他沒帶任何文件，以
印尼語即興暢談，一心要道盡心中的想法，還兩次因為接待員奉
上茶水蛋糕干擾了會議而面露慍色。「群島概念」是他最關注的
課題。同其他一些島國一樣，印尼把它島嶼之間的水域都視為領

海。對於這點，他認為東盟成員國非得團結一致地給與支持不可。（東盟即東南亞國家聯盟，1967 年 8 月成立於曼谷，成員包括印尼、馬來西亞、菲律賓、新加坡和泰國。）就印尼的經濟前景和困境，他也做了一番評析。

　　有關群島概念，我回應說新加坡最關心的還是航行自由的問題。我們是東南亞的一員，被逐出馬來西亞之後，必須為自己創造新的經濟基礎以繼續生存。通往美國、日本、西歐各地的海上命脈航線非維繫不可，任何企圖阻撓航行自由的障礙，會把我們徹底摧毀。因此我們願意支持群島概念，條件是印尼必須公開聲明不違反關於航行自由的慣例。至於石油或海床上的其他礦物資源，新加坡不會提出任何要求。

　　他徵求我對越戰的看法，我說自一年前會面至今，局勢發展越來越不樂觀。尼克森總統辭職了，無論福特總統意願如何，美國國會勢在必行，決意把對越南和柬埔寨的援助削減一半，這兩個政體恐怕難以長久維持。這一番看來前景黯淡無望的評析，使蘇哈托憂心忡忡。

　　我擔心泰國局勢繼南越和柬埔寨成為共產國家之後，會變得不穩定，新馬將因此四面楚歌。新加坡縱然有超過 75% 人口是華人，卻始終是東南亞的一員，我決不容許島國成為中國或蘇聯利用的對象。看得出這一番話令他釋然。

　　第二天，他在印尼駐新大使館向千多名印尼僑民發表演講，在傳媒面前，毫不諱言印尼鑑於專業知識的局限，正積極到處尋求技術援助和資金，其中包括新加坡。他公開接受新加坡為平等的獨立國，承認我們能為印尼的發展做出貢獻。這標誌著印尼對新加坡的態度有了重大改變。

　　金邊和西貢相繼淪陷後，我於 1975 年 9 月在峇里島與蘇哈托重逢。當時共產勢力正如日中天，來勢洶洶，轉眼就要吞沒整

個東南亞似的。拉薩先於 1974 年 5 月訪問北京，建立外交關
係，接著在金邊失守後，馬上承認當地的紅高棉政權。蘇哈托語
帶失望地說，他早已向拉薩清楚說明印尼和中國交往的不愉快經
驗，一心記住中國在 1965 年 9 月印尼共產黨企圖發動政變時曾
給與支持。他也曾經在雅加達向泰國首相庫立巴莫做出同樣的表
示，結果庫立在 1975 年 6 月西貢淪陷兩個月後，到北京訪問
時，還是同中國建交。在蘇哈托看來，泰國和馬來西亞的局勢正
不斷惡化，東盟如果繼續這種各自為政的做法，逕自迫不及待地
承認越南的新共產政府和紅高棉，那麼，我們堅持對抗共產勢力
的意志遲早要崩潰。他意識到唯獨新印看法相近，在情緒上也不
謀而合——不做過度的反應以討好中南半島的共產國家，也不像
馬可士總統不久前訪問北京時，發表華麗浮誇的演講那樣，口口
聲聲歌頌共產政權。

雖然我們最關切的是東盟的安全局勢，卻同意東盟應該公開
強調政經合作，低調處理安全問題。安全問題可以私下進行合
作，尤其是交換情報。印尼和新加坡應該鞏固各自的優勢，等待
更適當的時機，同其他東盟成員國一起進行經濟合作。蘇哈托沒
有談到東帝汶，印尼在兩個星期後占領這個地方。這次會談很順
利。每逢區域局勢急轉直下，新印總會做出相似的反應。

但是，三個月後，在聯合國就印尼占領東帝汶的行動進行表
決時，因為新加坡棄權，致使新印關係第二次出現冷淡期。其他
東盟國家都投票支持印尼。我們在雅加達舉行的軍人節和國慶日
慶祝會，都遭印尼軍方領袖抵制。新加坡駐雅加達參贊向我匯報
說，一些印尼將軍透露，比起兩名海軍陸戰隊隊員被處以絞刑正
法一事，蘇哈托這回的怒氣更盛。

遲至一年後，1976 年 11 月 29 日，蘇哈托到新加坡進行非
官式訪問，我們倆的私人交情才重新修好。我告訴他，新加坡實

際上並不願意給印尼和東帝汶之間的日常關係設置障礙。我們接受東帝汶作為印尼領土的事實，但是決不能公開認可印尼的入侵和占領行動。他接受我的立場。如果我們當初投票支持印尼，等於是在我們本身的安全問題上，向全世界發出錯誤的信息。

令他開心的倒是另一件不相干的事。我同意非正式地為他提供新加坡的貿易統計數字，協助印尼抑制新印兩國之間的「走私」活動，條件是這些數字不能公開，誰知他卻要公開這些數字。我解釋説，兩國使用的統計歸類法不盡相同，公開發表這些數據，只會引起傳媒和公眾的更大誤解。蘇哈托表示有把握能讓印尼媒體服服貼貼，但他最後總算答應先仔細研究公開發表數據可能造成的長遠影響，才決定要不要這麼做。我們接著同意新加坡和雅加達之間設立海底電信聯繫，技術細節交由兩國官員進一步研究。

儘管會議進展順利，新加坡駐雅加達大使拉欣依薩仍不忘提出警告説，在印尼領袖和人民心目中，新加坡始終是個華族國家，他們對新加坡的態度難免跟他們對國內華裔人民的態度糾纏不清。他警告説，印尼國內一旦萌生什麼不滿情緒，新加坡會成為最方便的代罪羔羊。當印尼在 1998 至 99 年間陷入危機時，這話證實應驗了。

蘇哈托言出必行

蘇哈托總統的個性、脾氣和宗旨使我個人能跟他建立友好的關係，這是我們的福氣。他是一個沉默有禮的人，只是比較拘泥於儀式和禮節。我訪問雅加達之前，他如此謹慎地預先試探我的立場，這與他的性格相吻合。經過兩次會談，我們相互信任。這些年的相處使我發現他是一個言出必行的人，不輕易做出承諾，但是説過的話一定履行。言行一致，貫徹始終是他最大的長處。

他比我年長三歲，臉闊鼻寬，總是一臉沉默寡言嚴肅的表情，但
是一旦熟識，他就會時時掛著笑容。他十分享受吃的樂趣，尤其
喜歡甜品，但也努力通過散步和打高爾夫球控制體重。低聲細
語，從容不迫是他説話的一貫姿態，但是一談起重要課題他也會
活潑生動起來。

　　他不是一個知識分子，卻懂得任用能幹的經濟學家和行政人
員當部長。他選擇了威佐約‧尼蒂薩斯特羅教授、阿里‧瓦達納
等畢業自美國加利福尼亞大學的經濟學家組成班底，在他們手
中，印尼向外來貿易與投資敞開大門，逐漸成為一個成功的新興
經濟體。

　　我和蘇哈托的交情，克服了印尼人和新加坡華人之間的無數
偏見。七〇至八〇年代這個時期，我們幾乎每年都要見一次面，
保持聯繫，交換意見，討論種種新出現的課題。例如，我向蘇哈
托解釋，語言和文化是非常棘手的情緒問題，不得不敏感地謹慎
處理。英文縱使是每一個新加坡人的共同語言，「推廣華語運
動」還是不得不推行，因為新加坡華人至少説七種不同的方言。
原籍馬來西亞或印尼的新加坡馬來族人民，同樣放棄爪哇語、布
央語和巽他語，轉而一律使用馬來語。至於新加坡華族觀眾在印
尼與中國的羽球賽中為中國隊喝采一事，不過是一些大聲喧嚷的
親中國群體的愚蠢行為。他們甚至在新加坡乒乓選手與世界冠軍
中國選手比賽時，也向自己的選手喝倒采。我説久而久之新加坡
華人在思想意識上將會變成新加坡人，這樣的看法他接受了。

發展峇淡島

　　蘇哈托要把峇淡島發展成為第二個新加坡。那是新加坡以南
20 公里外的一個島嶼，面積是新加坡的三分之二。1976 年，他
建議我協助印尼發展峇淡島。當時島上缺少基礎設施，只住了一

小批漁民。他把發展峇淡島的重任交由剛受委的科技顧問哈比比博士處理，委派他來新同我會面。我鼓勵哈比比利用新加坡推動峇淡島的發展，不過向他解釋先得把島上的公路、水電和電信等基礎設施都發展起來，並消除行政瓶頸。如果他能爭取印尼經濟部長和貿易部長撥款資助這項工程，我答應免去新加坡和峇淡島之間人們和貨物往來的一切繁文縟節，方便峇淡島接駁新加坡的經濟動力網絡。

　　但是，真正在峇淡島進行投資的，必須是商人本身，他們得自行判斷什麼是可行的，什麼是有利可圖的。印尼新聞界花了好幾年時間才了解這個道理，因為印尼的主要計畫，無論是鋼鐵廠、石油化學廠或水泥廠，向來都是政府的投資成果。我必須再三解釋，新加坡政府只能推動新峇之間資金、材料和人員的流通，我們可以鼓勵企業家進行投資，但是無法指示他們應該怎麼做。

　　我嘗試説服蘇哈托讓所有只生產出口產品的投資商在峇淡享有 100%的外資股權。1989 年 10 月我們重逢，蘇哈托表示願意讓純粹生產出口產品的公司，在首五年內享有 100%的股權，五年後則須把部分股權撥給印尼。這一優惠雖不比新加坡所提供的條件吸引人，卻足以吸引一些漸感新加坡營業成本增加的工廠，把基地轉移到峇淡島去。其中一家政聯公司新加坡科技工業有限公司，同印尼集團合資，在峇淡島開發一個占地 500 公頃的工業園，積極爭取跨國公司和本地工業家進場。這項工程果然取得成功。到 1999 年 11 月，工業園吸引的投資額已達 15 億美元，所雇用的印尼員工超過 7 萬 4000 名，即使金融危機在 1997 年降臨印尼，它依然不斷壯大。

　　繼峇淡島發展成功之後，鄰近的民丹島和吉里汶島隨後也展開合作計畫。蘇哈托總統這時建議我們把每年到新加坡遊玩的

700 萬名旅客也引介到印尼去，新加坡於是全面參與印尼的旅遊
業發展，新加坡航空公司因此有權直飛新印聯合開發的各個旅遊
景點。

　　當然，凡事總有其負面影響。我們的合作夥伴都以印尼華裔
居多，不滿的情緒也因此暗流洶湧。我們也想尋找土生土長的印
尼人一起合作，但是談何容易，印尼的成功企業家都是華裔。不
過最後總算也跟幾個地道的印尼商人合作發展了聯營企業。

　　每一次碰面，我和蘇哈托總會儘量抽時間進行「四眼會
談」。兩人在這個時候總能暢所欲言，無所不談，我能提出任何
主意試探他的反應，他也能當場拒絕而不會覺得尷尬。友好關係
和信任就這樣建立起來。我曾向他保證，新加坡不會趕在印尼之
前同中國建交。所以當初決定同中國互設商務代表辦事處，我事
先親自向他解釋，這不過是為了促進貿易，不等同於外交層次上
的代表性。他接受了我的解釋。

　　到了八〇年代中期，印尼對新加坡的看法徹底改變：新加坡
不只遠非中國的支持者，實際上還堅持維護東南亞大家庭的利
益。新印的經濟關係也逐漸改善。印尼對一切船隻開放所有港
口，放寬出入口條例，有關印尼產品被私運到新加坡的疑慮也煙
消雲散。當然，緊接著又出現新問題，如今是投訴印尼商人把電
器和其他耐用消費品從新加坡走私到印尼去，逃繳稅率高的進口
稅。只不過這是印尼海關方面的問題，怨不得我們。同樣地，新
加坡扮演中印貿易中間人所引起的紛爭，也隨著印尼打開與中國
直接進行貿易的大門而終結。

　　我和蘇哈托之間的高層友好關係，促使八〇年代擔任印尼國
防與治安部長的本尼‧穆達尼提呈建議，並進一步落實在蘇門答
臘北干峇魯鎮附近聯合開發錫亞布空軍武器試射場，供兩國空軍
使用的計畫。1989 年，這個武器試射場由兩國國防部隊總長共

17　同印尼化敵爲友

我同蘇哈托是幾十年的老朋友。這是我在 1989 年結束對雅加達的訪問時，向蘇哈托辭行的照片。

同主持開幕儀式，標誌著新印在防務聯繫上邁進了一大步。

1989 年 2 月，我在裕仁天皇的葬禮上見到蘇哈托，他告訴我一個可能促使印尼同中國復交的局勢新發展：中國願意明確而公開地表明，無論在黨與黨或政府與政府的層次上，都決不干預印尼內政。印尼在 1990 年 8 月與中國恢復邦交，同年 10 月，

我到北京，新加坡也跟中國建立外交關係。

　　1990 年 11 月，在卸下總理職務前幾天，我到東京出席明仁天皇的登基典禮時，又跟蘇哈托碰頭。蘇哈托夫人婷女士想不通為什麼我在身體仍然健壯，年紀還比她丈夫小三歲的情況下，願意退位讓賢。我解釋說，新加坡自建國以來未曾更換過總理，能在條件最理想的時候選擇適當的時機退位，應該是較妥當的做法。

　　從 1965 年開始，這些年來新印雙邊關係由一開始彼此試探和了解，到學會怎麼和平共處，期間總有新問題有待解決，而總能解決、回避或擱置，以後再談。如今回首，換了個性格脾氣跟蘇卡諾較相近的人當印尼總統的話，要同他們建立密切的關係並進行合作，必定有困難；對印尼，甚至整個東南亞區域來說，這段歷史恐怕也要改寫了。

蘇哈托的兒女們

　　蘇哈托夫人在 1996 年 4 月逝世。同年 11 月我和內人前往探訪，見到的是一個孤寂淒苦的蘇哈托。1997 年 6 月，我們又在雅加達重逢，蘇哈托雖然已經恢復平靜，身邊卻發生了重大的變化，兒女們變得更親近他。1996 年 8 月 18 日，我們到汶萊出席皇室婚宴見到了蘇哈托的女兒，個個渾身珠光寶氣。芝向新加坡駐汶萊大使的夫人提起印象中從沒見過她們這般打扮。大使之前派駐雅加達多年，大使夫人跟隨丈夫在那裏待久了，跟蘇哈托的女兒相當熟識。她說，蘇哈托夫人在世時管住她們，母親死後沒了約束，她們就開始炫耀自己的珠寶首飾。

　　印尼盾爆發危機，是大家都始料不及的。當泰國中央銀行在 1997 年 7 月 2 日停止扶持泰銖後，基金經理個個驚慌失措，拼命抛售區域貨幣和股票，導致金融危機一發不可收拾，區域國家

的貨幣無一幸免。印尼財政部長採取明智的措施，促請國際貨幣
基金組織出面幫忙。他在同年 10 月底跟基金組織談妥條件之
前，蘇哈托派特使來向吳總理尋求支持，以加強印尼的談判籌
碼。吳總理先找我和財長胡賜道商量，然後把這事提交內閣討
論。我們相當有把握，印尼的經濟狀況比泰國強：經常性項目和
預算都沒有出現鉅額赤字，所呈報的外債不算高，通貨膨脹率也
偏低。於是我們答應貸款高達 50 億美元以表支持，但是要等到
印尼用完國際貨幣基金組織、世界銀行和亞洲開發銀行總計 200
億美元的貸款和印尼自己的儲備金之後，貸款協議才生效。新加
坡也答應，一旦印尼和基金組織達成協議，便進入外匯市場扶持
印尼盾。基金組織給與印尼的援助配套最終達到 400 億美元，
日本也答應貸款最多 50 億美元。印尼同基金組織的協議一簽
定，印日新三國央行在彼此協商配合的情況下，立即進場扶持印
尼盾，把它從 1 美元兌 3600 盾推高到 3200 盾的水平。危機爆
發前，2500 印尼盾足以兌換 1 美元。

　　眼見局勢好轉，蘇哈托總統卻在這個時候恢復基金組織協議
下取消的部分大型基礎設施工程，結果削弱了各方的努力。取消
的工程共有 14 個，復工的包括蘇哈托長女哈迪揚蒂・魯馬納
（杜杜）持有股份的發電廠。另外，16 家被迫清盤的銀行當
中，有一家（為總統的兒子所擁有）在不同的名下獲准恢復營
業。市場對此做出反應，大量拋售印尼盾。這 16 家銀行不過是
冰山一角：印尼有 200 多家銀行，其中多家規模小，經營無
方，監管也欠妥當。更糟的是，印尼違反同國際貨幣基金組織達
成的協議，開始放寬貨幣政策。印尼商會會長宣布蘇哈托總統同
意利用新加坡給與的 50 億美元，為那些受信貸緊縮影響的印尼
本土公司提供低息貸款，進一步打擊市場信心。蘇哈托偏又在
1997 年 12 月，因為出國操勞過度病倒，導致問題更加嚴重。

　　印尼盾幣值直線下瀉使我大為震驚，我委託駐雅加達大使邀
請杜杜來新一趟，替我向她的父親轉達一些看法。我最後一次見
到她是在 1997 年 6 月到雅加達拜訪蘇哈托的時候。同年聖誕
節，我和吳總理在新加坡總統府別墅同她會晤。我們向她解釋，
如果無法恢復人們對以下兩個要素的信心，即蘇哈托的健康狀況
和他履行國際貨幣基金組織條件的意願，那麼印尼局勢將非常棘
手。我竭力奉勸她和她的弟妹們嘗試了解眼前的局勢：在雅加達
的國際投資基金管理人都把焦點放在總統兒女所享有的經濟特權
上；在這個危機時期，他們最好完全退出市場，不要再涉及任何
新工程。我直截了當地問她能否使弟妹們聽從勸告。她同樣坦率
地回答說無能為力。為了確保她明白市場分析員天天撰寫這類報
導有多大的影響，我通過駐雅加達大使把一份每日要聞選錄送交
給她。從蘇哈托兒女們的所作所為判斷，他們根本無動於衷。

　　1998 年 1 月 6 日，蘇哈托總統發表了印尼預算案。預算案
內容既未同國際貨幣基金組織商量過，也未達到印尼前此在拯救
配套下承諾落實的目標。此後兩天當中，印尼盾兌美元匯率從
7500 盾下瀉到 1 萬盾，因為基金組織副執行總裁費希爾和美國
副財長勞倫斯‧薩默斯雙雙批評預算案內容同基金組織開出的條
件不符。1 月 8 日晚上九點，我由電台新聞獲悉，雅加達群眾惶
恐地瘋狂搶購物資，把所有商店和超級市場的貨品一掃而空，儘
量花掉迅速貶值的印尼盾，換來食物和用品加以囤積。我撥電給
駐雅加達大使，對方證實了這個消息，還說一家超級市場被燒
毀，而印尼盾在市面上更創下 1 美元兌 1 萬 1500 盾的新低點。

　　我趕緊提醒吳總理。他一聽到這個消息就發信給美國國務院
和國際貨幣基金組織，建議它們發表文告，撫平市場的緊張情
緒，否則第二天恐怕會爆發動亂。過了數小時，在新加坡時間早
晨七點，柯林頓總統撥電同吳總理商討事態的最新發展，然後又

同蘇哈托總統通話。柯林頓宣布將派遣薩默斯協助解決問題。與此同時，費希爾發表文告勸請人們不要反應過敏。這樣忙碌了一場，總算讓人產生一絲希望，覺得可望找到一條出路，以免最終以暴動和騷亂收場。1 月 15 日，蘇哈托總統本人簽署了基金組織給與的第二個貸款配套，承諾履行更多改革措施。

在簽署第二份協議之前幾天，即 1998 年 1 月 9 日，蘇哈托的次女、印尼特種部隊司令普拉博沃‧蘇比安托少將的妻子海迪阿蒂‧哈里亞蒂‧普拉博沃（蒂蒂叶）來新加坡見我。蘇哈托知道她來新加坡，她希望我們幫助印尼在這裏發售美元債券。一名國際銀行家曾指出，通過這個方法籌集美元，將有助於穩定印尼盾。我卻認為，眼下的世道充滿危機感，市場對印尼盾根本沒什麼信心，要在這種環境下發售債券，萬一失敗，市場人士的信心將進一步滑落。海迪阿蒂接著抱怨新加坡傳出某些謠言，削弱了印尼盾，還說新加坡銀行界人士鼓勵印尼人把錢暫時存放在這裏，問我們能不能出面阻止。我向她解釋，即使政府出面干涉，也無濟於事，因為印尼人民只要在電腦鍵盤上一按，照樣能把錢從印尼轉到世界任何一個角落。更何況，真金不怕火煉，如果基礎穩固，謠言根本動搖不了印尼盾。要恢復市場信心，她的父親就必須讓世人看到他落實基金組織配套的改革措施。若覺得某些條件不切實際或太苛刻，大可邀請像美國前聯邦儲備局主席保羅‧沃爾克這樣的一位人物擔任顧問，由他提出理由，基金組織會認真聽取的。這話總算對方還聽得進去──一個銀行家後來告訴我，沃爾克確實去過雅加達會見蘇哈托，但是沒有當成顧問就離開。

由於子女們對每一個有利可圖的合約和壟斷行業都插上一腳，而且介入的程度有增無減，蘇哈托面對的問題百上加斤。國際貨幣基金組織決定向他的兒女涉及的一些合約和行業開刀，終

止這種壟斷局面，包括丁香業、兒子胡托莫負責的國產車計畫、
女兒杜杜掌握的發電廠合約、其他兒子獲得的銀行執照等等。蘇
哈托不明白基金組織為什麼要干涉印尼內政。實際上，這些壟斷
行業和優惠待遇，已成了投資基金管理人最關注的大課題。另
外，蘇哈托班子裏的高級技術專家官員，把印尼金融危機看成一
個可以藉以鏟除一些削弱經濟並引發不滿情緒的不良作風的機
會。最重要的是，國際貨幣基金組織很清楚，這類不良風氣一日
不除，美國國會決不會表決支持撥出更多資金填補基金組織的財
庫。

美國的觀點是關鍵

　　美國的觀點是影響整個事態發展的關鍵因素。薩默斯在
1998 年 1 月 11 日赴印尼途中路經新加坡時，告訴我和吳總
理，當前最需要的是「中斷」蘇哈托的執政手法，總統的親朋戚
友必須停止享有各種特權，大家得平等競爭。我卻指出，蘇哈托
繼續執政才是上策，因為沒有任何一個繼承蘇哈托的總統有那種
能耐推行基金組織開出的嚴格條件。因此，我們應該協助蘇哈托
落實這些條件，朝最理想的結局努力，即促使蘇哈托委任副總
統，將來由這名副總統在後蘇哈托時代，負責恢復市場人士的信
心。柯林頓政府對這個觀點無法認同，堅持務必推行民主，根絕
貪污和侵犯人權的事件。反正冷戰已經成為過去，沒必要再「縱
容」（柯林頓在 1992 年競選時使用的字眼）蘇哈托了。

　　兩個月後，在 1998 年 3 月，美國前副總統沃爾特・蒙代爾
帶來柯林頓給蘇哈托的口信，然後在回程中到新加坡同我和吳總
理會面。雙方就蘇哈托對改革方案可能採取什麼行動交換意見，
然後蒙代爾冷不防向我提問：「你是認識馬可士的。他是英雄還
是奸雄？蘇哈托和他比較有什麼不同？蘇哈托是愛國之士還是惡

人一個？」我覺察到蒙代爾準備先摸清蘇哈托的動機，然後才向
美國總統提呈建議。我回答他，馬可士或許一開始是個英雄，結
果卻變成奸雄。蘇哈托則不同。他心目中的英雄不是華盛頓，也
不是傑弗遜或麥迪遜，他崇拜的是爪哇中部的梭羅蘇丹。蘇哈托
夫人生前是這個皇室家族的小公主。在蘇哈托心裏，作為堂堂的
印尼總統，他是一個泱泱大國的蘇丹中之蘇丹，膝下子女自然應
該享有和梭羅蘇丹的王子、公主們一樣的特權。給與他們這些特
權，他一點也不覺得愧疚，因為這是他當蘇丹霸主的權利。他視
自己為愛國之士，我也不會把他列為奸雄。

　　吳總理分別在 1997 年 10 月和 1998 年 1 月與 2 月三度造
訪蘇哈托，向他解釋印尼經濟正處於風雨飄搖之中，他必須認真
對待國際貨幣基金組織的改革方案，否則市場將拋售印尼貨幣與
股票，導致當地經濟崩潰。吳總理最後一次在 1998 年 2 月見過
蘇哈托後回來告訴我，對方的一舉一動好像是自己已經陷入四面
楚歌的境地，深信西方國家要把他踢出局。吳總理向蘇哈托表示
關注，萬一經濟情況惡化，就會出現糧食短缺、社會動盪、人們
對印尼信心全失的局面。要真是這樣，總統就會處於非常嚴峻的
困境，因此非得借助基金組織的支持，穩住經濟不可。蘇哈托信
心十足地回答說他有軍方鼎力支持。吳總理向他暗示，印尼人民
可能已到達飢餓之至，連軍人也不願開槍的地步。蘇哈托根本不
認為有這種可能性。可憐他完全和現實脫節。當時已有一名印尼
將軍這麼說（這是美國大使 3 月間告訴我們的大使的）：「如
果有 1000 名學生，他們會遭到鎮壓；如果有一萬名學生，印尼
武裝部隊會設法控制群眾；但是如果學生有十萬名，武裝部隊人
員會反過來加入學生的行列。」

　　儘管在 1998 年 1 月簽署了第二份基金組織協議，蘇哈托總
統接下來走的幾步棋卻導致印尼貨幣和股票進一步滑落。同月較

遲時，印尼報章報導總統遴選副總統的條件，使一般人相信哈比
比是蘇哈托心目中的人選。哈比比的名字常跟耗資龐大的高科技
工程，如飛機製造業扯在一起。數名外國領袖為此擔憂起來，他
們紛紛前往會見蘇哈托，但不張揚，試圖勸阻他。這些領袖包括
蘇哈托視為好友的澳洲前總理保羅・基廷、吳總理和馬來西亞副
首相安華・依布拉欣。馬來西亞政府經濟顧問達因・再努丁在
1998 年 1 月底來函，要我前往勸說蘇哈托，因為蘇哈托的部長
們曾指他們的總統需要鄰國給與勸解。我不可能在雅加達陷入危
機的時候前去，以免被視為干預他國內政。我幾經思量，決定另
謀對策，便冒險於 2 月 7 日在新加坡發表的演講中說：「市場
人士對他（蘇哈托總統）要求副總統人選要具備科技專長的條件
感到不安，他是在第二份國際貨幣基金組織協議達成後不久這樣
宣布的……如果市場人士對最終當上副總統的人選感到不安，印
尼盾的幣值將再度趨軟。」雖然我沒有指名道姓，哈比比的支持
者卻因為這段講話而對我進行抨擊。

　　當蘇哈托在多方勸阻下仍舊委任哈比比為副總統時，基金經
理和外匯交易員做出意料中的反應，賣空印尼盾。印尼盾猛跌到
1 萬 7000 盾兌 1 美元的水平，把整個區域的貨幣幣值和股市都
一起拖累了。

　　蘇哈托的兒子班邦在 1998 年 2 月初為蘇哈托引見了史蒂
夫・漢克，讓這位美國約翰霍普金斯大學的經濟學教授給他出主
意。漢克告訴蘇哈托，解決印尼盾兌換率偏低的方法很簡單，就
是成立一個貨幣局。在他公開表示考慮成立貨幣局的概念時，印
尼盾幣值時上時下。這個經驗和判斷力一直教人欽佩的總統，現
在卻令市場對他逐漸喪失信心。

蘇哈托一生最大的錯誤

1998 年 2、3 月間，蘇哈托最後一次委任軍方和內閣要員人選，這是他一生貽害最大的錯誤判斷。他委任哈比比為副總統，因為正如他在辭職前 48 小時所說的，沒有人會支持哈比比出任總統。蘇哈托以為只要眾人知道下一個總統人選是哈比比，無論國內或國外，就不會有人串謀逼他下台了。陪他打高爾夫球的木材大王鄭建盛當上貿工部長，女兒杜杜成了社會事務部長。幾乎所有其他出任內閣成員的人士，不是效忠於他，就是他的子女們的親信。他一方面委任維蘭托上將為武裝部隊總司令，另一方面擢升女婿普拉博沃為中將，由後者出任陸軍戰略後備部隊司令，企圖以此平衡大局，這麼做卻大錯特錯。他明知普拉博沃腦子精，野心大，但是做事衝動魯莽。

我於 1996 和 97 年在雅加達同普拉博沃共進過午餐。他很機智，但是直率得很不得體。1998 年 2 月 7 日，他到新加坡訪問，分別同我和吳總理會面，傳達了奇怪的信息：印尼華人的處境危險，一旦發生什麼問題，即暴動，作為少數民族的他們將受到傷害；活躍於政壇的印尼著名成功華裔商人林綿坤尤其岌岌可危，因為他具備「雙重少數派」的身分，既是華人又是天主教徒。林綿坤曾對他和數名將軍說，蘇哈托非下台不可。當我表示懷疑時，他堅持林綿坤確實說過這些話，還說印尼的華裔天主教徒令自己陷入險境。我和總理都百思不得其解，不明白他為什麼要相告關於林綿坤的這席話——顯然任何一個印尼人都不可能告訴總統的女婿應該把總統撐下台。我們猜想這是不是林綿坤和其他印尼華裔商人即將出事的前奏，他要讓我們有心理準備。

1998 年 5 月 9 日，剛退休不久的美國參謀長聯席會議副主席威廉·歐文斯在新加坡同我碰面。他告訴我，前一天在雅加達

同普拉博沃一起吃午餐，對方說了些莫名其妙的話，實際含義是
「老頭子有可能挨不過九個月，可能會一命嗚呼」。他是當著兩
名年輕助手的面說這一番話的，兩名助手都是中校，其中一個是
醫生。普拉博沃當天興高采烈，慶祝自己升為三星將領，當上陸
軍戰略後備部隊司令，還拿社會上謠傳自己可能發動政變來開玩
笑。歐文斯說，雖然普拉博沃認識他已有兩年，但自己畢竟是外
人。我回答說，普拉博沃生性是個莽漢。

　　1998 年 1 月之後，有好幾個月的時間學生示威都局限於大
學校園內，教職員和曾經當過部長或將領的人士，公開在校園內
向學生講話，進一步壯大改革呼聲。為了顯示大局完全控制在自
己手裏，蘇哈托在 1998 年 5 月 9 日局勢鬧得不可開交之際，大
張旗鼓地赴開羅出席會議。學生終於走上街頭示威，同鎮暴警察
發生了幾次衝突，結果有六名特里薩克蒂大學的學生在 5 月 12
日退回校園的時候被開槍打死。隨後引發的公憤使印尼法治全面
瓦解，軍警人員全退下陣來，任由暴民在城市裏瘋狂破壞、洗劫
和焚燒華人的商店和住家，強暴華裔婦女。眾所周知，暴亂是普
拉博沃一幫人策畫的，目的是令維蘭托顯得無能，以便蘇哈托從
開羅回來時就會改立他（普拉博沃）為武裝部隊首長。然而在 5
月 15 日返回印尼時，蘇哈托大勢已去。

　　在最聽命於蘇哈托的哈莫可公開要求總統辭職後，蘇哈托身
邊最親近、最忠誠的助手和部長一個接一個地背棄他。哈莫可當
初是蘇哈托委任的國會議長。整個戲劇性的發展到 5 月 21 日上
午九點終告結束。蘇哈托在電視上宣布辭職，哈比比繼而宣誓成
為新總統。

　　一開始原來是個需要國際貨幣基金組織拯救的經濟問題，最
終卻導致總統被轟下台。是蘇哈托把 1965 年在貧困線上掙扎的
印尼扭轉過來，崛起成為虎虎生威的新興經濟體；是他為印尼人

哈比比

民提供教育，興建基礎設施，為印尼的繼續發展鋪路。對這樣一個領袖來說，事情發展到這步田地真是個人極大的悲哀。在這種非常時刻，向來在判斷和任用手下方面特具慧眼的他，卻選錯對象出任要職。他犯下的錯誤對自己、對國家都貽害無窮。

蘇哈托從來沒有考慮要流亡他國。他和家人的財富都投資在印尼。那名在《資本家》雜誌上報導蘇哈托家族累積資產達 420 億美元的美國記者，1998 年 10 月在紐約向我透露，這筆財產大部分留在印尼。當地爆發經濟災難後，據他估計，財產價值只剩 40 億美元了。蘇哈托不像菲律賓的馬可士，他沒有把財富偷偷帶出國外，以防必要時能迅速脫身。他依然留在雅加達的住家。當了 32 年總統的他沒打算逃跑。我不明白他的子女為什麼需要那麼多財富。若不是因為他們行為過分，蘇哈托在印尼史上將能占有不同的地位。

深受他信任，對他忠心耿耿，曾長期擔任武裝部隊情報局局長，後來升任武裝部隊總司令的穆達尼將軍，曾在八○年代末對我說，他曾勸告蘇哈托制止子女們對商業特權的無止境要求。如果聽取穆達尼的勸告，蘇哈托就不會有如此的悲劇收場。

我觀看了他宣布辭職的電視廣播，為他無法更體面地引退而嘆息。蘇哈托窮一生精力，穩定印尼局勢和振興國家經濟。他所推行的政策提供了有利條件，讓所有的東盟國家經濟能在七○至九○年代期間，欣欣向榮。那是東南亞的黃金時代。

雖然哈比比是誤打誤撞坐上總統的位子，他卻相信命中注定

他會統治印尼。他有很高的智力，卻性情善變，而且口沒遮攔。在《亞洲華爾街日報》（1998 年 8 月 4 日）的一篇報導中，他形容自己的工作方式是「並行處理一二十個課題」，把自己跟電腦相提並論。他也抱怨在 1998 年 5 月 21 日就任的時候，許多國家第二天就紛紛傳來賀詞，新加坡卻遲遲沒有道賀，一直到「將近 6 月分，非常遲。我是無所謂，但是這裏（印尼）有 2 億 1100 萬人。看看地圖，綠色的（地區）全是印尼，那個小紅點是新加坡。你看看。」（新加坡已在 5 月 25 日發了賀電。）吳總理幾天後在國慶群眾大會的演講中回應說，新加坡只有區區 300 萬人口的資源，像新加坡這種「小紅點」能為鄰國做出的貢獻有限。

我們很清楚哈比比的為人，因為他曾經負責峇淡島同新加坡合作的項目。他對印尼華裔有敵意，而人口多數為華人的新加坡因此也遭池魚之殃。他企圖以對待印尼華裔「主公」的態度對待我們，想向我們壓榨而自肥。這會改變我和蘇哈托向來以平等獨立國的姿態合作的基礎，使之變成兄長和弟弟的關係。可是私下裏，哈比比派人再三向吳總理傳話，邀請他到雅加達訪問，也邀請顯龍（副總理）和太太一起共進晚餐。他要給外界留下新加坡領袖是支持他的印象。有人告訴我們，他以為這樣就能挽回印尼華裔商界領袖的信心而進行投資。我們看不出這類訪問何以能產生這樣的效果。

哈比比訓張志賢

哈比比指責新加坡一事見報兩天後，他對新加坡教育部長兼國防部第二部長張志賢訓話訓了 80 分鐘。張志賢當時是到雅加達去，把援助物資送交印尼武裝部隊總司令維蘭托將軍的。這裏引述一段張志賢的話：

17　同印尼化敵為友

　　「哈比比手舞足蹈，他揮動著雙臂，與此同時臉上的表情和語氣迅速轉變。他幾乎無法坐定，聲音很激動，樣子很煩躁。哈比比的談話不是強調他自己的成就和特性，就是近乎赤裸裸地向新加坡進行威嚇。他憶述自己從 18 歲起就住在歐洲，前後 25 年，並吸收了『民主和人權』等價值觀。

　　「哈比比要新加坡認清自己的地位和脆弱性。於是他進一步指出『新加坡在（印尼）裏邊』，整個人從椅子上跳起來，衝到掛在牆上的地圖前面，展開雙臂強調印尼的大片綠色地區把『小紅點』新加坡包圍其中。」

　　後來，我在 1999 年 1 月 27 日晚上啟程赴達沃斯之際，在電台新聞中聽到哈比比決定給與東帝汶選擇全面自治或獨立權利的消息，整個人呆了。這等於突然扭轉印尼自 1976 年就堅持的政策，也就是，東帝汶併入印尼是不可逆轉的。

　　在達沃斯，我見到陸士達──那位精明機警、常年奔波不懈，負責東亞與太平洋事務的美國助理國務卿。我們倆都同意，哈比比的獻議一經提出，便使局勢產生了永久性的變化，東帝汶走向獨立將是意料中事。陸士達冷淡地說，一些總理不應該貿貿然寫信，尤其是寫給像哈比比這樣的總統。（我們都閱讀了有關報導，它指出哈比比做出這個決定是受到澳洲總理約翰・霍華德一封信的影響，信中建議讓東帝汶人民通過全民投票來決定他們自己的前途。）

　　讓東帝汶自決前途的消息在宣布後不久，新加坡交通部長馬寶山在 1999 年 2 月 4 日會見哈比比時，對方向他追述了澳洲大使相告有關「新喀里多尼亞」解決方案的經過：安排全民投票自決，並且要有所準備在 15 年籌備期過後，給與獨立。哈比比告訴澳洲大使，印尼不準備採納這個方法。印尼並沒有從東帝汶得到天然資源、人力資源或黃金，而澳洲也無權堅持要印尼給與東

帝汶自治或自決的選擇。

哈比比對馬寶山說：「全世界都不了解我們，經常對我們進行人身攻擊。」對此，他感到「氣憤和厭倦」。他吩咐內閣研究讓東帝汶脫離的可行性——讓他們選擇要自治或獨立。如果東帝汶拒絕自治方案，卻又要印尼協助他們為獨立鋪路的話，他就得說聲「抱歉」，他不準備當東帝汶的「有錢叔伯」。他請大使向霍華德轉達這一番話。為此，霍華德在 1999 年 1 月寫信給哈比比，信中有哈比比對東帝汶的這個看法。哈比比收到信後，馬上在有關段落的旁邊作注，向內閣推薦這樣的主意。這一系列在印尼歷史上標誌著一個轉折點的事件，就這樣給啟動了。

讓東帝汶自決的消息公布後的同一晚上，我在新加坡飛往蘇黎世的班機上，見到能幹的印尼經濟事務統籌部長吉南加・卡塔薩斯米塔，從他那裏證實了哈比比決定這個課題的方式。我們都準備到達沃斯出席世界經濟論壇。由於座位只隔著走道，我們於是談論起印尼的經濟和政治局勢的發展，一談就是一小時。不過，吉南加最關心的還是東帝汶。他回憶起當天下午有人根據哈比比的備忘錄，在內閣第一次提出東帝汶課題。隨後全體部長，包括國防部長維蘭托將軍，經過兩個小時的討論就做出決定。大家同意採納總統的建議。他略帶焦慮地問我，這樣會不會給印尼帶來其他影響。我委婉地回答說不敢確定，但是這次政策上的轉變所帶來的影響，確實非同小可。

東帝汶選擇獨立

哈比比的軍師以為讓東帝汶選擇自治或獨立，就能使哈比比獲得國際貨幣基金組織和世界銀行的資助，讓他在美國和歐盟能以民主之士和改革者自居，對他重新當選總統有幫助。事實上，他惹惱了印尼的將領，其中有好幾位多年來一直嘗試安撫東帝

汶。吉南加於 1999 年 8 月在奧克蘭出席亞太經濟合作論壇會議
時告訴吳總理，他們在同年 2 月把民兵武裝起來，是一個錯誤
的決定。他們的用意是要「勸服」東帝汶人避免投獨立票。東帝
汶人卻選擇獨立，投票率達 99%，獨立票高達 80%。投票結果
一宣布，民兵便公然放火焚燒破壞東帝汶。哈比比作為印尼民族
主義者的名聲因此大壞，印尼武裝部隊和政府的聲譽也因此掃
地。

　　為了協助哈比比連任總統，他的智囊團為他塑造改革者的形
象，突顯他決心和過去一刀兩斷。他釋放政治犯，容許 50 多個
政黨註冊成立，而不再是蘇哈托時代的三個政黨。他也經常和媒
體會面，並暢所欲言──甚至口不擇言。幕後的編導者便得把他
拉回來，不讓他信口開河。他需要金錢來換取支持。印尼官員預
料在選舉後會出現大變動，惟恐被調派去擔任油水較少的職位，
便趁此過渡時期大撈特撈。這個時期各個層面的貪污活動，比蘇
哈托時代情況最嚴重的時候有過之而無不及。受賄的機會無所不
在，因為許多銀行和大公司沒有能力清償債務，必須依賴政府的
搶救計畫，這使它們面臨壓力。其中一家是峇里銀行，同哈比比
關係最密切的一些親信，抽取了該行 7000 萬美元左右。國際貨
幣基金組織和世界銀行拒絕在峇里銀行徹底接受查帳並懲治違法
者之前發放援助金。哈比比卻以發表審計報告有違印尼銀行保密
條例為理由，阻止公開該行帳目的審查結果。據印尼媒體報導，
有關賄款牽連到他的家族成員。

　　儘管如此，在爭取連任時，哈比比還是憑藉自己在回教界
的名聲和總統的頭銜，動員所有他所能號召的支持者。他的表現
搖擺不定，不時得由助手替他穩住陣腳。雖然媒體、反對黨領
袖，以至他自己的政黨戈爾卡都向他施壓，他卻始終不肯放棄。
他說他不是一個懦夫，除非人協（人民協商會議）否決他，不然

瓦希德

他不會退出競賽。結果他確實遭到否決。人協在 10 月 20 日上午以 355 票對 322 票，駁回他的施政報告。熟悉印尼政壇縱橫捭闔之道的人士告訴我，他們從來沒見過那麼多錢，在那麼短的時間內，交到那麼多人協代表的手中。哈比比放棄了角逐。

瓦希德當選總統

　　哈比比退出競選，促使最後關頭出現戲劇性的結盟變化，影響了兩大總統候選人阿都拉曼・瓦希德和美加華蒂・蘇卡諾布特里的命運。被追隨者暱稱為古斯杜（杜大哥）的瓦希德，是回教教士聯合會的領袖，這個以鄉村地區為根據地的傳統回教組織，擁有 3000 萬個成員。瓦希德的民族復興黨在 6 月大選中贏得 12.6% 的選票。蘇卡諾總統的千金美加華蒂領導的鬥爭派民主黨，在一片喧嘩的群眾大會競選活動中，成為贏得最多票數的單一政黨，得票率達 34%，遠遠超過哈比比（戈爾卡）。但是，由 695 人組成的人民協商會議（其中 200 個席位不是民選的）在 10 月 20 日下午四點卻宣布瓦希德當選總統，他以 373 票擊敗獲得 313 票的美加華蒂。政治布局的瘋狂操縱行動由此展開，直到翌日下午三點人協開始投選副總統才告結束。三名候選人——戈爾卡的阿巴丹戎、印尼國軍總司令維蘭托將軍和回教政黨聯盟的漢扎・哈茲參加角逐，美加華蒂卻不肯參賽，惟恐再次蒙羞。瓦希德費盡唇舌勸她參選，最後向她保證，一定有足夠的政黨支持能使她獲勝。他需要她扮演副總統的角色來為他出任總統正名。與此同時，在好幾個選票幾乎由她一人囊括的爪哇和峇里的幾個城

市，紛紛傳出暴力和縱火事件。

　　陸士達恰巧在這個時候來到新加坡，準備在世界經濟論壇發表演說。他於晚上八點在瓦希德當選總統後數小時同我和吳總理會晤。我們跟他一樣，深信如果有人在人協要弄政治手段，導致美加華蒂在發生舞弊的情況下落選副總統，印尼將難免發生一場流血事件和更多的動亂。我們雙方決定盡自己所能，讓印尼的主要人物了解這種情形要是發生，對國際投資者的信心將會產生的後果。

　　《雅加達郵報》10 月 22 日報導，美國國務卿歐布萊特（當時在南非）在前一天上午致電瓦希德，「傳達華盛頓的意見」，即美加華蒂應該當選副總統。結果美加華蒂以 396 票對 284 票獲得勝利，戰績教人折服，也使印尼幸免於另一輪動亂。

　　就客觀形勢而論，最後出來的結果是最合乎理想的。瓦希德這位新當選的總統眼睛失明。他在 1998 年兩次中風，但是對周遭的事情還是很機警敏銳，他能在 10 月 20 日迅速行動，使自己獲選的機會提升到最高。人協駁回哈比比的施政報告之後，瓦希德獲得大部分原本該由哈比比得到的親回教選票。在當選後一星期內，他迅速委任各大政黨和軍方的代表組成內閣，為全國上下展開和解過程。由於分權太廣，這或許算不上是最有效率的政府，但是它或許能協助印尼治癒在 17 個月的流血衝突中所造成的創傷：土著對抗華裔，回教徒對抗基督教徒，達雅克人和馬來人對抗馬都拉人，亞齊分離主義者對抗印尼軍人。瓦希德和美加華蒂有兩項任務教人望而卻步：修復滿目瘡痍的印尼社會結構，重新推動經濟起步。

　　在蘇哈托時代，為了免得跟他或他的助手之間產生誤會，我們從不會晤印尼的在野黨領袖，也不像美國或西歐那樣，同蘇哈托的政敵美加華蒂、阿敏‧萊士，甚至是瓦希德來往。同我們有

密切關係的是蘇哈托的部長和印尼國軍。這些人,尤其是外交部
長阿里・阿拉達斯和國防部長兼三軍總司令維蘭托將軍,在哈比
比執政時期協助穩定新印兩國的雙邊關係。不過,從 1999 年 1
月到 4 月,當時擔任國防與戰略研究院院長,而後在同年 9 月
出任新加坡總統的納丹邀請印尼各政黨領袖,在海內外媒體全面
報導的情況下,向研究院發表演講。新加坡的部長們在這些演講
者來訪期間,同他們共進午餐或晚餐,藉此了解他們的立場,並
建立和睦的關係。我們就這樣認識了瓦希德(後來當選總統)、
美加華蒂(後來出任副總統)、萊士(後來擔任人協議長),以
及戈爾卡的馬祖基・達魯斯曼(後來出任瓦希德內閣的總檢察
長)。

　　這可觸怒了哈比比和他的手下,他們公開表示不滿我們干預
印尼內政。國防與戰略研究院指出,它也曾邀請戈爾卡的代表前
來演講;馬祖基便曾應邀前來。研究院也三番四次誠邀戈爾卡主
席阿巴丹戎,只是對方無法赴會。這還無法讓哈比比的外交顧問
蒂薇・福爾圖納・安瓦爾博士息怒,她硬指新加坡傾向美加華
蒂。

　　我於 1997 年在雅加達見過瓦希德。當時他在一個私人會議
上致詞,解釋回教在印尼所扮演的角色,並向投資者保證,印尼
的回教跟中東的派別不同。他是個演講高手,英語流利,阿拉伯
文修養高,頭腦很聰明。當時我萬萬沒想到,此人有一天會當上
總統,在哈比比執政過渡之後,治理蘇哈托留下來的印尼。

　　我和吳總理在瓦希德就職當晚,立刻發出賀電,我們不希望
我們對他們的新總統的支持受到任何質疑。

　　瓦希德當選後不久,召集了東盟各國大使。瓦希德告訴他
們,他將到所有的東盟國家訪問,第一站是新加坡。他直截了當
地向新加坡駐印尼大使李廣富表示:「印尼要和新加坡建立良好

的關係，希望新加坡能在印尼復甦之際給與支持。」他進一步解釋對未來的構想：中國、印度和印尼三個全世界人口最多的國家能攜手合作；日本和新加坡則提供經濟和科技支援。到了那個時候，亞洲將能減少對西方的依賴。

瓦希德來訪之前，他的外長阿維希哈博士到新加坡大使館拜訪李廣富，以顯示印尼不是以兄長的態度對待新加坡，而是誠心要跟我們合作。阿維希哈是一個有本事而務實的人，出身商界，也是一家美國大學的神學客座教授。李廣富向他保證，新加坡會幫助他們，但是我們人口僅有 300 萬，無論是經濟或科技能力，都有其局限性。新加坡沒有美國或日本那樣的資源來協助印尼重新啟動經濟。阿維希哈告訴他，新加坡可以發揮催化作用，協助印尼挽回投資者的信心。因此，我第一次同當上印尼總統後的瓦希德會面，氣氛是融洽而有建設性的。

吳總理在 1999 年 11 月 6 日親臨機場迎接瓦希德，在午餐前和共進午餐時同對方聊得很投入。接著，瓦希德當著濟濟一堂的 500 個商人和外交人員面前，表現了他對政治的把握，也施展了人們在更加講求開放和責任歸屬的時代對印尼新總統所預期的技巧，教人佩服。他在我前往拜訪的時候，邀請我加入他籌組的國際顧問團，協助印尼復甦經濟。這樣的殊榮我無法推辭。他談到道德標準和清廉的政府。我説，他要部長們當清官，就得確保他們獲得足夠的報酬，不必貪污也能過得合乎身分地位。在場的印尼財經工業統籌部長郭建義，告訴陪同晤談的新加坡部長楊榮文，他剛剛跟瓦希德討論過這個敏感的課題。説是敏感，因為他們的能力只夠涵蓋最高層的官員，無法全體一視同仁。

同瓦希德「四眼會談」

我和瓦希德也無所約束地進行了「四眼會談」。儘管上了年

紀，又曾經兩度中風，上午還四處奔波，瓦希德卻依然顯得精力
充沛，讓人心頭安穩不少。而且他的幽默感不斷流露，一舉手，
一投足，渾然一副完全掌控大局的總統的架勢。投票給他的回教
政黨必須解決它們所面對的問題，同時會跟瓦希德不斷進行交流
互動，這將使它們變得更實際，五年後必會呈現不同的面貌。瓦
希德希望我和總理同印尼副總統美加華蒂會面，儘可能幫助她吸
取經驗。他說，他跟維蘭托將軍關係良好，很清楚軍方的角色應
該如何演進。他知道內閣有很多不稱職的人物，尤其是在金融和
經濟領域。這些問題會得到解決。他下定決心要使政府的運作步
伐一致，貫徹始終。

他不只幽默感十足，對自己也有非常實在的評價。他戲謔
說：「印尼第一任總統（蘇卡諾）為女人瘋狂；第二任總統（蘇
哈托）為金錢瘋狂；第三任總統（哈比比）純粹就是瘋狂。」陪
伴在他身邊的女兒問他：「第四任總統呢？」他想也不想就回
答：「做戲。」一言概括了他在印尼所充當的角色。他有信心自
己能在這個講求對媒體和非政府組織要開誠布公的新時代，扮演
好印尼總統的角色，滿足兩者所提出的改革和民主要求。

不過，印尼經歷了天翻地覆的大變動，權力不再集中於一個
以強大無比的印尼武裝部隊做後盾的總統手中。選舉促使許多小
回教政黨崛起，但是它們加起來都無法湊成多數。美加華蒂領導
的政黨贏得 34%選票，是得票最多的單一集團。領導回教政黨
贏得 7%選票的萊士，以高明的手腕把好幾個回教政黨七拼八
湊，湊成一個聯合組織「中間軸心派系」，由這個組織同其他組
織達成協議而使萊士擊敗美加華蒂派出的候選人，贏得人協議長
之席位。中間軸心派系也投票支持瓦希德，從而擋住美加華蒂的
總統之路。瓦希德是爪哇中部和東部的傳統回教領袖，身為回教
教士卻為民族主義所接受，因為他向來主張宗教（包括回教）和

國家應該涇渭分明。但是他之所以能當選，全靠中間軸心派系的
回教徒投他一票。蘇哈托一直約束著回教勢力，直到八〇年代
末，爲了抗衡武裝部隊的影響力，才開始拉攏回教徒。哈比比當
總統後更是積極地把他們扶持上來，幫忙他們動員支持者支持自
己連任。回教政治力量已經進入印尼的權力中心，眼下是印尼的
一股強大勢力，今後也是。印尼所面對的挑戰，是如何維持一個
平衡點，使其多元種族、多元宗教的子民能依照印尼建國之父蘇
卡諾總統提出的、銘刻在印尼國徽上的建國原則「存異求同」團
結起來。

18 泰菲與汶萊

新馬分家後，奧瑪爵士有一次來到新加坡訪問，給了我一個燦爛的笑容，小鬍子抽動著，眼珠子閃爍著，他對我說：「你們現在跟汶萊沒兩樣，對你們來說可是件好事。」說得沒錯，新汶確實有某些相似的地方：同是彈丸小國，四周卻都圍繞著大國。我並不貪圖蘇丹的財富，也從未向他借過錢，只在他問起的時候提供意見和看法，因此深得他的信任。

對泰國人的最初印象，是五〇年代往來倫敦在曼谷過境時，點點滴滴得來的。之後於 1962 和 1963 年隨東姑到海外訪問時，泰國外交事務官員的素質給我留下深刻的印象。泰國外交部招攬全國最精明傑出的人才，他們都是留學英國、歐洲和拉丁美洲的大學生。外交服務在泰國是一種光榮而高尚的職業，不但收入高，而且能頻頻周遊列國，在旅遊機會稀有的年代，它益發教人嚮往。相比之下，主管國內事務的行政人員在素質上就遠遠不如外交官員。泰國也確實需要最傑出的人才擔任外交官，才足以抵禦在緬甸的英國人和在中南半島的法國人的兩面夾攻。泰國是東南亞唯一不曾受過殖民主義強權統治的國家。

1966 年，我在曼谷同泰國首相他儂‧吉滴卡宗陸軍元帥見面。他非常支持美國介入越南。可是到了 1973 年 1 月，他卻對我說，相信長久下去，美國全面撤出中南半島將是一個無可避免的結局。他希望看到本區域能夠團結起來，把南北越、寮國和柬埔寨等中南半島國家以及緬甸，全吸收到東盟當中——但是北越必須真正停火才行。

他儂不是一個複雜的人，對朋友對盟國都忠心耿耿。他把我當作朋友，彼此可以自由坦誠地交換意見。由於泰國曾大力支持美國，甚至提供龐大的空軍基地供美國部隊使用，讓美軍能夠轟炸北越，因此他憂心忡忡——北越所採取的敵對和報復的態度，是不容掉以輕心的。他感嘆說，美國人把一隻手縛在背後，用單手作戰；他們只是一味向北越進行空襲，在南越則打防禦戰，這根本是個贏不了的戰術。他們只求不吃敗仗就算了。由此可見，泰國人正在根據全新的現實情況進行調整。

同年 10 月，曼谷爆發大規模示威，要求制定更民主的憲法，結果迫使他儂投奔美國。他們夫婦倆住在波士頓一座公寓裏，生活一點也不愉快。家鄉的熱帶氣候、親友，尤其是辛辣的

泰國美食，都教他們思鄉心切。

　　1974 年 12 月，他儂在沒有通知當局的情況下悄悄飛回曼谷。泰國政府要把他送回美國，但他拒絕離開，除非政府准許他帶著年邁病危的父親，到一個距離泰國要比美國近的地方。我答應泰國政府的要求，讓他儂到新加坡居留，條件是在居留期間他不得參與任何政治活動。我的想法是，如果新加坡也能像歐洲的瑞士那樣，變成一個中立的庇護所，那何嘗不是一件好事。

　　一天晚上，我邀請他儂夫婦和跟隨他們一起到波士頓生活的女兒女婿共進晚餐。他憶述了那一段被放逐到陌生寒冷的新英格蘭的痛苦日子，怎麼深感孤立無助，又怎麼因為泰國咖哩散發刺鼻辛辣的氣味而惹得左鄰右舍怨聲四起。在新加坡，探訪他的親朋戚友絡繹不絕，他對這裏的生活方式也感到比較熟悉親切。只不過泰國政府仍然嚴密監視他的一舉一動，以防他跟來訪的泰國客人趁機策畫政治活動。

泰國人的處事方式

　　兩年後他儂披著一身袈裟返回曼谷，他公開宣布自己將遁入空門潛修，並受到一些泰國皇室成員的迎接。事過境遷，時代不同了，他儂始終沒有重返政壇，但總算說服泰國政府，把大部分已經凍結或沒收的財產歸還給他。這就是泰國人的處事方式。只要還有妥協的餘地，就決不趕盡殺絕。得饒人處且饒人是佛教的精義。

　　在這之前，泰國在 1975 年舉行了大選，傳統的君主主義者庫立巴莫當選首相。在他領導的聯合政府裏，他所屬的社會行動黨只占了議會 140 個議席中的 18 個。泰國需要他去應付北越即將戰勝南越的局面。我覺得他精明，達觀，善謔，不過有時候卻顯得輕浮。他能言善道，動作和表情豐富，可從來沒有讓我感覺

到他真的有志於政治。他曾經在好萊塢電影《沉默的美國人》裏扮演首相的角色。離了婚，住在曼谷市中心一棟富麗堂皇、樣式古老的泰式柚木大房子裏。我曾受邀到他府上享用露天晚餐。

　　但是身為一名決策領導者，庫立卻使我忐忑不安。紅高棉攻下金邊一個星期後，1975 年 4 月 17 日，也就是西貢陷落的兩個星期前，我到曼谷去見他。對泰國的立場他說得不多。新加坡駐泰國大使在泰國長大，對當地的領袖和文化都有深入的了解，他認為泰國仍在探索新的外交政策。我這一次的訪問正值泰國最緊張的時刻。庫立說美國基地應該會在一年内撤走。他對美國不再有信心，他們的存在起不了阻嚇作用，反倒像個「靶子」成了眾矢之的，這使泰國的處境更危險更尷尬。我說我們不該就此認定美國已不成氣候，美國國會必定將因形勢使然而改變態度。新加坡的看法是，只要美國第七艦隊還留駐本區域，我們同中國和蘇聯的交往就自在得多。否則，蘇聯的影響力必定席捲整個區域。當蘇聯要求新加坡准許他們在一個外島儲存燃油，以供蘇聯漁船使用時，我們請對方向設在新加坡的美國石油公司買油。如果第七艦隊撤走的話，我們不可能這麼回答。

　　庫立在 7 月初訪問北京後兩個星期到新加坡來。之前他曾經在曼谷見過北越代表團。他指出「骨牌理論」在法屬中南半島得到印證，如今北越要進一步成為整個中南半島的統治者。我問他為什麼河内廣播電台在越南政府準備向泰國表示友善之際，反而對泰國充滿敵意。庫立回答說越南想以脅迫恐嚇的手段迫使泰國建交，他們要教世界看到泰國已經恐慌了。庫立描述了在曼谷同到訪的北越代表團領袖會面的情形：這名北越領袖看起來並不傲慢，口口聲聲說「不計前嫌」，還在會面時熱情地擁抱他。庫立說自己「在擁抱中不寒而慄」。他們的笑容透著寒意，五人齊坐在小房間裏時，氣氛驟然變得冷淡。代表團首領顯得輕鬆自

在，其他四人就只是直挺挺地坐著。他們堅決要求泰國歸還西貢陷落前夕，由越南飛入泰國的南越軍機。

　　庫立認為，我們（東盟）必須堅定不屈，充當「中南半島國家的老大哥」，不時給與援助，使他們不致挨餓。東盟必須顯示它富裕、有力量和團結一致，偶爾邀請中南半島國家一起參加歌舞節日。庫立對北越的看法，在他於曼谷跟北越代表團會晤，特別是到北京訪問之後更加強烈。泰國人在國家主權受到威脅時，總能迅速機靈地設法捍衛自己。

　　庫立接著敘述周恩來告訴他的一番話，是關於我本人的：「我對他（指我）感到驚奇。他和我可是同一個血統，為什麼總是擔心中國會侵占新加坡？他更大的問題是阻止中國的華僑返回新加坡。」我請庫立轉告周恩來，對中國華僑返回新加坡或新加坡華人希望返回中國，甚至是中國占領新加坡的問題，我從不感到擔心。新加坡對中國來說，不過是個彈丸之地，侵占它可能引起的麻煩會是得不償失的。我所關注的是，中國在馬來亞和印尼共產黨成立紀念日發給他們的賀詞。這些賀詞在吉隆坡和雅加達激起強烈的反感和憎惡，我不希望因自己和周恩來有同樣的血統，而使這種情緒轉而針對我。我甚至反問，萬一新加坡同印尼發生衝突，難道中國會介入幫助新加坡？事後庫立一時興起，竟向曼谷報章披露了這段插曲。

對付共產黨人的三忌

　　新泰關係是在 1978 年 12 月越南進攻柬埔寨之後才更加密切的。當年出任首相的克良薩將軍對外交事務毫無經驗。他的外交部長烏巴迪・巴乍里央恭博士精明能幹，才智出眾，到德國留過學，但是要應付來勢洶洶的越南，同樣經驗不足。當越南主動開出條件，聲稱只要泰國對越南進攻柬埔寨一事保持中立，不做

任何抨擊，越南就誓不進入距離泰國邊界 20 公里以內的範圍，
泰國此時面臨關鍵的抉擇。我通過外交部長拉惹勒南致函克良
薩，籲請他切勿接受越南的條件。否則，一旦越南違背諾言，泰
國再要對越南進行任何譴責，在國際上將站不住腳。與其如此，
倒不如先讓國際社會對越南給東南亞造成的威脅有所警惕。最
後，想必是得到中國承諾在泰國受攻擊時會全力給與支援，克良
薩站穩了立場，同聲抗議越南的侵略行動，還為戰敗撤退的柬埔
寨軍隊和成千上萬的難民提供庇護。

　　克良薩處事不如庫立機智。他之所以掌權，只因他曾是泰國
陸軍總司令。他顧慮太多，尤其擔心會受到柬埔寨衝突的波及。
他孤注一擲，把籌碼一股腦兒全押在中國身上。1978 年 11 月越
南進攻柬埔寨之前，鄧小平先後到曼谷、吉隆坡和新加坡訪問，
克良薩對鄧的歡迎最為隆重熱烈。正如我在新加坡結束跟鄧的會
談之後，乘車前往機場途中告訴鄧的那樣，克良薩立場已定，他
決定豁出去，站在最前線，把泰國的生死託付中國。中國如果容
許越南在柬埔寨為所欲為，必會陷克良薩和泰國於重重危機之
中。萬一泰國轉而相信蘇聯會在東南亞崛起而改變立場，後果將
不堪設想。鄧聽完我的描述後神色凝重。

　　克良薩的接班人是布勒姆·廷素拉暖將軍。布勒姆是個單身
漢，格外清正廉明，所領導的政府幾乎肅清貪污之風。在他出任
首相的八年間（1980 至 1988 年），儘管柬埔寨戰火紛飛，泰國
卻繁榮興盛，經濟開始起飛。他是一位穩重可靠的領袖，推行政
策貫徹始終，雖然沉默寡言，算不上博學多才，卻十分務實。泰
王對他完全信任。布勒姆將軍的英語水平雖然不及庫立，策略感
卻強得多。一身整齊的衣著和言行舉止，都反映了他那種自律節
儉乃至質樸無華的生活方式。我們倆很合得來。他不時會嚴肅地
端詳著我說：「我同意你的看法。你是泰國的好朋友。」

1998 年 1 月在結束對泰國的訪問前，我同泰國前首相布勒姆（右）和外長西迪（中）見了面。

布勒姆的外交部長西迪·沙衛西拉是泰國空軍元帥，也是麻省理工學院的碩士。（泰國空軍領袖一般上教育程度非常高。）西迪不但才智過人，而且能幹，意志堅定，性格剛烈，認定目標後不屈不撓。他是泰歐裔混血兒，膚色白哲。儘管外貌五官是歐亞人的特徵，卻讓人民完全相信他是個忠誠的泰國人。西迪深知越南人狡猾詭譎，他能識破他們的每一個花招。少了布勒姆這位首相和擔任外長的西迪，新泰不可能如此密切合作，成功地在柬埔寨牽制住越南。他們兩人是理想的搭檔，保障了泰國的長治久安和經濟發展。要不是有這兩位領袖，越南還真有可能操縱泰國政府。

察猜·春哈旺將軍在 1988 年 8 月接任首相後，談的盡是如何把中南半島由戰場變成市場。西迪蟬聯外長一職，但是地位很

快開始動搖。察猜不斷公開反對西迪,直至他辭官引退。就因為察猜太急於讓泰國商家能在越南的重建工作中分一杯羹,越南政府才拒絕放棄柬埔寨,並拖延巴黎和會的談判直至 1991 年,長達三年。

察猜在擔任庫立政府的外長期間曾對我說,每次到東北鄉村地區的選區訪問時,他非得駕駛馬力強大的名貴保時捷轎車不可。我問為什麼,他說如果乘坐的是普通汽車,農民不會相信他有能力幫助他們改善生活。駕駛保時捷就不一樣,農民馬上知道這是個有錢人,總有辦法通過各種途徑提供援助。對我從報章報導中所了解的,關於候選人往往收買村長以爭取村民選票的現象,他則沒有進一步說明。

察猜的個性也有可愛的地方。六〇年代參與政變之後,他曾經被遣送到阿根廷,後來到了瑞士,在那裏購置了一棟別墅。在歐洲那幾年,他飆車四處旅遊,盡情享受生活。出任首相期間,他所領導的政府,眾所周知是泰國歷史上最腐敗的一個。當地人對政壇的這股賄賂歪風習以為常。一直到九〇年代中期,教育水平較高的中產階級逐漸擴大,民間才開始對猖獗的貪污現象感到擔憂。想當選就要準備大筆錢,黨領袖還得自掏腰包資助黨內候選人競選。選舉一過,黨領袖和議員們便得想法子彌補他們的開銷。這就是泰國版本的金錢政治。在日本,選舉開支由建築合同承擔。在泰國,每份合同都要有回報,否則下一屆大選的競選基金將沒有著落。

1998 年 1 月我再度訪問泰國,首相川呂沛和他的副首相與財政部長在討論的過程中顯示,他們明白泰國必須同國際貨幣基金組織合作,才能恢復人們對這個國家的信心。到 1999 年,他們已經成功地使國際貨幣基金組織和國際投資者,改變了對泰國的評價。

菲律賓是個不同的世界

菲律賓和新加坡屬於兩個完全不同的世界。菲律賓在美國的
軍事保護傘下推行的政治和政府，作風和我們大不相同。我是在
1974 年 1 月，才到馬尼拉拜會馬可士總統的。當我乘坐的新航
客機一飛入菲律賓的領空，菲律賓空軍部隊的一小隊噴射戰鬥機
就一路護送我到馬尼拉機場。馬可士在那裏以菲律賓式氣派十足
的儀式迎接我。我下榻於總統府馬拉康南宮內的貴賓樓，房內的
裝潢華麗鋪張，布置了許多價值連城的歐洲藝術品。我們的東道
主待客殷勤奢華，排場十足。新菲之間重洋相隔，不存在任何摩
擦，貿易往來也不多。我們打打高爾夫球，談談東盟的未來，彼
此答應繼續保持聯繫。

馬可士的外交部長卡洛斯·羅慕洛個子矮小，約有 5 英尺
高，比我年長 20 歲左右，隨時隨地能以自己的身高和其他缺陷
自嘲。他很有幽默感，巧言如簧，筆鋒犀利。跟他一起用餐是件
樂事。他說起故事來繪聲繪影，妙語如珠，有說不完的趣事。他
從不掩飾自己非常崇拜美國人，最愛講的故事包括跟麥克阿瑟將
軍一同返回菲律賓的經過：當年麥帥在萊特灣涉水上岸，水深及
膝，羅慕洛卻因為水位已到胸前而不得不四肢並用，游泳上岸。
羅慕洛在東盟領袖和美國人當中，享有良好的聲譽，連帶提高了
馬可士政府的聲望。因為有他這種剛直不阿的內閣成員，馬可士
政權在八〇年代名譽掃地之際，還能撐住門面。

1976 年在峇里島出席首屆東盟峰會，當時西貢已經陷落，
我發現馬可士急於推動東盟的經濟合作，但是新菲不能走在其他
國家前頭。為了確定發展的步伐，我和馬可士同意為新菲彼此進
口的所有產品，全面降低 10%關稅，同時推動東盟的內部貿
易。我們也同意鋪設新菲海底電纜。後來我才意識到對他來說，

發表聯合公報本身就是一種成就，該怎麼具體落實反而是其次，它是個額外步驟，大可留待下一輪會議再討論。

我們每隔兩三年總會見一次面。一回他帶我到馬拉康南宮的私人圖書館參觀。書架上擺滿了他自參選以來多年政治活動的經過裝幀的剪報資料，以及一部部厚似百科全書的菲律賓歷史和文化叢書，書上注明由他編撰。還有他擔任抗日游擊隊領袖期間的活動徽章，都一一展示在玻璃櫃裏。他毫無爭議地是所有菲律賓人的首領。他的夫人伊美黛崇尚豪華闊綽的生活。峇里峰會舉行前夕，馬可士伉儷曾經到新加坡訪問，兩人各乘一架 DC-8 型專機抵步，派頭十足。

馬可士不認為中國會在短期內構成威脅，不像日本，一旦局勢有變，侵略野心有可能死灰復燃。第二次世界大戰期間，日本皇軍給馬尼拉留下的恐怖陰影，至今他還沒忘記。對越南侵占柬埔寨一事，我們的看法卻存在嚴重的分歧。他雖然在形式上譴責越南的侵占行動，卻並不擔心它會危及菲律賓，反正菲越之間隔著一大片南中國海，又有美國海軍隨時保護菲律賓的安全。因此，在柬埔寨問題上，菲律賓並不積極。其後，他更因國內安全問題每況愈下而無暇他顧。

馬可士實行的是軍法統治，曾經扣押過反對黨領袖貝尼尼奧‧阿奎諾。這個反對黨強人同樣是出了名的沙場老將，政治魅力和魄力決不在馬可士之下。馬可士後來釋放阿奎諾，允許他赴美。當菲律賓經濟形勢開始惡化時，阿奎諾宣布決定回國。伊美黛幾次發出隱含的警告，他還是在 1983 年 8 月乘坐專機由台北飛抵馬尼拉機場，結果在下機時中彈身亡。有大批隨行的外國通訊員和電視攝像隊簇擁，也保不住他的性命。

暗殺行動在國際上掀起軒然大波，導致外國銀行霎時終止一切貸款。菲律賓的債務共達 250 億美元以上，連利息都窮於應

付。馬可士被逼入死胡同，唯有委派貿工部長博比‧王彬向我求助，希望我撥出 3 到 5 億美元貸款，幫助菲律賓償還利息。我直視對方的眼睛說：「這筆錢我們永遠拿不回來。」更何況誰不知道馬可士病重，身體日益衰弱，必須不斷接受治療。菲律賓需要的是一位身強體壯的領袖，不是更多的貸款。

　　不久後，1984 年 2 月，馬可士在汶萊蘇丹王國獨立紀念日的慶祝會上同我會面。他看上去跟以往簡直判若兩人。雖然不似上鏡時那麼臃腫，但是膚色深得驚人，像是經過陽光曝曬一樣。他說話的時候呼吸沉重，有氣無力，雙眼無神，頭髮稀薄，看起來非常虛弱。一輛配備一切必要醫療儀器的救護車、一組菲律賓籍醫生，全在他下榻的貴賓洋樓外守候。馬可士花了大部分時間告訴我阿奎諾遭暗殺的過程，內容有如天方夜譚。

一次很彆扭的會談

　　當所有助手一離場，我便開門見山向他指出，任何一家銀行都不會再借他半分錢。大家只想知道萬一他有什麼三長兩短，總統一職究竟將由誰來繼承。所有銀行家都看得出他身體狀況大不如前。菲律賓拖欠的 250 億美元當中，有 80 億美元是由新加坡的銀行借出的，這筆貸款很可能 20 年後還拿不回來。他反駁說只要給他八年時間。我說銀行家希望看到菲律賓出現一個強有力的領袖以重新穩住政局，美國尤其期待 5 月的大選能推舉出這樣一個人物。可是問他會提名哪位候選人上陣時，他竟回說是塞薩爾‧比拉塔總理。這下子我可沉不住氣了。比拉塔是無望成功的人選，只能做一級行政官，當不成政治領導者。不但如此，馬可士身邊最有政治頭腦的同僚，國防部長胡安‧恩里萊已失去他的歡心。對此馬可士沉默不語，接著他承認接班人難尋是問題的癥結。如果找到繼承人，就有辦法找到出路。離別之前他對我

說：「你是我真誠的朋友。」這話教我莫名其妙。那是一次很彆
扭的會談。

馬可士在醫藥治療中撐了下去。塞薩爾·比拉塔第二年 1
月到新加坡同我會面。他非常忠厚老實，政治上並非老手。據他
透露，馬可士夫人伊美黛很可能獲提名參加總統選舉。我不敢相
信，因為菲律賓不乏其他更有分量的候選人，比如恩里萊和勞工
部長布拉斯·奧普萊。比拉塔回答說這跟「滾滾財源」有關。伊
美黛比其他候選人更有本錢收買選票，以獲得黨的提名和贏得選
舉。他還說如果伊美黛參選，反對派必定推舉阿奎諾夫人科拉桑
為候選人，希望藉此激起人民的情緒。他說，政局動盪，經濟也
每況愈下。

局勢的發展終於在 1986 年 2 月有了結局。馬可士舉行大
選，並宣稱自己獲勝。反對派候選人科拉桑·阿奎諾對選舉結果
質疑，並發動了非暴力的反抗運動。國防部長恩里萊倒戈，承認
選舉出現舞弊，當時的菲律賓警察部隊總長菲德爾·拉莫斯中將
也跟著他叛離馬可士。「人民力量」以狂風掃落葉之勢席捲馬尼
拉街頭，這是有史以來街頭示威推翻了獨裁政權最轟轟烈烈的一
次。馬可士夫婦經歷的這一連串不光彩事件，終於在 1986 年 2
月 25 日上演完結篇。夫婦倆乘坐美國空軍直升機倉皇辭廟，逃
離馬拉康南宮到克拉克空軍基地，再飛往夏威夷。如此一幕好萊
塢式的傳奇劇，恐怕只有在菲律賓才可能上演。

科拉桑在舉國歡騰的氣氛中宣誓出任總統。我對這名誠實、
虔誠的婦女寄予厚望，相信她能幫助菲律賓重拾信心，步上正
軌。科拉桑是虔誠的天主教徒，為國家盡心盡力，一心要完成丈
夫生前的遺願，也就是為菲律賓重建民主。她深信有了民主，一
切經濟和社會問題都能迎刃而解。在晚宴上，科拉桑安排憲法起
草委員會主席兼大法官塞西莉亞·穆尼奧斯·帕爾馬坐在我身

邊。我向這名學識淵博的女士請教，菲律賓自 1946 年獨立以來
的 40 年經驗，究竟給與她的委員會哪些有助於她草擬憲法的啟
示。她毫不猶豫地回答說：「我們將義無反顧、毫無保留地推行
民主，不容許任何獨裁者冒起推翻憲法。」難道美式分權概念和
菲律賓人民的文化習俗之間就真的沒有相互矛盾之處，並曾給馬
可士之前的歷屆總統製造過麻煩嗎？顯然沒有。

　　政變圖謀此起彼落，使科拉桑百上加斤。軍隊和警隊都被政
治化了。1987 年 12 月的東盟峰會舉行前夕，另一次政變又在醞
釀。要不是有蘇哈托總統的鼎力支持為後盾，那次峰會多半得延
期舉行，而打擊各國對科拉桑政府的信心。當時，菲律賓政府同
意讓其他東盟政府，尤其是印尼政府，協助分擔維護安全的責
任。總指揮是深獲蘇哈托信任的助手班尼·穆爾達尼將軍。他在
馬尼拉灣正中央部署了一艘印尼戰艦，艦上的直升機和突擊隊隨
時候命，峰會期間一發生狀況，便出動拯救東盟各國首腦。我也
是拯救對象之一。這樣的拯救行動行不行得通我有所保留，不過
還是決定按計畫行事，希望各國展示的軍力對政變領袖能起阻嚇
作用。我們全住在面向馬尼拉灣濱海的菲律賓廣場酒店，能清楚
看到停泊在馬尼拉灣的印尼戰艦。酒店全面封鎖，守衛森嚴。峰
會順利結束，沒有發生事故。我們都希望在科拉桑政府四面楚
歌，風聲鶴唳之際，展示對她的政府的全力支持，藉此使局面安
定下來。

　　各國顯示了對菲律賓有信心也無濟於事。政變企圖變本加
厲，影響外資的流入，也嚴重打擊了就業機會，教人惋惜。菲律
賓擁有許多在國內和美國受教育的人才，他們的員工都能說英
語，至少在馬尼拉是如此。菲律賓沒有理由無法成為東盟比較成
功的國家之一。在五〇、六〇年代，因為美國慷慨資助菲律賓戰
後的重建工作，菲律賓曾是本區域最發達的國家。但它總是缺了

些什麼——一種能把社會凝聚起來的膠體。屬於精英階層的混血兒，對待菲律賓的土著，就如同拉丁美洲大莊園的西班牙混血兒對待他們的奴隸一樣，高高在上。他們生活在兩個截然不同的世界：居高位者極其驕奢淫逸，農民生活卻捉襟見肘。在菲律賓生活尤其不好過。他們沒有土地，只能在甘蔗園和椰園裏工作。教會不鼓勵節育，他們生了許多孩子，結果貧窮加劇。

　　誰都看得出來，沒有美國大力給與援助，菲律賓不可能起飛。當時的美國國務卿喬治‧舒茲同情菲律賓的處境，想拉他們一把，但是他清楚地向我表示，如果東盟也肯做出貢獻以示支持菲律賓，美國會更好辦事。美國不願意把菲律賓這個不是自家的問題獨攬上身。舒茲希望東盟扮演更顯著的角色，好讓美國總統在國會中較容易拉票。我說服舒茲在 1988 年雷根總統第二個任期結束前展開援助計畫，他做到了。有關各方為這項多邊援助計畫（菲律賓援助計畫）進行了兩次會談：第一次於 1989 年在東京召開，捐助國答應捐出援助金 35 億美元；第二次於 1991 年布希執政期間，在香港召開，各國承諾的援助金達 140 億美元。儘管如此，菲律賓的局面動盪卻始終沒有平息，造成捐助國躊躇不前，拖延落實援助計畫。

　　科拉桑的繼承人是她所支持的拉莫斯。拉莫斯總統做事比較實際，也使國家在較大程度上恢復穩定。我在 1992 年 11 月拜會拉莫斯，並在第 18 屆菲律賓商業研討會上發表演講說：「我不相信民主就必定帶來發展。一個國家對紀律建設的需要遠比民主建設更為迫切。」拉莫斯總統私下同意我的看法，認為英國式國會的憲法制度，其實更能有效地運作，因為議會中的多數黨也是政府。但對外他卻必須唱反調。

　　拉莫斯明知以純美國式分權制度治國，終究要面對很多困難。菲律賓上議院已經推翻科拉桑要保留美國基地的建議。菲律

賓有肆無忌憚的新聞媒體，卻無力抑制國內的貪污歪風。個別新聞記者可以被收買，許多法官同樣可以被收買。一定是有什麼地方出了嚴重的亂子。數以百萬計的菲籍男女被迫離鄉背井，去幹遠低於自己教育程度的工作。受聘到新加坡工作的菲籍專業人士決不比我們的本土人才遜色。他們的建築師、藝術家、音樂家比新加坡人才更有藝術修養和創意。成千上萬的菲律賓人選擇到夏威夷或美國大陸去謀生。這肯定是個問題，但是採用菲律賓版本的美國式憲法，並未使問題的解決方法變得更容易。

　　兩者的差別在於菲律賓人的文化。那是一種寬恕待人的溫和文化。像馬可士這種斂財竊國超過 20 年的領袖，死後還會有人考慮給他舉行國葬，這種事情只有在菲律賓才會發生。至今起回的不義之財微不足道，他的遺孀和孩子卻能獲准回國參政。憑著厚實的資產，他們給勝券在握的總統和國會候選人撐腰。1998年大選，約瑟夫・埃斯特拉達當選總統之後，他們再度成為政治舞台和社交場合的焦點人物。阿奎諾遭暗殺時負責保安事務的武裝部隊總司令費維安・弗爾上將，1986 年隨馬可士逃離菲律賓，後來在曼谷去世，埃斯特拉達政府為他舉行了軍隊葬禮。菲律賓報章《今日》在 1998 年 11 月 22 日發表一篇文章寫道：「弗爾、馬可士和其他官員欺騙、折磨和掠奪百姓，使國家陷於水深火熱之中長達 20 年。未來十年，馬可士的朋黨和直系親屬將靜悄悄地一個接一個回到這個國家──每次總會引起公眾的憎惡和憤慨，但是他們證明了有錢能使鬼推磨，厚臉皮則像銅牆鐵壁。」有一些菲律賓人的言論筆鋒充滿澎湃的感情。如果他們能在思想感情上引起國內精英的共鳴並付諸行動，還有什麼事情難得倒他們？

同汶萊蘇丹多年深交

　　五〇年代中期當執業律師期間到汶萊出庭辦案時，我看到的是一個氣氛祥和，以豐富的石油資源致富的蘇丹王國。

　　1960 年 8 月，汶萊蘇丹奧瑪・阿里・賽義夫丁爵士邀請我以總理的身分，跟新加坡自治邦元首尤索夫一同出席他的生日慶祝會。他沉默寡言，說話聲音很輕，臉上總露出友善、吸引人的微笑。他朋友不多，認識他的人幾乎都只想染指他的財富。1962 和 63 年間，我在倫敦談判建立馬來西亞的條件時，曾經和他見過好幾次面。對汶萊加入馬來西亞的前景他總是感到不自在。原有的石油收入，大部分將歸聯邦政府所有，東姑向來對他特別關照，這種情形在汶萊加入馬來西亞之後還會不會持續，他可沒有信心，畢竟他將只是馬來西亞眾多蘇丹當中的一位而已。我向他闡明新加坡願意加入馬來西亞的原因，但是留待他自己做出最後的決定。儘管身邊的法律顧問不少，他最終還是做了政治上的決定，置身事外。現在回想起來，這是個明智的決定。1963 年以後，英軍繼續留駐，直至 1984 年 2 月讓汶萊獨立為止。

　　新馬分家後，奧瑪爵士有一次來到新加坡訪問時，給了我一個燦爛的笑容，小鬍子抽動著，眼珠子閃爍著，他對我說：「你們現在跟汶萊沒兩樣，對你們來說可是件好事。」說得沒錯，新汶確實有某些相似的地方：同是彈丸小國，四周卻都圍繞著大國。我並不貪圖蘇丹的財富，也從未向他借過錢，只在他問起的時候提供意見和看法，因此深得他的信任。

　　1967 年，馬來西亞解散共有的貨幣局後，貨幣局原班成員馬、新、汶都同意，三地新貨幣可按票面幣值對等互換。這項協議後來在 1973 年取消，而汶萊老蘇丹卻決定繼續維持同新元之間的協議——按票面幣值對等互換。他和本區域其他蘇丹完全不

18　泰菲與汶萊

1964 年 4 月汶萊蘇丹奧瑪‧阿里‧賽義夫丁爵士訪問新加坡。

一樣，他最節儉。他為汶萊建立了嚴格理財的概念，開始累積大筆資產，並交由設於倫敦的皇室代理局管理。

英國政府頻頻施壓，要他推行憲制改革，落實民主。對此他採取了緩兵之計。1967 年，他傳位給當時正在英國桑赫斯特陸軍軍官學校受訓的長子哈桑納爾‧波基亞，自己則花很多時間暗自謀畫如何延長英國對汶萊的保護期。他拒絕同馬印有任何牽連。他不信任印尼，因為印尼支持汶萊人民黨主席阿扎哈里，這名反對黨領袖曾在 1962 年 12 月策動群眾造反。他對馬來西亞存有戒心，是由於五〇年代末六〇年代初，暫時調派到汶萊工作的馬來西亞官員，擺出高人一等的姿態，視當地的官員為鄉下佬。基於這點我非常謹慎，避免借調新加坡官員到汶萊。即使迫不得已必須這麼做時，也得確保有關人員上任前接受清楚的指

示，要客氣有禮地對待當地官員。

1979 年 3 月，在一次私人會議上，我籲請前蘇丹奧瑪爵士，也就是退位後的斯里巴加灣，在汶萊正式於 1984 年獨立自主以前靠攏東盟。我告訴他印尼總統蘇哈托和馬來西亞首相胡先翁，對汶萊都很友善，不會排斥。他同意考慮讓汶萊以觀察員的身分加入東盟，卻一直未有實際行動。我向他解釋，世界早已變了樣。奧瑪爵士一直死心塌地相信英國始終會在汶萊背後給與支持，不願意承認英國的情況已今非昔比，如今英國根本沒有什麼海軍或空軍特種部隊能隨時出動拯救汶萊。

柴契爾夫人擔任首相期間，到新加坡訪問的英國部長總愛向我提起汶萊的課題。柴契爾夫人領導的政府希望說服汶萊蘇丹舉行選舉，建立更現代化的君主政權，進而獨立自主，好結束英國保護的制度。我盡所能敦促斯里巴加灣奧瑪爵士和蘇丹跟著時代前進，但是兩人不為所動。英國政府終於做出決定，無論汶萊能不能建立代議制政府，它都必須為自己的將來負起責任。英國仍會提供支援，協助汶萊抵禦外來的威脅。他們保留一營辜加兵駐守當地，不過軍隊開支由汶萊自行承擔。我也在 1979 年籲請剛擔任柴契爾夫人政府外長的卡林頓勳爵堅持立場，即使駐汶萊的英國官員要求延長逗留期時也不能軟化。他們留著不走的話，只會使幾乎都是在英國受過教育的汶萊官員，繼續被剝奪吸取經驗自行管理國家的機會。在那次會談後，政策有了顯著的改變。到 1984 年汶萊正式獨立時，幾乎所有高級職位都由土生土長的汶萊人擔任。

1980 年，我曾向蘇哈托總統提及讓汶萊在獨立後加入東盟的可能性。蘇哈托表示如果汶萊願意加入，他一定歡迎。我接著勸請蘇丹除了考慮他父親的看法，還要考慮其他觀點，不要小看東盟的重要性，並敦促他多拜訪蘇哈托總統和其他東盟成員國的

領袖。他終於在 1981 年 4 月做到這點。他在雅加達受到蘇哈托的熱情歡迎，接著還訪問了馬來西亞和泰國。1984 年，汶萊加入東盟時，東盟不但為它提供類似安全保護傘的保障，同時也使波基亞蘇丹更容易同周遭的鄰國相處。

　　汶萊自獨立以來國家太平，人民生活安定。蘇丹逐漸建立自信心，莫哈末親王成為一位見多識廣的外長，掌要職的汶萊官員參加的國際會議多了，增長了見識，對工作也更能勝任。斯里巴加灣在 1986 年與世長辭。他如果能活著看到這項成果，必定會老懷大慰。

　　蘇丹的父親同我之間的深厚友誼，在現任蘇丹、他的兄弟和部長們跟吳作棟總理和同僚們之間繼續增進。這是一種完全基於誠信的關係。

李光耀回憶錄

19 中南半島的滄桑

柬埔寨的人民是輸家。國家衰敗了，受過教育的階層被殺光，經濟一敗塗地。因為洪森的政變，柬埔寨加入東盟的計畫挪後了。它最終在 1999 年 4 月加入東盟⋯⋯它目前的領袖都是殘酷、無情的鬥爭的產物，他們的對手不是被殺害，就是被分化了。他們都冷酷殘暴，毫無惻隱之心。歷史對柬埔寨是殘忍的。

1977 年 10 月 29 日，一架越南的 DC3 型舊達科他飛機，在內陸航線飛行時被劫持，被迫飛到新加坡，劫機者要在實里達空軍基地強行降落，我們阻止不了。在給飛機添油和檢修過後，我們允許越南派遣新的機艙人員前來把飛機駕回越南，將原來的機艙人員和其他乘客也一併送回去。劫機者最後被控上法庭定罪，判處 14 年監禁。

對這種種供應和服務，越南非但不付錢，還反過來接連向我們發出警告，要麼把劫機者遣送回越南，要麼對一切後果負責。我們堅持立場不受威脅，不然必定後患無窮。我們同 1975 年重歸統一的越南之間的關係，就是從這一僵持不下的事件開始的。

越南人老奸巨猾，看準一些東盟成員國既惶恐不安，又希望同他們交好的心理，希望從中牟利。他們在電台和報章上措辭強硬。越南領導人更是教人受不了，狂妄自大，以東南亞普魯士人自居。的確，他們是吃過苦，受過美國科技施予的所有懲罰，然後憑著堅忍不拔的毅力，再巧妙地利用美國媒體進行反宣傳，一舉把美國人擊退。他們有信心擊敗世界上的任何強國，甚至包括中國，如果中國插手越南局勢的話。對我們這些東南亞的弱小國家來說，越南只有蔑視。他們宣稱將單獨同東盟成員國建立外交關係，拒絕同作為一個組織的東盟交往。他們的報章對菲律賓和泰國的美國軍事基地提出批評，把中國和新加坡的關係說成是「互相勾結」。

但是到了 1976 年，越南跟中國的歧見日深，不得不派遣外交使節團到東盟。副部長潘軒在訪問本區域國家時，帶來了和平的信息。他起初把新加坡從訪問行程中刪去，過後又改變計畫，在 1976 年 7 月訪新。他說，越南不干預其他國家的事務。他巧妙地把越南社會主義共和國的人民和越南社會主義共和國政府區別開來。越南人民支持東南亞各民族為爭取獨立而進行的正義之

范文同

戰，意即共產叛亂。而越南政府則要同這些東南亞國家建立雙邊關係。我指出，這種外交詭辯術並不能排除我們腦子裏存在的疑問，這個雙軌政策，其實也就是干預。談到蘇聯對越南的支持，我說強國都知道彼此直接硬碰是危險的，因此利用第三國家來擴大自己的影響力。在東盟，我們自行解決彼此間的任何歧見，所以美國也好，蘇聯也罷，想要乘機挑撥離間也無從下手。

范文同終於來了

同樣地，范文同總理一年後到本區域進行訪問，起初也並未把新加坡列入擬議的行程之中，也許是想藉此使我們不安。我們無動於衷，越南威脅不了我們。他最終還是在 1978 年 10 月 16 日來了。我覺得他不可一世，令人反感。越南人真是絕佳的舞台監督，先是潘軒來展示共產越南的盈盈笑臉，現在范文同這位高齡 72 的老人家來了，讓我們看他的強悍和鐵石心腸。在兩個半小時的討論中，什麼禮儀婉言全省了。其實從機場出發的途中，我們就已經在車內開門見山地對話。

我的開場白是：歡迎越南願意同我們合作，謀求和平、穩定和繁榮，但是聽了河內電台的廣播，讀過他們的《人民報》的報導，我卻抱持保留的態度。這些廣播和報導並不友善，甚至語帶威脅。范文同宣稱越南是個社會主義國家，他自己是個共產黨人，信奉的是馬列主義。他到新加坡來，是以越南社會主義共和國總理的身分講話。越南必須為東南亞和世界的革命與和平事業貢獻力量，新加坡不該為此而有所顧慮。越南是個擁有 5000 萬

人口的國家，它擁有豐富的天然資源，人民勇敢、聰明。美國和日本都告訴過越南人，他們的國家將成為一個經濟強國，美日都需要同它建立經濟與貿易聯繫。

發表了充滿信心的開場白之後，他在回答我的問題時，宣稱北京煽動越南北部 14 至 15 萬的華人越過邊境回到中國。他們不明白其中的原由。事情的根本原因在於越南戰勝美國後，中國所採取的對越政策。中國繼續對越南實行擴張主義政策。北京指使紅高棉領袖侵入越南領土，犯下殘忍的罪行。中國駐河內大使館發起了一項運動，為返華的越南華人提供訓練，再把他們派遣到越南去，這就促使大批越南華人紛紛離越返華。海外華人對祖國的情意結根深蒂固，感情上很真摯，也很教人欽佩，但是北京卻利用了這種情緒來達到自己的目的。

我問他，中國如果在新加坡也有大使館，是否也會採取相同的政策。他認為不會，因為中國並不希望所有海外華僑都回去。讓他們留在僑居國，繼續充當中國的工具，也許更好。他直瞪著我說，華人無論身在何處永遠心向中國，就好像在海外的越南人總會支持越南一樣。

接著，他轉而談起經濟關係，並出人意表地說新加坡可以為越南的重建貢獻力量。當我溫和地表明我們必須從所提供的貨品與服務中得到一些回報時，他直截了當地說，越南的經濟尚未開發，貿易的機會非常有限。當晚，我和他走去用晚餐時，他又說越南不能進行貿易，但是需要幫助，而新加坡既然曾在越戰時期出售戰爭物資給美國，從中得利，自然有義務幫助他們。如此傲慢而好戰的態度，著實讓我目瞪口呆。

第二天，當我們的車子駛過濱海地區時，他看到海港內停著許多船，又再指責我們從越戰中撈到無法估量的好處，認為這是以越南為代價來發展新加坡，如今要新加坡協助越南，不過是應

盡的義務而已。這真是不可思議。就因為一場戰爭使他們貧困潦倒，我們既不是發動戰爭的一方，也不曾在整個戰事過程中扮演任何角色，就一口咬定我們有義務幫助越南重建，這是哪門子道理，我當真想不通。我說，我們為在越南的美軍所供應的主要戰爭物資，無非是美國和英國的公司所生產的汽油、石油和潤滑油。所得利潤對新加坡來說是微乎其微的。他流露出一臉的狐疑。我說我們願意同越南貿易，但不打算給與援助。他顯然不高興。我們分別時保持風度，但是態度冷淡。

　　12 年後，1990 年，在達沃斯舉行的世界經濟論壇會議上，越南第一副總理武文杰要求同我會面。他希望我們拋開歧見，進行合作。我對他們自 1978 年 12 月侵占柬埔寨以來所浪費的時間表示遺憾。除非紛爭得以解決，否則我們不可能建立政府與政府之間的關係。武文杰說，越南有許多投資機會，他已經批准發出 100 多張投資許可證給外國公司。我回答說，不論投資許可證有 100 張還是 1000 張，除非美國指示世界銀行給越南提供無條件的低息貸款，讓它進行重建，同時美國的大銀行認為在越南投資的風險是可以接受的，否則越南經濟起飛不了。不過，一旦越南撤出柬埔寨，我們就會恢復在 1978 年中斷的關係。

　　1991 年 10 月，越南和其他有關各方在巴黎簽訂了柬埔寨衝突全面政治解決協定。一個星期後，已經成為總理的武文杰到新加坡訪問。雖然我已不再擔任總理，我們仍在我的接班人吳作棟總理款待他的晚宴上見了面。宴席將散，他起身向我走來，像共產黨人慣常所做的那樣半擁抱著我，問我願不願意幫助越南。我說，怎麼幫？做他們的經濟顧問。一時之間我啞口無言。從他們侵占柬埔寨以來，我一直是他們猛烈抨擊的對象。回過神來後，我告訴他，我只有管理一個城市國家的經驗，從未管理過像越南這樣擁有 6000 萬人口，多年來飽受戰火摧殘的國家，而且實行

的是必須轉變為市場經濟的共產主義制度。他鍥而不舍，並且過後還送來兩封信。

在互相通信後，我同意訪問越南，不以顧問的身分，而是同他們一起討論，集思廣益，研究如何轉向自由市場經濟。我在1992 年 4 月訪問河內時，我們的關係完全改變了。在裝飾華麗、正中央擺放著胡志明半身像的會議室裏，我花了一整天的時間同武文杰和他的內閣部長、高級官員進行討論。他們準備了五個問題，先是問越南在推行現代化時應該著重於什麼貨品、什麼市場，以及同怎樣的夥伴合作。我回答說，這個問題本身就暴露了他們長期經歷中央規畫所形成的思想傾向，因為他們事先假定會有特定的貨品、市場或者夥伴，能協助他們轉型。我建議他們研究台灣和韓國從農業社會轉型成為新興工業社會的過程。

我說，利用南越，尤其是胡志明市（也就是過去的西貢）作為全國經濟增長的動力是上策。共產主義在北越推行 40 年，在南越則只有 16 年。南方人民熟悉自由市場經濟，要回復舊的制度並不困難。他們最好的催化劑是那些流亡海外的人，即在1975 年後離開，在美國、西歐和澳紐等國的商界闖出一番天地的越南難民。他們一定願意協助自己的家庭和朋友，應該把他們找回來，為啟動南方的經濟盡力。

武文杰似乎被這個建議吸引了。他本身是南方人，但是其他資歷更老的領導人要的是南北均衡發展。他們內心都有個隱憂：這些散居海外的人會帶回顛覆思想，或者同像美國中央情報局那樣的外國機構有聯繫。經過數十年捉迷藏式的游擊戰爭後，他們總是懷疑每個人都圖謀不軌。

武文杰在我臨走前從河內飛到胡志明市同我會晤。他請我每年去一趟，說我是一個真正的朋友，因為雖然有些話聽來刺耳，我給他們提出的卻是誠實和誠懇的建議。我答應兩年內再訪越

南。在這段期間，我會派一個工作團前去研究他們在基礎設施方面的不足之處，並且對他們的海港、機場、公路、橋樑、電信和電力的建設發展提呈建議。

我們決定拋棄前嫌

我們的官員相信他們之所以要同我交往，是希望接近東盟，在面對中國時更有安全感。新加坡在柬埔寨問題上，曾經是反越聲音中最響亮的一個。他們能同我們恢復正常關係的話，將會加強外國投資者的信心。我們決定拋棄前嫌，盡力協助他們適應市場經濟，以便彼此成為和諧共處的東盟夥伴。

在河內的時候，我要求會見范文同。儘管已經退位，他還是在他們的官邸同我會面。那是一座二〇年代建成的舊式石砌的建築物，過去曾經是法國總督的辦公室。范文同在大門梯口跟我見面，身體明顯虛弱了，但仍費勁地直立著，再腳步蹣跚地走到有段距離的椅子旁。因為他怕冷，他們把冷氣機關掉了。他雖然體弱，說起話來卻依然十分堅定有力。他憶述我們在新加坡的那次會談，說過去的已成過去，越南歷史正掀開新的一頁。他對我前去幫助他們的情誼表示感謝。聽起來他有點悔恨交集。我想起1978年他到新加坡來時那副盛氣凌人的模樣。看到他在失敗時頑強的樣子，我暗自感激鄧小平懲罰了越南人；如果讓他們勝利成為東南亞的普魯士人，那將是令人無法消受的。

越南領導人是很特出的一群。武文杰雖然說話溫文，但是作為共產黨地下鬥爭者，他的背景顯然同表面的溫文背道而馳。他們是讓人畏懼的對手，意志堅定，鬥志高昂。

在寫給內閣的短箋中，我形容越南在改革開放了六年後的慘狀。胡志明市在1975年還可以跟曼谷媲美，但是現在（1992年），它反而倒退了20年。我總覺得眼下人民對他們的領導人

杜梅

失去信心，領導人卻對他們的制度失去信心。雖然如此，越南人還是精力充沛、資質聰穎的民族，基層基本上都是尊崇儒家思想的。我相信再過二三十年，他們將會振興起來。每一個會議都準時開始、準時結束。他們都是非常認真的人。

同我在胡志明市見過面的總理武文杰和前總書記阮文靈都說過，他們必須針對市場經濟這個課題對幹部們進行再教育，糾正他們錯誤的馬克思思想。一位在胡志明市的外國銀行家告訴我，因為人才外流情況嚴重，越南面對受訓人才短缺的困境。他們把所有外國人都當成假想敵，外籍老板的一舉一動會受到屬下的越南雇員的觀察匯報。這名銀行家相信越南是要為下一次戰爭做準備。

他們的許多行為和做法依然是非常共產式的。我們第一天經過上下午兩輪討論過後，武文杰仍然不置可否。在這兩個會議之後，他們帶我去見總書記杜梅。從我跟總理分手到同杜梅見面的20分鐘裏，相信杜梅已經聽了這兩輪討論的匯報。武文杰必定是在我同杜梅見面後得到杜梅點頭批准，所以在當晚的宴會演講中，重提我談到的一點。早些時候，他對此還不置可否，那就是越南不應該有太多國際機場和海港，而應該集中建造一個大型的國際機場和一個大型的國際海港，以便納入世界機場與海港的網絡。

我們討論了他們不斷虧損的國營企業。他們要把這些國營企業私有化，或者轉賣給員工或其他人。我解釋說，這個方法並不

是解決問題的關鍵，關鍵在於有效的管理。新加坡航空公司也是
百分之百由政府經營，但是它效率高，利潤也高，原因在於它同
樣必須面對其他國際航空公司的競爭。我們政府不給與津貼，賺
不到錢的話，它同樣得關門。我建議他們在把國營公司私營化的
過程中引進海外機構，以注入管理的專門技巧，為新科技提供外
來資金。管理制度上的改變是必要的。他們需要同外國人合作，
從實踐中學習。單在國家內部進行私營化，只把企業賣給自己
人，並不能達到這個目標。

　　我們的基礎設施工作團在 1992 年 9 月訪問越南。他們向越
南政府提呈了一份報告，這份報告後來被接納了。我們設立了一
個援助中南半島的 1000 萬美元基金，為他們的官員提供技術訓
練。

　　杜梅在 1993 年 10 月訪問新加坡，對新加坡高水準的建築
與基礎設施感到驚訝。他參觀職總平價合作社時，對我們的工人
擁有豐富多樣的消費品留下了深刻的印象，就像 1990 年俄羅斯
總理雷日科夫來訪時一樣。

　　一個月後我進行回訪時，從他的官員那兒發現他曾經指示政
府機關向新加坡學習，並且儘可能優先考慮新加坡投資者所提出
的項目。但是，我們的投資者卻發現，儘管簽署了多項協定，卻
無一真正落實。實際情況是越南低級官員利用這些投資計畫向其
他商人榨取更多好處。

　　杜梅曾是越南最重要的人物。他體型高大，闊臉大鼻，膚色
黝黑，筆直的頭髮從旁邊直梳到兩側，看起來整齊乾淨。他穿的
是越南式的毛裝，而不是像武文杰那樣穿西裝。他也不像武文杰
那樣滿腦子改革，卻也不如國家主席黎德英將軍般保守。他是黨
內兩派的平衡力量，也扮演仲裁者的角色。

言論集譯成越南文

他說在新加坡時，有人送了我的兩本書給他。他找人把我的言論集從華文翻譯成越南文，並且從頭到尾讀了一遍，在有關經濟課題的關鍵段落底下畫線，然後把它分發給所有重要的幹部和部長閱讀。他睡得很少，從半夜到凌晨 3 點，做半小時運動，然後閱讀到上午 7 點 30 分，才開始工作。我們的大使館職員告訴我，我的言論集譯成越南文後已在店裏出售。越南似乎還沒聽說過版權這回事。

他問起我該怎麼吸引更多投資，我建議他們改掉游擊戰中養成的習慣。獲胡志明市當局批准的南方發展計畫，還得再經過不熟悉情況的北方河內官員的批准，這根本是在浪費時間。此外，河內中央政府所批准的工程項目又經常在地方政府那一層受阻，因為地方當局有至高無上的權力。這是他們在打游擊的歲月中留下的積習。

杜梅哀傷地談起越南的悲情歷史。其中 1000 年同中國交戰，另 100 年同法國殖民主義和帝國主義對抗，然後在第二次世界大戰後又為獨立而戰。他們得和日本人、法國人、美國人，還有後來的波布集團作戰。他倒沒提到 1979 年中國的攻擊行動。在 140 年的歲月中，越南同其他國家作戰取得勝利，終於解放了自己。戰爭留下的創傷很深，工業薄弱，科技落伍，基礎設施很差。我同情地對他說，越戰對越南對美國都是個悲劇。他嘆息一聲說，要不是這一場戰爭，越南也許已發展成像新加坡一樣的現代化國家了。

我一再向他保證，越南終有一天會發展得比新加坡更好。我看不出目前的和平與穩定為什麼不能長久持續下去。東亞已經從過去 40 年的經歷中吸取了教訓，戰爭根本不會帶來什麼好處。

朝鮮和越南兩場大戰、柬埔寨的游擊戰，沒有人是勝利者，大家都是受害人。杜梅難過地表示同意。

實際上，越南人已經在進步了。部長和官員都因為同外國人有更多接觸，得到更多關於自由市場經濟的資訊，所以較能了解自由市場的運作方式。市面更加活躍，商店、外商、酒店比以前更多，這一切都反映了胡志明市和河內的繁榮景象。

1995 年 3 月間，我另一次訪問越南時，第一副總理潘文凱主持了關於經濟改革問題的討論。他素以希望加速改革步伐見稱。我們的投資者正面對錯綜複雜的問題。我告訴潘文凱，真要吸引投資者，他就必須讓這些最先前來的投資者感到受歡迎。他們既已把資產固定在越南的領土上，理應獲得必要的援助使投資成功。要是把在越南有固定資產的投資者都當作俘虜一樣看待，肯定會把其他投資者都嚇跑。他們的官員對付投資者，就像對付美國兵一樣，把他們看做隨時準備突襲並予以消滅的敵人。我的意見是，應該把投資者當成值得珍惜的朋友，需要有人引導他們走出迷宮似的官僚體制，避免遇到地雷和陷阱。

我舉了一些我們的投資者面臨困難的例子。新加坡的一位房地產發展商，當時正在河內建造一座旅館。居住在工地附近的約 30 戶人家對噪音和惱人的震動提出投訴。他答應每個月給每戶賠償 48 美元。在大家達成協議後，另外 200 戶人家也來要求賠償。發展商決定用不同的方法打樁，以免產生噪音和地面震動，但是他們不允許他這麼做，因為他所持的是只適用於舊機器的許可證。

另外，新加坡電信與胡志明市郵電部門簽訂過一個聯合投資無線電傳呼服務的協定。在這個協定下，經過一年的試驗，他們可以申請一張十年的執照。新加坡電信在投下 100 萬美元讓這個系統投入服務後，胡志明市郵電部門卻建議從他們手中收購擁

1994 年 5 月，越南總理武文杰訪問新加坡。

有權。我告訴武文杰總理，100 萬元事小，但是原則事大。如果
他們背信棄義，不遵守合同，新加坡商人將對他們失去信心。後
來可能是武文杰總理進行干預，讓計畫順利進行，只是原來的協
定還是做了一些更動，幾個重要的問題也依然懸而未決。

　　從外國投資者那裏得到的反饋，顯示我的意見起了作用，越
南官員如今比較肯幫助人了。一家德國大公司的總裁從越南續程
到新加坡時，告訴我他們還為他提供了一位嚮導。我滿意地微笑
了。

　　不過，開放後接踵而來的社會弊病，使越南的高層領導人依
然為它擔心，惟恐在政治上失去控制，因而放慢了開放的步伐。
他們不像中國那樣，中國大多數省市長都年輕得多，受過大專教
育。負責治理越南城市與省分的高層人士，都是過去的游擊隊指

揮官。他們讓蘇聯和莫斯科所發生的事嚇壞了，也不能苟同蔓延
到中國沿海城市的社會罪惡。這不是他們所要爭取的。

　　1993 年我向武文杰總理和他的班子建議，他們應該把游擊
隊中的這些老戰士提升到重要的顧問位置上，而讓年紀較輕的官
員，尤其是那些接觸過西方的官員，負責日常事務。他們需要更
了解市場經濟，更能使外國投資者認同的人。問題是老將們打過
仗、報過捷，是掌權說話的人，要以他們的方式建國。我相信年
輕一代接班後，越南的經濟會發展得更快。1997 年 9 月，領導
層出現了一次重要變動，副總理潘文凱升任總理，取代武文杰，
而副總理陳德良取代黎德英將軍為國家主席。這些都是使領導層
年輕化的重要步驟。這一代人到過更多國家、看過真正的世界，
清楚地知道越南同周邊國家比起來，遠遠地落在後頭。

　　1997 年 11 月，我訪問了胡志明市，同一位剛冒起的市長兼
胡志明市市委書記張晉創會面。這個國家當時正處在「停滯不
動」的狀態。我同我們在胡志明市的投資者和外國銀行家見面，
他們被最近的種種禁令嚇得目瞪口呆：不能把越南盾兌換為外國
貨幣匯出去。那他們要怎樣償還對外的債務、銀行的透支，以及
他們為了在越南投資而向外國銀行貸款的利息呢？他們的生意怎
麼經營得下去呢？負責投資事務的貿工部極力反對這麼做，知道
這項措施只會打擊投資者的士氣，卻愛莫能助。越南中央銀行和
財政部則對襲擊整個區域的貨幣危機感到惶恐，擔心外匯儲備不
足。

　　我在河內向潘文凱總理解釋為什麼這樣突然改變做法具有破
壞性。很多別的事情也都出了亂子。新電信解決了傳呼的業務，
卻又面對流動電話業務的問題。越南郵電承諾發出許可證，過後
卻沒兌現。越南人要自己經營。我指出，新加坡必須依循發達國
家讓電信業私有化的趨勢，以應付國際競爭。而唯一能夠面對這

個最激烈競爭的方法，就是同引入最新科技的外國夥伴聯營私人
企業。他明白，國家主席陳德良在我向他解釋時也表示明白。

他們又一次帶我去見杜梅。就像過去一樣，我們交談甚歡，
但是我擔心影響力同樣會非常有限。越南人需要時間來擺脫共產
主義的束縛，才能自由而靈活地活動。一旦他們能做到這點，越
南終究是會成功的。他們在戰爭時使用蘇聯武器所展示的技巧，
他們隨機應變克服物資嚴重短缺問題的本事，以及很多越南難民
在美國和法國所取得的成就，所有這些都提醒人們，他們具有令
人敬畏的素質。

緬甸自我孤立

我在 1962 年 4 月第一次訪問仰光。緬甸總理宇努要求尼溫
將軍在 1958 年接管政權，因為他的民選政府面對頻頻發生的少
數種族叛亂和造反，束手無策。經過 18 個月的軍人統治後，大
選舉行了，宇努領導的政黨重新當選，從尼溫手中再次接管政
權。但是沒過多久宇努又陷入困境，讓尼溫在 1962 年 3 月重掌
大權，這正好是我去訪問前不久。

仰光不像我曾在 1956 年訪問過的哥倫坡，仰光顯得破落。
它被日本占領過，雖然在英軍從孟加拉一路殺回來時，還不至於
被夷為平地，破壞還是相當大的。尼溫在他的家裏熱情地接待我
和芝。我看到別墅周圍停放著坦克和高射炮時，有些不自在。顯
然地，他要確保萬無一失。我訪問緬甸的目的，是要對印尼總統
蘇卡諾展開的政治宣傳進行反擊，他口口聲聲說馬來西亞是新殖
民主義的密謀。用午餐時，尼溫聽了我的解釋，但不是很留心。
他心裏想的盡是怎麼維護法紀、控制叛亂，使緬甸不至於分崩離
析。

他住在坐落於近郊區的一座中型別墅裏。他和夫人欽梅登一

樣待人友善。夫人欽梅登曾當過護士，是位活潑健談的女士。他們倆都講英語，.而且是聰明人。緬甸是東南亞地區先天富足的國家之一，在戰前出口白米和食品。但是民主政府的制度在他們那裏行不通。它的人民不是講同一種語言的單一民族。英國人硬把一群群占據不同山區的不同的種族，放在同一國界裏。

尼溫成立了緬甸聯邦社會主義共和國，主張推行「緬甸式的社會主義」。他的政策簡單，爭取自足自立，把那些隨英國人一起到緬甸來的印度人和華人趕走。緬甸華人其實早在宇努執政的時候就已經紛紛離開，好多人遷徙到泰國和新加坡定居。人數較多的是由英國人帶去當公務員的印度人。他們逐漸被排擠了出去。

1965 年 5 月，我在孟買參加了亞洲社會主義者的會議後，續程再訪仰光。尼溫喜歡我演講中所説的：「如果我們以西方歐洲社會主義者的樂觀態度，處理亞洲的貧窮與落後的問題，我們肯定會失敗。」那個時候我並沒有意識到他是多麼堅決地要自給自足，儘可能減少同外界的接觸，回到緬甸過去那種富庶、自足、浪漫而充滿詩意的舊景象。

那次訪問，同斯特蘭德酒店內接待我的司膳總管的一席話，令人難忘。一個年近 60，鬚髮皆灰的印度人，在我到達的第二天端來早餐，愁眉苦臉，用英語説：「先生，這是我最後一天為你服務，明天起我不會再來了。」他不清楚他的緬甸助手能不能給我送來同樣的英國式早餐，有茶、奶、糖、烘麵包和炒蛋。我問他為什麼要走。他回答説：「我不能不走。我在這裏出生，一輩子都在這裏生活，但是政府卻要所有的印度人離開。我能夠帶走的只是一小筆錢和個人的隨身物品。」他要上哪裏去？「印度。」他在那裏可有親人？「沒有。」他的曾祖父和曾祖母跟隨英國人來到緬甸，現在政府卻要把他遣送回去。至於我第二天的

早餐，他說得沒錯，托盤既不如原來那麼整齊，烘麵包也沒那麼香脆了。

那天下午，我和尼溫在前英國仰光高爾夫球場打高爾夫球。這場球可真不尋常。每一條平坦球道的兩旁，圍繞在我們四個球員周圍的，全是提著槍向外看的軍人。不揮桿時，尼溫戴著鋼盔。我猶豫該不該問原因。其中一個球員是尼溫的部長，他低聲說是跟什麼行刺威脅有關。

1968 年尼溫訪問新加坡，在打高爾夫球時，一點也不在意安全的問題，也沒有戴鋼盔。1974 年他再次來訪時，我建議我們應該協調彼此的政策，促使美國、中國和蘇聯繼續留在本區域，以取得勢力均衡。他一點興趣也沒有，寧可讓超級強國自己做決定。

我在 1986 年 1 月最後一次訪問仰光。尼溫的新夫人是個醫生，比他過世的髮妻欽梅登年輕得多，受過良好教育。當時，他對於 15 至 30 年前發生的事記憶猶新。用晚餐時，我發現儘管經歷了 20 年的經濟停滯，他對外國勢力仍舊是一貫的不信任。他談到如何為了應付緬甸以外的勢力而受困在一場「鬥智之戰」裏，指責外國勢力一直都在覬覦他的國家。

看到仰光的情況比我在 1965 年去訪問時更糟，真讓人不勝唏噓。那裏沒有新的道路或建築，處處百廢待興。主要公路路面上盡是窟窿，路上僅有的幾輛汽車，都是五〇、六〇年代的老爺車，破舊不堪。在尼溫的政策下，任憑哪一位部長都難有作為。他們的英文報只是四開小報那樣的一張薄紙。緬甸文的報紙則稍微體面一點。前往著名的仰光大金塔的人們，看起來都窮困潦倒，衣衫襤褸。從車裏望去，商店似乎都空無一人。

同年 9 月，他的總理茂茂卡到新加坡訪問，我告訴茂茂卡我在《新加坡與美國人》（一份美國僑民出版的期刊）裏讀過的

一篇文章的內容，設法引起他對旅遊業的興趣。在文章裏，兩名
來自美國人學校的教師敘述了他們到仰光、曼德勒和蒲甘旅行的
經驗。他們的大半路程都是沿途搭免費順風車的，這種旅遊方式
對他們來說是一次愉快的探險經驗。我向茂茂卡建議讓緬甸開
放，建造酒店，在仰光到曼德勒和蒲甘之間，安排安全的飛機。
這將能吸引很多旅客，可以賺取可觀的收入。茂茂卡靜靜地聽
著，卻沒說什麼。結果什麼都沒有發生。尼溫還是不想讓外國人
到緬甸去。

　　直至 1993 年，緬甸的一位主要領導人欽紐中將在新加坡同
我會面時，我才算是碰到一個反應比較積極的緬甸領袖。也或許
是尼溫改變了態度吧。尼溫一定告訴過欽紐我是老朋友了，所以
他一直靜靜地聽我講話，聽我說明緬甸應該重新調整自己來適應
後冷戰的世界，開發經濟，發展整個國家。我以中國和越南等為
例說，這些過去封閉的國家，現在都在發展旅遊業，邀請外國投
資者去製造就業機會與財富。

　　欽紐負責的是情報工作，也是當時軍人集團或「恢復國家法
律秩序理事會」中的強人。我請他重新檢討對緬甸英雄和首任總
理翁山的女兒翁山蘇姬的政策。翁山蘇姬嫁給了英國人，卻回到
緬甸領導反軍人政府的運動。他們不可能永遠把她關起來，這麼
做只會使她繼續讓這個政權受窘。

　　緬甸如今必須改善人民的生活，把有對外經驗的人引進政
府。軍人政府永遠搞不好經濟。我建議他應該讓新加坡有機會同
緬甸接觸，在經濟上幫助緬甸。如果這樣的交往接觸是為了幫助
緬甸恢復正常狀態，而不是維持現有制度，那新加坡將能夠在國
際上為自己的立場辯護。我的紀錄員是外交部負責緬甸事務的官
員，他擔心欽紐會做出強烈的反應，結果意外發現欽紐在討論結
束時，還感謝我提供了「寶貴的意見」。

　　丹瑞將軍（總理兼恢復國家法律秩序理事會主席）在 1995
年 6 月到新加坡訪問時，我建議他到印尼走一趟，看看印尼如
何從蘇哈托將軍剛接管時的軍人掌政制度過渡到民選總統制。在
「雙重職能」的制度下，印尼憲法讓軍隊直接參與政府，在議會
中有代表權。印尼軍人在憲法上有它的地位，那就是保障國家安
全與統一。總統選舉和議會選舉每五年舉行一次。緬甸要同其他
東南亞國家一樣，就非得朝那個方向發展不可。

　　尼溫曾在 1994 年到新加坡求醫時，跟我見過一面。他談到
自己怎麼通過靜坐得到心靈的平靜與安寧。1988 年退出政壇
後，有兩年的時間，他為了國內所發生的事而心力交瘁。自
1990 年起，他開始閱讀關於靜坐方面的書。現在，他每天上
午、下午、晚上，花好幾個小時靜坐。比起 1986 年我們在仰光
會面時的滿面病容，他如今的氣色果然好多了。

　　1997 年他再次到新加坡求醫。以 86 歲的高齡，氣色看來比
上次來訪時更好。這次他只談靜坐，教我一些改善靜坐之道。我
問他是否會因親近的人，如孩子和孫子生病而操心？會的，他會
操心，但是通過靜坐，他可以控制、減少，甚至忘卻這些痛苦。
當他的老將軍們徵詢他的意見時，他難道不擔憂嗎？不，他回答
道。他們這麼做時，他總會請他們別向他提起工作，因為他早已
退出世俗塵囂。不過，據一些外交官所說，他在軍中仍然德高望
重，享有權威，影響力仍在。

　　西方國家，尤其是美國，相信經濟制裁能夠迫使緬甸政府放
棄政權，把它交給 1991 年獲得諾貝爾和平獎的翁山蘇姬。我不
認為這是可能的。自 1962 年尼溫取得政權以來，軍隊一直是當
政者的唯一工具。可以嘗試說服這個軍人政府分享權力，逐步使
政府平民化。但是除非美國或者聯合國準備像在波斯尼亞那樣，
派出武裝部隊維持這個國家的完整，否則緬甸根本少不了軍隊以

保持國家的完整。西方對東盟建設性的接觸方式感到不耐煩，對東盟領袖在 1997 年 7 月接受緬甸加入成為會員尤其困惑不解。但是有什麼辦法比讓這個國家開放、發展，然後逐漸改變更好呢？看看柬埔寨好了，就連監督選舉的聯合國部隊也無法把選舉中的勝利者捧上台，軍隊、警察和行政機關仍然由洪森領導的有實權的政府牢牢控制著。

　　緬甸的將軍們遲早必須調整和改變，以同他們的東盟鄰國相似的方式治國。他們同世界的接觸多了，自然能更早實現這個目標。

柬埔寨的殘酷歷史

　　在六〇年代戰火紛飛的中南半島，柬埔寨是一片和平繁榮的綠洲，我真希望能留住對柬埔寨的這個美好記憶。我和芝在 1962 年第一次到它的首都金邊去。西哈諾親王親自在機場接待我們，在我檢閱了儀仗隊後，我們走向轎車，一路上身穿傳統服裝的舞娘不停地將花瓣撒向紅地毯。金邊像個法國的省鎮，安靜祥和。那裏有寬敞的林陰大道，讓人想起巴黎的愛麗榭宮，整排的樹木，左右兩側的支路也都有樹蔭。在一個主要十字路口中間矗立著一座高棉族樣板的凱旋門——獨立紀念碑。我們住在湄公河邊的前法國總督府。西哈諾自己住在舊王宮，在那裏以豪華的方式設晚宴款待我們。他過後用自己的蘇聯飛機送我們到吳哥窟去。

　　西哈諾具有與眾不同的性格，非常聰明，精力充沛，深深懂得生活情趣。他的氣質和風度就像一位有教養的法國紳士一樣，說起話來姿態語氣都風度翩翩，說的是法國式的英語。他個子不高，有些矮胖，闊臉，鼻孔形狀就像吳哥窟周圍廟堂裏的石刻一樣。他是個一流的主人，無論什麼時候拜訪他，我都很喜歡他待

客的熱情。每一次的訪問他都教人難忘。他的宴會上款待的是法
國傳統的高級佳肴，配以法國美酒和精緻的餐具。我記得到他在
馬德望的省城的王宮時，車道就像在法國莊園裏的一樣，一路開
到高起的入口處。我們抵達時，個子矮小的柬埔寨衛兵穿著把他
們襯托得更加矮小、長及臀部的閃閃發亮的拿破侖式靴子，戴著
頭盔，以閃光的長劍敬禮。接待處和宴會廳都布置得非常堂皇，
而且裝有冷氣。那裏還有一支西洋管弦樂隊和一支柬埔寨樂隊。
外國外交使節都在，場面盛大。

　　這位親王非常活潑，對批評異常敏感。他會對報章上任何批
評他的文章做出答覆。政治對他來說，就是報章與宣傳。他在
1970 年的政變中被推翻時，他說為了顧全性命而不回國，到北
京尋求庇護。我相信即使他當時回到柬埔寨，抵達機場時也不會
有哪個士兵敢射殺他。他是他們神化的國王。在中南半島烽火四
起時，他在共產黨和西方之間維持了岌岌可危的平衡，使柬埔寨
保持為一片和平與富饒的綠洲。他在尋求中國的友誼和庇護的同
時，也通過法國維繫了同西方的聯繫。當他留在北京而不是回到
柬埔寨反抗發動政變者時，原來的柬埔寨被摧毀了。

變了樣的西哈諾

　　我再次會見西哈諾是在 1981 年 9 月，他當時到新加坡來，
針對同紅高棉組織成立民主柬埔寨聯合政府一事進行討論。那是
個變了樣的西哈諾。他已經回到金邊，並且做了紅高棉的俘虜。
他歷盡滄桑，幾個兒孫在金邊被波布殺害，他在為自己的性命擔
憂。那個原本意氣風發的西哈諾已經被摧毀了。他的笑聲，在激
動時高亢的聲音，他的動作，都已大為失色。他是個活生生的悲
劇人物，象徵著他的國家和民族所經歷的遭遇。中國人在 1979
年初越南攻陷金邊前把他救了出去。他向聯合國安全理事會譴責

19　中南半島的滄桑

1981 年 9 月西哈諾（中）到新加坡，針對同紅高棉組織成立民主柬埔寨聯合政府一事進行討論。圖中左為宋山，右為喬森潘。

越南的侵略，並成為柬埔寨抗越的國際標誌。在很長的一段時間內，他一直堅決反對同紅高棉組織聯合政府。

　　紅高棉占領金邊後，柬埔寨人在本區域並不活躍。一位資深的部長英薩利在 1977 年 3 月拜訪我。他說話溫文，圓圓的臉蛋，有些豐滿。他看起來像是心腸最軟、最善良的人，一個會很溫柔地照顧嬰兒的人。他是波布的連襟，也是他的親信。波布惡名昭著，屠殺了 700 萬柬埔寨人口中的一兩百萬人，被殺害的包括柬埔寨受教育最高、最聰明能幹的人。英薩利沒有提起這場大屠殺，我也決定不問他。他必會像紅高棉的廣播那樣，矢口否認曾經發生過這樣的事。英薩利相當實際，他要貿易，物物交換。他需要工廠的配件、灌溉農田的水泵，以及漁船用的馬達。他準備用柬埔寨著名的內陸湖洞里薩湖的魚來交換，那裏每年都會漲水，出產最好的魚。不過，這個物物交換的貿易最後沒有落實，他們在後勤方面有困難。因此，我們和他們很少有什麼貿易或其他來往。

越南和柬埔寨的關係越來越糟，頻頻發生邊境衝突。越南在
1978 年進攻柬埔寨，並且在 1979 年 1 月攻陷它。之後，只有
通過我們進出聯合國爭取支持票，防止越南傀儡政府接替柬埔寨
在聯合國原有的席位，以及通過我們支持抵抗部隊在泰柬邊境作
戰，柬埔寨在我的意識裏才存在。

1981 至 1991 年之間，我同西哈諾的兒子拉納利親王見過幾
次面。他父親安排他掌管在柬泰邊境的親王族部隊。拉納利的聲
音、姿勢、表情、身勢語言跟父親相似，不過比較瘦小、黝黑，
情緒穩定得多，比較不會憑一時衝動行事，其他方面大致是出自
一個模子。他像父親那樣法語説得很流利，在接管王族軍隊前，
曾在里昂大學教過法律。

我在八〇年代到他們在泰國東北的訓練營視察時，發現那裏
的組織不好，而且士氣低落。那已是拉納利所能夠做到的最好情
況了，因為就像他一樣，他的將領和軍官花在曼谷的時間比花在
軍營裏的時間多。由於當時我們正為他們提供武器和無線電器
材，看到這種情況，我不免感到失望。1991 年的和解過後，富
有的捐獻者接手。1993 年，拉納利的政黨在聯合國監督的大選
中獲勝，他成為第一首相（洪森則成為第二首相）。那年 8 月
我們在新加坡會面時，我警告他聯合政府是個不穩妥的安排。軍
隊、警察和行政部門都效忠洪森。拉納利要生存下去的話，就非
得把洪森的部分軍隊、警察和一些省長爭取過來不可。否則，讓
軍官和軍隊都忠於洪森，而僅僅是自己被稱為第一首相，讓自己
信任的人擔任國防部長，都無濟於事。他大概沒有認真聽取我的
意見。他或許以為自己的王族血統能確保人民支持他，確保他是
無可替代的。

1993 年 12 月，我在新加坡同洪森會面。他的性格完全不
同，是個強硬的紅高棉生存者，八〇年代由越南人委任為總理，

19　中南半島的滄桑

但是夠機靈，懂得跟越南人保持距離，讓自己為美國人和西歐人所接受。他給我的印象是強悍而冷酷。他了解也堅信槍桿子裏出政權的道理。當紅高棉一式微，而拉納利再也無法跟他們合作並向他挑戰時，洪森便在 1997 年把拉納利攆走，完全掌握了控制權，在名義上保留作為第二首相。

西哈諾在 1993 年大選後再度成為國王，但是他的身體衰弱，經常為了到北京治療癌症而無法長期留在柬埔寨，很快地就被淘汰出局，退出現由洪森和他的軍隊占據著的權力鬥爭舞台。

柬埔寨就像個被砸成無數塊碎片的瓷花瓶，要把它們再黏補起來將是漫長而費力的工作。就像其他打碎的瓷器一樣，它承擔不了太大的壓力。波布殺戮了柬埔寨 90% 的知識分子和受過訓練的人員。它現在缺乏的是一個井然有序的政府。人民長久以來習慣於不受法律約束，以致現在也不再奉公守法。只有槍桿子才讓人害怕。

柬埔寨的人民是輸家。國家衰敗了，受過教育的階層被殺光，經濟一敗塗地。因為洪森的政變，柬埔寨加入東盟的計畫挪後了。它最終在 1999 年 4 月加入東盟，因為沒有一個國家願意再花 20 億美元，供聯合國再次行動，舉行公正的選舉。自 1970 年龍諾發動政變推翻西哈諾以來，柬埔寨歷經 27 年的戰爭，兵連禍結。它目前的領袖都是殘酷、無情的鬥爭的產物，他們的對手不是被殺害，就是被分化了。他們都冷酷殘暴，毫無惻隱之心。歷史對柬埔寨是殘忍的。

20 東盟的未來

到了八〇年代中期，東盟作為
理性的第三世界組織的聲譽日
隆，逐漸成為發展中世界最有
活力的區域組織……東盟定期
對話的對象從澳洲和紐西蘭開
始，接著是日本、美國和西歐
國家。東盟逐漸發展成一個深
具凝聚力又能貫徹始終的組
織，對主要課題也採取一致的
立場。越來越多國家要求成為
東盟常年會議的對話夥伴，討
論政治和經濟課題。

19⁶⁷ 年 8 月，在區域形勢極度不明朗的情況下，東盟成立了。印尼、馬來西亞、菲律賓、新加坡和泰國五國外長在曼谷聚首，在一個低調不鋪張的儀式上，聯合簽署了成立東盟宣言。越南戰爭當時已經蔓延到柬埔寨，這個區域又深為共產黨叛亂活動所困擾。東盟組織簽署國定下了崇高的目標：誓言要加速經濟增長、社會進步和文化發展，促進和平穩定，在農業與工業方面進行合作，擴大貿易。但是我個人卻並未對這些目標抱有太大的期望。

　　東盟還有一個沒有明言的宗旨。面臨英軍即將撤退，美軍很可能也隨之撤離之後留下權力真空的情況，東盟的成立是為了團結區域各國，預先增強實力。印尼要向馬來西亞和新加坡保證，隨著蘇卡諾時代的結束，印尼將以維護和平為宗旨，並放棄蘇卡諾所推行的侵略性政策。泰國要同那些屬於不結盟運動成員的非共鄰國站在同一陣線。菲律賓要有一個有助於它爭取北婆羅洲的主權的論壇。新加坡則希望尋求鄰國的諒解和支持，以促進本區域的安全與穩定。

　　我們花了整整十年的光景，才培養出組織內的凝聚力，確定了活動的方向，讓領袖和官員有充裕的時間彼此認識，相互估量調適。我們面對共同的敵人——共產黨游擊隊顛覆活動所構成的威脅，他們有北越、中國和蘇聯撐腰。我們需要穩定與增長來抗拒共產分子，不讓他們獲得有利於革命運動的社會和經濟條件。在這方面，美國與西方國家都願意協助我們。

　　東盟成功與否，蘇哈托總統的角色至關重要。雖然他在執政初期因為一些印尼官員一意孤行而稍有失誤，但他卻很快地調整了處事作風，採取了同印度對南亞區域合作組織成員國截然不同的立場。在蘇哈托的領導下，印尼不以霸權國的姿態出現，不堅持己見，反而處處考慮其他成員國的政策和利益。正因為如此，

東盟其他成員國才能不把印尼當老板，而是在平等的基礎上接受
印尼是老大。

雖然東盟所宣布的目標是朝經濟、社會和文化三方面發展，
但是成員國都知道在經濟合作方面的進展將會非常緩慢。我們之
所以聯合起來，主要是出於政治考量，就是為了尋求穩定與安
全。東盟的成立固然成功地加強了區域的安全與穩定的意識，實
質的有形的進展卻一如先前所料，沒有多大作為。1972 年 4
月，我在新加坡舉行的第五屆東盟外長會議上發表演講時提醒大
家，東盟擬議的合作項目之多，同最後真正落實的寥寥幾個項
目，在數量上根本不成正比。我們每年總會提出約一兩百個建
議，最終付諸實行的往往只有區區十幾二十個。

1975 年 4 月底，西貢淪陷，加強了共產主義顛覆和造反活
動所引發的危機感。東盟必須更有效地發展經濟，以減少國內的
不滿情緒。1975 年 9 月，在峇里島同蘇哈托進行雙邊會談時，
我嘗試說服他在印尼主持的第一屆東盟峰會上為東盟制訂經濟目
標，推行貿易自由化政策。從每個成員國在一些選定的項目上減
少 10%關稅做起，最終把東盟發展成自由貿易區。我以為他支
持這個意見。為了讓這次峰會取得成功，我們同意集中討論一些
能夠突顯區域團結的課題，而把可能引起分歧的爭論點擱置一
邊。

蘇哈托的親信莫托波後來告訴我們的大使李炯才，蘇哈托同
我見過面後，受到技術官僚力阻，勸他不要接受自由貿易。自由
貿易讓人聯想起一個誰都可以參與的自由競爭，印尼將在這場競
爭中成為其他東盟國家貨品的傾銷市場，反而不利於自己的工業
化進程。

不過，從政治上說，1976 年 2 月在峇里島舉行的峰會卻是
成功的，東盟在一個極度不安定的時刻展示了團結精神。對印尼

1987 年我到馬尼拉參加東盟峰會時，同菲律賓總統科拉桑（右四）、汶萊蘇丹波基亞（左四）和泰國首相布勒姆將軍（右一）會面。

這個東道國來説，這次峰會還有個額外收穫。峰會是在印尼占領東帝汶而引發危機後緊接著舉行的，它有助於改善蘇哈托的國際地位。只是蘇哈托在這些正式的峰會上往往深感不自在。他只會説印尼語，無法用英語流暢自如地同別人交流。他比較喜歡雙邊會談，這麼一來他就能夠用印尼語侃侃而談，眉飛色舞。到八〇年代末期，他已能用一些英語詞彙和短語來表達自己的意思。第二次峰會於 1977 年在吉隆坡舉行，我再次看出他的不自在。所以下一屆峰會要在隔了十年之後，才於 1987 年在馬尼拉召開。輪到新加坡主辦峰會時，那已是 1992 年了，當時我已不是總理，所以沒有參加。

　　雖然我們沒能成功降低東盟國家之間的貿易關稅，但是，東盟各國部長和官員之間定期而頻繁的會議，使得個人和合作關係

更加密切。這種良好關係，有助於使雙邊問題在演變成外交部之間正式照會以前，就先通過非正式途徑解決。官員和部長們建立起某種工作方式，使爭端即使沒能獲得解決，也不會公開加以宣揚，大家都逐漸養成一種合作的態度。他們總會在見面協商時打高爾夫球，在揮桿間互探對方的觀點和建議，即使意見被推翻也不在正式會談時出現爭執衝突的情況。他們也會在晚宴後一起唱歌，每個部長都有義務引吭高歌一曲家鄉歌謠。新加坡的部長們在國內沒有公開演唱的習慣，總是覺得難為情。菲律賓人、泰國人和印尼人則都是天生的表演家，唱歌原本就是他們競選活動中少不了的一環。外國使節恐怕要覺得這種活動毫無意義可言。事實上，這種活動對消除隔閡是必要的。我們這些在地緣上靠得這麼近的鄰居，實則形同陌生人，畢竟過去一個多世紀以來，殖民統治的不同勢力範圍把我們隔離開來，互不來往。正是通過這些定期的會晤協商，通過這些在議程中同等重要的商務和消閒活動，才養成相互合作、彼此妥協的習慣。東盟官員總會設法避免發生衝突，以尋求共識為目標。即使無法達成共識，也必會尋求妥協，承諾相互合作。

　　東盟成員國在面對發達國家的時候，自然而然地會齊心協力。同美國人、歐洲經濟共同體中的歐洲人以及日本人協商時，我們認識到政治合作的重要性。對這些工業國來說，他們比較喜歡以東盟作為一個整體來處理同東盟的關係。他們鼓勵東盟在一些國際論壇上採取理性而溫和的立場，爭取實際的成果。他們也希望其他發展中國家組成的區域集團能效仿東盟的務實做法。

　　一個例子可以反映出東盟組織對成員國的重要性。1978 年 10 月，澳洲嘗試改變民航條例，宣布了新的澳洲國際民航政策，在新政策下，只有昆達士航空公司和英國航空公司的客機能夠在澳英之間往來載客直航終點，而且機票格外便宜。中間站如

新加坡和其他東盟國家的首都,則被排除在外。因為直達機票以
特價銷售,乘客不能途中停留。澳洲人也打算減少作為中間站的
東盟國家的航空公司的載客量,並且削減新加坡航空公司來往澳
洲和英國之間的班次。他們也不准泰國航空公司從作為中間站的
新加坡載客前往澳洲。

　　對這個課題,澳洲人要同受影響的國家個別進行雙邊討論。
但是東盟經濟部長決定採取一致反對的立場。為了力阻他們這麼
做,我們的東盟夥伴要求更多時間,檢討這些民航政策變化的長
遠意義。這些變化將會切斷東盟航空公司在主幹航線上的業務,
留給我們的只是毫無發展空間的區域航線。在談判過程中,東盟
國家消除了利益上的分歧,同聲同氣面對澳洲。

　　我的結論是,從澳洲飛往歐洲的波音 747 客機需要取道新
加坡、吉隆坡或者曼谷前往倫敦。雅加達太靠近澳洲,哥倫坡則
離得太遠,這兩個站的經濟效益都不大。因此我們著手同馬來西
亞和泰國聯成一線。我指示我們的官員給與馬泰足夠的優惠,促
使他們同意加入我們的陣營。

　　1979 年 1 月,我寫信給泰國首相克良薩將軍說,澳洲的舉動
是「公然的保護主義行為」,他們想通過威迫利誘,利用我們之
間的歧見達到目的。我和克良薩將軍關係密切,他支持我的看
法。我們也為馬航提供足夠的優惠,促使馬來西亞也採取同東盟
一致的立場。

澳洲人挑撥離間

　　澳洲人挑撥離間的手段起初幾乎成功地孤立了新加坡,使東
盟出現分裂。但是當澳洲的交通部長在一次會議中對東盟民航官
員發表苛刻的談話後,東盟成員國的立場轉硬,決定連成一氣。
當時擔任馬來西亞副首相兼貿工部長的馬哈迪醫生得知這件事。

他因為過去陪同首相拉薩到澳洲訪問時受到抗議者騷擾，還在氣頭上。於是，馬哈迪強化了馬來西亞對澳洲的反對立場。澳洲國際民航新政策由新澳的雙邊糾紛，升級為東盟與澳洲之爭。兩邊的報紙惡言交鋒。印尼人因為對澳洲官員的傲慢態度感到憤怒，恫言如果澳洲人堅持實行新國際民航政策，印尼將不允許澳洲飛機飛入印尼領空。澳洲外長皮科克為了緩和情況，專程訪問新加坡。澳洲後來同意讓新航維持原來飛往澳洲的載客量和航班，也允許其他東盟航空公司增加載客量。團結就是力量，在這次事件中得到充分的體現。

　　1978 到 1991 年之間，越南占領柬埔寨，使東盟的團結面臨嚴峻考驗。越南人在 1978 年 12 月 25 日攻入柬埔寨後，拉惹勒南身為新加坡外長，主動提出於 1979 年 1 月 12 日在曼谷召開東盟外長特別會議。在一份聯合聲明中，東盟外長同聲譴責越南的侵略行為，呼籲所有外國軍隊撤出柬埔寨。而後，當越南繼續向柬埔寨挺進直逼泰國邊界時，形勢益發危急，直至中國於 1979 年 2 月展開攻擊行動懲罰越南，才穩住了局勢。但是在這之後，問題卻在於如何制止由越南人在金邊一手扶植的亨桑林政權，強行把波布領導的紅高棉政府逐出聯合國。紅高棉滅絕自己族人的行為引起了全世界的深惡痛絕，但是要想不讓越南人的傀儡政權受到國際承認的話，除了支持紅高棉政府，我們別無選擇。

　　拉惹勒南是個天生的社會改革運動鬥士。越南侵入柬埔寨，給了他一個很好的理由發揮他的理想主義。他寫了強而有力的備忘錄，傳送給不結盟國家，詳細說明越南這個東南亞的普魯士怎麼欺人太甚，對國土面積還不及越南十分之一、柔弱溫和的柬埔寨人怎麼地極盡蹂躪和欺壓。拉惹的性格討人喜歡，既不倨傲也不畏縮，總是友善熱情、誠意十足。他所做的努力，使身在紐約

的許通美，以及來自其他國家的大使和官員，能在聯合國和其他
國際會議上更理直氣壯地爭取支持，反對越南。最難得的是，拉
惹還能同時做到不讓印尼外長莫達感到難堪。莫達奉了總統之
命，不孤立越南，因為蘇哈托希望有個強大的越南，足以抵禦中
國向南擴張勢力。拉惹和馬來西亞外長利道丁雙雙勸服莫達，至
少不反對泰國的政策，避免影響東盟的凝聚力。孤立越南的政策
持續了整整十年，拉惹在這段期間可說是功不可沒。

　　一年後，1979 年 12 月 24 日，蘇聯突然入侵阿富汗，震驚
全世界。這是個重要的轉捩點，誠如卡特總統所說，總算讓他擦
亮了眼睛。美國政府開始更強烈地採取反蘇反越的立場，對我們
的兩個回教鄰國印尼和馬來西亞，在態度上也有了改變。蘇哈托
總統和馬哈迪首相在反對蘇聯的立場上，態度強硬。他們開始懷
疑蘇聯的動機，認為蘇聯是在利用越南達到目的。印度則是唯一
承認亨桑林政權的亞洲國家，結果處於孤立狀態。

　　我們收集到的情報顯示，17 萬越南占領軍控制了柬埔寨的
所有人口中心和多數鄉村地帶，而亨桑林政權，約三萬人的軍隊
則士氣低落，甚至潰不成軍。這份情報也獲得泰國的證實。也有
報告指出，柬埔寨民間的抗越部隊力量高漲，讓我們大受鼓舞。
紅高棉部隊已經退至西邊靠近泰柬邊界的深山裏。在龍諾舊政府
部隊的指揮下，一直同紅高棉對抗的多個非共抵抗組織，如今聯
合抵抗越南。我們的官員千方百計地想拉攏西哈諾和前首相宋
山，跟紅高棉一同組成聯合政府，但是西哈諾和宋山兩人對紅高
棉卻是又懼又恨。

　　宋山同西哈諾的關係其實就好比平民與王子一般。1981
年，宋山同支持者在新加坡會面時，接到我們一名官員的通知，
說西哈諾要立刻接見他們。整團人突然之間緊張起來，驚惶失
措，不敢違抗指示，儘管當時西哈諾已大權旁落。

　　要到一年後，西哈諾和宋山才在中國、泰國和新加坡的勸服下，同意在吉隆坡會面，簽署成立「民主柬埔寨聯合政府」的正式協議。泰國和中國說服三方，新的聯合政府將由西哈諾親王擔任總統，喬森潘擔任副總統，宋山出任總理。我籲請三方在吉隆坡而非北京簽署協議，避免造成民柬聯合政府有中國在背後撐腰的印象，影響了聯合國的支持。我認為重要的是讓越南人看到，成立民柬聯合政府不是泰新一手促成的結果，整個東盟支持民柬聯合政府的立場是一致的。馬來西亞外長加查利能幹而積極，想讓馬來西亞在這個過程中扮演更大的角色。我成功說服馬哈迪首相支持這個計畫。成立民主柬埔寨聯合政府的協議一旦在吉隆坡簽署，印尼要想不承認，就得面對被東盟孤立的風險。果然，印尼外長莫達終於同意，東盟必須支持非共的第三力量。

　　西哈諾擅長搞政治宣傳和外交手段。真正擁有實權的是紅高棉領袖。因為同西哈諾和宋山在民柬聯合政府中攀上關係，紅高棉突破了受國際排擠的困境，迅速建立起自己的實力。中國不斷為他們提供武器和資金，柬泰邊境一帶紅高棉所控制的寶石廠和伐木業，也是他們的收入來源之一。

　　民柬聯合政府的成立對越南人來說，顯然不是什麼好消息。他們惡言中傷，形容這是「中國勢力擴張和美國帝國主義一手製造出來的惡魔」。越南外長一再聲稱，柬埔寨局勢已無可逆轉，根本毫無回旋的餘地。中國挑戰這種說法，美國跟著幫腔提出反對。正如我們所希望的，國際對民柬聯合政府的支持呼聲越來越大，相對地，越南的亨桑林傀儡政權受承認的機會，幾乎蕩然無存。

　　越南於 1975 年力挫美國攻下西貢後，被第三世界國家當作英雄一樣崇拜。如今，他們公然違抗國際輿論，欺壓弱小鄰國，成了世界惡霸。他們捲入了一場游擊戰，命運就同美國在越南一

樣，受困於根本贏不了的混局中，無法脫身。他們在柬埔寨泥足
深陷了足足七年，直到 1989 年 9 月才撤離，不過，在 1991 年
10 月簽訂巴黎和平協定以前它仍然在政治上介入柬埔寨事務。
我們花了三年時間，煞費苦心地設法化解柬埔寨各方的分歧，確
立中國、泰國和新加坡的立場，以便說服馬來西亞和印尼採取一
致的立場，同時讓美國相信他們所做的一切，不會導致紅高棉捲
土重來，東山再起。

　　為了確保美國繼續關注本區域，我和拉惹都做了很大的努
力。無論是卡特總統和國務卿范思，或者雷根總統同國務卿舒
茲，我總覺得他們都不太願意在本區域擔任主要角色，不想在亞
洲大陸再捲入另一場游擊戰。我們成功說服他們為兩個主要的非
共抗越力量提供適當的援助，先是不具殺傷力的，然後是某些具
殺傷力的援助。美國人也在聯合國中為反對越南的立場，協助爭
取成員國的支持。

　　新加坡駐聯合國常任代表許通美在進行遊說拉票方面，功勞
不小。在 1982 年的聯合國大會上，西哈諾以民柬新聯合政府總
統的身分，呼籲成員國讓柬埔寨恢復主權獨立。聯合國以 105
票的大多數票承認民柬政府。我們每年在聯合國爭取更多支持
票，使越南陷入更加孤立無助的境地。

　　1979 年 2 月，鄧小平出兵攻打越南，嚇阻越南向泰國挺
進。中國為這一仗流了血。次年，趙紫陽在北京向我詳細說明，
中國前一年「出於自衛對越南採取反擊行動」，成功迫使越南不
得不將最精銳的 60% 大軍，調往中越邊境駐守。這一大批軍力
若是有餘力留在柬埔寨應戰，他說下一屆國際會議討論的就不再
是越柬問題，而是怎麼促使泰國和越南達成停火協議了。不過趙
紫陽也很巧妙地承認了單靠中國不足以解決柬埔寨問題，中國還
需要美國和東盟共同號召國際社會的支持。

　　1981 年 6 月，同雷根總統在華盛頓單獨會晤時，我談起蘇聯怎麼給東南亞製造麻煩。我向他保證，中國並不希望在它周邊建立什麼附庸國，無論誰在柬埔寨的自由選舉中獲勝，中國都準備接受選舉結果。這是鄧小平說過的話。這番承諾讓雷根放下心來，願意支持我們的立場，堅決反對越南和他們的傀儡政權。

　　同年 11 月，我在新加坡向美國負責東亞和太平洋事務的助理國務卿霍爾德里奇提議，誰在這場聯合國監督的選舉中勝出，就能接管柬埔寨政權，而亨桑林很可能獲勝。霍爾德里奇突然激動地打岔：「我不肯定這種結局可以讓人接受。他們太忠於蘇聯。」他的表情、語氣和姿態，讓我再沒有絲毫疑問，如果選舉中獲勝的是亨桑林，那麼無論美國或中國都不會接受這個結果。1982 年 8 月，美國國務院和中央情報局官員告訴我們的代表團，美國決定為柬埔寨的非共抗越部隊，提供總額 400 萬美元的糧食藥品等無殺傷力支援，以補充東盟的供應量。美國的這個起步不算大，卻是個重要的突破。雷根政府正走出在越戰中頹然失敗的陰影，準備扮演輔助性角色，支持非共抗越部隊。馬來西亞受到美國的鼓舞，決定提供訓練和供應軍裝。新加坡則提供首幾批約數百支 AK-47 型自動來復槍、手榴彈、彈藥以及通訊器材。

　　在英國的援助下，我們聘請了英國技術人員和廣播人員前來新加坡，指導高棉民族解放陣線的 14 名柬埔寨人，如何從新加坡以短波進行電台廣播，並在不久後在柬泰邊界附近設立了中波廣播電台。柬埔寨人學習怎麼操作 25 千瓦的日本流動發射機。新加坡也連同泰國和馬來西亞為游擊隊戰士提供訓練。由紅高棉領導的抗越部隊在 1983 和 1984 年間第一次在旱季不撤退到泰國，反而成功地反守為攻。

　　1984 年 7 月同美國國務卿舒茲在新加坡會面時，我籲請美

國重新檢討只提供限量援助的政策，因為美國現行的政策只會讓
中國漁翁得利，從中撈取最大的好處。我們在政治上為紅高棉和
中國提供了他們無法自行爭取到的國際支持。中國的軍事援助讓
紅高棉得以維持最強大的戰鬥力。美國應該增加對非共部隊的援
助，協助他們發揮最大的潛能，特別因為如今他們證實了自己能
打，而且比紅高棉更受柬埔寨人民的支持。舒茲同意值得一試，
但是指出，美國的援助必須能長期維持下去。援助額太高的話，
要每年爭取國會通過就不那麼容易了。他非常了解美國國會的情
緒。

　　舒茲說得對，美國國會不會支持一項龐大的援助計畫。泰、
馬、新、美聯合小組定期在曼谷會晤協調工作計畫，據新加坡代
表估計，美國以公開或秘密方式發放給非共組織的援助，約達 1
億 5000 萬美元，新加坡 5500 萬美元，馬來西亞 1000 萬美元，
泰國則提供數百萬美元的訓練、軍火、糧食和戰爭費用。不過比
起中國的援助，上述援助額都相形失色。中國為支援宋山和西哈
諾的非共抗越部隊耗費 1 億美元，給紅高棉的援助比這個數目
要大十倍。

　　事態發展顯示，蘇聯因阿富汗一役以及對越南、埃塞俄比
亞、安哥拉、古巴的鉅額援助而元氣大傷。到了八○年代末期，
蘇聯停止了對越南的援助，使越南陷入經濟困境，1988 年的通
膨率甚至超出 1000%，還出現缺糧的危機。越南最終不得不撤
離柬埔寨。越南的元老們只得讓步，任由新一代領導人同中國談
判，解決柬埔寨問題，開放市場，拯救瀕臨崩潰的經濟。1988
年 7 月，越南單方面宣布將五萬大軍撤出柬埔寨。

　　美國眾議院外交關係委員會負責處理亞太事務的國會議員索
拉茲，前來新加坡見我，他建議由一支聯合國部隊填補權力真
空，舉行大選。我鼓勵他落實這個想法。澳洲外長埃文斯後來正

式提出了這個建議，獲得新加坡和其他東盟成員國的支持。最後
協議於 1991 年 10 月 23 日在巴黎正式簽訂之後，聯合國先派遣
一支維和先遣部隊，再成立聯合國駐柬埔寨臨時機構。西哈諾在
1991 年 11 月由北京返回金邊，由接替亨桑林的洪森護駕。

聯合國駐柬臨時機構可說是聯合國開支最大的一次維持和平
任務，派了為數共二萬人的工作人員和士兵，耗費至少 20 億美
元。聯合國成功地在 1993 年 5 月舉行自由選舉，由西哈諾的兒
子拉納利親王領導的政黨贏得最多議席，以 58 席壓倒洪森的 51
席。美國卻在那個時候改變了對越南傀儡政府的立場，想必是對
洪森有意擺脫越南感到滿意，因此準備賦他以實權。聯合國既沒
有能力也沒有意願要讓拉納利掌權，真要這麼做，就等於是要洪
森部隊解除武裝，要拉納利政府同紅高棉對抗。最終，聯合國從
中調解，促使各方達致協議，由拉納利出任掛名的第一首相，把
實權交給第二首相洪森，由他掌管軍隊、警察部隊和行政。

聯合國駐柬臨時機構在盡量避免人員傷亡的情況下，成功地
舉行了選舉，算是完成了有限的任務，因此在 1993 年 11 月間
開始撤出柬埔寨。此後，新加坡退為柬埔寨這齣戲的旁觀者。幾
個主要勢力為解決問題直接周旋較量。中國是唯一曾為紅高棉提
供援助的國家。李鵬總理於 1990 年 10 月在北京告訴過我，儘
管紅高棉過去犯下不少錯誤，貢獻也不算少。換句話說，紅高棉
理應也在民柬政府中占有一席之位。不過在蘇聯同美國達成協
議，不再對越南提供軍事援助，特別是石油供應，以迫使越南結
束侵柬之戰後，中國對柬埔寨局勢的影響力已經大不如前。

越南撤離柬埔寨之後，反而削弱了東盟的合作團結。泰國首
相察猜一心希望通過貿易和投資，充分利用越南重建所提供的經
濟機會，因此儘管外長西迪認為向越南提供優惠的時候還未到，
察猜仍一意孤行。隨著泰國首相改變立場，印尼也跟著開始動

搖。泰印如今希望越南、寮國和柬埔寨強大，好組成聯合陣營，
制止中國向南擴張勢力。

　　新加坡當初曾派遣一隊警察聲援聯合國駐柬臨時機構。在衝
突的時刻，沒幾個國家願意給與非共部隊援助。我們卻做到了，
在軍火和軍備器材上有所貢獻，並代表他們在政治和外交上做出
努力，對促成最後結果發揮了作用。不過我們自知新加坡的影響
力畢竟有限，所以決定配合聯合國提出的方案，協助柬埔寨成立
臨時政府，舉行公平選舉。這兩個目標算是達到了。洪森和他屬
下的軍警政三方，牢牢控制了局勢。拉納利親王以及民族團結陣
線黨的部長則為洪森和前親越南共產勢力爭取到國際認可，藉此
換來洪森政府迫切需要的國際援助。紅高棉在這場權力鬥爭中全
軍覆沒，國際對波布的種族滅絕行為深惡痛絕，同聲譴責。而越
南白白在柬埔寨付出了整整 13 年的慘重代價，攻下柬埔寨建立
越南附庸國的目標徹底失敗。

　　我們不惜耗費這許多光陰和資源，打擊入侵柬埔寨的越南軍
隊，為的是證實挑釁侵犯的行為必將付出代價，這是符合新加坡
利益的做法。其實，印尼在東帝汶所付出的昂貴代價，何嘗不也
是一次慘痛的教訓？占領東帝汶 24 年，印尼終究還是必須在
1999 年 9 月一場聯合國監督的全民投票後，撤離這片土地。

東盟聲譽日隆

　　到了八〇年代中期，東盟作為理性的第三世界組織的聲譽日
隆，逐漸成為發展中世界最有活力的區域組織。東盟國家採取了
世界銀行和國際貨幣基金組織所建議的方向，開放經濟市場，吸
引貿易和外資，十多年來每年取得 6% 到 8% 的經濟增長。也正
因為東盟經濟蓬勃發展，才成為對他國有吸引力的經濟和政治夥
伴。東盟定期對話的對象從澳洲和紐西蘭開始，接著是日本、美

國和西歐國家。東盟逐漸發展成一個深具凝聚力又能貫徹始終的組織，對主要課題也採取一致的立場。越來越多國家要求成為東盟常年會議的對話夥伴，討論政治和經濟課題。

北越、中國和蘇聯所造成的共產主義威脅，鞏固了東盟的團結和凝聚力。共產主義崩潰之後，東盟有必要尋求新的共同目標以團結各成員國。到 1992 年 1 月，在新加坡舉行的第四屆東盟峰會上，東盟所有成員都已做好準備，要設立一個自由貿易區。新加坡老早就敦促東盟更強調經濟合作，以經濟合作輔助政治合作，只是我們的努力過去並不成功。我們倡議加強經濟合作，反而引起其他東盟國家的疑慮。由於新加坡是個較先進的經濟體，向全世界開放，也幾乎完全沒有關稅和非關稅壁壘，其他成員國因此擔心新加坡會從經濟合作中獲得比誰都多的好處。

八〇年代末期，在中國和印度相繼開放吸引外資後，東盟領袖的看法有所改觀。1992 年出任泰國首相的阿南，是個成功的商人，也曾經主管泰國外交部。他非常了解在一個相互依存的世界裏貿易和投資的經濟原理。為了消弭鄰國對新加坡動機所存有的疑慮，我向吳作棟總理建議，鼓勵阿南帶頭推動東盟成為自由貿易區。阿南成功地這麼做了，而第四屆東盟峰會也同意從 2008 年開始成立東盟自由貿易區。後來東盟經濟部長又把這個預期目標提前到 2003 年。

東盟自由貿易區標誌著東盟演變過程中的一個重要分水嶺。過去，由於各成員國仍然極力維護本身的主權，因此東盟的目標是處理成員國之間的關係，在政治問題演變成衝突以前協助化解糾紛。今後，東盟自由貿易區將促使東南亞各個經濟體更進一步相互融合。

1992 年在新加坡舉行的峰會上，東盟各國領袖決定常年部長級會議的擴大會議，應該成為政治與安全課題的論壇。有了這

個決定之後，東盟區域論壇隨之誕生，對話夥伴國包括美國、日本、澳洲、紐西蘭、加拿大、韓國和歐盟，再加上中國、俄羅斯和印度。

　　東盟區域論壇的成立，為可能敵對的各方提供了機會，好在沒有戾氣的氣氛中討論南沙群島主權糾紛之類的敏感紛爭。東盟區域論壇也標誌著東盟在政策上的改變，由排除列強到接受主要強國為對話夥伴，就區域內的安全課題進行討論。

　　在這同時，東盟也必須對不斷增加的成員國數目做出相應的調整。越南在 1995 年加入東盟，1997 年是緬甸和寮國，最後是 1999 年的柬埔寨。這四個成員國還有一段很長的路要走，才能趕上老成員國的發展水平，為美國和歐盟所接受，成為對等的對話夥伴國。

李光耀回憶錄

21 東亞貨幣危機

西方評論員把這次崩潰歸咎於
他們所謂的「亞洲價值觀」：
朋黨主義、講關係、搞貪污、
走後門或私下交易。這些陋習
的確對危機有所影響，加劇了
危機所帶來的損害。可是，這
真的是根本的導因嗎？當然不
是……好幾個新興國家是到了
近幾年，因為過度地以外幣借
貸，不能自拔，才種下禍根
……

東盟經濟體在 1997 年突遭摧毀，使這個組織在國際舞台上的
角色和地位受到了挫折。一手把印尼建立起來，取得成就
並獲公認的蘇哈托總統，給人民轟了下台。馬來西亞首相馬哈迪
因為公開譴責貨幣投機客和以索羅斯為首的猶太人，被西方媒體
在封面頭條新聞中加以貶抑。泰國首相川呂沛需要時間重新建立
起他在國際上的地位。這究竟是怎麼一回事？

　　1997 年 3 月，我們的財政部長胡賜道通知內閣，泰國因為
泰銖受到狙擊，要求新加坡插手協助捍衛。我們一致認為這並不
可行。但是泰國仍然要求胡賜道利用泰國本身的資金捍衛泰銖。
泰國並不想讓市場以為，當時只有泰國中央銀行在買進泰銖。於
是，新加坡金融管理局照著做了，不過我們還是提醒泰國這一招
不會奏效。起初狙擊者退場，泰國以為這證實我們的判斷錯誤，
我們卻警告說狙擊者必定會捲土重來。果然，他們 5 月又再次
進場。到了 7 月 2 日，泰國中央銀行已經花掉了 230 多億美元
的儲備金，行長終於決定放棄，讓泰銖自由浮動，卻導致匯率下
降 15%。泰國的負債人競相搶購美元，導致泰銖一跌再跌。我
們當時不曾覺察到，一場東亞金融危機就此引發。

　　泰國、印尼、馬來西亞和菲律賓的貨幣都跟美元緊密掛勾。
美元利率比當地利率低得多。美元趨軟時問題不大，因為這些國
家的出口相對來說價格就比較便宜，出口量也跟著增加。可是，
美元自 1995 年中期開始轉強，導致泰國出口價格更高，出口額
相對減少。泰國公司以美元借貸，原以為償還期限到來時，匯率
應該沒有多大變動。如果泰銖匯率自由浮動的話，它們在借貸時
就會既權衡低息的好處，也考慮泰銖可能貶值的風險。同樣地，
外國放貸者也不至於完全不擔心匯率會出現突變而對借貸者的還
債能力那麼有信心。

　　其實，幾位以新加坡為基地的美國銀行家曾在 1996 年間跟

我提起過，他們曾經提醒泰國和其他東盟國家的央行行長，既然已不再給資金流動設限，卻還要控制匯率和利率，這麼做就得冒一定的風險。美國銀行家建議推行較具伸縮性的匯率政策。可惜各國央行行長不曾正視這個警告，使經常帳目赤字不斷增加。

1995 年之後的好幾年裏，泰國經常帳目的赤字日益龐大，進口額高於出口額。這種情況如果繼續下去，他們不可能有足夠的外匯來償還外債。外匯交易商預見到泰國央行將難以在泰銖對美元匯率偏高的情況下捍衛泰銖，因此開始大量拋售泰銖。當投機者開始占上風時，有聲望的基金經理也加入他們的行列，賣空馬來西亞、印尼、菲律賓以及泰國貨幣。結果當這些國家的中央銀行一宣布讓貨幣和美元脫勾，各國幣值立刻全面下跌。

唯有新元並未同美元掛勾，我們是根據主要貿易夥伴的一攬子貨幣來管理新元。到九〇年代中期為止，新元對美元的匯率一直都穩中升高。新元利率則比美元利率低得多。以美元借貸對新加坡公司沒有吸引力，所以新加坡公司的美元債務並不多。

泰國首相查瓦利是我的老朋友，早在他擔任泰國軍隊的高級將領時我們就相識了。他向吳總理借貸 10 億美元。吳作棟跟內閣商量後決定，如果泰國肯先向國際貨幣基金組織求助，我們願意借出這筆款項。查瓦利同意了。

貨幣危機蔓延開來，馬來西亞首相馬哈迪在 7 月點名抨擊索羅斯為投機者，指他是導致危機的罪魁禍首。接著，馬來西亞國家銀行宣布限制馬來西亞貨幣兌換外國貨幣的數額。為制止股票下跌，吉隆坡股票交易所也修改條例，指定賣家在出售股票的一天內交出股票證書。他們也給用來計算交易所指數的 100 只主要藍籌股設下交易限額。各國基金經理的即時反應是，拋售馬來西亞和其他東盟國家的貨幣和股票。

1997 年 9 月，國際貨幣基金組織和世界銀行在香港召開國

1998 年 1 月，應泰國國防學院邀請到曼谷發表「東亞如何以及何時復甦」
的專題演講之後，我和芝到皇宮晉見泰王蒲眉蓬。

際銀行家大會。馬哈迪在會上說：「貨幣交易是沒有必要、不具
生產力和完全不道德的活動，應該加以制止，使之成為不合法的
活動。」結果東盟貨幣和股票又經受另一輪的拋售。

　　泰國和印尼接受了國際貨幣基金組織附帶條件的援助配套。
儘管泰國在 1997 年 8 月跟國際貨幣基金組織達成協議，它卻沒
有採取雙方都同意的行動，緊縮貨幣供應、提高利率和整頓它的
銀行體系，包括關閉 58 家無償債能力的金融公司。查瓦利的多
黨聯合政府沒有足夠的魄力去推行吃力不討好的改革措施。泰國
所有政黨的政治領袖，不論執政或者在野黨，都跟銀行家和商人
有密切的聯繫，他們需要這些商界人士的政治獻金。11 月間，
查瓦利在國會裏無法贏得信任動議，被迫辭職。翌年 1 月他在
曼谷告訴我，泰國好多位銀行家都促請他捍衛泰銖，他自知是軍

人出身，不是金融專家，所以聽取了他們的意見。他的銀行家朋友想必沒有告訴他，他們借貸超過 400 億美元，不願意以更多的泰銖來償還美元貸款。

究竟做錯了什麼？

如今回想起來，他們究竟做錯了什麼？九〇年代初期，泰國、印尼和韓國的經濟已經達到飽和狀態，許多新投入的資金都被轉移到價值無法確定的項目上。在市場一片大好聲中，人人卻忽略了這些經濟體在制度和結構上的弱點和缺陷。

如果這些國家能逐步地而非一下子放寬資金流動管制，情況就會好得多。這麼一來，各國就能有更充裕的時間設立一個制度，監督、查核和管制非外國直接投資資金的流動，確保資金流向效益更高的投資項目。然而實際的情況卻是大量資金投放到股票和房地產、辦公樓和共管公寓上，而這些股票和房地產又被人們用來抵押取得貸款，使得資產泡沫進一步膨脹。借貸人其實很清楚發展中國家在這方面的監管鬆散，卻把這種現象視為新興市場慣有的經商方式而不當一回事。有些甚至認為，跟有政治聯繫的夥伴做生意，等於是有政府為貸款做不言明的擔保，所以就跟著玩這場遊戲。

七大工業國的財政部長向發展中國家施壓，要它們開放金融市場，允許資金更自由地流動。但是他們卻不曾嘗試讓發展中國家的財長和央行行長了解現今金融市場環球化所隱藏的危機，單靠輕觸電腦上的一個鍵鈕，大筆款項就能即刻流入或流出。任何開放措施應該根據各國金融體系的能力和精細程度格外謹慎地推行，做出相應的調整。這些國家應該裝置斷路器——有完善的管制措施以應付資金突然流入或流出。

儘管各國的經濟情況不一，外國投資者信心崩潰卻影響了整

個區域。東亞奇蹟由典型的市場狂熱開始，資金如泉水般湧進東
亞，最終卻演變成典型的市場恐慌，投資者驚惶失措地把資金全
數撤出。

1997 年 1 月，韓國大財團韓寶宣告破產，總統金泳三的兒
子也牽連在這起重大的賄賂醜聞中。其他好幾家銀行和「財團」
相信也面對類似困境，導致韓元幣值下滑。韓國中央銀行先是捍
衛他們的貨幣匯率，直到 11 月儲備金用盡，才向國際貨幣基金
組織求助。在那之後的幾個星期內，全東亞包括香港、新加坡和
台灣都難逃被這場金融風暴席捲的厄運。

港元自 1983 年起就跟美元掛勾。危機使人們對港元的信心
大跌，香港不得不把利率提高到比美元利率為高的水平，才能吸
引投資者繼續持有港元。高利率卻沉重地打擊了股票和房地產市
場。幣值比周圍鄰國都高，香港競爭力大失，旅遊業大受影響，
酒店客房無人問津。但是，香港在這場危機中堅持捍衛同美元掛
勾的做法是正確的，在特區剛回歸中國主權之際，這有助於穩住
市場信心。只是後來危機繼續拖下去，導致問題日益尖銳。

東亞的經濟危機跟拉丁美洲的不同之處，突顯了兩種社會在
文化和價值觀方面的差異。東亞國家的政府並沒像拉丁美洲國家
的政府那樣超支。並非所有國家都肆意推展過於奢侈、龐大的項
目，或暗中抽取貸款資金，在紐約或倫敦的股票市場進行投資。
這些政府財政預算平衡，通貨膨脹率低，享有好幾十年穩定的高
增長。反倒是它們的私人公司，因為輕率地在房地產和過剩工業
廠房方面進行長期投資，以致過去幾年短期借貸過高。

西方評論員把這次崩潰歸咎於他們所謂的「亞洲價值觀」：
朋黨主義、講關係、搞貪污、走後門或私下交易。這些陋習的確
對危機有所影響，加劇了危機所帶來的損害。可是，這真的是根
本的導因嗎？當然不是，因為這些幾乎可說是社會病態的現象已

經是老問題了，早在 30 多年前，也就是六〇年代「亞洲奇蹟」
一開始時就已經存在。好幾個新興國家是到了近幾年，因為過度
地以外幣借貸，不能自拔，才種下禍根。說穿了，過度借貸其實
也不至於引發這麼一場災難，問題癥結在於這些國家的體系不夠
完善，銀行脆弱，監管不嚴，推行了錯誤的貨幣匯率政策。文化
上的陋習加劇了損害，又因為制度不透明，任何違法行為就益發
難以覺察暴露，更容易瞞天過海。

　　西方評論家大肆抨擊亞洲的貪污、裙帶風和朋黨主義，並以
之證明亞洲價值觀的基礎何其薄弱。亞洲價值觀其實不一而足，
有印度教、回教、佛教、儒教。我只能談儒家價值觀。西方的論
調其實都貶損了儒家價值觀。儒家君子對家庭的義務，對朋友的
忠誠，設想的純粹是個人的施與，而不是假手官方資源。利用公
務上的便利為家人和朋友提供好處，這種做法往往損害了政府誠
實正直的形象。那些具備透明體系來偵察和防止人們濫用職權與
營私舞弊的地方，比如新加坡和香港（兩地都曾經是英國殖民
地），這種濫權舞弊的現象根本非常罕見。新加坡沒有因貪污或
朋黨主義而扭曲了資源的分配，所以我們能夠更好地應付危機。
同樣地，我們的公務員扮演的是裁判員的角色，而不是市場參與
者。反觀飽受困擾的國家，有太多從政者和公務員履行公職不為
謀求公眾福利，反倒是濫權謀私。更糟的是，好些政治領袖和官
員就是不肯接受市場的定論，他們有很長一段時間把貨幣貶值歸
咎於投機者和陰謀者。這種拒絕正視問題的態度結果把更多投資
者給趕跑。

　　這些領袖顯然覺察不到金融市場全球化所牽連的許多問題。
現在，紐約、倫敦和東京等世界主要金融中心，在東亞各國的首
都都有代表，它們之間能隨時互通聲息。工業國的資金流入，一
方面帶來高增長，卻也同時帶來資金突然外流的風險。每個首都

城市，曼谷、雅加達、吉隆坡、漢城，都住著上百名國際銀行
家，以及同當地社群有密切聯繫的當地工作人員。一國政府每一
次犯錯，他們都會即時分析情況，向全球客户匯報詳情。然而蘇
哈托的做法卻像是還生活在六〇年代似的，以為金融市場全都分
開運作，沒什麼聯繫，市場反應緩慢。

　　亞洲奇蹟難道真是場海市蜃樓嗎？多年以前，在本區域的公
司還沒有向國際銀行貸款時，這些國家都享有高增長率、低通膨
率，都有審慎的預算。這些當時還很落後的農業社會，維持了社
會穩定，成功累積儲蓄，吸引發達國家前來投資。人民克勤克
儉，儲蓄率高達 30%至 40%。它們投資於基礎設施，專注於教
育和培訓，商人都具有創業的精神和勇氣，政府務實而且支持商
業發展。它們的經濟基礎一直處於良好狀態，到了 1999 年，在
危機持續了兩年之後 ，復甦似乎在望。高儲蓄使利率維持在低
水平，為經濟提早回彈創造了條件。海外基金管理人員重拾信
心，紛紛重回股市，推高匯率。這很可能反而促使某些國家延緩
銀行和企業重組，將來再要碰上一次經濟衰退，恐怕就得付出慘
重的代價。

　　貨幣、股市和房地產價格暴跌，對東南亞領袖來說有如患上
戰鬥疲勞症般使他們心力交瘁，各國要恢復元氣並不是一朝一夕
的事，卻終究會有復原的一天。在這個過程中，東南亞國家在同
中、日、美等大國談判時，需要重新團結起來加強談判的分量，
這就有助於使東南亞各國在東盟的旗幟下更緊密地站在一起。歐
美領袖自然會繼續對東盟表示同情和願意幫助，只是他們過去對
本區域領袖辦事能力的尊重，恐怕難以在短期內恢復過來。

　　東南亞領袖將從這次的挫折中吸取教訓，建設更穩固的金融
和銀行體系，進行健全的管理和有效監督。投資者必定去而復
還，因為推動高增長的因素還會持續十幾二十年。朋黨主義和貪

污的陋習很難完全杜絕，但是可以通過完善的法律和管制來抑制越軌行為。只要牢記這次危機所帶來的痛苦和不幸，我們將不會面臨另一場災難。今後十年內，原有的五個東盟國家會相繼恢復增長，新領袖將在一個更結實的基礎上冒起，逐漸樹立威望。

　　這次危機還有個更深刻的教訓。在一個環球化的經濟體系裏，運作規則由歐美通過世界貿易組織和其他多邊組織所制定，像日本和韓國那樣不管市場力量濫用資本，根本是浪費資源。為了支持大財團擴展業務以在海外市場爭一杯羹，日韓政府不惜從人民的儲蓄中儘量汲取資本，指示銀行把儲蓄轉移給某些特定的大財團，供他們為指定的貨品爭取市場的份額。這就造成某些工業失去競爭力。日韓還緊跟在發達國家後頭的時候，要看準哪些是值得投資的工業並不困難。如今日韓既已趕上西方的步伐，想從中選出勝利者，就沒那麼容易了。同其他國家一樣，它們將須針對市場所發出的信號重新分配資源。如果以為日本人和韓國人會從此一蹶不振，失去天生的鬥志，那就看錯了。日韓過去的紀錄顯示，他們終究會重組各自的經濟體系，學習根據利潤原則和資本回報率行事。

李光耀回憶錄

22 共和聯邦俱樂部

我在 1962 年出席的第一個會
議是處於截然不同的年代，有
著一群截然不同的領袖。同當
時的其他國際組織比較，共和
聯邦是一個小規模的俱樂部
……早在 1989 年，當共和聯
邦成員增加到 40 多個時，彼
此間就已經少了擁有共同價值
觀的感覺。俱樂部裏的成員隨
著變幻莫測的選舉或政變而變
動，來去教人始料不及，連道
別的時間都沒有……出席這些
會議是有其價值的。但我參加
過太多次，該是往前走的時候
了。

獨立後，我以為新加坡成為共和聯邦的一員是理所當然的。英國政府支持我們加入，東姑也樂意給我們做擔保，卻不曉得巴基斯坦原先反對新加坡加入。它認為馬來西亞在印巴兩國的克什米爾糾紛事件上，過於站在印度一邊。共和聯邦秘書長阿諾德‧史密斯在他的回憶錄中寫道，巴基斯坦對馬來西亞的敵意，殃及曾經對印度流露出同情的新加坡政府。不過，史密斯說服了巴基斯坦，把反對票改為棄權票。1965 年 10 月，新加坡正式成為共和聯邦的第 22 個成員。成為這個組織的一分子是彌足珍貴的。對一個剛剛獨立不久的國家來說，它為新加坡提供了渠道，讓它去結交一些體制相似、領袖和官員有著共同背景的政府。這些政府都使用英語，它們所推行的行政、法律、司法和教育制度都是英式的。

加入共和聯邦後不久，尼日利亞總理阿布巴卡爾‧塔法瓦‧巴勒瓦爵士宣布於 1966 年 1 月 11 日，在拉各斯召開共和聯邦總理會議，討論羅得西亞單方面宣布獨立的問題。當時的羅得西亞是一個自治邦，白人有 22 萬 5000 名，占人口少數，卻控制著 400 萬非洲黑人。我決定赴會。

從倫敦飛往拉各斯的七個小時行程中，跟我同乘英國海外航空公司客機的，還有另外幾位共和聯邦小國的總理和總統。大家閒聊一番。同機的塞浦路斯總統馬卡里奧斯大主教令我至今難忘。他身穿代表希臘正教會的黑色絲質長袍，頭戴一頂黑高帽。他一上機就脫下長袍，摘下帽子，看上去完全變了個模樣：個子偏小，腦袋光禿，嘴上蓄著鬍子和一把濃密的長鬚。他的座位和我同排，不過是在走道的另一端，因此他的一舉一動，我都看得清清楚楚。當客機滑行到機場大廈時，他整裝梳理的一幕又吸引了我的視線：他不厭其煩、小心翼翼地梳理著鬍子和長鬚，接著站起來把黑色長袍披在白色的衣服上，然後戴上掛著大圓章的金

項鏈，再小心翼翼地把帽子戴上。一名助手用刷子把他身上的鬆
垂長袍刷得一塵不染，把大主教的手杖交到他手裏。馬卡里奧斯
大主教法座這才完成準備工作，以合乎身分的姿態步下舷梯，在
等候著的攝影員的面前亮相。沒有一個政界人物比他更注重公關
功夫。其他國家的總理都留步，讓他先下飛機──他不只是總
統，還是大主教。

　　當地的官員上前來迎接我們，讓我們輪流檢閱儀仗隊伍，然
後就像一陣風似的把大家都載往拉各斯。我們好像進入一個圍
城。前往聯邦宮酒店，沿途我們看到的盡是警察和軍人，酒店周
圍也布滿鐵蒺藜和軍隊。前後兩天的會議，沒有一個領袖離開過
酒店。

不同的遊戲規則

　　會議召開前夕，阿布巴卡爾在酒店為我們洗塵。我在兩年前
和他有過一面之緣。我和拉惹勒南坐在一名粗壯的尼日利亞男子
對面。他是費斯圖斯酋長，尼日利亞的財政部長。同他的談話至
今還深深印在我的腦海裏。他說他即將退休，還說自己為國家付
出的已經夠多的了，現在得打理自己的鞋廠生意。他以財長的身
分向入口鞋子徵稅，這樣尼日利亞才能生產自己的鞋子。我和拉
惹勒南對此感到難以置信。費斯圖斯酋長的胃口很好，從他圓鼓
鼓的身材可見一斑，不過，色彩繽紛的尼日利亞長袍，配上一身
金飾和一頂燦爛奪目的帽子，倒是高雅地掩飾了他的身材。那晚
臨睡之前，我已經認定他們是完全不同的另一類人，根據的是完
全不同的另一套遊戲規則。

　　會議在 1 月 11 日開幕，由阿布巴卡爾總理致開幕詞。穿著
一身尼日利亞北方豪薩族鬆垂長袍的阿布巴卡爾身材高瘦，氣宇
軒昂，講起話來慢條斯理，字斟句酌，儼然一副酋長至尊的模

樣，不經意地流露出威嚴。他緊急召開這一次會議，是為了討論
羅得西亞非法宣布獨立的問題。眾成員國要求英國對此採取行
動。第二位演講者是贊比亞副總統魯本・卡曼加，然後是哈羅德・
威爾遜。威爾遜顯然不能、也不打算用武力對付伊恩・史密斯的
非法獨立政權，動武將嚴重打擊英國政府的民眾支持率，使它付
出沉重的政治代價，也會破壞羅得西亞和周邊非洲國家的經濟。

　　我在第二天發言。我事先並沒有準備講稿，手上只有趁阿布
巴卡爾總理和其他人在演講時寫下的提綱。我以宏觀的哲學觀點
發表講話。300 年前，英國人踏上占領北美、澳洲和紐西蘭，以
及在亞洲和非洲大部分地區開拓殖民地的征途。他們以征服者和
主子的姿態，在亞洲和非洲一些比較理想的地區安頓下來。然而
到 1966 年，前殖民地政府首長卻同一位英國首相平起平坐進行
對話。這是一種一直在演變的關係。塞拉利昂共和國總理艾伯
特・馬爾蓋爵士說，只有非洲人才會對羅得西亞的問題感同身受
並且關心。我不敢苟同只有非洲人才關心這個問題的說法。我們
的利害關係都牽涉在內，大家都關注事態的發展。新加坡和英國
在防務上關係密切，如果英國被扣上支持史密斯非法奪權的帽
子，我將進退兩難。

　　我也不同意烏干達總理米爾頓・奧波特博士的說法。他說，
英國不願意降伏羅得西亞的歐洲人或讓聯合國採取制裁行動，那
是英國的惡毒陰謀，為的是拖延時間，讓史密斯鞏固政權。談論
白人殖民者和外來移民之間的種族區分是於事無補的。我跟加拿
大、澳洲和紐西蘭的人民一樣，都是移民。如果把所有移民都打
成種族主義分子，天下可要大亂。要解決世界各地移民浪潮所帶
來的問題，我們有兩種辦法：一種是人人平等，另一種是弱肉強
食。全世界有色人種要求一雪前恥，並不是人類求取共存的辦
法。在非洲，問題的癥結不在於羅得西亞，而在於南非的種族

22 共和聯邦俱樂部

關係。

　　我不相信英國不願意結束史密斯政權，因為該政權的存在將會削弱西方國家在所有非歐洲人民心目中的地位。威爾遜所面對的問題是，如果他動武救平弱小的少數白人，他將違背國內的民意。我相信英國政府是有誠意的。它不肯把問題帶到聯合國去解決，是為了不想見到史密斯被轟下台後，羅得西亞的命運落入130 個聯合國成員的手中。英國必須爭取更多時間來保護它在南非和羅得西亞的經濟利益。為了非洲和歐洲人民的利益，英國也必須保全羅得西亞的經濟。縱使南非問題解決了，更大的問題仍然懸而未決：科技的發展使國與國之間的距離縮小，不同種族在這種環境下應如何學習和睦共處。

　　我同情非洲人民，但是我也明白，羅得西亞的英籍移民自1923 年起，全面自治已經數十載，如果英國首相必須派兵鎮壓英籍移民的造反行動，那將是非常棘手的。現在的問題是如何改進方法，並且落實推進多數民族統治羅得西亞的日程。

　　共和聯邦首腦會議有一個好處：國家無論大小，一旦你插手某個問題，別人將根據是非黑白來評斷你。許多人照本宣科，我則靠筆記來回應剛才所發表的言論。我以真誠的態度發言，不帶現成講稿的委婉辭令，直率地表達了我的看法。這是我在共和聯邦總理會議上發表的處女演講，我感受得到，圍繞著會議桌的同僚反應良好。

　　威爾遜後來在他的回憶錄中寫道：「一個接一個，每個非洲領袖都想證明自己比鄰居更有非洲精神，內容聽起來振振有詞，但未免重複。從亞洲到塞浦路斯到加勒比海諸島，譴責的言辭大同小異。然後，新加坡的李光耀講話了——沒有預備，即席發揮，歷時大約 40 分鐘的演講精湛之至，在我所出席的共和聯邦會議上，甚少有演講能達到那種水準。」

助非洲人一臂之力

　　出席拉各斯會議讓我和威爾遜的友誼得到鞏固。我助了非洲
人民一臂之力，又無損於英國。威爾遜在會議室外向我道賀時
說，希望看到我出席其他共和聯邦會議。他需要一個人來對付那
些性格刁鑽、講話又冗長又尖刻的領袖。兩天後，會議在委任了
兩個委員會後休會。兩個委員會將負責檢討制裁效用，以及研究
贊比亞需要共和聯邦給與什麼樣的特別幫助。

　　我們啟程到下一站加納首都阿克拉時，機場沿途的保安更加
森嚴。自四天前抵達此地以來，拉各斯的緊張氣氛已進一步升
溫。

　　抵達阿克拉三天後，東道主告訴我們，拉各斯發生了血腥政
變。阿布巴卡爾總理遭暗殺，費斯圖斯酋長也難逃劫數。帶頭發
動兵變的是尼日利亞東部伊博族的一名陸軍少校。尼日利亞東部
當時正在勘探石油。許多來自北方的豪薩族回教徒在政變中喪
命。發動兵變的少校說，他「要鏟除腐敗和貪污的部長和政
黨」。阿吉伊·伊龍西少將在這次政變中當權，但是在這之後還
發生了另外多起政變。

　　加納總統夸梅·恩克魯瑪聽到消息後沒有雀躍歡呼。他自己
在兩年前也幾乎喪命，那是我在 1964 年 1 月訪問他之前不久發
生的事情。到 1966 年，有「奧薩蓋福」（「救星」之意）之稱
的恩克魯瑪元氣已經完全恢復，他設晚宴招待我，出席者有他的
一些高級部長，還有在恩克魯瑪完成學業的大學裏擔任校長的一
名年輕人。這個富有才華的年輕人叫做亞伯拉罕，年齡不過 30
歲上下，是牛津大學古典文學系的一等畢業生，也是全靈學院的
研究生。恩克魯瑪非常以他為榮，我也驚嘆於他的才氣。但是我
覺得奇怪，一個那麼依賴農業為生的國家，為何把它最聰明、最

22　共和聯邦俱樂部

優秀的人才送去攻讀古典語文研究——拉丁語和古希臘語。

　　抵達阿克拉後，上機來迎接我的是總統事務部長克羅博·埃杜塞。他是個臭名遠揚的貪官，曾經給自己購置一個黃金打造的床架而讓國際報章大肆報導。恩克魯瑪把他的職務局限於政府款待事務，藉以平息醜聞。我抵達阿克拉的第二晚，他帶我到當地一家夜總會，並驕傲地表示自己是老板，所有到過這裏的貴賓都盡興而歸。

　　我們乘車到上沃爾特水庫，用了大約三個小時，車隊一路上由一輛安裝了揚聲器的車子帶頭。揚聲器播出帶有非洲強勁節拍的歌曲：以英文演唱的歌詞一再重複「工作真美妙」。走路搖搖晃晃在學步的孩童總會從路旁的小屋子冒出來，他們一面自然地隨著節奏搖擺，一面朝馬路邊走來向我們招手。他們如此輕巧柔軟，令我讚嘆不已。

　　加納政府有一艘完全從邁阿密組裝入口的漂亮遊艇，我是第二個在遊艇上受到招待的客人。他們告訴我，遊艇由鐵路運到湖畔下水。在艇上陪同我們的有克羅博和加納外交部長亞歷克斯·奎森·薩基。後者受過高深教育，談吐文雅。我們暢遊湖上，在甲板上享用著雞尾酒和開胃小點。這時，拉惹勒南問克羅博他那一身漂亮的非洲狩獵裝是誰縫製的。克羅博回答：「我在庫馬西的裁縫店為我縫製的。找一天你非得去看看，我替你做一套跟我一模一樣的套裝。」然後，他談到自己在其他方面的活動。他原來是一個每週賺取 30 先令（4 美元）的郵政書記，現在，他有兩個兒子在瑞士日內瓦留學。他說，男兒要有鴻圖大志。奎森·薩基是個有內涵的人，曾經擔任聯合國大會主席。他看起來很不開心，很不自在。他很努力地嘗試把話題從克羅博身上引開去，但克羅博並不準備罷休。他講了一個又一個令人捧腹大笑的故事，把我們逗得合不攏嘴。我在想，這兩個國家不知道會變成什

麼樣子。它們當時是非洲最明亮的曙光，兩個最早爭取到獨立的
國家——加納在 1957 年，尼日利亞緊跟著。

　　一個月後，2 月 24 日，正當恩克魯瑪在中國北京受到 21
響禮炮迎接之際，阿克拉發生軍人政變。軍人領袖逮捕恩克魯瑪
的政府要員，與此同時，人們在街上欣然起舞。奎森・薩基和克
羅博當時和恩克魯瑪一起在北京。他們回到阿克拉後受到保護性
拘留。我為加納人民擔心並非毫無根據。儘管他們有收穫甚豐的
可可園和金礦，還有能夠發出巨大能量的上沃爾特水庫，加納經
濟卻陷入萬劫不復之地，至今仍恢復不了早在 1957 年獨立時所
呈現的那一片光明景象。

　　入眼的新聞報導挑起我的愁緒。我再也沒去過加納。20 年
後，進入八〇年代，奎森・薩基在新加坡看到我。在無數政變
中，他有一次被捕，後來獲釋。他想以信貸方式代表尼日利亞政
府向新加坡購買棕油。他們保證在大選結束後付款。我說，那是
私人交易，他必須以私人身分取得協議。他利用自己和非洲鄰國
領袖的聯繫謀生。他說，加納的局勢亂七八糟。我問起那個精明
的年輕大學校長亞伯拉罕。奎森・薩基告訴我，他已經進入加利
福尼亞一所修道院。我感到難過。如果連他們最精明、最優秀的
人才都放棄鬥爭，選擇逃避到修道院裏，而且是在加州，並不是
在非洲，他們重建家園的道路將是漫長而且崎嶇的。

對非洲前景不感樂觀

　　我對非洲的前景不感樂觀。1957 年獨立後，不到十年光
景，尼日利亞已發生過政變，加納則政變失敗。我覺得他們對部
落的忠誠比他們的國民認同感更強烈。特別是尼日利亞，北方的
豪薩族回教徒和南方的基督教徒和異教徒之間，存在著嚴重的歧
見。同馬來西亞的情況一樣，英國人把權力交給了回教徒，尤其

是軍隊和警隊的權力。加納沒有這種南北分裂的局面，問題沒那麼尖銳，但部落分歧仍然很明顯。加納不像印度，他們沒有機會接受多年的訓練和指導，學習現代政府的施政方法和紀律。

下一次開會在倫敦，日期是 1966 年 9 月。我在會上認識了許多沒有參加拉各斯特別會議的總理。在倫敦的兩個星期，我鞏固了新加坡在英國民眾當中的地位，以及維持我同威爾遜及其主要部長之間本來就不錯的關係，同時也和保守黨領袖保持聯繫。

羅得西亞再度成為整個會議的中心課題（每次會議都不例外，直到 1979 年在盧薩卡會議上得到解決為止）。非洲領袖們對羅得西亞的非洲同胞感情很深，與此同時也希望在自己人民當中建立起非洲人的威信。何況，把焦點集中在羅得西亞單方面宣布獨立的問題上，能使他們的人民暫時忘卻自己國內急如燃眉的經濟和社會難題。到那時為止，加拿大的萊斯特・皮爾遜是白人領袖裏思想最開明的一個，對非洲人民的奮鬥事業和不幸人士皆有惻隱之心。

我談到東南亞的問題。我說越南的問題是兩個不同思想體系的衝突，雙方誰也不肯讓步，深知哪一方屈服就會喪失整個地區。我指出，澳洲和紐西蘭部隊到南越去，並不是純粹為了捍衛民主和越南的自由：他們也在保護自己的戰略利益。澳洲總理哈羅德・霍爾特這時表現得不太自在，但是很快就恢復常態。我補充說，他們的利益包含了我的生存，霍爾特便接受了我的論點。我採取獨立的立場，這樣才能建立我自己的信譽，不被別人當成是英國、澳洲或紐西蘭的傀儡。新加坡當時還在英澳紐軍的保衛下。我毫不諱言地說，如果美國撤軍，對本區域所有的國家，包括新加坡，將是一場災難。儘管非洲領袖一般反對美國的干預行動，但是我的遣詞造句使大家都容易接受我的論點。新加坡在非洲和亞洲領袖的心目中，地位提高了。

殘酷的經濟現實

　　1969 年 1 月召開的下一屆會議同樣在倫敦舉行。威爾遜以主席身分要求我帶頭展開共和聯邦合作事務的討論。我在開場白裏批評西方國家給與發展中國家的援助少得可憐，隨即解釋後者無法成功有它深一層的道理。第一代反殖民帝國的民族主義領袖在爭取自由的過程中，勾勒出一幅繁榮遠景以團結他們的人民，但卻無法使它兌現。人口爆炸加速資源耗損。殖民地宣布獨立，改由占多數的種族當家，殖民統治者過去嚴加維持的種族和諧便難以再持續。獨立前獲得廣大支持的精英必須證明他們理應繼承領導權，因此當他們和其他黨派爭權時，往往忍不住利用人們對種族、語言和宗教的忠誠來達到目的。隨著少數民族——在非洲國家以印度人為主——因為暴動或立法因素而被擠出局，這些國家陷入困境。它們的少數民族往往是店主，也是村落裏的財主，他們最清楚誰有信用，誰可以放貸，誰不能。無論是當地的行政官員、美國和平團或英國志願服務人員，誰都填補不了這個村落財主的角色。受過訓練的人員太少了，新獨立國於是打回原形，恢復鬆散的社會狀態，沒有最高統治者的嚴厲管制，也沒有健全的行政架構。貪污滲透各個階層，成為生活中的一部分。軍事政變往往使局勢雪上加霜。不過最嚴重的是大部分政府選擇經濟規畫與控制，結果壓抑了自由企業的發展。幸好馬來西亞和新加坡沒有這麼做，因此繼續取得進步。威爾遜在其著作《工黨政府1964—1970》中寫道，我「以赤裸裸的現實」描述「新自主國的經濟問題……大家一致公認，是我們所聽過的詮釋後帝國世界的文章當中，最出色的一篇」。

　　威爾遜曾提議在倫敦和一個共和聯邦成員國輪流舉辦兩年一屆的會議。他極力主張下一屆會議在新加坡召開，其他領袖都贊

22 共和聯邦俱樂部

我在 1971 年率領新加坡代表團出席共和聯邦首長會議，代表團成員包括
外交部長拉惹勒南（右二）和財政部長韓瑞生（左三）。

成，我也樂意充當會議的東道主。有機會讓新加坡成為全世界的
焦點，對我們的國家有益。以兩年的時間籌備，我們可借助這場
盛會贏得世人對新加坡的認可——承認新加坡是第三世界裏的一
個綠洲，它的辦事效率高，而且行事理智。

我們的共和聯邦客人在 1971 年 1 月抵達蒼翠整潔的新加
坡，得到友善、熱情、高效率和彬彬有禮的服務。酒店、商店、
德士、餐館等等都表現出最好的一面，一切顯得有條不紊。被拘
留的親共政治人士的家屬，在會議地點職工總會大會堂外面舉行
反政府示威。警方以低調方式把他們驅散，英國報界卻隱約傳來
不讚許的批評聲音。他們認為應該讓示威活動繼續下去，負責代
表團安全的警官卻不以為然。

禧斯出任首相不久，便宣布恢復被工黨政府凍結的英國同南
非的軍火交易。這件事引起非洲黑人領袖的激烈反應，有許多人
恫言，如果英國堅持，他們將分裂共和聯邦。禧斯抵達新加坡之
後沒多久，他接受了我的建議，宣布英國樂意把南非軍火交易課

題當作獨立的議程項目處理。經過兩輪只限於國家首長參與的討
論，我們同意成立研究小組，讓小組檢討海軍武器的供應問題，
然後把研究結果提交秘書長。

　　置身於多元種族的第三世界國家領袖當中，禧斯感到不舒
服。這是他第一次參加這類集會，非洲領袖又衝著他而來，要他
嘗嘗被孤立的滋味。他的個性有點腼腆，不輕易表態，跟抽煙
斗、外表一副和藹的威爾遜不一樣。禧斯看起來很拘謹，渾身不
自在，說起話來滿口牛津腔，而且容易被激怒。幸好他清楚我的
為人，對我有信心，知道我一定給他機會辯駁。

　　我首先邀請博茨瓦納總統塞雷茨‧卡馬爵士發言。我所認識
的塞雷茨爵士是一個態度溫和，頭腦冷靜，考慮周到的領袖。他
是博茨瓦納酋長的兒子，在牛津念書時娶了一個英國太太。由於
他和白人異族通婚，使南非實施的黑白異族性交禁令淪為笑柄，
南非政府向英國政府施壓成功，使他多年來無法繼承酋長的地
位。英國該怎麼做才符合國家利益，這必須由它自己判斷，但是
英國如果決定出售軍火，對共和聯邦只會造成傷害。那是一場溫
和而有說服力的演講。

　　坦桑尼亞總統朱利葉斯‧尼雷爾的演說，從道德的高層次出
發。他說南非跟共和聯邦脫離，是因為它的意識形態同具有多元
民族特色的共和聯邦相牴觸。他「懇切」請求英國不要協助南
非，不要逼非洲國家還擊。他的演講短得出乎意料。他分析過禧
斯的為人，決定還是不要向他說教的好。尼雷爾是我最尊敬的非
洲領袖，他給我的印象是為人廉潔而誠懇。他遵照憲法的規定，
把權力移交給接棒人，坦桑尼亞因此沒有陷入像烏干達那樣的亂
局。

　　馬拉維總統黑斯廷斯‧班達說，沒有非洲領袖會脫離或破壞
共和聯邦，動武不會有結果。自由戰士自 1964 年開始就嘗試使

用這種方法，結果一事無成。他呼籲黑人和白人進行接觸與對話，以此取代武力、孤立和抵制行動。其他非洲領袖公開對他嗤之以鼻，他卻看似一點也不在乎。我嘗試制止他把話說過頭，但是一說得起勁，誰也別想阻止他。他倒是挺有個性的，即使在室內和夜裏也不摘下太陽眼鏡，身邊還帶著一個健美豐滿的年輕非洲女伴。他的樣子蒼老，說起話來卻虎虎有生氣，手中的拂塵不停揮動，藉以強調自己的論點；但是，他還不如向發怒的公牛群揮動紅旗幟的好。我不曉得禧斯是感到尷尬還是開心。

禧斯給與說理的答覆。售賣海軍武器給南非基本上關係防務政策，跟種族隔離政策沒有一點瓜葛。英國有一半的石油運輸和四分之一的貿易須利用開普敦岸外水域進行，英國的經濟有賴於貨品的自由流動和水域的自由航行。蘇聯在海上構成一股威脅勢力。（1 月 16 日，禧斯就售賣軍火給南非發表講話前四天，兩艘蘇聯戰艦——一艘巡洋艦和一艘驅逐艦——在下午兩點左右從南中國海囂張地航經新加坡水域，朝印度洋駛去。）

贊比亞總統肯尼思・卡恩達插進了戲劇性的一腳。他警告說，不單南非或印度洋關係到英國的國家利益，非洲多個地區也有關聯。卡恩達追述非洲人民在白人殖民者手中慘受折磨的殘酷遭遇，中間突然哭泣起來，手指抓住白色手帕的一角按著雙眼擦淚。第一次見到他流淚的人總會受到感動。但是，頻頻重複，幾乎在每一次共和聯邦會議上，只要提到白人主宰非洲人民的時候就上演，久而久之便成了習以為常的一幕。

烏干達總統米爾頓・奧波特有別於卡恩達或尼雷爾。當他談到羅得西亞、納米比亞和南非時，他會咬牙切齒，語氣裏充滿深刻的仇恨。我覺得他的神情和眼光有一股邪氣。有一回會議暫停休息時，奧波特獲悉伊迪・阿明將軍已在政變中成功奪權。他露出一臉的沮喪。他的遭遇突顯了許許多多非洲政府那種朝不保夕

的命運。

最後一位就南非發言的是斐濟總理卡米塞塞‧馬拉爵士。他的身材魁梧，樣貌英俊，身高六英尺六英寸，不愧為一名橄欖球健將。他認為期望英國首相表明英國政府現在不出售軍火給南非是不切實際的。停止軍火交易有如剝掉洋蔥皮，下一層將是法國出售軍火給南非，然後輪到義大利。在他提出這個合情合理的論點後，我們在凌晨四點休會。

我回想起工會裏的共產黨分子，當年如何讓我長時間坐在沒有靠背的硬板凳上，等那些支持我的非共人士都累得相繼離去，只留下我們少數幾個人的時候才進行表決。共和聯邦領袖在會議上坐的是舒服的扶手椅，但是溫度自動調節器卻失靈了，到清晨時分，冷氣就變得太冷。如果休會的話，大家就會重新養足精神，有更多精力發表更長的演說。我決定繼續，大家都留了下來。每個來自非洲的演講者都有機會發言，沒有人被阻止發表以本國人民為對象的演講。

數小時後復會，非洲領袖全部缺席，「印度洋安全事務」的討論會很快就完成。除了寥寥幾段簡短冷清的時間我找其他總理主持大局外，從 1 月 14 日至 22 日，全部 13 段討論會我都得從頭聽到尾。除了聆聽一段又一段答非所問的老調以外，別無選擇，簡直是活受罪。從此以後，我一直很同情國際會議的主席。在這類會議上，代表們把講稿帶來，打定主意把要說的話說完，完全不管別人說過什麼。

雖然會議的確討論了議程中的每一個項目，但是大部分的新聞報導只集中在南非軍火交易的爭論上。

我們幾個人私下喝酒聊天的時候，禧斯對政府首長之間的多項機密或秘密交談被拿出來公開談論，表示失望。加拿大總理皮埃爾‧杜魯道也有同感，非洲領袖偏向使用聯合國式的外交術語

令他覺得遺憾。我說，第三世界領袖在那麼多高談闊論屬家常便
飯的國際會議上互相影響，難免會出現這種現象。我還說，第一
代獨立運動的領袖都是富有個人魅力的演說家，但是他們的政府
很少採取後續行動，加以落實。

　　身為主席，我看到共和聯邦會場外進行的幕後工作。正是這
類主要領袖之間進行的非正式、雙邊和小組會議，決定了大會的
結果。史密斯在共和聯邦已經當了五年多的秘書長，對每個與會
領袖的性格和立場都瞭如指掌。他在 1962 年出任加拿大大使期
間，曾在莫斯科設晚宴招待我。我們倆私下一起向非洲領袖們闡
明，禧斯不可能公開讓步。我們召開兩個討論會，僅限於領導人
出席，以核准經由史密斯調解而達致的折衷協議。全體會議的正
式決議都是在這類小型會議上定奪的。會議閉幕，裝腔作勢完
了，秘書長讓第三世界領袖了解到，共和聯邦的本質在於經濟、
社會與文化合作。這類合作需要資助，而大部分資金來自發展先
進的共和聯邦老成員——英國、加拿大、澳洲和紐西蘭。如果這
些捐款國覺得這種合作對它們弊多於利，他們將撒手不幹。憑其
圓通和技巧，史密斯成功說服亞非領袖們不要把課題推向決裂的
邊緣。在 1975 年繼承史密斯的圭亞那外長桑尼·蘭法爾展示更
高超的技巧，他一方面讓第三世界領袖盡情抒發豪言壯語，另一
方面卻能讓捐獻國在衡量時都覺得還是值得繼續這麼做，而使這
個巡迴演出能搞下去。

　　每一次會議有大半時間都在討論羅得西亞和種族隔離政策。
有大部分內容除非翻查會議紀錄，否則根本記不起當時有什麼大
課題曾經引起各國領袖的爭論。不過每屆會議都留給我一些難忘
的討論會小插曲或談話片段。我還記得 1973 年在渥太華主持會
議的杜魯道總理。他是加拿大籍的法國後裔，不但精通雙語，連
表情也能在兩語交替使用之間轉變自如。他告訴我，他的母親是

愛爾蘭人，父親是法國人。杜魯道頭腦敏銳，口才也一流。我在
他的記者會上留意到他如何從英語轉用法語時，一舉手，一投
足，還有臉上的表情都變得那麼富有法國韻味，我心裏實在欽
佩。他是名副其實的雙語與雙元文化的加拿大人。他相當憐憫不
幸的人，總願意幫他們一把，不過，當他認為我們有能力負擔學
費而決定削減給與新加坡學生的加拿大獎學金時，倒是相當無情
的。

　　渥太華會議上另一個讓我記憶深刻的人，是領導東巴基斯坦
反抗巴基斯坦，從而建立起孟加拉獨立國的英雄謝赫‧穆吉布‧
拉曼總理。他搭乘私人客機，氣派非凡地抵達渥太華。我在渥太
華機場降落時，看到一架波音 707 客機停放在那裏，上面印著
「Bangladesh」（孟加拉）的字眼。當我離開時，客機還留在原
地，空置了八天，白白浪費，沒有一點收入。我們離開酒店到機
場的時候，工作人員把大包小包的行李裝入兩輛大貨車，準備送
上這架孟加拉客機。穆吉布‧拉曼在會上呼籲各國向他的國家伸
出援助之手。任何公關公司都會勸他不要把專機停放在渥太華機
場的停機坪上整整八天。那時候流行第三世界較大國家的領袖用
自己的專機旅行。在會議桌上，每個領袖都是平等的，但是重量
級國家的領袖乘大型私人專機來，將顯示他們高人一等。英國人
乘坐的是 VC10 型和彗星型飛機，加拿大人則乘坐波音客機。澳
洲在 1979 年馬爾科姆‧弗雷澤政府為澳洲皇家空軍添購一架波
音 707 客機後，也加入了這個特選行列。當時經濟情況較好的
非洲國家，如肯雅和尼日利亞，他們的總統也有專機。我不明
白，為什麼他們不以貧困的一面打動世人的心，讓大家看到他們
迫切需要援助。新加坡駐聯合國紐約總部的常任代表解釋説，國
家越窮，它的代表團給他們的領導人租用的卡迪拉克轎車越大。
因此我安於乘坐普通的商用客機，藉此為新加坡保住多年的第三

世界國家的條件。不過，到九〇年代中期，我們請求世界銀行不要把新加坡改列為「高收入的發展中國家」，結果被回絕。我旅行省吃儉用也徒然，新加坡喪失了一切發展中國家所享有的優惠待遇。

1975 年 4 月，牙買加總理邁克爾・曼利在金斯敦神氣地擔任起會議主席。他是一個膚色較淺的西印度群島島民，講話語驚四座，但是我覺得他的想法不切實際。他主張「重新分配世界財富」。他的國家是一個資源豐富的島國，面積達 2000 平方英里，中央地帶有幾座山種滿咖啡和其他亞熱帶作物。這裏有美國人興建用來避寒的漂亮度假屋。他們有悠閒生活的文化，人民很愛唱歌跳舞，說起話來頭頭是道，跳起舞來渾身是勁，喝起酒來個個海量，但是刻苦耐勞的精神早已隨著奴隸制度一起被淘汰。

有一個星期日下午，我和芝走出用來開會的酒店和四周用鐵蒺藜圈起的範圍，徒步遊覽這個城市。一輛車子經過，停了下來，駕車的男子喊道：「李先生，李先生，等等我。」一個口操加勒比海英語的當地華人上前來對我說：「你可不能忘記我們。我們現在日子過得很苦。」他遞上名片，原來是個房地產經紀。有許多專業人士和商人移民到美國和加拿大，把房子和辦公室交給他變賣。他在當地的電視節目上見過我並急於跟我談話。當地華族、印度族，甚至是黑人專業人士都覺得在邁克爾・曼利領導的左翼社會主義政府統治下沒有前途，政府推行的政策是在毀滅國家。我問他打算怎麼辦。他不是專業人士，不能離開，否則他會離鄉背井。不過，等這些大房子都賣掉，房地產生意所剩無幾，到時他或許還是得走的。我祝他好運，並中斷我們的談話。我發現幾個負責盯著我的牙買加黑人保安人員的身勢語言開始變得不友善。從此以後，我閱讀牙買加的新聞時有了更深一層的了解。

1977 年 7 月，為了紀念英女王登基 25 周年，共和聯邦在倫敦召開會議。各國同英國的關係今非昔比。英國經濟再也不像從前那麼強盛，甚至，丹尼斯‧希利在 1976 年請求國際貨幣基金組織出手解救英國。我和芝在唐寧街 10 號排隊等候在訪客名冊上簽名，準備接著從後花園前往觀賞女王的生日遊行慶典。我記得我排在塞浦路斯總統馬卡里奧斯大主教後頭。一名英國准尉遞上筆來，法座大人他不用，反掏出自己的筆來簽名，然後離去。我一面簽名一面對那名准尉說：「大主教是用紅色筆簽名的。」對方回答：「跟他血腥的雙手一樣紅。」那名准尉曾在英軍被迫鎮壓塞浦路斯民族主義分子的那段流血日子裏，在當地執行任務。塞國民族主義分子當時決心把英國人趕出去，同希臘進行統一。

我在 1979 年第三次踏上盧薩卡的土地。第一次是在 1964 年巡迴訪問非洲 17 個首都的時候；第二次在 1970 年，當時是為了出席不結盟運動峰會。贊比亞的經濟自 1970 年起便一步步衰退。當局在政府大廈招待我們。1964 年我在這裏住過，當時是英國最後一任總督的賓客。大廈已失去昔日的光彩，周圍的鹿和奇異飛禽都少了，主樓本身少了英國殖民地政府建築的整潔外表。我們住在散布於會議廳四周的度假屋，是 1970 年出席不結盟峰會時下榻的同一批建築。會議廳是南斯拉夫替同為不結盟運動成員的贊比亞建造的。會議廳和度假屋自 1970 年以來便不常用，這一點顯露無遺。不過當地政府剛剛大手筆把它們重新粉刷過，用西班牙空運來的家具加以布置。

度假屋的飲食遭透了。他們訓練年紀輕輕的學生掌廚。我們廚子的全部菜單如下：早餐是腌肉和雞蛋，或只有半生熟雞蛋；午餐煮牛扒；晚餐也是牛扒。烈酒和葡萄酒倒是很多，供過於求。

當地什麼東西都缺乏，商店裏空空蕩蕩。他們沒有進口的廁所用品，本國貨也不多。芝看到一些婦女排隊買必需品。她唯一買到的紀念品是一顆孔雀石蛋，這提醒了我們：贊比亞是單一商品的經濟體，只生產銅，而銅價跟不上石油和其他進口產品的價格。他們沒有外匯，本國貨幣正迅速貶值。卡恩達總統最關心的是政治——黑人對白人的政治，不是贊比亞取得增長的經濟因素。卡恩達的總統寶座一直維持到九〇年代，然後他舉行了一場公平的選舉——這一點倒值得讚揚，最後以失敗告終。卡恩達下台後，贊比亞人民的命運不見得有所改善。

1981 年 10 月的墨爾本會議留給我的最深刻的回憶，是在咖啡室裏同一個印度人相遇的經過。當時只有我們兩個在找飲料喝。我問他是不是印度代表團的一分子，他說不是，他是烏干達代表團的團長，代表無法出席的奧波特總統赴會。我感到驚訝（印度人遭受伊迪·阿明迫害長達十年，他們都已經逃離烏干達），問他有沒有回過烏干達。沒有，他的家人在倫敦安頓下來，他曾經是烏干達駐倫敦最高專員。他在伊迪·阿明當權時離開。我問起烏干達國會議長的近況，他曾於 1964 年 1 月在烏干達首都坎帕拉的國會大廈，為我和我所率領的代表團舉行過招待會。他是個裹著頭巾的錫克教徒，對他那棟石砌的國會大廈引以為榮。恰巧這位前議長準備第二天到墨爾本，同我面前的這位駐倫敦最高專員會面。前者被迫離開烏干達，後來在蒂爾文落戶，成為一名推事。整件事讓我覺得心酸。烏干達需要更多這樣的人才，不僅擔任議長，也給烏干達的經濟恢復或增添生氣，就像錫克教徒在其他多個經濟體，包括新加坡所做出的貢獻一樣。他是 1971 年那場政變的犧牲品。伊迪·阿明當時趁奧波特逗留新加坡期間，把他推翻。

兩年後在德里，我在女王的晚宴上坐在奧波特夫人旁邊。奧

波特夫人追述她在 1971 年如何帶著三個孩子，在政變中從坎帕拉逃到內羅畢，為我描繪了烏干達悲劇的另一個層面。他們被送回國，後來又再逃跑，在達累斯薩拉姆流亡數年。她在 1980 年，即伊迪·阿明遭廢黜後一年，才返回烏干達。重掌總統大權的奧波特比以前更憂鬱，銳氣也大減。同奧波特夫人一席話讓我窺見烏干達所經歷的浩劫到底有多大的破壞力。她發現國人都變了，他們再也不願意付出勞力去換取自己需要的東西。在伊迪·阿明的統治下過了九年慘無人道、無法無天、道德淪喪的日子，人們變得要什麼就搶什麼，完全喪失創造文明生活的一切習性。後來新加坡派往協助聯合國部隊的警察分遣部隊，在匯報他們於 1991 至 1993 年間在柬埔寨執行任務的經驗時，我想起了烏干達。經過 20 年的動亂，柬埔寨的殘局比烏干達有過之而無不及。

　　在 1983 年 11 月，柴契爾夫人同我討論香港問題。鄧小平對香港回歸的態度堅定不移。她曾經嘗試說服鄧小平把租期延長。鄧小平清楚地表明，那是完全無法接受的要求；中國非得在 1997 年恢復對香港行使主權不可。我的看法如何？她提出這個問題是因為港督告訴她，英國在新界的租期就快屆滿了。我問她願意為自己的立場爭取到什麼地步，因為英國治理下的香港的存亡取決於中國對它的態度。她沒有馬上給我答覆。我認為中國不大可能同意延長租期，因為其中涉及太多的國家尊嚴。至於澳門，葡萄牙人連向北京提都不提就乾脆繼續治理下去。她說，港督告訴她，他沒有合法的權力把租期延長到 1997 年之後，所以她才提出這個問題。

　　我在離開德里之前告訴柴契爾夫人，她手上的牌很少。最理想的做法是等候中方做出反應，並告訴鄧小平，只有在中國允許的情況下，香港才能生存並繁榮發展。由香港本島和九龍半島組

22 共和聯邦俱樂部

1981 年 10 月在坎貝拉與共和聯邦成員國領袖合影。左起是贊比亞總統卡恩達、澳洲總理弗雷澤、印度總理甘地夫人，我本人和加拿大總理杜魯道。

成的英屬殖民地，沒了租借的新界是無法生存的。因此採取法律立場，讓英國除了新界以外，抓緊殖民地不放是不實際的。與其這樣，不如和中方談判有利於香港的條件，讓它在回歸之後能像當時一樣繼續繁榮發展下去，只不過換上了中國的國旗。

我一直盼望出席 1985 年 10 月的巴哈馬拿騷會議。那是有錢的美國人尋歡作樂的園地。後來，我從英國報章的報導中得知巴哈馬上上下下毒品充斥，暴力罪案猖獗。據倫敦《星期日泰晤士報》報導，巴哈馬總理林登‧平德林爵士涉及販毒勾當。當事人沒有提出誹謗訴訟。女王的晚宴在皇家遊艇「不列顛號」上舉行。平德林獻議用小船把全體領袖從我們下榻的酒店接送到「不列顛號」。我決定由陸路赴宴。我們在皇家遊艇停泊的碼頭不遠處經過，看到一群高舉譴責平德林標語的示威者。有些標語這麼

寫著:「老大是盜賊」。這位老大和其他客人乘船到「不列顛
號」,比我們坐車要久得多。或許風浪大,或許小船開得慢,總
之他們讓女王等了一個多小時。女王通常待人寬厚,說話也有保
留,但是她不習慣等人。她對我說,晚餐可要煮得過熟了;主菜
的確是,但是甜品的味道美極了。

有一天,我和斯里蘭卡總統朱尼厄斯・杰耶華德納和巴哈馬
大法官共進午餐。大法官談到巴哈馬舉國普遍嗜吸可卡因,毒販
因此大撈油水。毒販乘小型飛機從南美洲飛入巴哈馬,在海關人
員和其他官員的縱容下,由海空兩路把毒品運入美國大陸。在轉
運的過程中,一些毒品落到當地百姓手中,足以造成許許多多的
人家破人亡。高居要職的政府部長也有一手。當我離開拿騷時,
我對世界上可能存在世外桃源的最後一點憧憬也幻滅了。

我最後一次參加共和聯邦會議是在 1989 年 10 月,地點是
吉隆坡。一如上一屆,1987 年 10 月在溫哥華召開的會議,這次
會議平淡無奇,缺乏「熱門」課題。在浮羅交怡「閉關」期間
(與會者到某個度假村進行非正式的聚會),有一天晚上,我同
巴基斯坦總理貝娜姬和她的夫婿阿錫夫・阿里・扎達里促膝長
談,向他們了解巴基斯坦的政治和文化。貝娜姬容貌姣美,皮膚
白皙,五官端正秀氣,非常上鏡。阿錫夫是一個性格奔放外向,
從事多種生意的商人。他一點也不忌諱讓我知道他在從事什麼行
業、什麼交易他都願意考慮——對他來說,人生就是關乎做成一
筆好交易。他從事水果和其他出口生意,還有房地產生意等等。
我答應介紹一些水果入口商向他買芒果。1995 年,他陪妻子到
新加坡出席會議時,我遵守了我的諾言。雖然他做事並不循規蹈
矩,但還算討人喜歡。可是我無法想像他下得了手殺死自己的妻
舅。在貝娜姬被總統罷免後,巴基斯坦政府是這麼指控他的。

1972 年 2 月英女王訪問新加坡，彌補 1971 年未能成行的缺憾。

最後一次出席會議

　　那是我最後一次出席共和聯邦會議，因為當時我正準備於
1990 年卸下總理的職位。我在 1962 年出席的第一個會議是處於
截然不同的年代，有著一群截然不同的領袖。同當時的其他國際
組織比較，共和聯邦是一個小規模的俱樂部；英國和舊自治領有
著深厚的歷史與血緣關係。它們和新的獨立國仍有密切的經濟與
政治聯繫。各國仍舊享有共和聯邦的關稅優惠待遇，英國依然是
它們的主要貿易夥伴。麥米蘭首相是屬於帝國時代，也是第一次
世界大戰期間在西方前線打過仗的那一代人。當他倡議讓英國加
入歐洲，舊白人自治領受到極大的震撼。它們曾在兩次大戰中和
英國並肩作戰，現在卻有種被拋棄的感覺。澳洲總理羅伯特・孟
席斯爵士插話，一語道破麥米蘭給與的保證，即英國加入歐洲經

濟共同體之後，它仍舊會同共和聯邦保持密切聯繫，這根本站不住腳。

　　他說：「我治理的是一個聯邦，知道聯邦怎麼運作。」各邦要麼傾向統一，越挨越近，像澳洲的情形；要麼傾向分裂，越離越遠，直到最後彼此脫鉤。它們總是不斷地在演變，沒有停頓的一刻。這種組織容不下另一股動力並存。如果英國加入歐洲經濟共同體，它同共和聯邦的聯繫將漸漸削弱，日益消失。過去 40 年來，每逢回首，都教我想起孟席斯這番預言有多靈驗。

　　英國跟歐洲各國已經變得越來越親近。連上一代的共和聯邦成員國，儘管同英國血脈相連，彼此在六〇年代共同擁有的深厚感情聯繫也蕩然無存。大家在不同的大陸上各奔前程。到了 25 年後的 1998 年，英國還在為了是否採納統一貨幣歐元，以及（許多人所擔憂並且不願意見到落實的）成為歐洲超國家聯邦政府的一分子而鬧分歧。

　　早在 1989 年，當共和聯邦成員增加到 40 多個時，彼此間就已經少了擁有共同價值觀的感覺。俱樂部裏的成員隨著變幻莫測的選舉或政變而變動，來去教人始料不及，連道別的時間都沒有。當年的熱門話題大部分都曇花一現：國際經濟新秩序、南北對話、南南合作、羅得西亞、種族隔離政策等，這一切的一切都已成為歷史。儘管如此，每一次的會議依然有其目的。一位領袖可以開門見山向另一位領袖指出某些問題，使理虧的一方不得不進行辯解，如印度支持越南侵占柬埔寨一事。在面對面的情況下，甘地夫人無法為印度的立場辯護，她也沒有那樣做，這一點值得讚揚。這一切觸動了其他領袖的心弦，影響了他們對這個問題的立場。出席這些會議是有其價值的。但我參加過太多次，該是往前走的時候了。

　　共和聯邦召開會議期間，每個政府首長都獲共和聯邦之首

22　共和聯邦俱樂部

——英女王的接見。唯一例外的一次是 1971 年在新加坡舉行的
會議，當時禧斯政府因故決定英女王不到新加坡來。我是在
1966 年 9 月第一次拜會她的。她若無其事卻能讓客人感覺到賓
至如歸的本領，教人嘖嘖稱奇，那種社交技巧是經過訓練和多年
實踐才那麼爐火純青的。她和藹可親，友善，也真的關心新加
坡，因為她的叔父路易斯‧蒙巴登勳爵，曾經告訴她有關他在新
加坡擔任東南亞聯軍總司令時的點點滴滴。

　　1969 年 1 月，我在倫敦拜會女王，她為英國決定撤離新加
坡表示歉意，並為英國歷史中的一個重要篇章如此結束而顯得難
過。她於 1972 年到新加坡來訪問，以彌補 1971 年未能成行的
缺憾。我盡力安排她參觀訪問蒙巴登勳爵曾經向她介紹過的地
方，包括蒙巴登勳爵接受日軍投降的地點——政府大廈、他曾經
住過的總統府，以及克蘭芝共和聯邦陣亡戰士公墓。聚集在路旁
等待她經過的群眾，比我預料的還多。每當她從車子裏出來，他
們就蜂擁而上圍著她。女王的私人助理秘書菲利普‧穆爾，也就
是六〇年代駐新加坡的英國副最高專員，要求我別安排保安人員
阻擋群眾，因為他們都顯得友善。女王表現得非常從容、開心和
輕鬆。

　　為了紀念那次訪問，女王封我為聖邁克爾和聖喬治大十字勳
章的爵士。早些時候，由威爾遜首相提名，我在 1970 年已獲頒
榮譽勳章。把一枚享有如此崇高榮譽的勳章，頒給一個跟其他受
封者相比之下顯得年輕（47 歲）的人，是非比尋常的。我未到
50 歲就獲得由英國頒發的兩枚勳章，它們都是在舊大英帝國哺
育下成長的人所渴望獲得的。同英國多年來的交往，使我產生了
某些價值觀念。我曾獲得好些國家領袖頒予的勳章，包括埃及總
統納塞、日本天皇裕仁、印尼總統蘇哈托、韓國總統朴正熙以及
柬埔寨西哈諾親王。但是，這些勳章卻無法像英國勳章那樣激起

我的情感。獲頒聖邁克爾和聖喬治大十字勳章者被尊稱為爵士，
我覺得這個頭銜對我並不合適，但能獲得這兩枚令人嚮往的勳
章，卻能產生一定的滿足感，雖然它們已不能發揮如同在大英帝
國時代那樣開啟英國方便之門的作用。

23 英國的首相們

在所有首相當中，我認為柴契
爾夫人是最有希望領導英國出
頭的領袖。她的強處在於她熱
愛英國，對自己的國家充滿信
心，並且對於要扭轉局勢具有
鐵一般的意志……在階級觀念
分明的英國，她因為有著「雜
貨店老板女兒」的背景而吃
虧。真可惜，英國的社會體制
還在這些偏見所形成的框框裏
苦苦掙扎。

1975 年 9 月 24 日，在英格蘭戈登高原鼓樂和風笛隊奏起的最
後一段驪歌聲中，英國皇家海軍護航艦人魚號撤離了三巴
旺海軍基地。那不過是艘排水量 2500 公噸的護航艦——是曾經
駐紮在那裏的皇家海軍戰艦和航空母艦的一個小小的組成部分。
不久，最後一支英軍部隊也撤走了。部隊撤離象徵著英國在本區
域 150 年的政治和軍事影響畫上句號。

美國、日本、德國和歐洲經濟共同體成為本區域的主要經濟
勢力。這表示我們必須從頭開始，跟其他強國建立聯繫。對我個
人而言，這是一個艱苦的調整過程。一輩子的密切交往使我對英
國社會和它們的領袖非常熟悉，收聽英國廣播公司的國際新聞廣
播和閱讀英國報章已經成為我的生活習慣。我在工黨和保守黨內
都有舊雨新知，很容易聯絡上他們，也很容易達致一致的意見。
英軍撤離後，我必須去熟悉和認識美國領袖和美國媒體的不同運
作方式與標準，嘗試了解這個比英國大得多也複雜得多的社會。
要同樣跟日本人、法國人和德國人交往更加困難，因為我們既不
懂得他們的語言，也不了解他們的習俗。

我們在跟這些重要的新的財力和權力中心擴大聯繫，建立新
的關係的同時，我們依然保持同英國原有的聯繫。雖然如此，看
到英國的經濟地位逐漸被日本、德國和法國取代，仍不免教人黯
然神傷。工會一再發動工潮拖慢了英國經濟復甦的腳步，驅動工
會的是階級仇恨，不單只是經濟不平等的問題。我相信英國適應
後帝國環境的一大障礙是社會階級意識強，它遲遲不肯擺脫階級
差別的觀念。失掉了帝國，英國需要的是一個唯才是用的制度，
以便保持它的歐洲主導國的地位，而不是一個通過不同腔調、社
會禮儀和習慣、校友網絡、俱樂部和學校聯繫來把自己同工人階
級區分開來的統治階層。盛田昭夫在 1991 年擔任新力公司主席
的時候告訴我，新力很難說服在英國工廠工作的工程師到生產線

上去。日本的工程師都是從最底層做起，為的是跟下屬打成一片，對他們有所了解。他說，英國工程師寧願擁有自己的私人房間。柴契爾夫人知道英國人有這些缺點，於是在出任首相期間降低對階級的重視，提倡唯才是用的制度。她的繼承人約翰・梅杰主張建立一個「無階級」之分的英國。托尼・布萊爾要英國摒棄階級觀念。

更糟的是，在四〇年代由工黨提出，而後通過兩黨協議由保守黨保留下來的福利制度，削弱了人民力爭上游的幹勁，犧牲了經濟。兩大政黨的多數領袖，甚至是自由黨的成員，都知道福利制度折損國家的元氣，但是始終沒有人敢出手，直到瑪格烈・柴契爾出任首相。

隨著英國在全球的影響力縮小，它的年輕國會議員和部長們的世界觀也跟著收縮。一些老朋友在一起吃飯的時候，把老一輩英國領袖比喻為根深葉茂的橡樹。這些老朋友都是經歷過上一次世界大戰，並曾在蘇卡諾對抗時期保衛新加坡的英國將領。他們形容英國的年輕領袖為「盆栽橡樹」，橡樹的樣子猶在，體積卻縮小了，因為它們扎根的範圍已經收縮。

要適應不同的國勢對英國來說是困難的。然而是柴契爾夫人，而後由梅杰所領導的保守黨扭轉了滑坡的趨勢。英國企業界因此信心增強，率先在東南亞，包括新加坡，重振雄風。工黨在1997年的大選後重新掌權，所堅持的同樣是自由市場的經濟原則。該黨定下的目標包括降低政府在國內生產總值所占的比重，刺激外銷，以及拓展對外貿易和投資，以便為英國製造就業機會。柴契爾夫人和保守黨的勝利在於改變了英國人的態度，迫使工黨從舊工黨蛻變為新工黨。

長時間養成的習慣和建立已久的聯繫不會輕易有所改變。新加坡學生繼續到英國深造。隨著新加坡中產階級的擴大，他們把

孩子送到英國接受大專教育。到了九〇年代，約有 5000 名新加坡學生在英國攻讀大學和理工學院。牛津、劍橋兩所大學的畢業生繼續在新加坡精英分子當中占多數。歷史因素的影響造成這種文化上的滯後現象。環境改變了，人們卻未能及時做出反應。英國軍隊撤走後，美國就成為駐紮在東亞的唯一強國。我們有必要把新加坡一些最優秀的學生送到美國受教育，去了解美國人，在對方的人才薈萃之地結交未來的領袖。即使到九〇年代，留學美國的新加坡學生人數也只是留學英國學生的三分之二。

歷史使新加坡和英國的教育制度緊密相連，新加坡各種專業也都規隨英國的專業：醫生、律師、會計師、建築師和工程師等等都是。專業聯繫存在於新加坡社會的每一個層面。然而在一些領域如醫藥，由於美國的醫療開支占國內生產總值的 14% 左右，比英國多了一倍有餘，美國醫生和醫院因此出類拔萃。我們已逐漸跟美國的機構建立聯繫，但是所採用的醫藥基本訓練仍然以英國模式為準，其他專業也是這樣。

在柴契爾夫人執政的八〇年代，新英貿易取得顯著的增長。在她允許資金更自由地流動後，英國在新加坡的投資增加了，但是性質和過去不同，現在的投資著重在高增值產品如藥品、電子產品和航空產品上。進入九〇年代，英國再度成為新加坡的主要投資國之一，排名第四，在美國、日本和荷蘭之後。新加坡的海外投資主要集中在東南亞，不過有不少私人企業家投資在英國，特別是旅遊業。新加坡一家大公司在英國購買了連鎖旅館，新加坡政府投資公司也買入另一個擁有超過 100 家酒店的集團公司。儘管愛爾蘭共和軍的炸彈攻擊製造了許多問題，我們對英國的旅遊市場依然充滿信心。新加坡和歐洲的主要聯繫仍然是倫敦，每天從新加坡飛往倫敦的航班比飛往歐洲其他首都的班次多。

1968 年當英國宣布將撤走它的軍隊時，悲觀的文章不少。

1982 年，倫敦市封我為「倫敦市榮譽自由市民」。

其中《倫敦新聞畫報》月刊把這種情形同古羅馬軍團撤離英國，黑暗時代降臨歐洲相提並論。但是這樣的比喻並不正確。同殖民地時期比較，現代通訊和交通設施把更多英國人帶來新加坡。目前居住在新加坡的英國人社群僅次於美國人和日本人。現在也有更多的英國學校，為一萬多個在這裏落戶的英國家庭的孩子提供教育。數以百計的英國人自發到新加坡來工作，當工程師、建築師和技術人員——享有的不再是外客的工作條件，住的不再是高尚住宅區，而是跟本地人一樣，住同一類房子。新加坡的薪酬已經達到英國的水平。隨著新加坡發展成為一個主要的國際金融中心，許多英國銀行和金融機構紛紛到新加坡來開設分行。整個經濟和政治環境面貌煥然一新。

　　1982 年，倫敦市封我為「倫敦市榮譽自由市民」。曾經作為前英國殖民地的子民，我對這份殊榮心存感激。他們列出的賓

客名單，該請的都少不了，做得非常仔細，讓我留下深刻的印
象。他們邀請了所有曾經為新加坡而跟我打過交道的英國部長和
總督出席，我也受邀列出我所希望能出席觀禮的私交。這一來，
我開開心心地同前首相、前部長、前總司令、新加坡的最後一任
總督以及許多英國朋友在市政廳一起分享了那一刻，其中包括哈
羅德‧麥米蘭、吉姆‧卡拉漢、哈羅德‧威爾遜、亞歷克‧道格
拉斯—休姆、艾倫‧倫諾克斯—波霭、鄧肯‧桑迪斯等等。這樣
的場面使人緬懷過去。在致答詞的時候，我說：「50 年前我在
新加坡念小學的時候，我的老師們都認為倫敦是世界的中心，這
是不言而喻的真理。它是高層次金融交易和銀行業的中心，也是
藝術、劇場、文學、音樂和文化之都。它是全世界的重心……而
1939 年 9 月的情況確實如此。當時英國政府決定履行對波蘭的
義務，一年前它才敷衍了事地處理了對捷克許下的承諾。結果，
第二次世界大戰爆發了，全世界也踏上變革的不歸路……」

　　儀式的一部分是從威斯敏斯特乘坐馬車到市政廳，但是因為
發生鐵道工人罷工，造成交通堵塞，結果不得不取消這項安排。
工潮問題繼續困擾著英國。柴契爾夫人和煤礦雇員工會的衝突還
在後頭。

　　當了多年的總理，加上新英兩國的歷史淵源，我有機會認識
英國的各任首相，從麥米蘭開始，一直到布萊爾。

　　麥米蘭屬於父輩，樣貌舉止全然是愛德華時代顯要人物的派
頭，看起來懶洋洋的，卻根本不是那麼一回事。對待年輕的殖民
地臣民如我，他態度高高在上。休姆爵士是他們當中最友善的
——一個真正的君子。從他在電視上的模樣根本看不出他是個多
麼敏銳的地緣政治思想家。他或許不夠精明——他自己坦率地承
認了這一點，不過卻比兩黨中許多有頭腦的部長有更精闢的見
解。

　　各任首相當中，政治手段最高明的要數威爾遜。幸好在他當
上首相之前我們已經交上了朋友。我說服他在蘇伊士運河以東多
待幾年。那幾年的影響甚大，因為餘下的英軍繼續駐紮在新加
坡，直到 1975 年年中為止。這讓我們有時間理清跟印尼的關
係，而不至於倉促採取日後可能教我們噬臍莫及的行動。我個人
非常感激威爾遜在新馬一家的時期和在以後的日子裏，一直堅定
不移地支持我，這一點我在前一册回憶錄裏已經詳述。他在英國
面對的問題是根深蒂固的——教育和技能訓練水準降低，工會不
跟資方合作造成生產力下降。六○、七○年代的工黨受職工會支
配，無法著手解決這些基本的問題。因此，外界認為威爾遜總是
採取應急的措施。為了得到黨的支持，他必須不時地左閃右躲，
這使他顯得狡猾和奸詐。

　　同威爾遜形成強烈對比的禧斯倒讓我覺得是個堅定而可靠的
人。我最初認識他時，他是麥米蘭的部長，負責談判英國加入歐
洲經濟共同體的事宜，我當時還遊說他，要他協助保護新加坡的
地位。威爾遜贏得 1964 年的大選後，禧斯成了反對黨領袖，我
們就在那個時期成為朋友。通常我在倫敦的話，他會邀請我到他
在奧爾巴尼的住所共進午餐，一起談論英國、歐洲、美國和共和
聯邦的事務。就英國的未來而言，禧斯把歐洲的影響力排在比美
國與共和聯邦更重要的位置上。他一旦對某項政策做了決定，就
不輕易改變主意。即使是在當上首相以前，他已經對歐洲充滿信
心。要我從我所認識的英國首相和部長當中挑選一人陪同我執行
危險任務的話，我會選擇禧斯。他是那種不達到目的決不罷休的
人。可惜他缺乏振奮人心和感染群眾的能力。同別人單獨相處，
他活力充沛，表情十足，可是一上電視他就顯得木訥。處在電子
媒體的時代，這對他非常不利。我們一直保持好朋友的關係，偶
爾在倫敦、新加坡以及達沃斯等地的國際會議上見面。

卡拉漢 1948 年向劍橋大學的工黨俱樂部發表演講時，我坐在學生聽眾席上。司儀介紹說他是皇家海軍的前上士，不久前剛出任初級部長。他說話時顯得信心十足，大方得體。我在五〇年代中期到倫敦參加憲制會談時認識他，多年來一直都跟他保持聯繫。由於他是威爾遜在 1976 年 3 月辭職後意外當上首相的，年紀也相當大了，因此沒有自己的政治大計。實際上，英國當時的經濟狀況已經惡劣到必須向國際貨幣基金組織求援的地步了，所以他已經身不由己。

當卡拉漢還是首相的時候，我曾要求他讓汶萊准許新加坡武裝部隊在他們的森林裏受訓。當時，汶萊的外交事務還在英國的管轄範圍內。英國外交和共和聯邦事務部擱置這項決定，以免捲入新馬之間敏感的防衛問題。我爭辯說，汶萊不久就要脫離英國的管轄了，到時我們同樣能夠得到這個森林訓練學校，何不在英國仍然有權做主的時候答應下來，以便在汶萊獨立時，這項協議成為當地政治現實的一部分。卡拉漢答應了，於是我們在 1976 年末設立了我們的森林訓練學校。

卡拉漢的工黨政府面對曠日持久的經濟問題，包括高失業率，最後選擇了保護主義的立場。1977 年 4 月，已經受封為終身貴族，不再擔任部長的喬治・湯姆森，以卡拉漢個人特使的身分前來問我，是不是要在 6 月的共和聯邦會議上向英國領袖提出雙邊課題。我說，雙邊糾紛不宜在英女王加冕的銀禧紀念慶典上提出，不過，我抗議英國說服德國促使歐洲經濟共同體阻止由新加坡製造的袖珍型計算機和黑白電視機進口，而且事前沒有跟我們商量。我指出，我們的袖珍型計算機是利用了美國高科技製造的精密產品，遠勝英國技術。停止從新加坡進口這些產品意味著英國必須以更高的價格向美國購買同樣的貨品。至於設在新加坡的日本公司所製造的黑白電視機，情況也一樣。後來，英國撤銷

柴契爾夫人

了貿易壁壘，因為事實證明，保護主義保不了英國人的飯碗。

卡拉漢曾經問我：「日本人到底是什麼樣的人？他們像螞蟻般地工作，拼命增加出口量，卻從不進口產品。」他對日本人抱有西方人的成見，日本人在第二次世界大戰期間的不人道行為加深了這種看法。他不了解他們。跟後來的柴契爾夫人不同，他不以為引進日本投資能使英國重振工業。他對非洲、印度和共和聯邦的其他成員更感興趣。他的世界觀局限於君王和帝國。在共和聯邦政府首長會議舉行期間，他給足機會讓非洲領袖暢所欲言，特別是針對羅得西亞和南非種族隔離政策發表意見。他是個典型的英國工黨領袖，有工人階級的背景，本能使然地總是為那些受到欺壓剝削的百姓出頭。然而在面對艱難的決定時，他也有冷靜的頭腦，例如他要所領導的工黨政府嚴格執行國際貨幣基金組織開出的苛刻條件，以便換取拯救英鎊危機的援助配套。

卡拉漢的強處是處理問題採取穩紮穩打的手法，解決問題從不多搞花樣。他對工會忠心耿耿，卻被工會搞垮了他的政府。

1970 年 10 月，在唐寧街 10 號舉行的一個晚宴上，柴契爾夫人坐在我旁邊。那時候禧斯還是首相，她是教育部長。我們談論了以教導混合技能的「綜合中學」取代語法學校後英國所蒙受的損失：聰明的學生固然吃虧，其他學生也不見得因而得益。

柴契爾夫人成為反對黨領袖時，我問當時的下議院議長喬治・托馬斯對她有什麼看法。托馬斯以抑揚頓挫的威爾斯口音回

答：「她非常熱愛英國，能為英國效力。她要扭轉整個國家的局
勢，我相信她是唯一有毅力辦到的人。」當我問當時的首相卡拉
漢對她有什麼看法時，他的答覆是：「她是前座議員中唯一的男
兒大丈夫。」從一個工黨議長和一個工黨首相口中得到這樣的意
見，加強了我自己的看法：她的確是個「有信念的政治家」。

柴契爾夫人滿懷理想

　　在柴契爾夫人贏得 1979 年 5 月的大選時，我為她歡呼。她
主張推行自由市場，進行自由競爭。在她擔任反對黨領袖期間，
在倫敦以及還有幾次在她途經新加坡前往澳洲和紐西蘭的時候，
我們曾經見面。1979 年 6 月，她出任首相一個月後，我在唐寧
街 10 號跟她進行了一個小時的餐前會談。她當時滿懷理想。
1980 年 7 月，柴契爾夫人以保守黨領袖的身分，寫信邀請我當
演講嘉賓，於同年 10 月在布賴頓召開的黨大會上發表演講——
特別邀請的演講者來自共和聯邦，這對保守黨大會而言還是第一
次。我回信說，因為我跟工黨之間有一段可以追溯到四〇年代我
在英國求學時期的淵源，所以無法接受這份殊榮。

　　她是個十足認真的人，充滿毅力和幹勁，對自己能夠落實國
內的經濟政策有充分的把握，但是從來不曾低估工會所將給她帶
來的問題。因此，當煤礦工人在 1984 年 3 月開始罷工時，我認
為她一定能夠苦鬥到底，卻沒料到罷工工人和警察之間的激烈衝
突會持續整整一年。換成在她之前的首相，恐怕就無法堅持到底
了。

　　1985 年 4 月，柴契爾夫人來新進行官式訪問。我在晚宴上
恭賀她減輕了英國福利制度的諸多牽累：「自第二次世界大戰以
後將近 40 年，歷任英國政府似乎都想當然地認為財富會自然地
創造出來，需要政府注意和巧妙安排的只是重新分配財富的問

題。因此政府想出妙方，把成功人士的入息轉移給不太成功的
人。在這種情形下，國家需要一個膽識過人的首相把實情告訴選
民：製造財富的人是社會中的寶貴分子，他們值得我們尊敬，並
且應當有權保有他們大部分的耕耘成果……英國留下來的種種我
們善加利用：英語、司法制度、議會政府和公正的行政管理。然
而我們卻竭盡所能地避免走上福利國家的道路。我們看到了一個
偉大的民族如何降低水平而變得平庸。」

　　柴契爾夫人很有風度地以相似的口吻回應：「我寧可這麼
想：你們曾經向英國看齊，現在我們要倒過來向你們學習……你
們的才幹、進取心、勇於接受挑戰、努力、冒險精神、自信、活
力已經使得新加坡成為其他國家學習的成功榜樣——你們的成功
發出明確的信息，那就是沒有耕耘就沒有收穫。」

　　第二天，數份親工黨的英國報章刊登了工黨影子內閣衛生部
長弗蘭克・多布森的強烈反應：「李先生應該閉上他那張笨
嘴。」一名工黨議員艾倫・亞當斯補說：「如果我們把他的國
家當模範，我們的國家就要回到 1870 年人們在血汗工廠夜以繼
日工作卻什麼也得不到的時代。」

舊工黨的心態

　　這就是典型的舊工黨思想未能跟上潮流發展的心態。1985
年，新加坡的人均國內生產總值是 6500 美元，英國則是 8200
美元。到了 1995 年，新加坡的人均國內生產總值達 2 萬 6000
美元，早已超越英國的 1 萬 9700 美元了。我們的工人賺錢比英
國工人多，還有自己的房子，儲蓄（在公積金和儲蓄銀行戶頭）
也比英國工人多。

　　柴契爾夫人在 1990 年 11 月辭職時，寄了一封道別信給
我：「生命多麼變幻莫測：誰會料到合作了那麼多年以後，我們

竟然會在幾乎同一天辭去在自己國家的最高領導的職位。不過，在離職之際，我只想説，我從我們的交往中獲益良多，並欽佩你所堅持的信念。有一件事是毋庸置疑的：共和聯邦政府首長會議少了你我出席，肯定會遜色不少！」

　　我跟柴契爾夫人打交道的機會比跟其他英國首相接觸的機會多，因為她兩度蟬聯。在所有首相當中，我認為柴契爾夫人是最有希望領導英國出頭的領袖。她的強處在於她熱愛英國，對自己的國家充滿信心，並且對於要扭轉局勢具有鐵一般的意志。她堅信自由企業和自由市場將能帶來自由的社會。她的基本政治觸覺相當敏鋭，但是往往顯得過於自信和自以為是。在階級觀念分明的英國，她因為有著「雜貨店老板女兒」的背景而吃虧。真可惜，英國的社會體制還在這些偏見所形成的框框裏苦苦掙扎。等到她下台時，英國人已經卸下一部分的階級包袱了。

　　然而柴契爾夫人的作風，卻往往引起舊白人統治國家總理們的強烈反感。1985 年，在巴哈馬舉行的共和聯邦政府首長會議上，加拿大總理布賴恩‧馬爾羅尼和澳洲總理鮑勃‧霍克不斷跟她糾纏，向她施壓，要她同意對南非實行經濟制裁。會上除了她以外，所有發表開幕詞的領袖都攻擊南非的種族隔離政策。柴契爾夫人獨排眾議，反對進一步制裁比勒陀利亞，反而建議進行對話。我敬佩她有那樣孤軍作戰的勇氣，拒絕在威逼和恫嚇之下屈服。只可惜她是站在歷史錯誤的一邊。

　　梅杰在 1989 年 10 月陪同柴契爾夫人到吉隆坡參加共和聯邦政府首長會議時，職位是英國財政部長。1996 年 5 月，我在唐寧街 10 號和他重逢。當時他肩負艱難的任務。柴契爾夫人全力支持他競選保守黨黨魁和首相，並指望他沿襲對歐洲的政策。她在黨內的影響力使他日子不好過，媒體也不見得給他寬限，不消幾個月就認定他成不了氣候。因此，雖然英國經濟當時表現強勁，

卻對他在 1997 年 5 月對壘新工黨的挑戰一點作用也沒有。

　　1995 年 5 月，我在倫敦同當時領導反對黨的布萊爾初次見面，對他的年輕和朝氣蓬勃留下了深刻的印象。他比顯龍小一歲。他的參謀喬納森‧鮑威爾在一旁做紀錄並負責後續工作。他想知道是什麼因素促成東亞持續出現巨幅增長，英國和歐洲卻成長比較緩慢，兩種局面相異。我建議他在大選前到東亞訪問，看看它巨大的轉變，否則一當上首相，他將會受到外交禮儀的諸多約束。

　　第二年 1 月，他訪問日本和澳洲之後到新加坡。他在這裏會見了我們的工會領袖，考察了他們為工會會員所爭取到的利益。他對公積金——我們的個人老年退休金戶頭，也是擁有住房和醫藥服務資金來源的戶頭感興趣。他不隱瞞自己篤信基督教並因此推崇社會主義。面對我不以為然的反應時，他補上一句：或者可以說是社會民主主義者。他坦率地重複自己「或者可以說是社會民主主義者」——舊工黨一派可是鄙視這類主義的。他的「新工黨」並非虛有其表。他問我工黨政府成功的機會有多大，我說一旦工黨當政，他要說服舊工黨接受他的政策，必定會碰到很多釘子。工黨的年歲比他要大得多，不會那麼輕易接受改變。

一個認真的政治家

　　布萊爾來訪幾天之後，影子內閣社會福利部長克里斯‧史密斯便前來研究新加坡的制度。幾個月後，布萊爾的親信彼得‧曼德爾遜也來考察我們的保健儲蓄、保健保險和新加坡公積金的其他功能。布萊爾給我的印象是一個認真的政治家，他希望了解東亞的發展和這些國家成功的秘訣。那年秋天我們在倫敦再次見面。共進晚餐時，他向我提出了一個又一個的問題。

　　在 1997 年 5 月的選舉中大獲全勝後，他和他的政黨特意表

現謙遜，這要歸功於他本人有自律精神。我在電視上觀察他發表
勝利演講和步行到唐寧街 10 號的情形，整個情況説明他領導的
是一個素質良好的班子。我在他獲勝的一個月後到倫敦。我們談
論了一個小時，同樣沒有浪費時間噓寒問暖。他一心一意想著在
大選中答應選民政府所要做的工作。他是開足了馬力直往前衝，
卻沒因為這麼年輕就被推上掌權的地位而沖昏了頭腦。我們談到
中國和即將在 6 月底移交政權的香港。他對這件事採取了務實
的態度，不想把因為港督彭定康而產生的糾紛鬧大，反而著眼於
中英比較長遠的關係。不出我所料，他出席了政權移交儀式，並
同中國國家主席江澤民舉行了會談。

　　一年後，1998 年 5 月我們在唐寧街 10 號重逢。這時候的
他正在全神貫注處理急如燃眉的課題，特別是北愛爾蘭的和平談
判。他抽出時間跟我談論一系列其他方面的課題，但是沒有提到
雙邊問題，因為也沒有那樣的問題可談。我們的環境已經改變：
在防務和安全課題上，新加坡同美國、澳洲和紐西蘭的聯繫已經
超越同英國的聯繫。我屬於以英國為中心的一代，我的兒子這一
代比較注重美國。顯龍以及跟他年齡相仿的人必須了解美國。他
們在美國軍校受過訓練，在哈佛、史丹佛等大學完成研究生課
程。我活在英國強權之下的時代，顯龍這一代人則必須在美國強
權之下的世界中求存。

……亞歐峰會政府首腦會議於1996年在曼谷召開時，澳洲和紐西蘭想要加入亞洲陣容，馬哈迪首相提出反對，說它們不是亞洲的一分子。那是馬哈迪發自內心深處的想法，但是大部分領袖都無法認同。我相信，要不了太久，地理位置和經濟上的常理將凌駕舊有的成見，到時澳紐兩國將成為亞歐峰會成員。

李光耀回憶錄

24 相知說澳紐

日本在1941年12月突然入侵，驟然改變了新加坡留給澳洲人的回憶。大約 1 萬 8000 名毫無戰鬥經驗的澳洲軍人，連同 7 萬名英國和印度士兵，必須在空中掩護不足的情況下，同身經百戰的日本皇軍交鋒。到1942年2月新加坡淪陷的時候，已有大約 2000 名澳軍戰死沙場，1000 多人受傷，約 1 萬 5000 人淪為戰俘。

超過三分之一的戰俘由於營養不良、患病或遭受折磨而死亡；惡名昭著的緬泰死亡鐵路沿線，情況更慘。在新加坡的克蘭芝共和聯邦陣亡戰士公墓，許多墓碑默默地見證了烈士們為英王和國家捐軀的英勇行為。成千上萬名澳軍在新加坡被日本皇軍俘虜將永遠印在澳洲全體人民的記憶中，這場浩劫的慘烈僅次於加利波利半島事件。不過新加坡比較靠近澳洲，對澳洲來說有較密切的戰略關係。因此在第二次世界大戰以後，澳洲保持同英國的舊日聯繫，澳軍也重返新加坡，協助敉平了馬來亞的共產黨叛亂。

澳軍一支分遣部隊駐守在馬來亞，直到英國宣布撤離蘇伊士運河以東地區。我敦促澳洲總理約翰・戈頓把部隊繼續留在馬來亞。1969 年 1 月，趁著出席在倫敦召開的共和聯邦總理會議，戈頓同我和英國國防部長丹尼斯・希利、紐西蘭總理基思・霍利約克與東姑等人舉行初步會談，討論馬來西亞和新加坡的防務新協議。戈頓當時如坐針氈——忐忑不安的神情和說話的聲音都說明他不願意挑起這副重擔。他知道，重擔大部分將落在澳洲肩上，因為英國正逐步淡出本區域。

我們同意展期到同年 6 月在坎貝拉舉行另一次會談時再做決定。但是那年 5 月，吉隆坡發生了種族暴亂，威脅到澳洲繼續參與新馬防務協議的安排。前此我已經交代了這件事後來如何獲得解決。儘管戈頓有所顧慮，我們還是在 1971 年 12 月通過

書信往還，達成五國聯防協議。性格比較堅毅的澳洲國防部長馬爾科姆・弗雷澤不贊成因吉隆坡發生種族暴亂而打退堂鼓。最後戈頓還是決定在 1971 年以前把澳軍撤出馬來亞，並調到新加坡來。澳洲擔心沒有能力擔當這個責任。他們知道，只有一小分隊的紐西蘭軍會留下來，和澳軍一起駐紮在新加坡。一旦發生危機，他們只能憑著澳、紐、美三國共同簽署的《澳洲、紐西蘭與美國條約》，向美國求助。

　　一開始我們和澳紐兩國政府就有良好的默契，因為彼此對區域安全的看法不謀而合；大家都同意越戰的局勢越來越棘手。我同哈羅德・霍爾特、他的接班人戈頓，還有威廉・麥克馬洪的關係也都不錯。1972 年，工黨在紐西蘭和澳洲都掌握了執政大權。諾曼・柯克總理對安全問題的態度堅決，因此沒有改變紐西蘭的防務立場。澳洲總理高夫・惠特蘭卻對澳洲向越南和馬來亞／新加坡做出的防衛承諾感到不安。他在 1972 年大選獲勝後不久，便決定讓駐守新加坡的澳軍退出五國聯防協議。

　　最初在七〇年代，我們要求利用澳洲的訓練基地進行軍事演習，對方並不樂意幫忙；紐西蘭則一口答應。澳洲政府在 1980 年改變政策，准許我們在澳洲舉行陸地演習；1981 年又讓我們在澳洲皇家空軍的一個基地訓練空軍。保羅・基廷在九〇年代初出任工黨政府總理期間，進一步允許新加坡武裝部隊擴大在澳洲受訓的規模。約翰・霍華德領導的自由國民聯合政府一直遵循這個政策。澳洲同新加坡的地緣戰略目標相似，雙方都認為美國在本區域保留部分軍力，是亞太地區保持勢力均衡必不可缺的因素，對這一帶的安全和穩定有益。沒有這個安穩的力量，亞太經濟當初不可能迅速發展起來。在這個大前提下，彼此在貿易和其他方面的歧見都顯得微不足道。

要求澳洲開放經濟

我嘗試遊説弗雷澤多年，要他開放國家經濟，讓澳洲加入競爭，成為本區域的一分子。我向他和他的外長安德魯‧皮科克解釋過，通過積極參與防務和安全事務以及援助他國的計畫，他們將使澳洲成為本區域的重量級國家。但是，經濟保護主義政策卻使他們同這些成長中的經濟體絕緣，因為澳洲的限額制和高關税導致這些國家無法向它出口簡單的製成品。按照常理，他們接受我的論點，可是在政治上弗雷澤卻沒有那樣的膽識去跟澳洲工會或製造商對抗，因為工會或製造商都要求政府給與保護。

1980 年，在新德里召開的共和聯邦首腦亞太區域會議上，弗雷澤企圖發動反歐洲經濟共同體保護主義政策的運動。這類政策使澳洲農產品在出口時被拒於門外。我提醒他，發展中國家不會給與多少支持，因為在它們看來，澳洲也以相同的政策保護那些失去了相對優勢的國內工業。更何況對東盟的成員國來説，澳洲跟它們越來越扯不上關係，因為在它們必須做出重大決策的時候，澳洲並不在考慮的範圍之內。

下來的歷屆澳洲政府拉近了澳洲同亞洲的距離。繼承鮑勃‧霍克出任總理的保羅‧基廷深信澳洲在經濟上有必要借重亞洲，他也親自推動親亞政策。基廷的頭腦清晰，對經濟有充分的認識，地緣政治觸覺又強，在霍克的班子裏當過財政部長多年。不過，作為工黨出身的總理，澳洲工會對工黨的強大影響力局限了他的作為。

埃文斯用心接近亞洲

還有另一位部長特別用心去接近亞洲，那就是加雷思‧埃文斯。他的頭腦機靈，受到挑戰時更是牙尖嘴利，但是他的心地

好。在霍克和基廷的班子裏，擔任外長的埃文斯徹頭徹尾地改變
了澳洲的外交政策。他以促使澳洲融入亞洲的發展，共享亞洲經
濟增長的成果作為目標。他不願意看到當日本人以日本的科技在
澳洲生產汽車和電子產品時，澳洲還停留在只是向日本出口原料
的階段。埃文斯同東盟成員國的外交部長們建立起密切的關係，
那一定費了不少苦功，因為大家的習性大相逕庭。在東盟，大家
往往不是在談判桌上達成協議的，而是在打高爾夫球的時候消除
重大的歧見，所以他也跟著大家一起追球。

　　在霍克領導的工黨政府執政初期，我以為他的亞洲政策照例
又是表面功夫。基廷上台後沿襲這項政策，我這才斷定，澳洲政
策正經歷大轉變。澳洲人重新檢討了自己的假設和評估。澳洲固
然脫胎於英國和歐洲，但是他們的前途更加緊緊於亞洲。他們發
現，跟澳洲經濟最能相輔相成的其實是東亞經濟體。這些國家和
地區，包括日本、韓國、中國、台灣和東盟等，需要澳洲的農產
品和礦物。對它們來說，澳洲廣袤的空間、高爾夫球場、度假村
和沙灘都是再理想不過的度假勝地。美國在政治和安全事務上雖
然是澳洲強有力的盟友，但是在農產品出口方面卻會同澳洲競
爭。

　　1994 年 4 月，在《澳洲金融評論》週刊於雪梨召開的會議
上，外長埃文斯邀請我開誠布公地談論澳洲。我把他的話當真，
於是我說，澳洲是「一個財富多得教人不知從何選擇的幸運之
國」。澳洲的消費高，儲蓄低，競爭力弱，經常性帳目赤字大，
債務多，出口以礦物和農產品為主。如果澳洲要使經濟完滿改
組，同其他國家競爭，我相信更多改革是在所難免的。

　　邀請我赴會的幾位《澳洲金融評論》編輯大篇幅報導了我這
番坦率的講話。不過，當地小報卻憤憤不平。這些小報是澳洲問
題的禍根之一。澳洲大眾媒體，包括澳洲廣播公司，在 1991 年

攝製的一套電視片集，把東亞的經濟成就描繪成「第三世界的人間煉獄，那裏盡是血汗工廠、性旅遊業和壓制人民的政權」。它們完全漠視現實：越來越多台灣人在美國留學和就業之後，把美國的科技和知識帶回台灣，建立自己的矽谷。

　　我在坎貝拉澳洲全國報業俱樂部對澳洲媒體給與回應：它們沒有盡到職責以讓澳洲人民了解，一個人口將近 20 億的區域，正從落後的農耕社會演進為工業化和高科技的社會。這些國家，包括中國，正培育出數以百萬計的工程師和科學家。日本的研究與開發工作已經讓日本人有能力把衛星送上太空，並且也能探索基因工程的奧秘。這些事態的發展，澳洲媒體連一個字也沒提。反觀美國媒體，它們對東亞的工業化過程和高增長都做了報導。澳洲學術界雖然消息靈通，一般民眾卻不然。由於這種無知，任何一屆澳洲政府都難以獲得廣大群眾的支持以改變經濟方針和移民政策。

　　隨著東帝汶爆發危機，澳洲的命運是否同亞洲息息相關頓時成為焦點。1999 年 1 月 27 日，印尼外長阿里・阿拉達斯在總統哈比比擔任主席的內閣會議結束後戲劇性地宣布，當局將同東帝汶人進行「人民協商」，以決定要接受特別自治方案或獨立。這個聲明改變了東帝汶的命運，也給印尼和澳洲帶來了長遠的影響。澳洲外長亞歷山大・唐納和總理霍華德同哈比比交情好是眾所周知的。哈比比有別於蘇哈托，他會說英語，而且樂意聽取他人的勸告，特別是在東帝汶的課題上。

　　澳洲想拔掉東帝汶這根困擾著澳印雙方關係的刺。他們建議哈比比實施「新喀里多尼亞解決方案」。（法國經過 15 年的準備，在 1998 年才讓當地人舉行全民投票，表決要保留法屬關係或獨立。）哈比比向馬寶山憶述（詳見第 17 章）澳洲大使約翰・麥卡錫跟他討論新喀里多尼亞解決方案的經過。哈比比告訴

麥卡錫他不會答應讓東帝汶在印尼的經濟支援下，利用 15 年時間過渡到獨立。東帝汶如果拒絕自治方案，便得自生自滅，印尼不會充當他們的「有錢叔伯」。哈比比說，霍華德後來寫信給他，信裏提到的建議是哈比比的主張。哈比比於是在 1999 年 1 月 21 日匆匆寫了備忘錄給內閣要員，要他們研究，由人民協商會議決定該不該讓東帝汶堂堂正正地脫離印尼共和國，這樣的做法是否明智。他附上霍華德的來信，信上強調東帝汶輿論堅持要自決前途。哈比比要不了一個星期就已經決定好要讓東帝汶自治或獨立。印尼、葡萄牙和聯合國 5 月間在紐約簽署協議，準備在同年 8 月 8 日舉行全民投票。聯合國安全理事會在 6 月通過議案，成立了聯合國東帝汶監督團。

　　但是阿拉達斯做出驚人的宣布後不久，印尼就在 2 月開始武裝東帝汶的親統一民兵。親獨立的人士被屠殺、恐嚇的事件日日上演。儘管困難重重，監督團還是在 8 月 30 日成功地舉行了投票，投票率幾乎達到百分之百。結果將近 80%東帝汶選民支持獨立，但是投票結果在 9 月 4 日揭曉之後，當地頓時變成人間地獄。整個東帝汶受到有組織的摧毀，居民都被趕離家園：25 萬人被趕到西帝汶，其餘人口逃到山裏。

　　在國際施加強大壓力的情況下，哈比比一星期後終於開口要求國際維持和平部隊協助恢復當地的秩序。聯合國安全理事會通過議案，授權派遣一支多國部隊到東帝汶。領導多國部隊的必然是澳洲，達爾文是最靠近東帝汶、最能充當多國部隊基地的地方。澳洲人再次領教了鄰國印尼人民的情緒化。

　　印尼對外聲明寧可接受東盟部隊的幫助，但是私下裏，印尼國軍基層並不贊成，同時暗示可能會發生傷亡事件。美國國防部長宣布只派遣通訊與後勤支援小組參加而不出動戰鬥部隊。澳洲必須負起率領多國部隊的重任。澳洲擔心東帝汶人把他們當成一

支白人部隊，因它由 4000 個澳洲白人士兵，外加 1000 個以紐
西蘭白人為主的後援組成。澳洲於是轉向亞洲國家尋求支援，並
且以東盟國家為主。9 月分亞太經濟合作論壇在奧克蘭召開會議
時，霍華德總理在會上要求新加坡加入維和工作，吳總理答應
了。新加坡承諾提供一組醫藥人員、軍事觀察員和聯絡軍官，外
加後勤支援和兩艘坦克登陸艦。它從 300 萬人口中派出 270 人
參與這項工作。

安理會授權派遣多國部隊到東帝汶次日，新加坡武裝部隊小
組抵達達爾文。新加坡武裝部隊任務指揮官梁建鴻上校同多國部
隊指揮官彼得・科斯格羅夫少將一起飛到東帝汶首府帝力，會見
印尼恢復秩序行動指揮部人員。第一批多國部隊人員在 9 月 20
日抵達帝力的時候，科斯格羅夫的隊伍裏有一張新加坡人的臉
孔。

1999 年 9 月 28 日刊行的《公報》（澳洲一份週刊）報
導：「按照『霍華德主義』──總理本人欣然採用這個名稱──
澳洲以類似『副手』的身分，相對於美國扮演的環球警察角色，
在本區域進行維持和平的工作。」這篇報導立刻招致馬來西亞副
首相阿都拉・巴達威的駁斥。他說：「當前局勢並不需要任何國
家扮演領導、指揮或副手的角色。他們（澳洲人）不顧我們的感
受。」泰國外交部官員的遣詞造句比較客氣，說澳洲人自封美國
的副手頭銜負責維護本區域的安全，這樣做不得體。直到霍華德
在澳洲國會裏表示，澳洲並非充當美國或任何國家副手的角色，
「副手」是《公報》通訊員自己杜撰的字眼，這場風波才逐漸平
息下來。

不過，馬來西亞首相馬哈迪在紐約出席聯合國大會的時候，
批評澳洲士兵把槍對準可疑民兵的頭部是「相當粗暴」的做法，
給原本就議論紛紛的局面火上添油。馬哈迪還說：「印尼一直不

斷往東帝汶注入大筆資金,國際社會應該給印尼機會推行民主,向東帝汶人證明他們跟印尼統一是有利可圖的。」同卡洛斯‧貝洛主教共同贏得諾貝爾獎的東帝汶領袖若澤‧拉莫斯—奧爾塔就馬哈迪的談話回應說,馬來西亞「在維護東帝汶人權方面的紀錄糟透了,沒有人會同馬來西亞的指揮官合作,甚至可能出現平民全體抗命的局面」。

拉莫斯—奧爾塔一心想改變較早時聯合國秘書長建議由馬來西亞人指揮聯合國維和部隊的計畫。維和部隊定在 2000 年 1 月取代多國部隊。他補充道:「東帝汶不想成為東盟的一部分。我們要成為南太平洋論壇的一分子。」東帝汶領袖已經斷定澳洲是最值得信賴的鄰國。

澳洲是被迫捲入東帝汶的糾紛的。第二次世界大戰時期澳洲部隊在東帝汶同日軍交戰時,得到當地人的協助,後者卻因此遭受日軍殘暴的懲罰。加上惠特蘭總理幾次同蘇哈托會談都默然認同後者占領東帝汶的企圖,使澳洲更加感到內疚(印尼的說法是惠特蘭鼓勵蘇哈托這麼做)。在 1976 年的聯合國會議上,澳洲更就東帝汶決議案投票支持印尼。新加坡當時選擇棄權。東帝汶在 1975 年被占領之後,壓迫接踵而來,東帝汶抗爭戰士繼而在澳洲設立大本營,問題就這樣醞釀了 24 年。

基廷在 1999 年 9 月同我會面時,他預測澳洲會被捲入同印尼之間的一場長期糾紛。他還說,霍華德寫給哈比比的信,將會使他辛辛苦苦建立起來的澳印友好關係付諸東流,包括兩國關係達到巔峰時同蘇哈托簽署的 1995 年安全協議。如他所料,印尼在 1999 年 9 月 16 日聯合國安理會批准成立多國部隊次日,把協議撕毀。

東帝汶的局勢發展是由澳洲媒體和大眾情緒、美國媒體、非政府組織和國會助手、葡萄牙政府的關係,以及歐盟在每次國際

聚會上都向印尼施壓這些方面加起來推動演變而成的。他們對印尼不斷苦苦糾纏，咄咄逼人，使印尼在每個國際論壇上都擺脫不了這個問題。哈比比以為自己的獻議能幫忙解除這個包袱，問題就在於無論是澳洲、歐盟或美國，大家都不曾要求或希望東帝汶獨立。哈比比根本沒有想到，他親手把只會引向獨立的投票方案送上門，就這一點，印尼民族主義派人士將永遠都不會原諒他。

　　姑且不論提出東帝汶自決方案是否明智，澳洲率領多國部隊進入東帝汶以阻止慘絕人寰的罪行卻是正確的做法。雖然沒有一個亞洲領袖在澳洲率領多國部隊進入東帝汶的時候加以聲援，但是大家心裏都明白，澳洲是在挽救凶險的局勢，使它不致進一步惡化。這次的行動使澳洲付出重大的政治和經濟代價，這是一個本區域國家都不敢擔當的任務。但是，東帝汶會走上投票成立獨立國的道路，澳洲是有責任的，如果它不採取行動，必會招致鄰國的鄙視。事實證明，科斯格羅夫少將指揮多國部隊的手法沉著而堅定，使本區域多名領袖暗自起敬。正如所料，印尼群眾天天在澳洲駐雅加達大使館外示威抗議。在印尼大小城鎮工作的澳洲公民不得不疏散。

　　看著東帝汶危機一步步在演變，我被深深地吸引住。霍華德和唐納是根據哈比比的反應而制定政策的。哈比比為了要說服印尼人民重新推選他當總統，採用的辦法就是向眾人證明：國際領袖如霍華德在民主和改革方面給與他高度的評價。澳洲領袖忽略了哈比比必須應付的強大壓力，那是埋葬在東帝汶的 5000 多個印尼士兵的墳墓；由印尼國軍退役軍官瓜分的大片咖啡園和其他農作物園丘；軍方高級將領對東帝汶獨立可能激發亞齊等省分的分離主義運動進一步加劇的憂慮。哈比比沒能力做到放棄東帝汶而不招引嚴重的後果。

　　我早料到民兵會不擇手段地去影響投票結果。但是我萬萬沒

有想到，他們竟然會在全民投票結果揭曉後到多國部隊抵達的兩
個星期內，有組織地將整個國家摧毀了。印尼國軍不應該任由他
們胡來，不過話說回來，在這之前已經發生過許多同樣有違常理
的事情，因此新加坡同其他東盟國家一樣，對東帝汶課題採取了
避之則吉的對策。

10 月 13 日當他的身分還是總統候選人時，阿都拉曼・瓦希
德說，澳洲一直在「羞辱我們」，並且建議凍結印澳關係。但是
在當選總統十天後，瓦希德卻說：「如果澳洲需要一個擁有 2
億 1000 萬人口的國家接受它，我們會敞開胸懷相迎。他們要分
道揚鑣的話，也沒有關係。」可見澳洲大使在這期間下了不少苦
功，所以印尼當局的談話還算客氣，不過兩國關係要恢復到像這
場危機之前的一樣，恐怕還要一段時間。

澳洲在這場亞洲危機中經歷了火的洗禮。霍華德總理或許不
了解跟一個過渡總統如哈比比打交道的危險，但是到了關鍵時
刻，他的表現不失澳洲總理的身分。在澳洲媒體和公眾的大力支
持下，儘管東帝汶民兵恫言要使澳洲人員蒙受死傷，他還是派遣
澳洲部隊率領聯合國多國部隊進入東帝汶。這些事件進一步確定
了很明顯的一件事：澳洲的命運同亞洲聯繫得更加緊密，更甚於
它跟英國或歐洲的聯繫。

惠特蘭當上總理之後，我和他頭一次碰面是於 1973 年在渥
太華舉行的共和聯邦首腦會議上。惠特蘭長得相貌堂堂，這一點
他很清楚，也很在意。他能機敏地和別人對答如流，但是容易衝
動急躁。他得意地向濟濟一堂的各國領袖宣稱，他已改變了諸多
約束的澳洲移民政策。他指出在澳洲完成大學教育的學生，畢業
之後不需要離開澳洲。我就這個「新視野政策」把他奚落了一
番，指出他只接受有一技之長和從事專業工作的亞洲移民；這將
給新加坡和其他貧苦的亞洲鄰國帶來嚴重的人才流失問題。這下

子把他給氣得七竅生煙。

惠特蘭也突然宣布將改變施政方針，他要使澳洲成為本區域的「好鄰居」，成為亞非國家的「好朋友」。我舉出澳洲限制外國人口襯衫的數額和新加坡航空公司班機通航權等例子，對他所言提出挑戰。他以為我故意不把他放在眼裏，於是說話時變得很尖刻。但他畢竟是一個新手，會議桌周圍有我多位老友——英國的禧斯、加拿大的杜魯道、紐西蘭的柯克、坦桑尼亞的朱利葉斯‧尼雷爾、巴巴多斯的埃羅爾‧巴羅等，他們都為我的論點辯護。結果，在西薩摩亞、湯加和斐濟的支持下，紐西蘭總理柯克的講話在南太平洋各國當中變成最具代表性。

接著惠特蘭公開抨擊我，他說新加坡人口有一大群是華族，所以蘇聯船隻不會到新加坡來。結果蘇聯立刻調遣四艘蘇聯供應艦到新加坡進行修理，試探我們到底是中國人還是新加坡人。我回應惠特蘭說，這種刺激蘇聯的做法不容有第二次，否則下回他們派來的將會是一艘導彈驅逐艦或核子潛水艇。

從東京返回新加坡後獲悉，澳洲駐聯合國代表促請聯合國難民事務最高專員，以人道理由要求新加坡讓大約 8000 名乘坐多艘小船前來的越南難民上岸。我在次日，即 1973 年 5 月 24 日，召見澳洲最高專員。我告訴他這麼做太不友善了。難民一上了岸就休想要他們離開。對方解釋說，澳洲準備從 8000 個船民中，收留大約 65 個在澳洲受過教育的難民，唯有讓他們上岸，他才能分辨那 65 到 100 個澳洲準備收留的對象。我質問他，剩餘的那些已經上岸卻決不肯回到船上的難民過後應該怎麼處理。他含含糊糊地答覆。我坦言他的行徑顯示了當時的澳洲政府對新加坡並不友善。澳洲總理惠特蘭為了這個難民問題，在坎貝拉的一個接待會上，有欠公道地教訓了新加坡駐澳洲最高專員公署的第二號人物。惠特蘭根本沒受什麼委屈，我準備揭穿他的所作所

為，讓世人看到自稱亞非白人的惠特蘭有多虛偽。澳洲最高專員當場尷尬得直冒汗。我們始終不允許難民潮湧上岸來，最後收留了 150 個漁民和他們的家屬，讓其他難民繼續漂流到印尼，有些漂到了澳洲。

那個時候，新澳雙方都承受相當大的壓力，所以才會發生友國之間針鋒相對的局面。美國撤離越南和越南船民集體流亡兩起事件的震撼力太大了。澳洲總督在 1975 年 11 月以違反憲法之類的理由將惠特蘭革職，讓人鬆了一口氣。弗雷澤受委組織看守政府籌備大選，結果他在選舉中大勝。

即使以澳洲人的尺度來衡量，弗雷澤也是高大魁梧的。我在他擔任戈頓的國防部長時認識他。1976 年 1 月中旬，趁在吉隆坡出席拉薩葬禮見面的機會，我同他討論澳洲在馬來西亞半島和新加坡部署軍隊的問題。他表示沒有考慮過要完全撤軍，最後決定把幾個中隊的幻影型戰鬥轟炸機中隊和獵戶座型偵察機留在北海。對於安全和穩定，弗雷澤態度求實，加上他那種不輕易放棄的堅毅性格，讓我更加放心。

在我的鼓勵下，弗雷澤在 1982 年同馬哈迪首相會面。馬哈迪說，越南外長阮基石公開表明，若有需要，他準備為蘇聯軍隊提供越南基地；馬來西亞要是拆除供外國部隊使用的基地，那將是愚蠢的。如果澳軍願意留下來，馬來西亞絕對沒有異議，他們要離開的話，馬來西亞也沒有辦法。弗雷澤這下子滿意了，並把戰機留在北海。

弗雷澤思想保守，卻始終無法彌補惠特蘭在不到三年的時間內，因貿然引進福利制度而使澳洲預算從此背上這個包袱欲罷不能而造成的破壞。雖然我不贊同弗雷澤的保護主義經濟政策，我們卻成了朋友，並且一直保持這份友誼。他不願意把呵護工人卻損害了消費人利益的澳洲經濟加以開放。最後，工黨政府必須在

我在 1988 年訪問澳洲，同霍克總理會面。

八〇年代末期到九〇年代期間接手這個困難的任務，逐步向進口
產品開放國內市場，淘汰不賺錢的工業。

當澳洲工黨在 1983 年 3 月贏得大選時，我擔心在惠特蘭執
政時期碰到的問題會重現。不過霍克和惠特蘭是截然不同的兩個
人，何況工黨領導層已從惠特蘭執政期間行事過火招致的後果中
得到教訓。霍克處事的出發點總是好的，他也希望自己做得對，
但是每回從一個領域取走工人的某些利益後，他必定在另一個領
域通過津貼把這些利益悉數奉還。他當總理任期之長在澳洲史上
排第二。無論在個人儀表或提出論點方面，霍克的表現都很出
色，對自己在電視上的形象也總是非常注意。

他把兩個幻影型戰鬥機中隊的其中一個撤出本區域，另一個

推遲定奪。1984 年 3 月，他決定從 1986 年開始逐步裁減剩餘
的中隊力量，直到 1988 年完全撤離。我說服他派遣澳洲 F-18 型
戰機從達爾文輪流前來本區域，每年為時 16 個星期，這樣的安
排依然保持到今天。澳軍在北海留駐到 1988 年，為新馬兩地提
供了更多安全保障，這種太平局勢讓我們享有 30 多年的穩定和
發展。新加坡和吉隆坡分別在 1964 年和 1969 年爆發種族暴亂
之後，澳洲一直擔心捲入新馬的衝突，或者是馬來西亞和新加坡
任何一國同印尼之間的糾紛。到了 1988 年，澳洲人卻已重新評
估他們的防務決策。現在他們認為發生這類災難性衝突的可能性
不大，也看到通過五國聯防協議跟本區域保持聯繫，在戰略上和
政治上的價值。

　　回想起來，給我印象最深刻的澳洲總理是鮑勃・孟席斯，也
許是當時年紀較輕，比較容易受影響。1962 年 9 月在倫敦召開
的共和聯邦總理會議上，我看著他發表精湛的演說。他有一股懾
人的威嚴，個子大，腦袋大，聲如洪鐘，頭髮花白，眉毛又粗又
翹，面色紅潤，表情豐富。他流露出效忠英王和大英帝國的那一
代人所特有的自信與權威。當他竭盡所能卻仍舊改變不了英國加
入共同市場的決定時，他知道世界已經改變，往昔的時光不再，
人情和血緣關係在後帝國紀元，已經不能取代地緣政治和地緣經
濟當頭的事實。

　　另一位讓人印象深刻的澳洲領袖是保羅・哈斯勒克。他在
1964 至 1969 年擔任外長，隨後出任總督，直到 1974 年。哈斯勒
克為人沉默寡言，說話斯文又小聲。他觀察力強，博學多聞，對
周圍發生的事永遠瞭如指掌。我在 1965 年首次訪問澳洲時同他
見面。當時，他在孟席斯的內閣班子裏。在新加坡面對印尼的對
抗，然後是英國撤離本區域的那段時期，我們經常見面。他為澳
洲外交政策掌舵，手法沉穩持重，功力恰到好處。他不願意棄馬

來西亞和新加坡於不顧，但是也很小心地避免激怒印尼，或使他
們有「被人串通起來對付」的感覺。他把這一點坦白地告訴了
我。他的價值觀強調家庭、教育和勤奮努力的重要性，這些都屬
於戰前一代的思想，而澳洲那個時候還未把自己當成「幸運之
國」。

戒心不重的紐西蘭人

　　同澳洲一樣，紐西蘭也是因為英國的關係而同新加坡有了聯
繫。由於距離亞洲較遠一些，紐西蘭人在第二次世界大戰期間比
較感受不到可能遭受日本侵略的威脅，因此對亞洲人也沒存有那
麼重的戒心。他們同樣收留了一些越南難民，對於船民紛紛湧上
紐西蘭的海岸，他們比較處之泰然。進入九〇年代，紐西蘭經歷
了亞洲移民增加的情況後，這種態度有了改變。

　　我在 1965 年 4 月第一次訪問紐西蘭，看到當地人的生活習
慣和舉止那麼英國式而覺得很意外。我下榻於小酒店，那裏的女
服務員依然繫圍裙，就像戰爭剛結束時期的英國女僕，她們在早
餐前總會送來「早茶」。紐西蘭人的口音比較接近英國人，態度
客氣些謹慎些，比較缺乏澳洲人那種拍背搭肩哥兒們似的親密
感。紐西蘭到處綠油油，同澳洲黃褐褐，塵土滿天飛的環境形成
對比。多年來，英國中上階級的非長子在英國沒有繼承父親的莊
園，他們於是來到紐西蘭，在那裏擁有了大片牧園農場。他們養
牛牧羊，種植小麥以供應祖國。那是一種優雅的生活方式，讓他
們享有很高的生活水平。紐西蘭發展了一套先進的福利制度，這
使紐西蘭人在第二次世界大戰以前的生活水平與素質都堪稱世界
一流。戰後物資短缺導致糧食價格高漲，紐西蘭人因此發了財。

　　他們保留了這種在農耕社會裏寫意度日的優雅生活方式，但
卻久久停滯不前，這是不智的。當澳洲在尋求工業發展時，紐西

蘭卻沒有。結果，有頭腦而胸懷大志的紐西蘭青年，一大批一大批地離開，往澳洲、英國和美國發展。紐西蘭在八〇年代改變方針，致力發展經濟，為有才華的人提供機會，使他們無須移民他鄉，同時引進受過高深教育的亞洲移民。他們也開始向外宣傳紐西蘭鄉間的大自然景色迷人，大規模推動旅遊業，嘗試趕上競爭對手，卻未免嫌晚。

任期較長的紐西蘭總理之一是基思·霍利約克。1964 年，在新加坡併入馬來西亞期間，我第一次在新加坡機場見到他。他身體結實，胸腔寬大，聲音深沉有力。霍利約克做人腳踏實地，從不惺惺作態。他是一個農民，並為此感到自豪。他從不裝腔作勢扮演知識分子，但是在民眾當中有一股親和力。這應是他從 1960 至 1972 年三度蟬聯總理的原因之一。我喜歡他，也敬佩他的為人正直。我發現他在面對壓力時，行事穩重，臨危不亂。

英國共和聯邦事務部長喬治·湯姆森 1967 年在新加坡同我見面，告訴我威爾遜首相決定撤軍。過後，我打電話給霍利約克。當時是 11 月分，正值紐西蘭的夏季。他說，他已嘗試勸過英國人，他認為英國人不會改變主意。他祝我好運，希望我能成功爭取到更多的時間。他在結束談話之前說：「我在陶波湖畔的度假屋裏。這裏天氣晴朗，周圍的一切明媚又平靜。你一定要來這裏度假，放下工作鬆懈一下。」他生活在南太平洋地區，什麼才算危險他自有一套見解。多年後我應邀到陶波湖，附近的胡卡屋確實寧靜怡人。

柯克當上紐西蘭的工黨政府總理之後，我們於 1973 年在渥太華共和聯邦會議上碰面。他最突出的地方是待人誠懇，說話直率，不過不愛說笑。1973 年 12 月，他在返回紐西蘭途中順道來訪。一天黃昏，我們坐在斯里淡馬錫官邸正門外的草坪上談論著彼此對未來的想法。越戰看來即將有個不愉快的收場。我問他從

一個非本區域人士的角度，他怎麼看待新加坡，怎麼看待它的穩定與增長前景，還有它的危機來自何處。他答得直接又簡潔有力：紐西蘭顯得「格格不入」——富裕，白人主導，講求民主；新加坡卻「水乳交融」——一個完全西化的民主城市，位於東南亞心臟區，卻獨樹一幟，它的成功也是它的危機所在；新加坡容易受到攻擊。

我們的交往相當融洽。他在幾個月後，1974 年 8 月去世，我感到很難過。在他説了以上那一番話之後 20 多年，亞歐峰會政府首腦會議於 1996 年在曼谷召開時，澳洲和紐西蘭想要加入亞洲陣容，馬哈迪首相提出反對，説它們不是亞洲的一分子。那是馬哈迪發自內心深處的想法，但是大部分領袖都無法認同。我相信，要不了太久，地理位置和經濟上的常理將凌駕舊有的成見，到時澳紐兩國將成為亞歐峰會成員。

1975 年 12 月，羅伯特・馬爾登當選總理，一直到 1984 年才卸任。他長得粗壯，腦袋大而光禿，一臉愛鬥嘴的模樣，同他那種好鬥的脾氣相稱得很。他敢於迎擊澳洲總理弗雷澤和霍克，跟他們唇槍舌劍時絕無保留。馬爾登要提醒他們，紐西蘭是不容澳洲忽視的。

馬爾登主張體育和政治不能混為一談，並且為紐西蘭「全黑」橄欖球隊到南非參賽，以及在紐西蘭接待一支南非橄欖球隊這兩件事情進行激烈的辯護。出乎他意料之外的是，紐西蘭人民竟也激動地展開抗議行動。往後幾年，我看著他如何在共和聯邦會議上逐漸開竅：如果他繼續推行這項政策，紐西蘭將被孤立。因此他費盡唇舌為自己的立場辯解之後，在 1977 年的倫敦共和聯邦政府首腦會議上，還是同意發表宣言，針對南非種族隔離政策，在體壇上抵制南非；時不我待，不值得他爭下去。他沒有掩飾自己的感受，在 1979 年的盧薩卡共和聯邦政府首腦會議上，

1988 年我訪問紐西蘭，隆依總理到機場歡迎我。

他是少數就羅得西亞和南非問題對柴契爾夫人的立場表示同情的人。不過，他比柴契爾夫人更早看出歷史的狂瀾不容白人稱霸非洲。馬爾登不像惠特蘭，他從來沒有擺出亞非白人的姿態，反而把時間和資源集中於南太平洋諸島。他是皇家特許會計師，精打細算對他來說易如反掌。聽他分析經濟問題，似乎是出自堅毅而講求實際的人口中，但是談到真正落實政策，他卻很心軟。農產品價格下降時，他堅持為農民提供價格津貼。製造業陷入困境時，他給與更多保護。

隆依很有幽默感

　　他把責任留給了接班人——工黨的戴維·隆依，由隆依啟動削減津貼的艱難過程。所有原先備受呵護的人因此怨聲載道。隆依是個與眾不同的人物，身高中等，但是腰身相當粗大。他的性

情隨和，思維敏捷，記憶力強。隆依在 1984 年當選後不久，到
新加坡來會見我，他當時正準備到非洲訪問，希望增加同非洲的
貿易往來。我對這個可能性質疑，他怪我太多疑，但是後來也承
認我的看法是對的。隆依很有幽默感，笑聲更是極具感染力。

　　1972 年當澳洲在宣布翌年要從馬來西亞撤軍時，紐西蘭決
定把軍隊留下來，一留就是 17 年，直到 1989 年才離開。紐西
蘭軍人生性剛毅，獲得「南太平洋辜加兵」的外號。然而紐西蘭
人在 1984 年 7 月推選隆依和他所屬的工黨執政後，經歷了一場
變革。工黨決定締造一個無核太平洋區，因此採取強烈的反核立
場。他們甚至甘冒損害同美國簽署的《澳洲、紐西蘭與美國條
約》之險，就是不讓任何核動力或載核船在紐西蘭的水域航行，
或者在它的港口停泊。這麼做等於把美國海軍拒於門外，跟他們
以往的立場背道而馳，令人始料不及。同年 10 月，我在新加坡
跟隆依會面時告訴他，核戰艦經常穿梭於馬六甲海峽和新加坡海
峽，我們也知道發生核意外的風險，但另一方面，美國在本區域
駐軍也讓我們享有了 30 年的穩定。他依然不為所動。對他和他
的政黨來說，無核世界是通往安全和穩定的未來的不二法門。

　　1986 年我到坎貝拉訪問，霍克要我說服隆依，《澳洲、紐
西蘭與美國條約》最能夠促進澳紐的長期利益。之後走訪威靈
頓，我再次跟隆依辯論，指出他的反核政策過度謹慎。但是我始
終無法改變他的主意。當時身為反對黨領袖的吉姆‧博爾杰卻同
意我的看法，他認為唯有在美國繼續維持世界均勢的條件下，小
國如新加坡和紐西蘭才有調整定位、取得進步的空間。他還說：
「紐西蘭的反核立場只會加速國家的分裂。」不過，他在 1990
年 11 月出任總理後，民意使他無法扭轉這項政策。紐西蘭人決
定暫時置身於世界的是是非非之外。

　　作為一位工黨總理，隆依自然覺得自己有義務維護比較不幸

的人。但是在經濟改革和開放市場方面，他是可以商量的，那是因為他的財政部長羅杰‧道格拉斯是十足的自由市場主義者，在第一個任期內深獲總理支持。然而隆依在蟬聯總理後，因為內閣和黨內同僚施壓，以致對較不受歡迎的改革加以迴避。這麼一耽誤，紐西蘭農民、製造商和消費者受苦更久。

　　1984 年 12 月，隆依在事先完全沒跟我們磋商的情況下，就宣布撤銷給與新加坡出口的普遍優惠待遇。這麼做等於為美國和歐洲經濟共同體開了先例。新加坡外交部長向他解釋說，新加坡喪失紐西蘭給與的普遍優惠待遇，損失固然不大，但是如果美國和歐共體效法，我們將損失慘重。隆依接受了我們的論點，恢復了新加坡的普遍優惠國地位。

　　紐西蘭沒有豐富的黃金、鑽石、煤、鈾蘊藏，或者那些讓澳洲人能夠享受舒適生活的其他任何礦藏，紐西蘭人就沒有產生「幸運之國」人民的心態。八〇年代紐西蘭的出口糧食價格下跌，隆依和道格拉斯削減了給與農民的價格津貼，使紐西蘭變得更有競爭力。1990 年，國民黨重新掌權時，多虧了出任總理的博爾杰，這些開放政策才能夠持續一段日子。

　　我跟紐西蘭的領袖從來沒有發生過衝突，即使是辯論起來面紅耳赤，態度相當咄咄逼人的馬爾登也不例外。就我的經驗，紐西蘭人是守信用的君子，值得信賴。

李光耀回憶錄

25 南亞傳奇

英迪拉·甘地夫人是我所見過
的最強硬的女總理。她具有女
人味，卻一點也不柔弱。作為一
名政治領袖，她比柴契爾夫人、
班達拉奈克夫人或貝娜姬·布多
都還堅毅冷酷……在社交談話
中，她裝出一些女性的舉止，
向男士賣俏地微笑；可一進入
辯論，她那種鋼鐵般足以同任
何克里姆林宮領袖較量的個
性，就會表露無遺。

學生時代我敬仰尼赫魯和他定下的目標：建設一個世俗的多元種族社會。像大部分英屬殖民地的民族主義分子，我拜讀過尼赫魯在英國人的監獄裏度過漫長歲月寫下的著作，特別是他寫給女兒的書信。這些信寫得非常優美，他的觀點和思緒撥動了我的心弦，激起回響。我同其他五〇年代的年輕民主社會主義分子一樣，總猜想到底會是中國還是印度成為發展的模範國。我希望民主的印度，而非共產的中國獲勝。印度雖曾有所建樹，比如推行綠色革命，但是人口增長抑制了生活水平和素質的提高。

1962 年 4 月，我首次以總理的身分訪問德里。有人接我到潘迪特·賈瓦哈拉爾·尼赫魯的官邸同他會晤。那裏曾經是英軍司令官的住所——兩層樓的建築，有寬闊的陽台，空曠的園林設計令人賞心悅目。我們交談了半個小時。

午餐的時候，我們圍坐在料想是英國時代留下來的長桌四周，每個賓客有一個大托盤式的銀色器皿做「餐盤」。大家在侍應生端來的林林總總，各式各樣的飯、北印度烙餅、咖哩、蔬菜、肉、魚、酸菜和辛辣調味品當中，挑選自己愛吃的食物。不尋常的是大家都用手指抓東西吃。芝和我從來沒試過這種用餐法。他們靈巧而文雅地用指尖抓起食物，我們則在食物裏胡攪一通，肉汁都流到指節上，搞得邋邋遢遢，感覺狼狽得很。吃甜品前——那甜品很可口，侍應生端上銀色的洗手碗讓賓客在放著酸柑片的水裏洗淨油膩的手指，我這才鬆了一口氣。坐在我們對面的尼赫魯發現我們無所適從。我解釋說，除了筷子，我們通常使用叉和湯匙。幸好此後在德里用餐都有刀叉供我們使用。

對於我相告的事情，尼赫魯相當感興趣，他邀請我第二天再見面。這次，他給了我 90 分鐘的時間。我向他解釋了新加坡和馬來亞的人口結構，並解釋說共產黨在新馬華人當中很有影響力，因為他們非常成功地把中國從一個腐敗又頹廢的社會轉化為

一個有紀律、廉潔而有活力的社會——即使是個軍管式的社會。不過，我告訴他，共產主義根本不適合東南亞，更何況，如果新加坡宣布獨立，那將產生災難性的後果，它必會遭鄰國敵視，包括馬來亞的馬來人，以及印尼的爪哇人和其他馬來族群。既然東姑不要新加坡單獨同馬來亞合併，因為這會使華人的票選勢力跟馬來人相等，我認為最好的辦法是讓新馬同婆羅洲地區合併。他感到驚訝，但是很高興，竟然有個華人決心不讓新加坡落入共產黨手中，或者受北京影響。

1964 年，我結束對非洲的訪問後，歸途中再度前往德里拜訪尼赫魯。他傴僂著身軀癱坐在椅子裏，消瘦得不成人形，說話的聲音和姿勢都流露出倦弱的樣子，精神恍惚。中國在喜馬拉雅山脈邊境發動攻勢，打擊了他對亞非人民團結的憧憬。我最終帶著滿腔的哀傷離開。幾個月後，尼赫魯在同年 5 月與世長辭。

我和尼赫魯在六〇年代數次見面，讓我有機會認識他的女兒英迪拉·甘地。新加坡宣布獨立時，我們請印度政府協助新加坡成為亞非組織的成員。印度外交使節團不遺餘力地相助。一年後，我到印度向甘地夫人道謝，並嘗試引起她的政府對東南亞的興趣。年輕、樂觀、活力充沛的英迪拉·甘地和一支儀仗隊在機場迎接我，然後她同我一起乘車到前總督府——現在的印度總統府。

1966 年的訪問為時三天，接近尾聲的時候，甘地夫人對我坦白又友善。她說，面對一個並非她親手挑選的內閣，要支撐下去委實不易。部長們各自為政。國大黨的頭頭兒們不認為她能勝任，卻想借助尼赫魯的形象作為來屆大選的號召，因此把她推出來。儘管如此，我心裏認為，如果她贏得壓倒性的票數，她必定會憑自己的意願去治理國家。

一件教人心酸的事

看著這個國家逐漸沒落，連總統府也顯露這種跡象，不免教人心酸。總統府裏的陶器和餐具糟透了──晚餐的時候，我用的餐刀竟然斷成兩截，幾乎彈到我的臉上。冷氣機發出吵鬧的噪音，一點功效也沒有，而印度生產冷氣機已經好多年了。男僕身上的紅白制服已經褪色，他們把我們房間裏放在牆邊桌上招待客人的烈酒拿走。德里大部分時間禁酒。有一次出席了新加坡駐印度最高專員公署的招待會後返回總統府，兩名衣冠楚楚的印度副官背著雙手隨我進入電梯。踏出電梯時，我發現他們手裏拿著幾個瓶子。我向秘書問起這件事，他解釋説，他們拿的是蘇格蘭威士忌。新加坡駐印度最高專員公署在外交招待會上，向來都贈送尊尼沃克牌的蘇格蘭威士忌給需要應酬的來賓，副官們一人獲贈兩瓶。印度市面上買不到這種酒，因為當地禁止進口。政治領袖穿著手工紡織布匹縫製的衣裳，在公共場合虛偽地裝出平等的樣子，企圖藉此跟窮苦的民眾認同，暗地裏卻拼命斂財。這打擊了印度的精英分子，包括政府和軍中官員的士氣。

我下榻總統府那幾天，以及在招待會上和其他場合同印度領袖的會面，讓我看清了真相。1959 和 1962 年尼赫魯當政期間訪問印度，我以為印度具備成為一個繁榮社會和強國的潛能。七〇年代末期，我認為它會變成軍事強國，因為在國土面積上它具備這樣的條件，但是令人窒息的官僚制度卻使它在經濟上繁榮不起來。

印度官員對於能夠完成一份聯合公報比較在意──要新加坡給與承諾，跟印度一起，「對越南糾紛一再拖延威脅到全世界，尤其是東南亞表示極大的關注」。印度遵循的不結盟政策傾向蘇聯，這是保障定期獲得武器和軍事技術供應的代價。

我在 1970 年訪問印度時同甘地夫人合影。

　　兩年後，1968 年 5 月，甘地夫人到新加坡來訪問。我們就廣泛課題交換了意見，從中我得出結論：印度缺乏向東南亞擴展影響力所需的資源。雖然如此，我在 1970 年訪問印度時直接問她，印度是否打算向東南亞擴張海軍勢力。在場的印度外長斯瓦蘭星插話說，印度有意加強經濟聯繫，不過更感興趣的是保持印度西部海上航道的自由通行。我察覺印度在國防方面的主要顧慮是巴基斯坦，他們擔心美中巴會結成同一陣線。

冷面笑匠想法古怪

　　莫拉爾吉‧德賽在 1977 年當選總理不久，我就同他建立了融洽的關係。早在 1969 年，他擔任印度副總理的時候，我已經認識他。1977 年 6 月，倫敦共和聯邦會議召開期間，我在印度駐英國最高專員的官邸跟他共進午餐。當時他 80 多歲。他是一

個篤實的素食者，吃的盡是生果仁、生果、生菜，沒有半點煮過
的食物。他那天的午餐是葡萄乾和果仁，堆在他面前的巧克力原
封不動。最高專員並不知道他有嚴格的飲食規矩，連他喝的牛奶
都必須直接從牛身上擠出來，瓶裝的都不行。真的，共和聯邦區
域會議翌年在雪梨召開時，澳洲總理馬爾科姆‧弗雷澤弄來了一
頭乳牛。德賽向我保證，他的飲食的營養成分比一般飲食有過之
而無不及，而且素食者都很長壽。他活到 99 歲，證實了自己的
理論。德賽是個冷面笑匠，記憶力驚人，但有一些古怪的想法。
1978 年 12 月，從德里機場乘車到總統府途中，他說，印度人幾
千年前就已經到過太空，遨遊了各個星球──美國當時正在進行
這些活動。我一定是滿臉狐疑，所以他強調說：「是，是真的，
是通過輪迴轉世。《福者之歌》有這段記載。」

　　甘地夫人在 1977 年的選舉中敗北，但於 1980 年重新掌
權。我於 1980 年 9 月在德里共和聯邦政府首腦區域會議上見到
她時，她已失去些許幹勁。印度的基本政策上不了軌道，同蘇聯
結盟更堵住一切跟歐美緊密合作的切入點。加上效率低的國有企
業支配整個體系，私人企業又不多，外來投資也很少，印度的經
濟因此停滯不前。縱然有任何成就，增加速度比中國還快的印度
的龐大人口也會把它消耗殆盡。

　　1980 年，印度承認越南在柬埔寨扶植的政權，縱容越南占
領柬埔寨，從此以後新印兩國在國際會議上成了對頭。在這個對
東南亞和平與穩定舉足輕重的課題上，我們立場相左。同年 9
月，在新德里共和聯邦政府首腦區域會議上，甘地夫人以主席身
分在致開幕詞時，否定了對跨國界武裝干預加以譴責的作用，認
為這樣做無濟於事。我從容地提出相反的看法：越南和蘇聯分別
占領柬埔寨和阿富汗，這是在聯合國憲章的架構以外制訂合理干
預的新原則，為公開武裝干預開了先例。新印兩國官員為草擬公

報爭辯得沒完沒了，最終達成協議的草稿避免提到蘇聯或越南是
侵略者，但總算發出了以政治方案捍衛阿富汗和柬埔寨的獨立與
主權的呼籲。甘地夫人在閉幕詞中答應，印度將盡自己的本分規
勸莫斯科人撤離阿富汗。至於柬埔寨，印度承認當地的政權，因
為它控制了柬埔寨所有主要地區──這是「承認（政權）所普遍
根據的準則之一」。

甘地夫人致函邀請我出席第七屆不結盟運動峰會，預定
1983 年 3 月在德里舉行，我回拒了，並寫道：「在爭取真正的
團結之際，不結盟運動不能漠視近來所發生的違背國家獨立、完
整和自主的基本原則的事件，尤其是涉及它的成員國的事件
……」。

不過，稍後於同年 11 月，我還是出席了在德里召開的共和
聯邦政府首腦會議──是全體會議，不是區域會議。我們兩人再
度為柬埔寨事件發生爭論。雖然爭執了幾回，但是由於我們交往
已久，私人交情又好，因而彼此不懷敵意。

英迪拉・甘地夫人是我所見過的最強硬的女總理。她具有女
人味，卻一點也不柔弱。作為一名政治領袖，她比柴契爾夫人、
班達拉奈克夫人或貝娜姬・布多都還堅毅冷酷。她有一張俊俏的
臉，一個鷹勾型鼻子和一頭整齊帥氣的髮型，額頭上一大綹白髮
跟烏亮的黑髮往後梳理。她總是穿著莎麗，打扮高雅。在社交談
話中，她裝出一些女性的舉止，向男士賣俏地微笑；可一進入辯
論，她那種鋼鐵般足以同任何克里姆林宮領袖較量的個性，就會
表露無遺。她不像她的父親。尼赫魯有滿腦子的構思，經過反覆
琢磨的構思──宗教和國家職能分離論、多元文化論、效法蘇聯
的重型工業帶動國家快速工業化論等等。不論正確與否，他是一
位思想家。

甘地夫人被暗殺

　　甘地夫人是一個講求實際和實幹的人，基本上只關心權力的機制——如何掌權和用權。她多年的執政生涯夾著悲哀的一章，也就是乖離了政教分離的做法，並在試圖贏得講印地語的印度教徒的選票的過程中，有意無意之間使印度教沙文主義浮現，讓它變成印度政治的一股合法勢力。這種做法後來導致印度教和回教的暴動再度爆發，古老的阿約提亞回教堂被燒毀，印度沙文主義印度人民黨在 1996 年冒起，成為國會中唯一的多數黨。1998年，印度人民黨再度稱霸國會。甘地夫人在印度統一受到威脅時表現得最為強硬。她下令印度軍隊開進阿姆利則的錫克聖廟，結果引起錫克教徒的公憤。看到新加坡錫克教徒那種怒火中燒的程度，我心裏想，這簡直是政治上的大災難：她褻瀆了錫克教最深處的聖所，卻無動於衷，心裏只關心國家的權柄，並決心保全這一權柄。為此她賠上了性命，在 1984 年被自己的錫克教徒保鏢暗殺。

　　新印兩國在柬埔寨政策上的分歧使我一直避開印度，直到1988 年 3 月，我才嘗試跟甘地夫人的兒子，已經當上總理的拉吉夫・甘地建立聯繫。他的副外長納特瓦爾星陪著他——一個頭腦敏銳，善於闡明印度的微妙立場的人。拉吉夫提到美國應該同越南建立外交關係，停止經濟制裁行動，因為他相信越南有意撤出柬埔寨，轉而致力於經濟建設。跟我們一樣，他知道越南當時已經陷入嚴重的經濟困境。我回答說，越南必須為占領柬埔寨付出代價，但是我希望十年後將出現一個不同的越南——一個可以跟新加坡合作並受歡迎的經濟夥伴。一旦柬埔寨的麻煩解決了，印度和新加坡將重新站在同一立場上。這兩件事情都發生了。

25　南亞傳奇

拉吉夫身不由己

　　會談結束後，拉吉夫·甘地和他的夫人蘇妮亞私下招待我和芝到他們家裏吃午餐。拉吉夫是個政治新手，卻被捲入危機四伏的政治漩渦。由於他母親是在自己家中被暗殺的，因此，他周遭保安森嚴，簡直讓人喘不過氣來。他說，他心情非常壓抑，但已學會適應。我在他身上看到了一個航空公司機師的影子，有著直接的世界觀。在我們的討論中，他頻頻依賴納特瓦爾星從旁指引。我在想，是誰在印度的政治道路上給他指引？但是可以肯定會有許多人想牽住他的手往自己的方向走。

　　只有用心良苦的總理才會派遣軍隊到斯里蘭卡鎮壓賈夫納淡米爾人的叛亂。他們是 1000 多年前離開印度的淡米爾人的後裔，同印度的淡米爾人不一樣。印軍血灑斯里蘭卡，而後撤退，戰事卻沒有停止。1991 年，一名賈夫納淡米爾少女在馬德拉斯附近的選舉集會上挨身靠近拉吉夫，假裝要給他戴上花串，結果引爆炸彈跟他同歸於盡。這對他太不公平了，他的用意自始至終都是好的。

　　1992 年，納拉辛哈·勞巫的少數國大黨政府被迫徹底改變印度的經濟政策，以符合向國際貨幣基金組織換取援助的條件。在 1992 年的雅加達不結盟運動會議上，勞巫認識了我們的總理吳作棟之後，跟吳作棟相處愉快，並說服吳作棟帶領一個新加坡商人代表團到印度訪問。他的財政部長曼莫漢星和商業部長奇丹巴拉姆，來新加坡向我簡述印度政策上的改變，並嘗試吸引新加坡人前往印度投資。兩位部長對於如何改善印度經濟增長的問題非常清楚，他們知道應該怎麼做。問題是，反對黨對自由企業、自由市場、外來貿易和投資採取排斥的態度。面對這樣的反對勢力，怎樣把事情辦好呢？

1994 年 9 月，勞巫到新加坡來訪問。他跟我討論印度開放
的問題。我說，最大的障礙是印度的公務員一直認為外國人旨在
剝削印度，所以理應加以阻止。如果他要外資源源流入印度，就
像中國那樣，他們必須改變心態，接受這樣的觀點：他們的工作
是促進，不是管制投資者的活動。他邀請我到印度跟他的同僚和
高級公務員一起舉行各抒己見的獻策會。

1996 年 1 月，我訪問德里，在印度國際中心就阻礙印度攀
上經濟增長更高峰的課題，向勞巫的公務員和當地三大總商會的
商人發表談話。在另一次單獨會談中，勞巫承認，印度人自古以
來就擔心經濟改革會導致財富分配不均，這使他難以推行進一步
的改革。他注入大筆資金造福人民，卻被反對黨指為出賣國家，
典當國家的資產。他特別指出兩個社會問題：印度的公共住房因
為資金缺乏而供應緩慢，生育率卻居高不下。他要吳作棟總理在
住房計畫上協助他。我必須向他潑冷水，讓他不要寄望過高，不
要因為我們的房屋計畫成功，就認定我們能夠解決他們的住房問
題。新加坡可以為印度策畫，但是他們必須自己籌集資源來落實
計畫。

我在八○年代見到勞巫的時候，他在甘地夫人的政府班子裏
擔任外長。他屬於獨立鬥爭的一代，年近 80，即將退休。拉吉夫·
甘地在 1991 年競選期間遇害後，國大黨同意推選他為群龍之
首。同情票讓他的政黨獲得最多議席——儘管還是達不到絕大多
數。勞巫成了總理，並在五年任期的頭兩年，大刀闊斧地進行經
濟改革，但他已經不是精力旺盛，追求著自己理想的年輕小伙子
了。開放印度經濟的推動力來自他的財長曼莫漢星。使人感到具
有諷刺意味的是，這位財長是搞中央計畫經濟起家的。勞巫沒有
那種說服印度人民支持這些改革，不要理會反對黨種種阻撓的信
念。

經濟增長緩慢，人口增長卻快速的印度近期內不可能成為富國。它必須先解決自己的經濟和社會問題，然後才能在東南亞扮演重要的角色。印度若變得富強些，並協助維持東南亞在印度洋一帶的和平與穩定，那將對東盟有利。

印度在各個學術領域有那麼多傑出的人才，但是基於種種因素，它讓英國遺留下來的高水平降低了。他們現在不那麼堅持於精英制度或規定通過考試來決定誰進入名校或頂尖大學，誰被錄取擔任專業職位，誰又將加入印度公務員的行列。學生考試作弊肆無忌憚。大學把固定的學額分配給它們的州議員，議員再把學額分給或賣給他們的選民。

英國時代的印度公務部門官員，是從印度舉國精英中精挑細選的。一個印度平民必須才華出眾，才能加入這個頂尖的英國服務行列。我在六〇年代訪問印度時，有一回下榻印度總統府。一天早晨，兩名曾經屬於原來的印度公務部門而非印度行政服務部門的官員，在我打高爾夫球之前前來同我共進早餐。印度文官制度這個時候已經變成印度行政官制度。這兩個人教我佩服。其中一人向我解釋，數百名印度文官如何在英屬印度時代管理 4 億5000 萬印度人，而且治理得井井有條。他以懷舊的口吻追述獲選的印度文官素質優越，並感嘆曾經只以英文進行的錄用考試，現在卻以英文或印地文兩種語文進行。民粹主義者施加的壓力降低了錄用標準，同時導致公務員之間的溝通水平下降。

一個曾經出類拔萃的公共服務部門就這樣水準逐漸下滑，現在又處於社會和經濟革命的動盪時期，生活水平因此下降。英國統治印度的時代，他們的生活具有一定的優雅水平，海陸空三軍的將領級人物，還有印度公務部門的高級人員都打高爾夫球。在六〇和七〇年代的印度，他們買不到好的高爾夫球，因為禁止進口。我記得有一回出遊到德里高爾夫球俱樂部，新加坡駐印度最

高專員公署事先提議，讓我帶幾盒高爾夫球去分給俱樂部的委員。當地的高級將領和高級公務員拆開盒子，一人抓一把高爾夫球塞進自己的高爾夫球袋的那種情景，教人看了喪氣。

高爾夫球委實十分珍貴，足以讓球童衝入任何一棟房子、任何一片深草區去把它找出來。1965 年，有一回我在前孟買皇家高爾夫球場把球打進了貧民窟，球掉落在鋅板屋頂上的響聲清楚可聞。我的球童衝了過去，我以為他是去查看誰受了傷。但不是那麼回事——一個小男孩拿著球走出來，並非要投訴我們害他受傷，而是要跟我們講價錢賣球。看到球童們把斷裂的塑料或木製球座收集起來，削尖座底後重新用來墊起其他球員的球同樣讓我覺得難過。在更衣室裏，男僕給客人穿脫鞋襪。人浮於事的情況太嚴重了。

或許一切錯在制度。印度花了數十年的時間實行國家計畫和管制，換來的卻是拖累國家發展的官僚作風和貪污風氣。當初若推行下放制度，更多像班加羅爾和孟買那樣的中心，就有機會崛起並繁榮發展。另一個原因可能在於他們的等級制度，這是唯才是用制度的宿敵——每個等級都要求在每一個機構裏占有一定的位置，不管是印度行政官的錄用或是大學的學額。第三個原因是印度和巴基斯坦之間永無休止的衝突和戰爭，使雙方都更加窮困。

六〇年代，我走訪的德里是一個寬敞的大城市，四處空曠，沒有污染也沒有比比皆是的貧民窟。九〇年代的德里環境一團糟。那是 1 月分，空氣中彌漫著發電廠和住家燒煤散發出來的煙霧，臭氣熏天。貧民窟比比皆是。保安方面他們安排一整連的軍隊守在我下榻的喜來登酒店前面。街道堵塞，水泄不通，德里再也不是昔日那個令人感覺寬敞的首都了。

在 1996 年選舉中勞巫的國大黨敗下陣來，13 個政黨，包括

幾個共產黨已經聯合起來組成政府，以便把印度教徒民族主義的印度人民黨踢出局。印度的民主已經脫離世俗的基礎，經濟開放難以進一步推行。但是更深一層的問題一直沒有得到解決。因德爾·庫馬爾·古杰拉爾總理有一回發表公開講話，引述一項調查結果，指出印度是亞洲排名第二的貪污之國。1997 年，他對印度工業聯合會說：「有時候，當別人向我提起印度是世界十大貪污腐敗國之一時，我覺得羞愧，無地自容而垂下頭來。」印度是一個沉睡著的強國，潛能尚未發掘。

從錫蘭到斯里蘭卡

1956 年 4 月，在赴倫敦途中，我首次訪問斯里蘭卡。我住在濱海的加勒法斯酒店，這是當地數一數二的英國統治時代的酒店。我在哥倫坡市內四處閒逛，周圍的公共建築物教我讚嘆，有許多是用石頭砌成的，戰火不曾在這些建築上留下痕跡。由於蒙巴登把他在東南亞的指揮總部設在康提，因此比起新加坡來，錫蘭有較多的資源和更完善的基礎設施。

同一年，索羅門·韋斯特·里奇韋·迪亞斯·班達拉奈克以新成立的斯里蘭卡自由黨黨魁的身分競選獲勝，當上總理。他答應以僧伽羅語為官方語言，立佛教為國教。他是一位褐種紳士，出生於一個基督教徒家庭，受的是英文教育。他後來決定擁護土生居民保護主義，改信佛教，並成為僧伽羅語的捍衛者。這是錫蘭四分五裂的開端。

當時的新加坡首席部長林有福，邀請我同班達拉奈克共進晚餐。班達拉奈克是一個矮小機靈的人，衣冠楚楚，談話對答如流。他對自己獲得占多數的僧伽羅族選民授權，要使錫蘭成為更加擁護土生居民保護主義的社會，表現得雀躍萬分。這是對「褐皮膚老爺」社會的反動。所謂「褐皮膚老爺」社會，指的是當地

政治精英繼承執政權後，效法英國人的一切，包括他們的生活方式。被班達拉奈克取代的前任總理約翰‧科特拉瓦拉爵士每天早晨都騎馬取樂。以僧伽羅語為官方語言，使賈夫納淡米爾人和其他少數民族處於不利的地位。把佛教提升為國教導致信奉印度教的淡米爾人、信奉回教的摩爾人以及信奉基督教的荷蘭殖民者的後裔（荷蘭人和當地人通婚的後裔），惴惴不安。這一切他似乎都不覺得有什麼不妥。

他曾經擔任牛津大學俱樂部的會長，說話一字一句似乎還停留在俱樂部辯論學會中那段辯論的日子。三年後，他被一個佛教僧侶暗殺，我並不感到驚訝，只是覺得事情非常具有諷刺性：暗殺他的竟是一個佛教僧侶，原因是政府在立佛教為國教方面進度緩慢，那個僧侶因此感到不滿。

在接下來的選舉中，他的遺孀西麗瑪沃‧班達拉奈克憑同情票當上總理。結果證明，她口才雖然沒那麼流利，作風卻強硬得多。1970 年 8 月，我在錫蘭見到的班達拉奈克夫人，是個堅毅並且信奉了不結盟思想的女性。錫蘭主張美軍全部撤離南越、寮國和柬埔寨，主張印度洋地區成為一個無核武、無強國紛爭的地區。我年紀較輕，耐心地向她解釋自己跟她不太相同的外交政策目標。我解釋說，南越如果落入共產黨手裏，不但柬、寮、泰三國，新加坡也將受到嚴重的威脅。叛亂活動將蔓延到馬來西亞，給新加坡帶來不堪設想的後果。我們無法接受錫蘭主張的那種高尚的意識形態，因為它會對我們的未來產生很大的影響。本區域其他強國——中國和日本來日將加強它們的海軍實力。因此，新加坡覺得有必要繼續維持五國聯防協議，這將提供一定程度的保障。

班達拉奈克夫人的侄兒費利克斯‧班達拉奈克是她在國際事務上的後台人物。此人聰明有餘而功力不足。他宣稱，地理上和

歷史上的好運讓錫蘭享有太平，因而僅有 2.5%的預算是花在防務上。到了八〇年代末，為了鎮壓賈夫納淡米爾人的叛亂，錫蘭把超過一半的預算花費在軍火和防衛部隊上，不知道他對此又有什麼話說。

錫蘭曾經是英國的共和聯邦模範國，獨立道路經過精心的鋪設。它的戰後人口不到 1000 萬，屬於人口中等的理想國家。相比之下，錫蘭的教育水平比較高，在哥倫坡和康提有兩所以英文教學的傑出大學，公務員以當地人為主。代議政體方面，它早在三〇年代就有市政會選舉。錫蘭在 1948 年獨立，成了漸進式的獨立的典型例子。

然而天啊，結果卻事與願違。我在歷年的訪問中，看著一個原本前途無量的國家逐漸走向沒落。一人一票制沒有解決基本的問題，占人口多數的大約 800 萬名僧伽羅人，隨時可以輕而易舉地以多數票擊敗 200 萬名賈夫納淡米爾人。官方語言從英語轉為僧伽羅語使淡米爾人吃虧。它原本是個沒有官方宗教的國家，僧伽羅人現在卻把佛教奉為國教。身為印度教徒，淡米爾人感到被剝奪得一無所有。

1966 年 10 月，我參加了一個在倫敦召開的總理會議，歸途中到哥倫坡訪問並會見了達德利‧森納那亞克總理。他是一位性情溫和，甚至可以說是個逆來順受，帶有點宿命論思想的年長者。我們在前皇家哥倫坡高爾夫球場打球時，他為平坦的球道被貧民的住房和牛羊侵占道歉。他說，有了民主和選舉，這種情況在所難免；他無法提出充足的理由以便在城市中央保留這些青蔥的空地。他安排我乘火車前往曾經景色怡人的山間避暑勝地努沃勒埃利耶。我上了很有啟發性的一課，洞悉獨立後發生了什麼事情。火車上（特別車廂）的食物足以把人毒死。那些螃蟹嚴重腐爛，發出陣陣惡臭，我立刻跑到廁所去把它吐個精光，這才撿回

一條命。在努沃勒埃利耶，我下榻坐落在山中的前英國總督官邸
「The Lodge」。總督官邸已圮廢失修，它以前一定保養得很
好，花園裏種滿玫瑰（還有一些殘留著），就像一片英式林地。
在海拔 5000 英尺高處的總督官邸非常涼爽。我在曾經非常漂亮
的高爾夫球場打球。跟哥倫坡的高爾夫球場一樣，這個球場也被
貧民的住房和牛羊侵占了。

用晚餐時，一位學識淵博卻愁容滿面的僧伽羅長者向我解釋
說，在推行民選制度的情況下，錫蘭國內所發生的一切是無可避
免的。僧伽羅人要成為老大，他們要從英國人手裏接過茶園和椰
園的管理權，要從淡米爾人手中奪過高級公務員的控制權。他們
不得不上演推崇僧伽羅語為官方語言的悲劇，並為此付出沉重的
代價。他們把一切從英語翻譯成僧伽羅語和淡米爾語，過程又慢
又累贅。大學裏用三種語言教學：僧伽羅語用來教多數學生，淡
米爾語教賈夫納淡米爾學生，英語教荷蘭人的後裔。我問過康提
大學的校長，三個接受三種不同語文源流教育的工程師要怎麼合
作建造一座橋樑。對方是荷蘭人的後裔，繫了一條劍橋的領帶，
好讓我看清楚他是一位真正的博士。他回答說：「先生，那是一
個政治問題，有待部長們來回答。」我問起書本的問題，他回答
說，基本的教科書從英語翻譯成僧伽羅語和淡米爾語，書本印好
的時候，總是遲了三、四個版次。

茶園的狀況看了令人心寒。被擢升挑起茶園管理大梁的當地
人無法跟從前的英籍經理媲美。少了嚴格的紀律，採茶工人採的
不只是幼嫩的茶葉，連泡不出好茶的老茶葉也照採不誤。他們的
椰園也不能幸免。那位僧伽羅老先生說，這是人民學習如何治理
國家所必須付出的代價。

過後多年，我不曾再訪問錫蘭，一直到 1978 年，在雪梨召
開的共和聯邦政府首腦區域會議上，我同他們新上任的總理朱尼

厄斯‧理查德‧杰耶華德納見面為止。前總理班達拉奈克夫人已
經於 1972 年，把國家的名字從錫蘭改為斯里蘭卡，建立了共和
國。這些變化沒有改善錫蘭的際遇。當地茶葉依然打著錫蘭茶的
招牌出售。

　　同班達拉奈克一樣，杰耶華德納是基督教徒出身，後來皈依
佛教，並擁護土生居民保護主義，以便跟人民認同。在 70 多年
的歲月中，他經歷過無數次政治生涯的起起落落，不如意的日子
比得意的時候多，漸漸地，對無法達到目標而被迫降低要求也就
等閒視之了。他要脫離導致國家破產的社會主義政策。他在雪梨
同我見過面之後，到新加坡來，說要讓我們參與斯里蘭卡的發
展。他對政治那種講求實際的辦事手法使我對他另眼相看。他說
服我於 1978 年 4 月到斯里蘭卡訪問。他說，他將給與賈夫納的
淡米爾人自治權。但是我卻不知道，他對僧伽羅人凌駕於淡米爾
人之上這個課題是決不可能讓步的。僧淡兩族的糾紛在 1983 年
引發內戰，摧毀了斯里蘭卡走向繁榮的希望，多年以後，甚至是
幾代以後它都將無法振作。

　　杰耶華德納有一些弱點。他想創立航空公司，因為他相信這
是進步的象徵。新加坡航空公司雇用了一名能幹的斯里蘭卡機
長，我能割愛嗎？當然可以，但是一名航空公司的機師如何去管
理一家航空公司呢？他要新航幫忙，我們照辦。我勸他，他的當
前急務不是開辦航空公司，因為這類企業需要很多有才能和卓越
的行政人員，才能使業務步上軌道。他需要這些人才來從事水
利、農業、建屋、工業促進與發展，以及其他許許多多的項目。
成立航空公司是一種驕人的工程，對斯里蘭卡的發展沒有多大意
義。但是他堅持己見。於是，我們協助他在六個月內把航空公司
辦起來，調派 80 名新航職員到新的航空公司幫忙三個月到兩
年，並利用我們的全球營業網絡協助他們，還幫他們設立海外辦

事處，訓練職員，創辦培訓中心等等。但是新公司沒有健全的高
層管理。當前面提到的那個機師——現已當上新公司的主席——
不聽我們的勸告，堅持購買兩架二手客機時，我們決定抽身而
退。運載能力擴大五倍，現金周轉不靈，缺乏訓練有素的職員，
服務不可靠，乘客不足——新公司注定要失敗。結果確實以失敗
收場。

　　斯里蘭卡以新加坡為仿效模式，是看得起我們。他們宣布將
採納新加坡式的限制區執照計畫以減少進入市區的交通流量，結
果行不通。他們以新加坡的建屋計畫為模式，在 1982 年開展住
房計畫，卻沒有充足的資金。他們建立了一個範圍比新加坡面積
稍小的自由貿易區，要不是「淡米爾之虎」，這個貿易區倒有希
望成氣候。「淡米爾之虎」的恐怖策略把投資者都嚇跑了。

杰耶華德納鑄大錯

　　杰耶華德納鑄成的最大錯誤莫過於在分配乾旱地區填土地段
的問題上。他利用外來援助恢復一個古老的水利計畫，靠水庫儲
存山間濕地引來的水。不幸的是，他把土地全給了僧伽羅人，有
史以來就在這片乾旱地區耕耘的淡米爾人，什麼也沒有分到。受
到這樣的剝削和排擠之後，淡米爾人組成淡米爾之虎發動攻勢。
杰耶華德納的私人秘書告訴我，那是主要的錯誤。這個秘書是賈
夫納淡米爾人，對杰耶華德納忠心耿耿。隨後爆發的戰爭導致五
萬人死亡，更多人受傷，還有許多領袖被暗殺。打了超過 15
年，戰事還看不到緩和的跡象。

　　杰耶華德納在 1988 年退休，這時他已經筋疲力盡，無計可
施。他的繼承者拉納辛哈・帕雷瑪達沙是個僧伽羅沙文主義分
子。帕雷瑪達沙要驅逐印度軍隊，這是不明智的做法。印度軍隊
是在替斯里蘭卡執行不討好的任務。印度軍隊走了，帕雷瑪達沙

的處境更糟。他嘗試同淡米爾之虎談判，但是失敗，因為他不願意做出足夠的妥協。

　　他當上總統以後，我在新加坡同他有數面之緣。我力圖說服他：這個糾紛不是靠武力就能解決的。唯有政治對策——一個賈夫納淡米爾人和世界各國認為公平的政治對策，才能奏效。這一來，淡米爾自治運動的溫和擁憲派系淡米爾統一解放陣線就沒有理由拒絕。我說，他的目標必須是通過選舉給淡米爾人以自治權，使恐怖分子喪失廣大群眾的支持。他卻深信自己有能力殲滅他們。1991 和 1992 年，他派遣斯里蘭卡軍隊同淡米爾之虎拼個你死我活，結果無功而返。1993 年，一個身懷炸彈的敢死分子在五一勞動節遊行大會找上他，把他和許多人一起炸死。他的接班人，也就是班達拉奈克夫人之女錢德里卡‧古瑪拉堂伽總統，嘗試採取談判和戰爭二者兼施的策略。她收復了賈夫納半島，但是沒有殲滅淡米爾之虎，戰事依然不斷。這個國家的古老名稱「serendip」是英文字「serendipity」（有意外發現奇珍異寶的本領之意）的詞源，現在卻成了糾紛、悲痛、哀傷和絕望的代名詞，真是可悲。

　　新加坡和巴基斯坦兩國在 1968 年建交，但是多年來在貿易或其他方面甚少往來。在國際事務上，我們沒有共同的立場可言。一直到八〇年代，阿富汗和柬埔寨糾紛——兩國都由蘇聯提供援助——才把新巴兩國拉在一起。

　　齊亞‧哈克總統在 1982 年到東南亞巡迴訪問時，訪問了新加坡。他告訴我，他訪問新加坡的唯一目的是同我見面。他推崇我為新加坡現代化的功臣，我以自己一貫的答覆告訴他，現代化的新加坡是整體合作的成果。我們談論了印巴關係。新印雙方當時因為對柬埔寨問題存有歧見而發生摩擦。我同意齊亞的看法，就是蘇聯的戰略和意圖造成了阿富汗和柬埔寨的戰爭。

　　他邀請我到巴基斯坦訪問。我在 1988 年 3 月成行，他隆重
地歡迎我，就跟馬可士總統在 1974 年迎接我的情形一樣。我們
乘搭的商用客機一飛越拉合爾附近的印巴邊界，六架 F-16 型戰
鬥機就一路護送我們到伊斯蘭堡。我檢閱了陣容強大的儀仗隊，
禮炮鳴放 19 響，數百名揮舞彩旗的兒童、身穿傳統服裝的舞蹈
員在機場迎接我。伊斯蘭堡的環境顯然比德里乾淨，打理得整齊
多了，不像德里那麼邋遢，市中心也沒有貧民窟和人潮洶湧的街
道，令人刮目相看。他們的賓館和酒店水平也比較高。

　　齊亞體格粗壯，一頭烏黑的直髮細心地往後梳理，鬍子濃
密，聲音響亮，流露出滿懷自信的軍人風範。他是個嚴守教規的
回教徒。他下令巴基斯坦軍方官員禁酒，一如其他民眾。作為他
的賓客，我們在賓館可以喝到當地釀造的啤酒。齊亞在晚宴上即
席發表演講誇獎我——不單就新加坡而言，而是特別針對我敢於
駁斥西方新聞界一事。他一直留意新加坡政府和西方媒體一來一
往的辯論，並為我們喝采。他曾經在他們筆下吃過苦頭，因此為
我們的並不忍氣吞聲而高興。他頒給我一枚巴基斯坦的「偉大領
袖勳章」。

　　在離開巴基斯坦之前舉行的記者會上，我讚揚齊亞總統勇於
冒險為阿富汗提供後勤支援。如果他是一個膽怯的領袖，當初寧
可採取視若無睹的態度，世界局勢會變得更糟糕。不幸的是，幾
個月後，新巴兩國關係還沒來得及進一步發展，他就在疑雲重重
的墜機事件中喪生了。

　　新巴關係再次陷於低潮，直到 1990 年 11 月，納瓦茲‧沙
里夫當上總理。沙里夫體格健壯，身高中等，但是以巴基斯坦人
的標準而言，算是矮小的。他不過是個 40 多快 50 歲的人，頭
頂卻已光禿。沙里夫和布多家族的兩位領袖不同，他不是封建地
主階級出身，而是來自拉合爾一個做生意的中產階級家庭。他在

巴基斯坦軍事領袖，包括齊亞統治期間，創立了鋼鐵、白糖和紡織公司。他在 1991 年兩度訪問新加坡：一次在 3 月，靜悄悄地到來探求新加坡經濟繁榮進步的原因；另一次在 12 月，這回是邀請我到巴基斯坦訪問，並在開發巴基斯坦經濟方面給他提意見。他說，巴基斯坦以新加坡為模式，展開了大刀闊斧的改革計畫。

令人心驚的數字

　　他給我的印象是急切盼望推行改革，使巴基斯坦的經濟更加傾向市場。我答應在第二年前往訪問。他應我的要求，派遣巴基斯坦財政部秘書長賽義德・庫雷希到新加坡為我先做一番介紹。庫雷希跟我見了三次面，每次長達三個小時。我們討論了他早些時候送來的資料。用不了多久，巴基斯坦所面對的非常嚴重又棘手的問題已經暴露無遺。他們的計稅基數低，所得稅只占國內生產總值的 2%。許多土地交易沒有檔案紀錄，逃稅事件屢見不鮮。農業、鐵路服務和鋼鐵廠獲得政府津貼。他們的國防開支占預算的 44%，債息占 35%，只剩 21% 用於國家行政。所以，他們的預算赤字在國內生產總值的 8% 到 10% 之間，通貨膨脹則快達到雙位數。這些令人心驚肉跳的數字，國際貨幣基金組織已經向他們指出解決辦法是顯而易見的。但是，當地選民沒受過教育，地主又控制著目不識丁的佃農的選票，從而掌握立法權，要在這樣的國家行使政治意志，談何容易。推行土地和稅務改革，幾乎是不可能的事。當地貪污十分猖獗，國家財產被大量偷取，包括盜用電力。

　　1992 年 2 月 28 日，我到巴基斯坦訪問，前後逗留了一個星期。我同沙里夫和他的主要內閣同僚，包括財政與經濟部長薩爾塔杰・阿芝斯舉行過兩次會談。阿芝斯是天生的樂觀派。回國

後，我給了沙里夫一份報告，隨附一封私函，簡要地告訴他應該
採取什麼行動。

　　沙里夫是個精力旺盛的行動派人物。他同情德士司機的處
境，便降低德士稅收，儘管這引起對其他車主有欠公平的問題。
他的商業背景使他相信，企業私營化是解決增長緩慢的途徑，他
急於推行國有企業私營化措施。但是在巴基斯坦，這些國有企業
不是通過公開招標出售的。交情，尤其是政治交情，決定了哪個
企業該落誰家。他總相信，無論什麼問題，一定有改善的辦法。
問題是，他往往沒有足夠的時間或耐心先進行全面的研究，然後
才決定採取哪一個解決方案。總的來說，我相信他比貝娜姬‧布
多更有能力治國。當時貝娜姬是主要的在野領袖，後來接替沙里
夫成為巴基斯坦總理。不管有沒有達官貴人關照，就經商而言，
沙里夫比貝娜姬或她的夫婿阿錫夫‧阿里‧扎達里都在行。

　　回國途中我在卡拉奇停留，前往會見貝娜姬。她對沙里夫和
總統吳拉姆‧阿末汗滿懷怨恨。她說她的政黨受到不公平的待
遇，政府提控她的同僚和夫婿，企圖藉此把她和她的政黨搞得名
譽掃地。腐敗的警察在一旁助紂為虐，軍隊、總統、總理三巨頭
則控制了整個國家。她也說，他們現有的放鬆經濟管制運動始於
她，私營化法案也是她當初通過的。

　　1992 年 12 月，沙里夫在從日本回國途中到新加坡訪問。他
要我繼續到巴基斯坦訪問，評估他們在落實我的建議之後所取得
的進展。他說，列入私營化計畫的國有企業已有 60% 落實計
畫，外來投資也增加了。庫雷希再次給我做了簡要的匯報，結果
發現我的建議有許多並未落實。這正是我一直擔心的。我還來不
及重訪伊斯蘭堡，阿末汗總統和沙里夫總理就因彼此對抗相持不
下，雙雙辭職。巴基斯坦再度舉行選舉，貝娜姬隨後當上總理。

　　1994 年 1 月，大選過後不久，我在瑞士的達沃斯見到貝娜

姬。她一副神采飛揚的樣子，滿腦子都是主意。她要新加坡參與一項工程，從巴基斯坦興建一條公路途經阿富汗，直達中亞地區。我向她要一份詳細的建議書來看。她也要求我們對那些陷入困境的巴基斯坦企業進行研究，看它們是否還有成功的希望，並加以接管。她的夫婿興致更高，他準備在卡拉奇岸外填土造島，以把它發展成自由港和設有賭場的自由貿易區。這根本不符合經濟效益。巴基斯坦有那麼多荒廢的土地，哪裏還需要填造一個新島嶼？他們的想法很簡單：新加坡是一個成功的國家，有大把鈔票，因此大可以在巴基斯坦投資，使它也成功。

　　1995 年 3 月，貝娜姬和她的夫婿到新加坡來訪問。她說她採納了我在達沃斯提出的意見，並向我保證，她建議推行的一切計畫都經過周詳的考慮。她邀請新加坡把勞工密集的工業轉移到巴基斯坦。我告訴她，她首先得說服我們的商家。當投資者每晚在電視上看到卡拉奇的回教徒以重型武器和炸彈殺害其他回教徒時，他們必定會問自己為什麼要牽涉在內。我沒有到巴基斯坦訪問。貝娜姬在 1996 年遭她自己委任的勒哈里總統革職。沙里夫在 1997 年 2 月舉行的另一屆選舉中獲勝，再次坐上總理的位子。

　　巴基斯坦根深蒂固的經濟和政治問題始終沒有解決。防務開支占用了太多預算。兩大政黨領袖之間的敵意濃得化不開，繼續毒害著當地的政壇。阿錫夫被控謀殺妻舅穆爾塔扎·布多，夫婦倆也被控貪污，案件涉及鉅額款項，一部分賄款經追查被發現存放在瑞士。

　　巴基斯坦的問題還不止於此。1998 年 5 月印度進行了數次核試炸，巴基斯坦兩個星期後也進行試炸。兩國經濟能力都捉襟見肘，巴基斯坦更加不如印度。1999 年 5 月巴基斯坦總理沙里夫到新加坡訪問時，向我保證已經在上個月同印度總統瓦杰帕伊

詳談過，雙方都不準備部署裝上核彈頭的導彈。他大膽表示，由
於雙方都有核武力量，兩國之間爆發全面戰爭的可能性已經不存
在。這是大家所衷心盼望的。

　　巴基斯坦人是能夠吃苦的民族，他們有足夠的人才和受過高
深教育的人來建立現代化的國家。但是跟印度冤冤相報的結果耗
盡了巴基斯坦自己的資源，致使它的潛能得不到充分的發揮。

英國想加入歐共體，是為了擺
脫經濟增長緩慢而一再帶來的
問題。因為相比之下，歐共體
成員如德國、法國、比荷盧經
濟聯盟國，甚至是義大利，增
長步伐都比英國快，顯然較大
規模的市場刺激了它們的增
長。我希望同這個新歐洲建立
關係，以防英國日後成功加入
時，新加坡被拒於門外。

26 在歐盟留下足跡

英國人在五〇、六〇年代對歐洲所採取的態度，在很大程度
上影響了我對歐洲人的看法：歐洲的民情似乎有所不同，
又有點古怪，不如一個國家那麼團結，又不像英國那麼重視憲
制。法國人動輒搞暴動、鬧革命或推翻憲制；德國人習慣用武力
解決糾紛。然而當 1962 年哈羅德‧麥米蘭以英國首相的身分，
嘗試讓英國加入歐洲經濟共同體（歐共體，現為歐洲聯盟）而被
拒絕時，我就認為這類申請遲早會成功，有可能在再次或三度嘗
試之後。英國在 1968 年宣布撤離蘇伊士運河以東，哈羅德‧威
爾遜首相向夏爾‧戴高樂總統表明有意加入歐共體。這次嘗試又
失敗了，但卻顯出歐洲對英國已變得多麼重要。

　　英國想加入歐共體，是為了擺脫經濟增長緩慢而一再帶來的
問題。因為相比之下，歐共體成員如德國、法國、比荷盧經濟聯
盟國，甚至是義大利，增長步伐都比英國快，顯然較大規模的市
場刺激了它們的增長。我希望同這個新歐洲建立關係，以防英國
日後成功加入時，新加坡被拒於門外。

　　同大部分官僚組織一樣，高層發表的原則聲明不保證一切就
會順利。我在七〇年代因為新加坡出口貨物遇上問題而見識了
「歐洲堡壘」的保護主義政策。1977 年 10 月，我到布魯塞爾會
見歐共體委員會主席羅伊‧詹金斯。從六〇年代詹金斯擔任英國
財政部長時期開始，我就一直跟他保持聯絡。早些時候我寫信告
訴他，委員會把普惠制條例（即普遍特惠制，讓發展中國家享有
受限制的免稅入口優待）加諸新加坡，給新加坡出口電子計算
機、雨傘、投影機和三合板帶來困難，近期連出口新鮮的胡姬花
也遭荷蘭和義大利的花農反對。我補充說，紡織品和雨傘有問題
早在我意料之中，但是電子計算機和新鮮的胡姬花卻不然。詹金
斯同情我們的處境，答應調查這件事，但是就雨傘而言，他無能
為力——好像是紀斯卡‧德斯坦總統的選區也生產雨傘。

　　我和其他委員討論如何停止製造那些歐共體國家因為失業率
居高不下而視為敏感物件的產品，結果發現，要列出這樣的單子
簡直沒完沒了，看了令人沮喪。任何一個有能力影響布魯塞爾的
成員國，儘管所受打擊程度很小，卻都會動輒要求布魯塞爾給與
保護，而且有求必應。然而歐共體還不肯承認它是所有貿易集團
中保護主義最強的一個。我以飛利浦和西門子兩家最出名的歐洲
跨國公司的經驗為例，它們要把在新加坡生產的電子產品出口到
歐洲，結果比出口到美國或亞洲國家還困難。

　　我提出兩件事情：第一、不該在時機時尚未成熟時就讓新加
坡「畢業」，以致我們無法繼續享受普惠制的優惠；第二、有選
擇性的防護措施阻止入口，不見得能夠有效地解決歐共體的問
題。我嘗試說服詹金斯：作為歐共體委員會的主席，他應該通過
簽署經濟合作協議，使前途無量的歐共體—東盟關係正式建立起
來。如果他能到東盟國家訪問，將顯示出委員會對這個目標的認
可。他反而派來了負責工業關係的委員達維尼翁子爵，因為他不
喜歡到東方來，認為這裏沒什麼前景可言。在德國外交部長漢斯
—迪特里希·根舍的協助下，東盟終於在 1980 年同歐共體簽下
一紙協議，雙方成立了一個聯合合作委員會來促進和檢討各種合
作性活動。然而同這個多成員國組織打交道，東盟國家面對的保
護主義問題，還是無時無刻不存在的。歐共體的農產品津貼和關
稅不利於棕油出口；它給橡膠產品定下的衛生和安全條規，以及
以保護生態為名定下的條例，還有其他形式的勞工和環保標準，
簡直把東盟的出口牢牢釘死。至於新加坡，歐共體在 1986 年檢
討普惠制優惠措施時，給新加坡出口的滾珠軸承規定了限額。

　　歐洲跨國公司不比美國或日本跨國公司靈活有幹勁，因此錯
失進行環球綜合性生產的機會，即在不同國家製造產品的不同部
件。八〇年代的情況如此，到了九〇年代大致上還是如此。

　　法國是驅動歐共體的靈魂。為了同它建立關係，我安排在
1969 年 5 月會見慕名已久的偉大領袖戴高樂總統。剛要啟程，
卻發生法國學生走上街頭示威的事件，他們要求憲制改革和增加
大學學額，事實上是對戴高樂掌權的合法性提出挑戰。訪問被迫
改期。戴高樂提出全民表決的動議，結果落敗而退出政壇。我始
終沒有機會見到這位不苟言笑，做事從不妥協的高大漢子。是他
讓法國人重獲自尊和國家的尊嚴。他的自傳使我留下深刻的印象
——雖然我讀的是英文譯本。

龐比都友善樂天

　　見不著戴高樂卻讓我見到了他的繼承人喬治‧龐比都。那是
1970 年 9 月的事。龐比都為人友善樂天，樂於同來自遠方一個
叫做新加坡的陌生地方的訪客交流。他強調，法國不單只是在時
裝、香水和葡萄佳釀方面領潮流之先，在七〇年代，他要世人一
提起法國，就想到優質的法國化學產品、高科技機械、工程項目
和飛機。他愛好哲學，花了 20 分鐘跟我談論亞洲人對黃金的看
法。黃金如果失去支撐幣值的功能，跟其他商品無異，人們還會
把它當作貴重的寶貝嗎？我非常肯定地回答說會。幾千年來，華
人經歷了歷史上無數乾旱、洪災、戰爭和其他災難所帶來的蹂躪
和饑荒，他們了解黃金的價值——堅不可摧、亙古不變，又有償
還債務的代用價值。日本占領新加坡三年半，再次提醒人們重視
黃金的價值，人們記憶猶新。我告訴他，即使出現超通貨膨脹，
一兩（比一安士稍多）黃金照樣能養活一家人一個月，還能同時
購買藥物和其他必需品。我講述的這些情景似乎肯定了他個人的
看法。我說，這是人類最原始的本能。他的通譯員——一個逃亡
到法國的俄羅斯人安德羅尼科夫把這話譯成「primitif」（原
始）。我提出抗議：「不是，是 primeval，回到最原始的時

期。」通譯員冷冷地看著我説：「沒錯，在法文裏 primeval 就是
primitif。」我覺得自己活該受責。

紀斯卡在 1974 年 5 月當選總統，繼承龐比都的位子。我當
時在巴黎進行私人訪問，他卻在當選後幾天就接待我。我們在愛
麗榭宮暢談了一個多小時。紀斯卡總統和龐比都不同，龐比都通
曉英語但是堅持用法語同我交談，紀斯卡卻決定説英語。紀斯卡
很高，有一張貴族般的長形臉龐，光禿的腦袋高高凸起。他的英
語帶有濃濃的法國口音，用詞可説是字斟句酌。

他看待問題的方式很法國化——理智、有邏輯、有系統：為什
麼唯獨新加坡發展起來，其他國家缺了什麼？我只能告訴他我認為
造成這種局面的三大原因。第一、穩定和凝聚力強的社會；第二、
強調成就的文化推動力和勤儉刻苦的人民，懷著未雨綢繆和造福下
一代的心理，人民積蓄多，無時無刻不在為將來進行投資；第三、
對教育和知識的高度崇尚。他不認為那是完整的答案。

紀斯卡的總理雅克·希拉克感興趣的，是截然不同的另一套
東西。他沒有從哲學的角度跟我討論亞洲的時局，卻想知道法新
兩國之間還能做些什麼。我嘗試使他不只對新加坡，也對本地區
產生興趣，以新加坡作為通往本區域的基地。等到我説服法國政
府和他們的企業家同意東南亞是一個有潛力的投資地區時，已經
又過了十年，法國已經換了另一個總統和好幾個總理。

巴雷很有同情心

1976 年 8 月，雷蒙·巴雷接過希拉克總理的棒子。巴雷身
材中等，體型圓胖，當過經濟學教授，是一個很有同情心的聆聽
者。他贊成法國公司在海外從事聯營項目和投資。他支持我提出
的建議：把新加坡發展成科技服務中心。他還説法國可以在區域
銷售和服務方面同新加坡合作。他建議法新兩國就貿易、投資、

技術援助和文化交流幾方面，簽署為時五年有具體目標的雙邊合
作協議。他處理問題的手法實際又有系統，重視成果。可是實施
這個雄心勃勃的計畫，法國的工業家們還沒做好準備。我跟法國
全國雇主聯合會的一些工業家談過話。經過一個多小時的討論
後，他們的發言人告訴報界，投資者知道新加坡有投資良機，但
是許多商家似乎不願意向這個市場進軍，因為「它太遙遠，又是
一個講英語的地方」。發言人還說法國不可能無所不在，因為它
正集中精力進軍非洲。法國的注意力當時確實全投在講法語的非
洲地區。即使在亞洲，越南對他們也比較有吸引力。他們以為越
南仍舊以法語溝通，依然傾向法國。一直到八○年代中期，社會
主義派的弗朗索瓦·密特朗總統和戴高樂主義派的希拉克總理雙
雙認為非洲的發展時機不比亞洲成熟，我的努力才有了收穫。

　　1981 年 7 月，我前往倫敦參加查爾斯太子的婚禮，途中在
巴黎停留，希望能夠同剛當選總統的密特朗見面。然而法國外交
部執意不肯，他們不贊成過境訪問，結果說是總統抽不出時間，
不過既然他也會參加婚禮，就會在倫敦的法國大使住所跟我見
面。為免回絕得太不客氣，總理皮埃爾·莫魯瓦招待我共進午
餐。

　　離開巴黎的時候，法國先遣警衛在繁忙的交通中，把我從下
榻的酒店迅速護送到戴高樂機場。那是一個美麗的夏日。綠樹成
陰的高速公路和爬滿匍匐植物的路堤，構成一幅美得教人驚嘆的
圖畫。戴高樂機場的設計精緻又富有現代氣息。接著，我來到希
思羅機場，眼前是一片雜亂無章的景象。離開飛機到貴賓休息
廳，車子經過一條條錯綜的車道。過後，我們駛上邋遢的大街前
往奈茨布里奇酒店，沿途所見交通島和路肩的草地未經修剪，雜
草叢生。巴黎和倫敦的對比可說是相去天淵。

　　我的思緒回到 1948 年 6 月同芝首次到巴黎。當時的巴黎是

個邋遢破舊的後占領時期城市，跟同樣受炮彈摧殘，但還算乾淨整潔的倫敦比較起來，像個窮親戚。當時的倫敦人充滿自信，為他們曾經勇於挑戰納粹分子，拯救人類免受暴權踐踏而感到自豪。我也記得 1958 年 5 月的巴黎騷亂，就發生在戴高樂東山再起，重掌總統大權組織第五共和國之前。通過他的文化部長馬爾魯，戴高樂把巴黎街頭巷尾清理乾淨，刮除建築物上的負漬，建立一個燈火通明的城市。他們重建法國人的尊嚴，注入了新希望。倫敦則繼續混沌度日，英國經濟步履蹣跚，每每剛克服一個危機站起來，立即又陷入另一個危機。我相信革命改革具有一些緩慢漸進的英國憲制演化所缺乏的好處。英國人開會開了無數次，討論在倫敦周圍，包括在斯坦斯特德和蓋特威克興建新機場，但是都沒有下文，因為地方上的利益團體不顧國家的發展，堅持保住自家範圍內的設施，阻礙了策畫機關執行任務。即使在柴契爾夫人下台後，希思羅機場仍然像尊古老的紀念碑保留下來，訴說著這座城市是那麼的缺乏膽識和衝勁。

在我見過的法國領袖當中，估量政治趨勢和性質不同的各個社會，最有洞察力的要算是密特朗總統。他談論了蘇聯部隊侵略性干預阿富汗所構成的威脅，承認蘇聯在越南和中東，尤其在敘利亞，有過成功的經驗，但是在其他地區的影響力已經下降。他們送出的軍火很多，朋友卻沒有幾個。密特朗深信西方國家只要團結，就有能耐恢復均勢。

在密特朗出任總統頭兩年，莫魯瓦擔任總理期間，密特朗沿襲一貫的社會主義政策——調低利率、提高貸款額以解決失業問題，同時把好些主要工業和銀行收歸國有。法國經濟因此陷入困境。雖然年屆古稀，但是密特朗在思想意識上並不是故步自封的人。他把總理換了，推行比較常規的經濟政策來控制貨幣供應量和通貨膨脹，使法國經濟重新步上雖不驚人但總算平穩的增長道

路。在 14 年的總統生涯中，他的成就之一是教育法國社會黨掌
握治國之道。

密特朗縱論天下事

1986 年 9 月，他乘坐的協和專機在樟宜機場添油時，我們
花了一個多小時進行另一次較有實質內容的討論。在禮節上我不
需要同他見面，但我覺得他是一個態度認真的人。密特朗縱論天
下事。他憑著莫大的洞悉力指出，以蘇聯帝國的處境，只要發生
一起意外，就足以導致中歐從蘇聯分裂出來，蘇聯的控制權是以
有利於它的勢力均衡局面為基礎的。然而歷史顯示，這個平衡點
一定會移動，蘇聯的意識形態勢力已開始轉弱。第三代共產黨人
相信他們能從西方國家的經驗中受惠，造成蘇聯的制度出現弱
點。

密特朗完全同意我的看法，即歐洲若能同聲同氣，它對國際
事務的影響力必會大得多。他的宏願是建立一個擁有頂尖科技實
力的 3 億 2000 萬人口的歐洲。他相信英語和法語可以平分秋色
地成為歐洲的共同語言，不過統一過程要慢慢來。如果關係到存
亡，歐洲肯定會全面團結。但是另一方面，歐洲永遠都會抗拒美
國文化和文明鋪天蓋地的入侵。為了保留獨有的歐洲特色，它會
反抗到底。挾著快餐、流行音樂和電影而來的美國化浪潮，正在
侵襲歐洲的基本生活方式。

他問起柬埔寨的局勢，說那裏好像陷入了僵局。我不同意他
的看法，因為當時已有理由感到樂觀。共產勢力在西貢落入北越
軍手中時達到巔峰，之後在本區域已受到遏制。從那時候起，共
產制度的空洞、越南侵占柬埔寨的行為，以及它本身的極度貧
困，已經摧毀了共產主義一向描繪的理想。就如我向他透露的，
有親戚從美國或法國寄來食物包裹，就足以教當地人開心不已。

26　在歐盟留下足跡

我於 1990 年訪問法國，在愛麗榭宮會見密特朗總統。

密特朗對越南的生活水平低得這麼嚇人，感到很驚訝。我說，越南人跟中國打仗犯了戰略大忌。由於越南占著柬埔寨不放，它就得放棄經濟增長，眼巴巴看著東盟國家個個往前衝。越南已經比東盟落後一代人，等他們找到辦法放下柬埔寨這個包袱的時候，就會落後兩代人了。

　　我在 1990 年 5 月進行官式訪問時，再次見到密特朗。他走出愛麗榭宮到台階上來迎接我。新加坡駐法國大使也留意到他所給與的禮遇。密特朗再度對「勇敢、想像力豐富和足智多謀」的越南人無法成功，表示意外。我補充說，越南人知道自己有本事，也看得到泰國人不如他們勤勞和具有組織能力，泰國卻比他們成功。我說毛病就在於他們的體制，而要糾正制度上的毛病，

上層就得更換新一代領導人。越南會像東歐一樣出現基層運動來
推翻現有體制嗎？我不以為然。因為越南只有源遠流長的帝王和
強人統治的傳統。密特朗又回到蘇聯帝國瓦解的課題，並以超乎
一般的預知能力預測「各種各樣久經壓抑的民族主義勢力」將重
新抬頭。

　　有一位法國總理相當能幹，那就是率領戴高樂派政府和社會
主義派總統密特朗並肩治國的愛德華・巴勒迪爾。之前，在不同
場合我們有數面之緣。他的外交顧問曾經擔任駐新加坡大使，跟
我是朋友。我知道巴勒迪爾相當有本事，因此對於他竟然會有一
些古怪的貿易理論感到驚訝。他在辦公室當著紀錄員的面，詳述
他的理論——什麼自由貿易開放政策只在兩個社會和經濟結構類
似的國家之間行得通，否則在條件相異的情況下，可能產生被人
操縱和不公平的競爭。他舉例說，再過 10 到 15 年，來自中
國、台灣和韓國的競爭，將導致法國紡織業的沒落。我不贊成他
的說法，反駁說任何一國若要保護國內的工業，非得付出沉重的
代價不可。公司紛紛遵循環球化發展路線，是科技突飛猛進，尤
其是在環球通訊方面促成的局面，這是不可逆轉的趨勢。公司從
一個國家找來材料，從另一個國家雇用勞工，在第三個國家設
廠，在第四個國家銷售產品。

　　雖然他大致上同意我的觀點，卻不得不採取保護主義的立
場，惟恐公司一把工廠從法國轉移到其他國家，人民就要面對失
業。他贊同經濟競爭應該誠實公平，並不忘指出日本汽車製造商
沒有遵守公平競爭的原則，因為他們具備某些優勢。這樣的解釋
出自一個才智出眾的人口中，我覺得不可思議。

　　希拉克也向我闡述了類似的論點。1993 年底，他在新加坡
跟我會面，當時他是巴黎市長。他在東京看過我於同年 10 月在
朝日論壇上發表演講的內容，認為我所提出的歐洲保護主義論點

荒謬無稽。他說歐洲是世界上關稅最低、最開放的市場。他辯駁說，真正的保護主義國家是日本和美國，因為歐共體委員會不肯放棄歐洲共同農業政策而怪罪法國，或怪罪該委員會阻撓烏拉圭回合談判是不公平的。我回答說，如果沒有自由貿易，世界各國就要做好再開戰一次的準備。中國人古時候建立帝國，是因為需要在大片疆土和多個民族之間維持秩序，以便人們能在帝國範圍內自由交換貨品和服務。當全球被分割成不同的帝國，就如第二次世界大戰以前的情形時，爭奪更多原料、更多市場、更多財富的結果就是戰爭。

我們接著討論法國的農業和烏拉圭回合談判。我收聽了英國廣播公司有關法國農民處境的節目，知道法國鄉下遭受打擊。可這是科技革命不可避免的結果之一，不可能為了保留法國農民的生活原貌而世世代代保護他們。希拉克反駁說，法國有必要保護本國的農業，但是他要讓我知道，他贊成我對自由貿易的看法，而為了法國本身的長遠利益著想，自由貿易是唯一可行的途徑。因此他說，法國是最沒有保護主義色彩的國家。

我引述前關稅及貿易總協定總幹事阿蒂爾‧丹凱爾這位專家的話，說明法國存在著保護主義。當時的總幹事彼得‧薩瑟蘭也這麼說。希拉克打斷我的話說，他對薩瑟蘭沒有信心。我說歐共體主席雅克‧德洛爾對薩瑟蘭有信心，希拉克馬上回答說他對德洛爾也沒有信心。

誰也說服不了誰

希拉克說，我們倆誰也說服不了誰，還是存異為好。到了最後關頭，他確實使巴勒迪爾政府在立場上做了一些讓步，烏拉圭回合談判也終於有個了結。自從 1974 年初次見面後，我和希拉克就成為朋友，能夠開誠布公地無所不談，不必擔心會冒犯

對方。

　　我發現希拉克和德國總
理赫爾穆特・柯爾對中國和
東亞有非常濃厚的興趣。我
和吳作棟總理討論了這件
事，並建議他提出倡議，讓
歐盟和東亞雙方的領袖定期
舉行會談。美國通過亞太經
濟合作論壇同東亞國家進行
定期會談，也通過許多組織
同歐盟定期開會，歐盟和東
亞之間卻沒有正式的會談管

1999 年 5 月我在愛麗樹宮會見法國總統
希拉克。

道可以促進貿易、投資和文化交流。吳作棟向法國總理巴勒迪爾
提起這件事，接著第一屆亞洲—歐盟領袖峰會就於 1996 年 2 月
在曼谷召開了。許多歐洲領袖在赴會途中或會後到其他亞洲國家
訪問，結果發現東亞國家的工業變化超乎他們的想像，於是決定
每兩年召開一次歐盟和東亞領袖之間的會議。

　　我第一次遇上德國人是在 1956 年 4 月，地點在法蘭克福機
場。之前，英國海外航空公司阿爾戈型飛機在羅馬過境，我在那
裏聽到揚聲器傳來播音小姐甜美但懶洋洋的聲音，看到義大利搬
運工人慢條斯理地推著行李。幾個小時之後，一抵達法蘭克福，
我馬上感覺到空氣清新涼爽許多，似乎為了配合周圍的一切，揚
聲器傳出「注意！注意！」的急促呼籲，然後播音員急切地發出
指示，教人不得不聽。與此同時，德國搬運工人快手快腳地幹著
自己的活兒。這種情景使我回想起第二次世界大戰時期，前線傳
來的急報如何形容德國軍和義大利軍的差別。我在日軍占領新加
坡時期整理電報時，看過盟軍通訊社所做的有關報導。

26　在歐盟留下足跡

1970 年 9 月，我到波恩會見當時的德國總理威利·布蘭特。我們早於 1964 年，社會主義國際成立 100 周年紀念會議在布魯塞爾召開會議時見過面。我在會上發表演講過後，他上來找我，就新加坡發生種族暴亂表示同情。暴亂是由中央政府的支持者策畫的，他們存心要恫嚇華人。他邀請我去找他。我把新加坡比喻成一個沒有德意志聯邦共和國扶持的西柏林。身為西柏林前市長，他能夠體會我的處境。在所有歐洲領袖當中，他最同情新加坡的窘境。我設法說服他不要把東南亞撇在一邊，因為我有信心我們將能解決共產分子叛亂威脅著本區域多個國家的問題。布蘭特具有個人魅力——體型高大，一張俊俏友善的臉，還有一把好嗓音。他對事物的反應往往感性多於理性，也許是因為他讓自己的情緒支配自己的理智。他是個老派社會主義者，總是支持人人機會平等，同工同酬。

舒密特講求實際

在 1974 年從布蘭特手中接過總理棒子的赫爾穆特·舒密特頭腦清醒，講求實際，對一切重要課題有明確的見解。他鄙視那些對東西方課題態度模稜兩可的發展中國家領袖，他們不敢批評蘇聯。由於曾經擔任國防部長，而後財政部長，坐在總理位子上的他對經濟、國防和戰略課題有透徹的了解。

他和夫人洛基在 1978 年 10 月到新加坡來訪問。他們逗留了三天。這期間我們互相估量，結果發現大家有許多共同點。我們為一家德國電視台錄製訪談節目時，訪問我們的人很驚奇我們對那麼多課題的想法和看法如出一轍。

我向舒密特建議成立一所德國—新加坡學院，專門開辦先進的製造業和資訊科技課程來協助德國公司在本區域起步。他贊成這個建議，結果這所學院讓德國投資家受益不淺，他們能夠徵聘

1978 年舒密特總理訪問新加坡，我和芝到機場迎接他。

到訓練有素，水平足以比美德國標準的技師。後來，新加坡也在
這所學院為來自其他第三世界國家的工人開辦訓練課程。

　　我在第二年的秋季訪問了波恩和柏林。過後我寫了一張便條
給內閣：

　　「柏林看來比我上回在 1970 年訪問的時候繁榮。但是，它
缺乏波恩那種輕鬆自由的氣息。共產黨使西柏林人心理蒙上一層
陰影。他們扼殺了生命的朝氣——不足以導致民眾起來抗議或成
為報章標題，但足以形成一股揮之不去，令人不得安寧的壓力，
同時提醒德國人，他們在西柏林那邊還挾持著人質。經過蘇聯戰
爭紀念碑，看到他們的警衛員如雕像般地站在那裏，這一幕提醒
了我，是他們提供的武器給中南半島帶來那麼多的苦難，也威脅

著泰國。沒有這些源源不斷的武器供應，越南軍隊不會出現在柬埔寨境內，也就不會有柬埔寨難民逃亡到泰國……我們聊以自慰的是，他們的制度效率差到極點，根本沒有辦法為百姓提供貨品和服務。森嚴的管制導致人們精神更加頹喪，一切變得更貧乏——作戰的能力除外。時間一久，這種劣勢就會越來越明顯，連他們自己的人民都會發現這一點。如果西方國家不給蘇聯利用軍事優勢滋事的任何機會，到了九〇年代，他們的制度將承受極其沉重的壓力。」

　　事實證明確實如此。

　　我和舒密特下一次見面在波恩，時間是 1980 年 1 月，蘇聯入侵阿富汗之後。我和一群領袖，包括亨利・季辛吉、特德・禧斯和喬治・舒茲等人，在不設限的情況下討論這件事，大家一致同意必須不惜一切代價阻止蘇聯的侵略行動，並支援阿富汗人民。

　　舒密特在 1982 年卸任，因為他的政黨社會民主黨不支持他所要推行的金融政策，而他認為這些政策是恢復金融秩序的必要措施。之後，他依然保持活躍，在《時代》週刊撰稿，為國際行動理事會主持會議。這個理事會由一群前世界領袖組成，一年開會一次，大家無黨派之分，以冷眼旁觀的態度討論長遠的世界問題。我在 1990 年卸任後也加入了他的這個組織。

　　舒密特的接班人柯爾體型魁梧，那個時候大概是全世界最高大的領袖。1990 年 5 月，我到波恩訪問時，聽他暢談當時已快落實的德國統一大業。他說，德國重歸統一勢在必行，要使歐洲團結更須如此。他對應付統一所需的費用和問題有信心，根本不認為會出現「歐洲堡壘」的現象。德國不會容忍保護主義，而且他有信心使德國工業有能力同日本競爭。

　　我告訴他我所關注的問題：德國統一將耗費大量資源、精力和人力，到頭來，剩餘可供在亞太地區投資的，恐怕少得可憐。

他向我保證不會對東亞失去
興趣。他很清楚重歸統一的
德國——大約 2000 萬個東
德人和 6000 萬個西德人的
大合併——將引起周圍國家
的擔憂。他說，大家都希望
統一的德國繼續留在北大西
洋公約組織——雖然每一個
人的動機不一定都是「友
善」的，但是這樣的結局有
正面意義：「歐洲統一和德
國統一是同一枚獎章的兩
面。」

1990 年 5 月訪問德國，我在歡迎儀式上
同柯爾總理合影。

　　他對中國也有同樣強烈
的見解。他說德意志聯邦共和國有一些「笨蛋」因為天安門事件
而主張孤立中國，這種處理方法是錯誤的。他贊同新加坡同中國
保持往來的政策。中國想在歐洲分一杯羹，尤其是德國，那裏有
全歐洲最多的中國學生，而這些學生將是中國走上現代化道路的
未來引導人。

　　德國不同於法國的是，他們的工業和銀行在七〇年代初期就
活躍於新加坡和本區域，遠比柯爾總理個人對這一帶產生興趣來
得早。繼荷蘭之後，德國是新加坡最大的歐洲單一投資國，也是
我們最大的歐洲貿易夥伴。柯爾在 1993 年 2 月德國統一兩年半
之後，到新加坡訪問。他承認統一東西德的費用比他想像中來得
高。儘管如此，還是有 40 多個頂尖德國工業家陪同他前來。我
敦促他千萬不要把東亞市場拱手讓給美國和日本。柯爾說，德國
基本上是向外看的，他希望同本地區建立更多經濟和文化聯繫。

他邀請我訪問德國，以便保持聯繫，並希望德新兩國的企業家一起到中國、越南和其他東亞市場投資。我在 1994 年 5 月報聘，讓他了解最新的事態發展。他也提到俄羅斯，說歐盟對待莫斯科各個領袖沒有給與他們應得的尊敬。俄羅斯人是自尊心很強的民族，這樣的待遇使他們覺得受到輕視和冷落。他深信如果不採取正確的處理方式，俄羅斯民族主義者和軍國主義分子，遲早要重掌大權，然後「整個循環又會重新開始」。

1995 年 11 月，柯爾再次訪問新加坡，並重提對俄羅斯的關注。他的歐洲夥伴不了解俄羅斯對歐洲和平舉足輕重。他們必須協助俄羅斯變得更加民主和強盛，而不是開倒車，再次奉行獨裁和擴張政策的路線。歐洲需要俄羅斯來跟中國抗衡。因為這個緣故，德國成了俄羅斯最大的捐助國，在 1989 年給與的援助高達 520 億美元，超過國際援助總額的一半。柯爾對美國不抱任何希望，因為他們越來越傾向於自掃門前雪。共和黨「若非更不像樣，也一樣糟糕」，沒有一個共和黨候選人像過去冷戰時期那樣，在總統選舉年到歐洲訪問過。

他要聽聽我個人對中國、日本、越南、印尼、馬來西亞、印度、巴基斯坦、孟加拉和菲律賓等國局勢的看法，以核對他所接到的正式報告。我毫不掩飾地給與坦率的答覆。當我說某某國無藥可救時，他會說他不會到那裏去投資，以示贊同我的看法。他為人冷靜求實，而我們的見解往往不謀而合。

1996 年 6 月，柯爾帶我和芝乘坐直升機飛越萊茵河，到擁有一座雄偉的 11 世紀教堂的施派爾一遊。施派爾位於柯爾家鄉所在的萊茵蘭—帕拉蒂納特州，是歐洲的心臟地帶。他曾經帶密特朗、戈巴契夫、柴契爾夫人和其他領袖走過這段他寄予深情的旅程，前往葡萄酒鄉萊茵蘭。柯爾夫人在丈夫最喜歡的餐館戴德沙伊姆苑同我們一起用餐。我們在那裏嘗了幾道柯爾最喜歡的菜

肴。進餐的時候,柯爾講述了他跟一些東亞領袖見面的情形,有
些是他喜歡的領袖,也有令他不敢恭維的,我聽得津津有味。他
覺得蘇哈托沒有一點架子,而後兩人還成了密友。他還沒當上總
理以前曾經到蘇哈托的官邸拜訪。他在大廳裏一面等候一面觀賞
水族池裏的魚。這時一個身穿汗衫和紗籠的男子走出來,同他一
起賞魚,然後彼此聊了起來。陪同柯爾拜訪的德國大使沒有理會
這個男子。過了一些時候,柯爾才恍然大悟,他就是總統。蘇哈
托邀請他們留下來吃午餐,一留就是四個小時。另一次,蘇哈托
帶他去自己的農場看牛,柯爾事後派人送去一頭德國種公牛。下
一次見到蘇哈托時,對方握住他的手說,公牛的表現一流。

　　柯爾在我們一行六人一起遊覽施派爾的過程中,顯示了他是
一個重內容不重形式的人。我們乘坐的不是馬賽地豪華轎車,而
是福士偉根小型載客車。我在新加坡接待他吃午餐,他竟乘坐旅
行巴士來。他告訴我,那樣才能更清楚更舒服地欣賞獅城的景
色。

柯爾有宏圖大志

　　舒密特和柯爾交情不好,德國媒體對於我同兩人都能融洽相
處覺得奇怪。他們向我問起這件事,我說,我的任務是同任何一
個領導德國的領袖來往,並且不偏袒任何一方。柯爾經常被人們
拿來跟他的前任舒密特比較,而且往往給舒密特比下去。舒密特
是個知識分子,經常提出新鮮的點子並在卸任後以尖銳清晰的筆
調在《時代》週刊闡述自己的論點。另一端,柯爾則被媒體形容
為索然無味。這使許多人低估他。他初掌權時,大家都料想不到
他會成為俾斯麥之後任期最長的德國總理。等到我對他有進一步
的認識時,才發現他在龐大的身軀和顯得笨拙的外形下,有著一
顆思維清晰的腦袋和敏銳的政治觸覺。他性格堅強,追求目標有

著果敢和貫徹到底的意志。他有宏圖大志，這使他能夠勇敢地面
對德國的過去，並決意不讓歷史重演。這就是為什麼他一心一意
追求歐洲貨幣聯盟的落實，並稱之為關係戰爭與和平的問題。他
相信歐元一旦落實，歐洲合而為一的過程將啟動，再也逆轉不
得。

　　柯爾在 1998 年 9 月的大選中敗下陣來。後人將記得他是個
偉大的德國人，是他促成德國重歸統一。他更是個偉大的歐洲
人，一心希望德國融入超國家的一體化歐洲，以避免上一世紀造
成生靈塗炭的歐洲戰爭再次爆發。他鞏固了法德關係。儘管有許
多人不看好歐元，甚至加以反對，在他的努力下，歐元卻在
1999 年 1 月 1 日成功推出。如果歐元取得成功，柯爾對歐洲一
體化的貢獻將是歷史性的。雖然他招認曾經經手其政黨的秘密捐
款而沒有按照規定進行申報，他對德國和歐盟的貢獻卻不能因此
而絲毫受到否定。

　　法國領袖令我欽佩的地方是，他們具備非凡的才智和精闢的
政治分析能力。他們比德國人更有本事在世界舞台上突出自己，
而且懂得在歐共體內取德國人的資源而用之。德國統一將對這樣
的安排形成一種挑戰。可是，柯爾總理心裏再清楚不過：如果外
界認為德國耀武揚威，可能會引起恐慌。

　　歐洲團結的一大障礙是各國之間沒有共同的語言。舒密特用
英語跟紀斯卡交談，他告訴我，他們倆能夠建立融洽的親密關
係。密特朗和希拉克則通過通譯員跟柯爾溝通。我總覺得，有個
通譯員夾在中間，要摸清楚交談對象的想法就不容易。舒密特、
紀斯卡和希拉克全用英語跟我交談，比起通過通譯員傳達意思的
密特朗和柯爾，我更能夠掌握前面三人的基本觀點。要等通譯員
告訴我密特朗和柯爾在說些什麼，想觀察他們的身勢語言就更
難。一個人用英語說話，即使文法不通或講得不地道，我也大概

能夠摸清對方是怎麼想的。在句子中間的一個停頓、一個猶豫，
有時候會使語義起最微妙的變化；通譯員必會剔除這些停頓，把
大概的意思告訴我而去掉這些揭示對方有所保留的小痕跡。在歐
洲人找到一種共同語言之前，論統一、論規模效益，歐洲都無法
同美國匹敵。每個歐盟國家以第二語文的程度教授英文，沒有一
個願意捨棄自己的語言，以英語或任何其他語言來取代。因此碰
到大工程，歐盟的工程師和經理，不比美國人容易互調人員。

　　法國人渴望使法語成為國際一大外交語，卻不得不向實用性
的問題低頭。到了八〇年代末期，說法語的人在國際會議上開始
用英語演講，以便在國際聽眾群中發揮更大的影響力。有了互聯
網，除非願意付出沉重的代價，否則英文的優勢由不得人們忽
視。在九〇年代，聽法國和德國公司的總裁用英語進行討論已是
平常的事。

李光耀回憶錄

27 看蘇聯怎麼垮台

同中國領導人談起戈巴契夫，
發現他們對戈巴契夫的看法完
全不同。他們認為他是個超級
強國的領袖，卻被敵人牽著鼻
子走。敵方媒體稱讚他時，他
原應提高警惕才是，相反地，
他卻在這時候接受規勸，通過
實行「開放」，導致國家最終
瓦解，正中敵人下懷……

1957 年 10 月，當蘇聯的人造地球衛星被送入太空的消息傳開時，我正在靠近英屬北婆羅洲森林的亞庇（現在的哥打京那峇魯）處理一場官司。蘇聯在科技上的優越性教人驚嘆。我開始認真看待共產制度發出的挑戰。蘇聯在亞洲各地來勢洶洶，同共產中國一起發動游擊隊造反。1961 年 4 月，當蘇聯第一次把人也送上太空時，他們在我腦海中的形象益發膨脹。他們總説歷史站在他們那一邊，這一創舉益發證實了這一點。

我對他們到底是怎樣一個民族深感好奇。1962 年 9 月到倫敦參加共和聯邦會議後，我趁機到莫斯科走一趟。他們循例安排我在莫斯科四處遊一圈，其中一晚還到大劇院觀看斯特拉文斯基第一次返回蘇聯，為彼得魯什卡芭蕾舞劇指揮交響樂團的演出。蘇聯官方把我同街道上、店鋪裏、酒店內的人們隔離開來，除了官方人員之外，我誰也沒遇上。

但是莫斯科和官方人員留給我的印象難以磨滅：陰鬱、灰沉。他們的老太太的確跟我在書上讀過的一模一樣——一個肥胖婦女，坐在國營酒店（蘇聯最好的酒店，斯特拉文斯基也住在這裏）我那層樓的電梯門口，無所事事。他們在鋪了深色絲絨桌布的桌子上，為我提供豐盛的早餐——魚子醬、燻鱘魚、幾片厚厚的火腿和肉、各色麵包、牛油、咖啡、茶、伏特加和上等白蘭地。那晚看完芭蕾舞表演後回到酒店客房，吃剩的食物全還沒清理。而就如有人事先警告過我一樣，浴缸和洗臉盆果然都沒有塞子。我特地為此自備了一個堅硬的橡皮球，洗臉盆卻用不了，還好浴缸用得上。那輛柴卡汽車（一種中型轎車）也糟透了。接待我的是文化部負責東南亞事務的官員，而我所見到的最高級官員是副外長庫茲涅佐夫。莫斯科給我的印象是，氛圍令人心悸，也許這只是我的想象。然而這是個強國，卻是不容置疑的事實。

所以我鼓勵長子顯龍學習俄文，理由是，既然他對數學感興

趣,學習俄文可以讓他直接閱讀許多蘇聯優秀數學家的著作。我
當時深信蘇聯今後將對孩子們的生活產生深遠的影響。顯龍用了
五年時間學習俄文,先是跟一位在南洋大學教書的原籍捷克的教
授學,接著先後跟塔斯社通訊員和在南大學中文的蘇聯青年學。
最後在一位英國外交官的教導下,他參加了劍橋普通水準俄文考
試,考獲特優成績。

　　新加坡在 1968 年同蘇聯全面建交,但是雙方甚少接觸。除
了蘇聯漁船在印度洋和太平洋所捕的魚,他們並沒有其他什麼是
值得新加坡購買的。蘇聯同新加坡的一家公司聯營,把捕到的魚
交由我們包裝成罐頭,他們還在我們的船塢修船,趁停留時添置
日用品和食物。反之,蘇聯對新加坡深感興趣,原因是新加坡具
有戰略地位。1969 年 1 月當我所乘搭的飛機被迫在莫斯科中途
停留時,他們清楚地表達了這一點。

　　當時,我和芝搭乘北歐航空公司的班機前往倫敦,途經曼
谷、塔什干、哥本哈根。機師在飛行途中宣布因為氣候惡劣,飛
機不能在塔什干降陸,降陸地點必須改在莫斯科。只是飛過塔什
干時,天氣看來還挺晴朗的。在莫斯科機場的停機坪上,蘇聯外
交部的官員同即將赴任的蘇聯駐新加坡大使薩夫羅諾夫,正在等
候。那是個天寒地凍的夜晚。因為之前未為此做準備,芝在結了
冰的停機坪上差點滑倒。我的秘書冷得直打哆嗦,在貴賓室裏喝
上等白蘭地取暖。他們這麼大費周章,無非是要我見見他們即將
派駐新加坡的首任大使。這卻也是個再簡單不過的方法,好讓我
知道他們的國土廣袤,威力無遠弗屆。

　　薩夫羅諾夫會說華語,曾經在中國工作,他的任務顯然是要
密切觀察中國在新加坡可能發揮的影響力。他履任後不久,就帶
來了柯西金總理的邀請信,邀請我到蘇聯訪問。

　　1970 年 9 月,我由開羅搭乘蘇聯航空公司的班機,飛抵莫斯

科時已經過了午夜，在泛光燈照耀下受到一列身型高大的蘇聯儀
仗隊的迎接。儀仗隊的動作像機器人一樣，當我受提示用俄語說
「你好」，向他們打招呼時，他們吶喊式地齊聲回答。檢閱禮過
後，是個近距離的分列式，整個分列式以威懾的方式耀武揚威。
這個安排是為了給人留下深刻的印象，而我也的確印象深刻。

到克里姆林宮，我同身材矮胖的最高蘇維埃主席團主席波戈
尼會談並共進午餐。他談到增進文化和經濟關係的問題。他性格
一般，沒什麼特徵，因此在我的腦海裏沒留下什麼印象。第二
天，他們安排我們飛到索契。為了會見柯西金總理，車子從賓館
出發，沿著黑海海濱行駛了超過兩英里的濱海小山路，把我載到
坐落於皮聰大角的一棟度假大別墅。看起來嚴肅卻不至於不友善
的總理，就在那裏接待我們。柯西金驕傲地帶領我們參觀他度假
別墅的設施，尤其是那個一按電鈕巨型滑門就會自動開關的室內
熱水泳池。我花了兩個多小時，在晚餐前同他談話。

柯西金對我們在怎樣的情況下脫離馬來西亞很感興趣。他問
我「新加坡究竟是否曾認真地盡過最大的努力，同聯邦同生共
息」。我向他保證，我們的確曾經盡了最大的努力，但是在種族
課題和政策上，彼此的政治信仰存在著根本的差異。柯西金問
我，他假定我們仍未放棄同馬來西亞組成聯邦的想法，這麼說對
不對？我指出，兩國無論在地緣上、在家庭淵源上，關係都如此
密切，但是 1969 年 5 月吉隆坡種族暴亂發生以後，我不再認為
重提加入聯邦還有什麼意義。吉隆坡的領導人一直對新加坡心存
猜忌。接著，柯西金問我，新加坡的共產主義分子（毛澤東主義
者）所得到的支持有多大。我說，1961 和 1962 年的高峰期大約
有 33%，現在則大約有 15%。

很明顯地，從他的身勢語言，從他頻頻問起北京對新加坡受
華文教育者的影響力看來，他並不認為新加坡獨立對蘇聯會有什

麼好處。他直截了當地指出，我們允許美國飛機和船隻使用新加坡的軍事維修設施，也讓駐越南的美國服役人員到新加坡來度假。我反駁說，維修設施是商業性的，誰都可以使用。他有意使用我們的船塢，對過去英國的海軍設施虎視眈眈，表示希望在政治和經濟領域擴大新蘇雙邊關係。他準備派遣各種船隻，包括蘇聯戰艦，到新加坡進行維修。他的外貿部副部長也將訪問新加坡，評估兩國貿易聯繫的發展潛能。

我總覺得柯西金是個頗有城府的人。他沒提起波戈尼主席在莫斯科向我提出的，有關蘇聯在亞洲建立集體安全體系的建議。由於我表現得並不熱中，柯西金只說，鑑於蘇聯既是歐洲國家，也是亞洲國家，它自然對東南亞發生的事情感興趣，儘管某些國家並不承認蘇聯作為亞洲人的權利。

蘇聯外交部的一位中國問題專家賈丕才全程陪著我，大多數時候，講話和進行試探的都是他。蘇聯對我殷勤招待，在從莫斯科到索契的飛機上，他們供應早餐後，又端上了魚子醬、燻鱘魚、伏特加和上等白蘭地。我說，我受英國人的影響，早上習慣只喝茶，他們就把食物和烈酒拿走。陪同我們的部長說自己也愛品茶，不斷列數喝茶的好處。

蘇聯人在伏爾加格勒（第二次世界大戰期間的史達林格勒）樹立了一座巨大的戰爭紀念碑，紀念的是為保衛這座城市而英勇獻身的人民。我曾經在日軍占領新加坡期間當過電訊編輯，所以讀過隨軍記者在 1943 和 44 年那次漫長戰役中所做的報導。紀念碑上壯觀的浮雕，反映了當年蘇聯軍隊和平民的許多英勇事跡。幾乎同樣具有紀念意義的是立於列寧格勒（今稱聖彼得堡）的紀念碑和陵墓。這是個勇敢、刻苦和堅忍的民族，默默承受著納粹德國國防軍的一切摧殘和折磨，伺機扭轉劣勢，最終反敗為勝，把敵軍一路趕回柏林的老家。

　　雖然他們友善殷勤，我和芝卻老覺得房裏像是裝了竊聽器似的。在莫斯科的第一個晚上，晚餐過後，芝在貴賓別墅的臥室裏説：「奇怪，他們這麼注意我，一定以為我很能影響你。對拉惹（我的外長）他們倒不怎麼留意。」第二天，東道主立刻把注意力由芝那裏轉移到拉惹身上。他們的行動如此明顯，讓我不得不懷疑，他們根本就是想讓我們知道，他們在竊聽我們的談話。往後幾天，我就連在廁所裏也老覺得思想受人監視。

　　1970 年以後，除了蘇聯副外長費柳林在 1974 至 1980 年間曾經四次到新加坡訪問之外，我們再也沒有高層的接觸。我責怪費柳林在連中國都倡議支持東盟的時候，蘇聯仍然拒絕肯定東盟。蘇聯懷疑東盟是個反蘇親美的組織。費柳林是個絕頂聰明而且好説話的人，但是他沒有決策的權力。我們在 1980 年 4 月最後一次見面，當時蘇聯因支持越南侵占柬埔寨並舉兵入侵阿富汗而臭名昭著，費柳林正在極力修復蘇聯的對外形象。他説，蘇聯希望同世界其他國家緩和關係，並指出越南領袖最近到東南亞國家的首都訪問，標誌著蘇越都有意尋求和平。越南願意對如何建立一個和平自由的繁榮圈進行談判，蘇聯也支持這個概念，並會竭盡所能維持和平、安全以及互相信任的關係。我很不客氣地反駁了他的説法。我認為越南的侵略行動驚動了所有東南亞國家，蘇聯真要和平的話，早該讓越南結束對柬埔寨的侵略行動。我強調，蘇聯在 1979 年 12 月入侵阿富汗，致使東南亞所有國家都對蘇聯的意圖感到萬分不安。

　　大約同一時候，我們發現新加坡駐蘇聯使館的密碼翻譯員被一名蘇聯女子引誘，向她洩漏了大使館的電報内容。不論是友是敵，這大概是他們在所有大使館内例行的勾當。他們到底要從我們同新加坡大使館之間的通訊紀錄中得到什麼消息，我非常困惑，因為對我們來説，多一事不如少一事，我們根本不想去招惹

他們。

　　越南侵占柬埔寨之後，蘇聯對新加坡的政治宣傳開始充滿敵意。他們談到有 2500 萬名華人居住海外，充當中國的代理人，在各個僑居國內組成危險的第五縱隊。我提醒費柳林，蘇聯在新加坡設有大使館，中國反而沒有。他也很清楚，我向來反對中國政府無視東南亞國家的政府而直接向本區域華人發出呼籲的做法。但是如今越南侵略並占領柬埔寨的行為，卻反而成功地減輕了泰國和其他國家對中國的恐懼心理。蘇聯非得做出重要決定，改變政策不可。它越能避免在東南亞製造麻煩，中國就越難有機會親近東南亞國家。

　　在蘇聯侵占阿富汗之後，我們加入了抵制 1980 年莫斯科奧運會的行動，凍結了雙方的文化交流計畫，把所有蘇聯經濟代表團的訪問日期延後。我們也不允許他們的軍艦和後勤艦艇利用我們民事船塢的維修設施，或者為船隻添加燃料。我們也不准飛往印尼的蘇聯飛機飛越新加坡領空，或者技術性過境停留。

　　雙方關係凍結了將近十年，直到戈巴契夫推行改革開放政策以後才解凍。蘇聯總理雷日科夫在 1990 年 2 月訪問新加坡時，他所代表的已是個迥然不同的政府和國家。他不再顯露那種超級強國領導人的自信和妄自尊大。他向副總理王鼎昌商借一筆 5000 萬元的貸款來購買新加坡的消費品，我不同意，要王鼎昌別答應他。蘇聯總理搞到這等地步，得開口向小小的新加坡商借 5000 萬元貸款，可見必定已經耗盡了所有大國提供的信用貸款。蘇聯所負的國債是毫無價值的。

　　我把雷日科夫帶到全國職工總會經營的平價合作社超級市場參觀。當晚在總統府設宴招待他時，對新加坡工友有能力購買他所見的從世界各地進口的肉類、水果和蔬菜，他表示詫異。蘇聯當時正面對食物短缺的問題，才使這個現象益發引他深省。

　　雷日科夫是個説話溫和，友善和藹的人。他承認史達林強行
實施的計畫經濟和蘇聯在獨裁體制下採取的孤立政策，造成了破
壞。他的政府已經改弦易轍。如今他們看清楚了世界各國相互牽
連的密切關係，決定不管國家實行的是什麼制度，蘇聯都要在國
際經濟關係中扮演更積極的角色。

　　他邀請我訪問蘇聯。那年 9 月我去了。這一回在莫斯科機
場的歡迎儀式同 1970 年的大不相同。儀仗隊不再是清一色身高
六英尺三的軍人，隊員個子高高矮矮參差不齊，樂隊隊員也身材
不一。步伐一致、分毫不差的軍事規律和精確性不見了。他們不
再為了虛張聲勢嚇唬人而煞費心思。

　　雷日科夫在同我會談的時候遲到了，頻頻道歉。他在最高蘇
維埃耽擱了，蘇聯經濟要過渡到開放市場制度，出現了兩套截然
不同的建議，他們正忙著尋求折中的辦法。雷日科夫對他們的制
度完全失去信心，也對要如何轉而推行市場經濟制度感到彷徨。
雷日科夫説，他的政府懷著極大的興趣觀察新加坡，因為他們現
在正準備過渡到市場經濟，深為新加坡所取得的顯著改變所吸
引。他們也研究許多國家的經驗，汲取別人在經濟管理方面的正
面元素。我心裏想，像蘇聯這麼一個龐大的國家，在瀕臨瓦解的
危急時刻，還在談論怎麼向其他國家學習推行市場經濟，真是教
人悲哀。

　　正因為如何進一步推行市場經濟的激烈討論一個接一個展
開，搞得戈巴契夫分身乏術，同我的會晤一挪再挪。蘇聯禮賓官
員對此深感抱歉，我卻請我的大使別太擔心。我們正在見證一個
帝國的終結。在這方面我占了優勢，因為早在 1942 年 2 月日本
攻陷新加坡時，我已先看到了大英帝國的衰亡。我終於被帶到了
戈巴契夫在克里姆林宮的辦公室。他總算擺脱了沒完沒了的會
議，同我會晤半小時。我們以小組形式會面，所有禮節全免了。

1990 年 9 月訪問蘇聯，我在吳作棟（左一）和黃根成（左三）的陪同下，到克里姆林宮同蘇聯總統戈巴契夫（右一）舉行會談。

他只跟他的內閣秘書長和一個通譯員一起，而我們這一方只有我和副總理吳作棟以及外長黃根成。

嚴重的錯誤

　　要解決這些幾乎是無法解決的問題，下一步該怎麼走，他舉棋不定。我暗想，他在重整經濟以前先實行政治開放是個嚴重的錯誤，鄧小平的作法則正好相反，明智得多。戈巴契夫說，每個國家都是獨特的，任何國家都不應該以軍事力量支配另一個國家。說這話時他看來鎮定、冷靜而誠懇。他說，蘇聯正忙於改革，面對棘手的抉擇問題，究竟要在政治改革和經濟改革之間如何抉擇，做出抉擇之後又該怎麼進行。蘇聯曾在 1917 年嘗試推行改革，結果卻不如所料。現在他要試著從頭做起。他明白新加坡的改革早在很多年以前就開始了，他也很珍惜兩國雙邊關係的發展。

　　我說，蘇聯的改革能在那麼和平的情況下進行，簡直是個奇蹟。如果能在沒有暴力衝突的情況下和平地渡過今後的三五年，他必定能取得巨大的成功。我對他不通過軍事途徑解決問題表示

敬意，否則這必將給世界帶來災難。他回答說，任何國家無論處
在經濟或文化發展的哪一個階段，都說不上誰是第一等，誰是第
二等，因為每個國家都有各自的獨到之處。

　　走出克里姆林宮時，我暗想，這麼一個大好人竟會在這麼一
個可惡的制度裏坐上第一把交椅，真是不可思議。換成是任何較
弱的領袖掌舵，他可能早已訴諸強大的軍力來解決蘇聯所面對的
問題，給世界帶來難以預計的禍害。對美國以至全世界來說，這
是何等幸運。

　　同中國領導人談起戈巴契夫，發現他們對戈巴契夫的看法完
全不同。他們認為他是個超級強國的領袖，卻被敵人牽著鼻子
走。敵方媒體稱讚他時，他原應提高警惕才是，相反地，他卻在
這時候接受規勸，通過實行「開放」，導致國家最終瓦解，正中
敵人下懷。因此，當美國媒體把朱鎔基副總理稱為中國的戈巴契
夫時，朱鎔基急忙劃清界限，同可能被視為跟戈巴契夫相似的做
法保持距離。他和其他中國領導人所珍惜的美譽，是被喻為同鄧
小平一樣，有著「不管黑貓白貓，能捉老鼠就是好貓」的社會主
義者的現實精神。戈巴契夫被自己的人民所唾棄，在 1996 年的
俄羅斯總統選舉中，只有不到 1％的人投他一票。中國人，不
管是領袖還是普通老百姓，沒多少個會同情他。在中國領袖和人
民眼中，是戈巴契夫一手瓦解了蘇維埃帝國，這正是美國中央情
報局樂於看到的結局。

　　蘇聯瓦解對新加坡影響不大，畢竟我們同他們的經濟聯繫並
不多。第一次有跡象顯示蘇聯的制度瀕臨崩潰，是他們的捕魚船
隊抵達的時間不定，也沒有規律。漁船船長紛紛到其他地方賣
魚，有時在公海上，以支付船員的酬勞以及收費比新加坡船塢低
廉的修船廠的修船費。莫斯科的中央集權也守不住了。他們的航
空公司「蘇聯航空」也陷入類似的困境，沒有足夠的現款償付飛

機的燃油費，還得向新加坡的莫斯科銀行乞討小額現金，才付得
起燃油費飛回莫斯科。

　　儘管混亂的局勢不斷惡化，蘇聯航空公司的飛機仍然一趟又
一趟地滿載蘇聯旅客，前來選購電器用品，東西一過了莫斯科關
卡，就能以高出成本好幾倍的價格賣出去。對這些搞貿易的個體
戶來說，新加坡之旅還真是有利可圖的一門生意。漸漸地，來的
蘇聯女子比男子還多。坊間流傳的説法是，她們僅需自備機票和
從機場到酒店的德士費，自有男顧客在酒店裏等著為她們提供購
買電器用品的一切費用，讓她們在短期逗留後帶著回國。我們駐
莫斯科的大使是個正人君子，他不同意這種做法，親自到蘇聯內
政部去，要求當局別再發出護照給這些婦女。但是這些深具生意
頭腦的年輕蘇聯女郎還是源源而來。

　　回想 1970 年 9 月到蘇聯訪問，在黑海的度假別墅同柯西金
總理會面的情景，當年的蘇聯領導人意氣風發、咄咄逼人，對未
來勝券在握、躊躇滿志。眼看這麼一個控制嚴密的泱泱大國先是
顫動，繼而失控，最終瓦解，真教人瞠目結舌。清朝最後的數十
年，中國一定也經歷過同樣的過程，不同的是俄羅斯仍然擁有一
個最強大的威懾力量——核子武器，它能輕易嚇阻任何想趁機摧
毀它的掠奪者。誰若是以為俄羅斯民族強盛不復，也許都不應該
忘了這個民族即使在一個苟延殘喘的中央計畫經濟制度下，仍然
造就了一批批的核子和太空科學家、國際象棋大師和奧林匹克運
動會的冠軍。俄羅斯民族可不會像他們的共産制度那樣，甘於就
此被掃進歷史的垃圾堆裏。

李光耀回憶錄

28 同美國打交道

對美國人，我感受複雜。我欣賞他們凡事「可以為之」的態度，卻同意那個時期英國統治集團的看法，認為美國人聰明卻莽撞，擁有豐富的資源卻不懂得善加利用。解決問題並非光有錢財就行。許多美國領導人總以為不同種族、宗教和語言之間千百年來存在的仇恨、敵對和衝突，有錢有財自然能夠迎刃而解。

19⁶⁵ 年 8 月底，新馬分家創傷未平，我又得突然面對一個個人問題。芝的健康出了問題，需要動手術。她的醫生，婦科專家薛爾斯，推薦了這個領域中一位最優秀的美國專科醫生。我設法要把這位醫生請來，卻說不動他。他要到瑞士辦點事，要求芝到那兒去。我向美國總領事求助，通過他要求美國政府幫忙。他們不置可否，不是幫不上忙，就是不願幫忙。我找英國人，要求薛爾斯推薦的一位最出色的英國專科醫生飛來新加坡，這位醫生立刻答應飛過來，對我不想在沒法離開新加坡的情況下，讓芝獨自到外國求醫表示體諒。這件事加強了我的直覺，總覺得自己很難跟美國政府合作，我對美國人的了解遠遠不及對英國人的了解來得深。

我感覺憤怒，情緒緊張。幾天後，在電視上接受外國通訊員的訪問時，我猛烈炮轟美國人。對美國政府不願意協助說服國內的專科醫生到新加坡來，為我至親的人提供治療，我表示不滿，並第一次公開披露四年前，美國中央情報局怎麼派遣特務企圖賄賂收買新加坡政治部的一名官員。

事發時是 1961 年。中央情報局答應給這名官員非常優厚的薪酬，保證萬一他的行動被揭露或者惹上麻煩時，當局會把他和家人弄到美國去，他的前途會得到保障。整套建議是如此吸引人，教這名官員足足想了三天，才決定必須向上司柯里頓稟報。柯里頓馬上向我報告，我下令設下圈套。他們照我的話去做，結果把三名美國人逮捕歸案。事發時三名美國人聚集在柑林路一間公寓內，正準備用測謊器測試該名政治部官員是否誠實，就在這個時候被逮個正著。其中一人是駐新加坡的美國領事館人員，聲稱自己享有外交豁免權。另外兩人都是中央情報局官員，一人派駐曼谷，一人派駐吉隆坡。我們蒐集到的證據足以判兩人 12 年徒刑。美國總領事完全不知情，在事後引咎辭職。

28　同美國打交道

在同吳慶瑞、杜進才、拉惹勒南和王邦文討論後，我通過英國專員薛爾克勳爵告訴美國政府，如果美國肯付 1 億美元給新加坡政府供經濟發展之用，新加坡願意釋放肇事者，也不會把他們的愚蠢行徑公之於世。美方提出付給 100 萬美元，對象卻不是新加坡政府，而是人民行動黨。這種嚴重的侮辱令人難以置信。美國人太習慣於在越南和其他地方收買和出賣太多的領袖了，以致他們以為這個方法到處都行得通。我們在 1961 年 4 月的一個晚上逮捕了這三名美國人之後，不得不釋放享有外交豁免權的那一個；對其餘兩人，我們在緊急法令下發出了為期一年的扣押令。在薛爾克勳爵再三敦促下，我們在一個月後把他們放了，警告他們不得再犯。我們希望這番警告會受到重視，卻怕說了也等於白說。

1965 年我把整個事件和盤托出之後，美國國務院立即否認企圖買通間諜的行動，並對我發表的談話表示震驚，認為這是「不幸的，對事情毫無幫助，中了印尼人的詭計」。我回答說，「美國人愚蠢地否認了無可爭辯的事實」，並且公開了事情的始末和詳情，同時發表了一封 1961 年 4 月 15 日由迪安‧賴斯克親筆簽名的來函：

總理閣下：

獲悉貴國政府發現美國政府的某些官員在新加坡從事不正當的活動，我感到非常痛心。我要讓閣下知道，兩國政府之間的友好關係因這次不幸事件而受損，令我萬分遺憾。新政府十分認真地對待這件事，準備檢討這些官員的行為，採取適當的紀律處分。

賴斯克謹啟

我在 1961 年對美國和美國人的態度，在發給柯里頓的指示裏說得再清楚不過了：「徹查這件事，任何方面都不放過，追根

究底不能罷休。但是時刻牢記，我們不是在跟敵人周旋，而是在
處理朋友的該死的愚蠢行為。」

除了對不肯幫忙的美國人發洩怒氣之外，1965 年 8 月我憤
而揭發有關事件，目的也在於向西方發出信號：如果英國撤出，
新加坡也不會有美軍基地，卻會「跟澳洲和紐西蘭合作」。我要
英國人繼續留在新加坡。我擔心新馬突然分家後，一旦印尼結束
對抗，英國會選擇撤軍。

對美國人，我感受複雜。我欣賞他們凡事「可以為之」的態
度，卻同意那個時期英國統治集團的看法，認為美國人聰明卻莽
撞，擁有豐富的資源卻不懂得善加利用。解決問題並非光有錢財
就行。許多美國領導人總以為不同種族、宗教和語言之間千百年
來存在的仇恨、敵對和衝突，有錢有財自然能夠迎刃而解。（一
些領袖現在還是這麼想的，所以才會想方設法在波斯尼亞和科索
沃建立和平、多元種族、多元宗教的社會。）

美國人在亞洲對抗共產主義的方法，始終沒給我留下好印
象。允許南越民族主義領袖吳庭艷被暗殺，美國顯得毫無原則可
言，先是支持他，當他拒絕俯首聽命時就棄他而去，任由他手下
的將領暗殺他。他們的本意是好的，但是過於專橫，而且對歷史
缺乏認識。我也擔心他們會因為中國是個共產主義國家，而把所
有的華裔都視為共產黨的支持者。

不過，美國卻是世界上唯一具備力量和意志，足以抵禦這股
無情的歷史潮流，扭轉趨勢，恢復人們抵抗共產主義決心的國
家。當時我需要英國、澳洲和紐西蘭充作緩衝力量。要是新加坡
變得跟西貢或馬尼拉一樣，日子就會很不好過。單靠在馬來西亞
和新加坡的英國人，是不可能擋住共產黨向東南亞挺進的攻勢
的。是美國人制止了中國和越南共產黨的游擊叛亂行動繼續蔓延
到柬埔寨和泰國。美國一直支持印尼蘇卡諾總統，直至共產黨在

1965 年 9 月試圖發動政變為止。要制止共產主義繼續擴張，美國是無可替代的後盾。

　　美國準備在任何受到威脅的地方，不惜任何代價，同共產黨人對抗到底，這一點倒讓我鬆了一口氣。正因為美國堅決反共，跟共產黨人勢不兩立，所以尼赫魯、納塞和蘇卡諾才有條件走不結盟路線。採取不結盟的姿態是很自在的，我也這樣做了，一開始卻並未意識到這其實是美國人付出代價後所提供的迴旋的餘地。沒有美國，連同英國、歐洲、澳洲和紐西蘭一起站在最前線抵擋蘇聯和中國共產黨人，新加坡還怎麼能任意地抨擊其中一方或左右開弓。

支持美國介入越南

　　我已經表明立場，支持美國介入越南。1965 年 5 月，新加坡仍然隸屬馬來西亞的時候，我在孟買的一個亞洲社會主義領袖會議上，對一群左翼聽眾發表演說。那個時候，印度的立場中立，但是也抨擊美國在越南採取行動。我告訴他們：「身為亞洲人，我們必須維護越南人民的民族自決權，維護他們不受歐洲人支配的自由和權利。作為民主社會主義者，我們必須堅持，南越人民有權不受武裝力量和組織性恐怖活動的壓迫，以致最終被共產主義所淹沒。因此，我們不得不尋求一個方案，先讓南越人民有可能重新獲得選擇權。眼下他們要麼只能選擇成為共產黨的階下囚，要麼是讓美國的軍事行動持續下去。」

　　我也多次在演說中強調，美國在越南進行干預，是在給東南亞國家爭取時間，東南亞國家的政府必須充分利用這個時機，解決我們社會中存在的貧窮、失業和財富不均等問題。我並不知道美國負責東亞事務的助理國務卿邦迪後來讀了這篇演說。1966年 3 月，我第一次在辦公室接見他。他向我保證，美國有意扮

演靜默的角色，不想在馬來西亞駐軍。美國料不到會在越戰中越陷越深，如今並不想再插手干預東南亞其他地區的事務。

美國希望英軍繼續留駐馬來西亞，一方面基於歷史因素，一方面也為了更好地實行「分工」。他們會放手把政策的主要執行工作交由英國人處理，在歐洲列強當中，也只有英國能負起這個責任。馬來西亞若是有意向美國尋求經濟援助，美國會樂於幫助，不過將低調處理。

我問他，假設新加坡和馬來西亞之間因受共產黨人煽動而發生種族衝突，美國會有什麼反應。他堅持美國不想介入。我強調，美國不應該認為所有海外華人都一個模樣，是受大陸共產黨人操縱的一個大群體。如果美國政策把所有東南亞華人都看成潛在的大陸間諜，東南亞華人將別無選擇，只好成為華族沙文主義者。他問起我對越南的看法。我說，要打贏這場仗，南越人的抵抗意志是關鍵因素，這個因素眼下卻不存在。必須讓南越人民信服，他們絕對有機會打贏這場仗。

1966 年初，新加坡同意讓越南的美國軍人到新加坡來消遣娛樂。第一批 100 人於 1966 年 3 月抵達，到郊區一座租來的公寓裏住五天。此後，美軍每週三次，由包租的泛美航空公司民用客機從西貢載來，每年大約有二萬人，占當時新加坡總遊客人數的 7%。對我們來說，金錢的利益不大，卻悄悄地表示新加坡支持美國在越南的行動。

1967 年 3 月，我再跟邦迪見面。我開始信任他。他說話直率，不譁眾取寵，穿著不講究，我甚至發現他穿了有洞的襪子。但是他在不動聲色間卻流露出十足的信心。他知道我一直極力要求英軍留下來，那也是美國的政策。他向我保證，美國會繼續在越南撐下去，美軍至今取得的成績令人鼓舞，二萬名越共已經叛逃。他深信當時在野的共和黨也拿不出其他辦法，問題可能會變

得非常棘手，但是詹森總統下了很大的決心，不會輕易放棄。因為美國深信他們在越南採取的行動，對東南亞的穩定有很大的貢獻。

他邀我在深秋到華盛頓進行非正式訪問，避開每年聯合國大會開幕前後的人潮。我將有機會同他們的決策人員與其他政府人士會面和交流。我說，英軍正準備撤離新加坡的基地，我在這個時候到美國去可能讓人以為我害怕了。

1967 年 7 月，邦迪又寫信給我，提到倫敦有報導說，我可能讓「對東南亞生活現實了解不足的工黨國會議員留下了深刻的印象」。對於我在英國廣播公司的電視訪談中，三言兩語便直率地點出美國參與越戰的重要性，他表示歡迎。他說，美國飽受新聞界抨擊，聲名狼藉，現在能有位不屬於美附庸國的領袖挺身而出，站起來替美國這項不得人心的越南政策說話，讓他們深感寬慰。邦迪建議我進行正式訪問。英國防務白皮書才公布不久，拉惹勒南便得宣布我到華盛頓訪問的消息，他對此感到不高興，認為這會暴露我們的惶恐不安。儘管如此，我還是決定去了。邦迪要我在那一年訪問華盛頓，必有他的道理。

除了在 1962 年曾經到紐約出席聯合國廢除殖民地特別委員會會議之外，我就沒再到過美國。1967 年以前，新加坡在華盛頓沒有使節團，所以我匆匆忙忙到處找人上速成課，以便了解華盛頓時下的政治氣候和主要政治人物的想法。我靠的是英國、澳洲和紐西蘭最高專員。我致函當時擔任倫敦《泰晤士報》駐華盛頓通訊員的路易斯・赫倫。五〇年代他旅居新加坡時是我的好朋友。我所收集的所有資料當中，數他的最有價值。他是這麼寫的：「對美國這樣一個超級強國來說，除了蘇聯和中國，其他國家都是小國。相比之下，新加坡不過是個小娃娃，相信你不會介意我這樣說。除了國務院轄下的東亞與太平洋事務局，很少有人

會留意新加坡。」然而他也讓我安心，認為主要因為我對越南局
勢所持的立場，讓我「享有明智、理性、穩健的名聲」。中央情
報局事件所引起的糾紛已經過去。「美國面對的問題有三重：政
府、國會和報章。後兩者論事，往往只從東方相對於西方的膚淺
角度看問題：你要不就是個共產黨人，要不就跟美國站在一起。
美國政府的角度就很不一樣。天知道美國政府裏傻瓜夠多的了，
可他們也有一流的人才。內閣以下的佼佼者有邦迪和他的一個副
手，公認的中國問題專家巴內特，以及總統的國家安全事務特別
助理羅斯托。」其他值得我注意的人物還包括巡迴大使哈里曼，
以及參議院多數黨領袖曼斯菲爾德，他「見聞廣博，不作聲卻有
影響力」。

　　赫倫簡要地描繪了詹森，那是我同這位總統見面以前看到的
最好的資料。「他是個怪人，老謀深算，善於操縱別人，有時候
不擇手段。話雖如此，我必須承認自己也是少數欽佩他的人之
一，儘管我對他的欽佩是有所保留的。他有雄心壯志，要為國家
謀求幸福，尤其為窮人和黑人謀求幸福……賴斯克和麥克納馬拉
也值得你信任。兩人都很誠實，為人不錯，按老式的說法，就是
好人一個。」

　　1967 年 10 月，我飛到紐約的甘迺迪機場，再續程到威廉斯
堡，住進當地一棟修建過的房子，家具都是古典的，在威廉斯堡
還是維吉尼亞州首府的時期曾經流行過。他們帶我和芝乘馬車遊
覽威廉斯堡。車夫是黑人，穿上歷史性的古老服裝。這是具有歷
史意義的「迪士尼樂園式」之遊。第二天我們乘搭直升機直抵白
宮。白宮禮賓官員事先交代，因為詹森總統的右手纏著繃帶，握
手時得握他的左手。後來我走下白宮草坪，接受儀仗隊的隆重歡
迎時，像個守規矩的童軍似的握住了詹森的左手。

　　詹森用了許多華麗的辭藻，把我形容為「愛國者、傑出的政

治領袖、新亞洲的政治家」，說「不光在亞洲，非洲和拉丁美洲也一樣——凡是人們能努力爭取自由、尊嚴的生活的地方，新加坡都為所能取得的成就立下一個光輝的榜樣」。這種過度的讚揚有別於英國人的作風，還真使我難為情。我在做出回應時，間接支持他在越南的行動，卻也想知道美國人民是否也相信，美軍不在越南堅持下去的話，他們的後代還會不會繼承這個美好的新世界。

歡迎儀式過後，詹森立即跟我單獨會談。他是個身材魁梧的德克薩斯州人，聲音低沉有磁性。在他身旁讓人覺得渺小。他悶悶不樂，心情煩亂，卻想聽聽我的意見。他正在努力遏制共產主義勢力，阻止他們攻陷南越並在越南以外製造更多麻煩，如今找到這麼一個來自東南亞，國家同越南毗鄰的人，能了解、同情，並默默地支持他的這些舉動，他甚感寬慰。

詹森說話直截了當。戰爭贏得了贏不了？他做得對不對？我告訴他，他做得對，只是在軍事意義上，這場戰爭是贏不了的。不過他可以阻止共產黨人取得勝利，這麼一來，越南就會出現一個受到人民支持的領導層，那就是勝利了，因為這個政府會獲得人民的支持，而且是非共的。我毫不懷疑，如果舉行自由選舉，人民都不會投票支持共產黨人。他聽了很高興，哪怕只是那一刻的興奮。

當晚在白宮的晚宴上，我問詹森美國還能撐多久。他回答說：「是的，美國有決心、有能耐熬過越南的這場鬥爭……沒有什麼言辭能說得更清楚更有信心了。你們那個地區有句話，很貼切地表達了我們的決心。你們的說法是『騎虎』，騎到老虎背上。你們騎過老虎，我們也會這樣做。」

晚宴過後，幾位參議員帶我到樓上俯視白宮草坪的門廊。參議院多數黨領袖曼斯菲爾德直接問我一個問題：吳庭艷遭暗殺，

是好事還是壞事？他來自蒙大拿州，是民主黨參議員，個子高瘦，臉色蒼白。我回答說，這是壞事，因為並沒有更能幹的人來取代他的領導。要吳庭艷改變政策或者統治的方式，應該還有其他辦法，幹掉他只會使局面更加動盪。更糟的是，誰也不曉得今後任何肯站起來為南越而鬥爭的領袖，如果拒絕聽從美國的勸告，還能不能生存下去。他噘起嘴唇說，是的，是壞事。他接著問我還有什麼方法可以解決問題。我告訴他，根本沒什麼容易解決的辦法，不能像西部片《正午》所描繪那樣，以拔槍決鬥的方式，一了百了地把事情解決。這將是一場艱苦冗長之戰，不是什麼風光的事，就是為了把這場仗打完，阻止共產黨獲勝，讓南越領導層崛起，這就算是勝利了。但是這也意味著美國得在南越長期駐留下去。從他的表情我看得出，要美國人同意這麼做是非常困難的。

國務卿賴斯克深思寡言，與其說他是個政治人物，不如說他更像一名學者。我告訴他，希望下屆美國總統能以漂亮的姿態贏得選舉，讓河內相信美國人民有耐心有決心把這場戰爭進行到底。美國如果罷手，形勢將不利於所有非共國家。泰國會改變立場，馬來西亞緊跟著將被放到游擊隊的絞碎器中，受盡叛變行動的蹂躪折騰。然後，隨著各地相互結盟的共產黨相繼控制了大局，共產黨人便會進一步摧毀新加坡，根本無須勞駕中共大軍開進東南亞。

副總統漢弗萊說話沒什麼保留。他深信除了少數不是鷹派就是鴿派的參議員，70%到 80%參議員都支持總統的越南政策。反對的一派多是第二次世界大戰後 22 年來長大的一代人，他們沒嘗過戰爭的滋味，也沒經歷過真正的經濟困境。他們是大學院校裏的反戰分子死硬派。像我這樣既不結盟，又被公認為政治立場獨立的人，應該公開發表意見，制止美國民意繼續受到惡性的影

響。除非像我這樣的人能協助詹森站穩立場，否則，他擔心詹森還未被越南挫敗，就先在美國被擊垮。漢弗萊討人喜歡，政治上很精明，對他的強悍和堅定我卻有所保留。

國防部長麥克納馬拉目光炯炯，精力充沛，態度積極。他認為美國和新加坡兩國的目標完全一樣，都希望英軍在新加坡留下來。美國人民並不想看到只有美國孤軍作戰。他說，英國購買F111戰鬥機，顯示它跟美國關係異常密切，準備承擔對東南亞的義務。那是 1967 年 10 月。一個月後英鎊貶值，英國決定自蘇伊士運河以東撤出。

同參眾兩院的外交事務委員會進行討論時，主要課題都是關於越南。我所給的回答並未能消除他們的憂慮。他們希望聽到的是在一年或更短的時間內，可以在下屆總統選舉以前執行的解決方法。我提不出這類答案。

訪問哈佛大學時，我同一些大學生交談，也會見了美國總統問題專家、哈佛大學政治研究所所長里查德・諾伊斯塔特教授。我問過邦迪我能不能在美國度短期公休假，以便了解美國人和美國的制度。我認為自己非了解美國人不可。他們有跟英國人不一樣的強處和弱點。美洲是個遼闊的大陸，美國的決策者並不全部集中在華盛頓或紐約，英國的決策人則集中在倫敦。美國決策人員分散在五十多個州，各州的利益不同，要求也不一。邦迪安排我會見諾伊斯塔特。諾伊斯塔特答應為我在政治研究所安排一個課程，時間是在 1968 年秋季，為期一個學段。

這次訪美我每天馬不停蹄，沒完沒了地向媒體發表談話，也向不同的團體發表談話——紐約的亞洲協會和外交學會、哈佛的大學生、聖路易斯的大學生、芝加哥的外交學會以及洛杉磯的報界和電視台。甚至到檀香山在太平洋總部總司令家中做客期間，我也得發表談話。只有到達夏威夷一個大島上的冒納凱阿火山度

假村時，我才算真正放鬆身心，成天打高爾夫球，並在晚餐過後觀賞蝙蝠。

　　新加坡駐華盛頓、坎貝拉和威靈頓使節團傳來的報告都不錯，但是吳慶瑞和拉惹勒南卻因為我頻頻替詹森干預越南的行動辯護，顯得太積極太親美而焦慮不安，深恐這可能導致華族基層群眾同政府疏離。他們勸我退一步，採取比較中立的立場。我回國後同兩人對此交換了意見，措辭稍微改變，採取比較批判的態度，儘管仍然明確支持美國在越南的立場。我深信抨擊美國的越南政策會傷害詹森總統，損害他在美國的地位。不符合新加坡利益的事情，我不幹。

　　訪美十天，使我留下了一些強烈的印象。正如我告訴內閣同僚所說的，新加坡跟美國的關係還很表面，不比我們同英國之間的交往。美國人總愛從國家的人口和幅員考慮問題。就東南亞來說，跟印尼人比較，馬來西亞人和新加坡人根本微不足道。

美國洩了氣

　　回國之後，事態的發展出人意表，而且有決定性的意義。英國讓英鎊貶值，1968 年 1 月宣布提前於 1971 年撤軍。兩個星期後，北越發動春節攻勢，在包括西貢在內的 100 多個城鎮發難。電視對這次攻勢的報導，動搖了美國民眾的信心。事實上，越南的攻勢是失敗的。但是美國媒體當時說服了美國人，讓他們相信，這是美國人的一場慘重的災難，美國輸了這場戰爭。兩個月後，詹森在 3 月 31 日宣布：「我不會爭取也不會接受黨提名我為總統候選人。」從那時候起，美國洩了氣，硬著頭皮撐著，只為等待新任總統爭取以不至於太不光彩的方式撤出越南。

　　1968 年 10 到 12 月，我按原定計畫，到不列顛哥倫比亞大學和哈佛大學度短期公休假，交由吳慶瑞主持大局。我在不列顛

哥倫比亞大學逗留了幾個星期。在那裏的教員俱樂部做客時，我
在電視上看美國總統選舉的競選活動。尼克森勝了之後，我從溫
哥華飛到渥太華會見杜魯道，幾個月前他剛出任加拿大總理。隨
後我以政治研究所客座研究員的身分前往波士頓和哈佛。政治研
究所附屬於哈佛大學甘迺迪政府學院。

　　我住進哈佛大學的埃利奧特宿舍，同大約 200 名學生和 10
名研究員同住。我上了有關美國文化的專門研究課程。諾伊斯塔
特安排我在各個領域裏同美國學者廣泛接觸，這些領域主要是美
國政府與政治、發展經濟學、激發積極性和提高生產力。課程排
得滿滿的，早上跟一組人進行討論，工作午餐跟另一組人在一
起，下午有專家討論會，晚上跟著名學者相聚，共進晚餐。我受
邀觀看哈佛大學和耶魯大學對壘的常年美式足球比賽，體會了美
國青年迸發蓬勃的年輕朝氣，當然也包括揮舞著彩球的啦啦隊。
節目安排的效率使我留下了好印象。當局派了個研究生來協助
我，替我找資料，也幫我安排不在原定計畫中我所要求的其他約
會。只是特工部為了 24 小時保護我的安全，把行動中心設在高
級人員的公共休息室裏，給埃利奧特宿舍的日常生活帶來了很大
的干擾。我跟學生、研究員和舍監海默特在公共食堂一起用餐，
師生之間無拘無束，這種現象令人矚目。學生都絕頂聰明，一名
教師就坦言，有時候跟某些學生爭論問題，還真讓人傷透腦筋。

　　馬薩諸塞州劍橋市哈佛大學的教師，跟英國劍橋大學不一
樣。四〇到六〇年代的英國教學人員樂於把自己關在象牙塔裏，
遠離倫敦和威斯敏斯特的喧囂。反之，美國教授喜歡跟政府建立
關係，抬高自己的身分和地位。在甘迺迪政府任內，教授們總愛
在波士頓、紐約、華盛頓之間來回穿梭。他們的興趣和教學活動
是以當今的世界，以眼前和未來作為對象的。那個時代的英國學
者擅長的是孜孜不倦地研究過去，他們不研究眼前，也不研究假

設性的未來。他們跟工商業相互之間沒有直接交往，而哈佛大學
商學院卻恰恰為學術人員提供了這樣的機會。美國人跟英國人不
一樣，他們不為了認真地研究過去而作繭自縛。調查現狀、預測
未來，是美國學術研究的強處。美國智囊團把對未來的研究稱為
「未來學」，它發展成一門受人尊敬的學科。

　　我最大的收益不是增長了知識，而是接觸了學者，跟他們建
立友誼。這些學者不光對當代事務見識廣博，他們跟美國政府和
商界的神經中樞也有密切的來往。我這個亞洲政界人物在執政十
年後，以 45 歲的年齡抽空到學術界來充電求知，在哈佛大學成
了人們好奇注意的對象。他們毫不猶豫地安排晚宴，讓我有機會
跟一些很有意思的人物見面和交流，像經濟學家加爾布雷思，日
本問題專家、前駐日大使賴紹華和中國問題專家費正清。我也跟
麻省理工學院的政治學教學人員會面，包括中國問題專家盧西
恩・派伊，他曾經在五〇年代研究過馬來亞的游擊隊共產主義。
還有麻省理工學院的塞繆爾森，他在獲得諾貝爾獎之前，以所編
寫的經濟教科書聞名。他給我上了一課，專談為什麼美國仍然維
持紡織業等低增值工業。同哈佛商學院的弗農之間的討論算是最
有意義的了。他對香港和台灣當代經濟體的運作方式提出了許多
實際精闢的見解，讓我以後每隔幾年總要到哈佛走一趟，向他學
習更多的東西。

　　我在哈佛接觸了不少新觀念，聽取其他一些絕頂聰明，但是
看法未必總是正確的人物的見解。他們過於講求在政治上不要有
失誤。哈佛大學堅決維護自由的風氣，對於不同種族、文化和宗
教之間是否有著遺傳性的內在差別，學者們都不願意表態或加以
承認。他們相信人類都是平等的，社會只需要有正確的經濟政策
和政府體制就能成功。他們太聰明了，教我很難相信這些他們必
須義不容辭地去宣揚的觀點，全也是他們發自內心的真誠想法。

我在餐桌上碰到的哈佛教員，個個思想敏銳，講話風趣，即使意見不合也能激發我的思考。加爾布雷思是最牙尖嘴利的一個。在一次晚宴上，我遇見了季辛吉。巧的是，當晚許多自由派美國人都大力抨擊越戰，我卻抱著相反的看法。我說，東南亞的前途要維持非共，美國的立場至為重要。季辛吉也為美國的干預行動辯護。他措辭謹慎，身處於鴿派人士當中，他小心翼翼，以免顯得自己是鷹派分子。他慢條斯理地以那濃重的德國腔英語講話，給我的印象是，他不是個會隨波逐流、人云亦云的人。不久後，尼克森政府宣布季辛吉將出任國家安全顧問，當時他已經離開哈佛。那年 12 月飛回新加坡之前，我在紐約同他會面，鼓勵他把對越南的政策貫徹始終，並且說，防止共產黨取得勝利，是美國能力可以辦到的事。

我希望拜會詹森總統。邦迪對我不是急著要見當選總統，而是要求會見前任總統感到意外。我說，尼克森需要時間部署班底，擬定議程，我可以在他安排好工作之後再去見他。我見到的詹森淒涼而消沉。他說，他已經孤注一擲地把一切全投進了越南。他的兩個女婿都在武裝部隊裏服務，雙雙被派往越南打仗，他的付出比誰都多。我離開時，留下他獨自黯然神傷。

毛澤東只有一生的時間

我下一次訪問美國是在 1969 年，5 月 12 日我拜會尼克森總統。1967 年 4 月他曾經在新加坡同我見過面。他當時正在東南亞進行巡迴訪問，為翌年舉行的總統選舉做好準備。他是個一絲不苟的思想家，對亞洲和世界事務非常在行，凡事都希望從宏觀的角度來觀察。我在辦公室裏回答他的提問，前後超過一個小時。當時正逢中國文化大革命的巔峰期，他問我中國到底發生了什麼事情。我說，新加坡唯一直接的消息來源，是從獲准到中國

東南沿海的廣東和福建兩省探親的老一輩華人那裏得到的。據我
們了解，毛澤東要改造中國。正如中國第一位皇帝秦始皇焚書坑
儒，要徹底消滅過去一樣，毛澤東也要擦去舊中國，描繪一幅新
中國。然而毛澤東卻試圖在瓷磚上鑲嵌著的舊中國畫面上畫畫，
雨水一來，毛所描繪的畫面就會被沖走，鑲嵌在瓷磚上的舊畫面
又會重新浮現。毛澤東只有一生一世，沒有時間也沒有力量足以
抹掉 4000 多年的中國歷史、傳統、文化和文學。哪怕所有書籍
都燒光，俗語、諺語還是會繼續活在人民的記憶中。他注定要失
敗。（好幾年後，尼克森不再擔任總統時，在自己的一部著作中
引述了我說過的這番話。他也引述了我說過的有關日本人的話，
認為他們有衝勁、有能力，並不是只會製造和出售半導體收音機
而已。這時候，我才曉得他跟我一樣，在進行了嚴肅的討論之
後，有做筆記的習慣。）

　　尼克森問起關於中美兩國不和的問題。我告訴他，兩國之間
並沒有什麼與生俱來的或者根深蒂固的糾紛。中國最理所當然的
敵人是蘇聯，兩國有著一條長 4000 英里的共同邊界，邊境形勢
只是到近百年來才變得對中國不利，雙方有大筆舊帳要算。美中
兩國的邊界線是人為的，就劃在台灣海峽的海域上，這是暫時性
的，會隨著時間消失。

　　1969 年我在華盛頓遇見尼克森的時候，他再向我提出有關中
國的問題。我的基本分析是一樣的。我當時不知道他已經集中精
神，準備在中國問題上取得突破，藉此增加同蘇聯對抗的籌碼。

　　我們花最多時間討論越南問題。他說，美國是個強盛富裕的
大國，進行游擊戰的對手越南則是個落後、貧窮，幾乎沒有科技
可言的國家。美國在這場戰爭中已經投下了數十億美元，3 萬
2600 名美國人丟了性命，20 萬人受傷。這場仗，幾乎耗盡了美
國人民和國會議員的一切能耐，要求美國儘快撤離越南的壓力一

日比一日高漲。可是，美國撤退對南越人民、政府和軍隊的影響，對越南的東南亞鄰國的影響，對澳洲、紐西蘭、菲律賓、韓國和泰國等美國盟友的影響，甚至對整個世界的影響，他都非考慮不可。問題是美國的承諾到底可靠不可靠。儘管國會受到國內輿論的壓力，他必須確保問題能以最好的方式解決。我總覺得他要結束越戰，是因為頂不住國內的反對壓力。但是他並不想成為第一個打敗仗的美國總統，他要體面地脫身。

美國人民對越戰失去信心，我感到驚訝。突如其來地結束越戰，不但會在越南，也會在鄰近國家造成意想不到的危險後果，對泰國尤其如此，因為泰國在越南問題上一直全心全意地支持美國。撤軍行動必須謀定而動，逐步進行，讓南越軍隊可以負起更多的戰鬥任務。必須力促南越人民這樣做，關鍵是找一批有獻身精神的南越領袖，具備像越共那樣的獻身精神和責任感來處理他們的問題。最終目標是讓南越也能像韓國一樣，有三萬到五萬名美國駐軍，同時確保韓國武裝部隊可以一年年地增強軍力。要成功落實這樣的撤退方式，必須讓河內和越共得到一個信息：美國有充分的時間按部就班地逐步撤退，總統不會向壓力低頭而匆匆忙忙地把美軍撤走。河內當時其實是在華盛頓進行鬥爭，許多國會議員卻在媒體的鼓動下無意中幫了越南。美國所扮演的角色，應該是協助南越人自行戰鬥，條件是讓他們有足夠的時間和配備保衛自己，那麼萬一戰敗了他們也怪不了美國。換句話說，就是讓戰爭越南化。尼克森對此深感興趣。原定半個小時的會談持續了一小時又一刻鐘。尼克森需要尋找理由來相信自己脫得了身又不算戰敗。我相信這是絕對可能的。這使他感到寬慰。

我在 1970 年 11 月 5 日再度會見尼克森時，他剛歷經了一場勞心費神的中期選舉活動，顯得疲憊不堪。他重新談論了在越南問題上能有些什麼選擇，然後把話題轉向中國。我建議美國向

中國打開門窗，開始進行非戰略物資貿易。如今已有三分之二的
聯合國成員國準備支持中國加入聯合國，美國不應讓人覺得它有
意阻撓。美國不應該為了毛澤東的態度不積極而洩氣。我重複指
出，美國不像蘇聯，它跟中國並沒有共同的邊界。

手裏多了一張牌

　　稍後我在白宮的附樓裏會見了季辛吉，他問我有關蘇聯人準
備利用新加坡海軍基地船塢的事。如我所料，他從禧斯那裏聽
説，在英軍離開後，柯西金對利用新加坡的軍港有興趣。我在早
些時候向禧斯披露這件事，是要確保他不會匆匆忙忙地撤離軍
港。我向季辛吉保證，在做出任何決定之前會先照會他和英國
人。蘇聯的行動使我手裏多了一張牌。我希望美國人會鼓勵澳洲
軍隊繼續留在新加坡。在同英國、澳洲、紐西蘭和馬來西亞組成
的五國聯防安排下，我感到很放心。我循著澳紐運行，澳紐循著
美國運行，這種形勢對新加坡來説好得很。季辛吉補充説：「對
美國來説也是如此。」我説，由於沒接受美國的援助，新加坡在
東南亞可以以不結盟的中立地位就世界事務發言。季辛吉同意，
這樣做對美國和新加坡是最好不過了。

　　在這期間，季辛吉通過巴基斯坦人悄悄地跟北京領袖進行了
接觸。1971 年他秘密地訪問了北京，安排尼克森在 1972 年 2
月訪華。尼克森 1972 年 1 月宣布這個消息，震撼了全世界。事
前他沒通知任何亞洲盟友，包括日本以及他們的台灣盟友中華民
國政府，這使我感到不安。他這次訪華，的確有如他自己所説
的，是「改變世界的一週」。

　　另一方面，1973 年 4 月我再度訪美時，越南的戰情看來並
不樂觀。傷亡人數繼續增加，還看不到勝利。美國國會繼續向政
府施加壓力，要求完全退出東南亞。我和芝到喬治敦區當時的世

28　同美國打交道

1969 年我到白宮會見尼克森總統和季辛吉（右一）。左一為新加坡大使
蒙泰羅。

界銀行主席麥克納馬拉家中，跟他們夫婦倆共進午餐。麥克納馬
拉在午餐時透露，有令人不安的報導說，尼克森涉及掩蓋水門事
件，事態發展可能變得很棘手。說這話的時候，他臉色凝重。我
有預感，尼克森和東南亞今後都會有麻煩。

　　4 月 10 日早上抵達白宮的時候，尼克森在前門門廊迎接
我。對於我不時公開支持他對越南和柬埔寨所採取的孤獨立場，
他特別表示感激，待我熱情友好。為了拍照，他跟我在白宮的玫
瑰花園中散步，大談當時正在盛開的玫瑰和草原海棠。在白宮內
會談時，尼克森說，他認為中國並未立即構成威脅，只有在 10
至 15 年後，當中國的核計畫大功告成時，它才會成為一股不可
忽視的力量。他問我對越南和停火條件的看法。根據停火條件，

美國答應提供援助重建北越。我說，在當時的具體情況下，頂多也只能如此。拉攏北越，使它不再依賴蘇聯和中國的做法是正確的。美國要是不提供援助的話，北越對蘇聯和中國的依賴會越來越大。

儘管選舉剛結束，外加水門事件正在醞釀，公務繁忙，尼克森還是在白宮設晚宴招待我。白宮晚宴有個儀式顯示總統的排場。我和芝在好幾位穿著金色肩帶制服、佩戴獎章的侍從武官陪伴下，跟總統和夫人一起走下白宮的樓梯。嘹亮的喇叭聲吹起，吸引會眾的注意，我們在平台上稍微駐足。接著，我們緩緩走下樓梯的最後幾級，現場頓時鴉雀無聲，大眾舉頭望向我們。接著總統、總統夫人、我和芝排成一行，迎接來賓。1967 年詹森總統設晚宴招待我，也舉行過同樣的儀式。但是尼克森的作風不一樣。他跟所有來賓一一熱烈握手，說些得體的客套話：「再見到你感到高興」，「見到你很高興」，「賞臉了」。當我跟來賓握手的時候，他偶爾會從旁插嘴，稱讚或評論幾句。中途他拉我到一旁說：「別說錯話，例如『你好嗎』。因為也許你見過他，這顯示你忘了，他會生氣。應該總是用中性的話語，像『見到你很高興』，『見到你多好』。認出對方就說『久違了』，『再見到你多好』。」他的確夠專業，卻很少閒談，從來不說笑話，跟雷根總統不一樣。雷根談話的時候，閒言笑語總是層出不窮。

美國負責東亞與太平洋事務的助理國務卿格林問我，對美國在中國問題上採取主動有什麼看法，他指的是尼克森 1972 年 2月的中國之行。我說，除了令人感到意外之外，沒什麼好挑剔的。要是不致引起那麼多人感到震驚和意外，所取得的輝煌成果還可以錦上添花。意外的因素使日本人和東南亞人產生疑慮，擔心強國喜歡突然改變政策，可能使它們站錯隊。

格林解釋說，日本人很難守得住秘密，他們自己也這麼說。

他強調，美國建立新的對華關係，並未改變美國對這個地區任何其他國家的政策。從一開始台灣就關注這個問題，但是情形現在一清二楚，美國仍然履行條約規定的義務。韓國原來也表示擔憂，如今卻意識到韓美關係根本沒改變。一句話，跟中華人民共和國關係正常化，並不損害到任何國家，結果是亞洲更加穩定。

我說，跟西方文明和科技多接觸，肯定會對中國產生影響，現有的孤立狀態維持不下去。例如，由於中國人民跟外界完全隔絕，訪問新加坡的中國乒乓隊除了乒乓球，什麼也不願意談。我相信，中國經濟一越過「最起碼的必需品的界限」，就會面臨蘇聯目前的問題。對於買得到的產品，中國人民要能有所選擇，有了選擇，他們就會失去對平等主義的熱忱。

格林向我保證，美國完全準備繼續在亞洲扮演穩定局面的重要角色。「美國會保留這個地區的駐軍，履行條約規定的義務。」他提醒我說，威爾遜和希利早些時候都重新保證英軍會繼續留在新加坡。我自我安慰，心想美國跟英國不同，它並不是靠殖民帝國而成為世界強國的，因此，它也應該不會因為受到同樣的經濟壓力而退出亞洲。

1974 年 8 月 9 日，尼克森為避免因為水門事件面對彈劾而引咎辭職，教我替南越擔心。尼克森以總統身分採取的最後一項行動之一，就是簽署一項法案，使之成為法律，規定在今後 11 個月內，美國對南越的軍援最高限額是 10 億美元。他辭職幾天後，眾議院票決削減為 7 億美元。行刑斧落了下來，擱在斷頭台上的脖子，是阮文紹總統的。

1975 年 4 月 25 日，阮文紹離開西貢。4 月 30 日，北越軍隊開進西貢市的時候，一架美軍直升機從大使館屋頂起飛，驚慌失措的南越人死死抓住起落橇不放。那一幕，凝成了讓人永生難忘的畫面。那一天遲些時候，北越坦克開到總統府，象徵性地把

大門撞倒。

　　雖然美國介入越南失敗了，它卻為東南亞其他國家換來了緩衝的時間。1965 年，就在美國軍隊大舉進駐南越之際，泰國、馬來西亞和菲律賓，都面臨武裝的共產分子叛亂活動的內部威脅。地下共產組織在新加坡還很活躍。在一次共產政變失敗後元氣大傷的印尼，對新馬實行「對抗」，等於是暗地裏宣戰。菲律賓則正在爭取東馬的沙巴。生活水準太低，經濟增長緩慢，美國的行動卻允許東南亞非共政府有時間清理自家。到了 1975 年，各國都更有能力應付共產分子的威脅。要不是美國決定介入，東南亞國家對抗共產勢力的毅力和決心恐怕早已消失殆盡，東南亞也將無可避免地走上共產主義的道路。東盟繁榮新興的市場經濟體，正是在越戰的那幾年間孕育成形的。

　　另一方面，西貢失陷前幾個星期，一大隊載滿難民的大小船隻向南中國海駛去，其中許多開向新加坡。好些難民裝備著武器。代總理吳慶瑞寄發緊急報告到華盛頓，告訴我近百艘小船載來了好幾千名難民，要我立即做出政策上的決定。我通知他應該拒絕讓他們上岸，要他們繼續上路，到幅員更大，有條件收容他們的國家去。於是大規模的行動在 5 月 6 日展開。新加坡武裝部隊給 64 艘載著 8000 多名難民的越南小船進行修理，增添燃油，補充糧食，然後把它們送往大海。為了避免被送走，許多小船的船長故意把引擎弄壞。

　　就在大規模行動進行的同時，我在 1975 年 5 月 8 日中午，也就是西貢失陷後的第八天，會見了福特總統。當時國務卿季辛吉跟他在一起。福特顯得心煩意亂，卻並不沮喪。他問起東南亞地區對南越失陷的反應。4 月底西貢失陷前，我剛到過曼谷，泰國人緊張不安，印尼人也一樣。蘇哈托卻一聲不響，牢牢地控制著局面。我說，美國國會決定干預，制止轟炸共產黨人，卻促成

了南越的陷落。要是沒發生水門事件，轟炸行動繼續下去，南越軍便不會失去鬥志，結果可能就不一樣。但是轟炸行動一停止，援助大幅度削減，南越政府的命運便無可挽回了。

福特問我美國下一步該怎麼走。我說最好先讓塵埃落定，看看寮國、柬埔寨和越南的形勢發展。寮國相信會由愛國陣線黨接管，屬於越南人控制的範圍。在柬埔寨，紅高棉殺害了成千上萬的反共人士。（當時我還不知道他們殺人不分青紅皂白，不光殺害反共的人，連所有受過教育，沒參加農民革命的柬埔寨人也不放過。）泰國為了防止越南共產黨人入侵，會拉攏中國。季辛吉問我，中華人民共和國會不會幫助泰國。我認為會。我建議最好是保持冷靜，看看事態發展如何。如果在下屆選舉中，選出的是像麥高文那樣的總統，向共產黨人低頭，局面就完全沒有希望了。

有人曾經形容福特笨手笨腳，經常跌跌撞撞，是個頭部傷痕累累的橄欖球員。我卻發現他精明能幹，有知人之明。他待人確實友善，無拘無束。晚餐後我想上洗手間，請求退席，他堅持要帶我到他的私人住處。於是我們乘搭電梯，特工處的保鏢跟在後頭，一起到他的私人住處去。那裏有個私人的大浴室，運動設備和最新的健身器材一應俱全，洗滌盆上放著各種化妝品和電剃刀。這是他的私人洗手間。很難想像歐洲、日本或第三世界的領袖會帶我到他們自己的私人浴室去梳洗。他這麼做無非是出於友善，對有機會招待我感到高興，也是為了感激在美軍倉皇撤出西貢，美國股市大跌的時候，東南亞有一個人挺身而出為美國辯護。他並不是為了給我留下好印象，但是他的穩重可靠的個性，卻確實給我留下了深刻的印象。

李光耀回憶錄

29 後冷戰的新世界

……布希在大選中敗給柯林頓
之後，我就覺得我們必須準備
應付美國在態度和作風上的改
變。柯林頓承諾美國「決不姑
息獨裁者，無論巴格達還是北
京」。從柯林頓許多支持者的
行動看來，他們簡直把中國當
作一個等著接受援助，並會為
此屈服於外交和經濟壓力的第
三世界國家。對中國對美國，
往後的日子恐怕都不會好過。

卡特總統接過福特的棒子後，美國外交和國防政策的重點突然有了變化。卡特對非洲的興趣甚於亞洲。他宣布削減美國在韓國的駐軍人數，讓美國在亞洲的朋友和盟友深感驚詫。卡特相信，美國人民經歷越戰之後都厭倦不堪，希望把亞洲忘掉。他轉而集中精神，調解美國黑人和白人之間的關係，認為自己在非洲南部扮演的角色，是為白人和黑人之間的巨大鴻溝築起一道橋樑。他著重的不再是安全防務問題，而是人權。東盟領袖咬緊牙關準備度過四個困難的年頭，等著看卡特能有什麼作為。

我在 1977 年 10 月跟他會面。他非常小心地預算好自己的時間。先是讓記者拍照大約 5 分鐘，然後是 10 分鐘的單獨會談，接著才是雙方代表團進行 45 分鐘的討論。他分秒必爭地嚴格遵守他的時間表。而最讓我驚異的是他在 10 分鐘的單獨交談中所提的課題──為什麼新加坡需要像改良型霍克地對空導彈那樣的高科技武器？這並不在我準備好的討論課題中。前幾任總統誰也沒問起關於我們有限地向美國購買武器的事情，更別說是防衛性武器了。在卡特的議程中，他首先關注的是停止軍備擴散，尤其是高科技武器。對他而言，改良型霍克導彈對東南亞來說算是高科技武器。我說明新加坡是個目標非常集中的城市，不得不實行多重防衛。我們的獵犬地對空導彈已經過時，但是如果他不能售賣改良型霍克導彈給我們，我可以改而向英國購買輕劍地對空導彈，問題不大。為了縮短這個課題的討論時間，我說我們不會申請購買這些武器。兩年後，美國駐新加坡大使介入，力促白宮再出售改良型霍克導彈給我們。這位大使是卡特的支持者，前北達科他州的民主黨州長。

雙方代表團的會談持續了 45 分鐘，同樣準時結束。卡特在會議結束前 15 分鐘，從胸前的衣袋裏拿出一份清單，看看自己是不是已經談過所有的項目。要不是重新看過會議紀錄，我實在

記不住我們究竟討論了什麼課題，它們盡是些無關痛癢的事。在他之前的總統詹森、尼克森和福特，談問題總會從宏觀的角度看：日本、韓國、台灣，然後是共產國家如中國、越南，再來是美國的盟友泰國和菲律賓——亞洲會是怎樣的局面。

卡特不談這些。雖然如此，我還是決定為他描繪一幅宏觀的圖景，說明美國對這個區域的穩定和成長有多重要，美國怎麼不應該轉移焦點，因為這將削弱本區域非共國家對它的信心，這些國家又都是它的朋友。我不肯定自己說的話他是否聽進去了。要不是早些時候，5月間在新加坡同國務院負責東亞和太平洋事務的助理國務卿霍爾布魯克見過面，我也許根本不會有機會同卡特見這一面。霍爾布魯克要在本區域裏找個人代為勸服卡特專注於處理亞洲事務，而我不巧就是他要找的人。

離開的時候，卡特送我一本套在綠色皮製夾子裏頭的競選自傳《為什麼不曾盡力而為？》。他已經預先在書裏題了字：「致我的好朋友李光耀，卡特」。我深覺榮幸，但是他在跟我見面以前就把我抬舉為「好朋友」，讓我受寵若驚。這一定是他競選期間例行的交際手腕。

我瀏覽了他的自傳，期望從中看出端倪。果然。他來自《聖經》地帶，是一個再生基督教徒。自傳中紀錄的兩件小事至今在我腦海裏揮之不去。他的父親在他去上主日學的途中給了他一枚銀幣，他回家後把兩枚銀幣放在梳妝台上。父親發現後把他打了一頓。他從此不再偷竊了。我不明白這怎麼幫助他贏得大選。另一件事談他獲配到核子潛艇上執行任務，接受里科弗上將面試。里科弗上將問他在安納波利斯海軍學院的班上考第幾名，他驕傲地說是第59名。里科弗上將問：「你盡力而為了嗎？」他答道：「是的，長官。」接著又改口說：「不，長官，我並沒有一直盡力而為。」里科弗上將問他：「為什麼不呢？」卡特說他怔

住了。因此，他把自傳題為《為什麼不曾盡力而為？》，並決定今後以這句話作為他的人生座右銘。有一天，我在電視上看他參加馬拉松賽跑，在接近終點時腳步跟蹌，趔趔趄趄，幾乎就要累倒。他不理會當時的體力狀況如何。盡全力實現最好的志願，是他當時最大的推動力。

我在 1978 年 10 月再度跟卡特有過一次簡短的會面。副總統蒙代爾接待我，卡特順便前來讓記者「有個照相的機會」。我們沒談上幾句，他仍然對亞洲不感興趣。值得慶幸的是，他的顧問說服他別從韓國撤軍。

卡特最大的成就，就是促成埃及總統沙達特和以色列總理貝京化解戰事糾紛。兩國相持不下的每一口水井、每一堵圍牆、每一道邊界他都瞭如指掌，這讓我深感驚訝。他掌握了所有細節。這使我聯想到蜆殼石油公司的評估方法——直升機素質，能全方位地看問題，又能調整焦點抓緊相關的細節。卡特就兼顧到了每個細節。

卡特「擦亮了眼睛」

1979 年，世界發生的三個重大事件，致使卡特在任期結束前不得不全心全意處理亞洲事務。首先，鄧小平在 1 月底赴美同卡特會面，以建立外交關係，並照會他中國準備對越南侵占柬埔寨的行動給與嚴懲；第二，卡特勸告已經眾叛親離的伊朗王離國他去，卻料不到 2 月間接管政權的不是一個重視人權的民主政府，反而是什葉派的長老；最後，12 月 24 日當天，蘇聯鑑於阿富汗的共產政權地位不保而入侵阿富汗。卡特為此大吃一驚說：「我總算擦亮了眼睛。」到這個時候他才看清蘇聯政權的真面目。那年較早的時候，他在維也納簽署美蘇限制戰略武器條約後，還給了布列茲涅夫一個擁抱。他當時相信蘇聯領袖都是講道

理的人，會對美國誠懇的和平姿態做出回應。

　　不過，卡特的國家安全顧問布熱津斯基卻是美國權力中心一個讓人放心的人物。他有宏觀的戰略頭腦，能看清在總體勢力平衡中，中國可以制衡蘇聯，也可以遏止越南淪為蘇聯的工具。他能夠強有力地在任何一個論壇上表達自己的見解，卻又明智地執行總統的外交政策，從不自作主張。美國和許多回教國家紛紛提供武器、資金和戰鬥軍力，加強阿富汗抵抗部隊的力量，最終抵抗部隊以寡敵眾，成功拖垮了強大的蘇聯軍隊。

　　越戰慘敗後，卡特一時衝動，準備大幅度削減美國的亞洲駐軍，尤其是一下子將四萬大軍全由韓國撤出，所幸讓霍爾布魯克及時制止。就像我在 1980 年 12 月霍爾布魯克卸任前寫給他的信上說的：「在美國政府、國會、媒體全要把東南亞遺忘了的那段日子，你不遺餘力地協助區域各國，使它們對美國的軍力和善意恢復信心。比起 1977 年我們第一次見面，未來已不再如此動盪不安。」

　　卡特是個虔誠的大好人，也許太好了，根本不應該當總統。美國人民對水門事件厭惡反感，投票支持他。但是四年來對美國的病態社會幾經苦思冥想之後，他們如今準備擁戴雷根。雷根對美國人和美國的前途有著光明的憧憬，這使美國人精神抖擻、興致高昂地度過了他接下來的兩個總統任期。

　　雷根的觀點簡單直接，是個堅強成功的領袖。後來證明他確實是個對美國、對世界都好的總統人選。美國人在 1980 年 11 月捨棄了一個種花生的農民，把選票投給一個好萊塢演員，那倒是一椿好事。

　　我在 1971 年 10 月第一次跟雷根會面，當時他以加利福尼亞州長的身分到新加坡訪問，隨身帶著尼克森總統為他所寫的介紹信。加利福尼亞是尼克森的家鄉，雷根想必曾經在尼克森的助

選活動中身負重任。在午餐前半小時的會談中，我覺得他是個有
堅定信仰的人，他堅決反對共產主義，一再談起越南戰爭以及蘇
聯怎麼在全世界處處惹事生非。過後，在專為他和他的夫人、小
兒子以及秘書迪弗而設的午餐會上，他的話題一直離不開蘇聯的
威脅。他對有關的討論深感興趣，午餐後要繼續談下去。於是，
我先讓他的夫人和兒子離開，把他帶回辦公室，我們再談了一個
小時，談的都是跟蘇聯和中國有關的戰略課題。他的一些看法教
人吃驚，卻非常鮮明。他說，柏林被封鎖的時候，美國其實不應
該把物資空運進去，反而應該同蘇聯以坦克相見，迫使對方遵守
四強協議，打開通往柏林的道路。不開路，就宣戰。他這種是非
分明的作風使我吃了一驚。

　　十年後，1981 年 3 月，前總統福特到新加坡來，告訴我剛
在 1 月間宣誓就任的雷根總統希望儘快同我會面。後來我再接
到他傳來的口信，問我能否在 6 月動身。我答應了。6 月 19 日
中午我抵達白宮，雷根在他的辦公大樓前面的門廊熱情地歡迎
我。我們在午餐前進行了 20 分鐘的單獨會談，他希望談談關於
台灣和中國的問題。

　　我告訴雷根，讓台灣取得成功，不斷同大陸的條件形成對
比，這種做法符合美國的利益。這樣的對比，通過媒體和重要人
物的互訪傳出去，將產生世界性的衝擊，影響深遠。他接著問我
蔣經國總統是否真的需要新一代戰機。蔣經國在雷根剛當選總統
的這個敏感過渡時期，急著要求美國出售這些戰機。雷根在競選
期間曾經嚴厲抨擊過中國，並且公開表明支持台灣。我知道，政
策上的任何突變都會使他為難，但是允許售賣新一代戰機給台
灣，卻意味著將使中美關係陷入更大的風險。我坦誠說出自己的
看法，認為台灣並未立刻面對大陸的威脅，台灣現有的 F5 型戰
機並不缺乏，更何況中國並未增加軍備。鄧小平如今所要的，是

為歷經十年文革後意志消沉和物資匱乏的人民提供更多消費品。台灣的戰機日後也許需要提升，眼下卻沒有這個必要。

雷根的主要顧問後來跟我們共進午餐，其中包括國防部長溫伯格、中央情報局局長凱西、白宮幕僚長貝克、迪弗和國家安全顧問阿倫。我們主要談到中國以及中國同台灣、同蘇聯的關係。

雷根問起中國怎麼會在美國國務卿黑格訪華後，立即就它和蘇聯的共同邊界問題對蘇聯表示友好。我的看法是，中國走這一步，目的是要提醒美國別把什麼事情都看成理所當然。不過，由於中蘇之間有著深刻而持久的利益衝突，我不認為它們能有多大進展。雙方都是共產主義的宣揚者，又都在各出心機，企圖壓倒對方，爭取第三世界的支持。再說，鄧小平必須應付他身邊那些不願意同美國靠得太近的人。我相信鄧小平的政策不會輕易動搖，軍事發展押後處理，優先目標是如何為人民提供消費品。

談到波蘭騷亂的情況，雷根說，俄國人想必會擔心戰線拉得過長。我說，他們不惜讓經濟走下坡，就是為了維護他們「橫跨歐亞的帝國」。雷根一聽到「帝國」這個字眼，立時豎起耳朵，並告訴阿倫今後形容蘇聯的勢力範圍可以多用這個字眼。雷根在他的下一次演講中就提到了蘇聯的「罪惡帝國」。

在午餐後最後 10 分鐘的單獨討論中，他讓我給蔣總統傳個話，要蔣總統別在那個時候催促他售賣高科技武器給台灣，否則會讓他很為難。不過他也要我向蔣總統保證他不會背棄蔣總統。雷根知道我同蔣關係密切，能緩和這番話可能引起的失望情緒。幾天後我會見蔣經國總統，代雷根傳達了口信，告訴他台灣不適合在這個時候購買高科技戰機。蔣問我怎麼他的好朋友雷根不肯幫他的忙。我大膽猜測，美國需要中國來維持環球勢力均衡，同蘇聯對抗。西歐國家和日本都不會願意如美國所願那樣，當機立斷地增加軍備開支，所以雷根必須考慮，是不是應該為中國注入

少量的科技，提升中國的軍備。這之上再加中國原有的龐大人力，就能給蘇聯製造壓力。蔣點頭表示同意。他接受了雷根提供的理由，要我告訴雷根：「我了解你。」蔣經國感到滿意。他信任雷根。

　　雷根也同蔣經國一樣，膽識過人，憑直覺行事，要不就信任你，要不就不相信你。他也是個對朋友絕對忠誠，對事業非常執著的人。他的顧問，包括國務卿黑格，都告訴過他共產中國在美國對付蘇聯的全盤策略中的重要性。他接受這個分析，卻對中國共產黨人感覺不自在。他繼承的是同中國之間必須維持下去的關係，他也知道這一點。

　　離開華盛頓的時候，我比在卡特當總統期間前去訪問時更具信心。雷根生性樂觀，他使周圍的人也充滿了「可以為之」的精神。他看到每個課題光明的一面，並且隨時準備捍衛自己的信仰。更重要的是，他能夠得到美國人民的支持，儘管媒體往往並不站在他那一邊。當我寫信感謝他邀請我共進午餐時，雷根的答覆內容充實。第一段這麼寫道：「我要改善美國和北京的關係，而且會努力地去實踐，卻不會為此而犧牲我們台灣的老朋友。我也不希望你們這些我們在東南亞的夥伴，誤以為我們把對華關係看得比對你們的關係更重要。」後來，雷根政府宣布售賣美國武器給台灣時，並沒有包括售賣先進的戰鬥機，理由是台灣「在軍事上不需要這類戰鬥機」。

　　十個月後，1982 年 4 月，副總統布希在訪問中國之前，到新加坡跟我見面，他想聽聽我對處理中台課題的看法。我說，這個課題非常複雜，我很肯定中國人也不以為布希這一次訪華，就能解決所有問題，重要的是要注意遵照種種形式。中國想必已經徹底研究過雷根的性格和觀點。他們知道他曾經多次訪問台灣，同蔣經國交情甚篤。又因為雷根是雷根，所以對中國人來說，訪

問的形式和實質的內容一樣重要。他們知道不可能在短期內收回
台灣，不過，台灣是中國一部分的大原則不應該受到挑戰，否則
麻煩就來了。我很肯定鄧小平需要美國。他在 1979 年 1 月到美
國去，使中美關係正常化，因為他需要美國站在中國這一邊，或
者至少在中蘇發生任何衝突時保持中立。他也知道他面對的是雷
根這麼一位意志堅定的總統。

　　布希問我中國同美國的關係，是否面對中國國內的反對壓
力？我相信中美關係是經過毛澤東親自點頭的，也不會有多少人
會公開反對中國同美國維持良好的關係。鄧小平不只使中美關係
正常化，他甚至跨前一步，開放中國，影響是重大而深遠的。鄧
小平的兒子在美國念書，很多中國學生也在美國念書。人才外流
的情況將會出現，也許流失 20%或更多，但是願意回國的人必將
帶回一些新思想。中國政府知道開放門戶得冒一定的風險，所以
他們的決定意義重大。他們準備讓留學生把一些激進的觀念帶回
來，把改革的細菌帶進來。問題的癥結在於，雷根在競選總統的
時候，曾經對支持台灣發表過強烈的聲明，並且在布希 1980 年 8
月到北京訪問後，還重複了這些話。布希在北京時請中國人諒解
並尊重美國的立場，美國在台灣問題上只能採取漸進的做法。我
相信中國人很重視誠信。他們知道那些背叛朋友的人，同樣會背
叛他們。要是美國因面對中國施壓而在台灣問題上讓步，那反而
教中國感到驚訝。中國要的是美國重申一個中國的原則。布希向
我保證，雷根決不會開倒車而把中台看成兩個國家，派駐兩個大
使。

　　我建議美國邀請趙紫陽總理訪問華盛頓，之後再由雷根總統
訪問北京，表明布希所表白的立場。美國必須讓北京相信他們一
個中國的政策。要做到這一點，一個辦法是讓雷根和鄧小平會
面，說服鄧小平，這是美國的基本立場。布希同意我的說法，因

為雷根可以很有説服力地表達自己的意思。布希又説，中美之間
其實有不少共識，因為雷根「對有關蘇聯的一切事情都非常敏
感，疑心重重」，波蘭和阿富汗的事件又更加深了他的疑慮。雷
根並不喜歡共產主義，但是他看到了同中國建立關係的戰略價
值。

　　1982 年 7 月我再訪華盛頓時，舒茲已經接替黑格出任國務
卿。七〇年代初期，他在尼克森總統任内擔任財長時，我就已經
認識他，後來成了朋友。黑格為尋求對付蘇聯的「戰略共識」全
力以赴，並同意逐漸減少售賣軍火給台灣。舒茲正在推敲怎樣的
措辭才能適當地表達這個承諾。他向我拋出了幾個問題。我並不
認為有必要在軍事上完全拋棄台灣，爭取中國共同對付蘇聯，反
正中國本來就會同蘇聯對抗。對中國抗衡蘇聯的價值，舒茲做了
較冷靜的評估，並實行了更加調協謹慎的政策，確保美國無須推
卸它對一個舊盟友所承擔的義務。

　　我同雷根總統在午餐前又舉行了一次單獨會談，沒有人在場
做紀錄。他談的還是中國和台灣、中國和蘇聯。我説，雖然他需
要中國來對付蘇聯，卻不需要為此而出賣台灣，這兩個目標並不
是相互牴觸的，只要處理得好，可以做到兩者兼顧。

　　他知道我見過大陸和台灣兩邊的最高領導人，他也知道我反
共，卻又是個務實主義者，所以想試探我對他的觀點會有什麼反
應。我告訴他，可以暫且擱置台灣課題，就像鄧小平針對釣魚台
糾紛向日本提出的建議一樣，把台灣問題視為現階段解決不了的
糾紛，留給下一代去處理。我建議雷根應該向北京解釋他是台灣
的老朋友，這份友誼不能輕易一筆勾銷。他問我他該不該到中國
去訪問。他本身不很願意這麼做，總覺得去了這一趟，就有義務
在行程中也同時訪問台灣。我聽了萬分震驚，力勸他切勿訪台，
尤其不能在同一個行程中訪台。正如我事前對布希説過的，雷根

29 後冷戰的新世界

1982 年訪美，我同雷根總統和國務卿舒茲（右一）在白宮交換意見。

應該在訪問中國之前，先邀請趙紫陽總理或者胡耀邦總書記到華
盛頓去。這兩個人或其中一人訪美之後，雷根的回訪將是個適當
的反應。

雷根後來來信說：「我們在 7 月 21 日午餐前的私人談話讓
我獲益不淺。我正期待得到你明智的忠告，果然就在那次會談中
大有收穫。你的坦誠直率，證實了你我交情之深摯，這是我非常
珍惜的。」

1984 年初，趙紫陽總理訪問華盛頓，強調中國希望同美國
有更密切的經濟關係。5 月，雷根總統訪問中國。過後，國務卿
舒茲的助手沃爾福威茨到新加坡向我匯報雷根的訪問，並就訪問
中一些令美國人費解的問題同我進行了討論。

一個必須解開的結

　　那次訪問很有成果，經濟上的確有了實質的進展。在一些環球性課題上，同中國人意見相左的時候，雷根沒有做出讓步。鄧小平強調台灣是美中關係之間一個必須解開的結。我說，讓鄧小平有機會親自同雷根接觸是好事。這麼一來，中國人就會明白他們同雷根交往不只是一任的事，而是兩任。的確，雷根連任了。

　　雷根重新當選後，國務卿舒茲建議我在 1985 年 10 月初到華盛頓進行正式訪問。我發現雷根狀況很好。他歷經四年的任期，還曾經讓子彈穿胸，險些擊中心臟，看起來卻充滿朝氣，頭髮烏黑濃密，聲音依然洪亮。雷根並不善於記住細節。其實，他清楚表明他不想被細節困擾，以致因小失大。他的強處是對目標貫徹始終、不屈不撓。他知道自己要的是什麼。確定目標之後，會聚集那些跟他志同道合又在各個領域中表現傑出的有識之士，爭取達到目標。他處處表現出自信而樂觀的精神。雷根擔任總統的八個年頭，是美國的好年頭，也是世界的好年頭。他的「星球大戰」計畫使戈巴契夫和蘇聯招架無力，最後促成了蘇聯的解體。

　　同過去一樣，我們再進行一對一的會談，他再次就中台問題徵詢我的看法。他說，他一直小心翼翼地走在中台之間的鋼絲上。他向中國表明美國不會背離台灣，「美國是雙方的朋友，而且會繼續維持這個立場」。他接著要我說服蔣經國總統在中國加入亞洲發展銀行以後，儘管台灣的名義必須改為「中華台北」，還是應該讓台灣繼續留在亞洲發展銀行中。蔣總統原本有意退出亞洲發展銀行，美國國會卻發出威脅，表明如果台灣被「逐出」，國會將不發放美國對亞行的捐款。我過後在台北嘗試向蔣總統說明雷根的立場時，費了好一番功夫，不過最終理性占了上

29 後冷戰的新世界

1985 年訪問華盛頓，我受邀在美國參眾兩院聯席會議上演講。

風。1986 年 1 月，中國成為亞洲發展銀行的成員，台灣則改稱
「中華台北」。

雷根在前一年到中國訪問時，看出中國人已經意識到他們必
須給與機會，讓人民創造更美好的生活。我説，這其實是美國讓
資本、科技、專門知識、貨品和服務在台灣自由流通所取得的成
就。我肯定鄧小平看過有關台灣經濟騰飛的報導，也一定在思
索，一幫在他看來是「軟弱、貪污和不中用的土匪」，為什麼能
夠取得這樣的成就。鄧小平一定認為是美國在資金、科技和技術
方面幫了這些「土匪」一個大忙，他現在熱切希望美國也能把這
個方程式傳授給中國。他知道美國對中國現代化進程的影響將無
可限量。

在這次的正式訪問中，我很榮幸能向美國參眾兩院發表演
講。這個世界最大的強國的立法人員，給了我這個蕞爾小國的領
導人一個説話的機會。我們的駐美大使許通美透露，雷根和舒茲
都鼓勵眾議院議長奧尼爾邀請我演講。我的演説主題是一個美國
人當時非常關注的課題——保護主義，以便保障就業機會，確保
美國同東亞新興經濟體之間的貿易逆差不至於越來越大。在 20
分鐘的簡短演説中，我説明自由貿易這個課題對整個世界來説，
其實是個戰爭或者和平的問題。

每個國家都有盛有衰。我説，一個國家如果國力正盛，有旺
盛的精力，卻不獲准出口它的貨品和服務，那麼它唯一的出路就
是擴張和侵占領土，把他國領土上的人民納入自己的版圖，組成
一個更大的經濟單位。這就是為什麼過去一些國家擁有的帝國足
以組成一個貿易集團。這種爭取成長的做法，曾經屢試不爽。這
個世界在 1945 年第二次世界大戰後已經擺脱這種做法了。就因
為有了關稅及貿易總協定、國際貨幣基金組織、世界銀行和種種
新條例，儘管德國版圖大幅度縮小了，還得同時應付從東歐回歸

的大批人口，德國卻還是能夠生氣勃勃地發展興盛。日本人也一樣，他們必須離開韓國、中國、台灣和東南亞，回歸到幾個日本島嶼上。德國人和日本人都能夠留在自己的疆域裏，通過貿易和投資繼續成長。它們跟其他國家合作、競爭，可以不通過戰爭而依然蓬勃發展。反之，貨品和服務的貿易往來一旦被禁止，中國就會重蹈歷史覆轍，回到戰國時期相互吞併的局面，爭取擴張領土增加人口，併入一個龐大的大陸帝國。這個嚴謹扼要的邏輯分析，理智上也許能讓議員們信服，但是感情上有許多人卻難以接受。

　　雷根在我們的討論中提到的另一個問題是菲律賓。流放海外的反對黨領袖阿奎諾在 1983 年 8 月從美國返回菲律賓，卻在馬尼拉機場遭槍殺，這件事使馬可士總統陷入困境。馬可士曾經是雷根的好朋友和支持者。舒茲早些時候跟我談起這件事，我提醒他，馬可士已經不再是解決問題的答案，反而是問題的癥結所在。舒茲要我坦白地向雷根說明這一點，因為雷根一直對可能必須背棄一位老朋友而耿耿於懷。因此，我以最婉轉的方式，向雷根形容馬可士怎樣從六〇年代一個年輕反共的社會改革者，變成一個自我沉溺的年老統治者，並且怎麼縱容他的妻子和朋黨巧妙地通過壟斷和專利權，把國家洗劫一空，使政府負債累累。菲律賓和馬可士政府，已經聲譽掃地了。

　　雷根聽完了我的評斷之後非常不高興。我說，現在的問題是尋找一個乾脆俐落的方法，讓馬可士體面離開，同時組織新政府，以便著手收拾殘局。雷根決定派遣特使去見馬可士，對日益惡化的局勢表達美國的關心。

　　菲律賓的局勢到了 1986 年 2 月 15 日終於失控，馬可士當天再度當選總統，選舉卻被指出現舞弊。美國大使羅伊奉命徵求我的看法。我說，無論馬可士是不是在合乎憲法的情況下上台，

美國都不應捨他而去，但是同樣不該置大部分的菲律賓人民於不顧，投選科拉桑，民眾不算少。美國不應該接受舞弊選舉的投票結果，應該向馬可士施壓，為的不是要雙方撕破臉皮攤牌，而是重新舉行大選。美國應該讓科拉桑勢力繼續維持「動力和幹勁」，因為這是「一股為善的力量」。美國不應該讓她感到沮喪失望。

第二天，2月16日，科拉桑宣稱選舉勝利，並宣布展開全國性非暴力抗議活動，要推翻馬可士政權。菲律賓的五個東盟鄰國一致行動，發表相同的聲明，對菲律賓可能出現流血事件和引發內戰表示關注，並呼籲當局採取和平解決的方法。

我告訴羅伊大使，應該讓馬可士知道他出國的大門是敞開著的。否則，他可能會因走投無路而被迫殺出一條血路來。2月25日，羅伊大使回應說，美國政府同意我的看法，問我是否願意挑起協調的責任，促使東盟出面為馬可士提供庇護。我的外交部長拉惹勒南說，要五國一致同意並不容易。我立刻通過新加坡駐菲律賓大使邀請馬可士到新加坡來。這個邀請一旦被接受，就有助於緩和當時劍拔弩張的危險局勢。與此同時，雷根親自傳信，要馬可士別動用武力，並說已經為馬可士、馬可士的親戚與親信做了安排，由夏威夷給與馬可士庇護。在夏威夷和新加坡之間，馬可士選擇了到夏威夷避難。同一天，即2月25日，科拉桑宣誓成為菲律賓的新總統。

馬可士抵達檀香山幾天後，他的行李，包括幾箱菲律賓的新鈔票，全被美國海關人員搜查。他意識到自己會有麻煩，傳信告訴我他想到新加坡來。剛就任菲律賓總統的科拉桑提出反對。馬可士只得繼續留在夏威夷，面對多重官司訴訟。

科拉桑惹火燒身

　　美國同科拉桑總統之間有個問題，就是該不該更新美國在菲律賓基地的租約。科拉桑向來對美軍基地採取強烈的反對立場，希望藉此從美國人那裏換來更多優惠。豈料她卻因此惹火燒身。當她總算接受了美國開出的條件之後，這個決定卻被菲律賓參議院推翻，理由是美國基地有損國家尊嚴。

　　美國參議員盧加是參議院外交關係委員會的資深共和黨領袖，對防務特別感興趣。1989 年 1 月，盧加在馬尼拉同科拉桑總統會談後，到新加坡同我會面。盧加問我，如果美軍必須離開菲律賓的蘇比克灣，新加坡可願意援之以手。我說，我們可以讓美國利用我們的基地設施，但是提醒他，就算開放整個新加坡，面積都遠比美國在蘇比克灣使用的地方來得小。我們沒有足夠的空間讓美國的軍人留駐。我促請他讓美國基地繼續留在菲律賓，不過補充說，如果新加坡公開允許美軍也使用我們的基地，能使菲律賓政府覺得在國際上不至於那麼孤立而更願意讓美軍在基地繼續留駐，那麼新加坡很願意這麼做。

　　我讓駐馬尼拉大使向菲律賓外長曼拉普斯提出這個建議。曼拉普斯說，他歡迎新加坡公開發表這項聲明。我請外交部政務部長楊榮文在 1989 年 8 月間公開表明，我們願意讓美軍更頻密地使用我們的基地。這項聲明發表之後，曼拉普斯做出回應：「我們要特別提到新加坡，對它明確的立場表示感激。」科拉桑總統後來也告訴我，我們的立場對菲律賓很有幫助。

　　馬來西亞和印尼對此卻沒有多大興趣。馬來西亞國防部長利道丁說，新加坡不應該允許更多外國勢力進駐本區域擾亂現狀。印尼外長阿拉達斯希望新加坡會繼續支持把東南亞發展成無核武地區的概念，並說如果新加坡的做法導致本區域增加一個新的軍

事基地，印尼將提出反對。

1989 年 8 月 20 日，我在電視直播的國慶群眾大會上説，本區域將不會出現駐有大批美軍的新基地，新加坡並沒有足夠的空間。我們不過是開放現有的基地供美軍使用，這些基地依然歸屬新加坡政府管轄，它們不會成為美軍基地。我也同意建立印尼所建議的無核武地區，以及建立馬來西亞所建議的和平、自由與中立的地區。可是，一旦在南沙群島發現石油和天然氣，建立和平地區的計畫就不太可能實現了。我剛於 8 月初在汶萊同印尼總統蘇哈托和馬來西亞首相馬哈迪醫生見過面，對我向美軍提供基地的面積和性質，都做了澄清。

美國政府接受了我的獻議。1990 年 11 月 13 日，趁著在東京參加明仁天皇的登基典禮時，我同美國副總統奎爾聯合簽署了備忘錄。那正好是我辭去總理職位前兩個星期。這份備忘錄的實際價值比美國和新加坡原來所估計的還要高。美軍在 1991 年 9 月撤離菲律賓的基地時，新加坡的基地設施成了美軍在東南亞僅剩的立錐之地。

東盟國家對美軍使用新加坡基地設施一事的看法，卻在 1992 年完全改變了。中國在它 1992 年出版的地圖中，把南沙群島也劃入中國版圖，三個東盟成員國（馬來西亞、汶萊、菲律賓）同樣宣稱擁有南沙群島的主權。那年 11 月，印尼外長阿拉達斯説，印尼如今不難理解新加坡讓美軍使用基地設施的好處。

1981 年 6 月我初見布希，他當時是雷根的副總統。他當上總統後，我們的良好關係沒有改變。我所認識的布希是一個非常熱情友善的人。回想起 1982 年，他一知道我將前往華盛頓會見雷根之後，就盛情邀我到緬因州肯納邦克波特，在他夏季度假的地方跟他同住。我謝絕了他的好意，因為小女瑋玲當時在波士頓的麻省醫院從事研究工作，我準備去同她見面。布希傳來口信

説，讓我帶她也一塊兒去，而且句句真誠。所以我們應邀到他那裏去度週末。瑋玲、我，以及布希和他的保鏢一起去跑步，暢談政治，非常輕鬆自在。布希夫人跟先生一樣，外向、好客而熱情，毫不造作。他們都為有朋友來同他們共度週末而由衷欣喜，讓我們賓至如歸。

1990 年伊拉克侵占科威特之後，美國為了增加在波斯灣的軍力，必須迅速調動 50 萬人到那裏。雖然備忘錄還沒簽定，我們還是讓運載人員和物資的美國飛機和海軍軍艦橫渡太平洋，在新加坡過境。新加坡派出一支醫療隊伍到沙地阿拉伯，對波斯灣行動表示支持。印尼和馬來西亞保持中立，兩國人口中占多數的回教徒，同情胡笙和伊拉克人，跟回教世界同聲同氣。

我在 1991 年 1 月 21 日到白宮訪問布希。那個時候，美、英、法軍隊團團包圍了伊拉克軍隊，「沙漠風暴」行動即將以迅雷不及掩耳之勢漂亮收場。當天傍晚，我們在布希的私人住宅泛談阿拉伯和以色列的局勢。他的國家安全顧問斯考克羅夫特也在場。我恭祝他成功地召集了多國的部隊組成盟軍支持這次行動，盟軍包括來自埃及、敘利亞、摩洛哥和波斯灣國家的軍隊。不過我提醒他，雖然胡笙不對，回教徒還是支持胡笙的。以色列人不斷在約旦河西岸建立更多移殖區，惹火了世界各地的阿拉伯人和回教徒，美國的盟友和朋友為此感到不安，兩種極端的情緒遲早會引發爆炸性的後果。我促請美國公開表明支持一個對巴勒斯坦和以色列都公平的中東問題解決方案，以顯示它並沒有偏袒以色列，無論以色列是對是錯。

1992 年 1 月，布希總統前往澳洲和日本訪問，途中在新加坡停留，跟我又見了一次面。1989 年 6 月 4 日天安門事件發生後，中國的問題越來越棘手。這是大選年，布希甚至必須面對自己的共和黨內自由派分子的壓力。為了維持他一貫的中國政策，

他需要中國在一些方面做出讓步，例如釋放被扣留的天安門示威
領袖、核武擴散、長程導彈和貿易。要繼續對國會撤銷中國最惠
國地位的決議行使否決權，他面對的阻力越來越大。由於中國國
家主席楊尚昆即將到新加坡訪問，布希希望我請楊尚昆讓中國採
取單方面的行動釋放拘留者，以示和解。

　　兩天後我見到楊尚昆主席，傳達了這個口信。楊尚昆回答
說，美國不斷就人權問題向中國施壓，其實是要藉此把自己那套
自由民主觀念和政治制度強加給中國，這是無法令人接受的。

　　那年 11 月，布希在大選中敗給柯林頓之後，我就覺得我們
必須準備應付美國在態度和作風上的改變。柯林頓承諾美國「決
不姑息獨裁者，無論巴格達還是北京」。從柯林頓許多支持者的
行動看來，他們簡直把中國當作一個等著接受援助，並會為此屈
服於外交和經濟壓力的第三世界國家。對中國對美國，往後的日
子恐怕都不會好過。

李光耀回憶錄

30 冷戰後的分歧

1989 年柏林圍牆倒塌，冷戰結束初露端倪。然而這個地緣政治變動的影響，卻要到1993 年柯林頓當選總統後才真正突顯出來。隨著反越戰的一代人入主白宮，人權、民主，這些過去被認為次要的問題，一下子都變成頭等重要的了……美國怎麼對俄國，我們都沒有意見……但是對美國以充滿敵意的言辭針對中國的做法，我們不以為然。

新加坡和美國的關係可以明確分為兩個階段：冷戰時期和冷
戰結束以後。蘇聯對美國和世界還是個威脅的時候，我們
同民主黨或者共和黨政府，都維持良好的關係。從六○年代詹森
總統在任到九○年代布希總統掌權都如此。新美彼此的戰略利益
完全一致。美國反對蘇聯，也反對共產中國；我們也是。對美軍
繼續留駐東亞，我們也給與大力的支持。

　　1989 年柏林圍牆倒塌，冷戰結束初露端倪。然而這個地緣
政治變動的影響，卻要到 1993 年柯林頓當選總統後才真正突顯
出來。隨著反越戰的一代人入主白宮，人權、民主，這些過去被
認為次要的問題，一下子都變成頭等重要的了。美國政府支持葉
爾欽總統領導下宣稱要實行民主改革的俄羅斯聯邦。他們把俄羅
斯當作盟友，視中國為潛在的敵人。美國怎麼對俄國，我們都沒
有意見，哪怕對俄羅斯的民主前景存有再多的疑慮。但是美國以
充滿敵意的言辭針對中國的做法，我們不以為然。我們擔心在言
論和行動上仇視中國，只怕真會迫使中國變成仇敵。我們不希望
出現這種局面。說到底，東南亞沒有一個國家會冒這種風險，同
中國反目成仇。這個時候，正是美國希望在東南亞縮減軍力的時
候，新加坡對美國的重要性，也就大不如前了。

　　很多美國人自以為蘇聯共產主義垮台後，中國的共產制度必
也再難以支撐下去，讓它儘早了結，是美國當仁不讓的道德義
務。要達到這個目標，有兩種處理方式：一是布希總統主張的，
通過建設性的接觸，逐步改變中國；另一是國會所支持的，實行
制裁措施，通過政治和經濟上的雙重壓力，迫使中國進行人權和
政治改革。布希在天安門事件發生後對中國採取了一些制裁行
動，但是不久之後就面對壓力，該不該讓中國向美國出口貨品，
享有最惠國地位，引起了國會的爭論。國會通過決議，中國不改
善在人權問題上的表現，美國就不給與中國最惠國地位。布希否

決了這項決議。在這以後，關於中國最惠國地位的辯論，就成了美國總統和國會每年的例行公事。

推動民主與人權，一直是美國外交政策的一部分。但是在冷戰時期，對抗共產主義在東南亞擴張是雙方共同的戰略利益，也為雙邊關係定下了基調。新加坡在人權和民主問題上跟卡特政府有不同的見解，對新聞自由的看法，也跟雷根和布希政府不一致，但是雙方卻不曾以對抗和咄咄逼人的態度，在這些分歧上大做文章。

例如，在卡特政府中負責人道事務與人權的助理國務卿德里安，1978 年 1 月同我見面，促請我廢除未經審訊就加以拘留的法律。我告訴她，我在每一屆大選中都會碰到反對黨對這項法律提出挑戰，但是每一次都會有絕大多數的選民投票支持我們的政黨和這項法律。新加坡是個儒教社會，這個社會把社群利益放在個人利益之上。我最基本的責任是為人民謀求幸福。我必須對付共產黨的顛覆活動，卻不可能找到證人在法庭上公開指證他們。真要照她的話去做，新加坡可就要大難臨頭了。南越船民當時正紛紛投奔海盜出沒、危機四伏的南中國海。美國除了像幫助南越船民那樣，還能怎樣解救新加坡呢？如果美國願意給新加坡以波多黎各一樣的地位，同意保障新加坡的未來，那麼我願意按照她那套方法去做。萬一新加坡失敗了，就得由美國收拾殘局。德里安在那一刻非常緊張，還問我能不能讓她抽根煙，儘管她的大使告訴過她我對煙味敏感。我看她再也壓抑不住煙癮了，好不可憐，於是帶她到樓上的陽台去。她一口一口地猛吸香煙，舒散心中的煩躁，卻無助於使她自己的論點更具說服力。

當時也在場的美國大使霍爾德里奇，20 年後在回憶錄中寫道：「李光耀，我曾經在多個場合聽他把自己形容為『最後一位維多利亞人』」，他肯定是一名儒家思想的忠實信徒，多年來連同

支持者致力於向新加坡的年輕一代灌輸儒家價值觀。相反地，德里安是美國南方民權運動的宿將，她的理想是為體現美國憲法固有的『人類權利』而進行鬥爭，民權運動示威者就經常同地方政府發生衝突。她全盤否定李的觀點，不同意社會福祉必須置於個人權利之上，認為新加坡的政治犯，只要誓言放棄暴力鬥爭就應獲釋。這兩個人在兩小時的會面中，大半時間都各執己見，雙方的想法簡直南轅北轍。」

　　但是這種意見相左的情況當時並沒有公開，我們兩國的戰略利益關係比什麼都重要。

　　再舉一個例子。1988 年 6 月，我們要求美國調走派駐新加坡大使館的一名外交官，理由是他干預新加坡的內政。這名官員唆使前副總檢察長招攬那些心有不滿的律師，一起在來屆大選中挑戰人民行動黨。這名外交官還安排這位律師到華盛頓的國務院同他的上司見面，並向律師保證在必要的時候將給與政治庇護。國務院否認所有指責，並且要求調走剛赴美就任的一名新加坡外交官，以示報復。國會就這件事情進行辯論時，我建議把這個問題交給一個中立而稱職的國際委員會去解決。委員會可以由三位專家組成，如果它發現美國外交官所進行的是合法的外交活動，那麼新加坡政府將收回抗議並道歉。國務院發言人歡迎我重申新加坡希望結束這場糾紛的講話，但是對我所提的建議保持緘默。這件事情就這麼不了了之。

　　到了九〇年代，美國人把人權和民主，以及西方同東方的價值觀，列為議事日程上的首要課題。美國硬是要日本把它所提供的援助計畫，同受益國的民主與人權紀錄掛勾。《朝日新聞》這份自由、反戰、主張民主的日本報章，邀請我於 1991 年 5 月出席在東京舉行的一個論壇，同主導輿論的美日重要人物討論人權和民主課題。我說，英法兩國分別讓 40 多個前英國殖民地和 25

30　冷戰後的分歧

個前法國殖民地相繼獨立，並為這些國家制定西方式憲法，迄今已有 50 年了。不幸的是，它的結果在亞洲乃至非洲都很糟糕。就連美國，也無法成功地讓菲律賓這個殖民地，在 1945 年回復自由 50 年後的今天，成功推行民主制度。我認為，任何社會要成功推行民主的政治制度，它的人民必須先得在教育和經濟上達到高水平的發展，有人數可觀的中產階級，生活不再只是為了基本求存而鬥爭。

第二年，《朝日新聞》再度邀請我去討論民主、人權，以及如何影響經濟發展的問題。我說明千百年來，不同社會以迥異的方式各自發展，理念和準則自也迥然不同。因此，堅持要把美國或者歐洲在 20 世紀末的人權標準強加於全世界，是不可能的。不過，有了向全世界廣播的衛星電視，任何政府想要隱瞞殘酷對待人民的事實，將越來越困難。漸漸地，同時也無可避免地，國際社會必定會在不干預他國內政和堅持所有政府必須更加文明、人道地對待本國人民的道德原則之間，取得平衡。隨著社會越來越開放，不同社會終究會匯集形成一套人人接受的共同的世界準則，慘無人道、殘酷野蠻的手段也將受到譴責。（正如在科索沃戰爭中，儘管北約和絕大多數聯合國成員，都不齒南斯拉夫總統米洛舍維奇對待阿爾巴尼亞科索沃人的殘酷暴行，國際社會也不可能在未獲聯合國安全理事會認可之下，對干預行動達成一致的共識。其中，代表全球人口百分之四十的俄羅斯、中國和印度，就對北約 1999 年的轟炸行動提出強烈的譴責。）

我接受美國《外交》季刊這份備受尊重的期刊的訪問，訪談內容在 1994 年 2 月間發表，對「亞洲」同「西方」的價值觀的辯論深感興趣的美國人，為此起了一陣騷動。在答問中，我避免使用「亞洲」價值觀這個詞兒，畢竟對「亞洲」價值觀的解釋不一而足。我談的是「儒家倫理」，中國、韓國、日本、越南，凡

是使用漢字系統，儒學經典流傳的國家，都深受儒學價值觀的影響。而散居東南亞的近 2000 萬名華裔，所推崇的也是同南亞、東南亞所奉行的回教、佛教和印度教不同的儒家思想。

　　我說，沒有所謂的亞洲模式，但是東亞儒家社會同西方自由放任的社會，有著根本的差異。儒家社會相信個人脫離不了家庭、大家庭、朋友以至整個社會，而政府不可能也不應該取代家庭所扮演的角色。西方社會則大多相信政府無所不能，在家庭結構崩潰時足以履行家庭固有的義務，未婚媽媽的現象就是一例。東亞人不行這一套。新加坡仰賴家庭的凝聚力、影響力來維持社會秩序，傳承節儉、刻苦、孝順、敬老、尊賢、求知等美德。這些因素造就了有生產力的人民，推動了經濟增長。

　　我強調自由只能存在於一個秩序井然的國家，一個鬥爭不斷、處於無政府狀態的混局，自由不可能存在。在東方社會裏，最重要的目標是建設一個井然有序的社會，讓每一個人都能享有最大的自由。當代美國社會的一些東西，是完全不能為亞洲人所接受的，槍械、毒品泛濫，暴力犯罪活動，人們居無定所，粗野的社會行為，處處反映了公民社會的崩潰。美國不應該不分青紅皂白地把它的制度強加於別的社會，這一套在這些社會根本行不通。

東方人不相信這一套

　　人要有辨別是非的道德觀。有種東西叫做邪惡，而人之所以邪惡，並不純粹因為他是社會的受害者。我在接受《外交》季刊的訪談時說，美國很多社會問題的產生，都是因為道德基礎被削弱，個人責任越來越不受重視的結果。美國有些自由派知識分子的理論是，他們的社會已經發展到了一個較為先進的階段，只要讓每一個人隨心所欲，對大家就會更好。這一套說法只能鼓勵美

國人更理所當然地背棄社會的道德準繩和倫理基礎。

　　換成冷戰時期，這次訪談只會被當成一篇知識性的討論一筆帶過。如今少了同仇敵愾對抗共產黨的團結和共識，我的見解反而突顯了美國人和亞洲人對犯罪與刑罰，對政府所扮演的角色，在觀點上的巨大分歧。

　　一些美國人認為我是在中國實行開放政策，經濟開始起飛之後，才形成這些看法的。其實，早在五○年代初期，當我發現新加坡的受華文教育者與受英文教育者之間存在著文化上的鴻溝時，就已經得出這樣的結論。尊崇華族價值觀的民族，比較守紀講禮，也更能敬老尊賢，社會自然就更有秩序。這些價值觀一旦為學校實行的英文教育所淡化，結果是學生的活力、紀律都散漫得多，行為也比較隨便。更糟的是，受英文教育者因為所講的不是自己地道的語言，一般都缺乏自信。共產黨領導的華校中學生同我領導的政府之間的激烈對抗，確確實實反映了在兩個極不相同的價值體系裏，文化和理念上的實質分歧。

　　美國的自由派學者開始批評我們控制在新加坡發行的西方報章。我們並沒有遵照他們那套發展和進步的模式。他們總以為一個國家在發展自由市場經濟而繁榮興盛之際，理所當然地應該更像美國，民主而自由，對新聞不加限制。就因為我們不願遵照他們定下的準則行事，所以他們不接受這個新加坡人民年復一年投票選出的政府也會是個好政府。

　　但是沒有一位美國評論員找得出新加坡政府貪污、任人唯親或道德敗壞的任何岔子。1990年以來，像香港政治與經濟風險諮詢機構等多個商業風險機構，好幾年都把新加坡列為全亞洲貪污情況最微的國家。根據柏林國際透明度機構的報告，新加坡的清廉程度排名世界第七，在英國、德國和美國之前。無論過去或者現在，新加坡同他們口中冠以「專制政權」的「香蕉共和國」

根本是兩回事。美國媒體為了表示不能苟同，一味地形容新加坡
是「經過消毒的整潔」，新加坡辦事效率高，卻被說成「毫無靈
魂地講求效率」。

1995 年 8 月，哈佛的政治學教授亨廷頓在台北發表演講，
把新加坡的模式同台灣的民主模式做了對比。他引述《紐約時
報》的標題，總結出兩種模式的差別：新加坡「乾淨而小氣」，
台灣「污穢而自由」。他的結論是：「李總統向台灣引介的自由
和創意，在他百年之後還會繼續留存；李資政帶給新加坡的誠實
和效率，則很可能伴隨他入土為安。在一些情況下，專制體制短
期內能有所作為，但是經驗顯示，唯有民主體制才能造就長久的
好政府。」

美國人和歐洲人通過赫爾辛基協定要求實行人權與民主，成
功地促使蘇聯解體後，理所當然地可以為勝利而耀武揚威。但是
要想對中國也如法炮製，卻是非常不切實際的做法。中國人可不
像俄羅斯人，中國人並不認為西方的文化準則是優越而值得模仿
的。

1992 年 3 月的一個晚上，前德國總理舒密特在新加坡的一
個晚宴上問我，中國是否會民主化，像西方國家一樣尊重人權。
坐在舒密特旁邊的芝聽到了要 12 億中國人（其中有 30%目不識
丁）投票選舉國家主席的想法，忍俊不禁。舒密特注意到，她這
個不假思索的反應，顯示了這種想法的荒誕性。我回答說，中國
4000 多年的歷史，是不同朝代的帝王更迭，間中歷經無政府狀
態、外強侵占時期以及軍閥和獨裁者統治的歷史。中國人可從來
沒有體驗過一個以計算人頭而非以砍斷人頭治國的政府。要蛻變
發展成為代議制政府，總也該有個漸進的過程。幾乎所有第三世
界國家都是前殖民地，歷經數十年沒有選舉沒有民主的殖民統治
後，才接受前統治者現成的一套民主憲法。但是英國、法國、比

利時、葡萄牙、荷蘭和美國的民主體制，卻花了整整 200 年才告形成。

　　歷史告訴我們，自由民主需要經濟發展、學識文明、不斷擴大的中產階級和足以保障言論自由與人權的政治體制。它需要一個以共同價值觀為基礎的公民社會，讓觀點不同甚至相互衝突的人民，願意彼此合作共存。在一個公民社會裏，公民在家庭和國家之間，還可能附屬於一系列機構組織，例如為促進某種共同利益的志願團體、宗教組織、工會、專業組織，以及各類自助團體。

　　我相信一個民族唯有培養起包容和忍讓的文化，民主才行得通。在這樣的環境裏，少數人能夠接受由多數人做主，直到下屆大選為止，同時耐心地和平地等待機會，以說服更多選民支持他們的主張，使他們能夠組織政府。把民主制度強加給那些傳統上你爭我鬥，至死方休的國家是行不通的。韓國就是一個例子。不論當家做主的是個軍人獨裁者或者是民選總統，韓國人都要上街鬥爭到底。台灣則是立法院頻頻上演鐵公雞，街頭也一再發生毆鬥事件。這種種現象，反映了各國在文化上的差異。每一個民族終究會形成各自具有不同代表性，符合本身習俗與文化的政府。

　　1994 年，就在蘇聯解體不久，美國人躊躇滿志之際，美國企圖讓海地在一夜之間民主化，重新扶植已被拉下台的民選總統。五年後，美國人悄然退出海地，私下承認失敗。美國作家沙可基司在《紐約時報》上撰文質問道：「究竟是哪兒出了差錯？暫且不論海地領導層有多大的過失，華盛頓的決策人應該知道強行民主化會有多大的風險。海地民主不足月早產，它不可能在沒有真正多黨制度的情況下繼續生存。多黨制度不可能在沒有穩固的中產階級的社會裏建立起來。中產階級要形成，不能少了充滿活力的經濟體。充滿活力的經濟體要存在，不能少了強大賢明，

有能力率領國家走出谷底的可靠領導人。」美國政府不曾公開承認失敗並表明失敗的原因，因此，同樣的錯誤仍會繼續上演。

　　我曾經於 1992 年 3 月在同一個交流會上向舒密特強調，人權問題完全是另一回事。科技把世界上的不同民族帶進世界村，大家都在電視上見證了同一暴行的上演。因為全世界的人民和政府都期望得到他國的尊重和崇敬，各國就非得逐漸改變有損形象和名聲的行為不可。舒密特過後再到中國時，我發現他竭力要求的是放諸四海而皆準的人權標準，而不是民主。後來，他在德國報刊《時代週刊》撰文說，中國不可能在一夜之間成為一個民主國家，但是西方可以在人權問題上施壓，要求中國在這方面達到更能為世界所接受的標準。

　　美國、西方，甚至日本之所以對亞洲的民主與人權這麼感興趣，焦點並不在台灣、韓國、香港或新加坡，他們關注的是中國將會出現什麼樣的局面。美國要這些東亞之「虎」成為中國的榜樣，讓中國看看這些自由社會正因為擁有民主的政治體制，所以能有蓬勃的經濟發展。《紐約時報》在亨廷頓於 1995 年曾經引述的那篇文章中指出，台灣和新加坡是中國 5000 年文明歷史中最成功的兩個華人社會，而其中一個很可能成為中國大陸未來的模式。其實不然。中國將走出自己的發展方向，有選擇性地採納它認為有價值，能符合中國發展前景的政府治國方式。中國人民對「亂」有一種刻骨銘心揮之不去的恐慌。正因為中國龐大，領導人益發得分外謹慎，在引進或採用任何模式或原理之前，都必須小心翼翼地測試、調整、修正，肯定沒有問題之後，才把它融入本國的體制。

　　香港主權由英國歸還給中國的問題，成了中美之間在人權和民主課題上爭論的焦點。美國可以通過香港在經濟上制衡中國，香港同中國分治的情況一旦無法令美國滿意，它就會切斷香港的

個別出口限額和其他優惠。香港的 600 萬人口並不能左右美國
或世界的命運，但是中國 12 億人民的命運（到 2030 年還可能
增加到 15 億）將對世界的勢力均衡起決定性的作用。美國同中
國牽扯上香港的「民主」問題，著眼點不在於香港的前程，更重
要的目的是為了影響中國未來的發展。同樣，美國自由派分子批
評新加坡，也並不因為他們關心 300 萬新加坡人口的民主與人
權，而是因為他們認為，我們給中國樹立了錯誤的榜樣。

　　從 1993 至 1997 年，柯林頓對中國的政策出現劇變。這是
1996 年 3 月台灣海峽危機引發的後果。中國當時在台灣海峽舉
行導彈演習，美國隨即派遣兩艘航空母艦到台灣東部水域作為回
應。兩岸的對峙局面迫使中美重新檢討雙方的立場，兩國關係在
雙方的高層防務官員經過幾輪深入密談後，才穩定下來。江澤民
主席 1997 年 10 月到華盛頓進行國事訪問，取得了成果。柯林
頓總統 1998 年 6 月到北京回訪，對江主席同意回應華盛頓的做
法，允許記者會現場轉播，大感意外。在結束對華訪問後途經香
港時，柯林頓形容江澤民主席「是個才智非凡、活力充沛的人。
他所具備的，是對歷史的這一刻極其重要的素質：他有豐富的想
像力，又深具遠見，能勾畫出一個與現在完全不同的未來。」

　　可是不過短短幾個月內，中美關係又再急轉直下。負責調查
核導彈秘密失竊事件的美國參議院特別委員會發表了考克斯報告
書，指中國進行諜報活動。考克斯報告書內容洩漏，在美國國會
掀起強烈的反華情緒，致使柯林頓無法在 1999 年 4 月中國總理朱
鎔基到華盛頓訪問時，抓緊時機就中國加入世界貿易組織的問題
達成協議。不到兩個星期後，美國在 5 月間誤炸中國駐南斯拉
夫大使館，犯下了悲劇性的錯誤。中美關係跌入谷底。一邊是世
界最強大的國家，另一邊是可能成為世界第二大強的國家，雙方
的關係發展猶如過山車般險象環生，教亞洲所有國家忐忑不安。

吳作棟總理在 1998 年 9 月到美國訪問時在白宮會見柯林頓總統，兩人討論了他們所關注的東亞金融危機和印尼局勢等課題。

　　中美關係在 1999 年 11 月兩國達成中國加入世界貿易組織的協議時有了轉機。中國入世將使它在世貿的條例框架下同美國和其他國家的經濟聯繫大為加強。這將形成互惠互利的關係。

　　美國政府偶爾也會很難纏，柯林頓總統的第一個任期（1993 到 1996 年）就是一個例子。邁克菲事件發生後，新加坡突然成了一個不受歡迎的地方，因為我們沒有跟隨美國開出的自由秘方去建立一個民主發達的國家。但是，1997 年 7 月貨幣危機爆發後，新美關係再度升溫。美國發現我們是個有用的對話者。新加坡是本區域唯一能夠承受大量資金流出本區域的國家。新加坡的法治和健全的銀行條例，加上嚴格的監管，是它經得起大量資金流出本區域的衝擊的原因。1997 年 11 月在溫哥華舉行的亞太經濟合作論壇會議上，柯林頓總統接受了吳總理的建議，答應為受

影響的國家和七大工業國召開一個特別會議，討論經濟危機，協
助受影響的國家重新整頓銀行體系，恢復投資者的信心。1998
年 4 月，會議終於在華盛頓舉行，有 22 國的財政部長出席了會
議。

　　隨著印尼局勢惡化，美國財政部和國務院的主要官員同我們
的官員進行了密切的協商，設法制止印尼盾崩潰。柯林頓總統在
1998 年 1 月派遣副財長薩默斯前往會見蘇哈托總統之前，曾給
吳總理打過電話。1998 年 3 月，柯林頓委派前副總統蒙代爾為
他的特使，向蘇哈托解釋局勢的嚴重性。這些努力都失敗了，因
為蘇哈托不曾明白在他開放印尼的資本帳戶，允許印尼公司向外
國銀行借貸大約 800 億美元的款項之後，印尼變得有多脆弱。

不受約束的經濟體

　　另一方面，在金融危機深重之際，新加坡反而進一步開放金
融市場，放寬管制。我們這麼做純粹因為自己確信這是正確的做
法，而這麼做卻恰好同國際貨幣基金組織以及美國財政部提出的
發展自由金融市場的因應之道不謀而合。美國人讚揚我們是個不
受約束的自由經濟體。

　　話雖如此，新美關係仍然會有起落，我們不可能總是遵循美
國的那套方程式來發展行事。新加坡是個人口稠密的彈丸小島，
它處在一個動盪不安的區域內，我們不可能以治理美國的那套方
法來治理島國。說到底，新美有再多的分歧吧，美國留在亞洲，
仍對保障本區域的安全穩定和推動經濟增長發揮了積極的作用，
相形之下，新美之間的微小分歧其實是不足掛齒的。美國開放了
國內市場，讓非共國家把商品出口到美國，加速了經濟增長。如
果第二次世界大戰期間日本勝利了，我們全都會淪為東洋奴隸。
若是當年美國不插手第二次世界大戰，繼續由英國坐鎮亞洲，新

加坡和這個區域的工業化發展恐怕無法如此順利地展開。英國向
來不願意讓各個殖民地實行工業化。

　　當年中國加入韓戰，對東亞的和平與穩定構成威脅，是美國
人加入戰團，在三八線上力阻朝鮮和中國軍隊的攻勢。它提供援
助和外資，協助日本重建，使韓國和台灣完成了工業化的發展。
美國在 1965 至 1975 年間在越南流過血耗過財，為的是制止共
產主義蔓延。美國公司到東南亞來建立維修設施，以便支援在越
南的美軍。然後，它們開始開設跟越戰無關的工廠，把所製造的
貨品出口到美國去。這促進了東南亞的工業化，新加坡也在內。

　　美國人慷慨豁達的精神源自樂觀進取的天性，他們總是樂善
好施。可惜這種精神到了八〇年代末期逐漸淡化。美國面臨日益
龐大的貿易和預算赤字，為了扭轉貿易和預算逆差，因而要求日
本和其他新興工業經濟體開放市場，調高幣值，進口更多美國
貨，並且支付知識產權費。

　　自蘇聯解體之後，美國人變得像過去共產黨人那樣固執狂
熱，崇信教條。他們一味向世界的每一個角落輸出民主和人權，
就偏偏避開有損自己利益的地方，例如石油資源豐富的阿拉伯半
島。不過再怎麼說，美國仍然是所有列強當中最寬厚的強國，比
起任何剛剛崛起的勢力，美國在作風上並不至於欺人太甚。所以
就算歧見再多，摩擦再大，東亞所有非共國家還是寧可讓美國繼
續留在本區域，為維持區域勢力的均衡扮演主要的角色。

　　我在六〇年代對於同美國人直接接觸有所保留，原因是他們
財大氣粗，總以為有錢就能解決一切的問題。美國官員大多輕率
莽撞又經驗不足，我卻漸漸發現跟他們合作並不如想像中那麼難
搞。我無需通譯也能理解他們的觀點，他們同樣能明白我的心
意。當年要是我只以華語或馬來語發表演說，美國負責東亞事務
的助理國務卿邦迪就不可能閱讀這些演說的內容，也就不可能安

排我在 1967 年 10 月同詹森總統會面。值得慶幸的是,我同多
數美國總統和他們的主要助手,特別是國務卿,都能融洽相處,
好幾位甚至在卸任之後還維繫著彼此之間的交情。我們為共同的
目標彼此合作,學習相互信任,成了好朋友。

　　然而美國的政治過程往往讓它的朋友深感不安。短短 25 年
內兩度發生總統遭彈劾事件,先是 1974 年的尼克森,然後是
1999 年的柯林頓。所幸這兩次的彈劾都不曾對整個國家造成太
大的衝擊。同樣令人擔憂的,是華盛頓政策隨主要人事變動而朝
令夕改的現象。決策方向捉摸不定,國際關係也因此變幻難測。
華盛頓一些友善的外交官總會說,新面孔能引進新觀念新點子,
能充任「沖滌機制」,避免統治精英死守政權、食古不化。我卻
認為也唯有像美國這麼一個富有又安如磐石的大國,才經得起這
種制度的多番折騰。

　　美國的政治過程儘管多麼開放透明,地球那一端如果發生什
麼危機,誰也說不上美國會有什麼反應。換做我是波斯尼亞人或
者科索沃人,也一定不相信美國人當真會插手巴爾幹的戰事。他
們卻真的干預了,不在於維護美國的基本國家利益,而是為了捍
衛人權,為了終止一個主權政府對自己的人民所犯下的違反人權
的罪行。只是這種政策能維持多久呢?它能放諸四海而皆準嗎?
在非洲的盧旺達,這一套根本行不通。美國朋友一再提醒我,他
們的外交政策考慮的其實並不是戰略性的國家利益,而是美國媒
體所關注的焦點。

　　縱有再多的失誤缺陷,美國還是成功了,而且做得非常出
色。美國的工業表現在七〇、八〇年代不如日本和德國,卻在
九〇年代以教人意外的活力回彈。美國公司在電腦和資訊科技方
面領導世界潮流。它們充分利用數碼革命將公司、企業打碎了再
重組,把生產力推向前所未有的高峰,同時成功抑制通脹率、增

加利潤，在競爭力方面領先歐洲和日本。人才薈萃是他們的強
處，大專院校、智囊團、科研中心和跨國公司，都是培育人才的
溫床，而且有能力吸引中國、印度以及世界各地出類拔萃的才
俊，在矽谷等新興高增值領域服務。沒有一個歐洲或亞洲國家，
能像美國這樣不費吹灰之力就吸引和網羅了大批的海外人才。美
國就像擁有磁鐵似的，把全球各個角落的頂尖人才全吸引到美洲
大陸去。這是美國的一個重要優勢。

　　歐洲人花了好些時間才肯承認美國自由市場經濟的優越性，
特別是美國那套重視權益資本回報率的企業文化的價值。美國的
執行人員堅持不懈地加強生產力和競爭力，為的是提高股東的投
資價值。這種論功行賞制度的代價，就是導致美國社會的分裂現
象比歐洲和日本社會嚴重得多。歐日社會沒有相當於美國社會的
低下層階級。歐洲企業文化重視的是社會團結與和諧，德國公司
甚至委派工會代表進入管理局，這樣做的代價卻是資本回報率和
股東投資價值偏低。日本人實行的是終身雇傭的制度，非常強調
雇主和雇員彼此的忠誠。這樣做的缺點是冗員過多，失去了競爭
優勢。

　　到了九〇年代，許多歐洲公司開始在紐約股市掛牌，這麼一
來，他們就不得不著眼於每一季的回報和股東投資價值。歐洲人
接受了美國企業管理的標準，這等於歐洲對美國的表揚。

　　只要世界繼續以經濟為主導，只要美國還能繼續在創新科技
領域中保住領先的地位，那麼歐盟也好，日本或中國也罷，相信
誰也取代不了美國當今所擁有的超凡地位。

日本人現在的態度，可以視為他們日後行為的苗頭。要是他們對過去感到羞愧，日後就比較不可能重蹈覆轍……日本的實力仍舊不容低估。一旦他們感覺到受威脅，石油或其他生存資源被切斷，出口市場被封死，國家生存的命脈斷絕，那我相信日本人必會再次進行惡鬥，就像 1942 至 1945 年一樣。

李光耀回憶錄

31 亞洲第一個奇蹟

過去 60 年來，我對日本人的印象改變了好幾回。第二次世界大戰之前，我接觸的是待人彬彬有禮的推銷員和牙醫。作為一個社群，他們愛乾淨，整潔，守紀律，自給不求人。因此，他們在 1942 年 2 月占領新加坡之後的殘酷行徑，完全出乎我的意料。他們的殘酷程度，令人難以置信。雖然有例外，日本軍政府有步驟的暴行，使日本人給人的整體印象是冷酷無情的。我們忍受了三年半的恐怖和物質匱乏的生活。在東南亞淪陷區，數以百萬計的人丟了性命。被他們俘虜的英國、荷蘭、印度和澳洲士兵都被迫服苦役，以致形銷骨立，命喪黃泉。

1945 年 8 月 15 日，天皇突然出人意表地下旨投降。日本人從作為我們的太上皇一下子變成了模範戰俘，他們盡心竭力地打掃城市，認真刻苦地對待自己應做的工作和身分的改變。接著他們在我們眼前完全消失。我從書報上得知，他們重建日本歷盡艱辛。

六○年代，品質優良的日本電子消費品流入新加坡。到七○年代，日本人又生龍活虎起來。他們擅長生產紡織品、石油化學製品、電子產品、電視機、錄音機和照相機，加上現代化的管理和銷售方法，他們搖身變成了別國不易應付的工業強國。隨著國力日益增強，日本人在鞠躬時腰也沒那麼彎了。

這1個國家從不道歉

對我和我這一代人來說，日本人給我們留下的最強烈、最深刻的印象，是占領時期的恐怖。這些記憶是磨滅不了的。從此以後，我在更廣的社交範圍內認識了許多日本人，包括部長、外交官、商人、總編輯、作家和學者，有幾位成了我的好朋友。他們受過良好的教育，學識豐富，通情達理。跟年輕的時候相比，我現在對他們了解得多了。日本占領時期的痛苦使人產生恐懼和仇

31 亞洲第一個奇蹟

恨。戰後我在書報上看到他們吃不飽和受苦受難,城市被炸平和燒毀,不由得幸災樂禍。這種感覺在看到他們堅忍不拔,有條不紊地著手從戰後的廢墟中重建家園後,不由得轉化為尊重和敬佩。他們巧妙地避開了麥克阿瑟軍事占領時期的政策目標,把許多使日本變得強大的特點保留下來。有一些人因戰時犯下的罪行而被送上絞刑台,多數人卻改頭換面,有些還以民主政界人物的姿態出現,贏得了選舉,當上了部長。其他的人繼續成為勤奮的愛國官僚,致力於把日本重建成一個和平的非軍事國家。但是這個國家卻從不悔悟,從不道歉。

戰後我第一次跟日本人交涉,同 1942 年日本占領新加坡時期的一次冷血大屠殺事件有關。1962 年 2 月,新加坡東部的實乞納地區進行土方工程,工人無意間發現埋在一個大墓坑裏的骸骨。挖掘出來的墓坑約有 40 個之多。這勾起了人們對 20 年前「檢證」行動的全部回憶。在日軍占領新加坡的頭兩個星期裏,日本憲兵隊抓了五到十萬名年輕華族男子,並殺害了他們。骸骨無意間出土之後,必須讓人們看到我在跟日本政府交涉這件事。我也希望看看復興的日本。1962 年 5 月,我第一次訪問還沒完全從戰爭的蹂躪中復原的日本。

日本外交部安排我們住在帝國酒店。這座建築物是由美國建築師賴特設計的,後來拆除了。它是一座雅致、寬敞的低矮建築物,看起來像西式建築,卻又很有日本風格。我從套房內約略看到了舊東京的景致,可以想像那準是一座曾經很迷人的城市。熙熙攘攘的新東京清楚地顯示了經濟正在復甦,但是卻雜亂無章。它是從廢墟中倉促趕建起來的。美國 B29 型轟炸機曾經投下燃燒彈,對它進行地毯式的轟炸,引發了嚴重的火災,把整座城市給摧毀了。日本為緊急和雜亂的重建付出了慘重的代價。道路系統很差,街道都很狹窄,沒有形成網絡,而且出現了交通堵塞的

現象。隨著汽車的普及，情況將會更嚴重。一個有著強烈的審美
觀的民族，卻重建出一座沒有吸引力的城市。他們錯過了興建一
個有效率和雅致的首都的機會，他們原本是有能力這麼做的。

　　高尚的高爾夫球運動顯然風靡全國。外交部長小坂善太郎帶
我到他的「三百俱樂部」去打高爾夫球。這是日本最昂貴的俱樂
部之一，只有 300 名會員，他們都是政界和商界的精英。高級
主管們使用的都是從美國進口的昂貴的高爾夫球和球桿。雖然日
本人當時已開始嘗試製造球桿，但是還很差勁，揮桿時既無力道
又沒有感覺。我錯誤地以為他們的技術和模仿能力也就到此為止
了，但是 20 年後，日本製造的好些高爾夫球桿卻是全世界最好
和最貴的。

解決「血債」問題

　　我唯一的重要公事，是和首相池田勇人討論他們的「血
債」，要求日本人對他們在第二次世界大戰時所犯下的暴行做出
賠償。他對過去發生的事情表達了「誠懇的遺憾」（不是道
歉）。他說，日本人民要「為所做的錯事向死者的靈魂」做出補
償，但是，希望這些事情不致妨礙日新兩國人民增進雙方的友好
關係。賠償問題就這樣擱置下來了。他們不想開先例，以免其他
受害國也紛紛提出賠償要求。池田和他的官員表現得極其友善，
他們也急切地想解決這一課題，免得勾起過去的仇怨。我們終於
在獨立後解決了血債問題。1966 年 10 月，雙方商達的數目是
5000 萬元，一半是贈款，一半是貸款。我期望同日本建立良好
的關係，以便吸引工業家到新加坡來投資。

　　雖然 1967 年 4 月，我再到東京是進行非正式的訪問，佐藤
榮作首相仍然會見了我。他從資料中得知我沒有迫使他們進行賠
償，感謝我解決了「骸骨」問題。我邀請他到新加坡訪問，他答

31 亞洲第一個奇蹟

應了。同年 9 月，他在夫人的陪同下前來，成為戰後第一位訪問新加坡的日本首相。

佐藤在不微笑時，神色嚴肅而凝重，但笑起來的時候會開懷大笑。他的樣子像日本武士，身材中等，體格結實，有著堅定的表情和姿態。有一次午餐時，芝問他是否真的是武士的後代，他自豪地回答說是，並補充說他的妻子也一樣。他講話聲音低沉，不多費唇舌。他的外長三木武夫每說三句話，他只說上一句，而且是更加有力的一句。他在戰後的日本領袖當中，享有第一個獲頒諾貝爾和平獎的領袖的榮譽。

我跟佐藤在一起時彼此都感到很自在。經過前些日子在東京的會面，他知道我並不反日，而是要跟日本合作，使新加坡工業化。他在演說中提到日本占領時期的唯一的一句話是，「亞洲歷史上，有些時候我們有過一些不愉快的事件」，真是輕描淡寫之至。

一年後，1968 年 10 月，我又到日本回訪。日本很講究禮儀，他們堅持在機場的迎送儀式上，我應該戴黑色的霍姆堡氈帽和灰色手套，穿黑色的西服。他們非常拘泥於西方的禮服穿著。

當時各地報章都在報導英軍將撤離新加坡的新聞，我發現日本官員和部長們，包括首相在內，都期待我會向他們要求援助。他們知道新加坡問題的嚴重性和迫切性，然而，我沒像其他到訪的發展中國家領袖一樣要求援助，這使他們大感意外。跟佐藤首相和外長三木討論之後，我得出的結論是，他們認為新加坡有效率高的港口和其他基礎設施，可以作為日本在東南亞進行經濟活動的立足點。不過，要這麼做的話，新加坡須跟印尼和馬來西亞保持良好的關係。

佐藤也為日本皇太子明仁和太子妃美智子成功訪問新加坡而向我道謝。他知道我曾經親自設晚宴款待他們，還帶他們到總統

府的天台去觀賞在日本無法看到的南十字星座。皇太子夫婦都説
得一口流利的英語，我們交談甚歡。我和芝後來多次訪問東京，
他們都在私邸盛情款待。

感覺很特別的一刻

　　由於是國事訪問，天皇和皇后在皇宮設午宴招待我們。主要
的宮殿被炸毀了，午宴設在比較靠外面的一座房子裏。我們被帶
領進入一個客廳，地上鋪了漂亮的地毯，家具陳設簡單而優雅，
擺了幾張精緻的小桌，禮物就放在上面。同這位半神的人物晤
面，是我生命中感覺很特別的一刻。在日本占領新加坡的三年半
裏，他成了神。我在國泰大廈報導部當電訊編輯期間（1943 至
44 年），常得向東京皇宮的方向鞠躬。如今眼前站著這個身材
瘦小、略微彎腰弓背的人，看上去毫無惡意，説真的倒是友善有
禮，説話低聲細氣。皇后個子比較大，圓臉盤兒，長得討人喜
歡。禮賓官員讓我們站到指定的位置拍照，然後賓主雙方坐下來
交談。談話內容無傷大雅。在適當的時候，他對戰爭期間日本對
新加坡人民所造成的苦難表示遺憾。我點了點頭，一聲不響。對
這樣的場面我毫無心理準備，認為最好是保持沉默。

　　日本人已經揭開了皇室的神秘面紗，要在他們心目中重新恢
復過去對天皇的崇敬，談何容易。皇位象徵著什麼，已經沒什麼
神秘可言。坐在午餐桌的另一邊，壓低嗓子跟這位曾經被當作神
一般的皇帝談些大多無關重要的事情，未免令人掃興。坐在天皇
身旁的佐藤首相對他有什麼想法，倒教我納悶。佐藤畢竟屬於把
他當成神來敬仰的一代。

天皇的葬禮

　　此後我和芝又幾次會見了天皇和皇后。我作為總理的最後活

31　亞洲第一個奇蹟

1968 年訪問日本，我和芝到東京皇宮會見裕仁天皇與皇后。

動之一，是於 1989 年 2 月參加他的葬禮。來自世界各地的顯貴
雲集東京，向這個復興和成功的工業強國的元首致哀。那是個肅
穆的傳統儀式。新宿皇家公園內築起一座宏偉的神道神壇，它是
用精緻的白松木搭成的，沒用一顆釘。人人都穿著深色的西服，
另加外套並戴著手套，不然就穿傳統的民族服裝。我們就坐在一
個開放的大帳篷內，面向神壇，凜冽的西伯利亞寒風吹來，教人
直打哆嗦。那是前後兩個半小時的徹骨嚴寒。日本人的安排卻周
到萬分。跟帳篷毗連的是個圍了起來的接待處，既溫暖，來往又
方便，有熱騰騰的飲料和小吃供應，洗手間的馬桶是保暖的。參

加葬禮的來賓，人人都獲得可以禦寒的毯子和大大小小的特製小
袋，只要把塑膠包裝扯開，氧氣就會使化學過程產生效應，把這
些袋子變成保溫墊子。我把小的保溫墊子放在覆蓋著足背的鞋面
下面，大的放進短上衣、褲子和外套的口袋裏。可憐的芝，旗袍
沒有口袋，無處可放。鄰座的人把多個保溫墊子放在座位上，讓
臀部保持溫暖。這種刺骨嚴寒比在新加坡國泰大廈天台上向天皇
鞠躬還要難受。當年我根本無法想像將來會有一天代表新加坡，
跟美國總統布希和英國的菲利普親王一起參加天皇的葬禮，向他
致哀，而美英兩國正是日本在 1941 年 12 月 8 日偷襲的兩大強
國。所有的大國和許多獲得援助的國家的總統或總理都出席了，
有些則由國王代表，全世界聚集在一起，讚頌日本的特出成就。

　　過去的 35 年，我對日本和它的領袖有更深的了解。我們需
要他們幫助新加坡工業化。在他們的眼裏，新加坡是東南亞的戰
略要地，可以從這裏出發把經濟活動擴展到整個區域。我們也是
從波斯灣到日本的海路樞紐，是日本油輪必經之地。我和日本首
相們經常反覆討論的課題包括：在馬六甲海峽自由航行的權利，
日本在新加坡和東南亞的投資，本區域的安全問題，中國在這方
面所扮演的角色，以及亞太區的經濟合作關係。

　　六○和七○年代，我所見過的所有日本領袖最關注的，就是
在馬六甲海峽自由航行的權利。佐藤最先於 1967 年表示擔心馬
六甲海峽部分航道海水太淺，大油輪恐怕過不了。我告訴他，只
要用有燈光的浮標或燈塔標明淺水的地方，就不會有危險。有了
先進科技，可以疏浚馬六甲海峽，用燈光浮標做航道標誌。我對
這個問題採取了積極的態度，使佐藤受到鼓舞。他老惦記著日本
是靠海路輸入像石油這類原料的，就是這些原因促使他們捲入第
二次世界大戰。他們當時擁有足夠的軍力發動攻勢，現在卻沒有
這個能力。1973 年 5 月，接任的首相田中角榮跟我在東京會面

時也提到這個課題。我強調，日新兩國應該合作，以確保自由通航得以繼續，同時抗拒本地區其他國家建議對通過馬六甲海峽的船只徵收通行費，他顯然感到安心。

兩年後我造訪三木武夫首相時，他提起不久前新加坡海峽發生的兩起日本油槽船意外事故，對新加坡政府的全力協助，表示真誠的感謝。這兩起意外事故曾激起新加坡鄰國的強烈反應。日本超級油槽船「祥和丸」先於那年 1 月，在離新加坡幾公里外的水牛礁附近擱淺後洩漏原油，在海面上留下了長達 20 公里的油漬。各國都擔心有關事故會嚴重污染印尼、馬來西亞和新加坡的海岸線。新加坡港務局立刻出動防油污船艇到海面噴射清潔劑，防止油漬擴散，化解油漬。隨後於 4 月間，「士佐丸」在聖約翰島附近水域同另一艘油槽船相撞，斷成兩截。這回事發的地點距離新加坡本島更近。所幸「士佐丸」已經卸下運載的原油，這才避免釀成另一次嚴重污染。儘管如此，馬印還是公開呼籲，向往來船只徵收航道使用費，以補償沿海國家蒙受的損害，同時為航行於馬六甲海峽的船只設定噸位限制。這個問題對日本太重要了，因此副首相福田赳夫和外長宮澤喜一過後都在和我會晤時，分別當面向我致謝。

同其他強國相比，日本政府更加重視發展中國家對他們是否具有經濟價值。新加坡沒有天然資源，他們對我們的評價很低。為了得到他們的幫助，比如投資石油化學工廠，我們必須不時提醒他們，要是新加坡也支持其他沿海國家——印尼和馬來西亞，向往來馬六甲海峽的船只徵收航道使用費，他們將遇到很多麻煩。自由通航對日本的經濟有很大的影響。因此，直到 1982 年，聯合國海洋法大會闡明各國有這個自由航行的權利時，日本才放下它的心頭大石。

設法吸引日本投資

擔任總理期間，我一直都設法吸引日本公司到新加坡來投資。日本首相佐藤在 1967 年 9 月訪問新加坡時，我公開地對他說：新加坡人對日本的資金、科技、經理和專家的流入，並無顧忌，而日本肯定將領導亞洲朝進一步工業化的目標前進。我告訴經團聯（日本大工業家的協會）的工業家，新加坡歡迎任何覺得搬到新加坡來能在工資或貨運成本上占優勢的工業。第二年，經濟發展局在東京設立辦事處。然而七〇年代初的日本人，還沒有做好把工廠遷移到國外的準備，他們還在加強國內的工業生產力。直到八〇年代，由於對美國的貿易盈餘越來越大，受到美國的壓力，他們才開始在美國生產。後來當歐洲也決定不進口他們的產品時，日本才開始在歐洲，尤其是英國設廠生產，把產品出口到歐洲經濟共同體。

精工錶決定在新加坡設廠的過程，反映了日本公司在海外投資時的典型小心謹慎。我們在七〇年代初花了三年多的時間，才說服精工錶在新加坡設錶廠。當時在東京代表經濟發展局的黃名光，畢業自一所日本大學，充分掌握和了解他們的語文和文化。精工錶不認為東南亞有任何地方能符合他們的精細工業的要求：有支援工業和充足的受過良好教育和訓練的工作隊伍。黃名光竭力使他們相信，應該未雨綢繆，準備有一天石英錶價格下跌，在日本製造變得不經濟，因此應該考慮到新加坡來。同時，他也跟該公司的科技與生產主管打交道。我們提交了多份可行性報告，再無數次地給與承諾，保證會盡力協助他們之後，他們才終於決定投資。1976 年，我為他們的工廠主持開幕儀式。在決定投資之前，他們小心翼翼，一旦決定投資，他們就全力以赴，確保計畫成功。不久後，他們對新加坡員工素質的疑慮一掃而空，進而

發展生產精密器具、工業機械和自動化系統。

　　1969 年，我們對一個石油化學計畫深感興趣。首先，我向三木提出我需要他的政府支持。日本跟美國或歐洲不一樣，凡事不能少了政府的支持，政府在投資計畫方面扮演的角色舉足輕重。1975 年 5 月我會見了住友化學公司總裁馳川紀成。他很願意對新加坡這個計畫做出投資承諾，但是說日本政府並不支持。他希望我跟日本首相會面時，能促使政府公開對這個合作計畫做出承諾。三木首相起初猶豫不決，原因是我們那擁有豐富石油資源的鄰國印尼，也希望日本能把石油化學廠設在那裏。我籲請三木表明立場，日本不應向資源大國的壓力低頭，而不做妥當的投資決定。我提醒他，上回在兩起日本油槽船意外事故中新加坡政府給與全力協助，希望他能對住友公司的計畫表示支持。他過後發表一個簡短聲明說：「雖然這是個私人投資計畫，日本政府仍深感興趣，並準備竭盡所能協助推動。」

　　直到兩年後，即 1977 年 5 月，接任首相的福田赳夫才確定新日石油化學計畫並由住友帶頭。要不是福田，這個工程未必能落實。那時候，10 億美元是非常龐大的投資，石油化學對當時的新加坡來說，也是過於資本密集和高科技的工業。雖然達成了協議，但是這個計畫卻得在中曾根康弘於 1983 年訪問新加坡時，才真正付諸實施。不久，石油化學廠計畫終於在五五合作的基礎上正式開展。這個計畫起步慢，投產時碰上供過於求的問題。但後來還是有利可圖，而且還衍生出數個大規模的下游產品投資項目。

　　我所接觸過的日本首相，從 1962 年的池田到 1990 年的宮澤，都可說是有才之士。然而其中一位可謂真人不露相，外粗內秀。1973 年 5 月，我在東京同田中角榮會面。他被譽為推土機，並且具有強有力的電腦般的頭腦。他是從建築承包商起家

的。以日本人的體型來説，他身材中等，肩寬腰粗，渾身是勁。
他的作風粗獷直率，跟其他日本首相大不相同，他們多是東京帝
國大學或其他著名學府的畢業生，先從公務員做起，升任高級職
位，然後進入自民黨領導層。儘管田中不是大學畢業生，擔任首
相卻綽綽有餘。

　　同這位對敏感課題，包括東南亞的反日情緒課題也坦率直言
的日本領袖交談，令人耳目一新。當時日本在曼谷遇到麻煩，學
生示威反對日本的經濟剝削。我指出，派國際貿工部長中曾根前
去安撫泰國人是不夠的。要避免這樣的問題再出現，他必須向泰
國人、印尼人和菲律賓人表明，日本不只是對擷取它們的原料有
興趣，比方説可以獻議協助它們工業化。我後來也曾對其他日本
首相提出這個建議，但是他們不為所動。

　　八個月後，我在新加坡機場迎接田中，那是 1974 年 1 月的
事。他步下舷梯的時候，我發現他的臉部歪向一邊，嘴唇和面頰
也這樣。他一點也不感到難堪，解釋説是臉部神經出了問題，需
要過些時候才會復原。他顯露出極大的自信心。

　　1974 年末，他由於涉及購買洛克希德飛機的賄賂案而辭
職。但在自民黨裏他依然舉足輕重，操縱著首相人選，直到
1993 年逝世。

　　福田身材瘦削修長但是結實，瘦小細緻的臉上總帶點頑皮的
神態。他擔任首相後，我於 1977 年 5 月同他見面。之前跟身為
部長的他見過幾次面時，已覺察到他思想敏鋭，興趣非常廣泛。
某次午餐時，他還隨手從上衣口袋中掏出一本很厚的記事簿，當
場念出日本和美國各自的延伸經濟區，以説明日本是如何地處於
劣勢。他紀錄下所有有用的事實和數據，包括海洋法所規定的，
各國所擁有的延伸經濟區的平方英里面積的大小。

同福田進行「心腹會談」

　　同年 8 月，福田出席在吉隆坡舉行的東盟峰會後，續程到新加坡訪問。他同我進行了一個半小時的「心腹會談」（日本人所謂的坦誠交談）。雙方部長同意成立日新訓練中心，讓那些贊助訓練中心的日本公司享有免稅優待。日本也要求新加坡在對航經馬六甲海峽的日本油槽船實施「龍骨下水深」制度之前，支持給與五年的過渡期。新、馬、印曾達成協議，規定龍骨下的水深必須達到 3.5 公尺，並在三年半內實施。我答應設法延長到五年，結果事成。

　　我也向福田提出抗議，他的官員曾指新加坡為工業化國家而非發展中國家，因此日本不能為新加坡提供低息貸款。我們還沒有工業化，如果他們把我們當工業國看待，歐洲經濟共同體和美國一定會步其後塵，迫使新加坡在還沒來得及做好充分準備以平等條件競爭之前，就喪失普遍優惠制度和其他特權。福田表示會注意，後來他們就停止再提這件事。直至數年後的八〇年代中期，倒是設在布魯塞爾的歐共體執行委員會，對新加坡的發展中國家地位提出質疑。

　　卸下國會職務後，福田在日本政壇的影響力並沒有因此消失。他的兒子贏得了他留下的席位，日本人對他們的領袖可謂忠貞不渝。1995 年福田與世長辭，日本失去一位精明練達的領袖。他對 20 世紀末世界所面對的問題瞭如指掌，也深知日本不能孤立生存。

　　1979 年 10 月，我再次到日本進行國事訪問。那時，大平正芳已接替福田出任首相。日本的外交禮儀已隨著時代改變，他們不再堅持要我戴上黑色的霍姆堡氈帽和灰色手套。我們住進接待賓客的赤坂宮。午餐由裕仁天皇和皇后宴請，晚餐則是首相所設

的燕尾服飾正式國宴。

　　大平有張寬大、笑盈盈的臉龐，雙頰豐滿，笑容可掬。這名一橋大學畢業生曾任職於財政部，是位謹慎和能幹的領袖。我特別向他指出，新日合作模式對我們的鄰國能起示範作用，例如日新訓練中心、電腦軟件訓練中心、新加坡大學日文系、新大工學院和日本工學院結成姐妹學院等計畫，都是如此。我們的鄰國都在認真研究這些合作模式。由於新加坡成功，他們認識到訓練和知識的價值。這麼一來，他們就更可能同新加坡和日本合作。我向他提出協助開發人力資源的要求時，他一口答應，並表示這也是他個人關心的課題。一年後大平猝然逝世，我失去了一個朋友。

　　接任首相的鈴木善幸於 1981 年 1 月到新加坡和其他東盟國家訪問。我促請日本像歐洲在洛美協定中對非洲大陸的態度一樣，給與東盟更大的關注。對此他毅然表示同意。傳統上日本首相上任後的首次海外訪問，一定先到華盛頓，他卻一反傳統，決定以東盟為第一站，然後才續程到美國，再到渥太華出席七大工業國峰會。他聲稱日本是亞洲的真正成員，而作為亞洲唯一的高度工業化國家，日本任重道遠，決意同亞洲一起努力。

鈴木重視東盟

　　這次姿態上的改變意義深遠。一名日本首相要在沒有強大官僚的支持和建議下，獨自進行如此重大的變革，實在有點不可思議。為了強調對東盟的重視，他追述了蘇聯曾經要求日本對西伯利亞的經濟發展提供援助一事。儘管蘇聯希望日本把經濟和政治區分開來，但是日本堅持除非蘇聯改變對阿富汗和越南的政策，否則不會給與西伯利亞任何經濟援助。我鼓勵他堅持這個立場，指出如果日本、美國和歐洲繼續為蘇聯掩蓋其制度的失敗，蘇聯

就會繼續給世界製造麻煩。得不到外界支援，蘇聯在 15 到 20 年內一定要面對比波蘭更嚴重的問題。鈴木同意。

　　鈴木畢業於水產訓練學院（現為東京水產大學），可說是這方面的專才。一次在用晚餐時，他為我揭開水產的奧秘，介紹日本的漁業，非常盡興。他所用的比喻幾乎都和魚有關。我建議日本集中發展人力資源，把東南亞人民訓練成跟日本人一樣熟練而生產力高的員工。他同意我的說法，還引述了一句諺語：「給人一條魚，只夠他吃一餐；如果教會他釣魚的方法……」他後來撥出 1 億元，在每個東盟成員國，還有沖繩，各別設立一個訓練中心。他說，開啟現代知識大門的鑰匙是訓練，不是資助和軟貸款。

　　佐藤下台之後，接連出現了多位任期不超過兩年的首相，要跟他們建立較深厚的私人交情談何容易。在這期間，日本經濟一直獲得高增長。首相和部長的更迭對經濟穩定和增長似乎毫無影響。外國評論員認為這是由於官僚權大和能幹，卻低估了出任首相和部長的人物的能力。這些人全是自民黨派系的主要成員。他們個個辦事幹練，經驗豐富，有著共同的看法。

　　鈴木善幸的繼承人中曾根康弘的任期卻超過兩年，自 1982 年起當了五年首相。他雖能說流利的英語，卻帶著濃重的日本口音。說起話來聲音洪亮、生氣勃勃的他，曾是日本帝國海軍部隊的尉官，對此他引以為豪。他身高 5 英尺 11 英寸，在日本人當中算是挺高大魁梧的了。他額頭高凸，頭髮半禿，看來是個精力充沛又嚴加自律的人。每個星期他必得到寺廟中以上身挺直，雙腳交叉的蓮花式坐姿靜坐兩個小時，他鼓勵我也這麼做。我接受了他的建議，通過一個信奉佛教的西醫朋友，我開始學習靜坐，每次半小時。後來靜坐成了日常作業，效果比鎮靜劑更好。

　　中曾根沒有其他日本領袖自我謙讓的作風。1983 年 3 月我

到日本訪問時受到他的熱烈歡迎，他還不斷強調能實現在首相署接見我的心願，是件多麼值得他高興的事。他十分關注東盟各國對他所謂的「日本國防開支稍微增加」的反應。眾所周知，早在他掌管防衛廳的時候，他就已表明他的鷹派主張，認為日本應該建立自己的國防力量。隨著美國參議院通過議案呼籲日本增加防務開支，他就更加振振有詞了。面對憂心忡忡的鄰近國家，他希望做出保證，日本加強自衛隊的力量，純粹是為了在緊急時刻守得住日本島嶼周圍的宗谷、津輕和對馬三道海峽，日本並不會因此而成為軍事強國。他聲稱這其實是歷屆內閣的一貫政策，只是未曾公開聲明而已。

同中曾根重提注事

　　他在同年稍後到新加坡訪問時，我重提十年前的一段往事。當年，一手協助山下奉文策畫攻占馬來亞的杉田一次中佐（中校）（當時的退休將軍），就在這同一個內閣會議室裏，針對自己在第二次世界大戰時期的所作所為向我致歉。1974 和 75 年，他率領幸存的夥伴重返新加坡，向我們的武裝部隊軍人匯報當年日本進軍馬來亞的情況，以及它怎麼一舉攻下新加坡。山下奉文在攻陷新加坡後就住進去的總統府，如今是人事幾番新。我告訴他，我們不能老是受歷史牽絆，必須往前看，消除雙方的疑慮。他同意我的説法，用英語表達了對我所採取的立場的「衷心感激」。

　　日本人民的内心深處，對於再次捲入一場不但贏不了而且代價慘重的戰爭，仍存有深深的恐懼感。中曾根加強防衛力量的政策也因此放緩推行。民意調查顯示，在防衛問題上日本人都寧可保持低調。無論如何，就因為中曾根性格率直，在他卸任以後，我們每逢在東京碰頭，總能一起吃飯，暢所欲言。

31 亞洲第一個奇蹟

　　自民黨的勢力在八〇年代末開始轉弱。35 年來一直都行之有效的整個體制，再也無法應付國內外急速改變的環境。傳媒接二連三地報導貪污醜聞，使自民黨連連受到炮轟。日本傳媒決心要拆散自民黨領袖、大商家，尤其是建築承包商以及高級官僚之間的相互勾結的關係。

竹下登謹言慎行

　　繼中曾根之後於 1987 年擔任首相的是竹下登。他個子瘦小卻風度翩翩，是早稻田而非東大畢業生。他溫文爾雅，待人處世拘泥形式。在笑容可掬的背後，他其實是一個政治暗鬥的高手。他的領導作風跟中曾根截然不同，謹言慎行，但是卻能履行自己的承諾。

　　竹下登出任首相期間，正是日本要從蘇聯手中奪回千島群島（日方稱為北方四島）的情緒最高漲的時候。戈巴契夫急需國際經濟援助，日本隨時準備慷慨解囊，條件是要蘇聯歸還原屬他們的四個島嶼，或至少作出歸還島嶼的明確保證。但是 1989 年 2 月我在東京裕仁天皇的葬禮上同竹下登重逢時，他卻透露，蘇聯決不放手。過後他給我傳來口信，要求我在蘇聯總理雷日科夫於 1990 年初訪新時，為支持日本收回北方四島說項。我曾經問過三木武夫首相，為什麼蘇聯疆土遍及歐亞大陸，卻會對堪察加半島外的四個小島如此在意。三木臉色一沉，激憤地直斥蘇聯人對領土貪得無厭。我問起島上日本居民的命運時，他一臉厭惡地說：「一個都不留，全被遣返日本！」竹下登對收回四個小島也有著同樣強烈的意願。所以雷日科夫總理訪新時，我特別提起這個問題。他的反應完全在我意料之中：四個島嶼的主權根本無可爭議，完全屬蘇聯所有。

　　在他的兩年任期內，爆發了一起同雇傭公司「利庫特」有關

的貪污醜聞。竹下登的心腹涉嫌為達到政治目的接受賄賂。這個
人後來自盡，竹下登悲痛欲絕，最終引咎辭職。

海部是「廉潔先生」

　　在鬧出一連串貪污醜聞之後，公眾極力呼籲清廉領袖上台。
雖然海部俊樹只領導自民黨內一個最小的派系，但是他仍然成功
地在 1989 年當選首相。海部受人歡迎，喜歡交際，有個「廉潔
先生」的雅號。他不及宮澤多才，不如中曾根果斷，又不比竹下
登善鬥。但是他卻有親和力。

　　海部在他的兩年任期內碰到不少問題。換成中曾根，當會樂
於當機立斷。美國要求日本派兵到波斯灣參與對伊拉克之戰，海
部在徵求了各黨派領袖的意見後，最終不派一兵一卒，而選擇提
供 130 億美元，作為日本對這次行動的貢獻。

　　其實西方一直都確認日本的經濟力量。從 1975 年在朗布依
埃舉行的會議開始，他們就邀請日本領袖出席五大工業國峰會。
可是在爭取扮演一個主要經濟強國的角色的過程中，日本始終面
對重重障礙。最嚴重的問題是，日本領袖對他們戰時的暴行採取
了不願面對的態度。反觀西德人，開誠布公地承認他們國家在戰
爭中犯下的罪行，同時表示歉意和對受害者做出賠償。他們也教
導年輕一代認識戰爭罪行的歷史背景，以免重蹈覆轍。日本人則
繼續採取模稜兩可的曖昧態度。我想，或許他們是不願使人民士
氣低落，或不願侮辱祖先和天皇。什麼原因都好，總之歷任自民
黨首相都沒能勇敢地面對過去發生的事情。

　　但是，1990 年 5 月，海部卻在新加坡發表了一次突破性而
且令人難忘的重要演講，「對日本過去所作所為給亞太無數人民
帶來難以承受的悲痛，表示衷心的懊悔……日本人民堅決不再重
複這類會釀成悲劇性結局的行動」，就只差一聲道歉。無論如

何，他的語氣確實體現了他誠懇和務實的態度。

　　我向海部指出日本人和德國人對待戰爭紀錄所抱的不同態度。德國工業家和金融家呈交履歷表，總會毫無隱瞞地把戰爭時期的經驗一一列出：在史達林格勒或者比利時的戰役中出過力，曾是美、英或蘇軍的戰俘，曾獲頒什麼軍階什麼獎章。但是在日本人的履歷表上，1937 到 1945 年期間永遠留白，好像這段日子不曾存在。這種現象充分反映了日本人根本不願重提這段歷史。因此，日本人和那些同他們來往的人之間總是隔著一道煙幕，疑慮重重，這是不足為奇的。我建議日本研究德國的方式，教育下一代避免重蹈覆轍。海部坦言我的意見讓他深受鼓舞，同時強調日本其實已經在不斷改變。他說自己是戰後第一個沒有軍事背景的首相。1945 年，他還只是個學生。到了六〇年代，他積極參與民主化進程。他願意認真研究如何教育年輕一代認清第二次世界大戰的歷史事實，重新檢討教科書的內容。可惜，他還來不及落實這個想法就被宮澤喜一取而代之了。

　　矮小調皮的宮澤，圓臉上總掛著探索的表情，一陷入沉思兩道闊眉就會緊蹙，在闡明經過謹慎仔細考慮的立場之前，也總會先噘起嘴巴。他像學者多於政治家。要是選擇投身學術界，擔任母校東大的教授一定勝任有餘，只是最後他卻當上了財政部官員。

　　傳媒曾在 1991 年報導我說過的話：讓日本人派兵支援駐守柬埔寨的聯合國和平部隊，簡直就是「把含酒的巧克力塞給一個酒鬼一樣」。宮澤在接任首相前夕，就趁一次我在東京和自民黨領袖共進午餐時，問我這句話是什麼意思。我回答說，日本文化要改變談何容易。日本人無論做什麼事都追求完美，做到極限，哪怕是插花、鑄劍或者打仗，這種習性是根深蒂固的。如今中國已經擁有核子彈，我不相信日本還會重演 1931 至 1945 年之間

的歷史。不過，日本若要爭取成為聯合國安全理事會的常任理事
國，就非得讓鄰近國家覺得它信得過，是個能賴以維護世界和平
的強國不可。宮澤追問，海部的懊悔難道算不上是提供了某種宣
洩嗎？我說，這只能算是個好的開始，卻並非道歉。後來宮澤出
任首相，在 1992 年 1 月向國會發表的第一份聲明中，就對亞太
地區人民所蒙受的苦難表達了「深切的懊悔和歉疚」。中曾根是
鷹，宮澤則是鴿。他一直支持美日聯盟，反對以任何形式重建軍
事力量。他說得一口流利的英語，詞彙豐富，因而易與他人坦誠
交換意見。他反應敏銳，一有不同意見，就立刻反擊——但總是
彬彬有禮。早在他出任首相以前，我們已是多年的好朋友了。

宮澤特別留意中國

　　宮澤也特別留意高增長的中國會成為一個怎樣的國家。同
1968 年的佐藤、三木（1975 年）和福田（1977 年）一樣，宮澤
花了頗長的時間討論跟中國有關的課題。即使在中國採取閉關政
策經濟停滯時，日本領袖已經非常關注它的發展了。後來鄧小平
推行開放政策，日本更是格外留意這個每年增長 8% 到 10% 的鄰
居，因為它可能威脅到日本在東亞地區的顯赫地位。宮澤擔心
的，是少了民主制度和新聞自由的監督和制衡，中國崛起將對日
本和東亞的安全構成威脅。大多數日本領袖相信，美日的防衛合
作聯繫能給日本 20 年的安全保障。然而宮澤和其他日本領袖擔
心的，卻是長遠的局勢發展，暗自害怕有朝一日美國軍力將難以
在本區域維持的支配的地位，不願再保衛日本。中國究竟會起著
穩定的作用還是引起麻煩，沒人說得準。

　　我認為最好是把中國納入現代化的世界體制裏。日本應該吸
引中國優秀生到日本深造，讓他們同日本的年輕一代建立密切的
關係。同樣地，中國最傑出的頂尖人才如果能有機會到美日歐，

就能開拓眼界，認清中國要繁榮富強，就不得不在國際上做個奉公守法的成員。如果中國在推行經濟改革的進程中多方受到孤立和阻撓，它就會對先進國家產生敵意。

大多數日本領袖深信一到緊要關頭，東盟國家都會跟日本站在同一陣線，唯獨無法斷定新加坡會有怎樣的反應。他們不懷疑身為華人的我關心東南亞的利益，並且純粹從一個新加坡人的角度看中國的立場，相信衝突發生時我未必支持中國。但是對在新加坡占多數的華人，以及未來的領袖在中國的壓力之下會產生什麼反應，他們就說不準。我想我當時並沒有成功地消除他們心中的疑慮。

就在宮澤擔任首相期間，田中一名年輕弟子小澤一郎率領黨內一個勢力強大的派系，在一次關鍵表決中推翻了宮澤內閣。宮澤畢竟有別於其他自民黨派系的首領，他不是一個黨內明爭暗鬥的能手。自民黨輸掉了隨後舉行的大選。自民黨失去政權也有好的結果。細川護熙成為首位以毫不含糊的語言承認日本所犯戰爭罪行的首相。自民黨領袖一直對他們的戰爭罪行抱著強硬的態度，細川沒有這樣的思想包袱。日本要等到一位非主流政黨領袖上台出任首相，才真誠地道歉。

第二年，緊接著上任的社會民主黨新首相村山富市再次道歉，還趁訪問東盟之行分別對東盟領袖一一致歉。在新加坡，他公開表明，日本不能再逃避，必須正視過去的侵略和殖民統治。1995 年，第二次世界大戰結束 50 周年紀念，村山發表聲明，再度表達他最深切的愧疚和由衷的歉意。他並且強調，日本必須對給亞洲造成的痛苦自我反省。村山也是首位到新加坡第二次世界大戰蒙難人民紀念碑前獻花的日本首相，雖然我們並未要求他這麼做。他告訴我，希望這麼做能維護本區域今後的和平與穩定。他仍能感受到本區域潛伏著的強烈的反日情緒，因此益發體會加

強政治、經濟和文化交流的重要性。這兩名非自民黨首相的道
歉，削弱了以往日本政府決不道歉的強硬立場。自民黨並未道
歉，表示歉意的是部分的村山聯合政府。

　　1996 年，自民黨的橋本龍太郎繼村山之後接任首相。他在
同年 7 月慶祝誕辰的那一天，不以官方姿態而以私人名義，到
靖國神社弔祭在第二次世界大戰中陣亡的日軍亡魂，其中包括當
年的首相東條英機將軍，以及好幾名因戰爭罪行而在戰後遭處決
的戰犯。日本領袖這種模稜兩可的態度，留下解答不了的大疑
問。同德國人不一樣，日本人沒有進行導瀉，以清除他們體制裏
的毒素，不以他們的過錯教育年輕一代。橋本只在第二次世界大
戰結束 52 周年紀念（1997 年）以及同年 9 月訪華時，對第二
次世界大戰「深感懺悔」，儘管中國和韓國都希望日本領袖能道
歉，橋本卻沒這麼做。

他們不要道歉

　　我想不通日本人為什麼如此不情願承認過去，做出道歉，以
從此邁步向前。由於某種原因，他們不要道歉。道歉等於承認犯
錯，而公開表示懺悔更暴露了他們今日的主觀感受。南京大屠
殺，朝鮮、菲律賓、荷蘭和其他婦女被拐騙或被強迫到前線充當
日軍的「慰安婦」，對活生生的中國、朝鮮、蒙古、蘇聯和其他
滿州囚犯進行慘無人道的生化武器試驗：他們都矢口否認，直到
一件件史實在日本的檔案中被發現，他們才迫不得已承認。這種
態度，又怎能不教人對他們未來的意向生疑呢？

　　日本人現在的態度，可以視為他們日後行為的苗頭。要是他
們對過去感到羞愧，日後就比較不可能重蹈覆轍。因戰爭罪行而
被聯軍處決的東條將軍在遺囑和供證中說，日本人是因敵眾我寡
而敗北。以日本的面積和人口，它仍有潛能在高科技戰役中建立

實力。誠然，中日的任何衝突一旦升級，超出傳統武器的層次，日本必定會吃大虧。這種情況不太可能出現，但是萬一發生，日本的實力仍舊不容低估。一旦他們感覺到受威脅，石油或其他生存資源被切斷，出口市場被封死，國家生存的命脈斷絕，那我相信日本人必會再次進行惡鬥，就像 1942 至 1945 年一樣。

　　不論日本和亞洲的前景如何，日本人如果要推動經濟現代化以及扮演聯合國和平使者的角色，就必須先了結這個道歉的課題。亞洲和日本一定要往前看。為此，我們彼此之間都應有更大的信任和信心。

李光耀回憶錄

32 向日本人學習

縱使日本占領時期的經驗歷歷在目，日本的民族特性教我至今心有餘悸，我還是覺得他們有值得尊敬和佩服之處。他們的群體協作精神，他們的紀律、智慧、刻苦勤奮和為國犧牲的精神，促成了一支強大無敵和生產力特強的隊伍。日本人深知自己的國家資源貧乏，他們必將會繼續格外努力，為人所不能為。

在第二次世界大戰之後，幾位日本社會的頂尖人物決意重建日本，振興工業。這個頂尖的領導班子並沒有被麥克阿瑟將軍率領的美國占領軍解散。當中共介入韓戰時，美國人就決定改變政策，重建日本。日本領導人知道這是個大好機會，一方面保持深藏不露和謙卑的低姿態，一方面在紡織、鋼鐵、造船、汽車、石油化學工業、電子電氣產品、照相機以至電腦等各個領域中，快馬加鞭趕上美國人。日本有個同法國貴族學校一樣的精英制度。前皇家大學和頂尖私立大學精選人才、造就人才，這些人才在公私部門的事業階梯上逐級攀升。他們的行政官員和公司領導人，跟世界任何傑出人才一樣能幹。不過，日本的奇蹟並不是單由少數最上層的人創造的，全體日本人民都有一種要證明自己濟事的堅定意志。不管在哪一個階層，他們都不忘爭取最卓越的成就。

日本人敬業樂業

七〇年代末，在一次訪問四國島的主要市鎮高松時遇上一件小事，我對日本人敬業樂業的態度從此留下畢生難忘的印象。日本大使在當地一家酒店宴請我，雖屬三星級，卻是當地最好的酒店。晚宴菜肴水平絕佳。水果和甜品時間一到，一名不過三十幾歲的廚師一身潔白登場，耍弄著一把非常鋒利的刀子展示削柿子和日本脆梨的身手，呈獻了一場讓人驚嘆的大師級表演。我問他這功夫是怎樣練成的。他是從廚房助手做起，只負責洗碗碟，削馬鈴薯，切菜。五年後他以助理廚師的身分畢業，十年後升任酒店主廚。對自己的工作他引以為榮。正因為具有對工作的深切自豪感，以及在任何工作崗位上都竭盡所能的高昂志向，哪怕是廚師、侍應生以至清潔女工，都具有最高的生產力；在製造業方面則獲得接近零失誤的工作成果。亞洲沒有其他民族在這方面能及

得上日本人。無論中國人、韓國人、越南人、東南亞人，任何民族都做不到。唯一的弊端在於日本人自視為特殊的民族。要不你就是個土生土長的日本人，是這個魔術圈子裏的一分子；要不你就一無是處。「特殊民族」的神話使日本人不論作為一個國家、一個機構，或者任何工作場所的一小組員工，都構成一股難以應付的力量。

日本人文化獨特

　　日本人具備令人欽佩的素質。他們有個獨特的文化，像「樂高」砌磚一樣，恰如其分地相互配合拼湊成一個整體。一對一單挑，中國象棋也好，圍棋也罷，許多中國人都不輸給日本人。但是作為一個群體，特別是工廠裏的生產隊伍，任誰也難把日本人擊垮。八〇年代，一家日本公司日存獲頒生產力獎，我在頒獎給公司董事經理日坂時問他，既然本地分公司和日本總公司使用同樣的器材配備，以新加坡員工跟日本員工比較，他如何評價本地職員的表現。他給新加坡員工的生產力打了 70 分。原因是日本員工技術更純熟，也是多面手，靈活性大，適應力強，跳槽和缺勤的現象少，更願意終身學習和接受訓練。誰也不把自己當成白領或藍領，大家一律是灰領員工。無論是技術人員、小組組長或督工，都不會介意弄髒一雙手。我問日坂，本地員工還要多久才趕得上日本的水平？他認為也許在 10 至 15 年後。在進一步追問下，他卻表示本地員工恐怕不可能完全與日本齊步。他指出兩個原因：首先，日本員工總會在同事因其他重要事情離開崗位時，自發地暫代其職，新加坡員工則只顧分內的工作；其次，新加坡沿襲了英國的制度，基層和領導核心界線分明，理工學院或大學畢業生一入行必定直接高居要職。日本的情況就大不相同。

　　1967 年到日本訪問期間，我參觀了石川島播磨工業在橫濱

1967 年 9 月我和芝在機場迎接到訪的日本首相佐藤榮作伉儷。

的船廠，這家公司是新加坡裕廊造船廠有限公司的合夥公司。副
總裁真藤恒博士是個出色的工程師，身強體壯，精力過人，精明
能幹，他帶我四處走走。他跟其他工人一樣，身穿公司制服，腳

穿膠靴，頭戴安全帽。在進入船塢之前，他拿一頂安全帽給我。他對船塢熟悉得不得了，邊走邊用英語向我解釋。日本工人守紀律、勤勞、團結和有效率。

回到辦公室共進工作午餐時，他解釋了英國管理層跟日本管理層的不同點。日本執行人員和工程師在工廠裏工作。他們必須了解最低層的工人，才能有效地領導他們，所以必須從基層做起，逐步上升。英國船塢執行人員坐在鋪地毯的辦公室裏，從不去看看在車間或船塢工作的工人。對工人的士氣和生產力來說，這不是好事。

同年較後時，我在泰恩賽德參觀了斯旺・亨特船塢。約翰・亨特爵士帶我到船塢各個部門走走，得到的印象跟日本船塢形成了最強烈不過的對比。亨特爵士穿一襲裁剪出色的大衣，皮鞋擦得鋥亮。我們一起乘坐勞斯萊斯汽車前去。行經油膩的車間地面時，我們的鞋子沾上油泥。在橫濱的石川島播磨船塢，我沒發現油泥。快上車的時候，我有點猶豫，亨特爵士卻滿不在乎，在地上擦了擦鞋底，沒把油泥擦乾淨便上車。在車裏，他把油泥擦在地毯上，叫我也這樣做。我必定是露出了詫異的神情，因為他說：「他們會用洗滌劑洗乾淨的。」接著車子便開動，不是到辦公室去吃工作午餐，而是到戈斯福思酒店，先吃一頓美味佳肴，然後到酒店的高爾夫球場打了 18 個洞的高爾夫球。英國執行人員的生活講究派頭。

1975 年 5 月，我在 1973 年 10 月的石油危機後第一次訪問日本。從不少報導中，我了解了日本人如何採取徹底而全面的步驟節省能源，每單位工業產量的石油耗損量都減少。這趟訪日，我就發現他們的辦公室和公共大樓，包括豪華酒店，全積極減少所使用的能源。即使夏日炎炎，我居住的酒店客房空調系統最低也只能調到 25 攝氏度，在那種季節算是挺熱的。酒店內貼上通

告，敬請房客原諒。客房清潔女工也總會在我們離開房間後，殷勤主動地把所有電燈和空調都關上。

我請公用事業局的官員研究日本人節省能源的方法。他們的報告顯示日本人處理問題態度認真，不像美國人那樣對危機情況總是不當一回事。所有使用電能超過特定水平的工廠，都必須委任能源經理，管制能源用量，而且必須每年向日本國際貿易工業部呈交進展報告。建築業也採取節省能源措施，避免外牆和窗戶散熱。製造商提高了空調機、電燈、熱水器等家庭電器產品和工業機械的效率，減低耗電量，並在每一件電器產品上面注明電能的使用功效。

裝置節省能源儀器的公司，可獲政府提供稅務優惠。銀行也願意提供特低利率貸款，資助裝置隔熱器和其他儀器。日本在1978年成立了節省能源中心，通過展覽、工業能源審查和研究工作，把節省能源的科技和知識傳播開來。這就難怪日本每單位工業產量的耗電量是世界最低的。

我發動國內幾位部長適當地採取類似的措施，電能消耗量總算下降了，但還是遠遠不及日本的成績。

進入七○年代末期，日本從石油危機中復甦的經濟奇蹟，成了舉世艷羨的焦點。就在西歐和美國不得不放慢腳步的時候，它卻已重享高增長率。儘管許多文章和全球最暢銷書籍紛紛稱頌它的成功之道，世界對日本人依然抱著根深蒂固的觀念：工作起來像螞蟻似地不眠不休，居住在兔子窩裏，堅持封閉自己的市場，然後把鋼鐵、汽車、零失誤的電視機和電子產品，源源不絕地輸往外國。

從日本人身上我得到一個啟示：通過員工和管理層緊密合作提高生產力的重要性——這才是人力資源發展背後的真正意義。新加坡在1972年成立國家生產力局，此後日漸步上正軌。自從

一名曾在新日聯營電子公司擔任董事經理的行動黨議員黃貴祥也參與工作後，我逐漸認識到日本管理方式的好處。這名議員協助生產力局成立國家生產力委員會，邀請私人企業參與提供諮詢。我也要求日本生產力中心協助新加坡成立類似的中心，還同日本中心主席鄉司古平見了面。鄉司先生是個沉默寡言的老人，七十五六歲。他是個苦行者，渾身充滿真誠和熱忱。他認為生產力就好比一場沒有終點的「馬拉松」賽跑。此後十年，在他協助下，我們建立起一個高效率的生產力組織，一步步把工會和管理層集中起來，齊心合力提高生產力。

日本經理總會全力以赴

不管獲配什麼職務，日本經理總會全力以赴，盡心盡力。七○年代，日新合作的裕廊造船廠的一名日籍工程師，因在計算成本時出差錯，導致公司失去一項重要的石油貯存庫工程。他把公司那年盈利的滑落歸咎於自己的失職，愧疚之下以死謝罪。我們非常震驚，無法想像任何新加坡人會對自己的工作具有如此強烈深重的責任感。

我在所到過的中國和越南各大城市，總能見到日本的大型貿易公司派駐代表在當地實地考察，決定什麼東西可以買下來轉售到世界其他地方，或者當地需要什麼產品可以由日本從世界各地買進來。他們勤奮賣力，孜孜不倦，隨時為日本公司提供最新的資料。新加坡公司要委派年輕的執行人員到中國和越南等發展中國家去，肩負比較艱巨的外務，卻總是困難重重。

正因為自我要求高，日本公司難以找到及得上國內水準的新加坡管理人員。在裕廊造船廠有限公司，自六○年代同我們聯營20年來，無論總裁、財務總管、總工程師，全是日本人。幾乎所有美國跨國公司在開業十年後，都大膽起用新加坡人出任總

裁。新加坡執行人員和工程師都曉得，要在日本跨國公司獲得升職和認同難如登天。

　　責任感、可靠性、專業性或者掌握日語的能力，都是非日本人在日本公司掌權的重重障礙。這種情況正在改變，但是很緩慢。一家主要日本跨國公司「日本電氣」（NEC），在九〇年代首次委任新加坡人為總裁。同時期，超過八成的美國公司和半數歐洲公司，都已起用新加坡人擔任總裁一職。日本公司的文化不一樣。這給海外的日本公司帶來許多問題，它們無法使他國人輕易地融入它們的制度。在經濟環球化的大趨勢下，除非它們向美國人和歐洲人學習，吸納外國人讓他們融入自己機構的文化，否則日本跨國公司跟後者相比，就難免處於劣勢。

　　不少新加坡的華族商人和金融家，就算在日本住上好幾十年，說得一口流利的日語，也能入鄉隨俗，卻始終未能跟日本同事建立深交。大家可以在公共場所一起吃飯、應酬，登門造訪的情況卻幾乎完全沒有。

　　日本公司總會把商業機會保留給自己的銀行，肥水不流外人田。新加坡銀行在日本做生意，靠的全是新加坡人和其他外國人。日本大公司在新加坡投資時，都會從日本引進輔助公司來應付各種需求，包括日本超級市場、餐館和各種符合日本生活方式的供應商。

　　以前他們完全同西方科技隔絕，只能通過倒序製造（即仿製）一步步跟上，所以特別吝於輸出科技。台灣、韓國和東南亞都察覺到這一點。也正由於眼前的財富得來不易，他們尤其厭惡把財富分給揮霍無度的第三世界國家而任由這些國家的領袖隨意糟蹋，富了自己卻救不了人民。日本最終在美國的勸說下，一反傳統晉身為世界最大的援助國，也算是個小小的奇蹟。新加坡同樣是一路艱辛走過來的，所以我能感同身受，寧以提供訓練和技

術協助的方式提供援助，而不是提供捐款，以免它被濫用。

　　1980 年，新加坡貿易與工業部的官員到日本同深具影響力的國際貿工部工作夥伴會面，當時國際貿工部已為日本擬好戰後工業發展的總方向，整份報告書深具啟發性。日本人高瞻遠矚，懂得放眼未來而不一味墨守成規，緬懷過去帆船、武士的樸實年代。報告書主要討論的課題是節省能源，開拓可以取代石油的能源，同時轉向創意知識工業，作為突破鋼鐵、汽車和電子產品保護主義的策略。他們過去是靠一路追趕取得進步的，如今他們要靠自己創造新科技和新產品向前邁進。國際貿工部為日本勾勒出八〇年代的前景：一個以科技為基礎的國家，傾全力汲取和開發新知識，為人類和社會的需求服務。

　　國際貿工部當時給新加坡官員的勸告是，憑新加坡的地理位置和環境，我們可以充當知識和資訊中心，跟東京相輔相成。日本人相信這樣的中心要取得成功，非得有可靠和可以信賴的人民不可。這些話我們牢記在心。對發展成為知識和資訊中心的必備條件進行認真研究後，我們加倍重視學校裏的數理和電腦教學。政府部門為私人企業樹立榜樣，率先全面電腦化，並通過電腦的加速折舊提供所得稅優惠。這個決定使我們走在鄰國前頭。「智慧島」計畫正是在這個時候播種萌芽的。通過光導纖維在島內建立四通八達的網絡，再把小島同東京、紐約、倫敦、巴黎、法蘭克福等主要的知識和資訊中心，以及同吉隆坡、雅加達、曼谷、馬尼拉等鄰近城市連接起來。

日本人的企業哲學

　　跟新加坡的日本商會代表會面，使我認識到他們是通過不間斷的投資使他們的企業推陳出新的。他們相信要跟世界競爭，工業必須隨時具備最先進的科技。不過最讓我折服的還在於日本人

對操作這些先進機器的人員的重視。他們不斷為員工提供訓練和再訓練，使得先進的機器能發揮最大的功用。日本人的這套企業哲學，確保他們永遠站在時代的最前列。

　　日本國際貿工部官員跟我說過，企業的根本力量在於人，更何況員工都是終身受聘，所以他們願意在雇員身上投資。新加坡人都是移民的後代，我們的員工沿襲了英國制度的求職態度，哪個雇主出價高，員工就往哪裏跑。

　　日本公司給員工額外補貼的方式，包括津貼、加班酬勞、花紅和公司福利，也給我留下深刻的印象。不像新加坡的做法，日本公司提供的補貼往往比員工的基本薪酬還多。就因為日本員工所獲的額外補貼高，國家一旦面臨經濟不景，公司利潤下降，雇主就能立刻削減花紅和津貼，把薪金成本緊縮40％到50％。只要公司營業額一恢復，補貼自然又增加。

　　這麼做才能實行終身雇傭制。勞資雙方分享利潤，也共渡難關。在艱苦時期，即使公司賺不了錢，員工也清楚知道公司的長遠利益是他們終身飯碗的保障，包括薪酬之外附加的種種福利：醫療和牙齒護理、單身宿舍、高津貼的住房貸款、家庭消閒設施、雇員子女教育費、迎新和歡送茶會、長期服務獎、雇傭股票選擇權、紅白事津貼……員工與公司之間的聯繫千絲萬縷。當然，只有大公司和公共部門才能推行這樣的終身雇傭制度。經濟滑坡時，裁員的是小公司，也就是大公司的供應商。我還真希望能向日本學習，可惜同新加坡的雇主談過幾次後，卻不得不放棄這個念頭。新日兩國的文化根本不一樣，新加坡雇員對公司不像日本人那麼忠心耿耿。更何況，新加坡有許多大雇主是美國和歐洲跨國公司，它們的公司文化各不相同。

　　我嘗試探討日本有什麼制度上或方法上的優點，值得我們仿效和沿用。從日本人成為我們的軍事統治者開始到現在，這 50

年來，我同日本總裁、工程師、部長和其他優秀的日本官員有過無數次的接觸，我逐漸相信西方心理學家的研究報告所說的，日本人的平均智商，尤其是在算術方面，比美國人和歐洲人都來得高。

　　縱使日本占領時期的經驗歷歷在目，日本的民族特性教我至今心有餘悸，我還是覺得他們有值得尊敬和佩服之處。他們的群體協作精神，他們的紀律、智慧、刻苦勤奮和為國犧牲的精神，促成了一支強大無敵和生產力特強的隊伍。日本人深知自己的國家資源貧乏，他們必將會繼續格外努力，為人所不能為。

　　獨特的文化價值觀使他們在即使發生任何突變的情況下，也能成為災難的生還者。地震、颱風、海嘯，自然界某些不可預測的力量，時不時會給他們帶來災難，但是，他們隨時勇於面對任何損失與傷亡，從廢墟中抖擻精神，振作起來，重建家園。1995年神户那場大地震過後，日本人民的舉動和反應，比起 1992 年洛杉磯一場破壞性較小的地震過後，暴亂、掠奪到處發生的混亂場面，益發值得我們佩服和學習。神户完全沒有發生掠奪或暴亂事件。日本公司自己採取拯救行動，提供食物、救濟所、衣服；志願組織自動請纓提供援助。就連日本黑社會也義不容辭地加入拯救行列。政府方面的拯救工作顯得緩慢，鐵路、公路、電話不能使用，水電服務全部中斷。但是，沒有人陷入悲痛絕望而一蹶不振，哪怕失去的家人、財產再多。

　　1996 年 11 月大地震過後一年半，我到神户訪問時，驚訝於生活如此迅速地恢復正常，神户居民從容渡過了最艱難的時刻，如常生活。日本的確是個與眾不同的民族。但是，他們卻不得不進行足夠的改變，以便融入由許多不同文化的人組成的世界。

　　日本趕上西方國家的模式已經瓜熟蒂落了。八○年代末是它的高峰期，當時東京股市的市值與紐約股票交易所的市值相等，

東京的地價也比紐約來得高。可是，當日本中央銀行在 1990 年
刺破經濟泡沫後，它的經濟就開始長期下滑。

在這同時，通過精簡化和重組，充分利用數碼科技革命的成
果，尤其是互聯網，美國經濟進行了轉型。它把日本和歐洲經濟
遠遠拋在後頭。日本人正在試圖擬出新的模式。它必須接受數碼
科技革命，也必須同美國公司一樣，加強股本的回報率，著重股
東投資的價值。隨著經濟環球化，日本已被迫開放它的國內市
場。許多歷久不衰的做法，例如終身雇傭制也必須有所改變。但
我見識過日本人民的能力以及他們的教育素質。雖然他們不像美
國那樣成功鼓勵許多企業家自行創業，但日本的年輕男女並不缺
乏想像力、創意和創新的點子。五到十年內，日本人必將捲土重
來。

……盧泰愚和全斗煥都因被控叛國和貪污納賄罪，結果被判長期監禁，全斗煥還被控謀殺。他們在 1997 年 12 月獲赦，1998 年 2 月出席了總統就職典禮。金大中在宣誓就職後跟全斗煥和盧泰愚握手，總統發言人說，這表示韓國社會的修好與和諧。這一幕在四萬群眾面前上演。人民是否會因這幕政治演出而對政府的制度重拾信心，還是個未知數。

李光耀回憶錄

33 韓國人自強不息

過去，我對朝鮮人的印象並不好，因為第一次見到的朝鮮人，他們穿著日本軍服。當時，日本人帶了兩批雇傭兵到新加坡來，除了朝鮮人，另一批是台灣人。朝鮮人跟日本軍人沒兩樣，粗暴而且出手重。台灣人則充當福建話通譯，那是新加坡華族的主要方言。

戰後，韓國發展經濟的衝勁消除了我以往的成見。1979 年 10 月，朴正熙在官邸——青瓦台接待我。他外表嚴肅，身材矮小結實，臉尖鼻窄。日本人挑選並訓練他成為一名軍官。他一定是同一代人當中最出色的一個。

朴正熙希望我能幫助促進韓國同東盟的關係。他說朝鮮半島的和平前景並不樂觀。南方不願再陷入另一場戰爭，認為和平第一，統一第二。但是北方卻要以武力達到統一。我問他美國是否會在 1981 年後繼續履行承諾，卡特總統曾經宣布美軍將在那一年開始撤出。朴正熙說卡特的國防部長布朗已答應會在 1981 年以後，繼續負起防衛的責任，而且曾公開表示韓國的安全對美國至為重要。我提醒他，卡特在 1976 年的競選宣言是從韓國撤軍，這討得美國人的歡心，如果這麼做又再受美國人歡迎，卡特可能會有改變。他同意我的分析，並說美國推行的政策受四年舉行一次的選舉周期影響，令他感到不安。

當晚在整個餐會上談的都是正事，沒有閒聊的機會。朴正熙那二十來歲、說英語的女兒熱情招待我們，確保沒有冷場。朴正熙說他接受的是軍官訓練。他委任各個領域的專家擔任部長和長官，在做出重大的決定之前，他都會先聽取他們的意見和建議。

朴正熙的總理崔圭夏很能幹，受日本教育。總理夫人也在日本受過高深教育，跟夫婿一樣聰明。夫婦倆仍舊閱讀日本小說和報章。韓國的知識分子跟台灣知識界一樣，深受日本人的影響，程度同我受英國人的影響不相上下。韓國人民決心追求經濟現代

33 韓國人自強不息

1979 年 10 月我訪問韓國，同朴正熙總統舉杯共飲。

化，因此，掌權了 18 年的朴正熙，得以帶領團結一心和嚴守紀律的人民，把經濟發展得蓬勃繁榮。在經濟策略上，他也緊隨日本人的作風，小心翼翼地保護國內市場，同時大力推動出口。朴正熙鼓勵甚至強迫韓國人節儉，不許人民享受如彩色電視機這樣的奢侈品，而韓國彩色電視機的出口量卻與日俱增。他要韓國成功而展現出的堅定和頑強的意志，給我留下深刻印象。少了朴正熙，韓國也許永遠也不會發展成為工業國。我離開韓國五天後，朴正熙被他最親近的助手，也就是情報局局長暗殺了。韓國政府說，這起行刺事件是密謀奪權計畫的一部分。據當地報章報導，情報局局長一直很擔心會被他人取代，因為朴正熙曾經批評他沒有處理好釜山學生和工人同警察毆鬥的事件。

那一次的訪問肯定了我對韓國人的看法，他們很強悍，能夠承受極大的痛苦。相繼而來的入侵者橫掃整個中亞大草原，但是

來到這個半島卻嘎然止步。他們屬於蒙古人種，臉型和體型突出，不容易把他們誤認為華人或日本人。他們為自己的歷史感到自豪。主人把我帶到慶州，那是他們古老的文化中心，七世紀新羅王朝的國王都葬在那裏，從這些陵墓中出土了許多精緻的黃金和寶石手工藝術品。

極度憎恨日本人

他們十分憎恨日本人。受日本統治的 35 年裏，他們的任何反抗行動都受到無情的壓制，這在他們心中打下了深深的烙印。他們清楚記得在過去 500 年中，日本人對他們進行過無數次的侵略，而每一次他們都會擊退敵人。即使是那些最日本化的韓國精英，包括崔總理和他的夫人，他們精通日語、日本文學和文化，但是心底裏還是厭惡從前的統治者。當年朝鮮人抗拒殖民主義和支配式的統治，因此日本人對他們採取了強硬的手段。他們也抗拒中國人的君權，長達 1000 年，只不過沒有像對日本那樣反感。他們採用漢字，因而吸收了儒家思想。

美國大學的韓國學生證明了他們不比日本人或華人遜色。然而儘管韓國人身體比較強壯，他們的凝聚力和對公司的奉獻精神卻不如日本人。實行軍法統治時，韓國工人和工會都處於靜態。軍法統治取消後，工會變得激進，經常怠工靜坐和罷工，無視出口市場出現問題，仍然要求加薪和更好的待遇。韓國工會不可能像日本工會那樣，跟它們的雇主建立良好的合作關係。不論跟雇主的矛盾有多大，日本工會絕對不會破壞公司的競爭力。

韓國人令人生畏。一暴動起來，他們跟鎮暴警察一樣有組織、有紀律。跟他們對峙的警察，像古羅馬的鬥士般戴著有塑料面罩的頭盔，拿著塑料護盾。當工人和學生跟警察當街衝突時，他們儼然就是在戰場上的士兵。罷工者蹲在地上聆聽演說的同

時，也有節奏地揮動著拳頭。他們是相當火暴的一群，不願妥協。反對當權者時，他們既凶且狠。

八〇年代，我兩度訪問韓國，先後同總統全斗煥和盧泰愚見過面。1996 年，我在新加坡同金泳三總統見面。從朴正熙到金泳三，四位領袖都深切關注由於夾在中、俄、日三大強鄰之間，韓國在地緣政治上的脆弱性。

1986 年，我在漢城會見全斗煥。他對朝鮮的專注和憂慮，令我驚訝。我覺得很納悶。他們的人口比朝鮮多一倍，也富有得多，還獲得美國供應更好的軍事配備。共產黨人入侵是一段痛苦和難忘的經歷，必然是使他們留下了難以磨滅的創傷，以及對北方兄弟的凶暴感到恐懼。雖然朝鮮的經濟捉襟見肘，跟我見過面的韓國外交部長，卻都流露出對朝鮮軍事威力的畏怯。

跟韓國領袖會談，我們討論的另一個重點課題是新興工業經濟體（包括韓國和新加坡）跟歐洲的發達國家和美國的貿易與投資關係。1986 年，我向全斗煥總統提及在美國和歐洲不斷滋長的保護主義情緒。我說，要是我們這些新興工業國不開放市場，回應美國和歐洲給與我們自由進出市場的權利，久而久之，他們會覺得難以容忍，保護主義思想必會蔓延。他同意新興工業經濟體應該開放市場，並強調韓國準備花兩年時間，按部就班地實現這個目標。我指出儘管開放了市場，韓國關稅仍然高達 16%至20%。對此，全斗煥回應說韓國不是一個富有的國家，人均收入僅 2000 美元，比新加坡的人均收入還少。除了國防方面的負擔，它還負債 465 億美元。

1986 年，我在漢城的一個午餐會上向韓國的四大商會發表演說，發覺他們非常不願意開放他們的市場。兩年後，我再次跟同樣的四大商會的代表共進午餐。我談到他們需要增加進口，促請他們連同其他新興工業經濟體跟經濟合作與發展組織的工業經

濟體，商討如何縮小相互貿易上的不平衡。他們也認識到不可能
長期守住當時的地位，所以那一次比較能接受我的意見。

在全斗煥擔任總統期間，工人經常舉行大規模的示威遊行和
暴動，使漢城不時停頓下來。到他即將卸任時，局面已經演變得
不可收拾。他的得力助手盧泰愚很巧妙地緩和了緊張的局勢，在
獲得支持之後，盧泰愚參加競選並當選為下一任總統。

盧泰愚是個溫文又嚴肅的人。我們在 1986 年 7 月初次見面
時，他是全斗煥內閣中的部長。他當時就對廉潔的新加坡政府給
與極高的評價。他的總統曾設法根除貪污活動，卻不得要領。他
問我們到底是怎麼解決這個棘手問題的。我向他解釋了我們所採
取的步驟：首先，情報要好；其次，處理手法要客觀，不能主
觀；第三，對於反貪污的調查和檢舉，高層給與強有力的支持。
既然他的民主正義黨不是共產黨，我認為他不能摒棄現有的行政
系統另起爐灶，只能繼續使用它。他可以慢慢地撤換老一輩的高
級官員，引進未被污染的較年輕官員，確保他們的廉潔維持高水
平。這些人都應獲得優渥的薪酬。不過，我也提醒他，正所謂上
梁不正下梁歪，除非高層領袖潔身自愛，無懈可擊，並以身作
則，率先清除貪污勾當，否則一切努力將付諸東流。

1988 年再見到盧泰愚時，他已擔任總統。他問我為何能在
大選中屢戰屢勝，長期掌權。我告訴他，人民清楚我的為人，知
道我從不說謊，而且是真心誠意地為他們謀求利益。平民百姓不
會對錯綜複雜的經濟或政治問題感到興趣，所以就必須學會確定
信任的對象。為爭取這一方面的信任，我從不信口開河，說些自
己也不相信的話，漸漸地，人民了解到我是個誠摯的人。而這正
是我最大的資產，這也是雷根總統的優勢。替雷根寫演講稿的人
都有一隻生花妙筆，但是他往往只是採用他們的草稿和意見，然
後用自己的話說出來。他從不讓演講稿作者為自己做旁白。所

以，每次他發表演講，人們都會覺得他很真誠也讓人信服。我勸告盧泰愚，別跟金大中比拼發表強有力的演說。盧泰愚已向人民證明，即使在大選前，他仍然能冷靜地應付大規模的暴動和騷亂，同時展現了他謙恭的一面。這些資產就是他發展政治事業的基礎。

盧泰愚把兩大反對黨領袖之一的金泳三吸收到他的黨旗下，從而促使金泳三在 1992 年當選為第一位平民總統。他的主要競選課題是肅清貪污和舞弊行為。由於分別涉及不同的貪污事件，三名剛上任數星期的部長被他拉下了馬。他也撤換了好幾個高級法官，把一些高級軍官開除並監禁起來。軍方默許他的決定。韓國幾家電視台和報章的記者先後到新加坡來，製作紀錄片和撰寫報導文章，介紹我們的反貪污法律和執法制度。

1996 年，金泳三總統訪問新加坡。衣冠整齊的他自豪地對我說，他每天早晨都會慢跑好幾公里。他還說，我們擁有相同的價值觀，比如強調家庭的重要性，以及建立社會網絡對家庭給與支援。我補充說，我們最重要的共同利益是確認美國在亞洲地區保持影響力，這在戰略上是極其重要的。

金泳三掌權時，北方的情況已顯著改變。他形容朝鮮的領袖為瘋子，行為難以理喻。雖然他們的軍人多達 110 萬，武器卻落伍了，補給線不夠強，後勤支援也很弱。

金總統在上任時曾表明他不會舊事重提。然而隨著國內壓力日益加強，他不得不在 1995 年底改變初衷，國會通過了一項特別法令，取消對 1979 年的政變和任何跟 1980 年光州大屠殺有關的謀殺、煽動騷亂、貪污和其他罪行進行調查的限制。結果，在他之前的兩位總統都被逮捕和定罪。在電視上看到他們兩人被羞辱，還身穿囚衣被帶上法庭，我嚇了一跳，感到十分驚訝。全斗煥和盧泰愚因 1979 年的政變和 1980 年的光州大屠殺事件，

分別被判死刑和坐牢 22 年半，兩人也因在任期間收取賄金而被罰款。上訴後，全斗煥的刑罰改為終身監禁，盧泰愚坐牢 17 年。

不久後，金總統本身也捲入一樁涉及大筆款項的貪污醜聞。韓國一個大財團韓寶在數家國有銀行欠下數十億元，宣告破產。金泳三的兒子被控收取 700 萬美元，後被判入獄三年，外加罰款 150 萬美元。反對黨趁機聲稱金泳三本人也接受過韓寶的賄賂，在競選中的花費明顯超過法律上的規定。金總統雖然在電視上公開道歉，卻拒絕透露詳情。多起貪污醜聞經過媒體大肆報導，加上經濟管理不當，現任總統和執政黨的聲望已被摧毀。經濟危機隨之降臨，韓國只好向國際貨幣基金組織尋求援助。

第四度競選的資深反對黨領袖金大中，在 1997 年 12 月贏得了總統選舉。儘管中央情報局第一任局長金鍾泌曾經下令逮捕他，金大中卻跟金鍾泌結盟。

作為一個知名的異議分子，金大中在美國待了好多年，鼓吹所有國家不論文化價值觀的差異，都應捍衛人權和推行民主制度。當他還是反對黨領袖的時候，就曾經寫了篇文章給美國學術刊物《外交》，針對我接受該季刊主編法里德‧扎卡里亞訪談時的談話發表意見。他不同意我所說的歷史和文化促使人們抱有不同的態度，也促使不同政府制定不同的準則。《外交》邀請我回應，我沒這麼做。爭論不能解決我們在意見上的分歧，30 到 50 年後的時局將能證明誰是誰非。要看政治政策對社會和文化的影響，那需要一代或更多代的時間才能下定論。這是達爾文學說適者生存的過程。

作為候任總統，金大中同意金泳三特赦被判坐牢的兩位前總統。盧泰愚和全斗煥都因被控叛國和貪污納賄罪，結果被判長期監禁，全斗煥還被控謀殺。他們在 1997 年 12 月獲赦，1998 年 2 月出席了總統就職典禮。金大中在宣誓就職後跟全斗煥和盧泰

愚握手，總統發言人說，這表示韓國社會的修好與和諧。這一幕
在四萬群眾面前上演。人民是否會因這幕政治演出而對政府的制
度重拾信心，還是個未知數。

如果韓國像曼德拉的南非政府那樣，埋葬過去發生的一切，
不翻舊帳，他們的政治制度所受的損害就不會那麼大。在南非，
要是人們承認在實行種族隔離體制時幹下暴行，調查與和解委員
會就會原諒他們。雖然這樣做不一定促進和諧，但是至少沒使分
裂尖銳化。

錯誤的信息

兩位前總統所經歷的審訊不只摧毀了他們和好些助手，同時
也摧毀了協助創造現代韓國的人物。人民變得憤世嫉俗，對所有
的官方機構都不再抱任何希望。韓國領袖要重新獲得人民的尊
重，看來得花上一段時間。他們兩人是根據當時韓國的慣例和標
準行事，而根據那些準則，他們算不上是十惡不赦之徒。盧泰愚
之所以會讓權力轉移到金泳三手上，主要是受到美國輿論的壓
力，他們不贊成由另一名軍人接班。其他國家軍人出身的領袖將
從這一連串事件中得到錯誤的信息，他們會以為把權力移交給爭
取群眾支持的平民政治家是危險的做法。

1999 年，我以韓國工業聯合會國際諮詢團成員的身分到漢
城出席會議。諮詢團在 10 月 22 日的一個論壇上與韓國眾財團
領袖進行討論。這些財團是韓國版的日本財閥。日本財閥取得成
功的所有主要工業，韓國財團會以更低廉的人工和成本進場較
量。他們同日本人一樣，目的是占有市場，無視現金流動和生意
底線。韓國國內經濟尤其是工人的高儲蓄率，是集團取得低利率
資本隨之專攻某些工業的基礎。日本的情況也是如此。

冷戰結束後，外界情況起了變化。韓國也須像日本那樣，開

放國内市場，特別是金融市場。他們的財團共借貸了約 1500 億
美元的外幣，在國内和國外——中國、東歐前共產國家、俄羅斯
和前蘇聯的中亞細亞（中亞）共和國，迅速擴充發展工業。這些
投資並不是在預算有多少回報後進行的，它們大舉擴張業務，旨
在占據市場。近 1997 年底，這些財團無法償還貸款利息，韓元
跟著暴跌。國際貨幣基金組織伸出援手，三個星期後，金大中在
選舉中獲勝擔任總統。

我告訴財團代表，韓國正處在十字路口。它不應繼續採用日
本的工業和經濟模式，因為就連日本本身也走投無路，不得不放
棄舊有的經濟模式。韓國和日本現在是全球經濟和金融系統中的
一分子，必須遵守美國和歐盟跟國際貨幣基金組織、世界銀行和
國際貿易組織定下的規則。它們必須使投資更具有競爭力，如同
任何美國或歐洲公司，著重盈虧。問題在於如果要具有競爭力，
它們應如何從當前的狀況發展到所必須達到的地步。這些財團已
擴展成龐大的聯合企業。如今，它們應專注於做得最好的業務，
以它作為核心業務，放棄那些無生產效益的業務。接下來，要使
業務蒸蒸日上，就需聘請具有企業精神的管理人員。

當我表示儒家思想並不是導致它們崩潰的因素時，財團領袖
都感到欣慰。他們的弱點是做生意沒有固定的模式，也不在意回
報和生意底線。他們的制度不夠透明、開放、公正，會計法也沒
根據國際標準，導致雪上加霜。也是儒家社會的香港和新加坡之
所以能順利渡過金融風暴，是因為兩地履行英國法制，做生意的
方法透明，會計法符合國際標準，公正平等地公開招標和商討合
約，銀行貸款簡易方便。韓國人必須採納這些作法。韓國人做生
意的手法跟日本人很相近，主要是靠非正式的關係，甚少注重規
則和法律。財團領袖們明瞭重組的重要性，卻不願意放棄家族對
過去 40 年來辛苦建立的大企業的監控。他們也不捨得把屬下的

1999 年 10 月我以韓國工業聯合會國際諮詢團成員的身分，到漢城出席諮詢團會議後，到青瓦台會見金大中總統。

公司交託給管理人員，後者已習慣了讓創辦人為公司所有企業的策略做決定。

　　出席了國際諮詢團會議後，我到青瓦台拜會金大中總統。此時的他已 70 多歲，身材魁梧，比起他那一代的韓國人算是高大。他走起路來一拐一拐，據說 1971 年，韓國中央情報局人員企圖謀殺他，他的腿就是在當時弄傷的。他臉部表情嚴肅而且深沉，偶爾會笑一笑。會談中，他井然有序地從南北關係開始，談了一連串的課題，要我評價他的政策。從「陽光政策」說起，這個政策的目的一來是維持強硬的威懾姿態以防戰爭，二來是要在不破壞或威脅朝鮮的情況下實現統一，最後是要營造適當的環

境，讓兩地的私人企業界能在經濟和生意上密切合作。

　　我説，通過科技、管理和知識轉移，並鼓勵發展來幫助朝鮮改變，是合理實際的做法。這麼一來，朝鮮就能提高本身的生活水平，減輕南方的負擔。不過，與此同時，人民與人民之間的交往更應有增無減，智囊團、大學和言論界的相互交流尤其重要，這樣，思想看法才會改變。

　　過後，金大中又請我分析中國和朝鮮的關係。我不以為老一代領袖如鄧小平和金日成之間的感情關係，同樣存在於江澤民和金正日之間。老一輩畢竟曾在韓戰中以同志相稱，並肩作戰。現在這一代之間已沒有那種同志情誼。朝鮮半島發生戰爭和動亂，對中國沒有好處。中國要的是維持現狀，繼續同韓國進行貿易，韓國也繼續到中國投資。但中國也不會希望韓國和朝鮮統一，因為在面對美國和韓國時，它就少了張朝鮮牌。其實，金大中自己已對這些問題思考得很透徹，他只是要我確認或否定他的看法。

　　金大中對東帝汶的立場讓我留下深刻印象。他説，最近的危機和互聯網時代，把東北亞和東南亞拉在一塊兒。儘管在地理位置上東帝汶與韓國相隔很遠，但所發生的衝突卻間接地對他們造成影響。如果所有的亞洲國家在更廣泛的層面上進行合作，情況會更好。正因他有此想法，所以儘管國會內的反對黨代表表示反對，他仍決定派遣一營420人的突擊隊到東帝汶去。另一個原因是，在1950年的韓戰中，有16個國家支援韓國，數以萬計的人陣亡。韓國如果沒有支援在東帝汶的聯合國軍隊，就等於失責。

　　我認為，把東北亞和東南亞結合成一個區域，指日可待。兩個分區的經濟體關係越來越緊密。

　　韓國媒體以為我們會談到對亞洲（即儒家）價值觀的歧見，以及民主和人權課題。我告訴他們，我們快80歲了，不太可能

改變自己的看法，所以沒觸及這些課題。歷史將證明誰對儒家文化有較好的詮釋。

　　從金大中身上，我看到一個人經歷重重危機後脾氣的轉變。為了達到更高層次的目的，他學會控制自己的情緒。他曾經在日本被韓國中央情報局逮捕，施以酷刑，要不是美國介入，恐怕已被殺害。然而為了贏得 1997 年的選舉，他跟中央情報局前局長金鍾泌結盟，選舉勝利後，還委任金鍾泌為總理。

　　導致韓國目前在政治、經濟和社會方面困難重重的一個重要因素是，從軍法統治到完全自由的民主政治的轉變太倉促了。他們沒有早已確立的執法傳統來控制公眾集會，也沒有任何條例管制工會，規定它們須在罷工或採取工業行動之前舉行秘密投票表決。我們的情況就不同。1959 年，我們接手管理新加坡的時候，英國留下了一套輕罪法規，因此在緊急法令終止後，碰上示威事件發生時，我們還能通過其他途徑加以約束，以免示威行動超出可以容忍的範圍擾亂治安。如果韓國能把民主進程的速度放慢一些，在那期間制定所需的法律來調控示威和抗議，或許人民在示威抗議時，就不會那麼肆無忌憚，像憤怒的工人同學生跟警察對峙那樣。

　　領袖和人民之間的社會契約需要一段時間才能獲得更新。他們有必要重建人民的信心，讓人民知道不論是成功和較不成功的人、較優秀和受較低教育者，以及管理層人員和工人，都將獲得平等的對待。為爭取快速增長，各任總統遵循的政策對工業家、經理和工程師非常有利，工人卻沒得到什麼好處。隨著國內生產總值上升，貧富懸殊也跟著擴大。不過，我相信一旦制定了新的社會契約，韓國人將再次朝氣蓬勃地穩步前進。他們充滿活力、勤奮和能幹。自強不息的文化，驅使他們努力爭取成就。

　　幾次嘗試不果之後，朝鮮和韓國領導人終於在 2000 年 6 月

13 日在平壤舉行峰會。韓國人在觀看電視現場轉播時，大感驚訝。被形容為惡棍的朝鮮領袖金正日，顯得熱情、幽默和友善。韓國人都為此而興高采烈。即使是疑心最重的人，對他也留下深刻的印象。但是，疑問仍然沒有消除。難道不是他在 1983 年下令在仰光的一個獻花儀式上暗殺韓國部長，又在 1987 年下令炸毀一架韓國客機的嗎？

幾天之後，美國國務卿歐布萊特訪問北京和漢城。在漢城，她表明美軍將留駐韓國。但是，如果關係繼續解凍，她必定估計得到朝鮮將會施壓，要求美軍撤走，而韓國人也會鼓動和支持。如果朝鮮停止發展導彈，美國也就沒有必要發展國家導彈防禦系統了。這本來就是為了防禦「無賴」國家如朝鮮，而不是中國的導彈襲擊。

就在峰會當天下午，我在北京會見了江澤民主席。他當時興致很高，愉快地向我描述了他在電視上見到兩位領袖握手的畫面。江澤民有理由感到滿意，因為金正日在峰會之前兩星期，曾罕有地訪問北京，同他討論了這件事。

李光耀回憶錄

34 香港的回歸

1997 年 7 月 1 日，特區行政長官董建華和他的領導班子接管香港時，跟東亞金融危機撞個正著……董建華跟以前的英國港督不同，他們把立法局給與支持視為理所當然，他面對的卻是一群不買他的帳，不覺得有義務支持他的政策的立法會議員。他的領導班子沒有全民表決的授權做後盾，一旦論點受到立法會議員挑戰就招架不住。

我在 1954 年乘搭義大利客輪亞洲號首次遊覽香港。客輪在當
地停留了三個晚上，讓我和芝有機會在這塊殖民地上閒
逛。面向海港的香港本島是個璀璨嫵媚的城市，跟對岸九龍欣欣
向榮的市鎮遙相輝映。市中心背靠著海拔大約 1000 英尺的太平
山，公路和房屋掩映其間，景致迷人。

香港人勤奮，貨品價廉物美，服務一流。一天早上，有人帶
我到一家裁縫店定做兩套西裝，讓裁縫師傅量身。下午回到小店
試穿新裝，裁好的西裝當晚就送到船艙。這是新加坡裁縫師傅所
無法做到的。當時我不曾意識到，中國共產黨在 1949 年「解
放」大陸，造成一兩百萬中國難民潮水般湧入香港，裹挾著大批
來自中國最傑出的企業家、專業人士和知識分子。他們有來自上
海的，也有來自浙江、江蘇和廣東的。這些大陸精英形成了一個
厚實的人才基礎，再加上一批寧可離鄉背井而不願生活在共產政
權下，較有創業精神和足智多謀的中國工人，他們攜手把香港轉
變成世界最有活力的城市之一。

對全世界來說，香港和新加坡是兩個相似的華人城市，規模
大小也差不多。對我而言，兩地顯著的差別不少於彼此的共同
點。香港土地面積比新加坡大一倍，擠滿香港本島、九龍半島和
新界地區的人口，也比新加坡多一倍。1949 年的香港，無論政
治或經濟環境都是一片灰暗，純粹依賴大陸的自我克制作為生存
條件。一聲令下，中國人民解放軍隨時會開進來。但是，即使變
數再大，即使有著朝不保夕的惶恐，香港仍然繁榮興盛起來。

新加坡當時沒有面對如此慘淡的局面。我慶幸我們那時無須
像香港那樣面對極大的壓力，生活朝不保夕。即使 1957 年馬來
亞獨立了，新加坡在經濟、地理上還是同馬來半島一脈相通，人
民和商業往來不曾間斷。直至 1965 年被迫脫離馬來西亞，我們
才真正面臨相似的茫無頭緒的未來。但是跟香港不同，我們沒有

大陸源源湧來的 150 萬難民。也許如果能吸引到這一股難民潮，以及隨之而來的最出色的企業家和最勤奮耐勞、足智多謀、幹勁十足的人才，我們就能擁有同樣的額外競爭優勢。事實上，1949 年同樣來自大陸的難民浪潮何嘗不也助台灣一臂之力。若不是有這個浪潮，台灣不可能把 1949 年以前治理中國多年的頂尖領導人才，都吸納過去。他們的行政，加上美國的援助，改變了台灣。當這一切在 1949 年發生時，我還不了解人才的重要性，特別是創業人才，也未曾意識到這些訓練有素的人才，正是改變社會、提升社會的酵母。

　　1962 年 5 月我重遊香港，映入眼簾的盡是高樓大廈和百貨商店，足見香港在短短八年內已遠遠超越新加坡，走在前頭。1965 年獨立以後，我幾乎每年都會到香港走一趟，看看香港人如何克服困難，有什麼值得學習的地方。我把香港當作獲得靈感和啟發的源泉，從香港這個地方可以看到一個刻苦奮鬥的社會能有所作為。我也希望吸引香港商人，尤其是製造商，到新加坡設立紡織廠或其他工廠。但是這一番苦心卻得不到香港傳媒的善意對待，他們寫了不少貶抑新加坡的報導，勸阻香港人離開。

　　1970 年 2 月，香港大學頒發名譽法學博士學位給我。我在致詞時說：「作為現代化進程的先驅，香港和新加坡可以充當催化劑，協助周遭的傳統農業社會加快蛻變的步伐。」我希望「它們會成為集散地，不光是集散發達國家製造的精細產品，更重要的是也能傳播社會價值觀、紀律、技術和專門知識」。十年後，兩地果然都做到了。

　　那次訪問香港之後，我致函經濟發展局，說明因為有中國的因素以及 99 年英租新界合約在 1997 年期滿所引起的政治變數，新加坡可以從香港引進人才和技工。我們也可以在香港面對缺乏技能和信貸的時候，借出這些資源。

香港人在每一次受挫後東山再起的能耐，使我十分欽佩他
們。七〇年代石油危機期間，香港跟新加坡一樣深受打擊，香港
人卻能更迅速地自我調整。商品削價、員工接受減薪，香港僅有
的幾個職工會沒有跟市場力量對抗。新加坡的情況則不同。我們
必須努力減輕通貨膨脹和經濟衰退帶來的衝擊，保護工友避免受
到生活水平驟降的影響，並協助化解勞資之間的問題。

香港人依賴的不是政府，他們自力更生，靠自己靠家人。他
們格外勤奮，沿街叫賣兜售，製造一些小巧玲瓏的東西，或者買
進賣出，做生意不放棄任何運氣。香港人謀求成功的意念無比強
烈，家庭成員、家族成員之間的聯繫分外密切。早在佛利民推崇
香港為自由企業經濟的模範之前，我已清楚認識到只設少許社會
安全網，甚至完全不設安全網的好處。這樣的環境激發香港人力
爭上游。他們同殖民政府之間沒有一紙社會契約。香港人和新加
坡人不同，香港人既不能管也不去管防務問題，也不管群體利
益。香港不是一個國家——更確切地說，是不准成為一個國家；
中國決不允許，英國也從未嘗試。這就是新港之間的天淵之別。

我們非是個國家不可，否則無法生存。教育、醫藥、住房，
樣樣都得提供津貼，不過我也設法避免社會因福利主義導致衰
竭。但是一談到活力和幹勁，新加坡人永遠趕不上香港人。在香
港，誰要是失敗了，只會怨自己，自嘆倒霉，然後重新振作，東
山再起，希望下一次會轉運。新加坡人對政府對生活的態度截然
不同。他們選擇就業保障，喜歡無憂無慮的生活，若不成功就怪
罪政府，因為新加坡人認為政府的責任就是確保他們生活得更舒
適。他們期望政府不只提供公平的競爭場所，最好還能在競賽結
束時，對賽績不佳的人也能提供一些獎品。新加坡人投票選出自
己的議員和部長，並認為他們應該把所有的獎品分給自己。

一名移居新加坡的香港企業家向我一語道盡新港之別。他在

七〇年代初到新加坡開設紡織廠和成衣廠，把在香港的幾名管理人員帶來，另聘幾名新加坡籍經理。他的新加坡籍經理在 1994年仍為他效勞，而來自香港的幾名經理卻已各奔前程，自立門戶，成為他的競爭對手。他們認為既然自己對這門行業的認識不比老板淺，沒理由還得留下來幫他打天下。他們只需要一筆小資本，一旦籌足本錢就走，頭也不回。新加坡人欠缺的正是這種肯冒風險爭取成功，以成為大亨鉅賈的企業家精神。幸好近年來情況有好轉的跡象。隨著區域經濟迅速增長，向外發展的年輕專業人士和執行員也多了。他們總是先當個受薪經理，享有獎勵性的股份選擇權，在認清了風險所在，自信有能力應付之後，才放膽去闖天下。

　　我們成功吸引了一批香港紡織業、成衣業、塑料業和珠寶製造業的企業家，幾個玉器和象牙雕刻師傅以及一些家具製造商。六〇、七〇年代，香港投資商深受新加坡歡迎，因為他們提供就業機會，為新加坡的商業環境注入了樂觀的激素。他們當中最出色的人才仍選擇留在香港，怎麼說在香港賺錢要比在新加坡來得容易。但是如我們所願，他們在新加坡開設了分公司，委派自己的孩子前來管理。

香港集團撒下「留窩蛋」

　　1984 年中英聯合聲明發表後，香港前途問題塵埃落定，我邀請一組香港商界和專業界的主要代表人物，在 8 月新加坡慶祝國慶的那一週前來訪問。結果，一群香港商業鉅子聯合投資了20 多億新元，在新加坡興建全國規模最大的會議展覽中心和辦公大樓，稱為「新達城」。中心落成一年後，即 1996 年 12月，我們在那裏主辦了世界貿易組織第一屆部長級會議。這個會展中心，也是香港集團在北美洲和澳大利西亞多個太平洋沿岸城

市撒下的「留窩蛋」之一。香港媒體以為新加坡不過想要挖走當
地的精英，它們卻不曾了解，讓香港在回歸中國之後繼續成功，
才是真正符合新加坡的利益。要刮盡香港的人才只是一次過的事
情，欣欣向榮的香港卻能帶來源源不斷的商業機會和好處。

　　英國統治者治理香港，擺脫不了大英帝國的古老傳統作風——
——孤傲自大，居高臨下，以恩賜態度對待當地人，甚至對我也如
此，只因為我是華人。早期的港督人選由英國殖民部擢升上來，
這種現象在 1971 年以後有了改變。麥理浩原是英國外交部一名
資深官員，在走馬上任前，他決定先到新加坡訪問。香港當時飽
受貪污之風的困擾，他想了解我們怎麼整肅貪污歪風，同時看看
我們在教育方面的成就，尤其是工藝學院，因為香港當時並沒有
這類學院，在工藝教育方面幾乎從未進行任何投資。他也想參觀
這裏的公共住房，希望在情況惡化之前，及時改善香港的住房條
件。

　　港英政府尚算清廉誠實，只有麥里浩出任港督前的大約十年
例外。在那一段時期，貪污猖獗，迫使他不得不採取以新加坡反
貪污法令為基礎而制定的嚴厲措施。當然，殖民地的遊戲規則，
難免對英國商人有利。匯豐和渣打是兩大港幣發行銀行。英資財
團「洋行」（大型貿易公司，後來都成了集團企業）都享有特
權。只不過進入英國治理香港的最後十年，隨著許多「洋行」逐
漸由香港華人收購，原有的種種特權才漸漸喪失。

　　下一任港督衛奕信在 1987 年走馬上任以前，也到新加坡走
了一趟，藉此了解一個以華人為主的社會如何組織起來和解決問
題。衛奕信也是外交官，是中國問題專家。他想了解新加坡爭取
獨立的經驗。我告訴他，我們的條件不一樣。我們原已併入馬來
西亞，而後意外地取得獨立，以致我們不得不主宰自己的命運。
香港特別行政區將是中國領土的一部分，任何受委的香港特區行

政長官在維護香港利益的同時，還必須了解中國，學會同中國領袖共處。他不可能享有完全的行動自由。

　　一直到 1992 年為止，英國採取的治港政策是在打算進行任何政策性基本改革時，必先尋求中國的意見，彼此磋商，然後才正式宣布。英國希望爭取坐上所謂的「直通車」。換言之，確保這趟直通車開到 1997 年 6 月 30 日的英國香港和 1997 年 7 月 1 日的中國香港之間的交界處時，不會更換車頭或車廂。1989 年天安門事件震撼全世界，待人們定下神來，英國政府深感有必要做一些超越 1984 年中英聯合聲明協議範圍的事情，才能自我安慰地說已竭盡全力，為香港人在回歸中國以後的生活方式提供了保障。

　　天安門事件爆發六個星期後，我們主動提出為香港 2 萬 5000 個家庭提供「原則上批准的永久居留權」，允許他們在必要時才移居新加坡。原則上批准的永久居留權有效期是五年，之後還能延長五年。這樣的安排使香港不致在極度動盪不安的時期，還要面對人才外流的問題。消息宣布後，港人在新加坡駐港專員公署門前大排長龍，等著索取申請表格，幾乎釀成暴亂。1990 年 1 月我在香港同衛奕信總督會面時向他保證，發出這類居留權決非有意摧毀香港。香港若欠缺技能和信貸，我們定然借出這些資源，反之亦然，讓雙方都能從彼此的資金、技術和人才資源中獲益。引起如此紛亂激動的反應，是我們始料不及的。好些申請者因為缺乏必要的教育和技能水平而過不了關。一年後，我們總共發出五萬張原則上批准永久居留權的許可證，比原定的多了一倍。到 1997 年，僅有 8500 人移居新加坡。香港很快從天安門事件的震驚中恢復過來，迅速上了軌道。在香港賺錢要比在新加坡或其他地區容易得多。事實上，許多移民加拿大、澳洲和紐西蘭的香港人，後來都回流了，不過多數把家人留在國外。

　　彭定康也跟前任總督衛奕信和麥理浩一樣，於 1992 年 7 月
赴港走馬上任途中，先在新加坡停留。經過一個小時的會談，我
感覺到他有意逾越中英協議的範圍，於是問他：「你手上有什麼
牌？有什麼新東西？」他沒有回答，反而重複了我的問題：「有
什麼新東西？」對他滿腦子盡是牴觸中英協議的改革計畫，我深
感不自在。香港記者專程來新加坡，準備在會談結束後訪問我。
然而為了確保傳媒不會錯誤報導我的立場，我沒有接受他們的訪
問，而是發表聲明：「我相信，如果他（彭定康）定下來的目
標，不逾越聯合聲明以及基本法的架構，他能爭取到治理香港的
強有力的支持，並在既有的基礎上發展……對他的治港政績進行
評估的最好標準是，他為香港遺留下來的制度能不能在 97 之後
繼續順利運作。」

　　1992 年 10 月，在一次訪華之行後，我取道香港。當時彭定
康剛宣布將擴大工商、專業和其他特殊利益團體等功能組別的選
民人數，使功能組別代表的所有雇員都成為合格選民。我在接受
媒體的訪問時說：「彭定康為深化民主提出一套想像力非常豐富
的建議……創意十足。他的建議專走基本法和聯合聲明的漏
洞。」但是我不忘補充：「（彭定康）這份藍圖，與其說是即將
卸任離去的殖民政府總督的告別之作，倒不如說像一份民族主義
領袖發動人民反對殖民統治、爭取獨立的行動綱領。」後來在總
督府同彭定康會面時，我私下提醒他，把原本只包括專業人士或
商家的功能組別範圍無限制地擴大，把所有受雇於這些專業人士
和商家的員工也包括進去，他這麼做，是乖離「功能組別」的原
意的。

　　12 月中，我再次赴港到香港大學發表演講。彭定康以港大
校長的身分擔任講演會主席。有人針對他的政治改革方案向我提
問，我當場引述兩位前任港督麥理浩和衛奕信在上議院發表演講

的部分內容，以及曾經同中國進行談判的柴契爾夫人的政治顧問珀西・柯利達爵士的訪談。三份紀錄清楚顯示，彭定康的行動方向，已經違反了英方代表同中國政府商談後達成的協議。我原以為在他面前清楚表明立場，能給他一個回應的機會，豈料他竟默不作聲。

彭定康就這樣消磨了英殖民政權的最後五年，同中國政府糾纏不清。彭定康的行動激怒了中國。英方若是一意孤行，中方隨時準備取消整份協議內容。中方宣布，彭定康的任何政治改革都會在 97 香港回歸後一筆勾銷。1993 年 7 月，中方成立籌備委員會，為 1997 年 7 月 1 日香港回歸做好準備。全國人民代表大會常務委員會在 1994 年 8 月表決通過議案，支持把香港的立法局、市政局、區域市政局和區議會全部撤換。彭定康和英國政府不把中方否定這些機關當一回事。彭定康在 1995 年 9 月舉行立法局選舉，包括九個新的功能組別議席，並把合格選民的範圍擴大，涵蓋了全港 270 萬工作人口。中方領導人聲明決不承認選舉結果，表明英方一手建立的政治體制完全不符合基本法和聯合聲明，97 香港回歸後必須解散，立法局也要改組。彭定康滿以為中國政府最終會默許這些政改，因為不這麼做便是違背人民的意願行事，在國際社會裏得付出重大的代價。

1993 年 5 月，我同當時擔任英國國防部副部長，後來當上外長的馬爾科姆・里夫金德進行了一輪詳談，對英國官方的想法有了一點了解。英國人覺得他們有義務確保在 97 來臨時，民主成了香港人的基本生活方式，他們相信，無須全民表決也可知這是英港殖民地子民的普遍意願。我說，其實香港人多麼希望非萬不得已不跟中國政府有任何瓜葛。既然這是不可能的事，要使香港繼續繁榮發展，最好的解決辦法不正是讓香港行政人員和有潛質進入領導班子的人士，認識和了解中方領袖，並學習如何保護

香港的特殊需求嗎。里夫金德指出，英方不過想在香港奠定更穩
固的憲制，使中國不致那麼輕易地摧毀香港的民主，實際上就是
希望在香港建立起西方視為理所當然的自由保障制度，保障香港
人免遭逮捕和有出入境之類的自由。如能鞏固這樣一個制度，中
國就更難加以摧毀。我卻認為，再怎麼費盡心機都徒然，香港特
區行政長官不可能不以中國利益凌駕一切的要求，順應行事。要
在僅剩的四年內，在香港鼓吹和注入百年來從未存在的民主價值
和文化激素，簡直是天方夜譚。這是一場意志之戰，英方不可能
獲勝。

我得出的結論是，英方一直指望美國人抓緊人權和民主兩個
把柄對付中國。美國手中有兩張王牌，一是由 1992 年的 200 億
美元激增到 1997 年 400 億美元的貿易逆差，另一是每年更新給
與中國出口產品的最惠國待遇。但是，中國也能以牙還牙，在禁
止核武器和導彈技術擴散方面採取不合作的態度。

西方媒體想借助香港使中國民主化，或至少通過在香港推行
民主政治改革以向中國施壓。西方媒體一致站在同一陣線，支持
彭定康姍姍來遲又一廂情願的政治改革。香港一些政界人士因此
受到鼓舞，以為他們大可為所欲為，好像香港真有可能獨立似
的。

然而比英美和中國各執一詞並採取一連串政治動作更重要的
是，中國的經濟局勢發生了出人意表的戲劇性發展。1989 年天
安門事件發生後，西方投資者對中國退避三舍，港、澳、台三地
的華商卻在這個時候進軍內地，三年內業務發展大好。他們向疑
慮重重的世界證明了，要在中國經商，所謂的「關係」──說同
一種語言、源自同根文化、不按章行事──能彌補缺少法治的不
足。這些華僑的成就銳不可當，促使我於 1993 年 11 月在香港
舉行的第二屆世界華人企業家大會上提出警告，萬一他們的對華

1997 年香港回歸前一個星期，我在香港會見了董建華。

投資不利於自己的定居國，他們同本國政府之間的關係必定會惡
化。

　　1989 年天安門事件引起的驚駭，使香港股票和房地產市場
在人人談回歸色變的情況下，潰不成軍。八年後，中國的經濟前
景有了 180 度的轉變，香港如今殷切期望同一個朝氣蓬勃的中
國一起成長。隨著 1997 年 7 月 1 日的靠近，香港房地產和股市
反而穩健上升，反映了誰也預見不到的信心。選擇留下來的港
商，幾乎占了全數，他們開始接受現實：自己的未來取決於中港
之間的良好關係。在上海和其他沿海城市的設施尚未建設完善以
前，中國通過香港進行的商業活動，將是確保香港繼續繁榮興盛
的要素。

會見董建華

　　香港回歸前一個星期，我身在香港，還會見了董建華。當選香港特區行政長官半年來，他在候任期間經歷了很大的轉變，從一個把畢生精力投入家族船務業，生活非常低調的人物，一躍成為傳媒注目的焦點，經常要應付刁鑽記者拋來的尖銳問題。他同意，要香港成功，中國必得先成功。這是治理香港一個合情合理的原則。我發現商界和專業界的精英開始在心理上進行調整，接受香港將要成為中國特別行政區的事實。香港中文媒體的態度變得溫和起來，即使是一份桀驁不馴的華文報紙——由一個立場怪異的商人經營，此人曾對李鵬總理極盡辱罵之能事——也收斂了很多。新聞界開始懂得拿捏分寸。

　　唯有彭定康繼續跟北京糾纏到最後一刻。臨時立法會的宣誓儀式，英方領導人以不符合聯合聲明為由，採取抵制行動。中國領袖沒有受邀出席英國的告別儀式，其實他們根本不打算出席。中國原想安排軍裝筆挺的解放軍，在江澤民於 6 月 30 日午夜抵港主持移交儀式之前進駐香港。英方起初反對，最終同意讓 500 名攜帶輕型武器的解放軍在晚上九點進入香港。在移交期限前一天，中方宣布將在 7 月 1 日凌晨四點另派 4000 名解放軍到香港，末代港督就這個「駭人聽聞的消息」進行譴責。但是一切已經無濟於事。香港主權終究會在 6 月 30 日午夜 12 點正歸還中國，到時，香港已是中國的領土。

　　7 月 1 日凌晨，在移交儀式舉行過後，我聽到群眾使用手提揚聲器高喊口號，歷時 10 到 15 分鐘。後來，我得知是大約3000 名示威者所為，還勞動警方在空盪盪的馬路上為他們開路。據報章報導，民主黨領袖李柱銘登上立法局大樓的陽台向群眾發表演講，呼籲香港人繼續為民主奮鬥。那不是革命的場面，

國際傳媒把它當成一場儀式性的示威加以報導。

　　奇怪的是，香港人的情緒是淡漠的。自 1984 年中英簽署聯合聲明以來，香港人有足足 13 年的時間為這一刻做好準備。他們沒有展露絲毫重投祖國懷抱的振奮和喜悅。但是，同樣地，無論是在告別檢閱儀式上，或者是在皇家遊艇不列顛號收起鐵錨，載著末代港督徐徐駛離碼頭的時刻，都沒有人為英政府的離去表現出哀傷之情，人群中也不見有人依依不捨地向前殖民地主子告別。彭定康在英政府統治的最後五年裏經常同中國針鋒相對。中方本來同意遵守「直通車」協議，讓 1995 年選出來的立法局於 1997 年香港回歸後繼續運作，但是彭定康卻把這列「直通車」弄出軌，留下一個在選舉條例上比他單方面進行修改之前還僵硬的立法機構。

　　1997 年 7 月 1 日，特區行政長官董建華和他的領導班子接管香港時，跟東亞金融危機撞個正著，只是他們要到 1998 年才真正領略到。泰銖在 7 月 2 日貶值，頹勢一發不可收拾並蔓延到整個區域，繼而擴散到俄羅斯，以至巴西。由於港幣和美元掛勾，迫使香港不得不提高利率。房地產、股票，一切不動產的價格隨之狂跌，導致經濟衰退，帶來失業。香港人對政府的不滿情緒頓時高漲，他們的期望已有所改變。受外來殖民政府統治時，香港人除了要求統治者保護香港免遭中共控制以外，他們別無他求。港人治港，他們的要求也就提高許多。香港爆發由罕見病毒引起的禽流感，老年人和兒童尤其受到生命威脅。當局不得不宰殺上百萬隻家禽，雞農鴨農要求賠償，結果如願以償。紅藻破壞漁民的生計，漁民同樣要求賠償，也同樣得償所願。接著當地一家投資公司破產倒閉，把股票存放在公司的投資者，照樣得到賠償。

　　我於 1999 年 6 月到香港出席會議，見到許多人愁眉苦臉，包括一些老朋友和幾個新相識。他們對本身的問題分析得很透

徹，就是找不到解決辦法。他們這麼描述：在大英帝國統治將要
結束的時候，英國放鬆對香港的管制，與其推行不受歡迎的政策
引來怨聲載道、衝突連連，不如向壓力團體讓步。譬如政府要逐
步淘汰使用柴油的德士以減少污染，德士司機便恫言罷工，政府
於是做出讓步。壓力團體學會發動示威來抵擋強硬政策的推行，
使政策胎死腹中。現在香港成了中國的一部分，港府行政長官根
本沒有對抗這類行動的政治力量。董建華跟以前的英國港督不
同，他們把立法局給與支持視為理所當然，他面對的卻是一群不
買他的帳，不覺得有義務支持他的政策的立法會議員。他的領導
班子沒有全民表決的授權做後盾，一旦論點受到立法會議員挑戰
就招架不住。

　　彭定康企圖鞏固通過民選途徑成立的立法局，結果失敗了。
香港還在英殖民統治下選出的立法局被解散。受過高等教育的精
英之間對如何前進、如何使現有制度發揮功能，有著極大的分
歧。過去英國人治港的舊制度被削弱後，根本無法應付新的政
局。一方是務實派的商人和專業人士，他們希望同北京政府建立
良好的工作關係，強烈反對彭定康的政策；另一方是學者、媒體
和另一派專業人士，他們要建立一道能抵禦北京強硬統治的憲制
防線，越穩固越好，同時也想爭取國際社會，尤其美國的支持來
向中國施壓，使後者不會干涉特區事務。務實派人士本身不願意
捲入政治漩渦，反過來依賴連自己都不敢寄予厚望的議員替他們
說話和對抗北京。整個局面很不愉快。沒有幾個人肯站出來當群
龍之首，因為這麼做就得面對現實：香港領導人必須博取北京領
袖的信任，唯有這樣才能促進香港的利益。

　　香港人必須調和不同群體間相互牴觸的利益：雇主（如李嘉
誠）相對於力爭工會和工人選票的政客，專業人士和管理人員相
對於收入較低的白領階級。在誰該付哪一種稅務，誰該得到衛

生、住屋、教育津貼等問題上，大家應該有個妥協。平衡了各方的利益之後，更棘手的問題還在後頭，即劃定哪些屬於集體利益，並以中國特別行政區而不是獨立國家的姿態去爭取這些利益。這個任務因為港人不把自己當中國人看而難上加難。大陸出生者告訴民意調查人員他們是香港的中國人，在這塊前殖民地出世的則稱自己為香港人。當特區政府建議所有學校天天升起中國國旗，唱中國國歌時，85%家長提出反對。另一方面，天安門事件十周年紀念卻能夠吸引五萬人參加通宵達旦的燭光晚會。我懷疑，與其說他們擔心天安門事件會重演，倒不如說他們更加害怕在香港會有什麼樣的遭遇。相對之下，當大陸的中國人在1999年憤慨地高聲抗議中國駐貝爾格萊德大使館遭轟炸時，香港卻只有一小批左派人士在美國駐港領事館外舉行象徵式的示威。

董建華有一個決定引起諸多爭議，那就是尋求中國全國人民代表大會的幫助推翻香港終審法院的判決。根據《基本法》規定，香港居民在內地所生的子女有權在香港自動入境和居留。終審院判決香港居民的子女，包括私生子女，以及父母成為香港永久居民前出世的子女都有居港權。當香港政府透露，最終會有150萬餘人享有進入香港的權利，香港人心慌了。

1999年3月，香港律政司司長向北京人大常務委員會尋求如何解釋《基本法》的這項條例。人大常委會把居港權局限於那些在出世時，父母當中至少有一人是香港居民的子女。法律界、學術界和媒體對此連連抨擊，深恐港府為人大常委會開了先河，讓它今後能夠干預香港的司法程序。不過大部分人還是支持港府的做法，對法律細節不感興趣。

1999年10月21日，我在香港政策研究所為該所成立四周年而舉行的講演會上，談到過渡期間的問題比任何人想像的還要棘手。該研究所是一個智囊團，有時也替香港特區政府服務。前

港督彭定康在美國和英國媒體的支持下，給香港上了民主與人權的速成課，目的是想把自由表達的原則烙印在香港人心裏——尤其關於新聞自由、容許最多人為合格選民的普選、保護公民基本自由權利的法案、法律原則和司法獨立——之後把民主主張已堅不可摧的香港交回給中國。這導致許多香港人想當然地以為只要維護民主和人權，經濟會自行運作，一切都會順利。結果卻恰好相反。

像許多國家和地區一樣，香港人發現他們最需要的其實是繼續生存，安安樂樂地過日子。在舊制度下，人人為自己而發憤圖強，而且幾乎都能出人頭地，這樣的制度不復存在，教大家懊惱不已，但是又不可能走回頭路。香港人的期望和態度已經改變，他們必須往前走。只要選舉政治不附帶責任，香港立法局就成為政客表態以爭取下屆選票的場所。政治領袖即使信誓旦旦，也不會受考驗，因為他們沒有責任履行這些承諾。

往前走的途徑有兩個。第一、香港立法議員可以採取更實際的立場，在屬於中國的特別行政區這樣一個架構內運作，並顯示他們接受中國的國家利益凌駕一切；這麼一來，北京在 2007 年檢討憲法之後，很可能會允許一個得票占多數的政黨執政。第二、通過自然淘汰的過程，北京把桀驁不馴的政客消磨殆盡。香港人還有現在到 2007 年的幾年時間決定要走哪條路。以前的香港已成為歷史，它的未來取決於香港人會以什麼樣的行動來促進他們的群體利益。

在一小時的問答時間裏，我向香港國際會議展覽中心 1200 名來自當地政商兩界和媒體精英圈子的聽眾，指出不言而喻的事實：如果香港變成另一個中國城市，同其他大陸城市無異，它對中國就毫無價值。香港對中國有價值的地方，正在於它擁有健全的體制、專業的管理知識、走在時代前列的金融市場、法治、高

度透明的立法制度和條例，以及人人平等的競爭環境，加上以英
語作為工作語言的國際化生活方式。這些因素把香港區分開來。
它面對兩股對立的力量：一方面得學習同中國官員合作，了解對
方不同的社會、經濟和政治制度與心態，以便使自己對中國有用
處；另一方面又不能受大陸人態度的影響，否則會變得跟其他中
國城市一模一樣。它必須保留自己的特性，繼續發揮中國同外界
來往的不可取代的橋樑作用，就像英國治理香港的時候一樣。

　　我原以為實話實說必會招致媒體的諸多批評。現場觀眾的反
應是熱烈的，媒體第二天的反應溫和。這些報導促使專業團體開
始反思他們的抉擇。他們處於一個同彭定康當初所想像的天差地
遠的局勢，中國的鐵腕不見蹤影，反倒是香港人的沉重心情使他
們自己動彈不得，無法前進以制定和落實在新的環境中切實可行
的目標。受英國官員管轄時，香港人不必以一個社群的姿態呈現
一致的行動；他們是唯我獨尊的個體戶，勇於冒險的企業家，本
著不入虎穴焉得虎子的精神為自己和家人拼搏。現在他們真正得
為將來選擇另一條出路了，而且必須以中國國民中特別分支的身
分，共同做出決定。

　　至於眼下的情況，香港人嚮往更大程度的民主，以保護安逸
舒適、欣欣向榮的生活方式，中國領袖則期望香港有用而不節外
生枝，兩者之間是有很深很廣的鴻溝的。未來 47 年，雙方必須
相互挪近，往一個共同點靠攏。這或許不如香港人現在想像的那
麼困難，畢竟要再過兩代人，雙方才會在一國一制之下碰頭。如
果毛澤東主席逝世後一代人所產生的變化，以同樣的步伐繼續演
變，這樣的趨合應該是不會太不舒適的。

李光耀回憶錄

35 台灣何去何從

陳水扁如果繼續推行李登輝的
政策，製造與大陸截然不同的
台灣民族特性，將進一步證實
北京對他要把台灣帶上獨立之
路的猜疑是正確的。這也將增
加對解決重歸統一問題採取倉
促行動的危險。如果台灣成為
一個獨立國，李登輝將成為台
灣史冊上的英雄。如果台灣是
在武力之下同大陸重歸統一，
歷史將不會寬容一個為台灣的
中國人民帶來不必要苦難的
人。

台灣早年因為孤立而渴望同新加坡建立聯繫。我們這方面則急於避免在軍事訓練上完全依賴以色列。初步討論從 1967 年開始，台灣委派一位高層代表前來，跟我和當時擔任國防部長的吳慶瑞會面。同年 12 月，他們提交了一個建立空軍部隊的計畫。我們渴望在台灣訓練我們的空軍機師和海軍軍官，以色列無法提供這類軍事設施。台灣國防部樂於協助新加坡，卻不時暗示，一旦讓外交部發現他們在防務上幫助我們，它必會要求新加坡在外交上給與台灣某種形式的承認作為回報。在這個問題上，我們清楚表明我們不能讓步。

當台灣駐新加坡「中華民國商務代表辦事處」終於在 1969 年設立時，雙方明確達成協議，進行商務往來不等於彼此承認國家或政府的地位。中國大陸聲明它是整個中國，包括台灣在內的唯一的政府，我們並不想捲入漩渦。

「一個中國」立場不變

在聯合國提出接受中華人民共和國的決議案時，新加坡投票支持接納中國，卻在驅逐台灣的表決中棄權。我們的政策是，「一個中國」的立場不變，視中台統一為中國內政，必須由中台雙方自行解決。

台灣國家安全局和新加坡國防部之間建立聯繫之後，台灣方面借調了一些軍機飛行指導員，還有幾名技術人員和機工到新加坡，協助我們把軍機維修部門建立起來。後來，我接受了台灣國家安全局局長的建議，同意在 1973 年 5 月到台北，同當時的行政院長，也就是台灣總統蔣介石之子蔣經國會面。蔣院長和他的蘇聯籍夫人到機場迎接我和芝，把我們送往圓山大飯店，親自引領我們到套房休息。第二天，我們隨他乘搭波音 707 型私人貴賓客機，飛往空軍基地，觀看了由台灣空軍部隊單位呈獻的半小

時緊急起飛示範表演，接著再一起驅車前往度假勝地日月潭，共
度了兩個假日，加深了彼此的了解。

　　在台北舉行的晚宴上，我會見了蔣經國的外交部長、財政部
長、經濟部長、參謀總長和國家安全局局長，結識他身邊的高層
親信。同他的密切交往，除了因為彼此談得來，還在於雙方的反
共立場一致。中國共產黨是蔣經國不共戴天的仇敵，跟中共息息
相關的馬來亞共產黨，則是我的仇敵。我們可説是同仇敵愾。

　　蔣經國講英語結結巴巴，一口濃重浙江口音的華語教人不容
易聽懂。還好他能理解我説的英語，加上我也會説華語，雙方可
以在無須通譯的情況下交談。語言相通有助於彼此產生共鳴，進
而昇華成友好的關係。我談到東南亞的地緣政治格局，向他解釋
了新加坡其實被視為中台之外的第三個中國。民族、文化和語言
上的一脈相承，由不得我們否認，但是我們對抗馬來亞共產黨的
決心，足以向鄰國保證，新加坡決不會成為中共的「特洛伊木
馬」。

　　據新加坡駐台北商務代表過後報告説，行政院長對新加坡，
對我，印象都不錯，也很高興能親自會見我。我想其中有個關鍵
因素：那次訪台，女兒隨行。她當時是個年輕的醫科學生，受過
華文教育，能説流利的華語，言談舉止一下子就顯露出她是個華
人。這使得蔣經國對我和内人以及女兒有極不同的看法，因而也
確定了新台的關係。此後，雙方繼續通過書信往來建立深交。

　　這次訪台，新台兩地實行全面的新聞封鎖，這是出於我的要
求，以免國際注目，引起是非言論。

　　翌年 12 月當我再到台灣訪問時，蔣院長親自參與安排我的
訪問活動。他安排了海軍和海軍陸戰隊單位列隊接受檢閱，一切
按照國家元首訪問的禮儀規格進行，只是沒有任何形式的宣傳。
他也陪同我參觀了台灣建設所取得的多項成果，包括穿越崇山峻

嶺的橫貫公路。

　　我趁這次第二度訪台，提出新加坡因空間有限，希望在台灣訓練新加坡武裝部隊一事。在此之前幾個月，新加坡已就這個要求跟台灣方面的軍事代表討論過。蔣院長對新加坡的處境表示同情。雙方在 1975 年 4 月達成協議，讓新加坡武裝部隊在「星光演習」的代號下到台灣進行軍事訓練。起初有效期只限一年，我們獲准在台灣訓練步兵、炮兵、裝甲部隊和突擊連隊，受訓軍人被分配到全台灣各訓練同類部隊的基地。台灣當局只對我們所消費的物資收費，其他分文不收。

　　蔣經國有張白皙圓潤的臉，戴著副厚厚的角質眼鏡，身材圓滾滾的，為人沉默冷靜，說話低聲細語。他從不擺出思想家的模樣，但是想法務實，社會知識豐富，很善於看人。他確保留在身邊的都是可靠之士，隨時願意坦誠提出己見，哪怕是逆耳的忠言。在開口前，他必定經過一番深思熟慮，決不信口開河。他不方便自由訪問各國，我於是成了讓他掌握美國和世界整體發展動向的另一個提供消息的人。針對當前地緣政治局勢的變化，他總會熱切和追根究底地提出問題。八〇年代中期，蔣經國健康狀況轉差以前，我每回訪台，他總會盡地主之誼，抽三四天陪我四處逛逛。他通過彼此無拘無束的交流，印證他在閱讀和聽取匯報後對政治事件所得出的結論和見解是否正確。他深感在國際上孤立無助。

　　1973 至 1990 年間，我每年總會訪台一兩次，幾乎每次都在香港停留。台灣華人每年取得 8%到 10%的經濟增長，在經濟、社會方面不斷進步，這對我有一定的啟發和鼓勵。他們由一個僅集中於農業和製造紡織品、成衣和運動鞋，工資低微而勞動密集的經濟體，穩健轉型，進入高消費市場。起初他們僅懂得盜版珍貴的醫藥、法律和其他種類的書籍，以低得離譜的價格大平賣。

我接受了台灣國家安全局局長的建議,同意在 1973 年 5 月到台北同
當時的行政院長,也就是台灣總統蔣介石之子蔣經國會面。

八〇年代，他們開始自行申請版權，用質量高的紙張和厚皮封套
裝幀出版。進入九〇年代，他們投入電腦晶片、主板機、個人電
腦、便攜電腦和其他高科技產品的生產。我注意到香港的經濟和
生活水平也同樣地不斷提升的相同趨勢。這兩個沿海華族社群迅
速起飛，給了我很大的激勵。我從港台的經驗中得到啟示。既然
他們做得到，新加坡也一樣能做到。

台灣工人主動自覺

　　台灣的華人沒套上共產主義的束縛，少了樣樣由中央策畫的
經濟體制，正像奔馬一樣往前馳騁。台灣如同香港，社會福利微
乎其微。直到九〇年代初期實行直選制，情況才有所改變。反對
黨立法委員向政府施壓，要求政府推行醫藥、養老和其他社會福
利保障，結果導致預算出現赤字。面對立法院內部動輒起哄的反
對黨，九〇年代的台灣政府即使要提高稅率來平衡預算，也是困
難重重。所幸台灣工人主動自覺，到目前為止依然比西方工人更
勝一籌。

　　最讓蔣經國和部長們深感自豪的，是台灣在教育方面的成
就。每個學生至少受過九年的中小學教育，九〇年代有大約
30%的學生大學畢業。然而人才大量外流的現象卻教財政部長李
國鼎嘆息。自六〇年代起，每年到美國攻讀博士學位的大學畢業
生，平均多達 4500 名，學成後回台的卻只有區區 500 人。隨著
台灣的世界經濟地位節節上升，李國鼎全力出擊，希望吸引一些
曾經在世界頂尖研究室和大型電子跨國公司服務的台灣優秀人
才，回台服務。李國鼎在台北市附近發展科技園，為回流人才提
供低息貸款，協助他們開創半導體業務，結果台灣電腦業起飛
了。這些回流人才在美國電腦業建立起了聯絡網，掌握了有關技
術和專業知識，這使得他們能隨時緊跟科技發展的步伐，有效地

促銷產品，並得到台灣當地栽培出來的工程師和技工的支援。

　　當年跟隨蔣介石將軍的部隊，由大陸過海的兩三百萬大陸人當中，有一層厚實的知識分子、行政人才、學者和企業家，是他們催化台灣蛻變為經濟一強的。

　　但是大陸籍精英明白，長遠來說，他們在台灣處境困難。他們是人口中的少數，只占大約 15%。原本由大陸人和大陸人的後代占絕對多數的武裝部隊官兵，逐漸由台灣本省人取代，這個趨勢已是無可逆轉的了。本省人在全人口當中占了 85%，台灣政治權力重心轉移是遲早的事。蔣經國和他的資深親信何嘗沒有意識到這一點，所以選用台灣人的時候格外謹慎，只用最可靠和信得過的人才——願意延續他們的政策，堅決同大陸共產黨對抗，卻決不主張分裂爭取台獨。對大陸人來說，台獨是不能容忍的。

　　到了八〇年代中期，受過高深教育的年輕一代台灣人在官場中步步高升。新加坡也換了個能說台灣福建方言閩南話的代表駐台北商務辦事處，我們的原任代表來自浙江，跟蔣經國還是同鄉。大家都看得出台灣正在蛻變。

　　我們必須結識台灣官場中一些跟國民黨有聯繫的本省人，但又要避免跟主張台獨的異議分子扯上關係。後者全屬非法組織的成員，好幾個還因煽動叛逆罪名遭監禁。

　　八〇年代中期幾次訪台，發現蔣經國的健康狀況已大不如前，他無法再伴隨我四處出遊了。從交談中推斷，美國媒體和國會必定向他施壓，要他進行政治制度民主化。他解除了戒嚴令並著手推行政治改革。那個時候，他的兒子蔣孝武擔任駐新加坡的台灣商務代表，他讓我知道了他父親的想法。我告訴蔣經國，要保障台灣的安全，他就不能只爭取雷根總統繼續站在他那一邊，還得爭取美國國會和媒體的支持，這是雷根背後少不了的兩股支

撐力量。後來，蔣經國也放手讓原本不合法的反對黨組織參與立
法院選舉。

　　蔣經國在 1988 年 1 月與世長辭。他生前在台灣内地建立起
德高望重的領導地位，使他有辦法駕馭因解除戒嚴令而發放出來
的各種勢力。我出席了他的喪禮。前往憑弔的還有美日多位領
袖，他們全是歷屆政府首長和高官，沒有一位是在職領導人。喪
禮以中國傳統方式進行，蔣經國的遺體送往台北市郊的一個停放
處，像他父親蔣介石一樣暫厝，以便最終遷葬上海以南的浙江省
家鄉。

　　接管政權的是副總統李登輝。我跟他初次會面時，他是台北
市長，後來出任台灣省政府主席。我們偶爾一塊兒打高爾夫球。
他辦事勤奮努力，勝任有餘，對上司謙遜有禮，對總統和來自大
陸的部長們尤其如此。當年他是位友善謙恭的官員，身材高大，
頭髮花白，戴著副厚片眼鏡，總是笑容滿面。蔣經國總統在
1984 年指定李登輝為副總統人選之前，也考慮過國民黨另外幾
個本省籍人選，但是覺得無一比李登輝更合適。我假設蔣經國事
前必定十分肯定他是位可靠的人才，相信他會延續自己的政策，
決不走台獨路線。

　　最初幾年，李登輝總統堅持國民黨既定的一個中國政策，不
主張台灣獨立。他成功地在黨内爭取到一些元老和幾個外省籍年
輕領袖的支持，牢牢地掌握了國民黨的控制權。所有跟他意見相
左，提出逆耳忠言而身居要職的高官，不久後——被鏟除，包括
前行政院長郝柏村和外交部長錢復。錢復在 1995 年勸李登輝不
宜訪美。李登輝加速推行政制民主改革，委任更多台灣本省人擔
任要職，鞏固了自己對國民黨和台灣的控制。國民黨元老早些時
候告訴過我，這原本是大勢所趨，他們都預見得到，也願意接
受。然而教他們萬萬想不到的是，李登輝竟會如此迅速地通過民

選制度，由國民代表大會貫徹到立法院，把政治權力重心一下子
轉移到占全人口 85%的台灣本省人手中。他徹底地改變了國民
黨，最終搞到許多黨員群起退黨成立「新黨」，也因此使國民黨
元氣大傷，權力大為削弱。

　　李總統鞏固了自己的政治地位之後，便開始把自己的意願發
乎言辭。他的言談使北京領導人得出這樣的結論：他要把台灣跟
中國大陸隔開，而且越久越好。1992 年，李總統為統一開出條
件。他把一個中國解釋為中華民國，而非中華人民共和國。國家
統一，必須在一個「自由、繁榮而民主的中國」的大前提下才能
成立——換言之，共產中國必須先發展成為跟台灣一樣的民主社
會。我當時不曾意識到，他這樣做並非作為商談的起點，而是蓄
意地把兩岸鎖定在一個從此難以銜接的位置上。

　　1994 年 4 月，李總統接受日本一位知名記者司馬遼太郎的
訪問，訪談紀錄刊登在日本的雜誌上，受訪者從來沒有否認過它
的內容。李登輝在訪談中口口聲聲把國民黨稱為外來政權，大談
台灣人在包括國民黨政府的外來政權統治下，吃了極大的苦頭，
認為「摩西和他的追隨者眼前將有洪水橫流……『出埃及』也許
會是個最好的結局」。身為台灣總統竟大談摩西帶領他的人民到
應許之地，這是中國所不能置若罔聞的。

　　台灣本省人因「二二八」事件對大陸外省人有滿腔仇恨。
1947 年 2 月 28 日前後，台灣本省人抗議大陸人接管台灣，指
他們非但不像解放者，倒像是霸主，結果數以千計的本省人死於
國民黨政府軍隊的槍下。事後，一切有關這場慘劇的公開討論，
一律被強行壓制下來，但是台灣本省人的記憶卻不曾淡化，等到
一個本省人就任總統時，所有的情緒終於爆發出來。李總統這些
年來能夠制止人們算舊帳，也算是一個值得讚揚的功勞。

　　民選制度總是把舊創傷重新揭開，加深了台灣本省人和外省

人之間的隔閡。為了爭取 90% 多數選民的支持，政客往往向選民強調他們是土生土長的本省人，在競選活動中以土語閩南話發表演說，譏諷敵對的大陸人不懂得說閩南話。他們有些甚至就大陸人對台灣的忠誠質疑。

由大陸人組成的老領導班子對這類分化民心的攻擊，深感心靈受到傷害。當年正是來自大陸的學者協助創辦大學，為台灣培育了許多能幹的本省人。前行政院長孫運璿、俞國華，以及財政部長李國鼎等等傑出的大陸省籍領袖，雕琢了台灣的發展政策，把台灣從農業經濟轉變為工業經濟。台灣日後能取得相當驕人的成就，正是這些人給它奠下基石。

選舉過程引發的另一個更嚴重的問題是，秘密組織（華人黑幫或私會黨）插手政治，而且情況越演越烈。國民黨同秘密組織的聯繫可以追溯到戰前的上海，那個時候蔣介石將軍利用這些人來對付共產黨。這些秘密組織跟著蔣介石南下台灣。黑幫在台灣社會已深深扎根。只要選舉不是通往實權之道，政府還是能夠控制他們的。

八〇年代末政治體制開放，選舉成了實權的競爭場，黑社會很快便悟出，他們可以自行涉足政壇，掌握權力。到了 1996年，有 10%的國民大會代表和 30%的縣市議會議員是黑社會成員，自成一股政治勢力。貪污受賄和收買選票演變成一股根深蒂固的歪風。一旦當選，黑社會就得想方設法彌補開支。

台灣的新聞自由無法有效地監督貪污行為（「黑金」）或者抑制黑社會的勢力膨脹，當地報界把黑幫和西西里的黑手黨相提並論。黑幫的影響力非同小可。1996 年一個臭名昭著的黑社會老大在敵對派系毆鬥中被殺，李登輝總統的總統府秘書長竟然親自送上一幅傳統輓軸，公開表示悼念，希望藉此爭取死者手下的支持。立法院副院長和其他地位顯赫的立委全都出席了喪禮，有

好幾個反對黨領袖也在場。黑社會滲透建築業、農業合作社，連棒球隊也不放過。他們也在上市公司的常年股東大會上和財源充裕的寺廟委員會內硬插上一腳，甚至開始在學校招募黨羽。

　　2000 年 6 月，台灣第一個非國民黨籍的法務部長陳定南上任兩個星期後說：「在東亞地區，台灣的貪污情況最為嚴重，而且過去 60 年來從未加以取締。李登輝是台灣黑金政治的罪魁禍首。他知道哪裏有黑金，但是除了空說有必要嚴加取締之外，什麼也沒做。這就是為什麼以前的法務部長紛紛被迫下台，因為他們對李登輝的話耿耿於懷而嘗試掃黑。整個環境、文化和人民——可以輕易地影響法官、警察，甚至是立法委員。我們要他們負起責任。」

　　1989 年，李總統到新加坡進行訪問，成為有史以來訪問東南亞的第一位台灣總統。我個人像迎接任何一位來訪的國家元首一樣，盡一切應有的禮儀歡迎他。雖然當時新中尚未建交，但我還是決定省去國家元首級的外交禮遇。沒有國旗，沒有軍事檢閱，沒有國事訪問的儀式禮服。一切官方文告中，我們不說他是「台灣總統」，只稱他為「來自台灣的」李總統。儘管如此，那次訪問還是大大提升了他在本區域的政治形象和地位。

首個歷史性會談

　　海峽兩岸以我為通話的渠道，也因此很自然地選擇了新加坡為 1993 年 4 月兩岸首個歷史性會談的地點。會談名為「汪辜會談」，是以正式代表中台雙方的「非正式」組織領袖的姓氏為名。我分別會見了汪辜兩人，知道兩岸元首交託給他們的會談議程各異——代表台灣的辜振甫只想解決純技術性事宜，例如兩岸公證書使用查證、掛號函件失落查詢等；李總統不希望他和中方討論開放貿易，更別談統一了。汪道涵則希望這些初步會談日後

李登輝

將引向更具實質內容的兩岸統一談判。不出所料,會談並未促使兩岸關係改善。

李登輝博覽群書,求知欲和吸收資訊的能力特強。在台灣仍受日本殖民統治的福爾摩沙時期,他在台灣的日本學校受教育。第二次世界大戰期間,他是少數獲選到日本大學深造的台灣人之一,報讀的是京都帝國大學,這所大學在日本的聲譽僅次於東京帝國大學。戰後他回到台灣,在台北完成大學教育。過後他到美國再考取兩個學位,第二個是康乃爾大學的農業經濟學博士學位。

他很自豪地告訴過我,因為個人的偏好,他每天必讀日本的四大主要報章,通過衛星轉播收看東京日本放送協會電視台的節目。即使書籍,也不看英文原著,反愛看日文譯本,因為日文譯本對他來說更容易閱讀。他深深沉浸於日本歷史和文化之中,對大陸,無論歷史、文化,或者是現有的共產黨領袖,他都不放在眼裏,並且以日本栽培出來的精英的視角看待中國的一切。他根本瞧不起中共的領導人,公然把他們叫做「木頭人」、「笨蛋」、「壞了腦筋的」。中國領袖從不加以回敬,但是我敢肯定北京負責兩岸事務的部門,早已有人一字一句地把這些話全紀錄在案。

在我看來,他充滿自信,博學,熟知一切自己感興趣的課題,卻因為台灣遭受孤立而無法理解世界領袖為何不能像日本一樣同情台灣的處境。他視日本的同情和支持對台灣至為重要。他也深信,只要遵照美國自由主義者和美國國會為民主與人權所開

的藥方，美國必定會抵禦共產中國以保護他。

　　我摸不透李總統的立場。他的一位老朋友向我解釋說，他所受的日本教育和訓練，向他灌輸了日本的武士道的精神，同時他認為帶領台灣子民前往「應許之地」是自己的使命。這位友人補充說，李登輝也是個虔誠的基督教徒，這使他更立志要不惜一切代價，秉著武士道精神，執行上帝的旨意。

　　1995 年 6 月，李總統展開一輪攻勢猛烈的遊說行動後，成功爭取美國國會一致通過決議，發出簽證讓他訪問母校康乃爾大學。那次訪問以及他在康乃爾大學發表演講所造成的衝擊的嚴重性，是美國國會始料不及的。我曾擔心中國會有所反應，卻沒想到中國那麼不信任李登輝，也沒料到美國總統批准李登輝訪美的決定，對中國而言有如此深刻的含義。就在那一年 10 月，我問李鵬總理，他怎能如此肯定李登輝要的是台獨。李鵬回答說他們看過李登輝在康大演說的全程錄像，李登輝完全不提一個中國，而是強調台灣，並把它稱為在台灣的中華民國。這根導火線一點燃，終於在 1996 年 3 月引爆了兩岸自 1958 年金門炮戰以來最嚴重的對抗。中國調派大軍到台灣對岸的福建省展開實彈演習，所發射的導彈落在台灣西岸重要海港附近的海域。

　　為了緩和局勢，1996 年 3 月 3 日我發出這樣的呼籲：「中國領袖說我是他們的老朋友，而我和台灣卻是更老的朋友。任何一方受到傷害，新加坡都會蒙受損失。如果雙方都受到破壞，新加坡的損失就加倍慘重。唯有中台雙方繁榮富強，相互合作以爭取共榮，新加坡才能從中受惠。」中國副總理兼外交部長錢其琛後來在一次記者會上說，兩岸關係純屬中國內政，即使我比多數局外人更了解台灣，這件事也無須外人來插手。中方客氣地回絕我勸和的好意，全在意料之中，這符合他們向來主張兩岸紛爭是「中國人」的家務事，非得由雙方領袖直接去解決不可的基本

立場。

　　與此同時，李總統開始淡化台灣與中國的共同性。自 1945
年第二次世界大戰結束到 1988 年蔣經國逝世，台灣學校和大學
用國語（華文）教學，學生學習的是中國的歷史和地理——台灣
不過是其中一個省分。如今，學校教授的多是台灣史地，並已較
少教導中國大陸的史地。早在 1989 年，即蔣經國逝世後不久，
我就感覺得到大陸省籍的台灣行政院長俞國華處境尷尬：他陪我
到日本人舊日的溫泉度假勝地台東度假。一天晚餐後一夥人上卡
拉 OK 歡唱，台灣省籍的部長唱的全是閩南語歌曲，俞國華卻是
半句也聽不懂。

　　在他出任總統的 12 年內，李登輝公開抒發了一直在台灣潛
伏著的分離主義情緒。他低估了中國大陸領導人和人民實現統一
的意願。李登輝的政策只有在美國的支持下才行得通。他的所作
所為好像台灣隨時都會得到這樣的支持，致使台灣民眾相信他們
不必針對台灣的前途問題認真地同中國領導人談判。他對台灣前
途的「貢獻」，是促使統一問題成為北京國家議程中受到關注的
首要事項。

　　2000 年 3 月台灣總統選舉來臨時，中國領導人密切留意選
情。代表民進黨的候選人陳水扁的支持率逐漸高漲，引起了他們
的關注。民進黨由台灣省籍的民族主義者組成，他們多年來為台
灣獨立而奮鬥，為此曾在蔣氏父子執政時代被國民黨政府監禁和
懲罰。2000 年 2 月 22 日，北京媒體發表了中國國務院白皮
書，向台灣提出警告，如果對方無限期拒絕討論重新統一，中國
將被迫動武——針對的正是陳水扁。3 月 15 日，距離投票只剩
三天，中國總理朱鎔基在電視直播的記者會上警告台灣，中國會
不惜以鮮血捍衛國土。

　　陳水扁結果以不到 40% 的選票擊敗得票 36% 的獨立候選人宋

楚瑜。國民黨候選人、副總統連戰則慘敗。外界都認為，李登輝
總統為連戰站台發表的演講顯得不盡力，擺明已經放棄了連戰。
何況李登輝的幾名親信也表態支持陳水扁。中國領導人因此對陳
水扁更加不信任。北京說會靜觀其變，對陳水扁聽其言而觀其
行。正式宣布獲勝之後，陳水扁發表了一些緩和局勢的講話，但
是沒有一句是承諾最終重歸統一的。中國國家主席江澤民說，兩
岸只有在一個中國的原則下才能恢復對話。陳水扁卻說，一個中
國可作為兩岸談判的議題。在 5 月 20 日舉行的就職儀式上，陳水
扁說：「雙方的領導人一定有足夠的智慧與創意……共同來處理
未來『一個中國』的問題。」他沒讓中國有立刻採取行動對付台
灣的理由，但是所言也不足以改變大陸領袖的想法：他會延續
「沒有李登輝的李登輝時代」。就職演說發表後兩小時，大陸方
面說他沒有誠意。北京大概會等到 2000 年 11 月美國下一任總統
人選揭曉後，才決定要採取什麼對策。兩岸有可能發展成對峙的
局面。如果新的台灣總統含糊其辭，不同意接受台灣和大陸同屬
一個中國──不管是以什麼定義為準，局勢將充滿變數。任何一
個中國領導人如果被視為「丟失台灣」的禍首，他將無法保住領
導的地位。

有兩個選擇

　　新的台灣總統有兩個選擇：一是繼續李登輝的路線，這意味
著兩岸將陷入衝突；一是為那一章畫上句號，在實事求是的基礎
上掀開新的一頁。台灣從 1895 年到現在，同中國分隔了百多
年。台灣沒有人會為重新歸入大陸龐大的 12 億人口而雀躍。他
們有自己的一套政治體制、生活方式和更高的生活水準，誰也不
願意放棄這些辛勤奮鬥爭取來的成就。即使是 1949 年以後才移
居台灣的大陸人，儘管主張中台統一，也不希望在不久的將來實

現統一。

美國在未來二三十年內，或許能阻止中國動用武力。在這段時間內，中國的軍事能力很可能已經發展到有能耐掌控台灣海峽的局勢。也許，趁軍事平衡點傾斜到中國大陸那一邊之前展開談判，為兩岸最終而非馬上統一談妥條件，才是明智的。

假設最壞的情況發生了──大陸動武，導致美國做出反應，並以較優越的科技徹底打敗人民解放軍，故事就這麼完了嗎？我在台灣大選結束後不久，向三位美國智囊團成員提出了這個問題。其中一人回答：「故事才剛開始。」他深思了這個問題。如果美國的優越科技把他們逼惱了，不難想像 12 億人為了爭一口氣，向美國佬證明他們不是懦弱和卑劣的，會有怎樣的反應。

陳水扁如果繼續推行李登輝的政策，製造與大陸截然不同的台灣民族特性，將進一步證實北京對他要把台灣帶上獨立之路的猜疑是正確的。這也將增加對解決重歸統一問題採取倉促行動的危險。如果台灣成為一個獨立國，李登輝將成為台灣史冊上的英雄。如果台灣是在武力之下同大陸重歸統一，歷史將不會寬容一個為台灣的中國人民帶來不必要苦難的人。

海峽兩岸的炎黃子孫，可以藉著在未來的歲月建立一種彼此都能感到自在些的關係來減少摩擦。如果和平統一是最終目標，那麼眼前清楚劃分中台兩個社會的界線，就非得逐漸模糊不可，而不是刻意強調雙方的差異。雙方都需要時間致力於縮小兩岸在社會、經濟和政治上的差距。一些台灣人對中華民族的歸屬感不比香港人。對中國這樣一個泱泱大國來說，大可以接受這一點並寬大為懷，促進和解的進程。靠武力實現的統一，將留下永遠的傷痕。另一方面，台灣領袖也有責任避免走向獨立或蓄意擴大兩個社會之間的距離。

36 尾巴特長的中國龍

中國在重振文明之後會有怎麼樣的命運和發展，中國人誰也不會懷疑。這是世界最古老的文明，延續了 4000 年不曾間斷的悠久歷史。我們這些過番客，斬斷了自己的根，尋覓另一種氣候另一片土壤重新扎根，欠缺的正是這種自信。我們對自己的前途憂心忡忡，老是想著在這個變幻莫測的世界裏，命運將會做出什麼安排。

除了英國，其他任何國家對新加坡政治發展的影響都不及中
國來得大。中國是新加坡四分之三人口的祖籍故鄉。新加
坡和中國的關係源遠流長，複雜而又不平等。從 1819 年新加坡
開埠到 1867 年，清廷並不承認華僑的存在。直至 19 世紀七〇年
代，中國開始在英、法、荷殖民統治的南洋設立領事館，情況才
有所改變。這些中國駐南洋的領事館，包括設於新加坡的領事
館，目的不在於保護華僑，而是為了宣揚中國文化和教育，希望
藉此培養華僑對中國的效忠，爭取他們在經濟上的支援。

上世紀二〇年代 ，中國共產黨派出一名代表到新加坡，發
動南洋的共產主義運動。1930 年，他們在新加坡召開一次秘密
會議，成立了馬來亞共產黨。傳奇人物、越共領袖胡志明當時也
在場。其後，國民黨和中國共產黨在中國的鬥爭和衝突延伸到新
馬，兩派都有各自的支持者。第二次世界大戰時期，國共在中國
同仇敵愾，槍口對外抵抗日軍。中共的抗日運動比國民黨強盛，
因此獲得工人和農民的更大支持。

1949 年共產中國成立，激發了受華文教育者強烈的愛國情
操和自豪感，他們期待著一個強大中國的崛起，以便一雪多年來
在英國和歐洲人統治下所蒙受的屈辱。可是另一方面，在馬來
人、印度人、受英文教育的華族社群（俗稱海峽華人或土生華
人），以及在少數支持國民黨的受華文教育者當中，中共的崛起
卻引起深藏已久的恐慌。儘管 1949 年新加坡和馬來亞禁止國共
兩黨在當地活動，華族社群中國共兩派的分化依然存在。

中華人民共和國致力於加強華僑對中國的效忠精神。中共當
局在 1949 年成立華僑事務委員會，開始通過電台向海外進行廣
播。他們支持海外的華僑教育，鼓勵南洋華僑匯款給在中國的親
戚，把孩子送回大陸受教育。他們也呼籲專業醫生、工程師和教
師回去，協助重建祖國。中共的行動，對殖民地政府以及印尼和

其後的馬來亞等東南亞的新興獨立國來説，是一種具有顛覆性的挑戰。北京電台、《人民日報》和《北京週報》就經常抨擊馬來西亞的成立為新殖民主義迫害華族後裔的陰謀。

中共對馬共和大多數講華語或方言人士的影響力，使東姑和其他馬來領袖非常擔心。1963年，周恩來給我寫了封信，內容同他寫給其他許多政府首長的信一樣，籲請廢除和銷毀核子武器。我給了他一個平淡的答覆，回説這個方案將受到各方的歡迎。當時我們尚未併入馬來西亞，仍屬自治邦。給周恩來的這封信在1964年我們併入馬來西亞之後被公開，東姑公開斥責我「同一個馬來西亞不承認，而且言論和行動都對馬來西亞含有敵意的國家直接通信」。

周恩來總理1965年1月在北京對印尼代表團發表談話時，對馬來西亞的成立加以譴責。獨立後，我們同中國並沒有外交接觸。其實在1970年以前，北京一直都不承認一個獨立的新加坡的存在。中國的廣播和刊物把新加坡稱為「馬來亞的一部分」。同樣地，馬來西亞也不存在，因為那不過是「新殖民主義的陰謀」。北京的宣傳不斷指責「新加坡當局」「武裝鎮壓新加坡人民的犯罪行為」。1966年，中華全國總工會拍發電報給新加坡的左翼工會，表達了中國工人對「追隨美國和英國帝國主義的新加坡當局鎮壓工人的野蠻行為」的憤懣。1968年，我被點名攻擊，北京電台説李光耀是「美國和英國帝國主義的走狗」。

在中國文化大革命的巔峰時期，我們沒收了大量印有「毛澤東語錄」的中國郵票。這些郵票由一些華文書店進口。我們也沒收了數以千計由中國水手帶進來準備分發的毛澤東的小紅書。就連中國銀行在新加坡的分行也跟著瘋狂起來，它在服務台向客戶分發文化大革命的宣傳冊子。我們逮捕和檢舉了那些狂熱的新加坡公民，中國籍人士則由得他們，為的是繼續維持我們同中國的

貿易往來。

北京改變了立場

　　1970 年末，北京悄悄改變了對新加坡的立場。在那些我們
派駐代表的外國首都，我們的外交使節都受邀參加中國的國慶酒
會。中共當時的首要任務是盡量拉攏各國政府以共同對付蘇聯，
制止蘇聯在東南亞擴張勢力。蘇聯在 1968 年干預捷克，1969 年
中蘇軍隊在黑龍江邊境的衝突，使中國的革命鬧劇危機重重。這
些事件和衝突，削弱了中國抵抗蘇聯侵略的能力。

　　中共在 1971 年以後停止了對新加坡政府進行的公開攻擊。
那一年，中國銀行新加坡分行還在 8 月 9 日我們國慶日當天升
起新加坡國旗。這是史無前例的。新中兩國的貿易往來一直都對
中方有利。新加坡當時是中國第二大外匯來源，僅排在香港之
後。由於新加坡是個轉口貿易經濟體，對新中這種貿易逆差我們
並不十分擔心，但是要求所有同中國有業務往來的本地華商，向
一個專責管制共產國家貿易關係的政府機關註冊。這麼一來，單
有中國方面的特許經營權還不夠，本地商人還必須同時獲得政府
的批准。

第一次接觸

　　我們同中國的第一次接觸，是在 1971 年通過「乒乓外交」
進行的。我們允許一支新加坡乒乓球隊接受邀請，參加在北京舉
行的亞非乒乓球友誼賽。幾個月後，第二個代表團前往參加亞洲
乒乓聯盟。接著我們接受了中國的建議，讓他們派遣一支乒乓球
隊於次年到新加坡進行友好訪問，預定日期同尼克森總統訪華之
行不過隔了幾個月。在這之前，我們曾經兩度謝絕了中國代表團
要求訪新的建議，一個是雜技團，另一個是北京貿易代表團。外

長拉惹勒南認為沒必要再次回拒，以免對方不高興。在那次乒乓球友誼賽中，我對一大群觀眾嘲弄主隊並高呼讚美毛澤東的口號感到生氣。我公開地嚴厲批評這些幼稚的左翼分子為新加坡的「小毛澤東」。

中華人民共和國也改變了對「華僑」的立場。馬來西亞首相拉薩在 1974 年 5 月西貢淪陷一年前，派遣一個代表團到北京。代表團回國後，馬來西亞政府給我們送了份有關雙方討論重點的備忘錄。馬來西亞代表團團長向周恩來總理提了兩個問題：第一、有關中共政府對華僑的政策；第二、中共當局對馬共的支持。周恩來回答說，「華僑」這個詞兒用法不當，因為許許多多「華僑」其實早已接受居留國的公民權，只是他們天性保守，反而成了中國同這些居留國之間關係上的一大問題。如今，「新中國」對這些「所謂的華僑」有新的革命性政策。當局解散了華僑事務委員會，不再鼓勵海外華人回國。如果任何擁有華族人口的國家要關閉華文報社和華校，中國也不會干預。至於馬共，這個問題必須「從歷史的角度看」。中華人民共和國一向支持力求擺脫殖民地政府壓迫的「解放運動」。不過，這種運動只有憑藉國內的支持力量，而不是來自中國的支持力量，才能取得成功。因此，如果東南亞國家和中國都肯向前看，那麼不只關係可以改善，建立邦交也會水到渠成。

從 1969 年起，中國規定到中國探親訪問的海外華人必須申請簽證，不再像過去那樣允許他們自由進入中國。他們終於了解到魚與熊掌是不能兼得的。要同擁有華族人口的東南亞國家建立正常外交關係，中國就必須放棄根據血統決定國籍的原則，也就是說，今後任何人都不能因為父親是華人而自動成為中國公民。

承認一個中國

1971 年 10 月，我們駐聯合國的常任代表在投票支持中國加入聯合國時聲明：「新加坡只承認一個中國，而台灣是中國的一部分……因此，台灣問題屬於中國內政，只能由包括台灣人在內的中國人民自己解決。」儘管如此，新加坡同中國還是沒有正式的交流接觸。1974 年 5 月馬來西亞政府同中國建交後，我認為這是新加坡同中國政府建立正式聯繫的時候了。我同意拉惹在 1975 年 3 月訪問中國。

我們相信中國政府當時最關心的，是新加坡同他們的死對頭蘇聯的關係。1974 年 10 月，中國副外長喬冠華在聯合國同拉惹會面，問起蘇聯船隻在新加坡維修的事情。拉惹解釋說，我們的海港是開放的，不會特別歧視想要維修船隻的任何國家。但是拉惹也向喬冠華保證，新加坡決不容許任何勢力利用新加坡對鄰近國家進行顛覆活動，所謂的鄰近國家自然包括中國在內。拉惹過後同周恩來會面時重申了新加坡的立場，並說明由於我們的鄰國對新加坡以華族人口占多數的情況特別敏感，我們只能在印尼同中國建交之後，才能同中國建立外交關係。我們不得不謹慎地避免引起鄰國的疑心，以為新加坡對中國仍然受到宗親情結的影響。周總理回答說，中國尊重新加坡是個獨立的國家。當然我們還有個更重要的理由，他們或許也猜到了，我們首先要徹底鏟除活躍於華文中學和南洋大學的共產黨顛覆分子。我們也需要時間逐漸淘汰那些在中國出生，容易傾向沙文主義，卻在宗鄉會館和中華總商會擔當要職的人。我們都見識過，在中國誕生的人是那麼容易因為感情和血緣因素而動情。

泰國首相庫立巴莫 1975 年 6 月到北京訪問回來後，傳達了周總理的口信，邀請我訪問中國。我沒有做出回應。1975 年 9

36 尾巴特長的中國龍

月，我在德黑蘭會見伊朗國王時，胡韋達首相也傳達了周總理對
我的邀請，並且補充説時間不多了。我的理解是我們兩人要會面
的話，我不得不儘早前去。那個時候，報章頻頻報導周恩來長時
間住院的消息。我決定走一趟，定於 1976 年 5 月訪華，然而這
個日子還未到來，周恩來便逝世了。我們在 1976 年 4 月宣布了
這個訪華計畫。幾天後，拉惹重申政府的立場，説新加坡將會是
東盟成員國當中，最後一個同中國互換外交使節的國家。

　　這次訪華，我事前所做的討論和準備功夫，比任何一次國事
訪問都充分。聽其他代表團説，中國人做事有條不紊，而且會試
探代表團的每一個成員，希望從中得到信息。我們就主要課題同
代表團的所有高級代表統一口徑。第一、對於承認中共政權以及
同中國建立外交關係的問題，我們不能改變基本的立場，只會在
印尼之後同中國建交，我們必須是東盟當中最後一個這麼做的國
家；第二、關於蘇聯在新加坡的活動空間：我們不允許蘇聯在這
裏進行任何反華活動，但是作為一個自由經濟體，我們仍然批准
蘇聯設立莫斯科人民銀行新加坡分行，以便處理貿易聯繫。中國
人擔心蘇聯人收買新加坡華商領袖的支持。我們決定向中國保
證，我們並不對強大的中國存有猜忌。我們不親蘇，也不親中。
我們親西方，因為那符合新加坡和我們鄰國的利益。蘇聯在新加
坡和這個區域的舉動我們完全清楚，而且會密切加以留意。

　　我們預料中國人會盡力爭取開設聯絡處或者商務代表處，因
此決定儘早表明，這必須等到他們在雅加達開設類似的辦事處之
後才能進行，不過我們可以先讓中國銀行的一名中國代表到新加
坡分行工作。我們一方面希望鼓勵中國擴大同新加坡的貿易聯
繫，願意開放一些無傷大雅的文化和體育交流活動，讓乒乓球
隊、籃球隊或雜技團等等代表來新訪問。但是另一方面我們又不
想使對方產生太高的期望，或者為此而觸怒蘇聯。在台灣問題

上，我們堅守政策，只承認一個中國，即中華人民共和國。最重
要的是，由於我們預料他們會把新加坡説成「親屬國」，我們決
定強調新加坡有別於中國的獨特性和獨立性。

　　我要求進行較長時間的訪問，儘量多看看中國。中方把日期
安排在 1976 年 5 月 10 日到 23 日。為了確保沒有人會認為我
們是以炎黃子孫的身分訪華，我們的 17 人代表團裏有一位賈夫
納出生的淡米爾族外長拉惹勒南和一位馬來族政務次長麥馬德。
他們將出席所有會議，會議也都會以英語進行。

　　新加坡和北京之間沒有直透班機來往。我們飛到香港，從香
港搭火車到同中國接壤的羅湖，徒步越過邊界乘搭專列到廣州。
當天下午，我們乘搭專機——英國製造的三叉戟客機——到北京
去。機場已經準備好歡迎儀式。在軍樂隊奏完新加坡和中國國歌
後，我檢閱了由人民解放軍海陸空三軍組成的儀仗隊。過後，大
約有 2000 名女學生穿著彩裝，揮動著新中兩國的小國旗和鮮
花，高呼「歡迎歡迎，熱烈歡迎」。有一條大型的橫幅，用華文
寫著「堅決支持新加坡人民」。他們還不打算支持新加坡政府。
同一般跟中國有正常外交關係的國家首長所受到的接待不一樣，
《人民日報》沒有發表歡迎的社論，也沒有外交使節團人員到機
場來迎接我。除此之外，他們完全按照應有的完整的禮儀來迎接
我的訪問。

　　周總理在那年 1 月去世了。鄧小平被送下鄉，不在北京。
接待我的是華國鋒。他的樣子和舉止就像共產國家強硬的公安頭
子一樣，他也確實曾經擔任過公安部長。在 5 月 11 日當晚的國
宴上，我公開表明我們的立場。華國鋒稱讚我們：「在國際事務
方面，新加坡反對霸權主義和強權政治，主張東南亞和平中立，
積極發展同第三世界國家的關係，並且為促進各國經濟和貿易交
流做出積極的貢獻。」他過後唸出了對超級強國霸權的樣板式譴

36　尾巴特長的中國龍

責，間接但是明顯地指出蘇聯在美國撤出越南後，在東南亞進行滲透與擴張。

我在答詞中說：「歷史把中國人、馬來人和印度人帶到新加坡。大家都為我們的文化傳統而自豪。因為共同的經歷，人民創建了自己特有的生活方式。由於地緣關係，我們的未來將同我們的東南亞鄰國更緊密地聯繫在一起。」

我們進行了三輪正式會談，歷時總共七個小時。5 月 11 日的第一輪三小時會談，在人民大會堂舉行，華國鋒請我先講話。我列舉了關於新加坡的一些基本事實。馬來西亞和印尼因為新加坡有四分之三的華族人口而懷疑新加坡親中。美國和蘇聯也基於相同的理由而存有疑心。新加坡要做的是讓人不這麼簡單地看問題，以為我們華族人口占多數就必定親中。問題是我們的華族人民當中確實有一小部分沙文主義者，他們屬於在中國誕生的年老一代，不過年紀逐漸老邁，人數越來越少。年輕一代當中也有一群人，只受過華文教育，無法掌握英語，找不到好工作。他們對中國雖然不像年老一輩那樣具有深厚的感情，卻往往比較親中，有些甚至親共產黨。我們不得不制止這些人對新加坡造成破壞。

我繼續說，新加坡也不會反中國。中國越是強大，就越有利於維持美、蘇、中三強之間的勢力均衡，這對世界和新加坡來說都將是個更安全的局面。如果中國認為一個主權獨立的新加坡並不會與中國的利益相牴觸，那麼我們兩國之間的許多歧見都能隨之化解。反之，如果中國相信一個獨立的新加坡不利於中國，或者有意協助共產黨人在新加坡成立一個共產政府，兩國的分歧必定日益加深。

華國鋒沒有針對我所提出的各點做出答覆，而是照唸他的講稿，進一步闡釋「三個世界」的理論。這是中國當時對國際形勢

1976 年我第一次訪問中國，在北京會見毛澤東主席。

的標準闡述。他的措辭充滿強烈的革命意味。目前的國際形勢將
加速超級強國的沒落，喚起第三世界的覺醒。美國和蘇聯屬於第
一世界，亞洲、非洲、拉丁美洲國家和世界其他地區的發展中國
家（包括中國和新加坡）都屬於第三世界，而在這兩個世界之間
的發達國家則屬於第二世界。美國和蘇聯為稱霸世界而展開競
爭。美國過度擴張，而蘇聯正嘗試囊括天下。只要美蘇繼續競
賽，世界將走向另一場戰爭。因此，所有國家應該為這個可能出
現的局面做好準備。不過，中國把美國和蘇聯都看做「紙老
虎」，野心太大，能力不足。蘇聯人進行擴張和侵略的政策肯定
會以失敗告終。中國所關注的是：亞洲的後院，豈容一頭虎（蘇
聯）取代一隻狼（美國）。這一大套全是他們的電台和報章天天

用來斥責帝國主義和修正主義的造作言論。

第二天，5 月 12 日，就在第二輪會談開始之前的那個下午，他們的禮賓官員突然趕到貴賓室來，說毛主席將會接見我們。到訪的貴賓通常不會被預先安排會見毛主席。打量訪客後，如果覺得適當，中方會在短時間內通知訪客，給與訪客這個會見偉大領袖的殊榮。我的妻子和女兒在參觀慈禧太后的頤和園時被召回。沒有人告訴她們任何的理由。代表團中的幾位特選成員，我自己、我的妻子和女兒、外長拉惹勒南、財長韓瑞生和文化部政務部長李炯才，在中方護送下，被載往毛澤東跟外界隔絕的居所。

見到毛澤東

車子轉入中南海，那是靠近天安門廣場一側，在人民大會堂不遠處一個舊圍牆圍起來的地區。我們駛過上了漆的柵門，進入一個傍湖而立的中國式低矮別墅莊園。在一座別墅前我們停下來，讓人引領入內。客廳裏坐著的正是「偉大的舵手」毛澤東。他穿著淺灰色的毛裝，由兩個女助手攙扶著。我們握了手。接著，大家端端正正地坐下，姿勢正確，謹慎地不交叉雙腳，以免失禮。毛含糊地說了大約 15 分鐘的話，一位中年婦女尖著嗓子用普通話重複了他的話。好幾次她寫了幾個很大的中文字向毛請示，確定這是他說的沒錯。接著再有人把毛的話譯成英語。這場對話並沒有太多的實質內容，中方不過是表達了對新加坡代表團的善意，以顯示他們對我們的重視。那個時候，毛已不再是尼克森和季辛吉在 1972 年同他會面後，言談和筆下精彩描繪的那個機靈敏銳的人了。我想毛不只說話有困難，腦筋也不靈活了。我猜想他患上了帕金森病症。以 82 歲的高齡，他看來無論是精神或者體力都很虛弱。

　　第二天，中國的主要報章，包括《 人民日報 》，都在封面版刊登了我和毛的合照，我坐在他左邊。照片裏的他比面對面所見來得好。多年後，一直還有記者和撰稿人問起他當時的樣子到底是怎樣的。老實說我只能說我不知道。我看到的是一位強人的影子。他領導過長征，把游擊隊發展成為強大的戰鬥隊伍，以游擊戰同日本人對抗，直至日本人在 1945 年 8 月投降，並擊退國民黨的軍隊，最終使共產黨從 1949 年起領導中國。他的確把中國從貧困、潦倒、病痛和飢餓中解放出來，儘管 1958 年大躍進引發的飢荒奪走了數以百萬計的生命。但是他未曾把中國人從無知落後中解放出來。是的，誠如 1949 年 10 月 1 日毛在天安門城樓上向世界宣告的，「 中國人民站起來了 」，但是他們還站得不夠高。

　　當天下午，同華國鋒在人民大會堂進行第二次會談，歷時兩個小時。他繼續用前一天所用的套語，強調中國作為一個社會主義國家，堅決支持第三世界國家反帝、反殖和反霸權主義的鬥爭。同樣地，它支持各國的革命鬥爭，但是表明中共同世界多個馬列政黨雖有聯繫，卻不干預他國的内政。黨與黨的聯繫是一回事，而國與國之間的關係又是一回事。我說我不了解這句話的邏輯。他不理會我的話，聲稱馬來西亞政府怎麼對付馬共和它的活動，以及馬來西亞政府和馬共之間的關係應該如何，「 完全是馬來西亞政府内部的事情 」。

　　關於中南半島，他強調，支持越南、寮國和柬埔寨人民抵抗「 美國的侵略 」是中國的「 國際任務 」。蘇聯從中干預和製造不和的做法未必會成功，這些國家可不會把辛辛苦苦爭取到的獨立主權奉送給另一個強國。這番話，暗示了中蘇的鬥爭和即將在越南引發的問題。

　　行程中安排的兩次正式會談就這麼結束了。第二天下午的日

程是「會談或休息」。5 月 13 日上午我們先登長城，再參觀明十三陵。氣候炎熱乾燥，塵埃滿天。我們渴極了，最後在靠近明陵附近的餐館吃了頓豐富的中餐，我猛灌啤酒解渴。回程乘坐沒有冷氣設備的紅旗牌轎車，我覺得昏昏欲睡。

抵達釣魚台的國賓館時，外交部的禮賓官員在門口說華總理在等著同我會面。整個上午我們都不曾接到通知說當天下午安排了會談，否則我不會進行如此勞累的長時間觀光。日程表上注明了舉行會談或者到天壇去觀光。既然上午把我們帶到萬里長城和明十三陵，讓人精疲力盡，我們以為下午自然是自由活動時間。登了長城，午餐喝了啤酒，加上天氣炎熱和一個半小時沙塵滾滾的長途奔波，我已經疲累不堪。他們的策略使我想起新加坡共產黨幹部慣用的伎倆，他們總是嘗試消耗我們的精力。我上樓用冷水盥洗，喝了幾杯中國茶，儘量讓自己清醒，然後在下午四點鐘下樓，參加了兩個半小時的會談。

同華國鋒過招

我們花了一些時間在黨對黨、國與國關係的枝節問題上。我問：「如果有個印尼共產黨一心一意要解放新加坡，你會給與支持，還是把這種行動視為不義之戰？」他回答說：「這是個假設性的問題，實際上並不存在。印尼入侵東帝汶是錯誤的。東帝汶的人民應該有權選擇自己的社會制度和政府。」我追問道：「自稱馬來亞共產黨的馬來西亞共產黨要解放新加坡，這是對是錯？」他的答覆是：「這就得由新加坡人民選擇自己所要的社會制度和政府。」我再問：「所以說中國將不會支持馬來亞共產黨來解放新加坡，因為任何解放運動應該由新加坡人民自己來進行，而不是由馬來西亞人民來展開，我這麼說對不對？」他看來大惑不解，因為他並不知道馬來亞共產黨要同時解放馬來亞和新

加坡。

　　這個時候，他的外長喬冠華火速給他寫了字條解釋這些事實。但是，就如同過去他擔任公安部長似的強硬，他看也不看就自負地把字條推開。他說自己並不清楚目前的局勢，但是共產黨無論在什麼地方為解放而戰，都肯定會獲得勝利，因為這是歷史的潮流。

　　我解釋說，馬共宣稱自己是解放馬來半島和新加坡的共產黨。所以如果中國在某個階段表明立場，將會有好處。也就是說，中國同新加坡政府與政府之間會保持正確的關係，至於黨與黨的關係，應屬中共和任何要解放新加坡的新加坡共產黨之間的關係，而不是中共同馬來西亞或馬來亞的一個黨，如馬共之間的關係。

　　華國鋒重複說，如果我擔心的是外國勢力會把社會主義制度強加於另一個國家，那是不可能的。我毫不放鬆地要他闡明中國的原則立場，否定馬共要解放新加坡人民的行動。他迴避說自己還沒研究這件事。我繼續追問，他還是拒絕闡明立場。

　　相反地，他繼續採取攻勢，提出這次會面的主要目的，關係到新加坡同台灣的軍事聯繫。他以溫和的語氣開場說，中國和新加坡人民之間的友誼源遠流長，中國人和新加坡華人有著「親戚一般的關係」。他希望這種關係能在我這次訪華之後進一步改善。緊接著他卻板起臉孔，用嚴肅的口吻說我們同「台灣的蔣幫」發展了「軍事聯繫」，這同新加坡政府支持一個中國的立場有矛盾，對中新兩國關係的發展沒有好處。

　　我拒絕退守。的確，新加坡承認一個中國，承認台灣和大陸同屬一國。但是，現在治理台灣的是從大陸撤退到台灣的國民黨政府，我必須同這個實際上掌管台灣的當局打交道。如果直接管理台灣的是中華人民共和國，我自然會向中華人民共和國提出提

36　尾巴特長的中國龍

供訓練設施的要求。新加坡必須有防衛自己的能力。由於領空、領海和領土的局限，我們必須到泰國、澳洲和紐西蘭訓練我們的軍隊。我們在 1975 年派軍到台灣進行全面的軍事訓練，外長拉惹勒南已經預先通知了中國外長喬冠華，說明這個舉動決不改變我們只承認一個中國的立場。喬冠華當時不曾對拉惹的通知做出反應。

華國鋒在總結會談時說，兩國社會制度不同，存在著重要的分歧，然而這不要緊。雙方通過坦誠的意見交流找到了許多共同點。華國鋒仍然毫不放鬆地向我施壓。

我說，《人民日報》在封面版大肆報導我同毛主席的會面，必定教東南亞各國不悅。這次宣傳引起了鄰國的疑慮，在疑慮消除以前，中國最好不要派貿易考察團到新加坡來。中國越要以「親戚國」的身分同我們親近，反而越容易教我們的鄰國起疑。因為這些國家都有相當顯著的華族少數人口，他們雖屬少數，在經濟上所扮演的角色卻非同小可。這些華人的經濟成就已經引起各國原住民的妒忌和不滿。在宗教信仰不同的地方，通婚現象就更為少見，像馬來西亞和印尼的華人，就很少同回教徒通婚。這是個永遠解決不了的問題，中國不得不正視。這也是中國同東南亞其他國家建立聯繫時必須考慮的重要因素。

華國鋒說，他已經清楚表明「中國政府承認並尊重新加坡的獨立和主權」。中國對居留海外的華裔的政策也再清楚不過，它不允許雙重國籍，鼓勵華裔主動選擇接受居留國的國籍。一旦入籍僑居國，這些華裔將自動喪失中國國籍。針對絕大多數居住在新加坡的華裔已經入籍新加坡，並且同其他國籍（指的是種族）的人民共同創建自己的國家，華國鋒表示高興。新中人民的傳統友誼和「親戚一般的關係」，將有助於兩國關係的發展。

他的陳詞濫調讓人覺得刺耳。拉惹勒南認為他缺乏周恩來的

精明老練，換做是周恩來，一定會以不同的方式處理這些對話，不會滿口共產黨式的說教。這個泱泱大國的領導人看來很強悍，卻缺乏技巧，粗枝大葉。不管是談民族與宗親問題，還是對政府與政府和黨與黨之間的區別進行狡辯，好為中國干預新加坡的內政做解釋，華國鋒總是一味依照標準的黨的路線行事，這不免教我感到失望。他口口聲聲說解放必須來自內部，中國卻在物資和宣傳上支持馬共以武力解放新加坡。這種個人理論和中國在實際行動上出現的根本矛盾，他始終不願意承認。眼看著自己的總理努力地想要威脅新加坡的部長們，卻力不從心，華國鋒的外長喬冠華和熟悉東南亞事務的外交部官員都覺得不自在。

兩天後，我在答謝晚宴上發表演講時強調：「中國和新加坡同意在處理雙邊關係時，把注意力集中在意見一致的事務上，而不是那些由於基本假設不同而看法各異的分歧點……華總理說，作為一個社會主義國家，中國支持所有國家的革命鬥爭。但是華總理也聲明，中國不干預其他國家的內部事務，新加坡政府要怎麼處理國內的共產黨，應該由新加坡政府自行決定。有了這種不干預的原則為基礎，我深信我們可以發展兩國的關係。」這項公開聲明的目的，是要加強我對付新加坡共產黨統一戰線的手段。

那一晚宴會結束後，華國鋒總理和我同乘一輛紅旗牌轎車，從釣魚台國賓館開到北京火車站。這是個正式的歡送會，幾千名學生揮舞著五彩繽紛的紙花高聲歡送道別。他們安排我和整個代表團以及保安人員、禮賓官員與負責行李的官員一起登上專列，開始中國西部諸省之行。

火車在深夜 10 點 15 分離開北京。我的車廂裏有個浴缸，那是我生平見過的最大的浴缸。真想不通怎麼會有人噴頭不用，卻要在搖搖晃晃的火車車廂裏設個這麼大的浴缸。也許那是為毛主席而設的。第二天一覺醒來，已經到了山西省的陽泉市。在火

36　尾巴特長的中國龍

車上吃過早餐後，我們被載上彎彎曲曲的山路，向大寨進發。在那裏，對接待貴賓很有經驗的革命委員會為我們做報告。我們聽著他們那經過無數次練習的頌詞，聽他們詳述革命熱情怎樣可以征服一切。當晚在火車上度過一夜，第二天清晨醒來時已到西安，一夥人去參觀剛出土的秦始皇陵墓。那個時候，兵馬俑才剛挖掘出來。

陝西省革命委員會設了歡迎晚宴，宴會上聽到的演講莫不遵循華國鋒的路線，譴責「走資派」，指的是混進共產黨內搞資本主義復辟的人。我看過消息，知道鄧小平因被譴責為「走資派」而遭罷黜，喪失了領導層中第二把交椅的地位。最初第一次聽華國鋒用「走資派」這個詞兒，我不以為意，豈料後來所到之處都反覆聽到這個詞兒，我才意識到事態的嚴重性。這個沒有被點名的人，必定是個重要人物，才會再三受到批判。

第二天上午，我們出發到延安去，那是八路軍深具傳奇色彩的根據地，毛澤東用做書房的窰洞也在那裏。紀念博物館裏有個嚮導，是個年輕女郎，她在做介紹的時候像個熱心的傳教士，一談到毛就滿懷宗教熱忱，彷彿毛澤東是神，周恩來和其他參加過長征的不朽人物是天使。一匹小白馬被製成標本後，擺在玻璃櫥裏，就因為毛澤東在長征中騎過它。嚮導的評述教人受不了，芝和瑋玲悄悄地走開，留下我禮貌地表示感興趣，做出適當的回應。

當晚我們在延安附近最大的集鎮楊家嶺過夜，再一次聽延安地區革命委員會主任照例對「走資派」進行批判。我們飛回西安，住進寬敞的賓館。分配給我的是一間套房，設有巨型的浴室和更衣室。他們說這座賓館是特別為毛主席而蓋的。入住這些豪華賓館是省級和北京領導人享有的特權。

我們一行飛到上海，同樣受到身穿彩裝的女學生跳著舞揮著

紙旗紙花列隊歡迎。在當晚的宴會上，年紀輕輕的上海市革命委員會主任以同樣的激情譴責「走資派」。後來我們聽說上海是所有省市中最左傾的地方，毛澤東的妻子江青和追隨她的激進分子，以及毛澤東逝世後遭拘捕與監禁的四人幫，都是以這裏為基地的。

這次省市之旅接近尾聲時，中方官員和我方能說華語的成員建立了某種親切友善的默契。大家用晚餐時總會彼此夾菜，卻開玩笑地說「自力更生」。這是毛澤東提倡的口號，要人們自給自足。他們說這話的意思是：我自己來，自己夾菜，你不必為我服務。雙方打破了隔閡。原來共產黨幹部在嚴正守紀的外表後面，也有為人喜歡吃好菜、喝好酒的一面，不過，只有貴賓來訪時他們才能有這樣的享受。

最後一頓晚餐是由廣東省和廣州市革命委員會款待的。謝天謝地，晚宴上只有一次演講，這也是我們此行最後一次聽到譴責「走資派」的演講，講得毫不激動，一點都不能讓人信服。

第二天，我們登上專列前往深圳之前，他們在廣州火車站舉行了隆重的歡送儀式。數百名身穿彩裝，手執紙旗紙花蹦蹦跳跳的女學生最後一次喊著「歡送歡送，熱烈歡送」。我覺得奇怪，他們怎麼可以這樣讓學生曠課呢？兩個小時後我們到了羅湖。跨過邊境，離開了中國，也離開了那些頌詞和口號，我們都鬆了一口氣。

我們都曾經那麼殷切地想看看這個神秘的新中國。對南洋的華人來說，因為那是祖先的故鄉，所以有著神奇的吸引力。中國人讓孩子們穿上最體面的衣服，在機場、火車站、幼稚園和我們所到之處迎送我們。他們那些色彩鮮艷的長外衣、連衣裙和套衫都是在特別的節日才穿的衣裳，過後都會小心翼翼地收起來。中國群眾則一律穿著同樣單調，深藍色或深灰色，不合身又不分男

女的毛裝。我們當時不知道，那已經是毛澤東時代的最後幾個月
了。毛澤東在四個月後的 9 月唐山大地震發生後逝世。我很慶
幸自己看到了鄧小平實行開放政策之前的中國，親眼見證了強制
劃一的衣著、演講，親耳聽到了教人麻木的宣傳口號。

　　我們所遇到的人，對我們的任何問題都給與相同的答案。在
北京大學，我問學生們畢業後要做什麼。答案是滾瓜爛熟的：
「黨叫幹啥就幹啥」，「全心全意為人民服務」。聽這些天資聰
穎的年輕人做出鸚鵡學舌般的答覆，真是教人困擾。政治上說這
些答案再正確不過了，卻少了份真誠。

　　那是個奇異的世界。我看過關於中國的資料，尤其是在尼克
森訪華之後。然而牆壁上漆著貼著的大字標語，郊外麥田稻田中
央插著的巨型宣傳牌子，寫著的是最熾烈的革命字眼，那一連串
疲勞轟炸的猛烈攻勢，真是夢一般的經驗。再加上火車站的揚聲
器、公園內和電台的廣播，口號聲此起彼伏，什麼感官都不再有
知覺。至於一般的老百姓，除了在向我們談到文化大革命時不得
不裝腔作勢地熱烈歌頌之外，我們在他們當中，感受不到革命的
狂熱。這簡直是中國版的波將金式的假村莊。

　　大寨是他們的模範公社，位於中國西北山巒起伏、土地貧瘠
的山西省，由於經常出現奇蹟般的豐收，多年來常被他們的媒體
所稱道。毛澤東的口號是「農業學大寨，工業學大慶」。大慶在
東北，是油田的所在地。就因為這樣，我才要求到大寨去看看。

大寨其實是個騙局

　　十年後，他們揭露大寨其實是個騙局。收成之所以特別好，
是因為它得到特別的照顧，刺激了農業的產量。而在大慶油田，
由於科技落後，模範工人所能汲取的原油有限，產量也因此不斷
下滑。農業也好，礦業也罷，革命熱忱並不足以彌補專業知識的

貧乏。毛澤東時代所崇尚的「紅比專好」不過是個謬論，一個蒙蔽群眾的騙局。

　　在每個省城，革命委員會的主任（或者省長，這是他們在文化大革命正式結束後的稱呼）都為我設了歡迎晚宴。他們每一位都同樣對「走資派」大力批判，這個稱呼其實是鄧小平的代稱。我們當時一頭霧水，並沒有搞清楚這些暗語的真正含義，就只看著那一張張木然的臉孔毫無表情地宣讀講稿。通譯員能背出他們所要說的話，僅僅是把那些陳詞濫調用英語重複了一遍又一遍。真不知道他們心裏究竟有什麼感受，但是誰也不會讓人看透他們心裏的想法。

　　這次訪問給我們留下的印象雜亂得很，我們花了不少的時間來釐清思緒。我每晚和芝交換看法。如果中方也像蘇聯人在我們1970年訪問莫斯科時那樣竊聽我們的談話，他們倒沒露出馬腳。女兒瑋玲和我們同去，當時她是醫科三年級的學生。她畢業於南洋女中，參加劍橋「O」水準會考以前完全接受華文教育，十年的正規教育用的都是華文，到高中準備在我們的大學修讀醫科之前才轉讀英文。她同中國人在語言溝通方面完全沒有問題，但是要真正了解他們，了解他們內心的想法卻非常困難。她獨自在我們走訪的省城裏溜達時，群眾總會好奇地圍著她。她從什麼地方來？新加坡。那是什麼地方？晚宴上他們的女同胞對瑋玲也同樣感到興趣。她看起來像中國人，說同一種語言，言行舉止卻跟她們不一樣，不那麼腼腆，在成年人當中也能暢所欲言。比起她們來，她穿得更體面，性格前衛而外向，就像來自月球的女孩。她自己也覺得跟她們不同。她跟我有同感，覺得從揚聲器和收音機不斷傳出的排山倒海的宣傳，震耳欲聾，令人麻木窒息。

　　女兒的反應給了我一些啟示。她在華校裏念過中共成立以前的中國歷史和文學，對能夠看一看這些歷史古蹟、文物和自然奇

36　尾巴特長的中國龍

景充滿憧憬。那些她背誦過的辭藻華麗的詩文所描繪的壯麗山河，尤其使她神往。然而冠上浪漫悅耳名稱的山林廟宇，映照的卻是人民的貧困落後。她親眼見證了兩者的不協調，益發相信中國如此強調自己作為世界最古老、最源遠流長的文明，到頭來卻成了它追上發達世界的一大障礙，反而是新加坡沒有這樣的牽絆，更能夠放開腳步前進。

讓瑋玲驚訝的是，中國甚至有別於許多東歐國家。比起她隨我訪問過的東歐國家，中國同外界更加隔絕。中國人受過極其深刻的思想灌輸，以致他們的官員，不管年資多淺，來自什麼省分，在回答問題時都能提供政治觀點正確的標準答案。瑋玲沒什麼機會跟一般百姓接觸，因為無論她走到哪兒，到哪兒跑步，保鏢都會「陪同」在旁，把她同他們隔離開來。最教她厭倦的是那些大字標語，幾個在當時很流行的是「批孔批鄧」、「粉碎資產階級經濟主義」、「戰無不勝的毛澤東思想萬歲」。人民對權威毫不懷疑地絕對服從，也讓她深感不解。這次訪問結束時，她很慶幸自己的祖先選擇了到南洋生活。

進行這次訪問以前，新加坡政府原本嚴格拒絕批准 30 歲以下的新加坡人到中國訪問。我回國後指示有關部門重新檢討這個條例。從自己所見所感和瑋玲的直接反應，我意識到要消除國人對偉大「祖國」心懷浪漫而不切實際的幻想，最好的方法就是讓他們到中國走一趟，逗留得越久越好。原有的訪華禁令就在不久後取消了。

中國幅員遼闊，30 個省分大相逕庭，各具特色，讓我讚嘆不已。只是對各地的南腔北調我還未做好心理準備，要聽懂許多中國領導人的話並不容易。華總理是山西人，地方口音很重。碰到的人能說標準普通話（華語）的不多。他們說普通話總是帶著很重的各地方言口音，就好比我們到廣州時，隨行一位非常出色

的女通譯員，甚至沒法聽懂一位來自海南島的革命委員會老委員
所説的話，儘管這名長者自認自己説的是普通話。我倒還聽得
懂，因為新加坡有許多海南人説普通話就像他一樣。到頭來反倒
是由我來為通譯員翻譯海南籍革命委員會委員的話。中國要以一
種共同語統一全國所面對的困難，這不過是個小小的例子。中國
的人口是歐洲大陸的五倍，九成人口是使用漢字的漢民族。但是
同一文字卻以不同的聲母韻母拼音，在不同與毗鄰的省分發展出
不同的俗語俚語。中國早自 1911 年滿清被推翻以來，就一直設
法統一語音，但這並不是一朝一夕就能完成的事情。如今有了衛
星電視、收音機和手機，就算能在未來一兩代人的時間裏達到目
標，範圍也將只限於教育程度較高的年輕人口而已。

　　訪問中國那兩個星期，天天風塵僕僕，馬不停蹄，在不同省
分受到不同東道主的接待，由東南亞事務官員、通譯員、禮賓官
員、行李和保安人員從北京一路陪同我們到廣州。到了最後，要
時時讓自己處於最佳狀態，漸漸成了一種負擔。他們團裏的官員
能説我們所講的每一種語言、每一種方言。不論我們説的是福建
話、馬來語或者英語，他們總有人曾經僑居東南亞，或者在印尼
服務多年，能説地道的馬來語、印尼語或福建話，隨時可以竊聽
並明白我們説些什麼。我們無從換一種語言，以便教他們知難而
退。只有幾次自用晚餐時，趁東道主不在場，我們才有機會交換
觀感，大家談笑風生，嘻哈絕倒。

　　每到一處，陪同與照顧我們的北京官員總會跟我們這一方的
團員聊天，試探我們對不同課題的看法，以及對他們的反應。他
們做得非常認真。我們的記者告訴我們，每一晚的深夜時分，還
能看到他們在討論一天的發現，為那一天的對話和觀察寫下詳細
的報告。這種報告真會有人看嗎？顯然必定有人會看，因為他們
非常認真地對待寫報告這件事。我總覺得中方希望我前往訪問的

一個原因，是想面對面地對我的性格和想法進行評估。

新加坡人和他們不同

　　在廣州火車站同他們話別時，有位 50 開外，個子頗高，看起來卻有點像肺癆病患者的負責東南亞和新加坡事務的官員告訴李炯才，經過這兩個星期來對我的觀察，他覺得我是個頑強而堅定的人。我視之為對我的讚美。當他們一致鼓掌歡迎我時，我向他們揮手示意，並不有樣學樣地跟著鼓掌回應。我總覺得鼓掌回應是很滑稽的行為。我有意要讓他們知道，新加坡人和他們不一樣。芝、瑋玲和我，我們的反應都一樣，無法跟他們認同。實際上，我從未比這第一次訪華更強烈地覺得自己同中國人不一樣。

　　參觀工廠或展覽時，他們會按照習俗拿出毛筆、墨硯和宣紙，或者一本簿子的空頁，讓我寫下評語。這種場面總讓我非常尷尬。我只在念小學時的短短幾個月裏同中國毛筆泛泛地打過交道，所以每一回都不得不回拒對方，要求換一支普通的筆，用英文寫出我的評語。

　　比較了解他們之後，就不再那麼容易受到言談舉止、衣著差別的干擾，那種自己不是中國人的感覺反而漸漸轉淡了。只是當初第一次訪問中國，難免對中國人民和他們的行為舉止感覺非常陌生。我們身處中國南方人當中，外表上不分彼此，但是即使如此，我們也強烈感覺到自己不是他們當中的一分子。

　　我後來才發現，許多在五〇年代回到中國獻身革命的年輕男女華校生，始終不為中國社會所接受。他們被視為隔離的一群，是與眾不同的「華僑」，是不屬於中國的「懦夫」。這是很悲哀的。他們義無反顧地回去，一心一意就為了歸順中國，為中國獻身。他們受到不同的待遇，享有當地人所沒有的特權，或許他們也確實必須受到不同的待遇，否則生活會很難過，但也就因為享

有這些特權而更容易引起不滿。這對雙方來說都不好受。同親友
聯繫是可以接受的，只要住在海外的親戚能偶爾回鄉探訪，帶來
禮物和問候。換成在中國居留，成為中國的一分子，除非這位親
戚具有特別的技能或知識，否則只會成為一種負擔。很多人懷抱
著浪漫的革命理念回去，最後卻移民到香港和澳門，那裏讓他們
覺得生活比較適意，更像他們曾經鄙視與離棄的新加坡和馬來
亞。不少人提出申請，希望獲准重返新加坡，內部安全局極力反
對，懷疑這是馬來亞共產黨策畫安插來製造麻煩的。這是對真實
情況的完全誤解。這些要求回來的人，對中國和共產主義的理想
已經徹底破滅，他們回國後可以成為我們對付毛澤東主義病毒的
最好疫苗。

　　我們同華南各省的中國人在外表上這麼相像，有共同的文化
價值觀，對男女關係看法一致，都強調長幼有序的家庭觀念，對
朋友對家庭有相同的一套社會準則。然而我們的世界觀，以及我
們對自己在世界的定位，卻大不相同。他們是這麼一個泱泱大
國，有絕對的信心，只要有朝一日回歸正軌，登上世界首席之位
是必然的趨勢。中國在重振文明之後會有怎麼樣的命運和發展，
中國人誰也不會懷疑。這是世界最古老的文明，延續了 4000 年
不曾間斷的悠久歷史。我們這些過番客，斬斷了自己的根，尋覓
另一種氣候另一片土壤重新扎根，欠缺的正是這種自信。我們對
自己的前途憂心忡忡，老是想著在這個變幻莫測的世界裏，命運
將會做出什麼安排。

鄧小平強調，中國心口如一。
中國人從不隱瞞自己的看法，
說一句是一句。韓戰期間，中
國發表聲明說，一旦美國逼近
鴨綠江，中國就不能坐視不
理。美國人卻不加理會。在外
交政策上，中國人怎麼想就怎
麼說。至於共產黨那方面，通
譯員說，鄧小平沒什麼要補充
的。其實鄧小平用華語說的
是，他已經「沒興趣再重複
了」。

李光耀回憶錄

37 鄧小平時代

同中國副總理鄧小平會面是一次難忘的經歷。1978 年 11 月，這位高齡 74 歲，矮小精悍、敏捷硬朗，不到五英尺高的長者，身穿米色毛裝，從巴耶利峇機場的一架波音 707 客機上走下來。他腳步輕快，檢閱了儀仗隊之後，和我一起乘車到總統府的賓館去。那是我們總統府裏的迎賓別墅。當天下午，我們在內閣會議室進行正式會談。

我看過人民大會堂裏擺放著痰盂，所以也安排把一個藍白色的瓷痰盂擺在鄧小平的座位旁。我讀過資料知道他有使用痰盂的習慣。雖然總統府裏有個規定，冷氣房裏不准抽煙，我還是特地在顯眼的地方為他擺了個煙灰缸。這都是為中國歷史上一個偉大的人物而準備的。我也確保內閣會議室裏的排氣風扇都開著。

我歡迎這位偉大的中國革命家到訪。他回答說，新加坡對他來說算是個老地方了。1920 年，也就是 58 年前，他在前往法國途中曾經到過這裏，逗留了兩天。我在 1976 年到北京訪問時，他沒法跟我會面，當時他遭受排擠，得「靠邊站」。他先是被四人幫所挫敗，但最終反而是他們被打倒。他花了兩個半小時談蘇聯對世界構成的威脅。他說，所有反對戰爭的國家和人民必須組織聯合陣線，同聲反抗戰爭販子。他引述毛澤東的話說，我們必須團結起來對付那個「王八蛋」（字面上是「烏龜蛋」的意思，他的通譯員譯成「S.O.B」，也就是「畜生」）。他全盤分析了蘇聯在歐洲、中東、非洲、南亞和中南半島的行動策略。蘇聯在越南大大占了上風。有些人不明白中國和越南的關係為什麼這麼糟，中國又為什麼必須採取行動切斷對越南的援助，非但不把越南爭取過來，反而把它推向蘇聯。但是關鍵問題在於，越南怎麼會在絲毫不符合自己利益的情況下，還要完全傾向蘇聯。這是因為越南「多年來有個成立中南半島聯邦的美夢」。就連胡志明也有過這種想法。中國向來都不苟同。越南把中國視為實現中南半

島聯邦的最大障礙。中國的結論是，越南非但不會改變立場，而且會變本加厲地反中國，把大批越南華裔驅逐出境，就是最好的證明。中國是經過慎重考慮，才決定停止對越南的援助的。

鄧小平說，中國總共為越南提供了 100 多億美元，現值 200 億美元的經濟援助。一旦中國撤回對越南的經濟援助，蘇聯就必須獨自挑起這副擔子，但是他們又無法滿足越南的需求，只好讓越南加入經濟互助委員會（相當於歐洲經濟共同體的東歐共產集團經濟共同體），把擔子推給東歐國家。越南也伸手向日本、美國、法國、西歐，甚至向新加坡乞求援助。他說，今後十年，中國會考慮再把越南從蘇聯手中拉過來。我暗想，鄧小平是從長計議，跟美國領導人的思維方式完全不同。

他說，真正緊迫的問題是，越南可能大舉進攻柬埔寨。中國應該怎麼做？他反問。接著又自問自答：中國要怎麼做，就得看越南這一步走得多遠。他一再重複這一點，不直接表明會對越南進行反擊。他說，越南一旦成功控制整個中南半島，許多亞洲國家將失去掩蔽。中南半島聯邦會逐漸擴大影響力，成為蘇聯南下進軍印度洋的環球戰略的一步棋。到時越南將會扮演東方古巴的角色。蘇聯人的太平洋艦艇正在激增。世界在這兩年內見證了風起雲湧的大動盪，越南、阿富汗、伊朗、巴基斯坦發生的種種事件，全反映了蘇聯向南擴張的野心。中國的政策是要對抗蘇聯的戰略部署，凡是受到蘇聯攻擊的地方，哪怕是扎伊爾或者索馬里，中國必定會協助進行抵抗。為了維持和平，東盟應該同中國聯手，抵禦蘇聯以及它在東南亞的古巴——越南。鄧小平的兩個通譯員沒進行什麼詳細紀錄，只是偶爾做做筆記，顯然他在曼谷和吉隆坡也發表過同一番見解，通譯員早已記熟了他的話。他說完的時候，已經是日落西山。我問他可要我立時發表意見，或者先休會到第二天再繼續，以便他有時間更衣用晚餐，也給我自己

一個機會思考他的話。他表示別讓飯菜涼了。

　　晚宴上他很友善親切，情緒卻沒有放鬆，腦子裏老是想著越南入侵柬埔寨的事。我追問道，既然如今泰國首相克良薩將軍已經表明會站在中國這一邊，並在曼谷熱情地接待了他，以實際的行動做出承諾，中國接下來會怎麼做？他再度喃喃地説，這就要看越南的行動有多嚴重了。我的印象是，越南的行動要是止於湄公河，情況也許不至於那麼危險。反之，攻勢一過了湄公河，中國就不可能再按兵不動。

　　鄧小平邀請我再到中國訪問。我説，等中國從文化大革命中恢復過來我就去。他説，那需要很長的時間。我不同意，我認為他們真要追上來，甚至會比新加坡做得更好，根本不會有問題；怎麼説我們都不過只是福建、廣東等地目不識丁、沒有田地的農民的後裔，他們有的卻盡是留守中原的達官顯要、文人學士的後代。他聽後沉默不語。

　　第二天，我在一個小時內闡述了我的看法，不算翻譯花去的時間，我其實只用了半個小時。我引述倫敦國際戰略研究所對蘇聯軍事力量所做的詳細研究成果，概括他所談的蘇聯威脅。我指出，德國的舒密特總理、法國的紀斯卡總統以及華盛頓的美國領袖，對蘇聯會構成怎樣的威脅，給我下了不同的結論。他們有些認為蘇聯在軍備上耗費太多的資源。怎麼説都好，像新加坡這樣的小國只能關注世局的走向，無力影響結果。我們必須從區域而非從環球的戰略角度來分析形勢。越戰結束後遺留下來的問題是，美軍一下子從越南和泰國撤走，顯然他們今後都不會在亞洲大陸插手干預共產主義分子的叛亂行動。下一個問題是，美軍還打算在菲律賓留駐多久，以平衡蘇聯在印度洋和太平洋不斷增強壯大它的艦隊？新加坡倒是希望美軍能繼續留在菲律賓。

　　為了避免鄧小平就新加坡對蘇聯的態度存有疑慮，我向他一

37　鄧 小 平 時 代

由鄧小平副總理率領的中國代表團於 1978 年 11 月訪問新加坡，同新加坡
政府代表團在總統府內閣會議室舉行第一輪會談。左起為中方通譯員、鄧
小平副總理、黃華外長、王曉雲、戴平。右起為外長拉惹勒南、我本人、
副總理吳慶瑞博士、財長韓瑞生、政務部長吳作棟及外交部官員許國豐。

一列舉了我們的主要貿易夥伴——日本、美國、馬來西亞、歐
盟，各國都占我們國際貿易總額的 12% 至 14%。中國只占
1.8%，蘇聯則只有區區 0.3%。蘇聯對新加坡經濟的貢獻根本微
不足道。對蘇聯人的霸道行為，我早有認識。我追述 1967 年的
一次經驗。當時結束了在阿布·辛拜勒和阿斯旺的訪問後，在一
位埃及部長陪同下乘坐埃及飛機返回開羅。在飛機準備降陸時，
駕駛艙內發生了一陣大騷動，那位埃及部長表示失陪，到駕駛艙
去探個究竟。我在飛機著陸後才知道，另一架飛機上有位蘇聯籍
機師，向控制塔人員聲稱自己聽不懂英語，堅持要搶在貴賓客機
之前降落。結果那位埃及部長必須在駕駛艙裏向這架客機大吼，
才確保貴賓客機順利在蘇聯飛機之前著陸。蘇聯人的狂妄跋扈，
我因此早已領教過，不需要他人提醒。

聯手孤立「北極熊」

　　中國要東南亞國家同它聯手孤立「北極熊」；事實上，我們的鄰國要的卻是團結東南亞各國以孤立「中國龍」。東南亞沒有所謂的「海外蘇聯人」在蘇聯政府支持下發動共產主義叛亂，有的卻是受到中共和中國政府鼓勵和支持的「海外華人」，在泰國、馬來西亞、菲律賓，以及較低程度上在印尼，構成威脅。更何況中國公開宣稱它同海外華人因為有血緣關係，甚至逾越「海外華人」歸屬國家的政府，直接號召他們，喚起他們對中國的愛國意識，慫恿他們返回中國實行「四個現代化」。

　　幾個星期前，10 月間越南總理范文同到新加坡訪問時，就坐在鄧小平現在所坐的位子上。我問范文同，越南怎麼會面對海外華人的問題，他不客氣地說，我身為華人，應該清楚知道華人在任何時刻都會心向中國，就像越南人無論身在何處總會支持越南一樣。范文同怎麼想我倒不很在乎，令人擔心的卻是他也對馬來西亞領導人說出這一番話之後，可能引起的衝擊。我追述另一事件。越南駐聯合國常任代表曾經對四個東盟常任代表說過，越南平等對待越南的華裔，這些華裔卻忘恩負義，16 萬人從河內越過邊境逃到中國去，或者紛紛乘船大舉逃出南越，這全都是華裔忘恩負義的結果。印尼的常任代表也不顧另外三名來自菲律賓、泰國和新加坡的常任代表都是華裔，口口聲聲說越南人對待國內的華裔過於仁慈善良，說越南應該向印尼看齊。我要讓鄧小平徹底明白，新加坡面對的是鄰近國家最直接最本能的猜忌和疑心。

　　我補充說，范文同在馬來西亞吉隆坡的國家英雄紀念碑前獻花圈，鄧小平卻拒絕這麼做。范文同也答應不支持顛覆活動，鄧小平沒有做出承諾。馬來西亞人一定對鄧小平存有懷疑。馬來西

亞的馬來回教徒同華人之間，以及印尼人同印尼華人之間，一直心懷猜忌和敵意。正因為中國不斷向東南亞輸出革命，致使我的東盟鄰國都希望新加坡能夠跟他們站在同一陣線上，不為抵抗蘇聯，而是同中國對抗。

中國的電台廣播直接向東盟國家的華人發出號召，在東盟各國政府看來，是一種非常危險的顛覆行為。鄧小平靜靜地聽著，也許他從來沒有這麼看：中國怎麼仗著世界強國的姿態，逾越區域內的各國政府，顛覆它們的公民。我說，要東盟國家對他的建議做出積極的回應，組成聯合陣線合力對付蘇聯和越南，這個可能性微乎其微。我建議彼此就如何解決這個問題交換意見，之後我稍微停頓一下。

鄧小平的表情和身勢語言都顯出他的錯愕。他知道我所說句句屬實。他突然問道：「你要我怎麼做？」我吃了一驚。我從未遇見過任何一位共產黨領袖，在現實面前會願意放棄一己之見，甚至還問我要他怎麼做。我本來以為鄧小平的態度多半跟1976年華國鋒在北京同我會談時沒兩樣，不會理會我的看法。當時我追問華國鋒，中國怎麼如此自相矛盾，支持馬共在新加坡而非馬來西亞搞革命。華國鋒氣勢洶洶地回答說：「詳情我不清楚，但是共產黨無論在什麼地方進行鬥爭，都必勝無疑。」鄧小平卻不是這樣。他知道要孤立越南，就不能不正視這個問題。要告訴這位身經百戰，久經風霜的革命老將他應該怎麼做嗎？我不免心存猶豫。不過他既然問了，我也就直說：「停止那些電台廣播，停止發出號召。中國要是能不強調同東盟華人的血緣關係，不訴諸種族情懷，對東盟華人來說反而更好。其實無論中國是不是強調血緣關係，東盟各國原住民對華人的猜忌都難以消除。只是中國越是這麼毫無顧忌地訴諸中華民族的血緣情結，就益發加深了原住民的疑慮。中國必須停止馬來亞共產黨和印尼共產黨在華南所

進行的電台廣播。」

鄧小平只說他需要時間考慮我所說的話，不過補充說他自己決不會仿效范文同。鄧小平也曾受邀到吉隆坡國家英雄紀念碑獻花圈，這座紀念碑是為紀念殲滅馬共的英雄而立的。但是身為共產黨人，他不可能這麼做。他說，范文同之所以有這一舉動，是因為范文同屬於「另類共產黨員」，他「出賣了自己的靈魂」。

鄧小平強調，中國心口如一。中國人從不隱瞞自己的看法，說一句是一句。韓戰期間，中國發表聲明說，一旦美國逼近鴨綠江，中國就不能坐視不理。美國人卻不加理會。在外交政策上，中國人怎麼想就怎麼說。至於共產黨那方面，通譯員說，鄧小平沒什麼要補充的。其實鄧小平用華語說的是，他已經「沒興趣再重複了」。

他說，中國之所以重申它的華僑政策，原因有二：第一、越南的反華行動；第二、基於中國內部的考量，這關係到文化大革命期間四人幫的貽害。海外華僑留在內地的親戚被折磨得很慘，遭迫害或監禁的例子不計其數。鄧小平要重新確立中國對海外華裔的立場，聲明中國贊同和鼓勵他們接受居留國的公民權，並呼籲那些希望保留中國國籍的華僑遵守僑居國的法律，同時表明中國不承認雙重國籍。

在柬埔寨問題上，他向我保證，中國的處理方法不會因為蘇越簽訂友好合作條約而受影響。即使越南要求蘇聯聯手威脅中國，中國也不會被嚇倒，更何況蘇聯也不敢明目張膽地招惹中國。他一臉嚴肅地說，越南如果侵犯柬埔寨，中國必會懲罰越南。中國勢必要他們為此付出代價，蘇聯也終會發現，支持越南是個不勝負荷的沉重負擔。接著，他想請問中國的朋友（也就是新加坡），會給新中兩國面對的問題提出什麼意見。

我回答說，柬埔寨領導人必須對國際輿論更加敏感，因為他

們需要世界的同情。只是他們的所作所為缺乏理性，甚至對自己的人民也無情無義。鄧小平也表示他對金邊發生的事情「大惑不解」，他並沒有替紅高棉的種族滅絕行為辯護。

　　會談結束時我說，鄧小平自己曾經說過，中國需要 22 年才能實現現代化。在這 22 年裏，只要東南亞沒有不必要的人為問題出現，整個局勢應該會改善。若是出了狀況，結果將不利於中國，就像越南和柬埔寨面對的問題一樣。鄧小平同意我的說法。他希望東盟團結與穩定。他是「打從心裏這麼說的」。

　　鄧小平是我所見過的領導人當中給我印象最深刻的一位。儘管他只有五英尺高，卻是人中之傑。雖已年屆 74 歲，在面對不愉快的現實時，他隨時準備改變自己的想法。兩年後，中國同馬來西亞和泰國兩地的共產黨分別做了其他安排，果然從此終止了電台的廣播。

　　晚餐時，我請他儘管抽煙，他指著夫人說，醫生要她讓他把煙戒掉。他正在設法少抽。整個晚上他沒抽煙，也不用痰盂。他看過報導，知道我對香煙敏感。

　　他離開以前，我再到總統府別墅會見他，談了整 20 分鐘。他很高興能在相隔 58 年之後舊地重遊。新加坡的改變實在太大了，他向我祝賀。我回答說，新加坡是個只有區區 250 萬人口的彈丸小國。

　　他說，他一直希望能在去會見馬克思以前，到新加坡和美國走一趟。新加坡，因為在島國仍是個殖民地時，他跟它有過一面之緣，他在第一次世界大戰後前往法國馬賽念書和工作途中路經這裏。美國，則因為中國和美國必須對話。我一直要到越南侵占柬埔寨之後，才明白他為什麼這麼渴望到美國去。

　　前往機場途中，我直截了當地問他，萬一越南真的進攻柬埔寨，他打算怎麼做。他可會任由泰國脆弱無助地自生自滅，冷眼

看他們受盡威脅恫嚇，然後向蘇聯靠攏？他噘起嘴唇，瞇著眼睛喃喃地說：「那得看他們這一步走得多遠。」我說，泰國首相如此公開而全心全意地在曼谷接待他，他得有所行動才行，克良薩將軍還得靠中國來維持某種勢力均衡。鄧小平看來非常困擾，他再喃喃地說：「那得看他們做到什麼地步了。」

他在機場同貴賓和部長們一一握手，檢閱了儀仗隊，然後走上他的波音 707 專機的舷梯，再轉過身來向我們揮手告別。飛機艙門關上後，我轉身告訴同僚們說，他的下屬這回恐怕要「挨鞭」了。他所看到的新加坡同他所接到的匯報完全兩樣。這裏沒有騷動的華族群眾，也沒有大群痴狂的新加坡華人迎接他，有的只是為數不多，好奇的觀望者。

幾個星期後，有人把北京《人民日報》刊登的有關新加坡的文章拿給我看。報導的路線改變了，紛紛把新加坡形容為一個花園城市，說這裏的綠化、公共住房和旅遊業都值得考察研究。我們不再是「美國帝國主義的走狗」。他們對新加坡的觀感到了第二年，也就是 1979 年 10 月，再進一步改變。當時，鄧小平在一次演講中說：「我到新加坡去考察他們怎麼利用外資。新加坡從外國人所設的工廠中獲益。首先、外國企業根據淨利所交的 35% 稅額歸國家所有；第二、勞動收入都歸工人；第三、外國投資帶動了服務業。這些都是（國家的）收入。」他在 1978 年所看到的新加坡，為中國人要爭取的最基本的成就提供了一個參考標準。

1979 年 1 月底，鄧小平訪問美國，並在美國沒有承諾摒棄台灣的情況下，同卡特總統恢復中美邦交。他要確保中國如果採取行動攻擊和「懲罰」越南時，美國不會同蘇聯站在同一陣線。這正是他急著要訪問美國的原因。

中國軍隊攻入越南

　　我當時正在香港粉嶺總督府賓館度假，打高爾夫球，在那兒遇上一位曾經任職於《泰晤士報》的中國問題專家大衛‧博納維亞。他認為鄧小平的警告不過是空口嚇人，因為蘇聯海軍已駛入南中國海。我說我剛在三個月前跟鄧小平見過面，他絕對是個說話謹慎的人。兩天後，也就是 1979 年 2 月 16 日，中國軍隊攻入越南北部邊境。

　　中國宣布它的軍事行動目標有限，促請聯合國安全理事會即刻採取有效措施，制止越南對柬埔寨繼續展開軍事侵略，結束越南對柬埔寨的侵占行動。整個行動持續了一個月。中國的損失慘重，卻向越南清楚顯示，不論付出多大的代價，他們都有辦法直搗越南境內，一路摧毀市鎮和村莊，然後撤退。中國軍隊在 1979 年 3 月 16 日撤出越南。

　　中國進攻越南期間，鄧小平公開表明，應付同蘇聯之間可能爆發的戰爭，中國已準備就緒，教訓越南也就是教訓蘇聯。蘇聯並沒有因此而進攻中國。西方媒體認為中國的討伐行動並不成功，我卻認為它扭轉了東亞的歷史。越南明白要是他們在攻下柬埔寨之後繼續向泰國挺進，中國勢必不會放過他們。蘇聯其實並不想捲入亞洲偏遠角落的這麼一場拖泥帶水的漫長戰爭。他們原本大可以對中國採取速戰速決的行動，卻因為中國宣稱中方的軍事行動完全屬於「討伐」，並不是為了征服越南，結果不讓它有這個機會。正如鄧小平所料，越南這副擔子教蘇聯不勝負荷，他們苦苦撐了 11 年，到 1991 年蘇聯解體為止。這之後，越南在 1991 年 10 月同意撤出柬埔寨，結束了整整 12 年來代價高昂又徒勞無功的占領期。

中國已大不相同

我在 1980 年 11 月第二次訪問中國，發覺中國跟過去已大不相同。文化大革命期間平步青雲的高官悄悄地被擠出了局，再也無法四處表示他們那種積極、狂熱的態度。1976 年我第一次訪華時，那位看來永遠那麼認真勤奮的禮賓官員，給我留下了永不磨滅的印象。如今文化大革命運動受到官方的正式批判，人們看來都大大鬆了一口氣。

趙紫陽總理跟我會面談商。他的性格同華國鋒和鄧小平都不一樣。他個子高，身材中等，略深的膚色襯出端正的五官。我完全可以聽懂他的華語，因為他嗓音洪亮，不帶濃重的地方腔調。他來自河南，北京以南的一個省分，是中國文明的搖籃，擁有大片肥沃的耕地，現在卻比沿海省分貧窮。

我們討論了柬埔寨問題，怎麼找到一股替代勢力來取代抗越作戰主力紅高棉。趙總理點點頭，他知道波布不為國際社會所接受。只可惜，紅高棉是抗越勢力中戰鬥力最強的隊伍。他剛接任總理，對處理像柬埔寨和越南的問題缺乏信心，必須先請示鄧小平。我覺得他是個明理、穩健、能力多方面的人，不會被意識形態所蒙蔽。

我在當天晚宴上的演講稿預先送到他的禮賓處，他們要我把其中一段刪掉，這一段針對中國對馬來亞共產黨的政策以及中國對外所進行的電台廣播提出批評。講稿中是這麼寫的：「這些年來，中國煽動並支持泰國、馬來亞和印尼游擊隊的叛亂行動。很多東盟領袖早已把這些不愉快的事情拋諸腦後，遺憾的是，中國過去政策留下來的後遺症，卻繼續困擾著中國同東盟之間的關係。」

當天下午我們恢復會談，我提起這一點。禮賓官員說，這個

段落不能接受，演講稿要發表，這一段必須刪除，否則就不要演講。這是很不尋常的。我已經把演講稿發了給新加坡的新聞界，相信他們也已經發了給外國的通訊員，不太可能再刪減任何段落了。趙紫陽回答說，我這篇演講稿如果向外發表，而他又沒能針對我所說的一些要點做出回應，中國人民將不會原諒他。他不希望為我而設的一場「隆重友好的晚宴」，變成一個針鋒相對的場合，以致在國際上引起不良的影響。他的意思並不是要告訴我晚宴上不該說什麼，只是建議不如雙方都取消演講。萬一我的看法還是無可避免地公之於世，他能夠諒解。我同意不發表任何演講。

　　他過後開始說明中國對蘇聯全球性戰略的看法。他向我保證中國將努力消除馬來西亞和印尼對中國的猜疑和恐懼。他說，蘇聯的目標是控制石油資源，以及包括馬六甲海峽在內的海上航道，一方面掐住日本和西歐，並在一定程度上也牽制美國。蘇聯和越南的勾結並非權宜之計，而是戰略上的勾結。他說，馬來西亞和印尼不可能從蘇聯那邊把越南爭取過來，除非出現兩種情況：一、越南放棄區域霸權，但是這麼一來越南就不再需要蘇聯；二、蘇聯放棄世界霸權，意味著蘇聯也不再需要越南。

　　至於黨對黨的關係，這是個全球性的歷史問題，中國正煞費苦心地確保這個歷史癥結不至於影響同東盟國家的關係，但是解決問題需要時間。他願意正式向我保證，中國會解決問題，卻不可能在一夜之間解決。

歷史遺留的另一包袱

　　海外華人的問題是歷史遺留下來的另一個包袱。中國並不支持雙重國籍，向來也鼓勵居住海外的華人入籍僑居國。只不過，如果僑居海外的華裔繼續保留中國國籍，中國就不可能終止同他

們的聯繫。至於海外華人對中國現代化所做的貢獻，這其實並未反映中華人民共和國政府的政策。中國將努力減輕其他國家在海外華人問題上對中國的猜疑，只是雙方更應該著眼於比海外華人政策更為重要的課題。針對柬埔寨局勢，他説我將同鄧小平會面，我準備提出的所有問題都會由鄧小平來處理。這等於説鄧小平是最高決策人。

　　第二天早上，我同鄧小平在人民大會堂的另一間會客室裏談了兩個多小時。他看來精神奕奕，充滿活力。他事前聽過詳盡的匯報，會談時多半是他在説話。他説，我和趙談得挺好的，還説尼溫將軍同樣也沒有在人民大會堂為他而設的晚宴上發表演講，卻同中國交談甚歡。他是在向我保證，演講雖然取消，卻不會影響我們之間商談的結果。

　　鄧小平爭辯説，中國是個地廣人眾的大國，它無須依靠其他國家的資源。現在最教中國關注的，是怎麼激發人民擺脱貧困和落後，這是「一項艱巨的工程，可能要花上大半個世紀才能完成」。中國的人口太龐大，對於要應付的事情根本應接不暇。他希望我可以向印尼和馬來西亞闡明中國「真實而明確」的立場。中國希望東盟強盛，「越強盛越好」。中國在處理同東盟國家、美國、日本和西歐的關係上，有一套「全球性策略」。他完全理解新加坡在同中國建立邦交的問題上，必須等印尼先行一步的立場。他認為新加坡的盤算是正確的，也符合新加坡一貫的「戰略性考量」。

　　就柬埔寨問題，他説，必須符合兩個基本要求：首先，柬埔寨問題的政治性解決方案，必須以越南從柬埔寨撤軍為前提，否則一切免談；其次，柬埔寨內部的所有抵抗勢力必須團結一致。紅高棉願意同其他抵抗勢力結成一體，也準備接受西哈諾為國家元首。如果西哈諾不願意，那麼就由宋山出任元首。但是我説，

這兩個人恐怕都不會答應。

鄧小平強調，不把紅高棉勢力包括在內，就談不上什麼結盟。波布的政策雖然錯誤，但是在柬埔寨，任何政治性解決方案都難免要以「當前的現實情況」為依據。

我説，其中一個現實情況是：現在除了中國之外，全世界都相信波布是殘忍而瘋狂的，也認定西哈諾和宋山不同紅高棉合作並沒有錯。泰國和新加坡則因為支持民主柬埔寨政府在聯合國占有一個席位，很可能被視為中國的傀儡。

在我看來，有兩個主要的問題有待解決：一、聯合國內的代表權問題，因為懸空的席位最終會由亨桑林填補；二、如何加強柬埔寨的抗越戰鬥勢力。當時大部分的抗越戰鬥主要由紅高棉進行，但這並非長遠之計。必須説服馬來西亞和印尼相信，繼續支持民主柬埔寨政府並不會導致中國恢復對柬埔寨的影響力。相反地，馬印兩國都相信越南的那套説法，認為東盟的行動有助於使中國削弱越南的實力，讓中國在東南亞擴大影響力。蘇哈托總統就曾告訴過我，在接下來十年內，中國很可能給這個地區製造重大的麻煩。

鄧小平對我提出的觀點避而不答，反而問我，馬來西亞和印尼準備怎麼把越南人逐出柬埔寨。我回答説，馬印並沒有為越南侵占柬埔寨一事擔憂，相反地，兩國都相信一個強大的越南能抗衡中國任何南向擴張的計畫。觀點的差異是關鍵所在。問題不是中國究竟想做些什麼，而是中國有能力做什麼，以及所做的是否符合中國的利益。過去 30 年來飽受共產勢力干擾的馬印，都把中國視為國內共產勢力背後的支持者。

鄧小平一再要我出面促成柬埔寨境內各個抗越勢力的結盟。中國在北京為西哈諾建造了一座「像宮殿般的住所」。他和西哈諾之間有「交情」，不過，他們總是刻意避而不談政治。

接著，我扼要地復述了他的立場：一、中國願意支持並鼓勵
成立一個非共力量來抵抗越南；二、中國會接受一個獨立的柬埔
寨政府在越南撤出柬埔寨之後成立，儘管中國對這個政府沒有絲
毫支配權。他確認了我的總結，所以過後在北京一個外國通訊員
記者會上，我清楚地說明這兩點。這些通訊員的報導，並沒有受
到中方的駁斥。

鄧要我轉告東盟的鄰國，不要以為舉凡共產勢力就自然同中
國關係良好。蘇聯才是最大的威脅，蘇聯的全球性戰略究竟會有
什麼破壞性，各國需要有透徹清楚的了解。他反問道：中國的政
策是抗衡蘇聯的全球性戰略，印尼對此卻諸多阻撓，這究竟對印
尼有什麼好處？馬來西亞和印尼的戰略評估根本不正確，要中國
向馬印做出讓步並不能解決問題。

談到這裏，我們前去共進午餐。他們端出一道中國佳肴，在
濃濃的鹵汁中燉得嫩嫩的熊掌。這是我在人民大會堂裏吃過的最
好的一道菜。廚師是特地為鄧小平的賓客露了一手。（在中國，
熊現在已是瀕臨絕種的動物。）

誰的話較有分量

中國禮賓官員最後才帶我去見華國鋒，這在禮儀上是正確
的。華國鋒仍是共產黨的主席，等級比擔任副主席的鄧小平還
高。然而從列席官員的重要性來看，誰的話較有分量，我毋庸置
疑。

趙紫陽總理 1985 年 9 月在北京同我會面，他稱我是「中國
的老朋友」。為了讓對方感覺輕鬆自在，他們總喜歡冠上這個稱
呼。接著，趙紫陽問起我在前往北京途中對所到之處留下的印
象。

他的態度鼓勵我有話直說。我說我可以只提供一些不得罪人

的觀察,略去批評,但是這麼做對他一點價值也沒有。我首先告訴他一些正面的印象。比起 1976 年來,上海有了一批更年輕的領導人,充滿活力和幹勁。人們看來快樂多了,衣著色彩亮麗,生活比過去富裕,到處在大興土木,交通問題還應付得了。我欣賞山東省的省長,他是個充滿活力積極進取的人,點子很多,樹雄心要改善山東的基礎設施。他計畫在濟南和煙台興建機場,還向我們的商人提出了三項商業計畫。他的工作班子很有組織性。

然後我告訴他一些負面的觀察:不良的舊作風依然存在。當總理當了二十幾年,我住過很多賓館,能從賓館的環境看出管理的性質。濟南的賓館大樓給人過於奢侈浪費的感覺,聽說我那間設有巨型浴缸的套房,原是在毛主席到這裏視察時專為他而建造的。管理這座大樓的人手,換做用來打理一家一流的酒店也許更有意義。這座賓館的賓客不多,也不常有,職員的業務都荒疏了。

還有是道路系統差勁。從濟南到孔子故鄉曲阜的 150 公里路程,有部分路段全是泥路。羅馬人鋪的道路,可以耐上 2000年。中國有的是勞工和石頭,從最具旅遊業潛能的曲阜通往省城濟南的道路,沒理由還是泥濘一片。

新加坡的文化和歷史短淺,人口 250 萬,每年(八○年代中期)的旅客卻多達 300 萬人次。中國的古蹟遺址反映了漫長悠久的歷史。如果能把山川景色、新鮮空氣、鮮美的食物、服務、古董和紀念品促銷給遊客,就可以製造許多就業機會,把錢裝進許多人的口袋裏。中國的人口有 10 億,每年的旅客卻只有100 萬人,其中 80 萬是海外華人,20 萬是外國人。

我猶豫地建議他們派一些督導人員到新加坡來。語言和文化上都不會有問題,他們可以觀察我們的工作紀律和工作態度。趙紫陽對這個派遣督導人員到新加坡考察的建議表示歡迎。他也建

議我們派出高層、中層與基層的經理和專家到中國訪問，以中國
的條件和環境評估中國工人的表現。我說，中國的工人或許會認
為「這些人都是福建省苦力的後代」，而不尊重我們的管理人
員。中方後來派了幾個國營企業管理人員代表團到新加坡考察，
他們看到的，是一種全然不同的作業文化，怎麼以工作質量為
重。

趙紫陽說，中國有三大經濟重任：第一、興建公路、鐵路等
基礎設施；第二、提升工廠的質量，越多越好；第三、提高管理
人員和員工的工作效率。他接著談到了通貨膨脹的問題。（這正
是四年後天安門事件爆發的導因之一。）他希望看到中國和新加
坡之間有更多貿易、經濟與技術合作。中國準備同我們簽署一份
三年協議，讓我們每年提煉不少於 300 萬噸的中國原油。中國
也準備從新加坡進口更多化學和石油化學產品，只要價格符合國
際市場的標準。中方自此開始參與我們的石油工業活動。中國國
家石油公司在新加坡設立了辦事處，處理這盤生意，同時兼顧新
中的石油貿易。

關於柬埔寨問題，趙紫陽透露，越南曾經獻議要同中國進行
秘密談判，中國拒絕了。越南並不誠懇，目的不過是要在中國同
東盟國家以及柬埔寨抗越組織之間製造分裂。除非越南承諾撤出
柬埔寨，否則中越關係不可能改善。越南多次侵犯中國邊境，都
被中國擊退。越南如今有為數 70 萬人的六成軍力，受制於中越
邊境。中國在邊境駐紮了幾十萬大軍，還會繼續向越南施壓。這
一回他不再像 1980 年見面時那麼遲疑不決，談起柬越局勢時信
心十足，也沒教我去向鄧小平請示了。

見過趙紫陽之後，我同鄧小平會面。他拿自己的 81 歲高齡
和我的 62 歲年齡來開玩笑。我說他看來並不老。他說他並不怕
老，中國已經為人事變動做了妥善的安排。他說：「天真要塌下

37　鄧小平時代

來，中國也總會有人把它頂住。」過去五年，中國國內各方面的
發展都相當不錯，而且有了不少改變。十位老臣子從政治局退下
來，由年輕的領導人接班。多位年齡超過 60 歲的老一輩領袖，
辭去了中央委員會的職位，90 位年輕的新人當選進入中委。領
導層更替的過程進行七年了，至今還不算圓滿完成，還有待進一
步的重組。照理說，他（鄧小平）也應該退休，只是仍然有些問
題等著他去解決。

　　他重複說，自己都 81 歲了，早準備好了隨時去見馬克思。
這是人生的自然規律，誰都應該很清楚，只有蔣經國（台灣總
統）例外。他問我最後一次見到蔣經國是什麼時候，蔣經國可解
決了接班人的問題嗎。那一刻我才恍然明白，有關年齡的這段開
場白並不是尋常的說笑，而是為了引入蔣經國和台灣這個課題。
我說，最後一次見到蔣經國是在 1 月間，那是八個月前的事
了。眾所周知，蔣經國患有糖尿病，他也明白自己生命有限。鄧
小平很想知道蔣經國是不是已經做好自己百年之後的人事安排。
我說，據我所見，他已經做了安排，卻說不上最終究竟會由誰接
替他的職位。鄧小平擔心蔣經國之後的台灣會出現混亂與困惑的
局面。至少在現階段雙方都同意只能有一個中國，局勢一亂，就
可能導致兩個中國的出現。我問他這從何說起。他解釋說，有兩
種可能的發展情況。第一、有一些美國和日本的勢力是支持台灣
獨立的；第二、美國繼續把台灣當作它永不沉沒的航空母艦。現
在的美國政府（雷根擔任總統）並未完全改變它的對台政策。美
國把台灣當作一個重要的軍事基地，希望讓台灣繼續留在它的勢
力範圍內。鄧小平曾在一年前同雷根總統討論過台灣問題，嘗試
說服他放棄航空母艦政策，並指出美國在全世界擁有另十艘永不
沉沒的航空母艦。台灣卻對中國至關重要。

　　他曾經問過美國國防部長溫伯格，萬一發生什麼意想不到的

結果，溫伯格會有什麼反應。如果台灣拒絕就統一問題進行談
判，中國應該怎麼做？台灣要是獨立了，又會怎麼樣？就因為有
這種種預測不了的形勢變化，中國不可能承諾不動用武力解決台
灣問題。但是中國勢必竭盡所能，通過和平的途徑爭取統一。他
告訴過雷根總統和國務卿舒茲，台灣是中美關係的關鍵因素。去
年 12 月，他請英國首相柴契爾夫人向雷根總統傳達口信，請雷
根總統在第二個任期內協助中國和台灣取得統一。他也提醒舒茲
和溫伯格，這個問題若無法好好處理，讓眾議院插手干預，只會
導致中美關係出現衝突。中國不一定能出兵攻打台灣，卻可以封
鎖台灣海峽，美國到時就難免被捲入這場紛爭。他問美國領導人
到時他們會怎麼做，美國總是說，他們不回答假設性的問題。事
實是，發生這種情況的可能性是絕對存在的。

問候「蔣先生」

　　鄧小平知道我和蔣經國是好朋友，要求我下次再見到蔣經國
的時候，傳達他個人對「蔣先生」的問候。我同意了。他希望能
夠和蔣經國合作，兩人畢竟曾經是同窗，1926 年在莫斯科同一
所大學念書，雖然不屬同一班。當年蔣經國才十五六歲，鄧小平
22 歲。（一個月後，我在台北親自向蔣總統傳達鄧小平的口
信。他靜靜地聽著，沒有答腔。）

　　談到柬埔寨的局勢，鄧小平說情況不壞。我回應說，他在
1978 年越南入侵柬埔寨之前所說的話，全應驗了。越南人如今
在柬埔寨泥足深陷。我們應該繼續為游擊隊提供援助，確保越南
在沒有貿易、投資或經濟發展的困境中進退兩難，只能完全依賴
蘇聯求存。我說，中國經濟改革所取得的成就，越南人不會不知
道。他們原本也可以致力於建設自己的國家，同世界進行貿易，
而不是去占領鄰國，作繭自縛。

鄧小平對越南領導人不準備依循中國的道路而感到遺憾。他說，東南亞的「一些朋友」誤信了越南為宣傳而擺出的姿態以及越南種種不會兌現的承諾。東南亞領袖（指印尼和馬來西亞）的真正動機，是要犧牲柬埔寨，利用越南，同中國這個他們眼中真正的敵人對抗。鄧小平接著提到蘇聯總書記戈巴契夫。中國曾經要求他清除中蘇關係的三大障礙，首先是停止為越南提供軍事援助，迫使越南撤出柬埔寨。中國卻不見蘇聯有任何表示。

1988 年 9 月 16 日，我再次見到趙紫陽，他已升任為總書記。他到我在釣魚台國賓館的別墅來跟我見面，討論中國的經濟問題。幾個星期前，8 月底到 9 月初期間，中國全國出現了民眾驚慌搶購的浪潮，這使他感到不安。他們必須減少建築工程，控制供消費的貨幣供應，放緩經濟增長。如果其他措施都無法奏效，政府必須以身作則強調黨內的紀律。我把他的話理解為：懲戒黨內的高官。搶購大恐慌一定讓他想起了 1947 到 1949 年，國民黨政府末日來到的時候。

《河殤》太悲觀

然後，他帶我到釣魚台國賓館的餐館慶祝我的 65 歲生日。席間他提到最近寄給我的一套電視片集，那是由他的改革智囊團中的年輕成員製作的《河殤》，他想聽聽我的觀後感。片集描述一個沉浸於封建傳統，深受迷信和舊風氣束縛的中國，除非拋開墨守成規的舊式觀念，否則它根本不可能取得突破，趕上現代世界的步伐。

我認為它太悲觀了。中國要推行工業化現代化，不一定就得把基本的文化價值觀和信仰全都拋棄。看看台灣、韓國、日本、香港和新加坡，大家都在想方設法保留勤儉、刻苦的傳統價值觀，強調學問知識，效忠家庭、宗親和國家，把社群利益放在個

1988 年我以總理的身分到中國訪問時，會見鄧小平。

人利益之上。正因為有了這些儒家價值觀，才有社會凝聚力、高
儲蓄、高投資，進而帶來高生產力和高增長。中國需要改變的，
是過度的中央集權管理制度以及人們的態度和觀念，使中國人更
願意接受新想法、新點子，中國的、外國的都好，願意把新點子
付諸試驗，使它們更符合中國的國情。日本人就成功做到了這一
點。

趙紫陽最關注的是，中國經濟怎麼無法像新興工業經濟體一
樣，不受通膨困擾就能順利起飛。我解釋說，這是因為新興工業
經濟體跟中國不同，它們從來不需要廢除計畫經濟，通過管制把
基本貨品的價格壓低到離譜的水平。

他顯露出腦筋靈活者所具有的沉穩自信，機警地聆聽別人的
匯報。他跟華國鋒不同，是個君子，不是惡棍。他的風度討人喜
歡，既不刻薄，也不跋扈。但是，要在中國的最高領導層立於不

711
37 鄧 小 平 時 代

敗之地，就非得強悍無情不可，而對那個時期的中國來說，趙紫陽對待法紀的方式算是太開放了。彼此道別的時候，我萬萬沒想到，他在不到一年後就變成了一個「無名之士」。

第二天，也就是 1988 年 9 月 17 日，我最後一次同鄧小平見面。他在北京東部中國領導人度假的海濱別墅北戴河待了幾個星期，曬黑了，看上去充滿活力，聲音嘹亮。我對中國所取得的經濟發展表示讚揚。他說，過去十年確是取得了「相當好的成績」，但是經濟發展也帶來了新的問題。中國必須抑制通貨膨脹，加強紀律也很重要。中央政府必須一方面實行有效的管制，一方面又得不違反對世界開放的大原則。恰到好處的管制在開放後益發重要，否則將會出現無政府狀態，甚至「天下大亂」。中國是個大國，但是科技落後，文化上也一樣。中國在過去十年裏解決了衣食問題。如今他們要晉升到「小康」階段，把 1980 年的人均國內生產總值提高四倍，達到 800 至 1000 美元的目標。中國必須向別人學習，「包括你們，甚至韓國」。

中國的變化有目共睹，我為此向他表示祝賀。改變的不只是多了新樓房新道路，更重要的是人們思想和態度上的轉變。如今人們更敢於提出批評和問題，不過依然積極樂觀。我說，1979年他訪問美國時，電視上每天播出半小時的節目介紹美國的情況，從此改變了中國人民對美國的看法。

中國統一障礙多

鄧小平說，美國人對他可謂費盡心思。他告訴國務卿舒茲說，中美關係穩健發展，台灣問題仍是主要的癥結。他接著問我可知道「我的同學，你的好朋友」蔣經國，曾經在多個場合說過他（蔣經國）將「給歷史一個交代」。鄧小平顯然想知道蔣經國聽到他要我傳達的口信之後有些什麼反應。我沒有答腔，因為蔣

經國對鄧小平的口信沒有做出任何答覆。鄧小平說，美國儘管曾
經公開宣稱不捲入中台之間的統一問題，事實上美國政府在處理
這個問題時，確實已進行了直接的干預。實現統一障礙重重，但
「最大的障礙」其實是美國。他重複上回跟我見面時提過的一
點，說美國只不過在利用台灣作為「永不沉沒的航空母艦」。他
在 1979 年訪美，使中美關係正常化時，卡特總統同意美國會做
三件事：第一、廢除和台灣簽訂的共同防禦條約；第二、美軍撤
出台灣；第三、同台灣斷絕外交關係。這些承諾都一一履行了。
但是美國卻通過國會多次干預台灣問題，國會通過了台灣關係法
令，以及好幾個干預中國內政的決議。他跟雷根和舒茲說過，他
們有必要重新檢討維護「永不沉沒的航空母艦」的對台政策。鄧
小平說，他確實很希望在大限來臨去見馬克思之前，確保中台統
一大業最終實現。

李光耀回憶錄

38 北京城外看神州

遊覽各個省分，讓我深切體會
到為什麼在這麼一個地廣民眾
的國度裏，省籍的效忠精神是
那麼強烈。它們的鄉音、飲食
習慣、社會習俗，都不一樣。
中國的精英分子永遠無法像歐
美和日本的精英分子一樣互相
認識……各省分的精英彷彿活
在完全隔離的世界裏。因此，
任何領導人一有機會攀上北京
中央，都會在不引起其他人不
滿的情況下，儘量把過去省裏
的工作夥伴一起帶進城……

八〇、九〇年代，為了更了解中國領導人發展中國的動機和他們的雄心壯志，我幾乎年年訪問中國。由於一開始立場對立，我們需要更多時間進行深入的接觸和交往，才能同中國發展彼此信任的關係。中國過去一味輸出革命，要把新加坡變成一個共產國家。後來必須同越南人交戰，他們不得不改善同東盟的關係。就是在 1978 至 1991 年這段期間，當我們通過不同的方式反對越南侵占柬埔寨之後，雙方才逐漸改變了對對方的看法。

　　每次訪問，我都會花一個多星期，由一位中國副部長陪同遊覽各省。在這八到十天內，乘坐同一架貴賓專機，在中國各地旅遊，長時間的共處，讓我有機會對中國領導人的思想和背景有更深入的了解。他們的夫人則總會和芝做伴。

　　1980 年一次訪華，我發現中國已今非昔比。小女瑋玲也同樣感到意外。她在北京觀光，發覺毛澤東逝世、四人幫倒台後，中國人的心情比較舒暢。一般官員和老百姓跟她交談時，態度輕鬆自在多了。我至今忘不了我們遊覽過的壯麗山河，例如清朝乾隆皇帝的避暑山莊承德和長江三峽。我們乘搭渡輪由重慶（第二次世界大戰期間蔣介石設在四川省的陪都）沿江而下，直到三峽出口宜昌，歷時一天半。抬頭望去，在高聳入雲的險峰峭壁上，數千年前為紀念某些事情某種感念而鐫刻的大字，歷歷在目，讓人不禁肅然起敬。它迴盪著的，是一個民族披荊斬棘、掙扎求存的奮鬥歷史。但是更令人驚訝的，卻是一幕幕人們像馱獸似的拉著駁船和小船的景象，猶如在遠古時代一樣。一排人肩上拉著粗粗的縴繩，一里又一里地逆流而上。時間彷彿在這裏凝滯不動了，任由各種先進的機器在世界各地嗚嗚轉動，卻偏偏同他們擦身而過。

　　那次訪問，由外交部副部長韓念龍和夫人沿途陪伴。兩人都很能幹，見識廣，是很好的陪同。韓念龍比我小十歲，生性活

1980 年訪問中國，趙紫陽總理在人民大會堂設宴招待我們。

潑，機智過人。他個子不高，卻總是衣冠楚楚，穿西裝很有品味，經常穿著西裝背心。他聽得懂英語，而且很有幽默感，讓我在旅途中大開眼界，遊得盡興。中國同越南的衝突問題一直由他負責處理，越南人碰上他，可說是棋逢敵手。有關越南和柬埔寨的一切資料，他都瞭如指掌。中國要牽制越南，逐年把它拖垮，花再長的時間也在所不惜。他有絕對的信心，認定越南人終會像雷根總統所說的「哭著喊叔叔」（求饒）。在船上，我們總會趁進餐時長談。他們的口味很清淡，在連日豐盛的宴會之後，能跟他們一塊兒簡單地吃碗麵，真是愉快。東道主要給我們安排宴會式的佳肴，我們卻要求隨他們從簡。韓念龍是貴州人，那是中國最貧困的省分之一，卻盛產中國最有名的烈酒茅台。茅台比伏特加還烈，我對它敬而遠之，那種慢慢發作的酒性力道很大，吃得再飽也抵擋不了。茅台源源供應，我卻只要啤酒。

文革耽誤了一整代人

我們續程到武漢，這是長江沿岸中國主要的工業城市之一。但是到當地大學參觀的經歷卻是令人傷感的。跟我們見面的幾位教授在美國受教育，雖然年事已高，英語說得生硬，但顯然都是博學而有修養的人。他們帶我們參觀圖書館，學生們都在埋頭用功。瑋玲當時是個醫科學生，她主動跟一個正在閱讀英文生物課本的男生交談，還要求看看課本，卻發現它竟是五〇年代出版的。這已經是 1980 年了。她覺得不可思議。他們讀的，怎麼是一本過時 30 年的生物課本呢？但是，他們跟外界隔絕 30 多年，剛剛對西方開放，沒有外匯購買最新的課本和期刊，也沒有複印機。中國同發達國家之間，知識距離越拉越遠，不知要花多少年才能縮短彌合。文革把一整代人耽誤了。剛從文革中恢復過來的這一代學生，讀的是過時的課本，接受的是落伍的教學方法，沒有任何視聽教材。這又將是半迷失的一代人。沒錯，他們當中最優秀的人才就算條件再惡劣也還是能取得成功。但是一個工業社會不只需要少數的頂尖人才，它更需要全人口都接受良好的教育。

武漢的歡迎晚宴過後，我們的東道主和隨團的所有官員都消失了。我在想，到底發生了什麼事，於是派助手去探個究竟。助手回頭說，中方人員全擠在廳子裏的電視機前，看四人幫站在被告欄裏接受審訊。這一刻，對多年來受到四人幫恐嚇的人們來說，是報應到來的時刻，總算輪到這些仗勢欺人者自食其果了。我們也到貴賓大廳看電視。我讀過蘇聯在史達林時代的審訊過程，這簡直是同一個過程的中國版本，只是大家都知道不可能判處死刑，也不會有自證其罪的冗長招供。相反地，毛的遺孀江青一臉的不可一世，凶神惡煞，說話時幾乎是尖聲銳氣地尖叫，指

著所有的法官大聲辱罵。毛澤東當家的時候，他們不過是他腳下的狗，他說吠誰敢不吠。他們如今膽敢坐在那裏對她進行審判！她簡直就是個盛氣凌人、狂妄自大的潑婦，跟她在毛澤東在世時作威作福的姿態一模一樣。

　　在接下來的行程裏，中國官員和我們團員之間所談的話題，都是四人幫所犯下的種種罪行。有些官員還說起自己切身的悲慘遭遇。一個古老的文明竟然在號稱文化大革命的時代裏，淪落到如此瘋狂的地步，真是令人心寒。

　　其他方面也不對勁。中國南部福建省一名態度友善的高官，陪我們乘車路經武漢。他指著將近完工的一棟建築說，那是「太子樓」，讓「太子」們使用的一座高樓。我不太明白。他說，「太子」指的是省市裏重要官員的兒子們。他搖頭感嘆這種現象對人民的士氣是一種打擊，不過他也無能為力。他雖然沒有明說，卻隱約承認社會正在倒退回舊時代的中國，權勢等於特權，特權又意味著家人、親屬和朋友都能分得一杯羹。

　　至於其他幾個觀光站，廈門和鼓浪嶼是令人難忘的。我們第一次在中國聽到新加坡很熟悉的福建鄉音。為了應付大選，我曾花了好幾年的時間學講福建話。在廈門聽當地人說福建話，同老師所教的一模一樣，真是讓人欣喜。這種福建話帶著廈門腔，是戰前福建省裏跟西方商人和傳教士接觸過的老於世故者所操的方言。

　　鼓浪嶼是廈門附近的一個小島。他們向我們指出兩座屬於新加坡政府所有的洋樓。殖民地政府在第二次世界大戰前把房子買來，供那些被送往廈門學福建話的英國殖民地官員住宿。我們當時看到的是兩座破敗的建築，各住著四五户人家，人數遠遠超出房子所能容納的限度。他們急著向我們保證將進行修葺，然後把房子歸還。（我的財政部長韓瑞生後來透露，他曾聽說有關業主

取回房産之後的可怕經歷：他們得償還拖欠多年的大筆款項給看
守人，作為自 1949 年以來看守房子的薪金。）鼓浪嶼是個歐洲
人稱雄時代留下的非凡古蹟，各式的歐洲建築風格都留下了代表
作。有些大房子屬於富裕的海外華人所有，他們在戰前回到這裏
來過退隱的生活。他們請了法國和義大利的建築師來建造這些曾
經瑰麗一時的奢華家園。回環的樓梯和石灰大理石雕欄，室內室
外都有大理石雕像，讓人彷彿置身佛羅倫薩或者尼斯。鼓浪嶼在
1937 年被日本占領之前連同上海一起，一定是片繁華的綠洲。

　　我們的東道主遙指隔海的金門。它是由台灣管轄的一個小
島，在天氣晴朗時肉眼可以望到。這番話，正是那年年初台灣蔣
經國總統帶我到金門，指著同一片海域對面的鼓浪嶼時告訴過我
的。幾年前，台灣人還一直把食物包裹、台灣流行歌星的音樂卡
帶，包括大名鼎鼎的鄧麗君的專輯，以及政治傳單，用汽球從金
門飄送到鼓浪嶼。早在五〇、六〇年代，兩個小島曾經展開密集
的炮火交鋒。到了八〇年代，他們通過聲音嘹亮的揚聲器互相怒
罵。

　　台北和廈門的生活水平有顯著的差異。這一端同外面的世界
掛勾，尤其同美國和日本建立聯繫，擁有資本、科技、知識、外
國專家，以及從美日學成歸國的留學生，合力建立一個現代化的
經濟。那一端卻還在苦苦地幹活，為他們的農業生產感到驕傲，
農業知識卻還停留在五〇年代的水平，幾乎不具備任何耕種機
械，通訊設備落後，生活水平低落。

　　他們的菜肴都是我們常見的，卻又不太一樣。午餐時，他們
做了真正原味的薄餅。煸竹筍，用必要的配菜和佐料，包在薄餅
皮內做成春捲，做法跟新加坡的不同。不過，他們也有類似的糖
果──可口的花生酥糖，捲起來像小型的筒狀夾心蛋糕，比新加
坡的好吃。我們都知道這裏是我們大多數人的祖先的家鄉。不論

他們來自福建省哪個村落，凡是要到南洋去的，多數都要取道廈門。當年這裏是個租界，送他們下南洋的大船就是從這裏出發的。

我們從廈門飛往廣州，然後乘火車到香港。這一趟再沒有通過揚聲器不停播放的思想告誡，也聽不到單調呆板、喋喋不休的有關「走資派」的演講，或者四人幫的其他口號。中國人在衣著方面也比過去自在得多。我們一離開北京，陪同我們的女通譯員就穿上了花稍上衣配褲子或裙子，這是 1976 年看不到的現象。毛澤東式的中國正淡入歷史，中國人的一些舊習慣重新回來，一些是好的，當然陋習不只幾個。就像 1985 年我再度到中國訪問時，發現營私舞弊、裙帶關係，這些長久以來困擾中國的病態現象，又捲土重來，而且日益嚴重。

這次訪華給我們留下較好的印象。東道主毫不拘謹，開懷暢飲，交談投契，更願意談起那災難性的十年文化大革命。我們所接觸的領導人和官員都更加開放自在，更加願意討論自己過去所犯的錯誤，以及未來所將面對的問題。北京和其他城市不再像過去那樣貼滿大字標語，稻田麥田上，也不見巨大的方形標語牌。現在僅存的幾個標語，呼籲人民為四個現代化努力。中國如今變得更自然，更像其他社會。

中國領導人都深知文化大革命使他們失去了一整代人。他們摒棄了毛澤東那一套不斷進行革命的浪漫信仰，要同世界各國建立穩定的關係，通過經濟合作協助中國復興。只是我想至少還得再過一代人的時間，才可能等到一個全面現代化的中國誕生。

中國的每一個省分，無論地理、經濟、教育、辦事效率，都不盡相同，各省省長所關注的領域也不一樣。我原本不知道中國北方有多乾燥貧瘠，沙塵滾滾，直到親臨絲綢之路的起點敦煌，目睹被荒廢了好幾個世紀的著名佛教石窟，才終於有所體會。當

甘肅省長邀請我騎駱駝到離敦煌不遠的鳴沙山時,我恍然發現自己就站在戈壁與塔克拉瑪干沙漠的邊緣。他們的大夏駱駝非常俊秀,雙峰,長滿粗毛,比阿拉伯半島的單峰駱駝來得高貴雅致。沙丘景致固然宜人,甚至蕭瑟得淒美,只是生活過得艱苦,過去現在都一樣。

遊覽各個省分,讓我深切體會到為什麼在這麼一個地廣民眾的國度裏,省籍的效忠精神是那麼強烈。它們的鄉音、飲食習慣、社會習俗,都不一樣。中國的精英分子永遠無法像歐美和日本的精英分子一樣互相認識。雖說美國也是大陸,但人口並不那麼多,精英分子都能通過先進的通訊設備定期聚會和交流。中國的人口太稠密,在八○年代興建機場開始引進西方客機之前,中國的通訊設備非常落後,各省分的精英彷彿活在完全隔離的世界裏。因此,任何領導人一有機會攀上北京中央,都會在不引起其他人不滿的情況下,儘量把過去省裏的工作夥伴也一起帶進城。這些出自地方省分的工作夥伴,總是最能了解、最能揣摩領導人的心思。

各省之間競爭激烈。每位省長都會滔滔不絕地大談有關各自省分的基本數據資料:面積、人口、可耕地、降雨量、常年農業產量、工業、服務業,當然也包括國內生產總值,以及這些個別項目在全國 30 個省分當中的排名。各個城市之間的競爭同樣劇烈,市長們也總會一一道出本市的重要數據和在全國的排名。排名由中央政府確定,目的原是鼓勵良性競爭,卻因各省市領導人為提升名次而不惜一切代價,甚至引發省級的貿易戰,使省市之間的鬥爭白熱化。像廣東這樣一個快速增長的省分,必須輸入糧食以應付從其他省分擁入的「流動」工人,鄰近省分卻不願意出售米糧應急。另一個省分有個很成功的電單車製造廠,卻因為毗鄰省分過度保護省內的廠商,苦於無法把電單車銷售出去。

　　我一直以為共產制度等於完全的中央集權統治，中國的情況卻並非如此。自古以來，歷朝歷代，地方政權總能在一定程度上自行詮釋朝廷的敕令；離中央越遠，獨立自主權就越大。「山高皇帝遠」這五個字，貼切地表達了一代代人在地方政府的欺壓下，鬱積已久的憤懣和懷疑心態。九〇年代我們雄心勃勃地到蘇州市進行一項大工程，就對此有了深切的體會。

　　我有機會略窺中國政府運作的方式——疊床架屋，權力機關共有四層：中央、省級、市或縣級、區。在理論上，中央頒布的書面指示，全國各地一律推行。然而實際上各級政府常常為了搶地盤，勢如水火，你爭我奪。每個部門都死保各自的權益，想方設法擴大權力範圍。部門內部明爭暗鬥、勾心鬥角的現象屢見不鮮。公共服務和政治任命之間沒有區別。中國共產黨的權威至高無上，任何人在任何情況下，都必須確保自己在黨內占有一席之地。要飛黃騰達，或者下海從商，黨籍是不可或缺的必要條件。

　　不過，中國領導人的素質還真是教人欽佩。有了適當的訓練，多接觸自由市場經濟，他們大可以同美國、西歐和日本的頂尖高級執行人員平起平坐。他們腦筋好、思維快、分析能力強。就算是閒聊，他們也委婉含蓄，引經據典，處處顯露思路的清晰敏銳，只有聽得懂華語才能完全領略箇中的旨趣。

　　我早預料到在北京的領導人素質過人，只是沒想到省級官員、黨委書記、省長、市長和高級官員們也毫不遜色。中國大陸人才之眾令人矚目。能躋身最高層的人才，未必就比錯過時機的人才高了一級。中國地廣人眾，要登上龍門還得靠點運氣，儘管他們有一套謹慎透徹的遴選制度，著重能力和品格，不再像文化大革命那個災難性年代一樣，思想意識和革命熱忱勝於一切。

每1固人都有一份檔案

一名前幹部曾向我形容中國共產黨人事部怎麼選賢任能。每個人都有份個人檔案，從小學開始建檔，紀錄的不只是學術表現，還包括教師們對他品格、行為、價值觀和態度的評價。然後，在他事業的每一個階段，同事和上司的評語都得紀錄在案。每次擢升之前，所有合格候選人都必須先接受評估再受委。金字塔的頂端，有 5000 至 1 萬個獲選的核心分子，由共產黨的組織部門，而非政府，謹慎地定級。為了確保級別定得正確，中央會組團派人到省市去對負責評估的人也進行評估，並在擢升任何幹部之前先對有關人選進行面試。一旦意見不一致，就得交由北京中央加以檢討。遴選過程絕對認真、仔細而全面。最後，上到最高層，由領導人親自決定擢升的人選，他必須判斷的不只是候選人的能力和表現，還考慮效忠精神。選擇趙紫陽擔任中國共產黨總書記，成為中國名義上第一號人物的，是鄧小平。1989 年天安門事件爆發後，也正是鄧小平，推翻了自己當年的抉擇。

要不是鄧小平插手，下令解放軍進入天安門廣場清場，他在 1997 年 2 月逝世時，一定備受西方尊崇和頌揚。如今，每一篇悼文都不忘對六四的殘酷鎮壓行動提出嚴厲的批評，每一段電視評述都重複播映天安門廣場上的同組鏡頭。我不知道中國的歷史學者將會怎麼評定鄧小平所扮演的角色。對我來說，鄧小平是一位偉大的領袖，他扭轉了中國的命運，也改變了世界的命運。

李光耀回憶錄

39 天安門事件之後

19⁸⁹年5月，世人見證了一場在北京上演的荒誕劇。衛星電
視現場轉播，因為早有大批西方媒體記者齊集北京，調好
了鏡頭，準備採訪鄧小平與戈巴契夫的峰會。一大群學生秩序井
然地在人民大會堂前面的天安門廣場聚集，高舉橫幅和標語牌，
抗議貪污、裙帶風和通貨膨脹。警察是和氣的。總書記趙紫陽也
親自發出鼓勵的呼聲，說學生不過是希望黨和政府改革，出發點
是好的。匯集在廣場上的人越來越多。漸漸地，橫幅和標語牌上
的批評越來越尖銳，措辭激烈，充滿了反政府的色彩。他們開始
在橫幅上譴責政府，點名批判李鵬總理。眼看激不起任何反應，
他們又把目標轉向鄧小平，以打油詩對他冷嘲熱諷。在電視上看
到這一幕，我就知道這次示威將以淚水告終。在中國，從來沒有
一位皇帝能夠任由人民奚落嘲弄之後繼續統治國家的。

　　天安門事件可以說是中國歷史上匪夷所思的一章。李鵬在電
視上宣讀戒嚴令。我看的是北京電視台的片段，由香港衛星線路
向新加坡轉播。戒嚴令宣布前有一幕讓人印象鮮明，學生代表在
人民大會堂裏粗暴地同李鵬爭論。他們穿著牛仔褲和汗衫，而李
鵬則是一身一塵不染，燙得筆挺的毛裝。在電視上看到的那次對
峙中，學生占盡上風。後來軍人嘗試操入廣場，中途受阻，把整
齣戲推上了高潮。最終，在6月3日的深夜裏，就在全世界都
盯著電視時，坦克和裝甲運兵車開來了。不少研究人員在謹慎辨
別實據後相信，在天安門廣場上軍隊的確沒開槍。軍隊是在護衛
坦克和裝甲運兵車強行駛入廣場時，在通往廣場的街道上開槍。

　　這真是不可思議。人民解放軍居然把槍口對準了自己的人
民。我不得不在第二天，也就是6月5日當天，發表一項聲明：

　　「對於局勢急轉直下，我和我的內閣同僚都深感震驚與哀
傷。我們原以為中國政府在動用軍隊來平息內亂時，會嚴守原則
使用最少的武力。然而軍隊的火力與暴力卻造成許多人命傷亡，

以之對付手無寸鐵的平民根本是不成比例的。

　　「如果中國大部分人民，包括那些受過最好教育的人民都對政府不滿，那內亂將很難避免，結果是人民憤懣，改革停頓，經濟呆滯。由於中國地廣人多，它一陷入內亂，對自己對亞洲鄰國都會造成麻煩。

　　「我們希望有人提出更明智的忠告，從中尋求和解，唯有如此，才能恢復門戶開放政策所帶來的進步。」

我沒有譴責中國政府

　　我並沒有譴責中國政府。我不認為他們是像蘇聯那樣以強權鎮壓人民的共產政權。其實那兩個月來，群眾示威活動已經建立了某種勢頭，很容易一發不可收拾。

　　香港、台灣和新加坡的華人社群，反應明顯不同。香港人感到悲痛震驚。他們幾乎每天 24 小時在電視上看著悲劇上演，跟天安門廣場上的學生感同身受。有些香港青年甚至到廣場同示威的學生們一起露宿到天亮。那個時候，中國正設法鼓勵港台記者和遊客更接近中國。軍隊開槍後，香港人想到他們即將由這麼一個殘暴的政府管轄，不免要膽戰心驚，悲憤交加的情緒一發不可收拾。廣場上的一幕幕在電視上出現後不久，就有百萬人擁上街頭。他們一連幾天自發地在新華社駐香港分社前面示威，並多方協助示威者逃出大陸，途經香港投奔西方。

　　在台灣，人們同情學生的遭遇，為學生而悲慟，但不至於懼怕。沒有人發動大規模的示威以表抗議或哀傷。他們並不是很快就要重歸中國統治。

　　新加坡人很震驚。沒有幾個人認為有必要動用軍事火力，但是誰也沒走上街頭示威。人們明白中國是個跟我們不同的共產國家。大學裏的一群學生代表向中國大使館提呈了抗議書。

這一刻是深具啟發性的。三地的華族社群因為同共產中國的政治關係遠近不一，立場、觀點和情感上的差異也盡在這一刻表露無遺。

要不是鄧小平插手，下令解放軍進入天安門廣場清場，他在1997年2月逝世時，一定備受西方尊崇和頌揚。如今，每一篇悼文都不忘對六四的殘酷鎮壓行動提出嚴厲的批評，每一段電視評述都重複播映天安門廣場上的同組鏡頭。我不知道中國的歷史學者將會怎麼評定鄧小平所扮演的角色。對我來說，鄧小平是一位偉大的領袖，他扭轉了中國的命運，也改變了世界的命運。

鄧小平是現實主義者

鄧小平是個現實主義者，實事求是，講求實效，不強調思想意識。他被毛澤東批鬥了兩次，最終仍然重新掌權來拯救中國。早在蘇聯瓦解之前12年，他就已清楚看到中央計畫經濟是行不通的。因此，他把中國開放給自由企業與自由市場，從沿海一帶的經濟特區著手進行。鄧小平是中國唯一具有足夠政治地位和政治力量來扭轉毛澤東政策的領袖。像毛澤東一樣，鄧小平鬥爭是為了摧毀舊中國。但是，他做了毛澤東所沒有做的，他用「具有中國特色」的自由企業與自由市場，建立了現在的新中國。

作為一名戰鬥與革命的宿將，他把天安門廣場上的示威學生看成可能使中國再陷入百年動亂衰朽的危機。他經歷過革命，在天安門廣場上提早看到了革命的潛在信號。戈巴契夫就與鄧小平不同，他只在書本上讀過革命，沒法看出蘇聯即將瓦解的危險信號。

鄧小平的開放政策推行了20年後，中國處處顯露它將成為亞洲最大、最蓬勃的經濟體。如果能避免陷入任何國內或國際動亂與衝突，中國肯定將在2030年成為經濟巨人。鄧小平逝世

時，給中國人民留下了一筆巨大和充滿希望的遺產。要不是有鄧小平，中華人民共和國恐怕也會像蘇聯那樣崩潰。中國一瓦解，西方媒體必也會像憐憫俄羅斯人那樣憐憫中國人。但是如今局勢完全相反，他們不得不對一個強大的中國在今後三五十年的發展潛能再做一番估量。

8月24日，就在天安門事件發生三個月後，曾於1988年陪同我參觀中國各個省分的中國商業部長胡平，在新加坡同我會面。李鵬總理要他向我通報六四事件的來龍去脈。局勢雖然已經穩定下來，這次事件對中國的衝擊卻非同小可。在那四五十天的極度混亂中，中國政府對局面失去了控制。學生利用貪污和通貨膨脹問題，發動人民支持他們。警察缺乏處理類似示威活動的經驗，沒有高壓水炮或其他抗暴配備來對付示威者。

胡平說，到了6月初，學生已經把自己武裝起來，用的是從人民解放軍那兒掠奪過來的武器和配備。（這一點我倒不曾在報刊資料上看過。）軍隊曾經在5月20日當天設法進入天安門廣場，但是受到阻撓。他們撤退後接受「再教育」。6月3日，軍隊再次強行進入廣場。他們當中，有些攜帶武器，但好些卻沒有。他們全部接獲命令不許開槍。事實上，很多軍人的彈藥袋裏裝的是餅乾。他們沒有橡皮子彈。事件發生第二天，胡平說他親自到軍事博物館和釣魚台賓館之間的長安路巡視，看到15輛坦克和裝甲車的殘骸還在冒煙。軍隊表現了極大的容忍與自制，離開了軍車，向空中鳴槍。胡平管轄的部門就坐落在廣場附近，他清楚看到百萬人大示威。其實在他的部門和其他部門裏，約有一成員工參加了示威行動，抗議貪污，同情學生。胡平堅稱傷亡並非如外國報章所聲稱的那樣在廣場上發生，而是在軍隊嘗試進入天安門廣場時造成的。

事件過後，外國商人和他們的中國職員已紛紛返回工作崗

位。胡平相信外國朋友會慢慢了解真相。一些年輕的中國人同某
個西方國家的情報局有聯繫，通過先進器材散播西方的觀點和信
息（我猜想他指的是傳真機）。雖然西方國家過後都實行經濟制
裁，但是中國絕對不會允許外國干預它的內政。不過大多數國
家，包括許多國際銀行都沒有再進一步實施制裁，聯繫也逐漸恢
復了。他希望新加坡同中國能繼續保持良好的雙邊關係，因為兩
國關係是建立在穩固的基礎上的。

　　我說，六四事件對新加坡人來說是個很大的震撼。我們沒有
料到中國會動用這麼大的火力與武力。我們已經習慣了幾乎每晚
在電視上看韓國警察同工人和學生發生衝突，看南非白人警察毆
打黑人，看以色列人用催淚彈、橡皮子彈和其他武器對付巴勒斯
坦人，偶爾造成一兩個人死亡；但是誰也沒動用過坦克和裝甲
車。這教新加坡人怎麼相信自己所見到的，怎麼相信 5 月間仍
然很理智、很有耐心並極度寬容的中國政府，一夜間突然變得殘
暴不仁，開出坦克來對付平民。新加坡人，尤其是華裔，無法理
解中國政府的行為，也對如此不人道的行動深感羞愧。六四事件
所造成的心靈的創傷是難以言喻的。

　　中國必須向新加坡和全世界解釋，為什麼非得採取這種方式
平息示威不可。一夜之間「轉柔為剛」是難以解釋的。不過，中
國的真正問題倒不在於如何向東南亞國家解釋，東南亞國家既沒
有資金又沒有科技，無法協助中國實現現代化。中國的問題是怎
麼向美國、日本和歐洲解釋。尤其是美國，它通過世界銀行和國
際貨幣基金組織，做了很多對中國有利的事。中國必須努力改變
自己一手製造出來的負面形象。我建議他們找一些美國公共關係
公司幫他們做這件事。美國人是個感性的民族，很容易受電視報
導所牽動。參議員和眾議員控制了總統和國家財務，中國必須密
切留意他們。值得慶幸的是，布希總統曾經在中國住過好幾年，

比多數美國人都了解中國。他也一直在努力地安撫眾議院。

　　我提醒胡平，如果中國因為留學海外的學生通過傳真把自己的想法傳給北京的朋友，製造了更多問題，而停止保送學生到國外留學，那等於是自我封閉，拒知識與科技於門外。果真如此，損失將是難以估計的。

　　胡平向我保證，他們對留學生和開放門戶的政策不會改變。很多台灣商人仍然進入大陸投資。他們對香港與台灣的政策也維持不變。不過，他認為香港的形勢會更複雜。香港人喊出的口號，已經從「港人治港」改為「港人救港」。他並沒有提及百萬港人為抗議六四事件而擁向街頭時所表現的恐懼與同情。

　　天安門廣場上擠滿了頭纏絲帶的示威群眾，記憶中最教我悲傷的一幕，就是趙紫陽握著揚聲器，幾欲落淚地懇求學生們疏散，告訴他們他再也保護不了他們了。那天是 5 月 19 日，已經遲了。中國共產黨領導人決定宣布軍管，並聲明在必要時使用武力驅散示威人群。到了那個階段，學生必須疏散，否則就會被強行帶走。趙紫陽並未顯露中國領導人面臨危亂時應有的果斷。示威群眾已經從原來的守秩序的抗議者，變成存心挑釁的反叛者。不採取強硬手段的話，一場示威可能一發不可收拾，使動亂蔓延到全國各地。天安門廣場並不是英國倫敦的特拉法爾加廣場。

　　共產中國採用了蘇維埃的一套做法，那就是不論領導人權力有多大，一出了局，即成了所謂的「無名之士」，永遠都不會再被公開提起。我在這之後到中國訪問時，一直希望再見趙紫陽，卻無法提出這個要求。天安門事件發生幾年後，有一回遇見趙紫陽的兒子，對趙紫陽和他家人在他丟官後的生活情況總算有了一點了解。趙紫陽的兒子說，他父親必須搬離黨領導人居住的中南海，遷往前黨總書記胡耀邦在擔任中共組織部長時候的住宅。最初幾年，他家入口處有警衛看守，行動受到監視。後來監視放鬆

了。他可以在北京郊區一個由中國人經營的高爾夫球場打高爾夫
球，卻不能在中外合資的球場上出現。他可以訪問內陸地區，但
不能到沿海省分去。這是為了避免他同外國人接觸，製造曝光的
機會。除了一個女兒仍在北京一家酒店工作之外，趙紫陽的其他
子女都在國外。他的生活條件還算舒適，家人可以探訪他。以蘇
維埃對待「無名之士」的標準來說，他算是過得不錯了。他受到
的待遇，比布列茲涅夫對克魯雪夫或葉爾欽對戈巴契夫來得好。

李鵬保守卻理智

　　因頒布戒嚴令和強行疏散天安門示威群眾而在國內外面對千
夫所指的人，是總理李鵬。事實上，做決定的是鄧小平，好幾位
長征元老都支持他的決定。我於 1988 年 9 月在北京同李鵬第一
次見面。當時他接替了轉而擔任總書記的趙紫陽，出任總理。李
鵬不像趙紫陽那麼外向。他六十幾歲，是個蘇聯訓練的電氣工程
師，凡事考慮周詳，事前準備工作到家，言辭非常謹慎。他不是
那種喜歡拍肩膀以示友好親熱的人，有時會為了無心之言而耿耿
於懷。我調整了自己以適應他的脾氣後，我們還算能融洽交談。
在對他有了進一步的了解之後，反而覺得他是個保守卻理智的
人。

　　他是一個共產黨要員的遺孤，由周恩來總理領養。由於隨同
周家先住入中國共產黨在延安的總部，過後遷到北京，他說話完
全不帶省分口音。他的夫人外向得多，個性具有魅力，而且很健
談。她不像大多數中國領導人的夫人那樣，躲在先生的背後，而
是經常扮演女主人的角色。社交上有需要，她講英語。在晚宴
上，芝可以用英語同她交談，很方便，不需要通譯員。

　　我們進行正式討論時，李鵬問起新加坡在中國的商務發展如
何。我說，新加坡投資者在中國碰到很多困難。太多的人虧損了

39　天安門事件之後

中國總理李鵬1990年8月訪問新加坡。

資金，投資信心受到打擊。大家都説中國的情況很混亂，因此投資步伐慢了下來。他們不明白為什麼中國的經理與管工無法讓中國工人守紀律。新加坡和香港人經營的酒店必須聘請自己人擔任管工來約束員工。就算如此，也還是有困難。許多員工因為在酒店順手牽羊而遭解雇，過後又因其他員工鬧事而得以復職。中國要進步，這種勞資關係就不能不改變。中國必須允許投資者自行管理各自的企業，有權聘請和解雇工人。

　　李鵬回應説，他們歡迎外國投資者來賺錢，但是中國的政策是確保他們不會賺太多錢。（我的理解是，無論雙方原本同意的數目是多少，一旦他們覺得盈利太高了，就會想辦法使它比較公平合理。）他説中國在經濟特區實行的税務政策比香港的好，但他也承認外國投資者在中國必須面對政府效率低和繁文縟節的問題。這些問題總是讓中國大傷腦筋。許多國營企業都有冗員和虧

損現象，因為他們必須照顧退休的工人。在一個自由市場裏，中國的薪金制度是不可思議的。一位在著名大學裏任教的資深教授，月薪只有 400 元人民幣；他的女兒在外國公司裏當侍應生，也拿同樣的數目。沒有人能説女兒的貢獻跟父親的一樣大。整個薪金制度必須改變，但是李鵬無法提高教授的薪金，因為政府沒有足夠的資源。他説，自從對外開放政策推行以來，中國取得很大的成就，但是他們必須通過放緩建設方面的投資，緊縮政府開支來解決高通貨膨脹的問題。不過，中國不會在改革上開倒車。李鵬充滿信心，相信難題能獲得解決。

　　他想聽聽我對東亞安全形勢的看法。我描繪了一幅成長與穩定的樂觀圖景，只要不出現任何突發情況擾亂局面。蘇聯受到美國和中國的制約。美國的政策是拉攏日本，在為日本提供安全庇護的同時也借助它的經濟力量。只要這樣的安排持續不斷，日本就無須重振軍備。日本並沒有核力量，但是絕對有可能在美國不再可靠時單獨行動。這麼一來，日本對東南亞所有國家的威脅會越來越大。日本老一輩領袖大多希望繼續同美國維持夥伴關係，這個關係為他們帶來了繁榮和美好的生活。危險在於沒有經歷過戰爭的年輕一代領導人，可能會有不同的想法，尤其是如果他們有意讓神話復活，以自己是天照大神的後裔自居，那就更危險了。

　　李鵬總理認為我低估了日本的危險性。對於日本重振軍力的可能性，中國必須保持高度警惕。儘管日本自行規定軍事開支不得超過國民生產總值 1%的限額，這個數目仍比中國的軍事開支多了 260 至 270 億美元。日本有些領袖希望改變關於日本侵略中國、東南亞和南太平洋的歷史結論，對此李鵬舉了兩個例子：他們怎麼編寫課本，以及日本高層領導人到靖國神社參拜。日本的經濟成就，為它製造了晉升為政治與軍事超強的條件，至少日本

的一些領袖正循著這條路線思考。李鵬對日本軍國主義復活的顧慮，是真實的。與此同時，中國對蘇聯的威脅「也隨時維持戒備」。

兩年後，即 1990 年 8 月 11 日，李鵬總理在雅加達完成了中印重新建交的工作後，續程到新加坡訪問。我們會談時，只有紀錄員和一名通譯在場。我過去說過很多次，新加坡將會是東盟當中最後一個同中國建交的國家。現在，既然印尼已經同中國恢復外交關係，我希望在那一年的 11 月卸下總理職務前辦好這件事。李鵬總理提起我擔任總理這些年來，新加坡和中國的關係發展得很好。他也希望在我卸任之前解決這個問題，所以邀請我在 10 月中旬訪問中國。

接著，我提出新中官員在商談互設使館時談不攏的關鍵問題：新加坡軍隊在台灣受訓的問題。我不以為我們在台灣的訓練會有終期。新加坡深感受惠於台灣，尤其是已故的蔣經國總統，是蔣總統讓我們突破軍事訓練空間的局限，找到了出路。我們怎麼能忘恩負義。我們只付給台灣在那裏消費與使用設備的費用，一塊錢也沒有多付。這是一種特別的關係，我們感覺彼此親近，因為我們都非共，有著相同的語言、文化和祖先。李鵬總理對新加坡的立場表示諒解，明白新加坡雖然繁榮，土地面積卻不大。最後他說，中國不堅持新加坡必須定下結束在台灣的軍訓的期限。

那次會面後，這個導致談判拖延了好幾個月的棘手課題，總算解決在望。我不再像 1976 年那樣，擔心中國在新加坡設立大使館會對我們的內部安全造成麻煩。國內的情況不一樣了。我們解決了華文教育的一些基本問題。所有小學與中學都歸入同一個全國性制度，以英語作為教學媒介語，南洋大學也不再以華語教學了，畢業生容易找到工作。我們早已停止栽培一群群要吃虧的

大學畢業生。

　　這次會談過後，在一次代表團全體參與的討論會上，李鵬談
到天安門事件，說那是「去夏中國的動亂」。一些國家實施制
裁，雖對中國造成傷害，卻也不利於自己。日本在七大工業國峰
會後放鬆了對中國的制裁措施。我說，新加坡不像西方媒體那
樣，把天安門事件看做世界末日，但是，中國對外形象受損卻是
非常不幸的事。李鵬解釋說：「中國政府當時對整個局勢完全失
去控制。」身為總理，他「連街也上不了，混亂持續了 48
天」。

　　李鵬不是個隨便開玩笑的人。所以那天，他一說要就我們的
軍隊到台灣受訓的事情「說個笑話」，大家都吃了一驚。他說，
我們的軍隊大可到中國訓練，條件比台灣更好。全桌人哄堂大
笑。我說，真等到那一天，亞洲一定和平了。

　　兩個月後，也就是 10 月 3 日，我最後一次以總理的身分訪
問北京，以建立正式的外交關係。建交工作辦妥後，我們對伊拉
克占領科威特的事情交換意見。李鵬說，伊拉克可不是憑一次閃
電攻勢就能輕易擊敗的對手。（後來，沙漠風暴在短短幾天內就
以精密武器攻破伊拉克的防線，想必令中國的民事和軍事領導人
大感意外。）

　　李鵬透露，我們會面前幾個星期，中國曾應越南的要求，由
他連同總書記江澤民，在四川省的成都同越南領袖阮文靈（總
理）、杜梅（總書記）和范文同（資深領袖，曾在 1978 年訪問
新加坡的前總理）會面。雙方同意越南在聯合國監督下無條件撤
出柬埔寨，柬埔寨將由一個國家安全理事會治理，直到大選舉行
為止。中國已經做好同越南改善關係的準備。

楊尚昆豪爽直率

1992 年 12 月,楊尚昆以國家主席身分訪問新加坡時,提到海峽兩岸的關係,他強調尋求和解比對峙或封鎖都好。不過當時沒有「三通」,台灣拒絕同大陸建立郵政、航空和航運服務。楊尚昆建議中國共產黨同國民黨雙方協商,把焦點純粹放在經濟合作上。統一的問題可以暫且不談。台灣的外匯儲備有數百億,卻沒有足夠的地方可供投資。台灣與大陸可以和平合作,推動經濟的發展。假以時日,政治合作與統一將會逐步實現。楊尚昆說,台灣已經在大陸進行了總值大約 20 億美元的投資,資金主要集中在福建省。

我說,台灣比任何一個國家更能為中國帶來利益,它有足夠的條件幫助中國。台灣人熟悉美國人、歐洲人和日本人的經商方式,可以在沒有語言文化的障礙下,把知識傳授給中國人。的確,我在八〇年代中期曾向蔣經國總統和行政院長俞國華建議,台灣可以通過這樣的合作方式幫助大陸,讓彼此受惠。但是台灣國民黨領袖因為一而再地讓中國共產黨人智取,心理上有了障礙。更何況蔣經國總統擔心,一旦在大陸進行大量投資,台灣的經濟會受制於大陸。我提醒楊尚昆主席,毛澤東說過「政治掛帥」這麼一句話,政治凌駕其他一切考量。中國有必要向台灣保證,決不利用經濟在政治上要挾台灣。

我說,假設台灣肯在大陸投資 500 億美元,而中國可以擔保 50 年內不用武力統一台灣,兩地人民當能更加親近。50 年後,兩地的經濟情況更相近,統一也就只是時機和方式的問題了。再說如果台灣在大陸進行大量投資,美國、歐洲和日本也會比較看好到中國投資。假以時日,兩地人民必能重新結合起來。其實很多台灣人已經娶了大陸女子為妻,再把她們偷渡到台灣

去。邊境能開放的話，大陸和台灣的中國人必能發展更密切的社會、經濟和親屬關係。

我補充説，我剛看過台灣新建成的地下空軍基地。它坐落於台灣東面的山麓，耗資數以億計的美元，承受得了中國導彈的突襲。這是資源的巨大耗損。如果中國願意許下可信的承諾，保證不動用武力換取統一，這對雙方都會有好處。和平與合作將能為雙方與東亞其他國家帶來極大的利益。楊尚昆點頭傾聽，但小心地説「中央將有所決定」。中央後來認定台灣的李登輝總統打著不同的算盤。

1990 年 10 月，我同江澤民主席會面。他熱情地接待我，還引用了孔子《論語》中的話「有朋自遠方來，不亦樂乎」。八○年代初他兩度訪問新加坡，以及 1988 年他擔任上海市長時我訪問上海，我們都失之交臂，沒有碰面。他到過新加坡兩次。第一次到這裏進行兩個星期的考察，研究經濟發展局如何為新加坡招商，怎麼發展工業區。他當時的任務是在廣東和福建設立經濟特區。第二次則只是過境停留。他對新加坡的城市規畫、社會秩序、交通情況、整潔和服務水平都留下深刻印象。他沒忘了我們的標語：「處世待人，講求禮貌」。他很高興能同街上的普通人講華語，這使他到哪裏去都很方便。

江澤民説，六四事件過後，西方宣稱能通過電視干預中國的內政。西方按照他們的價值體系辦事。他能夠接受不同觀點的存在，但是不贊同只能有一種觀點是正確的。在這些民主、自由和人權的概念裏，沒有什麼是絕對的。它們不可能抽象地存在，必須同一個國家的文化、經濟發展程度掛勾。根本沒有新聞自由這回事。西方報章屬於不同的經濟集團，並由它們所控制。他提起新加坡在 1988 年限制《亞洲華爾街日報》的銷售量，他説中國在戈巴契夫訪華時也應該這麼做。許多西方媒體對六四事件的報

39 天安門事件之後

1994 年，我在總統府的晚宴上歡迎中國國家主席江澤民到訪。（中間是副總理李顯龍）

導並不正確。

鄧小平對外開放並遵循社會主義的政策維持不變。既然我對開放政策是否會繼續下去表示關注，他便向我保證，開放政策將「加速」推行。他們決意要脫離蘇聯的中央計畫制度。江澤民曾經在蘇聯念了兩年書，進行過十次訪問，十分清楚他們的制度裏存在的問題。中國希望建立的，是一個混合經濟，結合中央計畫經濟和市場調節制度的精髓。

中國希望同其他國家維持聯繫。它面對的是怎麼餵飽 11 億人民的難題。單是要為全國提供米糧，已夠傷腦筋的了。作為擁有 1200 萬人口的上海市長，江澤民發現每天要提供 200 萬公斤的蔬菜也很困難。一談起中國的龐大需求，他就談了一個小時。

晚宴上的談話非常生動。他不斷從廣博的記憶中引用童年時代就背誦過的詩詞文賦。他的評語充滿了文學比喻，很多都超越了我對中華文學有限的認識。這自然也加重了通譯員的工作。

我沒有如事前所料一般地，見到一個典型老練的共產黨官員。在我面前的是個身高中等，身材圓胖，皮膚白皙，戴一副眼鏡的闊臉，黑髮往後直梳，經常面帶笑容的黨主席。他是中國的第一號人物，由鄧小平在六四事件發生幾天後，親自點名取代趙紫陽。他資質極高，博覽群書，而且有語言天分，俄語說得流利，也能說英語和德語，並且能夠引述莎士比亞和歌德的話。他告訴我因為曾經在羅馬尼亞工作，所以也能說羅馬尼亞語。

江澤民在 1926 年出生於江蘇省揚州一個書香世家。祖父是位名醫，也是個有才氣的詩人、畫家和書法家。父親是長子。他的叔叔 17 歲參加共產主義青年團，1939 年國共內戰時被殺，當時才 28 歲，算得上是個革命烈士。這個叔叔膝下無子，所以父親在江澤民 13 歲那年把他過繼給叔叔的遺孀。因此，當江澤民在南京的大學和上海交通大學參加學生共產組織時，可以說具備了毋庸置疑的革命的家庭背景。

他在一個書香彌漫、畫作豐富和音樂氣息濃厚的家庭環境中長大。江澤民歌唱得好，也彈得一首好琴，喜歡聽莫札特和貝多芬。來自不同省分的人在學術表現上明顯不同。江蘇是中國的「湖區」，千百年來，清爽舒適的氣候吸引了無數退休的官員和文人。他們的後裔提升了那裏人口的學術水平。蘇州在江蘇省內，春秋時期（大約公元前 770 年至公元前 476 年）曾是個國都。那裏有條狀元街。狀元是每三年一次在京試中考到第一名的考生。蘇州領導人總是很自豪地說，狀元街出了很多狀元。

江澤民活潑外向

我早聽過有關江澤民的匯報，但在真正接觸時還是感到意外。想不到會碰上一位這麼活潑外向的中共領袖。江澤民於1980年曾在新加坡待了兩個星期，當時經濟發展局派了一名署長吳博韜擔任他的聯絡員。江澤民當上總書記之後，吳博韜為我寫了一份簡略的江澤民印象記。他對江澤民受委坐上第一把交椅感到意外。在他印象中，江澤民是個認真勤奮、明察秋毫的官員，會仔細研究每個問題，做筆記，凡事追根究底。吳博韜很欣賞他，因為他不像其他中國官員那樣住在五星級酒店，而是選擇了繁華的烏節路以外的一家三星級酒店。他乘坐吳博韜的普通車子，甚至搭德士或者步行。江澤民是個節儉清廉的官員，但是看起來不像是個擅長搞政治的人物。

兩個星期快結束時，江澤民坦然地直視著吳博韜說：「你對我還沒說盡，你一定還有秘密。中國的土地、水源、能源、勞工，都便宜得多。但是你們吸引得了這麼多投資，我們卻做不到。這到底有什麼秘訣？」吳博韜很為難地說明，關鍵在於政治信心和經濟生產力。他抽出商業環境風險指數的報告指出，新加坡在一甲至三丙的評級中排在一甲，中國則連評都沒有被評到。新加坡之所以安全而有利於投資，全賴於政治、經濟和其他因素。這裏沒有被充公的危險。我們的工人勤勞，生產力高，而且極少有工潮。我們的貨幣可以自由兌換。他詳細地介紹了商業環境風險指數的衡量標準。江澤民並不完全信服。因此，吳博韜讓江澤民把商業環境風險指數的報告帶回去研究。在江澤民前往機場之前，兩人在他窄小的酒店客房裏進行了總結討論。江澤民終於說，他明白其中的奧秘，經濟發展局有的是「怎麼促銷信心的獨特本領」。吳博韜總結說：「我從來沒有想過他會成為中國的

第一號人物。他的為人太好了。」

我們兩人很合得來。江澤民愛結交朋友，我則直接坦率。同李鵬在一起，我必須小心地連半開玩笑也有所顧忌。江澤民則知道我沒有惡意，從不見怪。他也有個非常不像中國人的習慣，喜歡拉著客人的前臂，殷切地看著對方的眼睛問一個直接的問題。他的眼睛是他探測謊言的儀器。當他提出一些關於台灣、美國、西方和中國本身的尖銳問題時，我並不迴避，我想他一定對此感到滿意。

我們兩人之間的友好默契，對處理棘手和敏感課題的確有所幫助。我無法同華國鋒和李鵬暢談，像跟江澤民那樣。同趙紫陽也許可以，但也不像如此這般天馬行空。

很多人，包括我自己在內，都因為他的和氣和時時引用詩詞的偏好而低估了他的能耐。但是他肯定有他強悍驍勇的一面，他的對手在試圖挫敗他時，必然早已發現。他的正直人格，他對鄧小平賦與他的崇高使命的獻身精神，以及繼續推展中國的現代化進程，使中國成為一個「社會主義市場經濟」的繁榮工業社會的決心，都是不容置疑的。他費了一番唇舌向我解釋，中國必須有別於西方其他自由市場，因為中國是社會主義國家。

兩年後，1992 年 10 月，我和江澤民重逢，雙方討論了國際局勢。那是美國大選前幾個星期。我建議如果柯林頓勝利了，中國必須採取緩兵之計，為自己爭取時間。江澤民應該給柯林頓調整的空間，以便扭轉最惠國待遇等政策，避免正面衝突。一個新上任的年輕總統，急於向支持者表現自己將信守競選演講所做的承諾，這可能給中國和美國帶來麻煩。

江澤民聽我說著，並不直接答腔。他讀過我在中國和在其他地方發表的演講。鄧小平那年 1 月南巡的時候，曾經提到東南亞國家，尤其是新加坡的快速發展。即將在一個月後舉行的第

14 屆全國人民代表大會，將落實鄧小平的「具有中國特色的社會主義」政策。要做到這一點，中國需要一個和平與穩定的國際與內部環境。市場經濟在中國將會擴大，但是那需要很長的時間。至於中國的民主，東方受孔孟學說的影響，任何像蘇聯那樣的「休克療法」（即突如其來的民主），在中國是絕對行不通的。說到中美之間目前不愉快的關係，錯並不在中國。美國售賣戰鬥機和武器給台灣，違背了 1982 年中美聯合公報的原則。中國並沒有把事情鬧大，為的是不想讓布希總統在競選期間難堪。

江澤民描述了中國的經濟情況，然後問我中國的國民生產總值應有多大的增幅才算最理想。他們之前的預期目標是 6%。下一次的人大，他們把目標定為 8%或 9%。我回答說，亞洲四小龍和日本在工業化的最初階段，都取得了持續好一段時期的兩位數增長，通膨率也偏低。石油危機爆發以前，新加坡通膨率低，每年取得 12%至 14%的增長。新加坡的理想增長率並不在於任何魔幻數字，而是取決於我們的勞動力和生產力是否獲得充分發揮，利率和通貨膨脹率是不是受到控制。我補充說，吳慶瑞博士（我的前財政部長，曾為中國的經濟特區提供諮詢）相信中國最關鍵的問題，在於中國的中央銀行——中國人民銀行無法控制信貸。中國人民銀行每個省分的分行，在放貸時完全看省政府的臉色行事。而且，有關貨幣供應的數據資料，在任何時候都不足夠。中國要控制通膨現象，就非得對貨幣供應有所管制不可，而且不能允許中國人民銀行的省市分行，在中央銀行不知情或不批准的情況下放貸。

江澤民對此做了紀錄。他說，他是電機工程師出身，不過也開始學點經濟，閱讀亞當‧史密斯、保羅‧塞繆爾森和米爾頓‧弗里德曼（即佛利民）的著作。他並不是唯一研究市場經濟的中國領導人。我勸他研究美國聯邦儲備局和德國中央銀行的運作方

式。這兩家中央銀行都辦得很成功。其中，德國中央銀行在對付
通貨膨脹方面更有效。德國中央銀行的主席由總理委任。但是受
委之後，他就全權自主，總理不能命令他增加貨幣供應或者調低
利率。中國必須控制信貸，而不是過分關注是否能取得超理想的
增長率。打個比方說，如果廣東省因為有了香港的資金來源，增
長速度比其他省分來得快，那麼就應該放手讓它繼續增長，再通
過改善公路、鐵路、航空、內河和海上交通，鼓勵這種增長勢頭
帶動其他鄰近的省分。他同意研究這些建議。

敵對雙方第一次會面

　　1993 年 5 月，我再到北京同江澤民會面。他感謝我促使中
國和台灣的「非正式」代表能夠順利在新加坡舉行汪辜會談。儘
管是「非正式」的，這卻是 1949 年以來，國共內戰的敵對雙方
第一次會面。不過，江澤民說，他對許多關於台灣要加入聯合國
的報導感到「納悶和失望」。他認為西方把中國當作可能的敵人
是不明智的。

　　我說，台灣想方設法要加入聯合國，並不是因為受到美國的
慫恿。1992 年以前，雷根總統在位時的國防部長切尼，以及同
樣在雷根時代出任美國駐聯合國常任代表的珍妮・柯克帕特里
克，最近在台北表示台灣要加入聯合國的想法不切實際，他們建
議台灣參加聯合國教育、科學及文化組織，以及世界銀行或者其
他技術組織，但不是聯合國本身。在我看來，台灣要加入聯合
國，不過是李登輝總統一時之間的念頭。他要擺脫舊國民黨的立
場。老一代國民黨領袖認為由於台灣還不是聯合國的正式成員，
因此不參加任何國際團體。（後來我才發現我錯了，那顯然不是
李登輝的一時之念。他是真的希望台灣能夠加入聯合國，有心要
突顯台灣作為台灣島上的中華民國同中國大陸是分開的。）

　　我相信中台關係發展的最理想結局，是雙方和平漸進地扣緊彼此在經濟、社會和政治上的聯繫。打個比方說，大陸曾於1958 年在狹窄的金門海峽和馬祖同台灣交火，如果大陸當時成功統一台灣，中國現在不會享有目前這個有利的地位。正因為當時它並沒有統一台灣，現在才能汲取兩千萬台灣人通過同美國建立聯繫而取得的經濟和科技資源。江澤民點頭表示同意。我問他，讓台灣繼續作為一個分隔的實體，不是更好嗎？那麼歐美就能在接下來的四五十年裏，繼續讓台灣接觸它們的科技和知識，中國就可以繼續通過台灣的投資進一步獲益。他搖頭表示反對。

　　我接著爭辯說，想削弱美國的制衡作用，他就應該把中國市場開放給更多歐洲跨國公司。這麼一來，美國商人為了不輸給歐洲和日本的跨國公司，必定向政府施壓，阻止政府輕舉妄動地損害他們在中國的利益。他認為這點說得好。我補充說，歐美不能容忍另一個日本式的封閉市場經濟在中國出現，只出口而不進口。中國要發展，必須利用它潛在的龐大市場來吸引外資，並讓他們在中國銷售產品，從而使他們「同中國的成長鎖定關係」。江澤民也同意中國這麼一個龐大的國家，只出口不進口是不實際的。中國必須增加出口，不光對美國，還應該發展開放市場。負責貿易事務的李嵐清和負責工業事務的朱鎔基，這兩位副總理對此看法不同，江澤民比較同意李嵐清的觀點。朱鎔基的看法是，當地工業必須在某種程度上受到保護。江澤民則認為中國的政策是向不同的國家學習，不僅吸取它們在知識、科學和技術上的優點，也學習它們在文化經驗上的強處。

　　1994 年 10 月，我們有過一次熱烈的討論，談的是台灣問題。那年 5 月初，台灣李登輝總統在新加坡停留，要求吳總理代為向江澤民主席提議，讓中國、台灣和新加坡（新加坡只持象徵性股份）聯合設立一家國際船運公司，處理中台之間的貿易。

所有同中華人民共和國進行貿易的船隻都將歸屬這家公司。

　　吳總理致函江主席傳達這個建議。江主席並沒有接受。後來，我和吳總理決定提呈一份新加坡的建議書，建議成立一家船運和航空公司，在新加坡註冊，由中華人民共和國、台灣和新加坡三方共同擁有大致相等的股份，為中台兩岸的鴻溝搭建橋樑。這家公司將跟中國和台灣租用同等數目的船隻和飛機。三年後，中台兩地將收購新加坡的股份。1994 年 9 月中，當我在台灣同李總統會面時，他贊成這項建議。

　　幾天後，也就是 10 月 6 日，我在人民大會堂會見江主席。他建議我們進行小組討論，他那方由他本身和國務院（台灣事務辦公室）副主任代表，我們這方則由我和新加坡駐北京大使代表。江主席說：「我有通譯員，但是我們別浪費時間，你就說英語好了，我聽得懂。而我說華語，你也能聽懂。什麼不明白的，我的通譯員可以幫忙。」我們的確節省了不少時間。

　　我說，李總統贊成我們的建議，不過相信細節上還會碰到許多困難，因此希望新加坡能協助解決。台灣的外長希望船運先開始。他們已經在高雄劃定了特區，作為國際貨運港口。一年後船運碼頭順利開放，空運就可以開始了。

　　江澤民說吳總理的建議出自一片好意，可惜並不恰當。兩地要合作，沒理由還需要掩飾。這些觀點他早已從不同來源聽說過。他接著提及李登輝在接受日本小說家司馬遼太郎訪問時的談話內容，訪談於那年 4 月在一份日本雜誌上發表。（李登輝受訪時把自己比喻成摩西，要率領他的子民脫離埃及到應許之地。）江澤民說李登輝想方設法爭取參加廣島亞運會之舉，就顯示他完全不可靠。李登輝要的是兩個中國，或者一中一台。他們之間談得越多，鴻溝就越大。李登輝一直是說一套做一套。李登輝不應該把他當傻瓜，以為他看不出李登輝的真正意圖。江澤民

說，中國領導人說話字斟句酌，而且言而有信，言下之意，是台灣領導人並非如此。中國領導人非常重視信義，意思是李登輝無信無義。他談到李登輝巴結前宗主國（指日本）時，面露慍色。

江澤民滔滔不絕，即使有時我只抓到大意，不完全明白他所用的一些特定詞語，我也不打岔要求他澄清。他慷慨激昂，說明自己的立場嚴肅認真，信念堅定。

我當時沒法了解他強壓下去的怒氣，過後才發現在那次同他會面前三天，我人在河南的時候，李總統曾對《亞洲華爾街日報》說：「北京現在沒有一個夠強的領導人，沒人能做最後的決定。鄧小平雖然還健在，我們卻不以為他還能思考。鄧先生設法扶持江澤民，把他提升為集所有職權於一身的最高領導人⋯⋯我們也許會在鄧先生走了之後看到真正的領袖登場。只是我不知道這個人是否已經出現，或者仍然躲在幕後等著露面的機會。」

中國有潛能在 2050 年實現目
標，晉升為現代化的經濟體。
它可以在貿易和金融方面充當
一個平等而負責任的夥伴國，
作為另一個主導世界走向的大
國。只要中國不偏離重教育、
重經濟的現有軌道，中國大可
成為世界數一數二的貿易強
國，在國際事務上發揮舉足輕
重的作用。這是中國未來 50
年內的一個發展前景：現代
化、負責任、信心十足。

李光耀回憶錄

40 走向富裕的中國

鄧小平在 1992 年 2 月南下巡視，媒體競相報導。他在深圳說，希望廣東在 20 年內趕上亞洲「四小龍」（香港、新加坡、韓國、台灣），不只經濟要追趕上去，社會秩序、社會風氣也要搞好。他希望中國在這些方面能夠做得比這些國家和地區更好。唯有如此，才能建設有中國特色的社會主義。鄧小平補充說：「新加坡的社會秩序算是好的，他們管得嚴。我們應當借鑑他們的經驗，而且要比他們管得更好。」在中國，鄧小平一句話，好壞定於一尊。

我曾經於 1978 年在新加坡舉行的國宴上告訴過鄧小平，我們新加坡的華人是中國廣東和福建等地南方人的後裔，祖先都是目不識丁、沒有土地的農民；達官顯宦、文人學士，則全留守中原開枝散葉。沒什麼事情是新加坡做得到而中國做不到，或沒法子做得更好的。他當時一言不發。現在看到有關他要中國人民超越新加坡的談話，我知道他早在 14 年前的那次晚宴上，就接下了我悄悄拋給他的這個挑戰。

有了鄧小平的首肯和鼓勵，數以百計的代表團，大多是非官方人員，浩浩蕩蕩地從中國來到新加坡。他們帶著錄音機、攝像機和紀錄簿，要從我們的經驗中學習。新加坡可是受到他們的最高領導人的認可的。他們把我們放在顯微鏡下觀察，凡是覺得有吸引力，可以在中國各大城市裏複製的特點，都詳細加以研究。不知道我在新加坡的幾位親共政敵，像六〇年代馬共全權代表方壯璧和共產黨統一戰線領袖林清祥，他們會怎麼說。中國共產黨一直是他們信念的支柱。

中國領導人為了「社會歪風」而大傷腦筋。賣淫、色情文化、嗜毒、賭博以及各種犯罪活動，在經濟特區大行其道。衛道之士對開放政策的好處質疑。鄧小平的答覆是，窗戶打開了，引進了清新空氣，蒼蠅和蚊子也跟著飛了進來，不過總有辦法對付

它們的。

　　鄧小平的演講見報不久之後，中共中央對外聯絡部主任問起我們的駐北京大使，我們「如何維持道德標準和社會秩序」。更確切地說，他們想知道「新加坡在引進西方科技發展經濟的過程中，可曾面臨矛盾與衝突，應該如何在這個過程中維持社會穩定」。他們觀察我們好幾年了。這些年來，我們的基礎設施、住房建設、整潔、秩序、綠化，以及穩定和諧的社會和彬彬有禮的人民，中國傳媒無一不加以報導，並大為稱道。

　　以中共中央宣傳部副部長徐惟誠為首的代表團到新加坡來進行十天考察。其實「宣傳部」副部長這個名稱並不貼切，他應該算是意識形態部副部長才對。我們解釋說，我們相信社會管制不能光靠紀律。人民要堂堂正正過日子，起碼得有基本的生活條件，有合理的居住環境和社會設施。人民必須能遵守政府治國的基本原則，像奉公守法、履行公民義務，協助警方防範和調查罪案。

　　考察團參觀了多個維持社會秩序的部門：警察部隊（尤其是取締賣淫、賭博、販毒活動等部門），負責審查意識不良的錄像帶、電影、書刊的部門，以及報館、電台、電視台，以了解傳媒如何扮演提供信息和教育大眾的角色。他們也到全國職工總會和人民協會等專為工友謀福利的機構組織進行考察。

　　考察團結束訪問時我見過徐惟誠。他對我們的治國方式很感興趣，想多了解我們如何利用自由市場爭取快速經濟增長，如何在吸收西方科技知識的同時，也融匯東西方文化，最重要的是如何維持種族和諧。他所率領的代表團掌管的是意識形態事務，因此想知道如何杜絕社會歪風。

　　對一些難以解決的問題，我們也坦誠地交換了意見。賣淫、賭博、嗜毒、酗酒，這些不良的社會風氣都只能控制，杜絕不

了。新加坡自古以來就是個海港，賣淫活動得管制，在市區裏劃定某些地區，定期給這裏的婦女進行身體檢查。賭風就更是銳不可當了。早期華人移民無論落足何處，都會把賭癮帶到那裏。話雖如此，我們總算也成功肅清了私會黨，粉碎了犯罪團夥。

至於貪贓枉法，徐惟誠卻有所保留，他很懷疑在中國這麼一個凡事「靠關係」的社會裏，像新加坡貪污調查局和商業事務局等那樣的反貪機構，是否應付得了那一大片模糊的「灰色地帶」。在中國，「貪污」有不同的定義。更何況，他強調，黨是最高權威，黨幹部只會受到黨的內部處分。（這意味著近 6000 萬名黨員都不受中國普通法律的約束。此後，好幾名高級黨幹部或因走私被判處死刑，或因貪污被判處長期徒刑。不過黨領導人可以干涉，推翻司法部門的判決。）徐惟誠說，中國的制度不同，不可能生搬硬套新加坡的那一套做法。也許像深圳那樣的小型新興城市，要仿效新加坡的模式會更有意義。中國的社會主義制度決不改變。唯一的做法是嘗試推行不同的政策，還得一個一個來，因為中國不像新加坡，任何政策都必須能同時符合 30 個不同省分的不同情況。

重視人民對政府的信心

他對我們行政機關的清廉有效留下深刻的印象。我們如何維持人民的社會和道德價值觀？我回答說，我們只不過鞏固了人民本來擁有的文化遺產，深化他們所秉承的價值觀和是非觀念。儒家倫理所強調的孝道、誠信、勤儉、對朋友誠摯、對國家效忠，這些都是維持法律制度的重要支柱。我們通過賞罰措施鞏固傳統價值觀：肯定合乎價值觀的行為，對有違社會標準的行為則予以懲罰。同時，我們著手鏟除中國儒家傳統中的負面因素，例如因為有義務幫助家庭成員而引發的裙帶關係、徇私舞弊、貪污腐敗

等不良風氣。新加坡是個密集的社會，領導人必須以身作則維持廉潔正直的品格。我們非常重視人民對政府的信心，人民必須相信政府不會欺騙或傷害他們。唯有如此，政府所推行的政策就算再不得人心，人民也不至於懷疑決策涉及任何徇私舞弊的不道德行為。

徐惟誠問起，一國政府應該如何應付存心要干預國家內政的外國勢力。我說，問題還不在於外國人直接干預我們的內政，而是這些外來勢力怎麼通過媒體的渲染和個人接觸，潛移默化地影響和改變人們的思想和行為。隨著衛星廣播科技日新月異，這種潛在的影響根本防不勝防。我們也只能通過灌輸和加強人民的傳統價值觀，才能減緩外來衝擊對社會結構所造成的傷害。我相信在孩子成長的頭 12 至 15 年間，家庭教育對孩子的價值觀影響最深。自小協助孩子培養正確的價值觀，孩子日後就能更好地抵禦不良影響和壓力。這就好比把一名幼童成長的頭 12 年歲月託付予羅馬天主教神父，還往往能確保孩子終身是個虔誠的天主教徒。

代表團回國後，把考察報告寫成「參考消息」發表，供黨幹部參考。他們還把有關新加坡的資料出版成平裝本，裏頭引述了徐惟誠對我的治國方針所做的這麼一番結論：「把國家治理好需要經年累月不停的努力，而要改變人民落後的社會行為，一定程度的行政壓力在最初階段是有必要的，不過最重要的還是得從教育著手。」一年後，我在北京同分管意識形態工作的政治局委員李瑞環見面，他告訴我當年到新加坡進行考察訪問，是他提出的建議。他過去擔任天津市長時到新加坡訪問過，覺得新加坡的模式值得好好研究。

他們也對我們的法律制度很感興趣。中國排名第三的領導人、全國人民代表大會常務委員會委員長喬石，負責處理一切必

要的立法程序，為中國奠定法治基礎。他曾在 1993 年 7 月到新加坡來參考我們的法律。他說中共中央領導人自 1949 年 10 月 1 日成立了中華人民共和國以後，就廢除了原有的一切法律，改而以黨的指示治國。黨政策成了國法。要到鄧小平推行開放政策之後，中國才認識到以法律管制商貿關係的重要性。喬石說，沒有人願意同一個混亂分裂的中國合作。中國要維持長期穩定，不能少了法治。我說，中國要在二三十年內建立法律制度不是問題，但是要讓人民普遍接受法治，願意奉公守法，就不是一朝一夕可以做到的。他回答說，不一定得人人都懂法。只要高層領導人身體力行，法治就能成功。這一番話，讓人覺得他是一位對問題深思熟慮，處事認真的人。

在鄧小平的領導下，中國突破了過去千百年來的封閉心態，更願意對世界開放，向世界學習。鄧小平勇氣十足，在黨內、國內權尊勢重，這使他足以公開承認中國為了追求革命式的烏托邦而浪費了那麼多年的光陰。這是個令人振奮的階段，思想開放，充滿活力，從過去的瘋狂口號和災難性運動中徹底解放出來。是鄧小平為改革開放奠定了基礎，為中國趕上世界的步伐跨出了第一步。

訪問「中國威尼斯」

1992 年 9 月，我在副總理王鼎昌陪同下，到有「中國威尼斯」之稱的蘇州進行訪問。當年的蘇州處處是破舊景象，河水污穢混濁。但是我突發奇想，認為我們有辦法把蘇州重新發展成一個美麗的城市，並在毗鄰地段開發一個工商業區。山莊別墅傍著湖光山色，窗外廊邊，一派山明水秀，就像現存的一些經過修復的舊公館，還隱約流露舊時代的豪門氣派。

蘇州市長章新勝在一天午餐後把我拉到一旁問我：「新加坡

有 500 億美元的儲備吧。」我說：「誰告訴你的？」他讀過世界銀行的報告書，他說：「怎麼不考慮把其中百分之十帶到蘇州來投資，讓我們也像新加坡一樣實行工業化？我擔保給你特別待遇，確保新加坡的投資取得成功。」我說：「精明能幹的市長總是很快就獲得擢升。之後呢？」他沉默了一會兒後回答：「好，起初我的接班人可能給你添麻煩，不過久了他也就不得不沿著我制定的路線走。蘇州人要的是他們在電視和報章上看到的新加坡，有工作、有住房、有個花園城市。」我回答說，「你沒有權力為我們提供一片綠洲來發展一個小型新加坡。你還得有中央政府授權，才能做到。」

　　我當初沒把這番話放在心上。那年 12 月，他到我的辦公室來，說已經向鄧小平辦公室提出建議，大有機會可以付諸實行，請我擬定計畫正式提交。章新勝同鄧小平之子鄧樸方來往密切。就這樣，王鼎昌勾勒出蘇州舊城修葺後，毗鄰有個現代化工業園區的構想圖。幾個月後趁鄧樸方到新加坡考察時，我讓他看看修葺後的蘇州城市連同毗鄰的新工業園區的設計草圖。他非常興奮。也因為有他向父親的辦公室大力推薦，給這項計畫推了一把。吳作棟總理那年 4 月到北京訪問，就同李鵬總理和總書記江澤民對計畫進行了討論。

　　1993 年 5 月，我在上海同副總理朱鎔基會晤。較早時預先就蘇州工業園區計畫給他寫過信。我說明擬議的合作方式：一份政府對政府的技術援助協議書，內容說明在蘇州市一個約 100 平方公里的地段，轉移我們在吸引外資、建設工業區方面的知識和經驗（我們所謂的「軟件」），並同時發展住房和商業中心。此外，新加坡財團和外商也會同蘇州市政府合資開發蘇州工業園區。整個開發工程可望在二十多年內完成，只不過要使新加坡的處事方式適應中國的不同國情，也許會碰到一些困難。

　　朱鎔基起初以為我這項建議不過又是個替投資商賺錢的主意。我說，許多代表團從中國到新加坡來考察，看到的卻總是零星的片段，永遠汲法全面了解我們整個制度的運作方式，我就是針對這種現象才提出這項建議的。如果能讓新加坡和中國的經理在同個崗位上一起合作，要轉移我們的方法、制度、知識，就容易得多。朱鎔基同意值得一試。他指出，蘇州地處長江流域一帶，同中國最大的國際中心上海（90 公里以西）也相距不遠。

　　四天後，我在北京同剛獲擢升的副總理李嵐清會面。他來自江蘇省，出生地是離蘇州不遠的一個小鎮。他對計畫給與全力支持，理由是蘇州人品質高，能很好地吸取和應用新加坡的經驗。李嵐清說，新中在文化、傳統、語言方面相同，合作上占了優勢。身為一名務實主義者，他要求工業園區計畫必須符合經濟效益，有合理的利潤。他當年擔任天津市副市長，就以「平等互利」為合作的基本原則。

　　1993 年 10 月，北京分別派了國務院和江蘇省兩個代表團前來考察新加坡的制度。他們要先確保我們的制度中有適用於中國的運作方式，才肯同意接受「轉移軟件」的建議。

　　1994 年 2 月，我同李嵐清副總理在北京聯合簽署了蘇州工業園區協議書，李鵬和吳作棟總理一起見證了簽署儀式。我也見過江澤民，向他保證蘇州工業園區的開發工作會很快展開，不過還需要至少十年才能達到較成熟的發展階段。新加坡的裕廊工業區面積才不過 60 平方公里，卻花了我們整整 30 年的時間來開發。

工業園區計畫觸了礁

　　蘇州工業園區開發計畫就在雙方的熱烈推動下啟動了。但是工作汲多久就觸了礁。中央（北京）和市政府（蘇州）的目標宗

旨出現分歧。北京最高領導人都很清楚，蘇州工業園區計畫的本質，是為了轉移新加坡在策畫、建設、行政管理方面的知識和經驗，聯合開發一個集工、商、居於一體的綜合性國際城鎮，以吸引高素質的投資者。蘇州市政府卻為了保障狹隘的地方性利益偏離了正軌，同核心目標漸行漸遠。我們要向他們展示新加坡的模式，怎麼重視金融管制、藍圖總策畫，為投資者提供持續不斷的服務，這些是我們的軟件。但是他們要的卻是「硬件」，就是那些我們建得了的高樓大廈、公路、基礎設施，以及通過我們在國際上的聯繫和信譽所能吸引到的鉅額外資。他們沒有集中精力學習怎麼創造一個適合經商的環境，也沒有選出最有希望的人才接受培訓，準備接手。「硬件」帶給蘇州以及市政府官員的利益和功績，都是立竿見影的。相反地，北京要的是「軟件」，也就是採納新加坡經商的模式和經驗，以便把所獲得的利益也轉移到其他城市去。

　　基於此，蘇州市政府並沒有信守承諾，對蘇州工業園區（園區）全力以赴，反而利用同新加坡的聯繫，發展由市政府自己開發的另一個工業區蘇州新區（新區），同時操縱土地和基礎設施的價格，使新區比園區更具競爭力。值得慶幸的是，大規模跨國企業大多更看重新中的合作，不惜承擔更高的土地成本，選擇到園區投資。所以儘管困難重重，園區仍然取得顯著進展，在三年內吸引了百多個投資項目，外資總額接近 30 億美元，每個項目的平均投資額居中國全國之冠。這些投資項目製造了兩萬多個就業機會，其中 35%是專為受過大專教育者而設的。經濟特區辦公室主任就曾說，「蘇州工業園區開發不過三年，無論發展速度或整體水平都已達到中國國內一級水平」。

　　進展並不是一帆風順的。園區和新區之間的矛盾和競爭令外國投資者感到混淆，也擾亂了蘇州市政府的視線，脫離了轉移軟

1994 年 2 月 26 日，我同中國副總理李嵐清在北京釣魚台簽署轉移公共行政軟件以開發和管理蘇州工業園區的協議書。新中兩國總理吳作棟（前排左四）與李鵬（前排左五）親自出席見證。

件的初衷。事情到了 1997 年年中表面化，負責管理新區的蘇州市副市長在漢堡對一群德國投資者說，江澤民並不支持工業園區，蘇州新區歡迎他們來投資，他們不需要通過新加坡。他這麼一說，我們一下子沒了立足之地。我們為了同地方政府競爭，浪費了太多時間、精力和資源。

　　我在 1997 年 12 月向江澤民提出問題。他向我保證把蘇州工業園區計畫放在第一位，地方層次的一切問題都會獲得解決。北京最高領導層的保證言之鑿鑿，蘇州市政府仍然一意孤行地推動新區計畫同園區競爭。我們有理由相信他們已經是負債累累，不繼續推展新區發展計畫的話，財務困境就沒法擺脫。經過了多次磋商後，雙方終於在 1999 年 6 月達成協議，新加坡財團和蘇

州市政府將調整在現有的蘇州工業園區聯合開發計畫下分別擁有
的股權和管理責任。到 2000 年底為止，新方財團仍會是工業園
區擁有最大管理權的大股東，集中完成工業園區首期 8 平方公
里的開發工程；從 2001 年起，蘇州市政府將接過大股東的責
任，主管開發計畫，以首期 8 平方公里為模範，繼續開發原定
的 70 平方公里的其他地段。接下來的至少三年內，我們會繼續
作為工業園區的小股東，直至 2003 年為止，協助引導中方管理
人員為工業園區的投資者提供服務。

　　這次合作的經驗是個很大的磨鍊。我們都以為彼此憑著相同
的語言文化，合作起來自然不會有太大的問題，所以雙方都指望
對方的處事作風會跟自己一樣。遺憾的是，儘管語言上沒有障
礙，我們的經商文化卻迥然不同。新加坡人太信賴合同的權威。
一紙協議，一諾千金。書面文件的意義條款一遭牴觸，直接交由
法庭或仲裁人處理。我們費盡心思為所有文件準備中英文兩個版
本，確保兩個都同具權威性。對蘇州市政府來說，簽署書面協議
是誠意和認真的表現，然而協議書卻不一定具有概括性，內容隨
時可以依情況、條件、或者人事變動而重新詮釋或改變原意。我
們講究法律和制度。他們聽的是上頭的指示，不一定明文規定，
意思也總是因人而異。

　　就說能源供應吧。蘇州市政府在書面協議中承諾為工業園區
提供一定能量的電力供應，最終卻因得不到有關當局的批准而作
罷。為了解決問題，我們轉而徵求蘇州市政府的同意，在工業園
區興建柴油發電廠。發電廠建好了，又接到通知說能源部不鼓勵
興建柴油發電廠，因此禁止我們的發電廠啟用。市政府官員說明
他們無權干涉能源部的決定。當初他們同意我們建廠，早知道能
源供應由能源部全權管制，可是誰也沒告訴我們還得同時徵求能
源部的批准。我們為此花了好幾個月進行磋商，最終鬧到幾乎要

關閉工業園區，問題才總算獲得解決。蘇州五年，讓我們見識了
中國一層層行政機關和易變的經商文化的錯綜複雜。我們如今對
中國的制度有了更深入的了解，學會怎麼繞道而行，迴避各種路
障，最終使中方把蘇州工業園區計畫繼續進行下去，爭取部分成
功而不是徹底失敗。

中國的政府結構龐大複雜。從清朝開始歷經整兩個世紀的衰
退，今後如何擺脫大清皇朝留下的傳統，改變政府官員根深蒂固
的思想和作風，把現代化的管理制度建設起來，是中國領導人面
對的一項艱巨的挑戰。

中國至今仍是個窮國，許多省分還很落後。唯有經濟持續增
長才能解決國內問題。有朝一日，當中國發展到一個階段，有足
夠的分量在區域內大展拳腳，它必須做出重大的決定：是要實行
霸權，運用這種分量在區域內開拓自己的勢力範圍，保障小我的
經濟和安全需求，還是繼續做個國際社會的好公民，在國際社會
的規範準則下爭取更快速的增長？

中國一再重申它決不成為霸權主義強國。在中國必須真正做
出決定以前，重要的是國際社會怎麼提供一切機會鼓勵中國選擇
同世界合作，使世界能在未來 50 到 100 年內，從中國所迸發的
動力中受惠，這才真正符合大家的利益。不過，這也就意味著中
國必須在經濟上有足夠的機會以和平的方式同世界合作，無須被
迫為了尋求石油等資源，或者為所提供的產品和服務尋找銷售市
場而必須殺出重圍。像世界貿易組織這樣的多邊組織，都有一套
平等互利的條規，促進會員國自由交換產品和服務，確保每個國
家都留在各自的邊界範圍內，通過貿易、投資和其他交換方式，
來提升人民的福利。

德國和日本就是靠這個方法在第二次世界大戰後進行重建
的。兩國在戰爭時所侵占、統治的國家和地區，把境內的德國人

40 走向富裕的中國

和日本人全驅逐回國，日德在領土縮小的同時，也必須接納突然回國的這一大批國民。版圖小了，天然資源也少了，但是日德通過國際貨幣基金組織和關稅及貿易總協定開拓了市場，比過去任何時候都要繁榮興盛。不給中國也打開這條路，世界就只有面對一個來勢洶洶的中國。真是到了那個地步，中國哪天真有能力挑戰美國及其歐洲盟國所奠定的世界秩序時，它將如何進行反擊，擔心的肯定不只是美國而已。

中國共產黨如今面對一個最根本的挑戰。共產主義在全球各個角落都遭到重挫，中國人民何嘗不知道。唯一不敗的是中國共產黨。它解放了中國，統一了中國，讓人民吃得飽穿得暖。撇開大躍進（1958 年）和文化大革命（1966 至 1976 年）不說，讓中國人民深感自豪的是，今天，外國人再也不能像過去在租借地大搞治外法權那樣，任意侵犯中國的主權。

中國的突飛猛進，我在 1994 年 9 月訪問內陸河南省時有過深切的體會。當我抵達鄭州機場時，一列舊式紅旗轎車已在列隊等候。我知道河南不比沿海地區繁榮，卻沒想到他們還在開紅旗轎車，這種車子在沿海地區老早就被淘汰了。但是出乎我的意料之外，他們把我和黨書記李長春帶到一輛嶄新的 600 型馬賽地轎車前。聽到李長春和司機很熟識地彼此交談，更是激起我的好奇心。後來有機會同司機獨處，我問他當司機能掙多少錢。他回答說自己是名副其實的車主，可不是司機。李書記本來打算向他借車子接待我，他卻決定親自開車來跟我見面。六年前他還只是一個工廠督工，後來經過鄧小平的倡導，鼓勵國家致富，他毅然下海從商。如今已是三家工廠的老板，雇有 5000 名員工，進行電子產品裝配生產。連這輛馬賽地在內，他共有三輛轎車。中國正在以無可逆轉之勢，瞬息萬變。

中國政府和中國共產黨也在改變，雖然速度不及經濟和社會

制度的變化來得快。為了展示群眾的支持，中共也舉行鄉縣級選舉。至於省級高官選舉，不是由黨提名的中共黨員也可以自行參選，同官方候選人較量。就有一名非黨提名的候選人在 1994 年擊敗黨候選人，當選浙江省省長。中國共產黨的權威和合法性，如今純粹建立在鄧小平 1978 年推行改革政策給農民工人帶來的好處：衣、食、住、消費品、財富，都比過去來得多。不過中國人民也很明白，港澳台同胞因為有自由市場，都比大陸做得更好。只要中共和中國政府能做出成績，繼續改善人民的生活，它的合法地位就不會動搖，至少能再持續一代人。中共的政策是把最優秀的頂尖人才招攬入黨。不少人毅然入黨，就是為了避免無黨籍而吃虧。黨規定黨的幹部都得掌握馬克思列寧主義和毛澤東思想，但是說穿了這其實也只是例行公事而已。

50 年內完成三轉型階段

中國人必須在今後 50 年內完成三個轉型階段：由計畫經濟到市場經濟，由農村基礎到城市基礎，由嚴密控制的共產主義社會到開放的公民社會。但是幾個因素卻可能導致中國偏離快步趕上工業國的軌道。第一個最重要的因素是台灣。中國領袖如果覺得台灣可能獨立，他們就不會凡事超然而小心翼翼，他們可能就會採取行動，引發無法預計的後果。另一個因素是城市化發展迅速。全中國現有的 13 億人口當中，居住在小城鎮和大城市的占30%到35%。到了 2050 年，城市人口比例將增加到 80%，他們消息靈通，能通過電子媒體迅速發動群體行動。他們真要這麼做，將比法輪功組織在 1999 年 4 月發動群眾示威的活動容易得多。法輪功組織當時就通過互聯網發動一萬名信徒聚集北京，到中共最高領導人居住和辦公的中南海一帶靜坐示威。中國的政治結構必須容許市民對自己的生活有更大的參與和主導空間，否則

一遇上壓力，特別是經濟衰退時期，社會穩定必會受動搖。

第三個因素是，沿海和沿河省分遠遠走在內陸省分前頭。論收入、增長速度、生活素質，兩者條件日益懸殊。無論中央政府怎麼努力興建公路、鐵道、機場和種種基礎設施，以及發展工業、貿易、投資和內陸旅遊業，內陸省分始終落在後頭。後果是農民不滿情緒高漲，導致社會關係緊張，引發大規模盲流浪潮。更糟的是，隨著漢民族湧入西藏、新疆和青海等邊疆省分，也可能引發漢民族同少數民族之間的摩擦。

第四個因素，也是影響最為深遠的因素，就是下一代人擁有不同的價值觀和期望。人民同政府要建立一個現代化、強大而統一的中國，哪怕得為此付出再大的代價。教育水平提高了，同世界的接觸更廣泛，人民同其他社會的百姓建立起頻密而多元化的聯繫，對世界了解得更深入。他們也會要求中國社會同其他先進國家享有同等的生活水平、生活素質和個人自由。這股欲念，正是中共領導人想好好掌握以鞭策國家不斷前進的推動力。特別是日本、韓國、台灣等在文化傳統上同中國相似的地方如何治理，對中國知識分子的思想將影響至深。

有幾個問題也許會馬上造成嚴重的干擾：銀行體制崩潰；國營企業大改革引發嚴重的失業問題，又沒有足夠的社會安全網加以緩衝；人口迅速老化，「一個家庭一個孩子」的這一代人將面對奉養年邁父母的沉重負擔；環境污化問題也越來越嚴重。

最要命的是貪污腐敗的風氣。這股習氣在中國行政文化中根深蒂固，即使推行經濟改革也實在難以斬草除根。許多中共黨幹部和省市鄉政府官員都難脫貪污之嫌。更糟的是，就連維法執法的官員，包括公安人員、檢察長、法官，都難保清廉之名。追根究底，問題的癥結在於文化大革命摧毀了中國原有的道德準則。鄧小平在 1978 年推行開放政策，也擴大了貪污受賄的方便

之門。

　　中國領導人希望建立一個健全的法律制度，他們又很明白在一個文明社會裏實施法治所需的體制結構，不可能在道德真空裏憑空建立起來。他們重新提倡群眾的儒學教育，為重塑黨內成員而展開「三講」運動：講學習、講政治、講正氣。只不過官員的工資低得離譜，現有的工資水平一日不調整，就是再多的嚴刑峻法，哪怕是終身徒刑或死刑，也不會有太大的效果。

　　儘管如此，自 1978 年以來，有一群務實、堅定、能幹的領導人正在率領中國渡過這重重難關。他們具有權威和信譽，遴選的接班人都能幹稱職，足智多謀，教育水平甚至比他們還高。這些未來的領導人如果能夠繼續維持務實的態度，要克服困難應該是辦得到的。

　　1976 年首次訪華至今已過了四分之一個世紀，我親眼見證了中國的改革進程。最教我驚訝的還不在於外觀上的滄海桑田，高樓大廈、高速公路、機場怎麼如雨後春筍般紛紛興建落成，最根本的差別在於人民的態度與習慣不一樣了，他們更能夠暢所欲言。在七〇、八〇年代可能被冠以煽動叛亂罪名的著作，如今大量撰寫出版。自由市場和先進的通訊，使社會更透明開放。中國的面貌在往後 20 年又將煥然一新。

期望寄託在頂尖人才

　　對中國未來的發展，我把期望寄託在他們最頂尖的人才身上：那些在他們可塑性最高的年輕歲月裏，到海外深造和周遊的年輕人才。這些中國人才如今有十萬多分布在美國、西歐和日本深造。現今當權的六七十歲領導人都是抗日戰爭的產物，他們在蘇聯完成研究課程，思想觀念都沒有太大的改變。他們的下一代到美國大學攻讀博士學位，視野觀點都大不相同。前任外長、現

任副總理錢其琛有個兒子叫錢寧，原來在《人民日報》任職，在天安門事件發生後不久，到美國安阿波爾大學修讀新聞學。他在美國待了四年，回國後寫了一本坦率直言的書，在中國出版發行。這麼一位背景無懈可擊的年輕人的觀察，可說充分反映了30 幾歲年輕一代的觀點：「 我認清了一個簡單的事實：我們中國人，尤其是年輕一代，其實可以過另一種生活……中國婦女再度獲得解放，她們失去的只是傳統的枷鎖，她們獲得的卻是個人的自由。」我相信在美國待過一陣而後甩掉傳統束縛的不只是中國婦女。這些留學西方的二三十歲的年輕男女，在思想上最符合中國現代化的需求。這一代人在一個完全不同的社會裏接觸新思想新知識。二三十年後，他們將改變中國的面貌。也許他們早已意識到，即使中國復興成為工業強國，也只能作為列強之一，漢唐時期中原皇朝的輝煌歷史不可能重現。

美國人最好不要先妄下定論。中國人擁有不同的文化和歷史背景，是個完全不同的民族。為了追求先進科技和現代化的經濟，同時維護中華民族的傳統和價值觀，好讓歷史延續下去，中國當會以自己的步伐進行變革。

不斷以民主和人權問題大做文章對中國進行抨擊，只會引起一整代人的反感，激起反美和排外的情緒。我這麼說決不是牽強附會。發生了南斯拉夫中國使館被轟炸的悲劇，那些示威、口號，極像文化大革命，起初我以為必定是經過安排煽動的。後來據我們駐北京代表的報告，在中國人民眼中，這完全是美國一心一意欺壓中國的霸權行為，百姓的憤怒激動都是自然反應。如果一味助長這種反應，對維持和平穩定沒有好處。美國人必須了解，某些改革是需要時間來進行的，而且必須由中國人為了中國的利益而推行，絕非為了遵循美國的標準，在美國的經濟和道德制裁下被迫實行。

其實早在使館被炸事件發生以前，中美雙邊關係已開始緊張，原因是朱鎔基總理 4 月間在華盛頓就中國加入世界貿易組織一事所做的幾個主要的讓步，未為柯林頓總統所接受。9 月間，我在北京同朱鎔基會面，他花了好些時間談論這件事，堅持北京不會撤回已答應給與美方的好處，不過要求美方做出慎重的讓步作為交換的條件。四天後，在上海出席環球經濟論壇，我和季辛吉都籲請剛卸任的財長魯賓向柯林頓總統說項。魯賓剛在兩個月前呈辭，結束了他政績輝煌的六年任期。幾天後趁美國防長科恩到新加坡訪問，我再向他重述了同樣的論點。其實，科恩無需旁人提點，也能完全明白協助中國「入世」的好處，他後來向總統重提了這個課題。

1999 年 11 月 15 日，中美雙方在北京經過了五天艱辛激烈的談判之後，終於達成協議。兩個星期後翩然訪新的朱鎔基總理春風滿面。談判能圓滿收場，他歸功於江澤民主席的介入。他對我說，加入世貿不是沒有風險的，然而如果中國領導人沒有克服困難的決心和信心，江主席也就不可能給與首肯。朱鎔基的責任是落實江澤民的決定。如今由主席親自決定要讓中國「入世」，接下來的一切必要但是痛苦的措施，推行起來也就不那麼困難了。

對中國，對美國，要達成這項重大協議，戰略性的考量肯定與經濟利益同樣重要。中國加入世界貿易組織，將有助於它重組經濟，提高競爭力，推動長遠的發展，然而大前提是，中國必須成為國際社會中一個「遵守規則」的成員。

這 40 年來，我看著韓國、台灣、日本的政府官員和商人怎麼蛻變。過去那一批保守，故步自封，一味談民族主義的精英分子，如今已能信心十足、從容自在地面對美國和西方思想。他們好些都在美國受教育，對美國人不至於懷有敵意。這並不是說大

40 走向富裕的中國

陸的中國人，懷著深知中國有一天必能成為強國的心態，也會像台灣人那樣蛻變。要讓中國保持中立友善，或者迫使它敵視世界，選擇其實在美國。面對一個文明古國，明智之舉是不急於求變。台灣將是中美之間最大的問題。

　　一場未結束的中國內戰所遺留下來的是無可估量的問題。台灣由新總統陳水扁所領導，他所代表的政黨持有台獨的立場，以致直接涉及這個問題的三方——中國大陸、台灣和美國——錯誤地估計局勢的危險也增加了，任何失策都會打亂中國和東亞的增長與發展。如果現狀可以維持，這個問題還可以控制，而最終重歸統一也是雙方所渴望的。與此同時，允許中國經濟通過世界貿易組織融入全球體系，人民與人民之間有了更廣泛頻繁的接觸，大家自會以更實際的評估取代過去對對方的一成不變的錯誤印象。中國人的生活一旦在貿易、投資、旅遊、科技和知識轉移各方面，同世界緊密掛勾，當可為建立一個穩定的世界打下更穩固的基礎。

　　中國有潛能在 2050 年實現目標，晉升為現代化的經濟體。它可以在貿易和金融方面充當一個平等而負責任的夥伴國，作為另一個主導世界走向的大國。只要中國不偏離重教育、重經濟的現有軌道，中國大可成為世界數一數二的貿易強國，在國際事務上發揮舉足輕重的作用。這是中國未來 50 年內的一個發展前景：現代化、負責任、信心十足。

41 交棒的時候到了

1988 年，我決定這將是我最
後一次以總理的身分領導黨參
加競選。大選獲勝後，我要年
輕的部長們自己決定擁護誰來
當總理……我看過鄧小平指定
接班人怎麼失敗，包括胡耀
邦、趙紫陽，也沒忘了由邱吉
爾一手提拔的艾登怎麼以失敗
告終。年輕的部長們最後決定
推舉吳作棟作為他們的領袖。

19^{98} 年，蘇哈托被迫下台，在不得已的情況下把政權移交給一位他認為沒有足夠能力繼承他的副總統。每當我想起蘇哈托那個時候的窘境，就不免要慶幸自己提前在 1990 年 11 月，仍然操控政治局勢和蓬勃的經濟發展的時候，卸下總理一職。當時，我的身體還很硬朗，但是不毅然退位的話，恐怕就得以每況愈下的體力和敏銳程度不如既往的頭腦，疲於應付後來發生的金融危機。相反地，我用過去九年的時間，從旁協助我的接班人吳作棟和他那由較年輕部長組成的班子，順利地完全接管新加坡政府。吳總理留我在內閣裏擔任資政。少了日常決策的壓力，我更能著眼於較宏觀長遠的課題，協助政府尋求更完善的解決方案。

因為對亞洲的發展情況有所認識，我從中得出這樣的結論：要建立好政府，非有優秀人才不可。不論政治體制有多好，差勁的領袖仍會給人民帶來傷害。相反地，我見過好些社會，儘管缺乏健全的政治體制，卻管理得很妥善，正因為有優秀強悍的領袖當政。我也親眼看著 80 多個前殖民地，雖有英國法國親自為它們制定憲法，卻多數以失敗告終，原因不是憲制出了問題，而純粹是由於建立民主政治體制的先決條件並不存在。這些國家無一擁有一個公民社會和受過教育的選民，人民也未曾具有接受在位者的權威的文化傳統。這些民主傳統要在群眾中扎根，還得歷經好幾代人。在人民仍然以族群領袖為效忠對象的新興國家裏，誠實無私的領導人不可或缺，否則，就算憲法制度提供再多保障，國家終究要失敗。就因為這些繼承民主憲制的領袖強勢不足，終於導致國家走上暴亂、政變和革命之路。

新加坡最關鍵的發展因素，在於部長能力高強，並擁有一群素質高的公務員做後盾。起用能力不強的人掌管一個部門，我就必須不懈地予以督促，協助檢討問題，掃除障礙，最後總還是達不到理想的目標。反之，只要選對了人，就猶如卸下了肩上的一

副重擔。把部門交託給能人掌管之後，我只需清楚闡明目標，指定完成目標的時限，對方自有辦法如期完成任務。

　　作為一個發展中的小國，新加坡人才不算少，這是新加坡的福氣，因為我們有幸吸引了許多青年才俊到新加坡來受教育，他們過後留下來工作、投資，為本土原有的人才增添實力。我們努力不懈地在海內外招募人才，以彌補受過良好教育者家庭成員不多的不足。這是新加坡能夠保持卓越表現的原因。在這個過程中，最大的困難在於物色最優秀的人才作為政治領袖，接替我和年邁的部長。

　　六〇年代，我和同僚們著手發掘年輕人才，以便進行自我更新。我們無法在行動黨支部的政治積極分子中找到理想人選，於是四處留意能幹，可靠，衝勁十足，精明果斷的人才。1968 年的大選中，我們推舉了好幾位有博士學位的才俊之士，包括大學講師、律師和醫生等專業人士，甚至高級行政人員為候選人。1970 年和 1972 年的補選中，又推舉了好幾位。但是我們很快就發現，除了能夠掌握事實數據，寫好一篇博士論文或當一名優秀的專業人員之外，他們還需具備一些其他的素質。領袖素質何止才幹那麼簡單。一位人心所向的領袖，必須兼具無畏之勇，有毅力有決心，有獻身的精神、崇高的品格和過人的才能，使人們願意追隨他。領袖必須是積極分子，具備敏銳的判斷力，善於處理人際關係。物色接班人的任務隨著每一屆大選的舉行益發顯得迫切，因為我可以清楚地看到身邊的同僚行動越來越遲緩，魄力衝勁都已大不如前。

韓瑞生一番話讓我吃一驚

　　1974 年的一天，當時的財政部長韓瑞生對我說，他希望我允許他在來屆大選中退下來。他說，覺得自己老了。這番話讓我

吃一驚。他才 60 歲，怎麼能讓他走？他的工作誰來接替？那次
午餐，就我們兩個人，他所說的話給了我前所未有的震撼。他
說，投資者一直深具信心，就因為對我們的部長有信心，尤其對
我有信心。但是他們也看出他年事漸高，開始從旁觀察，在他之
外之後，誰會接班，然而卻看不出哪位年輕的部長有潛力升任財
政部長。他認為我還能幹好多年，卻覺得自己撐不了多久了。他
遇過不少美國大企業的總裁，他們全得在 65 歲退休，但是在退
休前好幾年，他們就必須向董事局推薦至少一名候選人，讓董事
局選擇作為接班人。我決意不在這方面棋差一著，在退下來之
前，必定要把新加坡安然交託在可靠的人手中。

　　為此，我必須物色一組人才進入內閣，為新加坡提供一個效
率高、有創意的領導層。要是完全聽其自然，等著積極分子毛遂
自薦加入我們的團隊，我們根本不可能成功。我們決心要由最好
的人才組成政府。難處在於說服他們進入政壇，當選為議員，並
掌握激勵和贏取民心的技巧。那是個漫長、艱難而且耗損率高的
過程。成功能幹的專業人士和執行人員，並不是天生的政治領
袖，他們必須善於爭辯、誘導，善於在群眾大會上、電視上和國
會中駁斥反對黨的論點。

　　招攬人才這張網該撒多寬多遠，看看早期的內閣，最出色的
同僚有多少位並不是在新加坡出生的，就能得到答案。我的這班
同僚當中，四分之三來自新加坡以外的地區。匯集我們那一代領
袖的那一張網，原是撒向汪洋大海，由中國南方橫越馬來西亞，
到南印度和錫蘭。如今，我們像是在小池塘裏捕魚，入網的大魚
越來越少。

　　這些年來，我們總以為通過一般的政治過程，在大學、職工
會和黨支部的積極分子當中，會冒出適當的人才，繼續展開我們
的工作。直到 1968 年，我們才意識到其實不然。我們原有的班

子是從第二次世界大戰、日本占領和共產黨人暴亂等一連串驚天動地的歷史事件中冒出頭的。那些軟弱、膽怯和優柔寡斷之士都在這個自然規律中被淘汰了。生存下來的證實他們有能力打倒反對勢力而治國。堅定的信念讓他們能夠先後同英國人、共產黨人和馬來亞的馬來極端分子周旋到底。在一次又一次的危機中，我們跟人民建立了深厚和始終不渝的感情。這種聯繫是經得起考驗的。物色優秀的接班人，是我們的最後一項任務。毛澤東為了解決接班人的問題，發動了一場「文化大革命」，把它當作又一次「長征」。我們不可能模擬一次日本侵略占領的行動，以及後來爭取獨立的鬥爭。我們的解決方案，就是尋找具備高尚人格、能力強和有幹勁的人才，希望將來在遭遇無可避免的危機時，他們經得起考驗，脫穎而出成為真正的領袖。

1968 年大選是個政治上的里程碑，新候選人在 58 人當中占了 18 名。我們囊括所有議席，議員和部長的素質都有所提升。他們之中，40%以上受過華文或英文大學教育，55%受過中學或高中教育。未達到這個教育水平的，多半是職工運動者，因家境貧困提早輟學。從早期最艱辛的時刻開始就一直忠心耿耿地跟著我們的老同志，都得讓位給新血。4 月大選過後在一次國會議員會議上，我把黨比喻成軍隊，它必須不斷地引進新血。多數人擔任新兵，有些擔任軍官。有些也許最高只能升為上士，也並非每個軍官必定能成為將軍。只要證明自己有能力，無論有無一紙大學文憑，都有機會獲得擢升。我必須讓基層做好準備，以便進行一次內閣的大換血。我通過國會養老金法令，保障了老忠臣的利益。凡在任至少九年的國會議員、政務次長和內閣部長，都有資格領取養老金。

在所有部長當中，韓瑞生是最善於發掘人才的一位。當初正是他發掘了吳作棟，起用吳作棟管理海皇輪船有限公司（我們的

國家輪船公司）。當時海皇公司面對虧損，吳作棟卻能夠在數年
內讓它起死回生，轉虧為盈。韓瑞生也引進了陳慶炎博士（日後
出任副總理）。陳慶炎曾是新加坡大學物理系講師，後來擔任過
新加坡規模最大的華僑銀行的總經理。韓瑞生也提拔了當時任職
於新加坡發展銀行的丹那巴南（日後出掌好些重要部門），他們
曾在經濟發展局共事。

確定人格更重要

　　我有系統地在新加坡所有領域的精英層次，包括專業界、商
界、製造業、職工會，物色三四十歲的青年才俊，不論男女，說
服他們挺身而出參加競選。才幹和能力，不難通過學業成績和事
業成就準確評估，品格可就沒那麼容易衡量了。偶有成功之例，
但是失敗的情況更多。我的結論是，確定一個人的人格，比確定
才幹和能力更重要，也更困難。

　　1970 年，美國太空船阿波羅 13 號在離地球將近 30 萬英里
的太空發生故障，我看著緊張的場面一幕幕上演。太空船裏的三
個人，任何一個工作失誤，都足以使三個人就此在宇宙中漂浮，
再也回不了地球。在整個緊張的過程中，他們始終保持冷靜和鎮
定，臨危不亂，一步步緊跟著地面指揮部的指示行事，把生命全
然託付給指揮部的人員。這個實例，反映了美國國家航空和航天
局在地面就失重、孤立的環境所展開的心理和其他方式的測驗，
已經預先淘汰了所有可能在緊急時刻驚惶失措的人選。我決定邀
請一位心理學家和一位精神病學家，也為我們的候選人進行類似
的測驗。

　　他們對有潛質成為部長的行動黨未來候選人，進行了某些心
理測驗，確定候選人的人格、智商、個人背景和價值觀。測試結
果不一定是決定性的，但是至少有助於淘汰明顯不適當的人選，

它也比只是通過兩個小時的面試進行揣測的原始方式來得有效。我偶爾也不完全同意心理學家的分析，總認為某些候選人比面試官還聰明，懂得如何偽善而不露痕跡。

1987 年，倫敦大學的心理學家埃森瑟教授到新加坡訪問，加強了我認為評估個人智商和品格修養有用的看法。他指出，一家擁有四萬名員工的美國跨國石油公司，就聘請了 40 名心理學家協助展開招募和擢升計畫。我們當時仍然缺乏足夠的受過訓練的心理學家，無從對所有擔當要職的人選都進行這方面的測試。那次交談過後，我要求新加坡國立大學培訓更多的行為心理學家，以協助挑選適合擔任各種工作的人才。

我也向跨國公司的總裁討教，了解他們怎麼招募和擢升高層人員。這當中，我認為英荷石油公司——蜆殼——的任人方法最好。他們集中確定所謂「目前評估潛能」。這是由三種要素組合而成的：分析力、想像力和務實感。三種素質兼具，就形成一個人的主要特質，蜆殼把它稱為一個人的「直升機素質」，既能從宏觀的角度鳥瞰事情和問題，又能確認關鍵細節，調整焦距對症下藥。他們有一組評估人員，其中至少兩位必須認識所有接受評估的人選，再共同按「直升機素質」給能力不相上下的執行級人員準確排名。我試行這套系統後，發現它是個實際可靠的方法，於是就從 1983 年起在公共服務部門正式推行，淘汰了原來沿用的那套英國系統。

某些人察言觀色、看人用人的本領，與生俱來比別人強，能成為絕佳的人才評估人員。公共服務委員會在 1975 到 1988 年間，就有位非常傑出的主席陳德水。從來沒有一個被他招募或擢升的人才出賣了他的眼光。他智商之高毋庸置疑，這卻同他看人用人的能力扯不上關係。這種本領還有賴於人腦中一個截然不同的部位的運作，它能透視掩藏在一個人臉部表情、聲音和身勢語

言後面的品格。另一位有這個本領的人是林金山。他過去參加過
內閣的遴選行動黨競選候選人的所有評估團，每一次的遴選工
作，我都指定要他參加。他憑直覺多於理性分析，卻往往準確無
誤。吳慶瑞就跟林金山恰恰相反。他非常理性，卻少了透視人心
的能力。每一回提攜了某位官員或者某位得力助手，他總是興奮
難捺地誇讚這個人素質卓越，憑藉的卻只是對方提呈的輝煌的書
面紀錄。然後不出一年半載，他又得開始找人替代。他就是怎麼
也看不穿一個人的品格。心理學家把這種能力稱為社會智商，或
者情緒智商。

我要引進新血的計畫並非毫無壓力。數位老同僚對這種自我
更新的速度表示關注。杜進才要我別再老提老將們年老力衰，因
為事實上他們並沒老得這麼快，一再提起使他們洩氣。我不苟同
這種看法。我們的幹勁已經減退，全都老態畢露，我和杜進才也
不例外。內閣開會時，他總要把一架電子暖氣機藏在桌子下，給
雙腿保暖。我從鏡子裏看自己，過去那種凡事都要親自查個究
竟，以及使用不盡的熱忱和衝勁早已不復存在。我越來越依賴報
導、照片和錄像。

杜進才和另外幾名老將，要求新的領導層也必須走我們當年
的老路，從黨支部的積極分子當中選拔，而不是通過獵人頭和直
接招募讓他們進入政壇。吳慶瑞、拉惹勒南、林金山、韓瑞生則
不認為領導班子還有多少機會通過老方法自我更新。1980 年 12
月大選，我決定向所有老將們發出明確的信息，領導層自我更新
的過程勢在必行，至於速度，就得取決於新議員如何在當選後證
明自己的能力。大選過後，我把杜進才排除在新內閣名單之外。
我擔心如果讓他留下來，會使好些老一代同僚在他周圍匯合成一
股勢力，拖慢領導層自我更新的步伐。我能感覺到王邦文也跟杜
進才一樣感到不快，還有好幾位老一輩的政務部長和次長，如李

炯才、鄺攝治、陳志成、曹煜英也如此。我必須放棄杜進才，以避免任何領導層的分裂。同他們共事了那麼多年，這麼做確實教人心痛。我們能有今日的成就，老同僚厥功至偉，但是如何確保新加坡能夠繼續託付給能幹、誠實和願意獻身的人才，是我們眼下共同的責任。老同僚都歷經鼎盛時期，可惜歲月不饒人，我們都已步入暮年了。

新議員都受過高深的教育，年輕有為，他們獲頒獎學金到本地和海外的知名大學深造，入黨三四年就擔當要職。老將們對年輕一代在從政道路上平步青雲不能認同，他們認為應該讓年輕一代多做、多學、多等。但是我深信有才幹的年輕人等不了。他們要麼就做出一番成績，要麼就另謀高就。

杜進才尤其耿耿於懷。我主動提出委任他為駐倫敦最高專員，他卻為女兒的教育不願離開新加坡。後來他在一家公司覓得一職，並在國會中多留了兩個任期，時不時愛跟我和行動黨唱反調，稱不上對黨不忠，卻足以造成尷尬的局面。我實在不願意當眾讓他下不了台。

淘汰了杜進才，我告訴王邦文，願意讓他擔任多一屆的部長，但是決不容許領導層自我更新的進程受到任何的阻撓。他明白我的意思，大家終究沒撕破臉皮。1984 年 12 月在他退休時，我寫了封信給他，肯定了他從 1959 到 1984 年來的貢獻。我在信中補充説：「我也感激你鼎力協助黨遴選新候選人來接替領導的班子，只是你始終有所保留。你曾經指出，路遙才能知馬力，一個人的潛在缺憾也唯有在危機時刻才會突顯。我完全同意你的看法。對領導層迅速自我更新的過程給老議員的士氣帶來的打擊，你跟進才一樣深感不安。自我更新以哪一種方法和什麼速度來進行，我都必須負起全責，當然，吳慶瑞和拉惹勒南的支持給了我信心。由更年輕的部長和議員組成的班子，如今占了內閣和

國會中的絕大多數，我們沒有回頭路了。我深信年輕領袖們都能
勝任愉快，但是萬一失敗了，我必須承擔責任，慶瑞和拉惹也會
共同承擔這個責任。」

　　老部長紛紛卸任，最讓我深感遺憾的是吳慶瑞。1984 年年
中，他告訴我他決定在任期結束時退下，不再參加下屆大選。他
有個人的原因，覺得自己做夠了，是走的時候了。退出內閣之後
好幾年，他仍繼續在新加坡金融管理局擔任副主席，做出寶貴的
貢獻。他也一手成立了新加坡政府投資公司，處理國家的積蓄和
儲備。

　　老將們花了好一段時間才逐漸接受內閣需要新血的事實，卻
總還有幾位不甘心看著新人躍升到自己頭上。我能體諒他們的感
受。例如，鄺攝治早在五〇年代行動黨岌岌可危之際，已是黨內
的忠誠幹部。1963 年他當選議員，並於 1981 到 1985 年間擔任
政務部長。但是他想不通自己為什麼不能更上層樓，主觀地認為
是因為自己少了一紙大學文憑。其他老將如政務部長莊日昆和政
務次長何家良則接受和支持新部長，同新部長合作無間，他們兩
人都是南洋大學畢業生。換班傷感情，但是實屬必要。我沒有其
他選擇，不管我個人有怎樣的感受。

　　1980 年黨大會過後，我擢升了六名年輕的政務部長為部
長，也藉這個機會再引進更多新秀。我讓具備部長潛質的人選擔
任政務部長，接受考驗。除了「直升機素質」之外，他們也必須
具備政治的敏感以及同基層領袖融洽相處的個性。具備這些額外
素質的人後來成為內閣部長。

　　要物色一名適合的內閣人選，我和同僚得面試十多名候選
人。要判斷一個人能不能成為政治領袖，其實並不容易，人才耗
損率相當高。因為縱有再多的心理測驗，我們始終難以準確無誤
地評估候選人的人格、情緒和動機。要取得成功，候選人、他的

1999 年 9 月我參加了在總統府內閣會議室召開的內閣會議。

伴侶和家庭，都必須準備犧牲個人的隱私，犧牲許多個人的時間來照顧選區，出席官方宴會，接受一份不比外頭豐厚的收入。參政當部長其實早已不再是個深具吸引力的機會了。更何況，候選人最終必須具備一個附加條件：能夠親民，並有能力爭取人民支持自己推行的政策。

　　1988 年，我決定這將是我最後一次以總理的身分領導黨參加競選。大選獲勝後，我要年輕的部長們自己決定擁護誰來當總理。我告訴他們，當初我協助挑選他們進入國會，接著委任他們為部長，我要未來的總理接班人選獲得同輩同僚們的支持。我看過鄧小平指定接班人怎麼失敗，包括胡耀邦、趙紫陽，也沒忘了由邱吉爾一手提拔的艾登怎麼以失敗告終。年輕的部長們最後決定推舉吳作棟作為他們的領袖。

不是天生的政治家

　　吳作棟不是個天生的政治家。他身材高大，舉動不夠靈活，

説英語難脱濃濃的福建口音。1976 年剛當選議員的時候，他顯
得腼腆，不善於在公共場合講話。

　　他能幹，有抱負，有幹勁，喜歡接近民眾。我把他引進內閣
後不久，勸他努力改善自己的英語會話水平。我們請來了一位英
國婦女給他和幾位年輕部長上課，指導他們説自然流利的英語。
我自己有過學習華語和福建話的經驗，知道要改變自小養成的語
言習慣並不容易。我跟他分享了自己的學習經驗，告訴他我怎麼
長年累月地利用工作之間的空檔，通過補習老師，提高華語和福
建話的流利程度。我那幾位比較年長的語文老師給吳作棟介紹了
華文教師，他專心致志，鍥而不舍。下過一番苦功之後，吳作棟
逐漸成為更有效的演説者。

　　1990 年，跟吳作棟合作的內閣同僚包括王鼎昌、丹那巴
南、陳慶炎、楊林豐、李玉全、賈古瑪、胡賜道、黃根成、李顯
龍、姚照東、麥馬德以及楊榮文。我把一群品格才幹兼具並願意
獻身社會的人才聚集在一起，再讓他們同老部長合作幾年，他們
已經準備就緒。我在那年 11 月辭去總理的職務。

　　我擔任總理 31 年了。繼續連任，除了證明自己老當益壯，
還能辦事治國之外，絲毫沒有意義。反之，如果能在退下來之後
的有生之年協助接班人站穩崗位，繼續爭取成功，這將是我對新
加坡的最後一項貢獻。我不曾經受任何引退後的官癮的困擾。吳
作棟沒要求搬進我在總統府附屬樓宇中工作了整 20 年的舊辦公
室。那是 20 年前我搬離政府大廈後的辦公室。他給自己選擇了
一間新的辦公室，就在我的辦公室上面。我繼續通過參與內閣會
議的討論，以及同總理和其他部長舉行的非正式會議，貢獻自己
的意見和看法。

　　吳作棟的作風以及他跟同僚合作的方式跟我截然不同。他小
心翼翼、按部就班地進行策畫，一步步贏取人民對他所要實現的

目標的支持。結果證明他成功了。在 1997 年 1 月的大選中，人
民行動黨在有對手角逐的 36 個議席當中，總得票率由 61%提高
到 65%，並奪回 1991 年失去的四個議席當中的兩個。吳總理和
新的領導班子如今全權指揮大局。

　　1998 年年中的那場危機，給了吳作棟和他的班子一次重大
的考驗。隨著鄰近國家的經濟體一一崩潰，新加坡幣值下降，股
市和房產價格猛跌了 40%。新加坡的跨國企業紛紛裁員，把工
廠遷移到商業成本更低的鄰國去。這種情況跟 1985 年的經濟蕭
條時期相似，當時我們就因為工資、費用、賦稅以及其他成本比
其他國家高，導致新加坡經商成本偏高。那個時候我們實施一系
列縮減成本措施作為對策，包括把雇主對員工的公積金繳交率降
低 15 個百分點，同時下調商業費用和稅率。吳作棟的班子如今
也制定了一套相似的計畫，一方面降低稅率，另一方面把雇主的
公積金繳交率由 20%降到 10%，藉此削減商業成本。裁員情況
緩和下來了。到 1999 年年中，經濟開始復甦。吳作棟和他的班
子在處理危機時採取了堅定而妥善的政策，成功贏得了國際基金
經理和投資者的信心。

李光耀回憶錄

42 我的家庭

我的弟妹們跟我特別親密……
直到今日，弟妹們還是把我這
個大哥視為一家之主。我們的
大家庭每年至少聚會兩次，一
次是在農曆除夕吃團圓飯，另
一次是在陽曆新年。他們會到
我的歐思禮路住家探望我。舉
凡家裏有什麼大事，比如添了
個孫子，我們都會互相通知，
保持聯繫。

共產黨人一向很重視未來領導幹部的伴侶，這一點給我留下深刻的印象。他們了解妻子對一個男人的可靠性和他對事業的獻身精神，都能起很大的作用。我的政治秘書易潤堂跟他的親密女友來往，就遭到共產黨人的反對。從政治角度來看，他們認為她不適合他。易潤堂不理會他們的反對，結果，在他不知情的情況下，他們把他開除出他們的細胞組織。共產黨人的觀察是對的，易潤堂的女友並不支持他們的事業。

我很幸運。不論後果如何，我的妻子芝，對於我的持續鬥爭，從來不質疑或有所猶豫。她說她對我的判斷絕對有信心。對我而言，她是力量和慰藉的泉源。判斷一個人，她有敏銳的直覺，我卻是經過選擇分析和推理之後才做決定的。憑「感覺」來下定論的她，具有一種不尋常的本領，可以通過一個人的笑容和友善的言語，感受對方的真正想法和立場。在評斷誰不能信賴方面，她經常準確無比。不過，她卻不太能解釋為什麼會有那樣的定論，也許是通過觀察一個人的臉部表情、微笑的樣子、眼神或者是身勢語言。無論如何，只要她對別人的看法有所保留，我都會認真對待。早在 1962 年我跟東姑會談加入馬來西亞的問題時，她就對我們是否能跟東姑、拉薩和其他的巫統和馬華公會領袖合作有所保留。她對我說，他們不論在脾氣、性格或社交習慣上都很不同，她不以為人民行動黨的部長們能跟他們合得來。我告訴她，我們不管怎樣，都得同他們合作，這是客觀的需要。要建立一個國家，我們必須合併，把基礎擴大。短短三年內，1965年，事實證明她的眼光準確無誤。我們跟他們格格不入，結果他們叫我們脫離馬來西亞。

在同外國領袖的夫人會面後，她都會告訴我她的看法。通過觀察這些夫人的言行舉止以及她們跟她說話交流的態度，她可以看出她們的丈夫態度是否友善。雖然我從來都不會把她的看法當

作定論，卻會重視這些意見。

　　她為我省卻了很多時間和繁瑣的工作，替我修改我口述的演講草稿以及我在國會和訪問中講話的文字紀錄。由於她很熟悉我的用詞，所以速記員抓不到的字眼，她也猜得出。不過，我刻意不跟她討論制訂政策的事情。她對那些具有敏感性的紀錄或傳真文件的態度也是嚴謹的，避而不看。

　　她有自己的法律專業，如果有必要的話，她照顧得了自己甚至能夠一手把孩子帶大。這使我無須掛慮他們的將來。他們讓我感到快樂和滿足。在她的調教下，孩子們品行端正，雖然是總理的孩子，卻從來沒有仗勢欺人。她的辦公室在馬六甲街，離我們在歐思禮路的住家只不過是七分鐘的車程。她幾乎從來不同客戶共進「商業午餐」，而是回家跟孩子一起吃午餐，跟他們保持接觸。在辦公時間裏，她有可靠的「黑白」廣東老女傭（這個名稱的由來是因為她們都穿白衣黑褲）看顧孩子們。每當孩子們特別頑皮或不聽話時，芝會動用藤條。我從不體罰他們，嚴厲的責備已足以收效。我的父親喜歡動粗，所以我一直都反對使用暴力。

　　1959年我出任總理時，就決定不要在總統府範圍內的斯里淡馬錫，也就是我的官邸裏生活。孩子們年紀都還小，我們不想讓他們在有管家和清潔工人服務的舒適環境中成長，以致對這個世界和他們在社會上的位置產生不實際的想法。看著他們一天一天地成長，我不時提醒自己，必須為我們的孩子營造一個安全和有益身心的生活環境。

　　他們三個，顯龍（1952年出生）、瑋玲（1955年出生）和顯揚（1957年出生）都在華校受教育，先是南洋幼稚園，然後在南洋小學讀了六年。兩個兒子先後在公教中學和國家初級學院求學。瑋玲則繼續升上南洋女子中學，之後到萊佛士書院讀高中。他們的學業成績很相近，科學和數學成績優異，華文中等，

我的兩個兒子顯龍（左）和顯揚（右），都獲得總統獎學金和武
裝部隊海外獎學金到國外深造。女兒瑋玲（中）也是 1973 年總
統獎學金得主之一。

畫畫、歌唱、音樂和手工都不好。

我們老早就表明立場，他們也曉得必須靠自己爭取成功。三人都獲頒總統獎學金，這個獎項是頒給每年五到十個表現最佳的「Ａ」水準考生的。兩個兒子也獲得了新加坡武裝部隊獎學金。作為這份獎學金的得主，他們在大學放長假時，必須接受軍訓，畢業後還得為武裝部隊至少服務八年。我和芝從沒鼓勵他們念法律，我們讓他們自己確定本身的強項和興趣。顯龍喜歡數學，打算在大學修讀這一科，卻相當肯定不要把它當作事業來發展。於是，他在劍橋大學的三一學院修讀數學，花兩年時間（一般需要三年）考獲數學一等榮譽學位，之後還考到優等星級電腦科學專業文憑。他在俄克拉何馬州西爾堡接受野戰炮訓練，過後在堪薩斯州萊文沃思堡的指揮與參謀學院受訓一年，再到哈佛大學甘迺迪政府學院修讀了一年的公共行政。

顯揚心屬工程。在他哥哥遠赴英國五年後，他沒被哥哥的學業成績所嚇倒，同樣進入了劍橋大學的三一學院，還考獲雙料工程一等榮譽學位。之後，他到諾克斯堡接受裝甲訓練，接著在英國坎伯利接受參謀與指揮訓練，再到加利福尼亞州的史丹佛大學修讀一年的商業行政課程。

瑋玲很喜歡狗，一直都希望能當獸醫。芝向她形容一個在新加坡當獸醫的朋友的工作情況：在屠宰場檢查將被宰殺和宰殺好的豬，確保它們適合人們食用。瑋玲終於改變初衷。當她獲頒總統獎學金時，她選擇在新加坡大學攻讀醫科，考獲榮譽學位，是同屆畢業生當中最優秀的一個。她的專科是兒科神經病學，被委派到馬薩諸塞綜合醫院實習三年，之後在多倫多兒童醫院待了一年。

顯龍一向對政府和國家大事深感興趣。當他還是 11 歲的小學生時，他就陪著我在加入馬來西亞之前的幾個月到選區訪問，

爭取人民的支持。1964 年種族暴亂發生時,他已經 12 歲了,所
以清楚地記得當時的驚慌和騷亂的情形。有一次緊急戒嚴,他被
困在位於奎因街的公教中學校園內,心中著急,不知道怎麼回
家。幸好家裏的司機夠冷靜,駕著我父親的莫里斯牌小汽車,在
交通混亂中把他載回家。顯龍從 5 歲起就開始學馬來文,在新
加坡加入馬來西亞之後,就開始學看爪威文,也就是以阿拉伯字
母書寫的馬來文。為了練習,他看巫統出版的爪威文報章《馬來
前鋒報 》,這份報紙經常毫無根據地指責人民行動黨和我是種族
主義者。政治是他課外教育的一部分。

自劍橋求學時代開始,他已決定參與建設新加坡的決策過
程,也願意進入政壇。在數學榮譽學位考試後,三一學院的導師
就力勸他重新考慮是否要回國為新加坡武裝部隊服務。顯龍的表
現異常出色,導師希望他能夠留在劍橋發展數學事業。

新加坡牛津與劍橋學會的會長把 1974 年最傑出新加坡學生
獎頒給顯龍時,曾提到三一學院的另一位導師所寫的一封信,信
中說顯龍「比排第二名的一等考生取得多 50%的 A 等分數 」,而
「 在劍橋數學榮譽學位考試歷史上,並不曾有過最特出學生和第
二名考生的成績有這樣差距的紀錄 」。後來,我在他的畢業禮上
碰到這位導師,他告訴我顯龍在 1972 年 8 月寫了一封最理智、
透徹和經過深思熟慮的信給他說,不論在數學方面有多好的表
現,自己都不會往這個領域發展。稍後,我要求這位導師把那封
信的副本給我。內容如下:

「 現在,讓我說明我不要成為專業數學家的原因。不論以後
做什麼工作,我留在新加坡是絕對必要的。這不單是因為我的特
別身分,如果『 人才外流 』,將嚴重打擊新加坡的士氣,更重要
的原因是,我屬於新加坡,我也要留在新加坡……而且,對於世
界變成什麼樣或者國家往什麼方向發展,數學家所能做的實在有

限。也許，像英國那麼大的發達國家，有沒有貢獻沒什麼大不了，可是在新加坡，我覺得那是很重要的。當然，那不表示我需要從政，作為公共服務或武裝部隊的一個重要成員，已足以產生很大的影響，這種影響，可好可壞……我寧可選擇辦事而同時可能被別人咒罵，這總比只能咒罵他人而自己卻無法辦事來得好。」

當時顯龍只不過 20 歲，卻已經很清楚自己要做什麼，也懂得自己應該履行哪一方面的義務。

人的一生總會有不幸的遭遇。1978 年，顯龍跟馬來西亞籍的黃名揚醫生結婚。他們在劍橋大學相遇，名揚在格頓學院修讀醫科。1982 年，她生下第二個孩子，是個男孩——毅鵬。他患有白化病，視力也有障礙。三個星期後，名揚死於心臟病，顯龍的世界垮了。他的岳母負起照顧兩個孩子的責任，芝也協力相助。事情發生後，弟婦張秀紅（祥耀的妻子）即刻把女傭送過來應急幫忙。後來，看到毅鵬學講話的進度很慢，也不能跟其他人產生感情，我們很擔心。這時，瑋玲完成在馬薩諸塞綜合醫院的兒科神經病學訓練，回國後給毅鵬診斷，發現他患上自閉症。在預備班和視障者學校上了幾年課之後，他的交際技巧進步多了，能夠到主流中學繼續求學。瑋玲再給他診斷，他的自閉症程度減輕了，智力也正常。他本性良好，是我的孫子當中最乖巧和最討人喜愛的一個。

就在顯龍喪妻之痛還沒完全平復的時候，當時的國防部長和人民行動黨助理秘書長吳作棟，邀請他在 1984 年 12 月的大選中角逐國會議席。顯龍當時是新加坡武裝部隊參謀部的上校。身為他的部長，吳作棟認為他有很大的政治潛能，顯龍卻擔心自己身為鰥夫，帶著兩個年幼的孩子，又沒再婚，參與政治將使他更少有時間處理家庭的事務。他跟我和芝討論了這個問題。我告訴

他，要是他不參加來屆大選，那就得等上四五年才有機會從政。一年年地過去，要適應政治生涯將會越來越難，尤其是學習如何在選區和工會跟人民合作。最關鍵之處是，他須能深切了解人民的感受，能向他們表達他的想法，並能使他們支持他。顯龍決定離開武裝部隊，在 12 月的大選中競選。當年他 32 歲。他高票中選，是得票率最高的候選人之一。

政治上一大考驗

我委任顯龍擔任貿易與工業部的政務部長。那時是 1985 年，我們剛陷入經濟嚴重不景氣的境況，他的部長立即委任他領導一個由企業界人士組成的經濟檢討工作委員會。委員會建議政府採取強有力的措施，減低商業成本和加強競爭力。對顯龍和其他部長來說，這是政治上的一大考驗。1990 年 11 月，我卸下總理的職務，顯龍獲總理吳作棟委任為副總理。

很多批評我的人說這是任人唯親，他們說因為他是我的兒子所以得到過分的器重。這跟事實正好相反。1989 年，也就是我辭去總理一職的前一年，我在黨大會上說過，要是顯龍接替我，這對新加坡或對他本人來說都不是好事。我不要讓人們把他看做我的接班人，他應該憑自己的實力坐上那個位子。他還年輕，由另一個人來繼承我的職位當總理會更理想。如果將來顯龍表現稱職當上總理，到時大家都會很清楚他靠的是自己的政績。

接下來幾年，吳作棟一直忍受著外國批評者的嘲笑，他們說他是為顯龍暖席。然而隨著 1997 年吳作棟贏得第二次大選，鞏固了自己的地位，那些揶揄都停止了。在協助吳作棟的時候，顯龍也以自己的能力奠定了政治領袖的地位：在處理政府各方面的問題時證明自己是個果斷、高效的多面手。不論是什麼部門，幾乎每一個艱難或棘手的問題他都會注意並加以解決。部長、國會

議員和高級公務員們都知道這一點。其實，我大可再留任幾年，
等他取得成為國家領袖的足夠支持時才卸任。但是我沒這麼做。

1992 年 10 月，我和芝到約翰尼斯堡去。當我在一個大會上
發表演講時，顯龍從新加坡給我們打來長途電話。我趕緊回電，
擔心有壞消息。結果，消息令人震驚。他的結腸長了息肉，醫生
化驗後證實是癌性淋巴腫瘤。接著傳來的消息讓我們稍微放心。
顯龍患的是中期淋巴腫瘤，化療通常會有很好的效果。於是，顯
龍接受三個月的密集化療，癌細胞完全清除了，病情得到緩解。
專家說，只要淋巴腫瘤五年內不再復發，那就算完全痊癒。我們
焦慮地等著五個年頭的流逝。1997 年 10 月來了，又走了，沒有
不幸的事情發生。顯龍經歷了兩次重大的危機。

1985 年 12 月，顯龍跟在國防部擔任工程師的何晶結婚。她
在 1972 年獲頒總統獎學金，隨後在新加坡大學考獲工程一等榮
譽學位。目前她在政聯公司新加坡科技擔任總裁。這是段美滿的
婚姻，他們生下兩個兒子，何晶也把顯龍的另外兩個孩子視如己
出。

顯揚的妻子林學芬是新加坡人，在劍橋大學格頓學院念法
律，也考獲一等榮譽學位。他們育有三個兒子。在武裝部隊服務
15 年後，顯揚被外調到新加坡電信公司。他的常任秘書曾要求
他加入公共服務部門擔任行政官，因為他極有可能在不久後升任
常任秘書，也有成為公務員首長的潛能。他比較喜歡企業界的挑
戰，所以選擇加入新電信。後來他升任總裁，又有評論指我任人
唯親。如果他升職是因為我的關係，那麼對他本人和對我所建立
起來的任人唯賢制度而言，真是徹底的失敗。他的表現如何，跟
他在一起工作的官員和他的同事會更清楚，基金經理也一樣清
楚。新電信的股價並沒下跌。幾年下來，跟主要國際電信公司
的主席和總裁接觸過後，一切有關他依靠裙帶關係的言論全

我們一家每年都在華人農曆新年（春節）除夕夜聚首吃團圓飯。這是我和
芝於 2000 年 2 月 4 日農曆新年除夕，與弟妹和子孫們吃團圓飯之前與子
孫們合拍的家庭照片。後立者左一和左二是次子顯揚夫婦，左五和右五是
長子顯龍夫婦，右四是女兒瑋玲。

消失了。

　　1983 年，在我提出女性大學畢業生沒結婚的課題的許多年
前，孩子們還在求學時，我和芝就告訴他們，在他們結婚之後，
如能看到孩子的智力同父母一樣，那麼，他們一定會感到很幸
福。後來，他們選擇的配偶都跟自己旗鼓相當。

　　瑋玲選擇當神經病學科醫生，在陳篤生醫院全國腦神經學院
擔任副主管（臨床服務），她跟許多同輩的大學畢業女生一樣依
然未婚。亞洲家庭的未婚子女都跟父母同住，瑋玲也不例外。她
經常到國外出席神經病學科會議，忙於進行關於癲癇症和孩童學

習障礙的研究工作。

保持密切的家庭關係

我們始終保持密切的家庭關係。他們星期日回來吃午餐,小
男孩們片刻都停不下來,在客廳裏喧鬧搗亂。多數人都很疼愛他
們的孫子,結果也寵壞他們。我們也很喜愛孫兒們,但卻覺得他
們的父母過於放縱他們。也許我們對孩子的管教是嚴厲了一些,
不過這卻對他們有好處。

我的三個弟弟金耀、添耀、祥耀,妹妹金滿和我本人,有個
堅強、足智多謀和意志堅定的母親而深受其惠。她盡其所能,確
保我們受到最好的教育,發揮各自的才能。金耀跟我一樣在劍橋
大學的菲茨威廉學院修讀法律。後來,我們跟芝一起合夥開設李
及李律師樓。一年後,萊佛士學院和劍橋的老朋友埃迪・巴克加
入我們的公司。添耀成了股票經紀。祥耀到菲茨威廉學院去念醫
科,回國後自設診所,相當成功。金滿早婚。當家中碰到麻煩,
比如顯龍在 1982 年失去他的妻子名揚,以及在 1992 年患上癌
症時,弟妹們都會在我們身旁給與多方面的扶持和幫助。

我的弟妹們跟我特別親密。我不但是大哥,也協助母親做出
重要的決定。父親生性吊兒郎當,早在我還是少年時,母親就認
定我是代替父親的一家之主。直到今日,弟妹們還是把我這個大
哥視為一家之主。我們的大家庭每年至少聚會兩次,一次是在農
曆除夕吃團圓飯,另一次是在陽曆新年。他們會到我的歐思禮路
住家探望我。舉凡家裏有什麼大事,比如添了個孫子,我們都會
互相通知,保持聯繫。如今,我們都六七十歲了。每當有人生
病,醫生都會通過檢查,確定其他人沒被類似的病痛折磨,因為
我們體內都有父母的基因。我們五人當中,三人已年過七旬,超
出了《聖經》所說的人壽之期,我們都感到很欣慰。

43 後記

我很幸運，因為我有一組能力很強的部長，而且大家有共同的理想。他們都很能幹，決心要實現共同的目標。核心成員在一起工作了 20 多年，吳慶瑞、拉惹勒南、韓瑞生和林金山都非常傑出。他們都比我年長，而且有話直說，不怕冒犯我，尤其是當我犯錯時，他們更是直言不諱。他們幫我保持客觀和平衡，使我避免了因長時間擔任領導角色而變得妄自尊大。

還記得六歲時，有一次坐著牛車到祖父的橡膠園去。牛車的木輪裹著一層金屬皮，沒有彈簧或避震器，經過一段黃泥路，一路上顛簸得厲害。50 年後，1977 年，我從倫敦乘坐超音速客機到紐約只需三個小時。科技改變了我的世界。

　　過去 50 年政治動盪劇變，期間我就唱過四首國歌：英國的《天佑吾王》、日本的《君之代》、馬來西亞的《我的國家》，最後是《前進吧，新加坡》。外國軍隊來來去去，包括英國人、澳洲人、印度人，還有帶著台灣人和朝鮮族輔助部隊的日本人。戰後，英國人回到新加坡，同叛亂的共產黨人鬥爭。之後新加坡獨立了。接著印尼跟馬來西亞展開對抗，我也被捲入政治變革的大洪流中。

　　如果我和我的同僚在 1954 年 11 月成立人民行動黨的時候，早料到將面對許多風險，我們還會不會繼續上路？要是我們知道前方的路途是如此崎嶇不平，困難重重，我們就不會在五〇年代懷著滿腔熱忱和充滿著對未來的憧憬踏入政壇。當時我們可以感覺到，新馬兩地的華人對共產中國的成功都深以為榮。我們這一小群受英文教育的殖民地資產階級分子，沒有跟占多數的講方言的華人溝通的能力，卻在五〇年代不顧後果地投入洪流。我們怎麼可能跟馬來亞共產黨較量，爭一日之長短？但是，在那個時候，我們並沒想到這些。我們一心只想著要趕走英國人。

　　我們勇往直前，無視眼前的危險。心底的欲望強於理智的壓抑，一旦陷入其中，我們就被吸進更深的鬥爭漩渦裏。跟共產黨人的鬥爭比我們所預料的還來得早。我們得應付共產黨公開戰線的工人、學生和文化團體，地下武裝力量是他們的後盾。1963 年我們跟馬來亞合併成馬來西亞，解決了共產黨人引起的問題，之後卻發現，巫統馬來領導層中的馬來極端分子要建立的，是個由馬來人支配的社會。種族暴亂和無休止的衝突接踵而來，最終

我們只好在 1965 年分家獨立。我們隨即面對印尼的對抗。1966
年對抗結束後，英國人在 1968 年宣布要把他們的軍隊撤走。我
們克服了一個困難，緊接著就碰到更教人心寒的難題。好多時
候，前途看來是無望的了。

　　作為剛掌政的新手，我們就吸取了不少寶貴的經驗。我們從
沒停止從實踐中學習，因為，時局不斷在改變，我們需要根據變
化調整我們的政策。對我有利的條件是，我的幾位部長吳慶瑞、
拉惹勒南、韓瑞生都博覽群書，會被新思想所吸引卻不被迷惑。
我們互相交換自己看過的有趣的書籍和文章。起步時，我們都很
無知單純，幸好我們處事謹慎，經常質疑，並對新概念進行實驗
後才加以推行，以免惹來麻煩。

命運就在彼此手中

　　我們的同志情誼就是在這種緊張的壓力下建立起來的。面對
接踵而來的危機，我們的命運就在彼此手中。我們必須互相信
任，了解彼此的強處和弱點，並把它們列為考慮的因素。我們辦
事不採取先試探民意的作法。為了讓新加坡成為一個非共、非種
族主義而且能夠獨立生存的社會，我們的做法是實行必要的政
策，並爭取人民支持這些政策。

　　我很幸運，因為我有一組能力很強的部長，而且大家有共同
的理想。他們都很能幹，決心要實現共同的目標。核心成員在一
起工作了 20 多年，吳慶瑞、拉惹勒南、韓瑞生和林金山都非常
傑出。他們都比我年長，而且有話直說，不怕冒犯我，尤其是當
我犯錯時，他們更是直言不諱。他們幫我保持客觀和平衡，使我
避免了因長時間擔任領導角色而變得妄自尊大。我的班子還包括
杜進才、王邦文、埃迪·巴克、楊玉麟、肯尼·貝恩和奧斯曼
渥，他們個個都是有才能的正人君子，都獻身於同一事業。

　　1959 年開始執政時，對於如何管理政府，如何解決許多經濟和社會問題，我們只略知皮毛。我們所有的是一個強烈的願望，要把一個不公平和不公正的社會改變得美好。要實現這個理想，我們必須贏得政權，之後，還得確保人民會支持我們，讓我們能把未完成的工作做完。

　　我選出有才幹的人，安排他們擔任領導的職位，如部長和高級公務員，管理一個廉潔和有效率的制度，並能體恤人民的需要。我們一方面要工人繼續支持我們，但是同時也需要滿足投資者的需求。他們投下資本，傳授知識和管理技巧以及開拓海外市場，使得我們在沒有馬來西亞這個傳統腹地的情況下仍能活命生存。

　　我們邊工作邊學習，而且很快就上手。如果說我們的成功有秘訣，那應該是我們無時無刻不在想方設法把工作做好或做得更好。我一向都不會為理論所困，理性判斷和現實情況才是我的照明燈。我測試一個理論或計畫的方法是：它是否行得通。這是我執政這些年來一以貫之的原則。要是發現一個理論或計畫行不通或者效果不理想，我不會再浪費時間或資源。我幾乎不曾重犯同樣的錯誤，也常吸取別人犯錯的教訓。執政初期，我很快就發覺我的政府所碰到的困難，其實甚少是其他政府未曾碰到過或未曾解決了的。所以，我養成習慣，一定要去找曾經碰到類似問題的政府，了解他們碰到問題是怎麼應付和解決的。不論是建造新機場或是改變我們的教學方法，我都會先派遣一組官員到那些取得成功的國家訪問考察。我總喜歡借鑑和參考別人的經驗。

我們的運氣相當好

　　現在回想起來，我們的運氣相當好，我們採取的一些高風險政策和行動，並沒使新加坡受到更大的傷害。首先，我們得跟共

產黨人組成統一戰線，在此期間，我們極可能像戰後波蘭和捷克的社會民主黨人那樣被吞噬。接著，我們天真地以為，單靠選民數目平衡的力量就可以逐步促成一個不那麼強調種族主義的馬來亞社會。時間證明了共同的經濟利益也左右不了種族效忠。後來，由於經濟前景黯淡，我批准一家煉油公司在岌巴港碼頭旁邊設廠，這等於是在我們主要的經濟資產旁邊放一條危險的導火線。我們本要在 1965 年就推行以英文為工作語言的全國教育政策，但是五〇年代的華校中學生暴亂給我們留下難以磨滅的印象，所以我們遲至 1978 年才這麼做，許多華校生在經濟上的出路因此受影響。

我也學會不理那些專家和有幾分像但實際上不是專家的人，尤其是那些鑽研社會學和政治學的學者的批評和意見。他們總有一套自己喜歡的理論，認為社會應該根據他們理想中的模式發展，尤其是在消除貧困和擴大福利方面。我總會嘗試做到凡事正確，但卻不是政治上正確。駐新加坡的外國通訊員代表著西方媒體的觀點，他們竭力宣揚自己的看法，批評我的政策，目的在於影響選民和政府。還好我們的人民跟政府一樣講求實際。

如果我繼續當律師，沒從政，我會不會跟現在截然不同？我想我的工作經驗不會比現在豐富，視野肯定會比較狹窄。從政就必須觸及整個人類社會的問題。有道是「麻雀雖小，五臟俱全」，新加坡也許很小，可不論是在國內或國際上，我們的需求跟任何其他大國沒什麼兩樣。我所負責的工作，讓我對人類社會有廣泛的認識，也讓我懂得放眼世界，這是一名律師所不可能具有的。

我也絕對不容許自己忘記新加坡在東南亞的特殊處境。我們的生存之道是，必須比本區域的其他國家更有條理、更有效率和更具競爭力，否則我們根本沒條件成為發達國家和發展中國家之

間的樞紐。凡事在經過全面的分析和爭論後，最終我總是以什麼
在新加坡行得通這樣的直覺來下判斷。我說服人民把英國人趕走
然後加入馬來亞，結果卻是被趕出馬來西亞。從此以後，確保新
加坡成功並為人民創造美好的未來，就成了我們的責任。

　　一組團結和有決心的領袖獲得講求實際而且刻苦的人民的信
任和支持，所以我們成功了。時常有人問我，1965 年獨立時，
新加坡的國內生產總值只是 30 億新元，我可曾預料到以 1965
年的幣值計算，1997 年的國內生產總值會增加到 460 億新元，
相當於 1965 年的 15 倍；而且，根據世界銀行的統計，1997 年
的人均國民生產總值在世界排名第八？對於這樣的問題，我的答
案是我從來沒想過。我怎麼可能預見到科學和科技，特別是在交
通、電信和生產方式方面會把世界縮小呢？

　　新加坡進步的故事反映了工業國的進步、發明、科技、企業
精神和進取心。它是人類為增加財富和改善生活而開拓新領域的
故事的一部分。1819 年，東印度公司的史丹福・萊佛士發現了
一個只有大約 120 個漁民的小島，之後把它發展成一個從印度
走水路到中國必經的商業中心。國際貿易促使這個英帝國在東南
亞的商業中心蓬勃發展。隨著輪船取代帆船，1869 年蘇伊士運
河通航，交通量增加許多，新加坡的經濟也日益增長。

　　日本占領時期（1942—1945 年），戰爭嚴重影響航運，航
道也被封鎖，貿易驟然下降，糧食和醫藥用品短缺，百萬人口中
有半數逃到馬來半島和廖內群島。留下來的人大多數都吃不飽。
後來，聯軍在 1945 年 8 月取得勝利，航運恢復正常，糧食、藥
品和其他日常用品的供應也相應恢復，之前離開的人們也回來
了。貿易和投資使經濟復甦。

　　每當一種科技有所突破，新加坡也跟著改進，比如集裝箱
運、航空和空運、衛星通信和洲際光導纖維。未來 50 年，科技

革新將帶來巨大的改變。資訊科技、電腦和通信以及它們的廣大
用途，微生物學、基因療法、克隆和器官複製的革命性發展，都
將徹底改變人類的生活。新加坡人必須能夠快捷地採擷這些新發
明為己所用，這樣才有辦法在傳播它們的用處方面扮演一定的角
色。

　　通過跟外國人接觸，新加坡人學得很快。我們派比較聰明的
學生到發達國家去深造，起初是由這些國家頒發獎學金，後來由
新加坡政府頒發。我們也發覺，這些先進社會因為實行沒有節制
的社會和福利政策而面對越來越多的社會問題。別人付出了代
價，我從中吸取教訓。我接觸過許多能幹的外國領袖，他們成了
我的良師益友，讓我對這個世界有更深入的了解。

　　物色一組人來接替我和我的同僚，其困難的程度跟把獨立後
的新加坡發展起來幾乎不相上下。第二代領導人給政府注入一股
清新的活力和熱忱。這批新領導人的經驗和思想跟年輕一代的國
人比較接近，能領導新加坡邁入新千年。看著他們逐步建立自
信，邁步前進，我感到無限安慰。

　　新加坡會有怎樣的前途？城市國家的生存紀錄一向都不怎麼
好。希臘城邦國家已經不存在，它們大多並未消失，而是被腹地
吸納成為更大的實體。雅典城邦也不見了，但是雅典城市作為希
臘的一部分仍然存在，帕台農神廟則是過去雅典人成就的見證。
其他大國的好些城市都遭到洗劫和破壞，它們的人民不是被滅絕
就是被驅散，不過由於國家繼續存在，新的市民把城市重建起來
並且在那裏生活。新加坡這個獨立的城市國家是否會消失？新加
坡島本身不會。可是，作為能走自己的路，能在世界舞台上扮演
一個角色的主權國卻可能會消失。

　　萊佛士在 180 年前建立現代的新加坡，但是，在 1965 年以
前的 146 年裏，這個小島卻只是英國統治者的一個前哨。它因

為對世界有用而繁榮興旺。新加坡是全球大都會網絡的一部分，
先進國家的成功企業都已在這些城市設立業務。新加坡要維持獨
立國家的地位，需要一個勢力均衡的世界，在這樣的世界裏小國
才有生存的空間，不會讓較大的國家征服或併吞。

　　亞太區域的和平與穩定有賴於美國、日本和中國三角關係的
穩定。中日兩國有地緣政治上的利益衝突，它們之間的關係一直
為日本侵占過中國的歷史所影響。日本人同美國人之間有較多的
共同利益。美國跟日本之間以及它跟中國之間的關係如果能取得
平衡，將為東亞其他國家的關係設定一個整體架構。要是整體能
有個平衡，本區域的前景將會很不錯，新加坡也能繼續對這個世
界有所貢獻。

　　五〇年代我開始我的政治生涯時，並不知道我們會屬於冷戰
後勝利的一方，也沒想到新加坡會因穩定和積極辦企業，加上跟
西方聯繫，而能享受到經濟和社會的進步。我們經歷了巨大的政
治、社會和經濟的變化。從 1965 年獨立到 1971 年英軍撤退，
是最艱難的時期。直到英軍主要單位都撤走了，卻沒出現嚴重的
失業問題時，我才覺得我們沒那麼脆弱。

　　未來充滿希望，也充滿變數。工業社會正在讓位給知識社
會，新的分野將是有知識或是沒知識。我們必須加倍努力，使自
己成為知識世界的一員。過去 30 年，我們成功，但並不表示今
後也會一帆風順。不過，只要我們堅持那些使我們進步的基本原
則，失敗的可能性便大大減少。這些原則包括通過分享成果維繫
社會和諧、人人機會均等、唯才是用。尤其是政府領袖，必須由
最能幹的男女擔任。

鳴　謝

　　1995 年陳國強開始為我的回憶錄蒐集資料。為了協助我，他從行政服務部被借調到新加坡報業控股。總理吳作棟同意我向政府部門和檔案館索閱有關的資料和文件。總理公署的註冊官呂靜卿和她的助手張桂玉、瓦伊嘉燕蒂瑪拉，不遺餘力地一一找出我所需要的文件和資料。在《海峽時報》工作的方月珠和年輕的政治科學系畢業生張家菘從旁協助陳國強，徹底地翻查政府保存的文件、重要會議紀錄、信件和其他有關的文件。其中最有用的是我在會議和對話後即時口述的紀錄。

　　陳國強很能幹而且點子多。他負責協調研究人員的工作，組織資料，使我的工作方便很多。方月珠迅速而有效率地從《海峽時報》的資料室和檔案館找出有關的新聞報導和講稿。1997 年，隨著工作的擴展，報業控股的華特和林清美，以及新加坡國立大學的吳愛珍博士也加入了資料蒐集小組。

　　外交部官員潘內爾・塞爾萬協助找出我跟外國領袖的交往紀錄。國家檔案館館長陳羅玲俐提供了許多很有用的文件和徵得當事人同意讓我翻閱的口述歷史謄錄本。國大圖書館、國家圖書館及《海峽時報》資料室的職員，也同樣熱心地給與協助。

　　《每日郵報》前通訊員約翰・迪基提供了不少寶貴的意見，尤其是什麼課題會引起英國讀者的興趣。我的好友熱拉爾德是紐西蘭前駐新加坡最高專員，後來出任國防部長，他也提了好些不錯的建議。

　　《海峽時報》的新聞工作者——張業成（總編輯）、韓福光、華仁、祖雷達、黃碧雲和蔡美芬提出許多修改的

建議，使回憶錄更加容易閱讀，特別是那些對我所敍述的
歷史事件一無所知的讀者。

《聯合早報》總編輯林任君把還未翻譯成華文的初稿
全部通讀過。從前也在《聯合早報》工作，目前在全國職
工總會任職的成漢通一遍又一遍地看過不同階段的初稿，
才敲定要譯成華文的文稿。

《每日新聞》總編輯貢圖爾、社會發展及體育部長阿
都拉、高級政務次長再諾以及政務次長麥汀和雅國，針對
所有涉及馬來民族的篇章提出了自己的看法。我一直設法
避免無意中傷害馬來同胞的感情。

我的老朋友和舊同僚吳慶瑞、林金山、王邦文、奧斯
曼渥、李炯才、拉欣依薩、莫里斯・貝克、沈基文、納丹
（我們的現任總統）和嚴崇濤，先後閱讀了草稿中的有關
部分，幫我確定或糾正我回憶中的事件。

紀梭（常駐聯合國代表）、陳慶珠（駐美國大使）、
比拉哈里（外交部副秘書）、許通美（巡迴大使）和李曹
圓（政策研究院院長）也閱讀過初稿。作為外交官、作家
和學者，他們提供的寶貴意見使我更加突出了本書的重
點。

時報出版社文字編輯劉詩娃對文字進行了一絲不苟的
審閱、定稿。

我的三名私人助理黃蓮好、盧福德和許建星勤奮地不
停工作，往往到晚上還得繼續進行修訂、校正。他們已超
出了工作的本分。對以上和其他無數無法一一提及的人，
我由衷地表示感謝。本書的失誤都由我個人負責。

跟上冊一樣，我的妻子芝多次一頁頁地閱讀，直到她

認為我的文字清楚易讀為止。

　　為了讓國內外華文讀者也能在第一時間讀到我的回憶錄，我決定將華文版和英文版同時出版。

　　由成漢通領導的一組《聯合早報》的資深新聞工作者，配合我的撰寫進度，及時把英文初稿譯成華文，並隨時根據我的修訂稿修改華文譯文。

　　吳俊剛與汪惠迪兩位對華文譯稿做了大量的修飾工作，務必使譯文在忠於原著的同時，能讓新加坡和國外的讀者，尤其是中國、香港、台灣和馬來西亞等地的讀者讀來輕鬆，不致誤解。我特別感謝他們。

　　在執行編輯白士德的協調下，文字編輯莫潔瀛與王美燕，翻譯梁文寧、林琬緋、陳慧霞與李慧玲，美術編輯李智松，圖片編輯尹伯佳，資料研究和索引編輯韓山元與郭品芬，對他們各自所擔任的工作充滿熱忱，力求把它做好。

　　除了他們，我也要感謝《聯合早報》總編輯林任君、南洋理工大學中華語言文化中心主任周清海教授、我的新聞秘書楊雲英女士，還有張清江。他們都通讀了我的初稿和華文譯稿，並提供意見。

　　他們每一位都力求使這部回憶錄華文版的文字、版面設計與編排達到理想的水平。

李光耀紀事年表

1923 年 9 月 16 日	在新加坡甘榜爪哇路 92 號家中出生。
1936 – 1939 年 1940 – 1942 年	在萊佛士書院和萊佛士學院求學。
1942 年 2 月 15 日	新加坡淪陷。
1942 – 1945 年	日本統治新加坡。
1946 – 1950 年	留學英國劍橋大學攻讀法律，並在倫敦獲得執業律師資格。
1948 年 6 月	馬來亞和新加坡宣布進入緊急狀態。馬來亞共產黨轉入地下。
1950 年 8 月	由英國返回新加坡。
1950 年 9 月	同柯玉芝結婚。
1950 – 1959 年	執業當律師，出任多個工會的法律顧問。
1952 年	長子顯龍出世。
1954 年 11 月	人民行動黨正式成立，當選秘書長。
1955 年	女兒瑋玲出世。
1955 年 4 月	在根據林德憲制舉行的大選中，當選進入新加坡立法議院，成為反對黨領袖（人民行動黨贏得三個議席）。
1956 年 5 月	參加由首席部長馬紹爾率領的首個各政黨憲制代表團到倫敦進行爭取自治的談判。談判失敗，馬紹爾辭職，林有福接任首席部長。
1956 年 10 月	勞工陣線政府肅清和拘留共產黨統一

	戰線領袖。林清祥、方水雙和蒂凡那等被捕。
1957 年	次子顯揚出世。
1957 年 3 月	參加由林有福率領的第二個各政黨憲制代表團到倫敦談判，達成自治協議。
1957 年 8 月 31 日	馬來亞聯邦獨立。
1957 年 12 月	人民行動黨參加市議會選舉，贏得 13 個議席。
1958 年 3 月	同共產黨地下組織領袖方壯璧（馬共全權代表）進行第一次秘密會談。
1958 年 5 月	參加各政黨憲制代表團第三次到倫敦談判，雙方對成立新加坡自治邦的憲法達成協議。
1959 年 5 月	人民行動黨參加在新憲制下舉行的第一次自治邦議會大選，在 51 個議席中贏得 43 席。
1959 年 6 月 4 日	馬共公開戰線領袖林清祥、方水雙和蒂凡那獲釋。
1959 年 6 月 5 日	人民行動黨執政。宣誓就任新加坡自治邦首任總理，時年 35 歲。
1961 年 5 月	東姑阿都拉曼呼籲馬來亞、新加坡和婆羅洲地區在政治和經濟上建立密切的合作關係。

1961 年 8 月	人民行動黨分裂，黨內的親共分子在李紹祖醫生領導下成立社會主義陣線（社陣）。
1962 年 9 月	對是否要同馬來西亞合併，進行全民投票。選民支持新加坡加入馬來亞。
1962 年 11 月	開始下鄉訪問全國 51 個選區。
1963 年 2 月	一批共產黨人及其支持者在「冷藏行動」中被拘捕。
1963 年 9 月 16 日	馬來西亞成立，成員包括馬來亞、新加坡、砂勞越和沙巴。印尼對馬來西亞展開「對抗」行動。
1963 年 9 月 21 日	新加坡大選，人民行動黨獲勝，並在全部三個以馬來人為主的選區裏擊敗新加坡巫統。
1964 年 3 月	人民行動黨派出九名候選人參加馬來西亞大選，只贏得一個議席。它同聯邦政府的關係惡化。
1964 年 7 月 21 日	回教先知穆罕默德誕辰紀念日發生種族暴亂。
1964 年 9 月	發生更多種族暴亂。
1965 年 5 月	人民行動黨召開馬來西亞人民團結總機構大會，宣揚「馬來西亞人的馬來西亞」概念。

1965 年 1 － 7 月　　修訂馬來西亞憲法的嘗試失敗。

1965 年 7 月　　　　東姑阿都拉曼在倫敦決定新加坡必須
退出馬來西亞。

1965 年 8 月 9 日　　新加坡脫離馬來西亞獨立。

1968 年　　　　　　領導人民行動黨參加獨立後第一次大
選，奪得國會全部 58 個議席，總得票
率是 84.43%。本身以 94.3%的得票率，
第五度當選丹戎巴葛區議員，繼續擔
任總理。

到溫哥華和哈佛大學進修三個月，並
考察美國的總統選舉，同時研究美國
的社會與政治制度。

1972 年　　　　　　領導人民行動黨參加大選，奪得全部
65 個議席，總得票率是 69.2%。本身以
82.5%的得票率，第六度當選丹戎巴葛
區議員，繼續擔任總理。

1973 年　　　　　　把在國外演講所得的演講費悉數捐給
教育部，以所得利息設立「總理書籍
獎」，每年頒發給雙語學習表現特出的
學生。

50 歲生日，全國職工總會出版論文集
《朝向明天》作為獻禮。

1976 年　　　　　　領導人民行動黨參加大選，奪得國會
全部 69 個議席，總得票率是 72.4%。本

	身以 86.9%的得票率，第七度成為丹戎
	巴葛區議員，並連任總理。
1980 年 8 月	母親蔡認娘女士去世。
1980 年 12 月	領導人民行動黨參加大選，贏得國會
	全部 75 個議席，總得票率是 75.55%。
	本身以 90.6%的得票率，第八度當選丹
	戎巴葛區議員，繼續擔任總理。
1983 年	60 歲生日，全國公私部門和民間團體
	舉行宴會祝壽。
1984 年	第一次在大選中無對手當選，第九度
	擔任丹戎巴葛區議員，繼續擔任總
	理。
1988 年	在大選中以 79.4%的得票率，第十度當
	選丹戎巴葛區議員，第八度出任總
	理。
1990 年 11 月 28 日	吳作棟接任總理。繼續留在內閣，擔
	任內閣資政。自 1959 年 6 月起，擔任總
	理長達 31 年又 5 個月。
1991 年	參加大選，在無對手的情況下連任丹
	戎巴葛區議員。
	民間舉行「全國人民向李光耀先生致
	敬」的盛大晚宴，有 4000 人出席。
1992 年 11 月	辭去人民行動黨秘書長職位。除了
	1957 年一小段時間之外，先後擔任這

	個職位長達 38 年。
1993 年 8 月 28 日	舉行首次民選總統選舉，前副總理、全國職工總會秘書長王鼎昌當選，9 月 1 日履任。
1997 年	連任丹戎巴葛集選區議員，續任內閣資政至今。
1997 年 10 月	父親李進坤先生去世，享年 94 歲。

名人讀《李光耀回憶錄》
25 位世界級領袖強力推薦

聯合國秘書長安南

「這部著作表達了所有發展中國家要從第三世界步入第一世界的抱負，能真正做得到的卻不多。新加坡正是少數成功的例子。新加坡的開國之父李光耀，親自紀錄小島獨立初期的種種歷程，對其他發展中國家的人民和關注新加坡發展的人，都有很大的啟發。回憶錄簡明清晰，直敘的獨特寫法讓人耳目一新，扣人心弦。」

韓國總統金大中

「每一次跟李光耀先生見面，他的智慧、視野，以及對歷史和社會的深刻了解，都讓我留下深刻的印象。無論你是站在哪種政治立場，你都能從這部回憶錄中看到一位深具政治眼光的領袖，怎樣在世界政局的洶湧潮流中，把一個彈丸小國發展成繁榮興盛的現代社會。你也能讀到他對亞洲和世界的精闢見解，句句都給人深深的啟發。」

泰國首相川呂沛

「李光耀資政是位眼光獨到、才識過人的領袖，新加坡能取得今日的成就，他是厥功至偉的奠基人。身為亞洲最出色的領導人之一，他為促進東南亞各國的經濟聯繫做了很大的貢獻。《李光耀回憶錄》下冊，條理清晰、內容精彩，為這個區域的歷史和政治局勢提供了許多發人深省的新觀點、新詮釋。」

中國香港特別行政區行政長官董建華

　　「李光耀確實是我們這個時代的一位巨人。在過去近
50 年裏，李資政帶領新加坡渡過了一個又一個的經濟和政
治難關。他的遠見和理念不僅影響新加坡，也將影響整個
亞洲的世世代代。」

台灣行政院前院長郝柏村

　　「李光耀為世界級的華人政治家，不僅創建了民主法
治、繁榮安和樂利的新加坡共和國，且對亞洲華人社會
（包括中國大陸與台灣）的政治經濟發展，提供了成功的
榜樣，為全球華人帶來了希望與信心。」

台灣海峽交流基金會董事長辜振甫

　　「從新加坡今日的成就，可以看出李光耀資政不僅是
位傑出的政治家，也是位難得的教育家。李資政深知新加
坡只有人力資源，因此全力培育人才，並將大部分精英成
功引進政府部門和帶領他們創造出新加坡這麼一個追隨理
想、機會平等的社會。」

新聞集團主席兼總裁魯珀特・默多克

　　「過去四十多年，李光耀把一個貧困衰落的殖民地發
展成富裕興盛、光芒四射的現代大都會──期間充滿敵意
的列強始終虎視眈眈。他才識過人，聰明敏銳，是世界上
一位最能直抒己見又德高望重的政治家。任何人要研究現
代亞洲，都非讀此書不可。」

升陽微系統總裁斯科特‧麥克尼利

「在他的諸多貢獻之中，李光耀最值得肯定的一大功績就是，激勵新加坡迅速引進資訊科技。在他的領導下，新加坡的政府機構不再以現款發薪，改用直接存儲方式；學校全面電腦化，每兩名學生配一台電腦；家家戶戶也同寬帶網絡連接起來。最重要的是——他是個出色的講故事的人。」

思科系統總裁約翰‧錢伯斯

「人類生命裏有兩個平衡要素：互聯網和教育。李光耀資政身為世界領導人，深明這個道理，並善於利用互聯網的力量，讓新加坡在網絡經濟裏重新定位，求存、成功。對新加坡綜合網的計畫，我也致以最高敬意，這個計畫把寬帶網絡服務帶到全島的每一家每一戶，為所有公民提供一個公平競爭的競賽場。李資政的回憶錄扣人心弦，描述了他如何重新塑造新加坡，把資訊科技引進本國的商界、政界和家庭。」

前西德總理舒密特

「當我在20年前第一次會見新加坡總理李光耀時，就對他留下深刻印象。我深為李光耀這個人所吸引，直到今天還是如此。他是非凡的，因為他對全球的政治和經濟動態瞭如指掌。他也是個英明和精細的政治家。美國和歐洲國家的許多領袖都從他的智慧中獲益，特別是他對中國作為世界強國的評價，以及他對自己堅信的亞洲價值觀的分

析與說明。」

美國前國務卿舒茲

「坦率、靈通、強有力和英明，這些評語都説明了為何全球領袖都要接觸李光耀，這些字眼用來形容他美妙的回憶錄也很貼切。你可以在這部回憶錄中獲得許多啟示：如何衡量環球權勢和政治的演變；如何分析錯綜複雜的問題以及如何領導人民。這是由一個非凡的人所寫的一部震撼力十足的著作。」

美國前國務卿季辛吉

「李光耀讓這一代每位同他交過手的美國領袖都受惠。因為他在國際事務上堅決把自己國家的未來同民主國家的命運放在一起，不是消極地、被動地，而是積極地對我們這個時代的種種鬥爭，做出了重大的政治貢獻。」

印尼前外長莫達

「李光耀先生是一位有遠見的人物，也是第二次世界大戰以來最出色的政治家之一。作為一個目標明確和具有奉獻精神的領袖，他把一個城市國家發展成一個現實中的成功故事。」

泰國前外長西迪將軍

「如何把危機轉變成契機，區別了一個能幹的領袖和普通人。《李光耀回憶錄》反映了這位偉大領袖的生涯和他的

憧憬，它很生動地描述了他如何把多元的移民社會，建設成
繁榮昌盛的國家。每個人都可以從這部精彩的回憶錄中學習
到東西。我一向仰慕李光耀，現在還有他的書。」

澳洲前總理霍克

　　「不管你是否同意李光耀的所有看法、判斷和分析，
這是一部想要了解亞洲人思想傾向的人所必讀的書。李光
耀本著超過40年的領導經驗和卓越思維，為我們提供了精
彩的歷史闡述。」

澳洲前總理基廷

　　「在過去超過半個世紀，李光耀不只為新加坡，也協
助所有住在這個區域的人創造了歷史。這部著作中的一點
一滴所體現的洞察力、嚴肅性、信念與才智，都是我們可
以從它知名的作者那裏期望獲得的。」

紐西蘭前總理隆依

　　「李光耀擁有吸取東西方文化精髓的獨特能力，客觀而
不盲從主流，創造了一個反映他的形象的國家，並得到了人
們的崇敬。他的文風就如他的為人一般謙虛、誠懇而不誇
大。」

美國前總統福特

　　「李光耀是太平洋地區偉大的政治家之一。他的回憶
錄極富魅力與挑戰性。無論是他的擁護者或反對者，都會

發現這是一部好書。」

紐西蘭前總理博爾杰

「任何想要了解新加坡和亞洲的人，都必須閱讀《李
光耀回憶錄》。他很正確地指出『沒有一本書能教你如何
建設一個國家』，但他自己的故事陳述了他如何在新加坡
這個小島上創建了一個新的國家。」

英國前首相卡拉漢

「李光耀作為漫長而多變的時代裏一位成功的新加坡
領導人，對亞洲和世界事務的獨特判斷引人深思。他的言
論總是博得西方領導人聚精會神，仔細聆聽。這部書正說
明了這一點。」

英國前外長卡林頓

「世界上大概只有李光耀和季辛吉博士兩位政治家，
在卸下領導職務後，仍然繼續受到世界各地所有政府和首
長的歡迎。這說明了李光耀名聲的響亮。

他的回憶錄紀錄了這個成功人物極富戲劇性的人生經
歷。這是一個富有魅力的人物所經歷的一段富有魅力的人
生。」

英國前財長希利

「李光耀是20世紀最傑出的政治家之一。他吸收了中
華文化和英國傳統中最優良的部分，然後憑著過人的才

智，把政治實用主義提升到一個新的境界。這使新加坡得
以成為一個值得亞洲，甚至亞洲以外國家學習的模範城市
國家。這部回憶錄是一座由智慧和史料堆積而成的礦山，
它等待著聰明的政治人物去挖掘。」

英國駐中國前大使、保守黨「中國通」柯利達

「李光耀是世界上治國者的表率。他的回憶錄講的不
只是他個人的政治生涯，當中還有許多吸引人的故事。回
憶錄也記載了一個小而脆弱的島國，如何轉變成一個現代
化的城市國家，這些都是對我們現在這個時代的一種最明
確的政治見解的寫照。那些要了解亞洲和全世界的人，不
可不讀這部回憶錄。」

英國《泰晤士報》前總編輯里斯‧莫格

「李光耀是位一手創造一個成功國家的治國者。他幾
乎認識每一個人，也成就了不可能成就的事業。他的回憶
錄就道出了真相。」

印尼前礦務與能源部長、石油輸出國組織前秘書長蘇布羅多

「簡短地說，他的個性可以用堅定、果斷、高瞻遠矚來
形容。他治理新加坡的方法，可作為治理任何一個社會的模
範，這對發展中國家來講尤其貼切。要把國家治理好，並不
代表要受歡迎；要受歡迎反而容易把治理國家的工作搞
砸。」

國家圖書館出版品預行編目資料

李光耀回憶錄(1965-2000)= Memoirs of Lee Kuan Yew(1965-2000)
／李光耀著. -- 初版 -- 臺北市：
世界，2000〔民 89〕
面；公分
ISBN 957-06-0217-1(精裝)
1.李光耀－傳記

783.878   89012250

李 光 耀 回 憶 錄 (1965～2000)

Memoirs of Lee Kuan Yew (1965～2000)

624-
2345

著者／李光耀

發行人／閻初

發行者／世界書局

登記證／行政院新聞局局版臺業字第 0931 號

地址／台北市重慶南路一段九十九號

電話／(02)23113834 · 23110183

傳真／(02)23317963

網址／www.worldbook.com

郵撥帳號／0005843～7 世界書局

封面設計／王永慶

印刷者／世界書局

出版日期／2000 年 9 月 16 日初版一刷

定價／560 元

本著作與新加坡聯合早報／

聯邦出版社（新）私人有限公司合作出版

◎版權所有 · 翻印必究

◎本書如有缺頁、破損、倒裝，請寄回更換